DU MÊME AUTEUR

À L'AUBE DU FÉMINISME. LES PREMIÈRES JOURNALISTES, Payot, 1979.

SECRETS D'ALCÔVE : UNE HISTOIRE DU COUPLE DE 1830 À 1930, Hachette littératures, 1983/réédition Complexe, 1990.

L'AMOUR À L'ARSENIC : HISTOIRE DE MARIE LAFARGE, Denoël, 1986.

LA VIE QUOTIDIENNE DANS LES MAISONS CLOSES DE 1830 À 1930, Hachette, 1990.

LES FEMMES POLITIQUES, Seuil, 1994.

L'ANNÉE DES ADIEUX, Flammarion, 1995/réédition J'ai lu, 1996.

MARGUERITE DURAS, Gallimard, 1998 (Folio n° 3417).

À CE SOIR, Gallimard, 2001 (Folio n° 3795).

En collaboration :

MISÉRABLE ET GLORIEUSE. LA FEMME AU XIXe SIÈCLE (sous la direction de Jean-Paul Aron), Fayard, 1981.

AVIGNON : 40 ANS DE FESTIVAL (avec Alain Veinstein), Hachette, 1987.

AVANT QUE LA NUIT NE VIENNE (entretiens avec Pierre de Bénouville), Grasset, 2002.

DANS LES PAS DE HANNAH ARENDT

LAURE ADLER

DANS LES PAS DE HANNAH ARENDT

GALLIMARD

À la mémoire de Jacqueline Veinstein

Pour ma petite-fille Annah

Je me sens comme un animal à qui tous les accès sont fermés. Je ne peux plus me donner puisque personne ne me veut telle que je suis ; tous en savent plus que moi.

Hannah Arendt à Karl Jaspers,
le 19 février 1965.

INTRODUCTION

J'ai découvert Hannah Arendt il y a vingt-cinq ans en lisant son *Essai sur la révolution*, livre dans lequel elle propose, de façon saisissante, des pistes de réflexion politique en vue d'agir sur le monde et de le rendre plus humain, moins injuste. Ces pistes rencontraient mes interrogations du moment. Plus tard, j'ai lu son portrait de Kafka, ce fut une révélation. Elle y décrivait un homme si proche de nous qu'on l'entendait presque haleter devant l'effroi de ce qu'il pressentait. Hannah évoquait son devoir d'anticiper la destruction du monde contemporain par des phrases d'une force rare et faisait de cet immense auteur un membre de la communauté, un citoyen d'un monde nouveau à construire immédiatement. Je me suis alors dit que Hannah Arendt n'était pas seulement une intellectuelle, une philosophe, un écrivain, mais aussi, sans doute, une femme qui savait ce qu'était la souffrance, l'écartèlement entre soi et le monde, la déchirure intime. La lecture du reste de son œuvre n'a fait que confirmer cette intuition : Hannah Arendt, la femme déchirée, la femme partagée en deux, contrainte, tout au long de sa vie, de chercher sa place, tant intellectuelle que physique, entre la langue allemande et la culture juive, entre son amour pour Heidegger et sa vie d'épouse avec Blücher, entre sa passion pour la philosophie et son goût pour la politique, entre la *vita contemplativa* et la *vita activa*.

« Entre », c'est-à-dire : « entre deux bords ». Et toujours dans le risque extrême, dans sa vie personnelle comme dans ses engagements publics, et dans l'assomption d'une solitude qui n'était pas, chez elle, orgueil d'autosuffisance, mais méthode vitale d'approche de la vérité.

Hannah Arendt ne fait pas partie de ces intellectuels du XXe siècle qui ont changé de vérité, selon les époques et l'air du temps. Elle n'a jamais cédé à aucune idéologie et se méfiait comme de la peste de tous les *ismes*. Elle est et demeure aujourd'hui une intellectuelle libre, un exemple de courage et d'indépendance. Au nom de ses propres idées, seule, sans école ni soutien, elle a, pendant soixante ans, choisi de s'interroger sur ce qui produit le mal, ce qui va mal : les violences politiques, les totalitarismes, le conflit israélo-palestinien, la montée en puissance de la société de consommation, l'augmentation des réfugiés dans le monde, la réduction de l'espace public, la dégradation de nos libertés.

Hannah Arendt est la penseuse d'un aujourd'hui chaotique, celle qui sait diagnostiquer les causes du mal qui gangrène nos sociétés. Elle est aussi celle qui croit à la force du bien, aux ressources de notre humanité, à l'avenir d'un bien commun, au dépassement de nous-mêmes pour une société plus fraternelle. En elle, s'allient la volonté de croire en une loi morale partagée par tous et l'interrogation sur la fragilité des affaires humaines. Elle pense que nous avons la capacité d'agir et que notre liberté doit être inaliénable. C'est pour toutes ces raisons qu'elle nous est aussi précieuse. Irremplaçable est sa manière si proche, si frontale, d'interroger le monde en nous aidant à trouver des instruments de navigation pour comprendre ce qu'elle nommait elle-même « les sombres temps ».

Hannah Arendt, c'est la puissance de la pensée, mais c'est aussi la loyauté. Se plonger dans ses textes, rencontrer ses amis et découvrir des correspondances inédites, comme j'ai eu la chance de pouvoir le faire, a accru chez moi ce sentiment troublant de proximité avec cette femme qui, toujours, a dévoilé ses propres modes de fonctionnement, avoué ses incertitudes, assumé sa violence — quitte à subir des insultes —, revendiqué sa place de personne politiquement incorrecte, tout en sachant qu'elle en payerait chèrement le prix.

Cependant Hannah Arendt reste, aujourd'hui encore, mal connue du grand public. Sa notoriété ne dépasse que depuis peu les cercles universitaires. En France, on a entendu récemment le président de la République faire référence à elle, tandis que, à une heure de grande écoute, l'émission de télévision « Questions pour un champion » citait ses livres... En Allemagne, un timbre à son effigie a été édité, le train reliant Karlsruhe à Hanovre porte son nom et une rue Hannah-Arendt a été inaugurée à Berlin ; de nombreux colloques et séminaires se tiennent autour de son œuvre, et un prix Hannah Arendt, l'un des mieux dotés d'Europe, récompense les travaux d'un chercheur. Aux États-Unis, son œuvre nourrit plusieurs courants philosophiques et sociologiques, et il ne se passe pas une année sans que de nombreuses thèses ne lui soient consacrées. En Israël, elle suscite les passions, provoque l'engouement, mais attise encore la colère de celles et ceux qui, pour paraphraser Gershom Scholem, lui reprochent de ne pas avoir apporté les preuves de son amour pour le peuple dont elle est la fille.

Mon récit voudrait donc faire mieux connaître Hannah Arendt, tenter de restituer sa force et son courage dans les combats qu'elle a menés durant toute son existence, et donner envie de lire, relire, méditer ce qu'elle a écrit, tant sa pensée donne de l'élan, de la force, de l'énergie.

Pour mener à bien mon enquête, il m'a fallu non seulement me mettre à l'écoute de son œuvre : une trentaine de textes publiés en français, des centaines d'articles, et la masse de sa correspondance, mais également partir sur les lieux où elle a vécu, rencontrer ceux qui l'ont connue et, grâce à la confiance que m'a accordée Jerome Kohn, son légataire testamentaire, accéder à sa correspondance inédite et à de nombreux travaux, cahiers de travail, *works in progress*, indices matériels, et traces intellectuelles de sa manière de réfléchir, d'assembler, d'éliminer pour inventer. J'ai ainsi voyagé à travers toute l'Europe et passé des semaines entières, face à un écran, dans cette bibliothèque de la New School, à New York, où, pour les protéger des ravages du temps, les documents sont aujourd'hui numérisés.

Beaucoup de témoins et d'amis ont accepté de m'ouvrir leur porte et de parler à cœur ouvert : Hermann Heidegger, le fils de Martin, qui se souvenait très bien de Hannah lors de son retour en Allemagne, et qui me parla de sa mère Elfride. Edna Fuerst, la nièce de Hannah, celle qu'elle appelle sa « chérie » dans ses correspondances, Edna la douce, née en Israël, avec qui elle assista au procès Eichmann. Lore Jonas, l'épouse de Hans Jonas, qui fut le compagnon d'études de Hannah à Marbourg dès 1924, et vint s'installer, comme elle, à New York en 1955. Lotte Köhler que Hannah rencontra à New York en 1941 — Lotte l'intime, la confidente, qui apprend l'anglais à Hannah, qui lui traduit ses livres, qui va au cinéma avec elle, les jours de coups de cafard, Lotte qui peut chanter *Lohengrin* et réciter Hölderlin des nuits entières... — Lotte qui s'est occupée d'elle jusqu'à son dernier souffle.

Il me restait ensuite à assembler cette multitude de fragments... Mais pas question de remplir les trous, de proposer un récit sans failles ni contradictions, de combler les absences par des replâtrages. Juste dessiner une trajectoire. Pas question de faire une biographie ni un livre de philosophie. Il en existe déjà de nombreux, qui ont nourri ces recherches. En particulier le magnifique ouvrage d'Elisabeth Young-Bruehl, la première biographe, l'élève de Hannah, qui lui rend hommage dès 1982 alors que son œuvre est à peine connue. Celui de Julia Kristeva, qui commence son triptyque consacré au génie féminin par un portrait de Hannah Arendt, incandescent traité philosophique, poétique et psychanalytique. Celui de Martine Leibovici, qui sut la première dégager dans son lumineux *Hannah Arendt, une juive*, les enjeux de la judéité dans son œuvre. Ceux de Françoise Collin, qui introduisit l'œuvre de Hannah en France et sut la rendre féconde, tant sur le plan du féminisme que de la phénoménologie. Ceux, enfin, de Sylvie Courtine-Denamy qui s'est attachée, depuis vingt ans, à faire connaître l'œuvre de Hannah et vient d'éditer le monumental *Journal de pensée*. Autant de femmes auxquelles je dois beaucoup et dont l'immense travail irrigue mon récit.

*

Lire Hannah Arendt m'a entraînée très loin, trop loin peut-être. L'exigence qu'elle avait vis-à-vis d'elle-même impose de puiser au plus profond de soi pour tenter de la comprendre. Il fallait refuser d'adopter systématiquement ses points de vue, montrer les zones d'ombres, et les contradictions, les enfermements politiques où elle s'est laissée, par orgueil ou mauvaise foi, piéger.

Lire Hannah Arendt, c'est s'allonger par une très chaude après-midi d'été dans un champ où l'herbe vient d'être coupée et fixer le soleil. Se lever, aller pieds nus jusqu'au ruisseau et marcher les chevilles recouvertes d'eau glacée sur les galets. Le corps pique, la tête tourne, l'esprit est en feu.

Lire Hannah Arendt, c'est, par une froide nuit de février, claire et sans vent, loin de la rumeur de la ville, lever les yeux au ciel, fixer la voûte céleste et se laisser envelopper. Douceur de ce scintillement. Immobilité protectrice. Penser à Kant qu'elle aimait tant, qui ne craignait pas d'inventer une langue nouvelle pour dire des pensées vraies, et pour qui la philosophie n'était pas savoir de tout mais savoir de soi-même comme principe d'approche de la liberté. Être conséquent, c'est l'obligation principale d'un philosophe, disait Emmanuel Kant. Hannah a été conséquente.

Hannah pensait qu'elle avait été mise au monde pour accomplir une destinée. Elle savait qu'elle détenait des capacités intellectuelles particulières qui l'empêchaient de jouir de l'existence. Son talent le plus manifeste était l'activité de l'esprit. Elle s'estimait être une servante de l'esprit. En ce sens, Hannah était religieuse. Elle a répondu à l'appel. Pour elle, penser n'était pas une activité exceptionnellement difficile, même si elle pouvait être laborieuse. C'était un don. Penser lui tombait dessus, comme la foudre sur l'arbre pendant l'orage. Et Hannah obéissait alors sagement : elle s'allongeait, renversait sa tête en arrière, ouvrait les yeux et fixait le plafond, mettait les bras sous sa tête. Cela pouvait lui arriver n'importe où. Ses amis le savaient. Ils quittaient la pièce en marchant à pas feutrés pour ne pas la déranger.

Comme eux, je me tiens dans la pièce d'à côté, l'oreille collée à la porte, gardant dans la tête et le cœur cette phrase de son *Journal de pensée* : « La vérité est le critère le plus élevé de la pensée [...]. Sans pensée il n'y a pas de vérité*. »

* *Journal de pensée*, traduit par Sylvie Courtine-Denamy, Seuil, 2005 (vol. 2, cahier « Vérité et politique », 1963-1964, § 14, p. 816).

I

ENFANT DE FIÈVRE

Hanovre, Basse-Saxe, janvier 2004. L'avion survole la ville enserrée dans les boucles de la Leine, des chevaux galopent dans les prairies d'un vert tendre éclairé par le soleil d'hiver. Le contraste avec la découverte de la ville n'en sera que plus brutal. Longue rue commerçante piétonnière, succession de buildings de béton, de banques, de sociétés de courtage. La ville natale de Hannah Arendt, où Leibniz s'établit à partir de 1676 comme bibliothécaire et historien à la cour du duché, a été détruite par les bombardements de la Seconde Guerre mondiale[1]. Hannah Arendt est née à Linden en 1906, dans le faubourg d'une ville qui a été rasée. Est-ce pour cette raison qu'elle n'a jamais souhaité revenir sur les lieux de sa naissance lors de ses nombreux séjours en République fédérale d'Allemagne après décembre 1949 ? Elle a passé son enfance, à partir de deux ans, et son adolescence dans une autre ville, elle aussi détruite, celle de Kant : Königsberg, alors en Prusse-Orientale, aujourd'hui Kaliningrad.

Hanovre se souvient d'elle. Une rue ainsi qu'une école portent son nom. Chaque année, l'université organise des « journées Hannah Arendt » pendant lesquelles des philosophes du monde entier viennent commenter son œuvre. Une chambre qui lui est consacrée — avec des objets personnels : son cartable en cuir marron avec ses initiales dorées, ses stylos, ses diplômes et décorations (protégés sous verre, le prix de l'université de Copenhague, le prix Sigmund Freud, le certificat de l'académie de Darmstadt, la médaille de l'université de

Chicago), et tous ses livres traduits en allemand — vient d'être inaugurée au premier étage de la bibliothèque municipale de la ville. Quelle ironie du sort pour une femme qui n'aimait pas les signes ostentatoires de reconnaissance !

Dans un café au cœur du quartier piétonnier, les professeurs Detlef Horster et Peter Brokmeier m'expliquent l'intérêt des étudiants pour Hannah Arendt. Le premier, né en 1942, est professeur de philosophie morale, le second, né en 1935, de sciences politiques. Tous deux font désormais des cours sur Hannah Arendt. Brokmeier se souvient qu'à Berlin-Ouest, à la fin des années 1960, sa réputation était sulfureuse : « Nous appartenions à un groupe de la gauche radicale et, après l'avoir longtemps ignorée, d'ailleurs on ne trouvait pas ses ouvrages sur les étagères de la bibliothèque de l'université où je travaillais, j'ai souhaité savoir ce qu'écrivait cette femme dont mes camarades me disaient tant de mal. On m'expliquait qu'elle mettait le communisme et le nazisme sur le même plan. On ajoutait qu'elle confondait toutes les valeurs et qu'elle était une dangereuse idéologue. À force d'en entendre dire du mal, ça m'a attiré : j'ai voulu aller à la source. J'ai trouvé son ouvrage, *Les Origines du totalitarisme*. J'ai vite arrêté de le lire. J'étais scandalisé. Il m'a fallu beaucoup de temps et un long détour par l'histoire des idées politiques pour le reprendre. Mon incompréhension ne venait pas de Hannah Arendt mais de mes préjugés marxistes. J'avais longtemps recherché comment on pouvait rendre le marxisme sensé. J'avais compris que c'était difficile. Jusqu'au jour où j'ai su que c'était impossible. Grâce à Hannah Arendt. C'était juste avant la chute du Mur. »

L'œuvre est dérangeante, si forte qu'elle peut changer notre vision du monde, faire évoluer nos prises de position, ouvrir des portes, donner de l'élan. Insaisissable aussi. En mouvement permanent, la pensée d'Arendt ne se laisse jamais réduire à une opinion, une catégorie, une idéologie. Elle ne se laisse pas enfermer dans une appartenance politique. Elle-même a tenté de redéfinir et de circonscrire ce qu'est la politique. « La politique repose sur un fait : la pluralité humaine, écrit-elle en 1950. [...] l'homme est a-politique. La politique prend naissance dans *l'espace-qui-est-entre-les*-hommes, donc dans quelque chose de fondamentalement *extérieur-à*-l'homme. Il n'existe donc pas une substance véritablement politique[2]. » Elle-même ne se souciait guère d'être étiquetée de droite ou de gauche et affectait de s'en moquer. De quoi se souciait-elle ? De pouvoir penser en toute liberté, de se nourrir de lectures à en avoir le vertige, comme en témoigne cette pièce qui lui est dédiée dans la bibliothèque de Hanovre.

Dans les rayonnages, de nombreux volumes, quelques correspondances, l'exemplaire original de son livre *Eichmann à Jérusalem*, minutieusement annoté, corrigé à la fois en allemand et en anglais sur plus d'un tiers du texte, preuve, s'il en fallait, qu'elle a tenu compte de certaines critiques qui lui furent adressées, et des vérifications auxquelles elle s'est livrée après la tempête de haine déclenchée par le texte.

C'est lors du procès Eichmann, au printemps 1961, que le jeune Horster entend pour la première fois parler de Hannah Arendt. Il apprend par le procès, me dit-il, l'existence des camps de concentration. Bouleversé, il veut connaître les raisons de ce silence familial : « J'ai demandé à ma mère : "Pourquoi tu ne m'en as jamais parlé ?" Elle m'a répondu en criant : "On ne parlera jamais de cela à la maison." Le lendemain, triomphante, ma grand-mère dira que, au procès, une journaliste américaine du nom de Hannah Arendt venait d'expliquer que les Juifs eux-mêmes étaient coupables. "Enfin une dame qui dit la vérité." » Horster apprendra aussi ce jour-là que sa mère et sa grand-mère avaient appartenu au parti nazi.

Linden, le lieu de naissance de Hannah, est aujourd'hui une proche banlieue de Hanovre. Avant la Première Guerre mondiale, Linden était un gros bourg de plus de vingt mille habitants, où vivait une population ouvrière. Aujourd'hui, Linden est devenu un quartier chic, un peu bobo, où les primeurs avec fruits et légumes sans engrais alternent avec les galeries d'art contemporain. Linden a été épargné pendant la guerre et l'immeuble bourgeois des années 1880 où Hannah est née, sur la petite place du marché, n'a pas été rénové. Une plaque commémorative a été apposée, mais personne ne sait ici qui est Hannah. J'aurai une idée du quartier tel qu'il était à l'époque de sa naissance en interrogeant le pharmacien qui occupe le rez-de-chaussée de l'immeuble. Il disparaît dans l'arrière-boutique et revient avec une photo sépia du bâtiment au début du siècle. Excepté les voitures à chevaux et l'architecture rococo du kiosque à journaux, rien n'a changé dans cet environnement paisible et petit-bourgeois où Hannah a vécu ses deux premières années.

De son père, Paul Arendt, on sait qu'il travailla à l'usine de machines agricoles de Linden[3]. Il avait quitté sa ville natale de Königsberg pour Berlin, où il avait vécu les premières années de son mariage. Paul avait fait ses études à l'Albertina, la prestigieuse université de Königsberg, dont il sortit diplômé. Unique garçon, il avait également une sœur, Henriette, que Max avait eue de sa première épouse, Johanna. À la mort de celle-ci, Max avait épousé sa sœur Klara, réputée pour son mauvais caractère, son intolérance, son arrogance. Est-ce pour fuir cette belle-mère qui était aussi sa tante que Paul proposa à sa jeune épouse, Martha, de quitter le milieu, certes protecteur, éclairé, cultivé mais pesant, de sa propre famille pour aller vivre à Linden ? Martha était née elle aussi à Königsberg. Son père, Jacob Cohn, né dans l'actuelle Lituanie en 1830, y avait émigré en 1852 et, alors que Königsberg devenait un point central pour le commerce du thé, il avait ouvert une société d'importation. Jacob montra un talent commercial certain, en choisissant d'importer des thés russes plutôt qu'anglais, qui étaient jusqu'alors en position de force sur le marché. C'est ainsi que la Société J. N. Cohn devint la première société de thé de la ville. Sa mère, Fanny Spiero, était une émigrée russe que Jacob épousa en secondes noces. Il eut trois enfants de son premier mariage, et quatre avec Fanny. Quelle tribu ! Lorsqu'il mourut en 1906, il laissa à la grand-mère de Hannah et à ses sept enfants un capital important. Fanny parlait l'allemand avec un fort accent russe. On la voit habillée de lourds vêtements slaves, sur les rares photographies de l'album familial que m'a autorisée à consulter Edna, la nièce de Hannah. Martha a l'air d'une jeune femme solide, entière, qui a les pieds sur terre. Elle ne sourit pas et paraît même trop sérieuse. À ses côtés, Fanny. La grand-mère et la mère de Hannah furent très proches, et le restèrent toujours.

Toutes deux perdirent jeunes leurs maris. Le veuvage les rapprocha. La famille de Hannah a, sous bien des aspects, des allures de clan féminin. Entre femmes, on se serre les coudes devant l'adversité, on vit ensemble, on part en vacances, on partage tout. Hannah héritera du caractère de sa mère : courageuse, farouchement indépendante, fière, ne sachant pas mentir, quelquefois au risque de choquer, n'ayant peur de rien ni de personne.

« *Tempérament très vif* »

Hannah, Johannah pour l'état civil, naît à la maison, comme c'est l'usage à l'époque, le dimanche 14 octobre 1906, à 21 h 30, après vingt-deux heures de contractions. La maman, dans un cahier intitulé *Unser Kind,* « Notre enfant », conservé dans les Archives Arendt, à la bibliothèque du Congrès, à Washington, a retranscrit par le menu l'évolution du bébé à partir du 3 décembre 1906. Ce journal, sorte de cahier d'écolier, est un document manuscrit où Martha notait l'évolution physique et psychologique de sa fille. Il a accompagné Martha jusqu'aux États-Unis et Hannah Arendt l'a précieusement conservé. Hannah, dès ses premières semaines, est atteinte d'eczéma. Sa mère lui trouve bien des défauts : des mains et des pieds trop grands, une voix rauque, une certaine excitation.

Hannah fait ses nuits dès la naissance. Adulte, elle conservera le plaisir de ce ressourcement dans le sommeil. Elle sourit à la sixième semaine, « rayonne » dès la septième. La mère aime beaucoup ce mot. Hannah, toute petite, manifeste ses émotions : elle rit aux chansons joyeuses, pleure aux sentimentales. La mère note qu'elle a besoin des autres : « Elle n'aime pas être seule. »

À onze mois, Hannah chantonne beaucoup, avec une forte voix. À douze, elle adore rester à côté du piano, écouter et chanter. À quinze mois — c'est tôt ! —, elle sait répondre à la question « qui es-tu ? ». À deux ans et demi, on la prend pour une enfant de quatre ans. Son tempérament est très vif, très joyeux, sa curiosité énorme. La mère note combien la petite, « très douce », cherche à se blottir contre elle.

En 1909, la famille quitte Linden pour Königsberg. La ville a depuis changé de nom, de population, de configuration : depuis 1946, date de l'annexion d'une partie de la Prusse-Orientale par l'Union soviétique, elle s'appelle Kaliningrad, en hommage à Kalinine, ancien président de l'URSS. C'est aujourd'hui une enclave russe cernée par la Pologne et la Lituanie, pays membres de l'Union européenne. Hannah n'a jamais pu retourner sur les lieux où elle passa son enfance et son adolescence car la ville, au bord de la mer Baltique, devenue un port militaire important, était interdite aux étrangers. Il faut aller à l'Institut historique allemand consulter de vieux atlas photographiques et des livres d'histoire de la ville pour tenter d'imaginer ce que fut l'atmosphère de cette ville provinciale et paisible qu'était Königsberg au temps de la jeunesse de Hannah. Dans un de ces livres d'images, un peintre du dimanche a immortalisé une scène dans une rue de la ville au début du siècle. Il fait beau. C'est l'été. Les femmes portent de longues jupes, des chemisiers à dentelle, de grandes coiffes. Les hommes sont tous en costume, avec des chapeaux. À une terrasse de café, une mère et sa fille ont repoussé leur coiffe sur la nuque mais ont gardé leurs gants. La mère regarde les passants, la fille lit le journal.

À Essen, en Rhénanie-Westphalie, chez Edna, la nièce de Hannah, je retrouve dans un carton une photo de la petite revenue dans le giron du grand-père Max, qui l'adorait : dans la cour devant la maison, Hannah sourit à l'objectif dans les bras du vieil homme. Martha n'aime pas se séparer de sa fille. Le 19 février 1911, elle note : « Hannah supporte très bien l'hiver. [...] Tempérament : très vif, s'intéresse à tout ce qui l'entoure. Aucun intérêt pour les poupées [...] Avec ses quatre ans elle est une petite si grande et solide qu'on la prend déjà pour une fille qui va à l'école[4]. »

« Elle a de très beaux cheveux longs. Elle est belle et en bonne santé. Elle chante beaucoup, presque avec passion, mais avec beaucoup de fausses notes [...] Je ne vois aucun talent artistique ni aucune habileté manuelle : par contre une précocité intellectuelle et peut-être une capacité particulière comme par exemple le sens de l'orientation, la mémoire et un sens aigu de l'observation. Mais avant tout un énorme intérêt pour les lettres et les livres[5]... »

Martha et Paul rejoignent Königsberg en 1910 en raison de la maladie de ce dernier qui bientôt l'empêchera de travailler. Jamais, dans le cahier de la mère, le nom de la maladie n'est précisé, et pour cause : elle est honteuse. Le clan familial, tant du côté du père que de la mère, aura à cœur d'aider cette jeune femme obligée de soigner jour et nuit son mari.

Les deux familles sont juives libérales, financièrement aisées et cultivées. Martha, comme la plupart des femmes de sa classe et de sa génération, avait fait ses études chez elle, avec un précepteur, puis était partie en France étudier la musique et la langue pendant trois années. Elle se passionnait pour les nouvelles thèses sur l'éducation qui préconisaient de respecter l'individualité des enfants au lieu d'écraser leur personnalité par l'obéissance. Elle était liée à un groupe de femmes qui avaient ouvert des jardins d'enfants et des écoles élémentaires d'un type nouveau. C'est sans doute la raison pour laquelle elle décide de tenir ce journal intime sur sa fille, véritable carnet de bord des premières années de celle qu'elle considère, dès la petite enfance, comme une personne à part entière.

Martha, comme son mari, est plus cultivée, plus engagée que ses propres parents. Tous deux, devenus socialistes dès leur jeunesse, communient dans l'idéal d'un monde plus égalitaire et adhèrent à un parti encore illégal en Allemagne. Paul et Martha vivent dans la ferveur des nourritures intellectuelles. Hannah dira jusqu'à la fin de sa vie sa dette envers son père qui lui permit de toucher les livres de sa bibliothèque, dont les classiques grecs et latins[6]. Hannah n'a pas de difficulté pour apprendre à lire. La mère s'aperçoit, quand elle la met dans un jardin d'enfants, qu'elle a appris toute seule à lire des lettres et des mots à la maison. Elle passe son temps à imiter son institutrice, ce qui n'est pas pour déplaire à Martha.

Enfant douée et précoce, elle doit supporter l'isolement provoqué par la maladie de son père. Hannah est prise en charge l'été de ses quatre ans par ses grands-parents qui l'emmènent à la mer. Quand elle revient à la maison, la maladie du père a progressé. « Elle est gentille et douce avec son papa malade. Comme une petite mère[7]. » Martha, accablée, s'aperçoit que l'enfant observe et vit dans sa chair les terribles moments que doit endurer son père devant l'évolution de la maladie. Paul avait avoué à Martha, avant de l'épouser en 1902, une syphilis contractée durant sa jeunesse. Après un traitement subi avant son mariage, par provocation d'une fièvre paludique, il avait été considéré comme guéri par les médecins. Aucun symptôme n'étant réapparu et Martha n'ayant pas été contaminée, ils prirent le risque de faire un enfant. Mais deux ans et demi après la naissance de Hannah, Paul doit être hospitalisé à la clinique de l'université de Königsberg. Son état, alors, ne fait qu'empirer. La syphilis développe des cycles successifs de troubles, avec apparition d'abord de lésions cutanées puis, peu à peu, de syndromes neurologiques graves. Solitude du trio père-mère-fille. Le père vit, reclus dans la maison, ce mal qui ne peut se dire. Huis clos qui a dû être lourd pour la fillette. Paralysie générale, troubles psychomoteurs, déficit intellectuel, bouffées délirantes... « L'enfant est bonne et patiente avec lui », note la mère. Elle joue aux cartes avec son père, ne permet pas à sa mère de lui dire des mots durs, mais « souhaite quand même parfois qu'il ne soit plus là ». Elle prie pour lui le matin et le soir, sans qu'on le lui ait appris.

« La liberté se paie cher. L'humanité juive spécifique, sous le signe de la perte du monde, était quelque chose de très beau. [...] C'était très beau que de pouvoir se tenir en dehors de toute liaison sociale, de même que cette absence totale de préjugés dont je fis l'expérience de façon très intense, précisément auprès de ma mère qui la pratiquait également vis-à-vis de la société juive. [...] Ce n'est pas à la maison que j'ai appris que j'étais juive[8] », dira Hannah à Günter Gaus le 28 octobre 1964 sur la seconde chaîne de télévision allemande, évoquant cette période de la petite enfance. Sa mère est complètement irréligieuse, son père aussi. Les jeunes parents laissent libres les grands-parents d'emmener Hannah à la synagogue et de fréquenter assidûment Hermann Vogelstein, rabbin de Königsberg, intellectuel influent, auteur de nombreux livres sur l'histoire juive, partisan du parti social-démocrate, Juif allemand, allemand et juif, et fier de l'être.

« Mon grand-père était président de la municipalité libérale et conseiller municipal de Königsberg. Cependant le mot "juif"n'a jamais été prononcé entre nous à l'époque où j'étais une petite fille[9]. » Hannah adore son grand-père paternel Max, membre de l'Association centrale des citoyens allemands de confession juive, le *Zentralverein deutscher Staatbürger jüdischen Glaubens,* qui défend la promotion de l'égalité face à la montée de l'antisémitisme.

Max Arendt, personnalité influente de la ville, connu pour sa combativité à promouvoir l'intégration des Juifs dans l'État allemand sans pour autant céder aux sirènes de l'assimilation, s'oppose au sionisme, responsable, selon lui, de vouloir séparer les Juifs de la communauté nationale. « Je tiens pour criminel celui qui conteste ma germanité[10] », aime-t-il à répéter.

Max aime Hannah et lui fait partager ses émotions, son mode de vie. La relation de Hannah à son origine juive est passée en premier lieu par le grand-père, et je crois qu'elle fut d'abord harmonieuse, lumineuse, évidente. Elle n'était pas constituée par l'apprentissage des textes talmudiques ou les lectures de la Bible, mais par les saveurs sucrées des pâtisseries du shabbat, par les chants que la petite entendait à la synagogue, par les conversations du rabbin Vogelstein, qui venait souvent dîner chez son grand-père, par le goût délicieux du *gefilte Fish* préparé par sa grand-mère pour la fête de Pessah. Cette arche de sensations et d'émotions agréables et douces a constitué un tissu matriciel qui l'a enveloppée pour la vie au plus intime de son être.

Virgile, que Hannah Arendt aimait beaucoup et qu'elle lira jusqu'à la fin de sa vie, écrit qu'un enfant qui ne sourit pas à sa mère ne partage ni la table du dieu ni la couche de la déesse[11]. Hannah, enfant, a souri à son grand-père qui l'a reconnue, distinguée, protégée. Être juif, pour lui, ne constituait pas un signe de distinction. Être juif était une évidence. Vivant au milieu de deux clans qui s'affrontaient, celui des juifs orthodoxes et des non orthodoxes, il n'éprouvait que compassion et mépris pour ceux qui bafouaient leurs origines en se convertissant au catholicisme, et suspicion et ironie vis-à-vis des thèses de Theodor Herzl.

Le rapport de Hannah à la judéité va constituer le fil rouge de sa vie, tant personnelle qu'intellectuelle. « C'est par le biais de réflexions antisémites proférées par des enfants dans la rue et qui ne valent pas la peine d'être rapportées que ce mot m'a pour la première fois été révélé. C'est à partir de ce moment-là que j'ai été pour ainsi dire "éclairée[12]". » Juive, elle l'est dans le regard des autres. Juive, elle s'assumera, dès son enfance, sans pathos : « Je me disais, très bien, c'est comme ça[13]. » L'histoire mettra à mal cette évidence.

Max souhaite lui donner quelques éléments d'instruction religieuse au moment de son entrée à l'école primaire, et demande à son ami, le rabbin Vogelstein, de venir lui faire des lectures commentées de la Bible plusieurs fois par semaine. Elle lui déclare un jour : « Je ne crois plus en Dieu. — Et qui te le demande ? » lui répond Vogelstein[14].

« La question juive ne joua aucun rôle pour ma mère, confirmera Hannah. Elle était évidemment juive et ne m'aurait jamais baptisée. Je suppose qu'elle m'aurait assené une paire de gifles si jamais elle avait découvert que j'avais désavoué mon judaïsme. [...] voyez-vous, tous les enfants juifs ont rencontré l'antisémitisme, et il a empoisonné les âmes de nombreux enfants, mais la différence chez nous consistait en ce que ma mère adoptait toujours le point de vue suivant : on ne doit pas baisser la tête ! On doit se défendre[15]. » Plusieurs fois, Hannah quitte l'école quand elle est insultée par certains professeurs. La mère va se plaindre auprès du proviseur. Sans conséquences. Affaire banale. Affaire vite classée en ces temps d'antisémitisme.

La santé du père décline. Les photographies montrent un homme élégant et bien mis, au regard mélancolique. Ses pertes de mémoire se multiplient, il prononce des phrases incompréhensibles. Un jour, lors d'une promenade avec sa fille dans un jardin public, il s'écroule. Les symptômes s'aggravent. À l'été 1911, Martha est obligée d'interner son mari à l'hôpital psychiatrique de Königsberg, puis emmène sa fille dans la station balnéaire de Neukuhren, sur la côte balte, chez les

Cohn, où celle-ci tombe bientôt malade. Le médecin diagnostique une arythmie cardiaque. C'est effectivement du côté du cœur que la petite a des faiblesses. La pierre tombe du cœur. « La pierre tombe souvent du cœur. Le cœur est un organe étrange ; c'est seulement lorsqu'il est brisé qu'il bat à son propre rythme ; lorsqu'il n'est pas brisé, il se pétrifie », notera Hannah en janvier 1954 dans son *Journal de pensée*[16]. Hannah a des problèmes de cœur, mais ne peut confier ses souffrances à sa mère.

Les visites au père sont réduites au dimanche. Hannah a confié que la mère n'avait pas toujours le courage de lui rendre visite, tant il perdait la tête, et qu'elle tentait de la convaincre. Il semble que Hannah ait tenu à voir son père jusqu'à la fin de son calvaire, en tête à tête, sans sa mère, dans la chambre de cet homme qui ne la reconnaissait plus[17].

Les petits cousins, les grands-parents, le rabbin, et surtout les attentions permanentes de la mère continuent, tant bien que mal, à former un cocon pour Hannah.

En 1913, elle n'a pas encore sept ans lorsque meurent successivement son grand-père, en mars, et son père en octobre. Bizarrement, leur mort ne semble pas la toucher. À la mort de son grand-père, Hannah, malade des oreillons, montre, comme le rapporte sa mère dans son cahier, « un vif intérêt pour les belles fleurs » et la cérémonie des funérailles. Elle observe le cortège depuis la fenêtre, et elle est très fière de voir autant de personnes suivre son cercueil[18].

Elle fait sa rentrée scolaire en août 1913 dans une institution pédagogique ouverte que connaît bien la mère, passionnée par les nouvelles thèses sur la psychologie de l'enfant. Elle aime ses maîtresses, et particulièrement Mlles Stern et Sander, pour lesquelles elle éprouve une sorte d'exaltation. Elle apprend très vite. En octobre, le père meurt. La petite demande à sa mère :

« Maman, connaissais-tu le père de ta mère ?

— Oui.

— Connaissais-tu le père de ton père ?

— Non.

— Est-ce que ton père le connaissait ?

— Je suppose que oui.

— Tu dis ça comme ça.

— Si maintenant un enfant naît chez nous, il ne connaîtra pas non plus son père[19]. »

Elle se montre davantage préoccupée de prendre soin de sa mère que de céder à son propre chagrin. Martha, inquiète de son absence de réaction, note dans son cahier : « Elle comprend cette mort comme quelque chose de triste pour moi. Elle-même n'en est pas touchée. Elle me dit pour me consoler : "Pense, Maman, cela arrive encore à beaucoup de femmes[20]." » Hannah se tient à côté de sa mère pendant l'enterrement. Notons le courage de Martha qui n'empêche pas sa fille d'assister à la cérémonie. Hannah pleure à la synagogue.

Mais par la suite, elle parlera si peu de lui que la mère s'en inquiétera. Hannah lui avait déjà répondu à propos de la mort de son grand-père : « Il faut penser aussi peu que possible à de tristes choses puisque cela n'a aucun sens de devenir triste. » Hannah fait semblant de ne pas être triste pour protéger sa mère. Évoquant sa septième année, elle écrira dans son *Journal de pensée* : « J'ai effectivement souhaité ne plus devoir vivre, mais sans jamais poser la question du sens de la vie[21]. »

Où était parti son père ? Y a-t-il une vie après la mort ? Dieu existe-t-il ? La mort du père fut pour Hannah une révélation autant qu'une révolution : elle commence à penser à Dieu. Cette étreinte ne se desserra pas et c'est en se livrant à la philosophie que Hannah calmera ses souffrances existentielles futures et son désir de les apaiser. « Depuis ma septième année, si j'ai à vrai dire toujours pensé à Dieu, je n'ai jamais, en revanche, médité sur Dieu[22]. »

Au printemps 1913, la mère quitte Königsberg pour Paris et se sépare de sa fille pour dix semaines. Une éternité ! Sur le perron de la demeure de la grand-mère, la petite apostrophe sa maman : « On ne sépare pas une enfant de sa mère. » Martha notera dans son journal, comme pour se rassurer : « Il paraît que je lui manque peu. » À peine revenue, elle lui annonce qu'elle doit repartir. Seconde séparation au printemps 1914. Cette fois, Martha part pour Karlsab, Vienne, puis l'Angleterre[23]. D'après la grand-mère, Klara, Hannah souffre beaucoup de son absence. Une cousine de Hannah, Nadja, meurt subitement, très jeune. À son tour, Hannah se met au lit et tombe malade. Puis, au bout d'une semaine, comme un petit soldat qui toujours se relève, elle part en vacances avec sa mère, à Neukuhren, dans un hôtel du bord de mer proche de la maison des grands-parents. Tout va bien, apparemment. Huit jours plus tard, la guerre éclate.

Dans *Août 14*[24], Alexandre Soljenitsyne a admirablement décrit le début des combats dans cette région de la Prusse-Orientale. Le 1er août, l'Allemagne déclare la guerre à la Russie. Le 2 août, les armées russes s'ébranlent, le 6, elles franchissent la frontière. Des combats ont lieu en Mazurie, au sud de Königsberg. Des troupes désorganisées traversent une contrée désertée. Les meules de foin brûlent, les colonnes avancent sous un soleil harassant. Des combats, la mère et la fille n'entendent que de sourds grondements et voient dans les rues de Königsberg les files interminables de blessés, à pied ou en voiture. Elles tentent de s'enfuir. En vain. Colonnades de casques à pointe, amoncellement de cadavres dans la ville. Le 14 août, le tsar Nicolas II donne l'ordre de dégager le plus vite possible, et à n'importe quel prix, la route de Berlin, pour soulager le front occidental où les Allemands menacent Paris. Sa priorité reste la destruction de l'armée allemande. La mère et la fille, revenues de Neukuhren « dans une précipitation proche de la panique[25] », vivent suspendues aux nouvelles du front. Les Russes s'approchent de Königsberg. Le 23 août, Martha décide de partir pour Berlin chez sa sœur Margarethe, sans savoir si elles pourront revenir un jour chez elles. Dans le train, les réfugiés s'entassent au milieu des blessés. Hannah et sa mère vont passer des jours et des nuits à traverser des paysages aux champs incendiés, dans une lourde odeur de brûlé, et à échanger des récits effrayants d'exactions des soldats russes. Elles assistent et voient la honte des prisonniers attelés à la place des chevaux pour traîner les canons, les grosses charrettes où, à la place du foin, sont entassés les morts. Prisonniers harassés, mourant de faim, qui les regardent d'un air affligé, perdu. Chevaux éventrés. Voile noir sur le monde. La mère tente de calmer la petite : « Nous avons traversé beaucoup de combats intérieurs et des heures difficiles[26] », note-t-elle sobrement, employant pour la première fois le nous. Toutes deux donc. Hannah, malgré son jeune âge, n'est plus la petite mais la compagne d'infortune de sa mère. Désormais, elles se protégeront l'une l'autre.

À Berlin, la sœur de Martha les accueille à bras ouverts. Hannah pourra suivre ses études dans un lycée de Charlottenburg, dans une école de filles où elle est bien accueillie et s'adapte rapidement. Elle manifeste un grand intérêt pour sa scolarité mais se languit de Königsberg où elles reviendront dix semaines plus tard.

À Königsberg, où la vie est redevenue normale malgré la guerre qui continue tant à l'Ouest qu'à l'Est, l'existence de Hannah se déroule comme un cauchemar. Elle est sans cesse malade. Sa mère la nomme l'« enfant de fièvre[27] », tant elle va de maladie en maladie. De vives angoisses apparaissent dès l'âge de neuf ans. « Une période horrible, pleine de craintes et de soucis. » La mère s'en va de nouveau. Dix semaines d'absence augmentent sa solitude et sa nervosité. Hannah ne supporte pas la séparation. Les relations se tendent entre la mère et la fille. « Elle est devenue impertinente et sans aucune manière. Souvent j'ai l'impression de ne plus la maîtriser, ce qui me tourmente beaucoup. Soit je suis trop bonne et trop indulgente, soit l'inverse, et jamais ce qui est juste ; j'ai décidé de moins contrôler et de laisser aller les choses davantage[28]. » La mère se sent coupable des souffrances de sa fille et on devine qu'elle se laisse déborder par elle. Elle-même avoue avoir eu une enfance et une adolescence difficiles. D'une sensibilité douloureuse, d'un tempérament solitaire, elle craint la répétition des souffrances qu'elle a endurées : « [...] je me fais sérieusement du souci. Elle est d'une extrême sensibilité psychologique et souffre de toute personne avec laquelle elle a affaire. [...] Mais on ne peut épargner son sort à personne. Pourquoi ne ressemble-t-elle pas à son père ? Les Arendt sont tellement plus solides dans leurs sentiments et arrivent à mieux maîtriser leur vie que les gens de notre genre[29]. » Maux de tête, saignements de nez, fièvres subites, le corps de

Hannah souffre en permanence. Martha s'inquiète de sa santé. A-t-elle peur que sa fille ait hérité le mal du père ? Elle semble robuste, mais est en fait d'une maigreur préoccupante malgré son bon appétit. Côté scolarité, Hannah, malgré ses absences répétées, reste toujours la meilleure élève de la classe. C'est un cercle vicieux. Ses maladies empêchent sa sociabilité de se déployer et sa solitude forcée augmente ses angoisses.

Le courage fait femme

Au cours de l'été 1916, Hannah apprend au bord de la mer la mort de son oncle maternel Rafaël. Il a succombé à la dysenterie sur le front de l'Est. Elle est d'autant plus bouleversée qu'elle venait de passer une semaine avec lui. C'est le quatrième décès en deux ans dans son univers familial, alors qu'elle n'a pas encore dix ans. La vie quotidienne à Königsberg, loin du front pendant la guerre, permet des activités normales : marionnettes, guignol, théâtre, petites oasis de la vie dont profite peu la recluse, la maladive Hannah, qui tente de faire baisser ses fièvres permanentes avec des sérums de cheval. La mère la soigne, la protège, joue le rôle de garde-malade, de confidente aussi. Elle note dans son cahier : « Nous deux encore une fois, réduites à nous deux, toutes seules, passons de bonnes semaines heureuses[30]. » Jusqu'à sa mort, Hannah viendra, comme un petit animal blessé, trouver refuge auprès d'elle et de nombreux amis témoigneront du fait que, même après la quarantaine, Hannah allait se lover contre sa mère en se tenant, pendant les discussions, recroquevillée par terre, à ses genoux, des soirées entières.

Ce tête-à-tête est brisé une première fois par l'arrivée d'une étudiante de dix-sept ans, Kaethe Fischer, à qui Martha loue une chambre dans l'appartement. Cinq ans les séparent, mais cette nouvelle venue provoque sa stimulation intellectuelle et aiguise son sens de la polémique. Les deux filles se chamaillent souvent pour tomber ensuite tendrement dans les bras l'une de l'autre. Le duo mère-fille vole en éclats. La guerre accentue l'engagement politique de Martha. L'appartement silencieux se transforme à partir de 1916 en lieu de rendez-vous et de discussions politiques pour les sociaux-démocrates. Martha, qui avait jusqu'alors suivi les débats de l'aile réformiste au sein du groupe de Joseph Bloch, alors rédacteur du journal berlinois *Sozialistischen Monatshefte*, se rapproche de la vision plus radicale développée par Karl Liebknecht et Rosa Luxemburg.

La popularité de Rosa, poursuivie devant les tribunaux pour avoir incité les militaires à la désobéissance, ne cesse alors de croître. Ses meetings sont suivis par des milliers de personnes qui verront bientôt en elle une martyre et un symbole. Martha a-t-elle assisté à l'une de ces assemblées ? Sa fille dira que sa mère fut impressionnée par l'ardeur, la fermeté et la force de conviction de Rosa Luxemburg, et se souviendra que Martha l'avait entraînée dans les toutes premières réunions enflammées pour la soutenir[31]. Elle suit avec passion le déroulement des événements. Le 4 août 1914, le groupe parlementaire du parti social-démocrate avait voté les crédits militaires, au grand dépit de son aile gauche. Martha, comme certains intellectuels et une partie de la jeunesse, continuera à se sentir proche des positions pacifistes et suivra, de manière enfiévrée et passionnelle, ces années de guerre au travers des articles de Rosa Luxemburg. Les déchirures intestines et la marginalisation dont cette dernière fut la victime au sein de la social-démocratie hanteront longtemps la vision politique de Hannah qui vit en elle une figure morale d'une gauche non corrompue et l'incarnation du courage fait femme[32].

Le 18 février 1916, Rosa Luxemburg sort de prison entourée d'un millier de femmes. Elle goûte cette popularité et fait confiance aux événements. Elle participe à des réunions pour défendre ses positions tout en travaillant clandestinement à l'élaboration du programme spartakiste. « À bas la guerre. À bas le gouvernement », crie-t-elle dans les manifestations et les meetings. Considérée comme l'une des agitatrices les plus extrémistes et les plus révolutionnaires de la social-démocratie, elle sera de nouveau arrêtée en juillet 1916. Martha se sent de plus en plus proche de Rosa.

Hannah Arendt sera à son tour marquée par les soirées politiques auxquelles elle assista en compagnie de sa mère, et par la figure de Rosa. Ce n'est pas Rosa la rouge, assoiffée de sang — comme le voulait l'image de propagande qui circulait dans les milieux antisémites et réactionnaires —, mais Rosa la douce, celle qui aimait les oiseaux et les fleurs, Rosa la tendre, à qui ses gardiens de prison dirent au revoir les larmes aux yeux, comme s'ils ne pouvaient continuer à vivre sans elle, Rosa la fidèle en amitié, qui s'imprégna dans son esprit de petite fille[33]. Hannah admirera toute sa vie cette théoricienne hors pair dotée d'un jugement infaillible sur les individus, cette révolutionnaire exemplaire, courageuse et franche, dont « la "virilité" est sans exemple dans l'histoire du socialisme allemand[34] ». De celle qui se considérait comme étant faite pour « garder les oies », Hannah fera une marxiste si peu orthodoxe qu'elle doutait qu'elle ait été marxiste tout court, et retiendra que ce qui comptait le plus dans sa conception du politique était non l'idéologie mais la réalité, « la réalité sous tous ses aspects, merveilleux et effroyables, plus encore que la révolution elle-même[35] ».

Hannah a dix ans lorsque la révolution démocratique de Février éclate en Russie. De Rosa Luxemburg, elle se rappellera la théorie selon laquelle les révolutions ne sont faites par personne mais éclatent spontanément, mues par des forces qui viennent toujours d'en bas. Elle fera sien aussi son refus catégorique de ne voir dans la guerre — toute guerre — autre chose que le plus terrible des désastres.

Hannah, dans son magnifique texte des *Vies politiques*, analysera, avec pénétration et empathie, les illusions dont s'est nourrie Rosa pendant le tourbillon de ces événements, portée qu'elle était par le surgissement de la Révolution russe et la mauvaise appréciation des forces politiques en présence. Sous-estimant la puissance de l'adversaire et ne comptant que sur l'élan révolutionnaire des masses, elle fait de Rosa la figure la plus controversée et la moins comprise de la gauche allemande de cette période cruciale et douloureuse pour le socialisme européen.

Martha suit attentivement le congrès des Conseils des ouvriers et des soldats au Reichstag, en décembre 1918, et la naissance du parti communiste allemand. Les hommes de Spartakus sont armés et reçoivent 30 marks par jour. Des groupes de matelots, ralliés à Karl Liebknecht, occupent des bâtiments officiels. Le 21 décembre, Liebknecht prononce une oraison funèbre pour les victimes des émeutes du 6 décembre. Cercueils posés sur des camions couverts de couronnes de fleurs rouges, ouvriers, matelots, des milliers d'hommes et de femmes dans un cortège interminable[36]. Hannah vivra avec sa mère ces journées tragiques dans une atmosphère enflammée. Le 5 janvier 1919, Karl Liebknecht tient un discours à Berlin, sur l'Alexanderplatz, au milieu d'une foule considérable, rassemblement où il est applaudi comme le chantre d'une révolution désormais inévitable. Martha sera emportée par cette vague d'un nouvel espoir mal défini, auquel ne s'opposent, selon elle, que des vestiges de démocratie parlementaire socialiste purulente, réactionnaire, mortifère. À Königsberg, Martha continue à entraîner Hannah dans les clubs politiques et l'emmène dans les manifestations de rue en lui répétant : « Retiens bien cela. Tu vis un moment historique[37]. »

En effet, Hannah vit des moments qui resteront gravés dans l'histoire de l'Europe. Le sort de l'Allemagne est suspendu. Entre la guerre et la paix, entre l'Est et l'Ouest, entre l'utopie de la révolution et l'édification de la république de Weimar. Vagues de boue contre-révolutionnaire. Irrésolution des dirigeants. Des choses essentielles se jouent lors de ces jours agités. À Berlin, des coups de feu partent. Barricades, affolements. C'est la « semaine spartakiste », qui se termine dans le sang. À Königsberg, la situation est plus tranquille : pas de troubles, mais des manifestations. La guerre a ruiné l'Allemagne. La révolution peut-elle encore incarner l'espoir d'un nouveau paradis ? À la mi-janvier règne sur Berlin la paix des cimetières. Jusqu'au bout, Rosa croira pourtant à la poursuite et à la contagion de la révolution.

Hannah admirera jusqu'à la fin de sa vie la capacité de Rosa à mettre une prairie en feu et à défendre, en toute circonstance, la nécessité d'une liberté absolue, pas seulement individuelle, mais publique. Toutefois elle se montrera sceptique envers sa croyance inébranlable à changer la nature de la société. Réforme ou révolution ? Cette question la hantera toute sa vie.

Hannah voit la fin de son enfance dans cette explosion de violence accompagnée d'une remise en cause intellectuelle des normes du passé et des règles morales en vigueur. Cette bataille, Nietzsche, par sa critique des idéaux moraux « à coups de marteau[38] », et Schopenhauer, par son pessimisme, l'avaient déjà menée avant la guerre, en dynamitant l'hypothèse même d'un idéal métaphysique. Hécatombe physique. Désastre moral. Ernst Bloch publie en 1918 son *Esprit de l'utopie*[39] appelant à la construction et à la nécessité d'un monde nouveau. Gershom Scholem écrit un poème, « Salutation de l'ange », qu'il envoie à Walter Benjamin :

> [...]
> *Mes ailes sont prêtes à s'ouvrir*
> *Tant j'ai plaisir à revenir*
> *Car à rester le temps de vivre*
> *Mon bonheur irait s'amoindrir*[40].

Est-il encore possible de rêver à une révolution ? La discontinuité devient un impératif catégorique, la notion de progrès vole en éclats et la thèse de l'histoire comme perpétuelle avancée s'effondre. L'histoire sera désormais à penser comme une cohabitation de fragments, et le temps comme un incessant chaos. Franz Rosenzweig écrit, dans les tranchées, son *Étoile de la Rédemption*[41]. Dans son introduction, il précise : « C'est de l'angoisse de la mort que procède toute connaissance[42]. » La Grande Guerre, brèche ouverte dans la vie mentale, intellectuelle et spirituelle, de toute cette génération, oblige à une refonte philosophique de l'ordre du monde. L'écrasement de la révolution a-t-il rendu possible l'avancement du national-socialisme ? À Berlin, dans la nuit du 15 janvier 1919, Karl Liebknecht et Rosa Luxemburg, après avoir subi un interrogatoire à l'état-major de la cavalerie de la garde, sont assassinés dans le parc du Tiergarten. Le corps de Rosa fut jeté dans le Landwehr Kanal. Selon la version officielle, Liebknecht fut abattu au cours d'une tentative de fuite, Rosa tuée par des inconnus. Ses assassins, au terme d'un semblant de procès, ne furent pas sérieusement inquiétés. À

Königsberg, Martha a participé avec sa fille à la manifestation silencieuse à la mémoire des victimes du soulèvement de Spartakus, pendant que se déroulaient à Berlin, le 25 janvier 1919, les obsèques de Liebknecht et de ses trente-deux compagnons. Rosa, elle, n'eut même pas droit à des obsèques. Un poète alors inconnu, Bertolt Brecht, qui deviendra plus tard un ami de Hannah, lui dédia ce poème sous le titre « Épitaphe 1919 » :

Rosa la rouge aussi a disparu.
Où repose son corps est inconnu.
D'avoir dit aux pauvres la vérité.
Fait que les riches l'ont exécutée[43].

Le corps de Rosa ne fut retrouvé qu'à la fin du mois de mai.

II

JEUNE FILLE ÉTRANGÈRE

Le journal de Martha s'interrompt en 1918. Les premiers poèmes de Hannah datent de 1923, et son long texte autobiographique, les « Ombres[1] », est achevé dès 1925, à dix-neuf ans. Il reste peu de moyens pour le biographe d'éclairer la période de l'après-guerre. J'ai pu retrouver quelques documents administratifs, dont le certificat de mariage de sa mère : en février 1920, Martha s'unit à un veuf, Martin Beerwald, homme d'affaires moyennement riche, qu'elle avait connu quelques années auparavant chez sa mère. Martha déménage avec sa fille chez son nouveau mari, à quelques centaines de mètres de son ancien appartement.

Pour Hannah, qui a quinze ans, le changement est rude. Sa mère devient une épouse. Hannah n'est donc plus l'objet unique de son amour et doit cohabiter avec les deux filles de son beau-père : Clara, vingt ans, Eva, dix-neuf ans. Certes, elles se connaissaient de vue, pour avoir participé à un spectacle que l'école avait donné en 1915 en l'honneur des troupes allemandes, mais les différences d'âge — cinq ans, c'est un abîme à l'adolescence —, d'éducation et de caractère, constituèrent pour Hannah autant d'épreuves à surmonter. Une photographie de l'album familial les montre toutes trois sur le balcon donnant sur le jardin de la maison. Les deux sœurs Beerwald se ressemblent : même forme de visage, grand front, impression de tristesse dans le regard de Clara, sourire et timidité dans l'expression d'Eva, qui baisse les yeux ; beauté sauvage et force magnétique de Hannah, cheveux longs tirés en arrière, écharpe sur la gorge, regard profond. Une jalousie très vive surgira vite entre Eva et Hannah qui, sans doute, devine le rapprochement qui s'opère entre Eva et sa propre mère. L'amour de la musique, une même gaieté communicative et un refus des complications intellectuelles sont autant de terrains d'entente. Eva veut faire de Martha sa seconde mère et les liens qu'elle noue avec sa belle-mère seront profonds et réciproques. C'est d'ailleurs pour aller vivre définitivement chez sa belle-fille, installée en Angleterre depuis 1938 après avoir fui l'Allemagne, que Martha entreprit bien des années plus tard son dernier voyage. Elle laissa Hannah en Amérique et mourut dans un hôpital anglais, soignée par Eva, dans la nuit du 26 au 27 juillet 1948[2]. Sa sœur Clara, plus cérébrale, davantage portée sur les mathématiques et la littérature, a hérité de sa mère un sombre caractère et un tempérament suicidaire. Une de ses tantes avait été internée et Clara lutte contre ses propres démons en s'abîmant dans les études et en travaillant le piano. Élève douée et brillante, elle réussit ses examens au Gymnasium de filles de Königsberg et part étudier à Berlin les mathématiques, la chimie ainsi que les langues.

Clara eut de l'influence sur Hannah. Elle lui prêta ses livres, la considéra très vite, malgré la différence d'âge, comme une égale, et l'encouragea dans son amour de la langue grecque et son insatiable désir de poésie. C'est sans doute grâce à Clara que Hannah rencontre son premier amour, Ernst Grumach, de cinq ans son aîné. Hannah paraît plus que son âge, et sa maturité intellectuelle semble manifeste. Elle n'aime guère son beau-père, patriarche, moustachu et pointilleux, qui tente avec la complicité de sa mère de mettre un frein à sa soif d'indépendance. Clara lui permet, en lui présentant son cercle d'amis, de « sauter » en quelque sorte une classe d'âge et d'éviter les tourments d'une adolescence batailleuse. Comme Clara, Hannah aime les études, mais pas forcément la discipline de son école, la Luisenschule. Elle travaille à son rythme, refusant d'aller aux cours trop matinaux. Elle arrive même à se faire excuser par ses professeurs qui lui proposent un examen spécialement conçu pour elle ! Hannah témoigne déjà d'un fort esprit de concentration et a besoin de cette solitude méditative exacerbée par ses tourments intérieurs. Susceptible, peu sûre d'elle, elle peut facilement être blessée à vif. Jamais elle ne racontera comment se conduisit avec elle un jeune professeur de son école, connu pour son mépris des élèves et ses remarques désobligeantes. Elle préfère organiser son boycott par ses camarades. Elle gagne le combat, mais se fait renvoyer du Gymnasium. Martha intercède. Elle lui donne raison. Martha admire sa fille, elle est stupéfaite devant ses dons intellectuels. Elle comprend et adhère à l'ambition qu'éprouve Hannah d'être meilleure que les autres. Hannah a gagné. Le lycée de Königsberg ne veut plus d'elle. La liberté arrive plus tôt que prévu. Martha envoie sa fille chez de vieux amis de la famille, de gauche par surcroît, les Levin, à Berlin, où elle loue une chambre dans un foyer d'étudiants et suit des cours de latin, de grec et de théologie chrétienne, à l'université.

En lisant les témoignages de ses amis un peu plus âgés qu'elle, on ne peut qu'être frappé de sa précocité intellectuelle, de sa détermination et de sa faculté à mémoriser des textes. Elle semble avoir tout lu, la poésie, Goethe en particulier, la philosophie, Hegel, Kierkegaard, mais aussi des ouvrages romantiques, allemands ou français, ainsi que des romans modernes comme ceux de Thomas Mann.

L'éros de l'amitié

Comment échapper à l'obsession de ne pas se sentir autorisée à être de ce monde ? Comment éloigner cette angoisse qui l'étreint ? La poésie sera la première réponse. Hannah commence à écrire des poèmes. À dix-sept ans, elle transcrit ses interrogations métaphysiques, dont témoigne ce poème sans titre :

Aucune parole ne perce l'obscurité
Aucun dieu ne lève la main —
Où que je regarde,
Un pays à n'en plus finir.

Aucune forme pour s'estomper
Aucune ombre fluctuante.
Et j'entends sans cesse :
Trop tard, trop tard[3].

La même année, Hannah revient à Königsberg où sa mère sollicite pour elle auprès du lycée de jeunes filles l'autorisation de passer l'examen de fin d'études, l'*Abitur*, en candidate libre. Martha ne ménage pas sa peine pour aider sa fille : elle embauche le directeur de l'école supérieure de garçons pour lui donner des cours ; Frieda Arendt, la demi-sœur de Paul, ancienne institutrice vient, chaque jour, vérifier les devoirs et encourager l'adolescente en la faisant bénéficier de sa connaissance et de sa passion pour la littérature. Après six mois d'un intense travail — Hannah détestera toute sa vie les examens et confiera à son amie Anne Mendelssohn que ce passeport pour l'Université fut une des expériences les plus effroyables de sa vie —, elle le réussit pourtant au printemps 1924, avec un an d'avance. Elle va alors montrer, toute fière, la petite médaille d'or qu'on donnait aux diplômés du Gymnasium à ses anciens camarades et à ses anciens professeurs, en leur expliquant que, finalement, son exclusion lui avait fait gagner du temps[4] !

Hannah était précoce en tout : en études comme en amour. Pendant qu'elle préparait chez elle son *Abitur*, elle commença sa liaison avec Ernst Grumach, l'amoureux d'Anne, laquelle avait dû quitter Königsberg avec sa famille. Anne partie, Hannah tomba dans les bras de ce jeune homme, passionné de philosophie, comme elle. Elle qui se jugeait « maigre et pitoyable » se transforma en une jeune femme aux formes arrondies, devint sociable et chaleureuse[5].

Martha encouragea cette liaison malgré les egards désapprobateurs qu'elle suscitait. Hannah eut la chance de rencontrer très tôt une véritable petite bande d'amis constituée de jeunes gens exceptionnellement doués, ouverts au monde, enthousiastes et généreux. Dès 1922, Ernst Grumach suit les premiers cours que donne Martin Heidegger à Marbourg. Paul Jacobi, un ami d'Ernst et de Hannah, étudiait la philosophie à Heidelberg et tous deux rendent compte à Hannah de l'émotion que suscite en eux cette passion de comprendre. Cette génération de jeunes gens appartient aujourd'hui à un monde englouti où la culture servait de ciment, où l'érudition était chose banale et normale et où le judaïsme, plus qu'une foi, évoquait une histoire. Ils n'avaient, pour la plupart, que très rarement souffert de l'antisémitisme, se percevaient allemands, juifs et allemands, mais intellectuels avant tout.

Parmi eux, Walter Benjamin, Hans Jonas, Gershom Scholem. Benjamin, déjà ouvert à la mystique, n'a qu'un seul astre qui le guide dans ses nombreux butinages philosophiques, politiques et sociologiques : Hölderlin. Scholem relit Platon, étudie les mathématiques, et commence à s'intéresser au renouveau du judaïsme avec les écrits de Martin Buber[6]. Il devra, comme Hannah, quitter son lycée un an avant son *Abitur*. Auteur d'un article pacifiste publié dans la *Jüdische Rundschau*, intitulé « La guerre de l'arrière », il sera dénoncé comme antipatriote. Son père, très irrité par son renvoi et par ses motifs, voulut, pour le punir, l'envoyer en apprentissage chez un « dompteur de harengs », expression berlinoise pour désigner un épicier. Un de ses oncles prend parti pour lui et lui apprend qu'en vertu d'un règlement dit de la petite immatriculation, il a le droit de s'inscrire sans habilitation et pour quatre semestres à la faculté d'agronomie ou de philosophie. Gershom choisit la philosophie, au grand dam de son père qui tente de s'y opposer et s'en plaint souvent devant lui : « Monsieur mon fils ne pratique que des arts qui ne nourrissent pas leur homme. Monsieur mon fils s'intéresse aux mathématiques, aux mathématiques pures. Je demande à Monsieur mon fils : que veux-tu ? Tu n'as aucune chance de faire carrière à l'Université, puisque tu es juif. Tu ne pourras pas y obtenir de poste intéressant. Sois ingénieur, va à l'université technique, et tu pourras faire toutes les mathématiques que tu voudras à tes heures de loisir. Non, Monsieur mon fils ne veut pas être ingénieur, il n'aime que les mathématiques pures. Monsieur mon fils s'intéresse aux choses juives. Je dis à Monsieur mon fils : à ton aise, fais-toi rabbin, tu pourras judaïser autant qu'il te plaira. Non, Monsieur mon fils ne veut en aucun cas devenir rabbin. Des arts qui ne nourrissent pas leur homme[7]. » On connaît la suite. Le fils continuera à faire de la philosophie, redécouvrira ses origines juives, ira à la synagogue, apprendra l'hébreu, continuera à militer pour la cause sioniste. Le père assimilé a honte de la fierté de son fils à assumer sa judéité. Il meurt en 1925, « peu de mois avant qu'on ne me nommât à l'université de Jérusalem pour y enseigner ces arts juifs qui ne nourrissent pas leur homme ». Gershom Scholem quitta en effet l'Allemagne en 1923 pour la Palestine où, jusqu'en pleine tourmente nazie, il attendra Walter Benjamin qui lui avait promis de le rejoindre à l'université de Jérusalem.

Destins entrelacés. Chassés-croisés. Europe, États-Unis, Palestine. Toile de fond : l'exil obligé, la nécessaire reconstruction d'une identité. Hannah éprouvera souvent le sentiment que le sol se dérobe sans cesse sous ses pieds et qu'elle vit dans un temps discontinu, fragmenté. Sa seule patrie fut immatérielle : ce fut l'amitié qu'elle construisit tout au long de sa vie comme un architecte sait construire une maison où il fait bon vivre. Ce sentiment de sérénité, cette permanence au monde, elle l'éprouva dans ses relations avec ses amis : Kurt Blumenfeld, Karl Jaspers, Hans Jonas et Gershom Scholem. Cette dernière amitié survécut cahin-caha, en dépit de graves crises et de dissensions idéologiques et politiques qui surgirent au moment du procès Eichmann et de ses prises de position.

De Hannah, ils respectaient tous l'éros de l'amitié qu'elle pratiquait et l'intransigeance de sa pensée nourrie aux mêmes sources que ces anciens étudiants épris de théologie et de poésie : la liberté intérieure que procure l'étude de la philosophie. Hannah étudiera la philosophie, mais également la théologie chrétienne de Romano Guardini[8], né en 1885, quatre ans avant Heidegger, l'un des chefs de file de l'école des existentialistes chrétiens qui commençaient à se multiplier en Allemagne. Hannah est attirée par les questions existentielles. La philosophie constitue une réponse vitale, nécessaire, aux tourments qui l'assiègent. Elle ne s'est jamais posé la question de savoir si elle voulait faire autre chose. Pourquoi ? En 1964, au journaliste Günter Gaus, elle répond : « Je me le suis moi-même souvent demandé, et je ne puis que vous répondre : la philosophie s'imposait. Depuis l'âge de quatorze ans [...]

J'avais lu Kant. Vous me demandez : Pourquoi avez-vous lu Kant ? De toute façon, pour moi, la question se posait en ces termes : si je ne peux pas étudier la philosophie, je suis pour ainsi dire perdue ! Non que je n'aimais pas la vie, mais compte tenu de la nécessité [que j'éprouvais] : il me fallait comprendre[9]. »

Comprendre l'horreur de la guerre, l'échec de la révolution, l'absence de valeurs communes, les défauts de la république de Weimar, les frontières entre le bien et le mal. Savoir si, comme le dit Rilke dans ses *Élégies*, les hommes sont comme les anges : marchent-ils au milieu des vivants ou des morts ? Savoir, à l'intérieur de soi, comment résonne la parole d'Hölderlin dans le lamento d'*Hypérion* : « C'est une dure parole que je vais dire, et je la dirai pourtant parce qu'elle est véridique : on ne peut concevoir de peuple plus déchiré que les Allemands. Tu trouveras, parmi eux, des ouvriers, des penseurs, des prêtres, des maîtres et des serviteurs, des jeunes gens et des adultes certes ; mais pas un homme[10]. »

Hannah arrivait dans une université vieille et sclérosée. Scholem avoua que les enseignants de philosophie de la faculté de Berlin le laissèrent froid et ne lui permirent pas d'aimer Aristote et Kant. Adolf Lasson faisait encore, à quatre-vingt-trois ans, un cours public sur Hegel d'une rhétorique exceptionnellement vivante mais qui ne réussit pas à le convaincre, pas plus qu'Ernst Cassirer qui enseignait les présocratiques et que Gershom Sholem trouvait particulièrement irritant. Hannah, elle, qui résidait dans un foyer d'étudiantes, fut enchantée : en plus du latin et du grec, elle suivit les mêmes cours, auxquels elle ajouta, nous l'avons vu, l'enseignement de théologie chrétienne de Romano Guardini.

L'étude de la philosophie allait de pair avec celle de la théologie. En ce sens son choix, cinq ans plus tard, à Marbourg, de suivre non seulement les cours de Martin Heidegger, mais aussi ceux de Rudolf Bultmann sur le Nouveau Testament, ne sera pas un hasard, mais s'explique par sa soif de comprendre et la philosophie et la théologie d'un seul mouvement. « Je ne me heurtais qu'à cette seule question : comment faire de la théologie lorsqu'on est juive, comment s'y prendre ? Je n'en avais pas la moindre idée[11]. » Comment percer l'intrigue religieuse à partir d'une réflexion rigoureuse sur la crise de l'intelligibilité du monde ? Comment comprendre le judaïsme et le christianisme dans leur approche de la vérité ? Comment faire face à l'angoisse de la mort qu'aucun système philosophique ne saurait contourner ? Hannah avoue avoir lu Kierkegaard comme bon nombre des étudiants de sa génération, et en avoir été profondément impressionnée. Sören Kierkegaard développa, au milieu du XIXe siècle, une pensée personnelle en réaction au « Système » de Hegel qui non seulement prétendait dépasser la religion, réduite à une forme de représentation symbolique, afin qu'elle laisse place à une science purement conceptuelle, mais qui semblait nier l'être et la valeur de l'individu au profit des totalités que sont le peuple, l'esprit d'une époque, l'État. Kierkegaard oppose la valeur de l'individu au Système et distingue trois stades possibles de l'existence : le stade esthétique, qui — à travers la figure de Don Juan — est le type même de l'existence inauthentique, le stade éthique, qui s'accomplit dans le travail et le mariage, et le stade religieux qui procède d'une rupture avec le stade éthique. La foi selon Kierkegaard ne peut être tenue pour un savoir ; bien au contraire elle résulte d'un engagement qui s'opère au-delà des catégories de la raison, voire contre la raison elle-même : lorsque Dieu lui demande de sacrifier son fils, Abraham conserve sa foi en Dieu malgré l'absurdité et la cruauté de cette requête. La foi est un engagement entier qui nécessite une sorte de saut, par-delà la raison et l'éthique. La vérité ne se trouve pas dans des argumentations conceptuelles, mais dans cet engagement de la subjectivité : « La subjectivité est la vérité[12] », écrit le penseur danois. La foi n'est pas une expérience tranquille. Liée à l'angoisse de la liberté et de la faute, elle doit se confronter au doute pour être authentique en assumant sa propre absurdité. Existence authentique et existence inauthentique, angoisse, sentiment de l'absurde, nausée, foi, communication aliénée : les problèmes et les grands thèmes des philosophies de l'existence étaient bien déjà constitués. Ces tourments de l'être, cette mélancolie sourde, cette absence de place dans le monde constituèrent pour elle une préparation mentale et psychique à la découverte de l'œuvre de Martin Heidegger. Cette préoccupation de ce qui nous constitue comme être au monde se retrouvait aussi dans le livre saisissant de Franz Rosenzweig, publié en 1921, *L'Étoile de la Rédemption*[13], qui met en exergue le concept de révélation. Écrit en six mois, à la fin de la guerre sur le front balkanique et sur des cartes postales envoyées à sa mère, ce texte, rédigé au moment où l'auteur, issu d'une famille juive profondément assimilée, tente de se convertir au christianisme, puis revient à la religion de ses pères après une nuit mémorable, propose, dans une réflexion nourrie par l'expérience de la guerre, un retour au judaïsme et une aventure spirituelle nouvelle.

Ce livre, saisissant par l'ampleur de sa réflexion et bouleversant par l'émotion qu'il dégage, a manifestement imprégné Hannah Arendt et l'on retrouvera plus tard dans la conceptualisation de son œuvre l'« être ensemble », la « fragilité des affaires humaines », l'« appartenance commune au monde ».

Ernst fut l'amour d'un printemps puis devint un ami. Sur le rythme d'une chanson populaire, elle rédigea ce poème juste après leur séparation :

SUR LE TON D'UNE CHANSON POPULAIRE

Quand nous nous reverrons
Fleurira le blanc lilas,
Je t'entourerai de coussins,
Rien ne doit plus te manquer.

Heureux nous serons
Qu'un vin âcre,
Que des tilleuls parfumés
Nous retrouvent ensemble.

Et quand les feuilles tomberont
Que vienne la séparation.
À quoi bon notre frémissement ?
Il nous le faut souffrir[14].

Hannah fait très tôt la preuve de ses dons intellectuels, mais sans en prendre conscience. Elle a le sentiment d'être comme tout le monde, comme Ernst Grumach, Karl Löwith et Hans Jonas, qui deviendront eux aussi des condisciples de

Hannah au séminaire de Heidegger. La Première Guerre mondiale avait fait mûrir ces jeunes intellectuels épris d'un monde nouveau, submergés par la violence qu'avaient subie leurs camarades dans les tranchées. Leur idéal révolutionnaire avait volé en éclats. Un sombre pressentiment étreignait cette jeunesse nourrie au lait du pessimisme de Schopenhauer et de Kierkegaard. Comment imaginer un monde où vivre ensemble ? Ils ne croient ni aux théories de Spengler, qui connaissent un grand succès, sur le déclin de l'Occident[15], ni à la révolution bolchevique et aux lendemains qui chantent. Ils préfèrent se réfugier dans la poésie. Pour Hannah, la poésie devient une nourriture, un refuge, une patrie. Ses poèmes sont imprégnés d'une profonde mélancolie, comme celui-ci qu'elle intitule *Müdigkeit*, « Lassitude » :

Crépuscule du soir —
Comme une discrète plainte
S'élève encore le cri des oiseaux
Que j'ai créés.

De grises cloisons
S'effondrent
Mes mains
Se retrouvent.

Ce que j'ai aimé
Je ne puis le saisir
Ce qui m'entoure
Je ne puis le laisser.

Tout de sombrer.
La pénombre s'accroît.
Rien ne me pèse —
Tel est le cours de la vie[16].

Hannah est engloutie dans cette atmosphère de destruction du monde où tout se lézarde et où les repères s'effondrent. Les tourments les plus intimes de l'adolescence s'entremêlent à un romantisme boursouflé de religiosité, une philosophie de l'existence naissante imprègne ses questionnements les plus intimes. Dans l'été qui précède son entrée à l'université, elle continue à écrire des poèmes :

Va au fil des jours sans cordeau.
Que tes paroles soient sans poids.
Vis dans le noir sans rien à voir.

Je suis dans la vie sans gouvernail

Au-dessus de moi rien que monstruosité
Comme un grand oiseau noir nouveau :
Le visage de la nuit[17].

Comme tant d'autres étudiants, Hannah subissait l'influence qu'exerçait alors la poésie comme prophétie, législatrice suprême, transcription de ses émois, force civilisatrice de construction du soi.

Ce n'est pas le bonheur
Comme ils se l'imaginent
Eux qui sont en mal de temples
Du parvis observent la ferveur
Et une bénédiction qui leur échappe
Pour se détourner d'un œil mauvais
Et se plaindre d'une vie gâchée.
Mais quant au bonheur pour celui
Qui ne fait qu'un avec lui-même
Dont le pied ne heurte
Que ce qui se déroule sous ses pas
Pour qui se connaître est limite, a bon droit[18]...

Étrange religiosité du cœur. La poésie pour Hannah est à la fois consolation, commémoration d'un temps englouti immémorial, hommage rendu à la seule princesse des ténèbres : la mort omniprésente, la mort qui immobilise l'être, la mort qui peut vous capturer dans ses filets.

On ne peut comprendre, je crois, le futur lien entre Heidegger et Arendt que si on le place aussi sous le signe des noces secrètes de la mort et de la poésie, c'est-à-dire de la lecture de Hölderlin considéré comme détenteur du sens ultime d'une même vision du monde, où philosophie, mysticisme et sentiment de la nature sont indissolublement liés.

C'est donc cela, la vie. Depuis le début de son adolescence, le sentiment d'être encore vivante étonne Hannah. Que signifie vivre ? Comment le comprendre, l'élucider, l'interpréter ? Hannah est en plein désarroi. Elle ne dort plus, multiplie les lectures, écrit des poèmes. Le jour, elle est abattue, déprimée, désorientée. Elle ne sait plus qui elle est. Elle se sent flotter. « La mort habite la vie, je sais, je sais », écrit-elle. Anne, sa meilleure amie, raconte qu'elle reçoit un jour un coup de téléphone de Hannah qui la vouvoie et lui dit, à sa grande stupéfaction : « C'est Hannah Arendt. Vous vous souvenez de moi[19] ? » L'interrogation est, je crois, à prendre au pied de la lettre : Hannah elle-même ne se souvient pas très bien de qui elle avait été, et ne sait pas si elle veut continuer à vivre. C'est dans cette grande période d'angoisse qu'eut lieu la rencontre avec le professeur Martin Heidegger. L'oublier serait mésestimer le rôle qu'eut ce dernier avant même le début de leur relation amoureuse : tout à la fois accoucheur de vie et maître spirituel qui lui a appris à mettre de l'ordre dans ses pensées. Martin Heidegger fut le premier à reconnaître — la première personne après sa mère, qui le savait dès le début — la force intellectuelle de Hannah, mais aussi à comprendre ses grands désarrois. Il sut lui donner confiance, dissiper ses vertiges d'identité et éloigner la tentation du suicide.

Le magicien de Messkirch

C'est sans doute grâce à Ernst Grumach, lui-même élève de Martin Heidegger à Marbourg, dans la Hesse, dès 1922, que Hannah Arendt décide d'y poursuivre ses études. Déjà la réputation de l'ancien disciple d'Edmund Husserl, qui avait lui-même ébranlé le socle de la philosophie allemande, franchissait les frontières de la ville universitaire, et des étudiants en philosophie d'autres universités s'inscrivaient pour suivre ses séminaires. On disait qu'il portait des tenues extravagantes — pantalons de ski, chaussettes hautes, chemises imprimées —, qu'il était un merveilleux orateur en guerre contre son époque, contre les autres professeurs qui ânonnaient leurs cours de philosophie morale, contre la théologie chrétienne qui l'avait formé, contre l'existence mondaine, contre lui-même enfin, désireux qu'il est, dès 1920, d'une seule chose : dire ce qu'il pense, assumer l'orage de la pensée qu'il déclenche, et signer du même coup la ruine des anciennes manières de philosopher. Il veut découvrir ce qu'il y a de nécessaire dans cette situation révolutionnaire à partir de ce qu'il vit, sans se préoccuper de savoir, comme il l'affirme, s'il en sortira une culture ou une accélération du destin.

Hannah a dix-huit ans en 1924 quand elle entre à l'université de Marbourg, fief du néo-kantisme. Elle suit les cours de Paul Natorp[20] sur *La Critique de la faculté de juger*, la troisième critique écrite par Kant, et considère la philosophie transcendantale comme l'énergie créative de l'ensemble de sa philosophie. Il ne devait pas être évident d'entrer dans cette communauté de travail dont certains membres disaient eux-mêmes que les cours magistraux et les séminaires, si féconds et excitants fussent-ils, étaient parfois si abscons qu'ils en étaient difficilement compréhensibles. Hannah, malgré son jeune âge, est suffisamment armée : elle a appris seule la philosophie classique, s'est initiée à Berlin à Kierkegaard, a lu à seize ans la *Critique de la raison pure* de Kant, et éprouve de l'enthousiasme pour tout ce qui a trait au monde de l'esprit. À ce désir d'érudition, se mêle aussi la volonté de trouver des solutions aux tourments existentiels qui l'assaillent. Elle ne veut pas vivre. Elle ne veut pas mourir. Elle veut échapper à la vie. Hannah est une intellectuelle angoissée. Elle a besoin de comprendre la totalité de la vie naturelle et spirituelle, elle est étreinte par des questions religieuses, tout en se méfiant de tout dogmatisme. Elle suit avec passion le séminaire de Rudolf Bultmann sur le Nouveau Testament. Ce théologien protestant né en 1884 avait déjà écrit en 1921 la première version de son ouvrage *L'Histoire de la tradition synoptique*[21] dans lequel, à la manière d'un géologue, il mettait en évidence les strates d'écriture hétérogènes du Nouveau Testament, depuis le récit de la prédication de Jésus jusqu'à l'Église du IIe siècle, en passant par le christianisme juif, le christianisme hellénistique ou encore la doctrine de Paul et celle de Jean et des autres évangélistes. Rudolf Bultmann devait susciter plus tard la polémique en affirmant la nécessité de vider la foi de la croyance dans les miracles et de démythologiser la Bible pour ne retenir que le kérygme, la proclamation ou la prédication : Jésus-Christ a été envoyé par Dieu pour sauver les hommes. Bultmann reprit aussi à Heidegger certaines de ses catégories comme l'angoisse, la déréliction, la décision en expliquant que le Christ appelle les hommes à sortir de l'existence inauthentique.

La philosophie constitue pour Hannah, non une histoire de la pensée, mais une matière vivante, qui permet de donner un cadre théorique et psychique à cette jeune femme assoiffée de repères, à l'imagination débordante, à l'intelligence puissante, trop puissante, si puissante qu'elle-même en est tourmentée.

Penser, c'est vivre. Vivre, c'est penser. Pas de pensée sans prise de risque. Pas de pensée qui ne soit un affrontement personnel avec le monde. Penser, c'est aussi frôler le précipice, assumer le désespoir et la solitude qui peuvent en résulter. Penser, ce sera son activité. Finalement, elle ne fera que cela, Hannah, à partir du plus intime de son être. « Je ne crois pas qu'il puisse y avoir quelque processus de pensée que ce soit sans expérience personnelle. Toute pensée est repensée : elle pense à la perte de la chose. Penser, c'est s'exposer[22]. »

Que s'est-il passé à l'automne 1924 ? Seuls Martin Heidegger et Hannah Arendt le savent, qui n'ont pas voulu le faire savoir. Paix à leurs âmes. De toute façon, cela demeure intraduisible. Un baiser en fut l'aveu[23]. L'un et l'autre, avec la faute, parlent de l'amour. Comme le dit Paul Celan : « L'un et l'autre veulent exister et mourir [...] Lèvre savait. Lèvre sait. Lèvre finit de le taire[24]. »

La poésie seule fait signe et sens dans le brouillard de cet amour. Ce que l'on peut restituer, grâce aux correspondances, aux témoignages et au texte autobiographique de Hannah, intitulé les « Ombres[25] », c'est le basculement qui s'opère. La chrysalide s'ouvre, la fausse armure qu'elle a construite se fissure, le monde de chimères dans lequel elle s'est cachée s'évanouit progressivement, et le mal d'être, petit à petit, commence à reculer.

Hannah est admise au séminaire d'Edmund Husserl, et cherche à s'inscrire dans le cénacle fermé de la fratrie d'étudiants qui idolâtre déjà Martin Heidegger. Il enseigne alors Platon — *Le Sophiste* — et Aristote — *L'Éthique à Nicomaque*. Il se proclame élève d'Edmund Husserl, mais aussi de Karl Jaspers, dont Hannah avait découvert adolescente, en 1922, *La Psychologie des conceptions du monde*[26]. Cette lecture eut une influence déterminante sur elle. Elle lui permit de rejeter la philosophie des professeurs et de comprendre que la véritable interrogation philosophique s'assigne pour unique tâche de poser les problèmes de l'existence. Ce livre avait obtenu un succès public lors de sa parution, en 1919, et avait encouragé nombre d'étudiants à s'orienter vers une recherche philosophique pure et rigoureuse.

Hannah est à Marbourg non seulement pour apprendre, mais pour tenter d'expérimenter des formes et des méthodes de penser capables de permettre de cartographier les nouvelles lignes de force de ce monde nouveau et chaotique de l'après-guerre. Martin Heidegger a l'impression, dès le début des années 1920, de communier avec Jaspers dans ce qu'il nomme la « réanimation de la philosophie[27] ». Les deux hommes s'étaient rencontrés au printemps 1920, à Fribourg, lors de l'anniversaire d'Edmund Husserl. Mme Husserl le présenta à Jaspers comme le « fils phénoménologique », le précieux et infatigable assistant de son mari depuis janvier 1919. Le coup de foudre entre Jaspers et Heidegger fut réciproque. Dès le lendemain, le premier rend visite au second, parle avec lui de théologie et de philosophie, et observe la manière pénétrante dont Martin évoque les problèmes philosophiques[28]. Assez vite, Jaspers doit néanmoins se résoudre à se méfier de lui. Il aura bientôt l'occasion de constater l'arrivisme de Heidegger.

Dès l'été 1921, celui-ci lui demande indirectement de l'aider à obtenir le poste de maître de conférences à Heidelberg mais il apprend qu'il n'a aucune chance de l'avoir[29]. Jaspers découvre alors assez vite sa propension à juger ses collègues de façon péremptoire, sa manière prétentieuse et blessante de parler des autres élèves de Husserl. Il est prompt à vouloir écraser tout le monde avec arrogance, y compris... Jaspers lui-même, qui le rabroue vite. Il accorde cependant à Heidegger une grande faculté d'intelligence et d'inventivité, même si, dans les rapports humains, il le trouve violent et injuste. Heidegger confie à Jaspers ses déceptions d'enseignant : il trouve ses étudiants et étudiantes superficiels et vaniteux : ce sont soit des illuminés, soit des adeptes insignifiants de cercles de poésie, soit des malades perdus dans une boulimie de lectures malsaines et un savoir touche-à-tout[30]. Portrait autobiographique d'un jeune enseignant pour qui le monde de l'université est déjà médiocre, étriqué, et qui révèle très tôt et très crûment ses ambitions immenses, se montrant prêt à tous les renoncements, à condition de pouvoir devenir vite l'égal de ses maîtres. Impatient de démontrer ses talents, fier de se dépenser sans compter pour innover avec ses étudiants, qui pourtant n'en valent guère la peine. Déjà dans le ressentiment, dans la déception. Des autres toujours. Pas de lui. Surchargé de travail à cause de la préparation de ses cours, avec ce sentiment de ne rien recevoir en échange. Déçu, amer même. « Cela ne vaut pas la peine qu'on se donne pour ceux qui sont assis devant soi[31] », écrit-il à Karl Jaspers.

Le bâtisseur d'une nouvelle philosophie, qui connaît le grec aussi bien que l'allemand, entend redonner à la science de l'être ses lettres de noblesse scientifique en mettant en jeu son existence. La philosophie, pour lui, est une lutte au couteau, et non le bavardage vaniteux de concepts éculés. Avant même leur rencontre, Heidegger était un enseignant exalté, désirant sortir de son rôle d'assistant à l'université de Marbourg, se prenant pour le chef d'une cohorte de rebelles qui devaient résister à l'apathie du temps. Il en appelle, dès 1922, à une « communauté de lutte rare et indépendante[32] », utilisant déjà un langage guerrier, reprenant en le dévoyant le vocabulaire nietzschéen. Il se veut le fondateur d'une communauté invisible, ni cercle, ni ligue, ni courant, mais cénacle. Il entend éradiquer toutes les tentatives de faire de la philosophie un bricolage de l'âme. Élève d'Edmund Husserl dont il est à l'époque à la fois l'assistant, l'ami, le confident, il prend à cœur, en apparence, de développer auprès de ses étudiants les théories phénoménologiques révolutionnaires de son maître. Husserl posait la nécessité de distinguer les faits psychiques empiriques, par exemple le triangle tel qu'on se le représente, des vérités objectives de l'esprit, dans ce cas l'essence pure du triangle. C'est pourquoi la phénoménologie se présenta d'abord comme la science qui étudie les essences telles qu'elles se donnent pour la conscience. Mais Husserl poursuivit sa recherche en faisant porter l'analyse sur la conscience elle-même, en utilisant une méthode, comparable au doute de Descartes, qui consiste à mettre entre parenthèses toute affirmation d'existence du monde ou de vérité pour remonter à la conscience pure du « je pense ». Husserl établit ainsi que la conscience est ce qui donne sens à tout ce qui se donne comme objet ou comme expérience. Loin d'en rester à une philosophie idéaliste détachée d'un monde qui pourrait tout aussi bien ne pas exister, Husserl accomplit au contraire son programme de « retour aux choses mêmes » et à l'expérience. Il développa de plus en plus l'analyse de l'expérience que la conscience fait du monde naturel et humain, déjà rempli de sens pour nous avant même toute connaissance scientifique, et il est certain que la notion d'être-au-monde que Heidegger analysa dans *Être et Temps* avait déjà été pensée par Husserl.

Martin Heidegger dédiera à Edmund Husserl son premier ouvrage, *Être et Temps,* en 1927. Pourtant, dès 1923, il confie à Jaspers : « Husserl est complètement sorti de la cohérence — s'il “y” fut jamais — ce qui m'est apparu comme de plus en plus douteux ces derniers temps — il oscille d'un côté à l'autre et dit des frivolités, que c'est à faire pitié. Il vit de sa mission de fondateur de la phénoménologie — personne ne sait ce que c'est..., il commence à deviner que les gens ne le suivent plus[33]. » Déjà le double jeu. Déjà le mensonge. Pour l'heure, il s'installe à Marbourg avec sa femme Elfride, qu'il a épousée en 1927, et ses deux jeunes enfants, Jörg et Hermann. Quelques mois plus tard, il rencontre Hannah pour la première fois sur les bancs de l'université.

Hannah a entendu parler de Heidegger par plusieurs de ses amis[34], qui vantent ses audaces intellectuelles et son génie d'orateur. Ses étudiants l'appellent « le petit magicien de Messkirch » d'où il est natif. Quand Hannah vient l'écouter, on se bouscule déjà à Marbourg pour suivre son séminaire.

L'homme intrigue, séduit, fascine. Ses étudiants savent peu de choses de sa vie personnelle, sauf qu'il écrit tout le temps. Ils sont captivés par le sérieux, l'énergie et sa faculté de déconstruire, de façon magistrale, la tradition classique. Il a la méfiance prudente et rusée du paysan. L'intensité de sa détermination philosophique le place très au-dessus des autres universitaires [35].

Alors qu'il n'a encore rien publié, un Japonais débarque à son séminaire pour l'inviter à venir enseigner à Tokyo dans un institut fondé par la noblesse japonaise. C'est dire si sa réputation a déjà franchi les frontières. Salaire annuel proposé : 17 000 marks. Heidegger hésite. Son épouse n'y voit que des avantages : de l'argent pour construire une maison, un changement d'horizon, une aventure lointaine. Lui se demande s'il a vraiment envie de tenter une telle expédition [36]. Heidegger a déjà l'esprit casanier, il veut continuer à travailler sans quitter son pays — déjà cette obsession de l'enracinement —, même s'il s'ennuie à l'université où rien ne se passe. « C'est endormi, la moyenne la plus médiocre, pas d'agitation, pas de stimulant[37] », confie-t-il à Karl Jaspers.

Martin Heidegger innove en tout, y compris en matière d'horaires : persuadé qu'on ne peut vraiment réfléchir que dès potron-minet, il décide de faire ses séminaires à sept heures du matin. Il n'est pas parti au Japon et s'en félicite. Quand il rencontre Hannah pour la première fois, il a retrouvé le goût de vivre, et même celui d'enseigner. À sa première rentrée universitaire, Hannah s'inscrit à son séminaire sur Platon. Heidegger commence par un hommage à Paul Natorp, qui vient de disparaître, et dès le premier cours insiste sur les liens entre philosophie et politique. Il engage la jeunesse allemande à prendre ses responsabilités, tout comme le fit Natorp, l'un des rares professeurs à comprendre la portée politique des mouvements de jeunesse Wandervogel-Bewegung qui, en 1913, se réunirent près de Cassel, pour tenter de fédérer la droite étudiante [38].

Heidegger ne parlera jamais à Jaspers de sa relation avec Hannah. Dans la correspondance qu'il entretient régulièrement avec lui, on note cependant qu'il aime de plus en plus enseigner et qu'il apprécie particulièrement, cette année-là, la qualité de ses étudiants : « Mes élèves les plus opiniâtres rendus progressivement bornés par la durée de leur condition d'élèves sont en diminution et je trouve des gens plus jeunes[39]. »

Aujourd'hui encore, lire les cours qu'il donna alors demeure un exercice fascinant, tant le rythme de sa pensée, la précision de son argumentation, sa manière d'utiliser la langue — en apparence le plus simplement du monde —, captive, emporte, donnant à chacun l'impression d'être plus intelligent. On imagine la séduction qu'il pouvait exercer sur ces jeunes gens, impressionnés par sa profondeur, sa poésie, son audace et son charme. Il fascinait d'autant plus qu'il ne souhaitait pas séduire son auditoire. Car il ne travaillait que pour lui, devant des étudiants qui voyaient, quand il commençait à parler, son front se bomber, s'orner d'une veine très saillante. Loin de tous et de tout, il s'embarquait dans un discours si vibrant, si brûlant, que ceux qui l'écoutaient le recevaient comme une aventure personnelle, psychique, pleine d'émotions, qui leur était, à chacun d'eux, personnellement réservée.

Un document photographique atteste du succès mondain de son séminaire : des étudiants sont debout au fond de la salle, d'autres dans les travées, plusieurs jeunes femmes prennent des notes. Martin Heidegger met en scène la philosophie avec grâce, poésie, humour et sans façon. À cette époque, son vocabulaire est clair, limpide même. Il abandonne ses notes, demande aux étudiants de s'imaginer au commencement du monde. À l'aube de la pensée. Certes, il vaut mieux connaître le grec ancien et avoir l'esprit véloce quand on lit ce cours qu'il a pris soin de retranscrire ; mais malgré le recul du temps, on éprouve une brûlure, une ardeur, un enthousiasme à parcourir avec lui ce chemin de pensée.

Proximité du passé, matière vivante de cette philosophie grecque qu'il nous rend si proche, préparation physique et mentale à nous comprendre, à nous aimer : oui, la philosophie est en dette, coupable de négligence et de dédain envers Platon et Aristote, notre survie spirituelle dépend peut-être de cette reconnaissance trop tardive, de ce retour aux origines.

Dévoiler la vérité des choses mêmes, récuser tous les bavardages… Heidegger détruit les certitudes comme on arrache les mauvaises herbes. Il possède cette manière à la fois élégante et discrète de rendre Platon vivant, lui-même étant bon vivant, malicieux, ironique avec ses élèves, et d'abord poète. En reprenant une image déjà utilisée par Platon dans le *Théétète*[40], ne parlait-il pas de l'âme comme d'un pigeonnier, des pensées comme de colombes prêtes à se laisser capturer ou à s'envoler, allant par bandes ou solitaires ? Pour Heidegger, la philosophie est indissociable de la vie. Elle est comme l'air qu'on respire. Impossible de le comprendre, donc, sans s'efforcer de mettre ses pas dans les siens, si possible avec abandon.

Ne pas tout vouloir comprendre, saisir des fragments, des éclairs, puis reprendre, rabâcher, renommer, répéter, comme il le faisait lui-même dans ses cours, où il se montrait alors patient, opiniâtre, modeste, dans ces moments bénis de 1924-1925. Se souvenir des lectures qu'il fit à cette période du *Journal* de Van Gogh et de ces mots qui l'obsédèrent : « Je sens de toutes mes forces que l'histoire des hommes est tout comme celle du blé : qu'importe si l'on n'est pas sur terre pour s'épanouir, on est moulu et on devient du pain. Gare à celui qui n'est pas broyé. » Il faut rappeler l'influence de Luther dans son obsession de ne faire que ce que l'on doit et juge nécessaire. Il reniera sa formation de théologien tout en adhérant à une pensée de l'existence avec la lecture de Kierkegaard. À Marbourg, qu'avait-il accroché à ses murs ? Avait-il emporté de Fribourg sa crucifixion expressionniste ? Les portraits de Pascal et de Dostoïevski étaient-ils encore sur son bureau ? Avait-il avec lui *Les Grands Bois*, son livre préféré de l'écrivain autrichien Adalbert Stifter[41], dont le titre d'un des récits, « Le Chemin forestier », lui inspira tout un pan de sa philosophie ? Ce petit homme brun savait « nous émerveiller en faisant disparaître ce qu'il venait à peine de montrer », dit l'un de ses étudiants, Karl Löwith, et la fascination qu'il exerçait venait en partie de son opacité. Personne ne le comprenait vraiment. Il échafaudait la structure d'une pensée qu'il démolissait ensuite. Hans Jonas raconte dans ses *Souvenirs* cette atmosphère de secte qui régnait dans son séminaire, fréquenté — était-ce un hasard ? — par beaucoup de jeunes Juifs. Comme si Heidegger était un rabbin miraculeux — un gourou[42].

Cette atmosphère n'était pas saine et l'art de l'enchantement pouvait être dangereux : Heidegger attirait des êtres plus ou moins psychopathes et une étudiante se suicida après trois ans de ce jeu de devinettes[43].

III

OMBRE

Quand débuta leur histoire ? D'après les confidences que fit Hannah à Hans Jonas, son camarade d'alors, c'est un soir que tout commença, quand l'élève vint voir le professeur, au prétexte de parler de philosophie. L'obscurité régnait dans le bureau de Heidegger et il n'alluma pas la lumière. Quand Hannah se leva pour prendre congé, il se passa quelque chose d'extraordinaire : « Tout à coup, il se mit à genoux devant moi. Je m'inclinai et de sa position il leva les bras vers moi et je pris sa tête entre mes mains : il me donna un baiser que je lui rendis[1]. » Dramatisation. Intensité. Romantisme. Relation inversée : le maître à genoux devant l'élève. Vénération ?

La première trace écrite date du 10 février 1925.

> Chère Mademoiselle Arendt, il faut que je vienne ce soir encore auprès de vous, en m'adressant à votre cœur.
>
> Tout doit être simple, limpide et pur entre nous. Alors seulement nous serons dignes d'avoir eu l'heur de nous rencontrer. Que vous ayez été mon élève, et moi votre maître, cela ne fut jamais que l'occasion propice à ce qui nous est arrivé.
>
> Jamais je ne pourrai m'arroger le droit de vous vouloir pour moi, mais vous ne sortirez plus de ma vie à quoi elle devra une vivacité accrue[2].

La liaison amoureuse a commencé il y a quelques jours. Martin Heidegger évoque encore leur relation en termes d'amitié, mais déjà lui demande pardon pour un bref moment d'égarement au cours d'une promenade. Hannah a dû en être effrayée. Le ton de Heidegger est comminatoire : il faut vivre pleinement ce qui leur arrive et non en avoir honte. Rien à voir avec l'état d'esprit d'un amoureux transi. Il tente cependant de la rassurer : « Ma loyauté envers vous vise uniquement à vous être de bon secours pour que vous demeuriez loyale envers vous-même[3]. »

Il a trente-cinq ans, elle dix-neuf. Cette rencontre est une chance pour eux deux, mais surtout pour lui. Heidegger, fantôme de Don Juan un peu vieillissant, séduit une de ses étudiantes. C'est un de ses sports favoris. Hannah n'est ni la première ni la dernière. Très vite, il use avec elle d'un vocabulaire désuet tout en forçant les barrages de l'âge et du sexe : « "Réjouissez-vous !" — c'est là ce que je vous dirai dorénavant en guise de salutation. Ce n'est qu'en cette réjouissance que vous trouverez votre accomplissement de femme, répandant de la joie, et autour de qui tout se fait joie, protection, sérénité, vénération et gratitude envers la vie[4]. » Il lui demande, pour autant, de ne pas jouer les oies blanches et, très vite, évoque avec elle la possibilité non d'une amitié éthérée mais bien d'une relation amoureuse où la jeune fille, grâce à lui, va pouvoir devenir femme.

Heidegger veut donc apparaître auprès de Hannah comme celui qui va lui permettre d'accomplir sa féminité. Ce mot d'accomplissement revient souvent dans les premières lettres. Le professeur lui indique comment elle peut devenir une bonne étudiante, tout en s'emparant de sa jeunesse, et l'incite à se métamorphoser en un nouvel être. Hannah est une jeune fille en fleur. L'expression est de Heidegger[5]. Elle deviendra une adulte autonome en prenant confiance en son intelligence, en sa beauté aussi. Mais, très vite, les relations s'inversent, et l'élève dirige le jeu du maître, qui se montre débordé par ce qui lui arrive. Dès la fin février Heidegger le reconnaît : « Le démonique m'a atteint de plein fouet. [...] Jamais rien de tel ne m'est arrivé[6]. »

Hannah vit dans une chambre d'étudiante à la sortie de Marbourg. Heidegger vient la chercher après ses cours pour de grandes promenades dans la montagne. Les vacances de Pâques vont les séparer. Heidegger craint cet éloignement, lui qui ne veut pas la laisser n'être qu'une étoile filante[7]. Hannah part chez sa mère à Königsberg. Lui s'enferme dans son chalet de Todtnauberg, avec femme et enfants.

Comme si de rien n'était

Mai 2001, le fils de Martin Heidegger me reçoit dans la banlieue de Fribourg en compagnie de son épouse. Exécuteur testamentaire de son père, il s'est fixé pour tâche de publier intégralement ses écrits, ses correspondances, l'ensemble de ses séminaires. Oui, il se souvient très bien de Hannah Arendt qui vint à Fribourg en 1950 chez son père et sa mère. Oui, il a en mémoire les disputes entre son père et sa mère à propos de Hannah. Il a su ou compris, déjà quand il était enfant, que cette relation était importante. La mère n'en a rien su, ou rien voulu savoir, avant la fin de la guerre, mais elle ne pouvait ignorer, tant sa réputation était faite, que son mari était volage et qu'il choisissait ses proies dans le cercle de ses étudiantes.

Je tombe des nues. Ma candeur et mon étonnement font bien rire Hermann. Si sa mère se montrait si sourcilleuse, si méfiante, si attentionnée et présente auprès de son mari, c'était certes pour protéger son travail, mais aussi pour le protéger lui-même de ses propres démons. Elle en savait quelque chose puisqu'elle-même avait succombé à ses charmes !

C'est un printemps froid. Malgré les jonquilles qui parsèment les prés dès que nous quittons la vallée, le brouillard se lève, épais, et la route en lacet dans la montagne est difficile. Nous parvenons enfin à Todtnauberg, ce chalet où Martin Heidegger se réfugiait pour travailler et méditer chaque fois qu'il le pouvait, lieu mythique et mythifié par les amoureux du philosophe, qui l'ont transformé en sanctuaire, cellule de travail magnétique, oasis de philosophie où le penseur venait régulièrement se ressourcer grâce à l'air piquant, aux conversations avec les paysans, aux grandes promenades de ski de fond, grâce à la solitude aussi. Lui-même théorisera ce lieu en le faisant entrer dans sa propre vision du monde, mais universalisera sa proposition en affirmant que chacun de nous a besoin d'un lieu à soi. Non pas une chambre à soi mais un lieu à soi, si petit soit-il, pour se protéger, mener si l'on en a envie une retraite spirituelle, un dialogue avec la nature qui est aussi une manière de se confronter avec sa propre finitude, que l'on ne saurait véritablement éprouver qu'en pleine tempête, en écoutant le mugissement du vent, ou lors d'une randonnée en montagne, quand on est perdu et que la nuit tombe.

Ce petit chalet de montagne qui surplombe la vallée, isolé en haut du village, deviendra un lieu de pèlerinage pour ses étudiants qu'il conviait à de grandes fêtes du corps et de l'esprit, dans la tradition des mouvements de jeunesse. Quand de sauvages tempêtes de neige ensevelissaient son refuge, c'était pour lui la haute saison de la philosophie.

En bas, le tissu doux et léger, mais évanescent et superficiel, de la pollution des bavardages universitaires ; en haut, l'air vigoureux des cimes. Des jours à scier du bois, à relire Kant et Hegel, à marcher pendant des heures et à tenter d'assigner un cadre à sa propre philosophie en essayant de se dégager de ses vagues visions du monde. En bas, les professeurs ivres de pouvoir, perdus dans leurs luttes de clans ; en haut, les paysans, plus courtois, mais aussi plus intéressants. En haut, la vitesse du ski dans la neige. En bas, le pas lourd de la plaine.

En cette saison, le chalet est fermé, et Hermann n'y vient plus que pour skier. Pour y monter, il faut contourner des plaques de neige. De la maison, la vue embrasse la crête du massif du Feldberg. L'air est pur. Silence absolu. Même si le village d'en bas s'est aujourd'hui transformé en hideuse station de ski pour colonies de touristes, le lieu inspire une impression physique de calme, de sérénité, de patience infinie.

Martin Heidegger, après les vacances de Pâques, se rend à Cassel pour une série de conférences. Hannah le rejoint en secret. Heidegger fait montre, toujours, d'une prudence de serpent. Il se réjouit de sa présence, tout en lui disant qu'ils ne pourront faire le voyage de retour ensemble. Pas question d'attirer l'attention, d'être vus tous les deux dans la rue, sur le quai de la gare, dans le train. On ne sait jamais. Heidegger ne veut pas s'afficher avec elle, pas plus aux yeux des autres étudiants qu'à ceux de ses collègues professeurs. Il déploie donc une véritable stratégie de ruses, de dissimulation, dont témoignent de multiples billets, tel celui du 17 avril, où il lui donne rendez-vous après une conférence. Comment se retrouver ? Pas à l'hôtel. Le mieux est de prendre le tram jusqu'à sa dernière station. « Sans doute pourrais-tu prendre la rame suivante, comme si de rien n'était[8]. »

Retour à Marbourg, Hermann Heidegger me le confirme : avant notre rendez-vous, il a bien vérifié, il a tout classé, tout regardé, tout fouillé. Dans la correspondance entre son père et Hannah, il a retrouvé beaucoup de lettres du premier, mais très peu de réponses de la seconde. Où sont-elles passées ? A-t-il souhaité garder secrètes certaines lettres pour préserver l'intimité familiale ? Non, il n'a jamais trouvé les lettres que Hannah a dû rédiger pendant cette période de l'amour réciproque. Il pense que sa mère était si jalouse que Heidegger avait peur de laisser traîner la moindre trace d'infidélité. Il a dû les brûler, à l'exception de celle-ci, bouleversante, qui s'apparente plus à un testament de la vie de jeune fille, à une introspection douloureuse de sa propre existence, qu'à une lettre d'amour.

Hannah l'a intitulée « Ombres » et parle d'elle à la troisième personne :

> Chaque fois qu'elle s'éveillait de ce long, de ce lourd sommeil malgré tout peuplé de rêves, de ce sommeil où l'on ne fait qu'un avec soi-même comme avec ce qui vous visite en rêve, toujours elle éprouvait la même tendresse pudique et tâtonnante envers les choses du monde, qui lui fit voir combien un pan non négligeable de sa propre vie s'était écoulé en sombrant pour ainsi dire par lui-même — comme dans le sommeil, serait-on tenté de dire, si tant est qu'il y ait quoi que ce soit de comparable dans la vie de tous les jours. Car étrangeté et tendresse menacèrent assez tôt de se confondre pour elle, en s'identifiant l'une à l'autre. La tendresse lui était inclination toute de pudeur et de retenue, non pas un don de soi, mais une exploration qui ne faisait qu'effleurer des formes étranges en éprouvant joie et émerveillement.
>
> Peut-être tout cela est-il venu du fait que, sa prime jeunesse à peine encore éclose, elle avait côtoyé de l'extraordinaire et du merveilleux, ce qui l'avait accoutumée plus tard à l'évidence plutôt ef-

frayante d'un dédoublement de sa vie en : ici et maintenant et ailleurs et là-bas. Non qu'il se fût agi de la quête nostalgique de quoi que ce soit de précis, tenu pour accessible, mais de la nostalgie comme consistance propre de la vie, comme ce qui est susceptible d'en devenir constitutif[9].

Ce texte autobiographique décrit les tourments d'une petite fille qui s'est sentie à part très tôt, torturée par le désir de vouloir ressembler à tout le monde. Pour calmer ses angoisses, elle se jette à corps perdu dans la lecture de la poésie, de la littérature. « Elle savait, pour bien des choses, à quoi s'en tenir — par expérience, et par une attention toujours en éveil. Mais tout ce qui lui advenait de la sorte venait s'amortir, au fond de son âme, y demeurait isolé et comme enkysté[10].» Séparée des autres sans le vouloir, tourmentée par des angoisses jour et nuit, la petite devient une adolescente perdue dans ses chimères, d'un tempérament suicidaire. Elle ne réussit pas à faire quelque chose d'elle-même, ne peut se fixer aucune limite, ne se recentre que lorsqu'elle s'agrippe à son désespoir, prend des coups sans pouvoir se protéger. « Cette dévastation intérieure, peut-être simplement due au désarroi d'une jeunesse trahie, trouvait à s'exprimer par cette oppression qu'elle s'infligeait à elle-même, à charge d'elle-même, en sorte qu'elle se dérobait à sa propre vue, se rendait méconnaissable et obstruait tout accès à elle-même[11]. »

Certes on reconnaît là les tourments habituels dus à l'adolescence, ainsi que l'influence du vocabulaire de la poésie romantique. Mais le texte dégage encore aujourd'hui l'impression d'une violence contre elle-même, ce trop de soi-même dont elle ne sait que faire et qui l'oppresse, et une peur sans limite. Peur de quoi ? Hannah souffrira toute sa vie de ce sentiment d'être sans filet, sans tanière, toujours à découvert.

Est-ce la perte du père qui resurgit là sournoisement ? Elle ne parle pas de son absence. Le texte décrit le comportement d'un être sans défense, pris dans le vertige qu'on trouve à se punir, à s'abîmer dans les souffrances, en s'infligeant des punitions intellectuelles, en buvant le calice jusqu'à la lie, et en refusant toute possibilité d'accéder un jour au bonheur. Elle parle d'elle comme d'une gisante, d'une demeurée. Elle ne cesse de se montrer blessante vis-à-vis d'elle-même, ironique, mordante. Reviennent les mots d'oppression, d'anéantissement. Est-ce dû à l'époque ? Faut-il lire ici les réminiscences de la guerre ? Tous ses camarades étudiants estropiés lui auraient-ils raconté comment ils avaient vécu dans les tranchées la folie de l'enfer ? Sans doute. Le sol se dérobe sous elle. Elle ressent dans son corps les tourments de ce qu'elle nomme elle-même les sombres temps[12], cette époque dévastée autant que désespérée. Elle se compare à un astre en liberté, paralysée, prise en chasse par cette peur obsédante qui la rend plus laide et plus commune que tout autre.

« Le sentiment d'être à la fois pétrifiée et traquée — joie et souffrance, douleur et découragement se pourchassant en elle, et y trouvant gibier de choix — eut pour effet de rendre toute réalité déliquescente, de ne laisser le présent ne l'atteindre que par ricochet, n'y ayant qu'une chose à quoi s'en tenir, qui est que toutes choses ont une fin[13]. »

Telles sont les « Ombres ». Ombres du passé, ombres des vertiges de l'identité, ombre aussi, même s'il n'est jamais nommé, du suicide. Hannah espère que cette confusion de l'âme cessera un jour, qu'elle trouvera enfin une harmonie avec le monde et avec elle-même. Elle n'exclut pas l'hypothèse, mais elle en doute : « [...] encore qu'il soit plus vraisemblable qu'elle continue à vivoter tant bien que mal au gré d'expériences sans lendemain, et d'une curiosité déboussolée, jusqu'à ce que la fin tant attendue, jusqu'à ce qu'elle survienne à l'improviste, cette fin tant attendue, et mette un terme arbitraire aux vains efforts qu'elle aura déployés[14]. »

Intense moment d'échanges intellectuels. Ce sont deux amants qui vont vivre, en ce printemps 1925, une histoire d'amour à faire pâlir les légendes. Ce sont deux penseurs aussi qui vont s'échanger leur vision du monde, se nourrir mutuellement, s'élever moralement, se dépasser philosophiquement. Car si Hannah lui livre par écrit le secret de ses tourments existentiels, sa vie intime, Heidegger lui confie dans ces jours d'avril un premier manuscrit de dix pages, dédié à Hannah, et qui s'intitule « Dasein et temporalité[15] ». Elle assistera à son séminaire intitulé « Prolégomènes à l'histoire du concept du temps », qui fait suite à celui sur Platon, et sera son interlocutrice privilégiée au moment où il rédige *Être et Temps*. Elle lui apportera son audace et lui donnera la force d'aller jusqu'au bout de sa révolution philosophique.

Heidegger lui donne en effet le manuscrit de son grand œuvre à venir, texte qui subira plusieurs modifications et sera achevé dans sa version définitive l'année suivante. *Être et Temps* va révolutionner les fondements de la philosophie en dépassant les thèses d'Edmund Husserl à qui pourtant il est dédié, en posant en termes neufs la question de l'être. Cet essai, publié en 1927 dans le huitième volume des *Annales de phénoménologie et de recherche phénoménologique*, aura donc pour première lectrice, première commentatrice, première correctrice, Hannah Arendt.

Il ne me paraît pas abusif d'avancer que ce texte fut irrigué, fécondé, approfondi par et avec l'amour de la jeune femme. Bien sûr, il y a interpénétration entre l'enseignement dispensé — depuis mai, le philosophe fait toujours son séminaire à 7 heures du matin devant cent vingt étudiants — et ses recherches théoriques personnelles. Mais Hannah n'est pas seulement une étudiante attentive. Elle devient une muse, étonnée elle-même que Heidegger la considère comme interlocutrice et récipiendaire, mais nullement affolée, tant sa capacité de réflexion est grande, et intense son amour.

Dans une lettre qu'elle lui envoie à Cassel, elle évoque son désir de vivre avec lui « si tu veux que je sois tienne… quand tu veux[16] ». Mais Heidegger ne veut pas entendre parler de vie nouvelle, de séparation avec sa femme. Il le lui dit très clairement dès la fin avril. Il l'aime libre, indépendante. Hannah renforce en lui son désir de réfléchir, encourage son désir d'inventions théoriques. Il se passe des choses importantes dans son travail grâce à son amour. Il ne voit pas très bien pourquoi il changerait de vie : d'un côté, le domicile conjugal où il peut rédiger son œuvre et où il est heureux, et de l'autre, cette étudiante qui l'inspire, donne du sel à sa vie, le rajeunit. Il a du mal à comprendre les tourments que Hannah lui confesse, lui qui a eu un cadre familial et une vie beaucoup plus simples et tranquilles qu'elle. Mais cela ne l'empêche pas de croire en elle, et il va s'employer à dissiper les fantômes encombrants qui l'empêchent d'accéder au bonheur. « Je ne pourrais t'aimer si je n'étais intimement convaincu que tout cela n'est pas *toi*, mais des défigurations et des illusions qui ont amené cette manière de s'effilocher soi-même, plaquée du dehors et parfaitement injustifiée[17]. »

Il va lui donner l'élan de la confiance en soi, ainsi que l'assurance qu'autorise l'amour. « J'étais tout à toi et tu étais tout l'univers[18]. » Martin aime Hannah. Il aime la femme, mais il aime aussi l'idée de l'amour. Si absorbé par la luminosité, la détermination, la beauté de Hannah, il en vient, en sa présence, à oublier qu'elle est là, à ses côtés, tant l'idée même de l'amour l'abîme dans la méditation : « affranchi que j'étais alors des soucis et des tracas du monde, tout à la joie que tu sois[19] ».

Attente de l'être aimé, présence entremêlée de la philosophie et de la poésie, Hannah et Martin récitent Goethe et Hölderlin et s'adonnent toujours à leurs interminables promenades. Leur correspondance est imprégnée du sentiment de cette nature bienfaisante, du scintillement de la rivière, du calme et de la fraîcheur du soir. Martin inflige à Hannah un jeu de cache-cache. Il l'attend, le soir, dans son bureau de professeur : baisers volés. Il lui impose des concerts auxquels ils assistent côte à côte, sans pouvoir se prendre la main, et toutes ces soirées et ces nuits qui ne leur appartiennent pas. Il lui demande sans cesse de l'attendre. « Veux-tu venir me voir ce dimanche soir ? [...] Viens vers 9 heures ! Si toutefois la lampe est allumée dans ma pièce, c'est que je suis retenu par un entretien. En ce cas peu probable, tu n'as qu'à revenir mercredi à la même heure. Mardi, j'ai malheureusement une séance de grec[20]. » Elle se soumet. Elle accepte. Elle l'aime et, comme un lutin facétieux, lui pose des questions sur l'avenir de leur amour. Il lui répond en philosophe et non en amoureux : « Mais que pouvait-il bien encore *advenir* qui ne soit *déjà* advenu, et à jamais ? [...] Qu'est-il du reste en votre pouvoir de faire, sinon de nous ouvrir l'un à l'autre et de *laisser* être ce qui est ? » D'ailleurs, impossible de faire autrement :

« Le monde n'est plus mien ou tien, [...] il est devenu *nôtre*[21]. »

On ne peut mettre en doute l'amour que Heidegger porte à Hannah et le respect qu'elle lui inspire. Lui-même est débordé par cette passion qui l'élève et le fait exulter. Mais Hannah espère autre chose. Vivre avec lui. Tout partager. Il ne peut l'envisager, alors il botte en touche. Au lieu de lui dire non, il fait de la surenchère, il romance et sanctuarise leurs relations, il loue ses qualités de pudeur et d'intelligence, il la désigne comme la destinataire de ses cours. Elle seule peut le comprendre sans ne plus avoir à apprendre. Il la dirige amoureusement et intellectuellement, joue sur les deux tableaux, celui de l'amoureux et celui du maître spirituel, lui enjoint de ne plus prendre de notes quand elle l'écoute : « Contente-toi d'écouter, et essaie d'*accompagner la démarche*[22]. »

Il en est sûr : à présent, grâce à lui, Hannah a enfin trouvé sa place dans le monde. Le reste n'a pas d'importance. Il souhaite que cette histoire dure. Il en appelle à Dieu, responsable et coupable d'avoir organisé cette rencontre, pas seulement terrestre : « Ce dont je te sais gré à toi seule, c'est tout simplement que c'était *toi*. À présent, c'est à moi de porter cela en l'âme ; je prie le Seigneur qu'il m'accorde des mains assez pures pour choyer ce trésor[23]. » Elle lui offre des fleurs odorantes, des poèmes. Il la rassure, lui cite saint Augustin, qui a su si bien décrire ce qu'ils sont en train de vivre : *amo, volo ut sis*, « je t'aime, je veux que tu sois ce que tu es[24] ».

Il transforme leur histoire en destin et l'intègre à ses inventions philosophiques : il veut qu'elle soit, elle, libre, indépendante dans l'étreinte de l'être. L'impossibilité de définir l'être ne dispense pas de questionner son sens : bien au contraire, elle y conduit impérativement. Dans *Être et Temps*, il y a des résonances de leur histoire d'amour, des traces des interrogations de Hannah sur la difficulté à vivre, à comprendre qui on est. Heidegger est impressionné par la démarche volontariste et jusqu'au-boutiste de l'introspection philosophique de Hannah, qui le conduit à aller plus loin, l'encourage à pousser l'élucidation. Ils lisent ensemble Kant, Hegel, ont des conversations philosophiques sur le rien, le néant, l'obscur.

Comment être en prise avec les choses qui vont de soi ? Être au monde, être dans le monde, être après le monde ?

Martin écrit des aphorismes. Hannah, des poèmes, comme « Chant d'été » :

À travers la mûre plénitude de l'été
Je laisse mes mains glisser
Mes membres douloureusement s'étirer
Vers la terre obscure et lourde.

Champs enclins à muer
Sentiers que la forêt obstrue
Tout force à taire obstinément :
Que nous aimons, quand nous souffrons.

Que l'offrande, que la plénitude
N'aille point dessécher la main du prêtre,
Que dans la noble paix de la clarté
La joie *pour nous ne s'éteigne.*

Car les eaux débordent,
La lassitude veut nous détruire
Et nous laissons notre vie
Quand nous aimons, quand nous vivons[25].

Il n'est pas question de résumer un livre aussi principiel qu'*Être et Temps*[26] qui a inspiré tant d'exégèses et fournit encore aujourd'hui bon nombre de pistes de réflexion pour des philosophes soucieux de comprendre l'existence et le rapport de l'homme au monde[27]. Disons simplement que Heidegger, posant la question du sens de l'être, entreprend l'analyse ontologique de l'homme qu'il appelle le *Dasein*, littéralement l'être-là ou l'existant, comme on le traduisait autrefois. L'être du *Dasein*, explique Heidegger, consiste dans le souci, le fait d'être en avance sur soi, au-delà de soi, ouvert vers le monde, l'avenir et la perspective de sa mort. L'angoisse est un sentiment par lequel le *Dasein* découvre le monde et sa liberté : « S'angoisser, c'est découvrir originalement et directement le monde comme monde[28]. » « L'angoisse fait éclater au cœur du *Dasein l'être envers* le pouvoir-être le plus propre, c'est-à-dire *l'être-libre pour* la liberté de se choisir et de se saisir soi-même[29]. » C'est pourquoi la dimension temporelle du futur, celle du projet, est intimement liée au *Dasein* qui existe dans une angoissante marche à la mort : « La mort est une possibilité d'être que le *Dasein* a, chaque fois, à assumer lui-même[30]. » À partir de là, Heidegger élabore une analyse de la temporalité. Essayons de le relire avec les lunettes de l'amour grandissant de Heidegger pour Hannah, qui l'a conduit sans doute — de par le don qu'elle lui faisait — à franchir des frontières philosophiques jusque-là inconnues, et à intégrer dans sa réflexion un champ nouveau d'expériences. La notion d'éloignement, d'abolition du lointain, celle de la nécessaire présence de l'autre avec soi dans cette approche du *Dasein* comme « être avec », le *Mitsein,* résonnent comme des continuations de cette expérience vécue dont il tire tout le miel. L'ombre de l'amour plane sur *Être et Temps*, et ce dévoilement du monde, auquel on est convié quand on le lit, n'est-il pas aussi la découverte d'un monde nouveau, un monde illuminé par le désir que Hannah lui inspire ?

Dans le chapitre consacré à « l'être-au » en tant que tel, l'analyse de la peur tient une place notable[31]. On y découvre une tonalité extrêmement proche du texte de Hannah, les « Ombres ». Cela prend même l'allure d'une réponse. La peur, dit Heidegger, peut disparaître avec la naissance de l'amour. « [...] il y a la *possibilité* d'un souci mutuel qui ne se précipite pas tant à la place de l'autre qu'il *n'anticipe* sur lui en devançant son pouvoir-être existentiel, non pour le décharger du "souci", mais bien pour tout d'abord le lui restituer véritablement dans ce qu'il a de propre. Ce souci mutuel qui intéresse essentiellement le souci véritable – c'est-à-dire l'existence de l'autre et non une quelconque *chose* dont il se préoccupe, aide l'autre à y voir clair *dans* son propre souci et à se rendre *libre* pour lui[32]. » De même son hommage au silence. Hannah avait, entre autres qualités, celle de savoir se taire. De partager dans le silence. Heidegger sera très sensible à ce trait de caractère, et se livrera, dans sa définition de l'Un et l'Autre, à un éloge des personnes qui savent écouter qui pourrait bien lui être attribué. « Qui se tait dans la conversation peut beaucoup mieux "donner à entendre", c'est-à-dire accroître l'entente, que celui qui n'est jamais à court de parole[33]. »

C'est donc d'entente profonde qu'il s'agit. Intellectuelle, sexuelle, psychique. Il s'incline devant elle et admire sa fierté et son indépendance. Il la remercie de lui faire franchir un cap et découvrir un monde jusque-là insoupçonné. L'amour aiguise son désir d'inventivité philosophique. « Être en proie à l'amour : être rabroué à son existence propre[34]. » Heidegger travaille de plus en plus intimement avec Hannah. Lui qui avait vécu très proche de son maître Husserl prend désormais Hannah pour interlocutrice principale. Heidegger a besoin de se confier, de livrer ses interrogations, d'échanger. Il a pour modèle Platon et ses dialogues. Hannah sera son Théétète. Il lui fait lire ses lettres à Husserl avant de les lui envoyer. Il la mène sur des questions essentielles qui lui donnent le vertige, mais le font avancer. Il en redemande même : « Où je me trouve moi-même entraîné par mes choses à moi. Que cela aille "mal" pour moi, c'est toujours un signe que cela va "bien.[35]" » Il la voit, durant ces mois, dissiper ses propres inquiétudes, conquérir sa propre indépendance intellectuelle et se déprendre de la relation maître-élève pour devenir son amante. Déjà il imagine leurs futurs projets, il se dévoile en parlant de l'avenir. Mais en juillet éclate une première dissension[36]. Elle lui reproche de n'être pas assez fort pour vivre cet amour qu'elle lui donne. Il lui répond que c'est une histoire de génération. Il n'a plus l'âge. Il faut savoir tourner la page, il l'aime, elle doit continuer à nourrir son amour en prenant confiance en elle. Elle accepte. Temporairement. Douce Hannah qui se plie aux rituels des rendez-vous clandestins.

Hannah se loge dans les interstices vacants de l'emploi du temps, fort surchargé, du professeur. Celle qu'il nomme sa « taquine nymphe des bois[37] » se passionne pour la théologie et s'y donne corps et âme. Cela tombe bien. Il la laisse avec ses livres et part passer l'été avec sa femme et ses enfants. Un dernier rendez-vous ? Oui, peut-être : « Tu peux passer demain à neuf heures moins le quart. Ne sonne qu'au cas où tu vois tous feux éteints dans *ma* pièce[38]. »

La séparation sera longue. Après deux mois dans son chalet, quelques jours passés avec Husserl, Martin Heidegger ira dans sa famille à Messkirch, puis rendra visite à Karl Jaspers. Pas vraiment pressé de retrouver Hannah. Durant ces vacances, il découvrira grâce à elle *La Montagne magique* de Thomas Mann, marchera au milieu des chevreuils, travaillera Kant entre deux randonnées, et relira Hölderlin pendant les nuits d'insomnie. Il semble comme emporté par son propre travail : « [...] l'orage intérieur gronde en moi, à charge pour moi, simplement, de trouver la bonne issue vers l'accalmie[39]. » Il oublie tout. Il ne pense plus à elle et, quand la pensée de son amour revient à sa mémoire, il lui écrit pour s'excuser de son silence, de cette solitude qui lui paraît si vitale et nourricière. Puis, tout à coup, le manque. Il a besoin d'elle. Il a hâte de la revoir : « Ta présence si chère me sera secourable pour que tout se passe bien. Je compte sur toi[40]. » Il a tort.

AUX AMIS

Ne vous fiez pas à la discrète plainte,
Quand le regard de l'apatride
Pudiquement vous courtise
Sentez la fierté avec laquelle la très pure légende
Garde tout en réserve.

De la gratitude et loyauté, sentez
L'imperceptible frémissement.
Et vous le savez : source toujours vive,
Que ce que l'amour va prodiguer[41].

Hannah a décidé de rompre. Elle suit toujours les cours de Heidegger et espace les rendez-vous jusqu'à l'explication finale qui aura lieu un soir du début du mois de janvier 1926. Nous n'avons, hélas, que la version du philosophe. Hannah lui signifie sa décision de le quitter. Il prend d'ailleurs ses déclarations à la légère, n'y croit pas, se montre ironique. Il ne peut pas imaginer qu'elle puisse, comme il le dit, « perdre foi en nous[42] ». Assez de romantisme excessif. Il l'aime, c'est ainsi. Cette histoire leur est tombée dessus. Elle n'est pas voulue, ni par lui ni par elle. C'est l'incarnation du destin. Elle est donc éternelle.

Il semble certain de pouvoir la regagner. Comme un homme dont l'orgueil est piqué au vif, et foncièrement machiste, il se montre égocentrique, voire blessant. Elle l'accuse d'avoir été absent ? Oui, il en avait besoin, plus encore qu'elle ne le suppose. Il est plongé dans un travail qui lui interdit *de facto* toute relation, et ploie sous le fardeau. Il a conscience de l'importance de l'œuvre en cours, la juge plus forte que son amour, en tire même gloire : « Je ne t'ai pas oubliée par indifférence, ni non plus parce que nombre de circonstances extérieures se sont interposées, mais parce qu'il me fallait t'oublier et que je t'oublierai aussi souvent que mon travail atteindra sa phase d'ultime concentration[43]. » Il la pousse dans ses retranchements et la prend au mot. Elle parle de rupture. Il ne faut pas se gargariser de mots, mais en tirer toutes les conséquences. Elle doit quitter Marbourg au plus vite.

Le ton de la lettre de Heidegger oscille entre la contrition, la mauvaise foi, l'espoir que tout ceci n'est qu'un incident de parcours ; cependant sa fureur de taureau blessé apparaît de toutes parts. Elle veut partir. Soit. Il pourra tranquillement travailler sans qu'elle lui fasse de reproches. Au fond, il interprète sa décision comme un signe du destin, et se console en se disant qu'il aura plus de temps pour écrire en toute sérénité, sans être harcelé par les rendez-vous de Hannah, qui en demande toujours plus... Heidegger craint-il que Hannah ne devienne gênante et empoisonne l'atmosphère de Marbourg en allant raconter son histoire ? On ne sait jamais. Il l'encourage à larguer les amarres et à ne pas contaminer, par sa présence, les autres élèves du séminaire.

Pourquoi tant de violence ? Le sage philosophe serait-il jaloux ? Aurait-il peur pour sa réputation ? Elle lui avoue faire partie d'une bande de jeunes étudiants qui se moquent allégrement de leurs professeurs, dont lui sûrement. Dans la bande, il y a Hans Jonas, Karl Löwith, mais aussi Günther Stern, qui deviendra le premier mari de Hannah et dont Heidegger parle avec beaucoup de mépris et d'hostilité, mais aussi avec une prescience surprenante, dans l'avant-dernière lettre d'amour qu'il adresse à Hannah. Günther Stern lui avait envoyé un texte philosophique et, dans sa lettre d'accompagnement, se disait troublé par le grand nombre d'idées qu'il partage avec lui.

Cette lettre d'étudiant, sans doute maladroite et prétentieuse, aura le don d'exaspérer Heidegger, qui écrira à Hannah : « Il n'y a que M. Stern pour se permettre un tel comportement, lui qui depuis des années a réussi à se procurer les textes de tout ce que j'ai pu dire au cours des exercices et des séminaires. Pour toute réponse, je lui ai fait savoir que "si d'aventure je n'étais plus en mesure de distinguer mes idées propres de celles d'autrui, je m'abstiendrais, quant à moi, de publier. Bien le bonjour."[44] »

Heidegger encourage donc Hannah à quitter au plus vite la petite ville universitaire. Elle ne se fait pas prier. Elle part le cœur lourd et avouera, des années plus tard, y avoir vécu les jours les plus désespérés de son existence. Heidegger fait le fier et donne l'impression de s'être débarrassé d'un fardeau encombrant. Comme si, au début de leur séparation, l'amour de Hannah lui pesait. Mais très vite, il réalise qu'elle lui manque. Il lui adresse des signes, des messages d'amour. Il la supplie de lui accorder un rendez-vous. Il ne pense qu'à elle, la nuit, le jour. Hannah ne reviendra pas sur sa décision et ne souhaitera pas le revoir. Encore une fois, pour transcrire ses états d'âme et le malheur dans lequel elle baigne, elle apaise ses tourments en rédigeant des poèmes :

NOCTURNE

[...]
Et lorsque nous sommes plongés profondément
Dans le sein obscur de la nuit
Nous espérons une légère consolation.

En espérant, nous pouvons pardonner
Tout effroi, tout chagrin.
Nos lèvres se font plus réticentes –
Sans bruit le jour fait irruption[45].

Hannah quitte Marbourg pour Fribourg au printemps 1926. Elle va, pendant un semestre, suivre les cours d'Edmund Husserl, le propre maître de Martin Heidegger, à qui *Être et Temps,* achevé quatre mois après la rupture, est dédié : « En témoignage de vénération et d'amitié. » Heidegger a ajouté cette phrase de Lessing : « La plus grande clarté a toujours été pour moi la plus grande beauté. » Hannah veut-elle se ressourcer aux théories du maître de son maître, et ainsi puiser des argumentations pour se défaire de l'influence de Heidegger ? On l'ignore. La brouille entre le maître et le disciple n'est pas encore devenue publique, mais Heidegger a déjà rompu, philosophiquement et moralement, avec celui qui lui permit d'inventer un nouveau questionnement de l'être. Le coup de tonnerre que constituera la publication d'*Être et Temps*, en 1927, concrétisera *de facto* l'éloignement puisque le livre met en cause la définition même de la phénoménologie telle que l'avait inventée Husserl au début du siècle. En souhaitant bénéficier de son enseignement, Hannah Arendt manifeste en tout cas son intérêt pour le philosophe le plus écouté d'Allemagne, qui considère, après Nietzsche et Kierkegaard, que les temps sont venus de rendre à la philosophie l'importance d'une discipline nécessaire à la compréhension du monde.

Husserl, qui avait pris en 1916 la succession du néokantien Heinrich Rickert à Fribourg, était, depuis longtemps, le pôle d'attraction de l'Université allemande et le penseur le plus respecté du pays. Il venait de former une génération d'étudiants, parmi lesquels Karl Löwith ou Emmanuel Levinas, qui décrira en termes lumineux son initiation à la philosophie dans un très beau livre au titre significatif *En découvrant l'existence avec Husserl et Heidegger*[46]. Karl Löwith évoquera lui aussi la clarté sobre de ses exposés, l'inventivité de ses analyses phénoménologiques et la rigueur humaine de son enseignement scientifique. Dans les exercices de séminaire que suit Hannah, Husserl force ses étudiants à éviter les grands mots, à confronter tout terme à l'intuition des phénomènes en les encourageant toujours à la modestie et à la clarté. Il leur demande pour leurs exposés plutôt de la « petite monnaie » que des « gros billets[47] ». Après les mois passés à écouter les géniales mais quelquefois verbeuses envolées de Heidegger, ce semestre à Fribourg fit à Hannah l'impression d'une oasis de liberté et de pureté. Physiquement, elle se sentait mieux. Intellectuellement, elle tirera profit de ce séjour tout au long de sa vie : elle conservera dans son œuvre la critique husserlienne de l'unicité de la vérité, la force du principe d'incertitude pour pouvoir réfléchir, et gardera la conviction husserlienne que *penser*, c'est d'abord et avant tout *exister comme sujet responsable*. Elle acquerra auprès de lui une discipline et une certitude qui l'accompagnera jusqu'à son dernier souffle : la philosophie, pour elle comme pour lui, n'est pas affaire de système, encore moins de vision du monde, mais mode singulier d'appartenance à l'existence, questionnement personnel incessant. Penser, c'est être responsable. La vie de l'esprit est la chose la plus importante qui nous ait été donnée, et tous les engagements de l'homme dans le monde font partie de sa vie spirituelle, répétait Husserl[48]. Ce grand intellectuel resta fidèle aux enseignements essentiels de la civilisation européenne. Il doutait des méthodes de la tradition intellectuelle mais pas de ses valeurs, comme en témoigne son texte admirable, *Die Krisis*[49], où il tente d'établir que la science positiviste moderne a rompu avec son origine, ce foyer de vérité qu'est la subjectivité, et avec le « monde de la vie ». Sa rigueur et sa froideur n'apaiseront pas toujours les tourments existentiels des étudiants qui suivent ses séminaires et tentent de s'y retrouver dans les chaos de l'après-guerre. C'est ce qu'a réussi à faire Heidegger. Il agit sur les esprits dès le premier contact. Heidegger stigmatise le monde bourgeois et sa croyance au progrès, et demande à la philosophie, non de chercher à s'adapter au réel, mais de tenter de le penser à partir de l'existence, qui est tragique par essence.

Aujourd'hui, les livres d'Edmund Husserl continuent d'inspirer la phénoménologie qui reste un courant philosophique important et extrêmement vivant[50]. Sa méthode, sa logique peuvent paraître difficiles et sévères, mais elles permettent de nourrir l'espoir que la liberté demeure l'horizon de l'esprit dans l'existence, même s'il faut toujours la conquérir. Pour Husserl, la vie spirituelle est la seule expérience des valeurs et tandis que l'Europe s'enfonce dans une crise morale et spirituelle, Husserl réaffirme avec foi la valeur de la raison et son lien essentiel avec l'humanité elle-même : « C'est la raison en effet qui fournit expressément leur thème aux disciplines de la connaissance (c'est-à-dire de la connaissance vraie et authentique : de la connaissance rationnelle), à une axiologie vraie et authentique (les véritables valeurs en tant que valeurs de la raison), un comportement éthique (le bien-agir véritable, c'est-à-dire l'agir à partir de la raison pratique). [...] Philosophie, science seraient d'après cela *le mouvement historique de manifestation de la "raison" universelle, "innée" dans l'humanité comme telle*[51]. » Son système philosophique et sa liberté d'esprit l'empêchèrent d'imaginer, au contraire de son disciple Heidegger, qu'on puisse même commencer à écouter les dirigeants du national-socialisme. Husserl était juif. En raison de ses origines, bien que déjà à la retraite, il fut suspendu de ses fonctions dès 1933, ses livres furent enlevés des bibliothèques, certains brûlés parce que écrits par un Juif. À partir de décembre 1932, Heidegger, qui allait tous les mercredis faire la sieste chez lui après son cours, n'ira plus jamais rendre visite à son ancien maître. Pire, il empêchera qu'un appartement de la ville de Fribourg lui soit prêté pour lui permettre de vivre dignement[52]. Plus symbolique encore, et preuve accablante de sa forfaiture morale et intellectuelle, Heidegger enlèvera, au moment où il rééditera *Être et Temps,* sa dédicace à Husserl, se contentant de citer son vieux maître en bas de page. La vénération et l'amitié se traitaient désormais en minuscules. Le vieil homme qui lui avait enseigné Platon n'était-il pas devenu, comme le répétait un enseignant nazi, un philosophe qui avait « talmudisé » le monde des idées de « l'aryen » Platon ? Husserl mourut à Fribourg en 1938. Heidegger n'accorda pas un seul mot à sa mémoire ni par oral ni par écrit, ni en public ni en privé.

Karl Jaspers

Pourquoi Hannah décide-t-elle de quitter le séminaire d'Edmund Husserl et choisit-elle d'aller suivre le cours de Karl Jaspers à Heidelberg ? Nous ne le savons pas. Rétrospectivement, force est de constater qu'elle voyage à travers l'Allemagne des universités en choisissant les personnalités les plus fortes à un moment où celles-ci sont en pleine effervescence créatrice. Peut-être fut-elle encouragée par Hans Jonas, ce jeune homme avec qui elle a noué à Marbourg une solide amitié, et qui fut le seul confident de sa liaison avec Heidegger et qui réside alors là-bas ? On peut le supposer.

New York, 6 octobre 2002. Grâce à Jerome Kohn, l'ancien assistant de Hannah, je trouve le téléphone de la femme de Hans Jonas, Lore, qui vit à une heure de New York. Non, inutile de me déplacer. Elle préfère me rejoindre et en profitera, dit-elle, pour aller au cinéma. Tout de suite, la chaleur passe. Elle est heureuse de me parler de son amie Hannah. Elle me donne rendez-vous à Penn Station. Pour ceux qui connaissent cette gare centrale où le vertige des allées et venues des voyageurs vous saisit, notre rencontre, sous la grande horloge, tient du miracle. Lore n'a que des compliments à faire sur Hannah dont elle est devenue l'amie dès son arrivée aux États-Unis en 1945, et elle voudrait bien effacer l'image d'une femme rude et autoritaire que semblent avoir retenue certains lecteurs de *Eichmann à Jérusalem*. Mais surtout, elle voudrait m'avouer un secret qu'elle mit longtemps à percer. Hans fut amoureux de Hannah dès qu'il la vit à Marbourg et, après l'avoir longuement courtisée, il lui avoua son amour. Il suffit de lire la description que Hans fit de Hannah la première fois qu'il la rencontra pour se convaincre que Lore a raison : « Timide et réservée avec des traits d'une étonnante beauté et des yeux esseulés, Hannah apparaissait d'emblée comme quelqu'un d'exceptionnel, d'unique, de façon pourtant indéfinissable. Le brio intellectuel n'était pas chose rare en ces temps. Mais il y avait en elle une intensité, une direction intérieure, une recherche instinctive de la qualité, une quête tâtonnante de l'essence, une façon d'aller au fond des choses qui répandaient une aura magique autour d'elle. On ressentait une détermination absolue à être elle-même, une volonté tenace qui n'avait d'égale que sa grande vulnérabilité[53]. »

Hans Jonas avait, comme Hannah, lu et découvert Kant dès l'âge de quatorze ans. Il avait été, lui aussi, l'élève d'Edmund Husserl et avait appris que la philosophie n'était pas une doctrine achevée, mais une pensée au travail qui, de monologue en monologue, s'avançait prudemment pour découvrir ce qui était caché[54]. Hans, quatre ans avant Hannah, avait également suivi le séminaire de première année que donnait Martin Heidegger sur Aristote. Pour lui aussi, la terre avait tremblé et, grâce à Heidegger, il avait découvert que chaque moi était « voulant, peinant, besogneux et mortel ». Hans partageait encore avec Hannah son goût très vif pour la théologie et ils avaient tous deux suivi à Marbourg les séminaires de Rudolf Bultmann. Comme tout grand professeur, Bultmann, grâce à sa grande assurance, ne professait pas *ex cathedra* mais discutait à égalité avec ses étudiants. Avant de s'inscrire à ses cours, Hannah avait pris soin de lui demander rendez-vous : « J'aurais une chose à clarifier d'emblée. Je n'admets pas les remarques antisémites. » À quoi Bultmann avait répondu : « Mademoiselle Arendt, si ce genre de chose se produisait, vous et moi, je pense, nous maîtriserions l'affaire ensemble[55]. »

L'ouverture intellectuelle que permettra Bultmann à Hannah, en particulier sur l'approfondissement du Nouveau Testament, fut décisive pour sa philosophie. Outre sa grande pureté d'âme et sa bonté communicative, Bultmann donnera le goût à Hannah de comprendre le christianisme primitif, la nature de la pensée mythologique et lui fera découvrir saint Augustin.

Quand elle arrive à Heidelberg, elle possède déjà une solide culture philosophique et une grande indépendance d'esprit. Sous la houlette de Heidegger, de Bultmann et Husserl, elle s'est épanouie intellectuellement, et ses extraordinaires capacités la font remarquer très vite de ses nouveaux condisciples.

Certains mauvais esprits affirment que Martin Heidegger aurait envoyé Hannah comme un paquet de linge sale à son ami Karl Jaspers. Il lui aurait en quelque sorte refilé le bébé. Ce serait faire fi de l'indépendance de la jeune femme, de sa capacité de révolte contre lui et de sa soif à acquérir par elle-même des instruments de navigation intellectuelle et existentielle.

Faire de la philosophie, à l'époque, c'était aller chez quelqu'un. Après Heidegger, Husserl, Bultmann, il ne restait plus guère que Karl Jaspers comme incarnation exceptionnelle d'une nouvelle manière d'envisager la philosophie. Heidegger a-t-il suggéré à Hannah de rencontrer cet homme avec qui il était profondément lié ? C'est possible...

Heidegger et Jaspers partagent en effet, depuis six ans déjà, la même vision alarmiste d'une Université exsangue, un même amour pour Platon et Aristote, un même refus des systèmes et des bavardages. Heidegger confie par lettres ses tourments existentiels à Jaspers. Des questions métaphysiques les occupent plusieurs mois et Heidegger vient régulièrement rendre visite à Jaspers pour des jours et des nuits de discussions. Jaspers s'arrange pour l'inviter quand sa femme Gertrud, son double, sa compagne, son guide, part en voyage. Heidegger pense qu'ils appartiennent tous deux à la même communauté invisible[56]. En réalité, tout les sépare : leur âge, leur origine, leur manière de considérer la vie religieuse, la définition même qu'ils entendent donner au mot philosophie. À cette époque, ils refont encore le monde en paroles. Le nazisme les contraindra à choisir chacun son camp.

Quand Hannah rencontre Jaspers à Heidelberg, en 1926, elle a vingt ans, lui quarante-trois. Il est notamment l'auteur de *La Psychologie des conceptions du monde* que Hannah, rappelons-le, a lu dès 1921 comme le premier témoignage de ce que l'on appela plus tard la philosophie moderne de l'existence. Comment l'homme se situe-t-il dans le monde ? Comment réagissons-nous aux situations limites, la souffrance, la lutte, le hasard, la faute, la mort ? Comment l'amour, le vrai, le réel, peuvent-ils nous protéger ? Jaspers est à la fois psychiatre et philosophe. Il récuse les révélations d'une psychologie nihiliste tout en inventant une philosophie de la science différente. Hannah apprécie tout de suite les qualités de son exigence intellectuelle, sa capacité à inventer dans son séminaire de nouveaux concepts, à la croisée de la science et de la psychologie, sa grande douceur humaine et son intransigeance morale.

Si elle décide de suivre parallèlement les cours de Rickert, elle n'apprécie guère ses attaques en règle, récurrentes et obsessionnelles, contre Jaspers. Rickert est un penseur aigu, une vedette à l'époque, passionné de Goethe, mais aussi un être insupportable, d'une vanité exacerbée, protégé jusqu'à sa mort par l'ombre protectrice de Max Weber, lequel se moquait pourtant de sa prétention, de son pathos sentimental, de sa manière de faire de la philosophie comme une midinette. Rickert craint la concurrence et tente de ridiculiser Karl Jaspers auprès de ses étudiants, il le traite de *has-been* bavard et sans avenir[57].

Hannah arrive au moment où Jaspers, malgré le succès de *La Psychologie des conceptions du monde*, décide de ne plus publier et de consacrer tout son temps à ses étudiants. L'essentiel, dit-il, est d'accéder aux sommets de la vraie philosophie. Ce n'était pas rien et ce sera long ! Rickert profitera de cette absence de publication pour dire à qui voulait bien l'entendre que Jaspers était un jouisseur et un paresseux, un homme fini. Il fomente un complot pour que son cours soit déserté par ses étudiants.

Hannah, comme d'autres, ne cède pas et continue à suivre avec passion l'enseignement de Karl Jaspers. Rickert, excédé de voir que Jaspers continue à faire salle pleine, le traite de séducteur de la jeunesse. Ce n'est pas pour déplaire à Hannah. Jaspers est un professeur à la pensée non figée, non didactique. Ses cours divisés en deux parties, l'une historique, l'autre systématique, donnent à Hannah un cadre de pensée, une colonne vertébrale permettant de classer et de mûrir ses réflexions. Après avoir subi l'influence, le magnétisme de la pensée brûlante de Heidegger, qui réinterprétait l'histoire de la philosophie pour inventer en permanence, les cours de Jaspers lui apparaissent comme un havre de paix, une manière de faire le point. Non pas de s'endormir, car Jaspers comme Heidegger poursuivent le même but : penser à neuf la philosophie. Jaspers le fait de manière moins personnelle, en s'aidant de l'histoire de la philosophie européenne à la manière d'un chef d'orchestre ressuscitant le passé. Je n'ai retrouvé aucune trace écrite d'une recommandation de Heidegger pour que Jaspers accepte Hannah dans son cercle. Pourtant, à l'époque, la correspondance qu'il entretient avec Jaspers est intense et il ne se prive guère de demander à ce dernier de s'occuper de certaines de ses étudiantes, comme

Hélène Weiss, une condisciple de Hannah, d'écrire des lettres pour son assistant Karl Löwith, afin qu'on lui accorde une bourse, et de faire l'éloge de certains, comme Paul Oskar Kristeller, pour qu'il obtienne un poste à l'Université.

Cela fait six mois que Hannah a quitté Martin et qu'il fait mine de s'en réjouir. Bon vent. Mais très vite, Hannah lui manque. Jonas[58] lui rend visite en juillet, à Marbourg. Son arrivée le met dans tous ses états. Il lui demande des nouvelles de Hannah, obtient son adresse, et lui écrit pour lui demander un rendez-vous en Suisse, en priant le ciel pour que sa lettre n'arrive pas trop tard. Il pense à toutes les hypothèses, y compris à celle qu'elle puisse venir au rendez-vous sans pouvoir l'en avertir. Il lui précise donc qu'il l'attendra, de toute façon, à Weinheim. On imagine Heidegger battant la semelle une journée entière sur le quai de la gare. Nous ne savons pas si Hannah reçut cette missive à temps. Se rencontrèrent-ils ? Nous l'ignorons. Nous savons seulement que la réconciliation n'eut pas lieu. L'unique témoignage de cette période met en lumière une étudiante passionnée et vibrante, comme l'atteste cette lettre qu'elle envoie à son nouveau professeur, Karl Jaspers :

> Monsieur le professeur, […]
>
> Je ne comprends l'histoire qu'à partir du terrain sur lequel je me trouve moi-même […] je tente d'interpréter l'histoire, de comprendre ce qui s'exprime en elle à partir de ce que je sais déjà de par mon expérience. Ce que je réussis à comprendre ainsi, je me l'approprie, ce que je ne comprends pas, je le rejette. Or, si j'ai bien compris votre exposé, je me trouve devant la question suivante :
>
> Comment est-il possible, à partir de l'interprétation de l'histoire ainsi conçue, de tirer quelque chose de nouveau de l'histoire ? L'histoire ne constitue-t-elle pas de ce fait une simple série d'illustrations pour que ce je veux dire et que je sais déjà, même sans l'histoire ? S'immerger dans l'histoire, cela signifierait donc uniquement trouver une mine d'exemples appropriés[59] ?

Outre le caractère affirmé de sa personnalité, son ton déjà légèrement arrogant, on note dans cette lettre une singulière capacité de réflexion sur le temps et déjà l'amorce d'une volonté de penser l'histoire comme source de compréhension, thème qu'elle aura l'occasion de développer quatre ans plus tard, lors de la naissance de son amitié avec Walter Benjamin.

Nous ne savons rien sur l'année 1927. Fin décembre, Heidegger, pourtant fort accaparé par la publication d'*Être et Temps*, qui fait l'effet d'une bombe dans les milieux universitaires, ne pense qu'à elle, la supplie de le revoir, lui avoue qu'ayant appris qu'elle passait l'été à Heidelberg, il s'y est rendu, s'y est installé pendant des semaines, a marché dans les rues en espérant, par miracle, la rencontrer.

« Je n'en pouvais plus d'errer comme une âme en peine dans les rues de Heidelberg, en nourrissant à chaque instant l'espoir de t'y rencontrer[60]. » Il en oublie la violence de Rickert lors de la publication d'*Être et Temps*, ses blessures narcissiques de s'être vu refusé par l'université à un poste plus prestigieux. Il éprouve la nécessité de parler avec Hannah et de lui confier ses interrogations sur son avenir : la solitude du penseur ou la prise de pouvoir universitaire contre ces médiocres ? Il a besoin de voir Hannah, de lui parler de sa mère qui vient de mourir et des dernières heures qu'il a passées à son chevet, de l'importance que revêt la théologie dans ces moments-là. Il voudrait la prendre à témoin de ses incertitudes sur *Être et Temps ;* lui faire part de l'évolution de ses relations avec Husserl, avec qui la rupture est inévitable.

Heidegger envoie son livre à son ancien maître en devinant d'avance ses réactions. Au début, Husserl trouve l'ensemble « surprenant[61] ». Puis, à la relecture, il est interdit et furieux. Nous pouvons comprendre l'ampleur de ses réactions en feuilletant son exemplaire, qu'il a annoté tout du long. C'est un document bouleversant : on a l'impression de suivre en direct un penseur qui réagit et réfléchit à haute voix. On lit d'abord l'interrogation : « Je ne comprends pas. » Puis la stupéfaction : « Mais c'est absurde. » Enfin la suspicion : « Y aurait-il des catégories et des concepts comme il y a des chiens et des chats ? » Et d'innombrables fois, la remise en cause : « Cela je le conteste. » Husserl traitera dans un premier temps l'auteur d'*Être et Temps* comme un élève surdoué qui tente de le dépasser, mais il ne lui retire pas sa confiance. Il le charge même d'écrire avec lui, cette année-là, l'article

« Phénoménologie » qu'il donne à l'*Encyclopaedia Britannica*. Heidegger a encore besoin de l'adoubement de son maître, se fait inviter chez lui, lui donne du « cher et paternel ami », accepte ses critiques, reprend, sur sa suggestion, des passages de son livre. Comme il le confie à Karl Jaspers, « si le traité est écrit contre quelqu'un, c'est contre Husserl qui l'a vu tout de suite, mais s'en est tenu dès le début à l'aspect positif[62] ».

Être et Temps est aussi écrit pour quelqu'un et avec quelqu'un qui vient de prendre son envol. On connaît le comportement fébrile de certains des amants mariés. Tantôt ils ne tarissent pas d'éloge sur leur femme tout en rédigeant un poème à l'être aimé, tantôt ils s'occupent de la scarlatine de leurs petits en cessant toute activité, mais le plus souvent ils dépensent une énergie considérable à savoir où est leur amoureuse, ce que fait leur amoureuse, avec qui elle se trouve.

Heidegger a l'impression que le ciel lui tombe sur la tête quand il apprend, en octobre 1927, lors d'une conversation en apparence banale et amicale avec Jaspers, où il tentait désespérément sans vouloir le dire ouvertement d'avoir de ses nouvelles, que Hannah est... fiancée, ou plus exactement que Jaspers croit qu'elle l'est. Sous un prétexte anodin, Heidegger quitte Jaspers brutalement. Il a besoin de se retrouver seul. Il part dans les rues de Heidelberg à sa recherche. Il supplie que le destin puisse sceller leur rencontre. Il ne sait plus où donner de la tête, ne veut pas s'abaisser à poser des questions à son collègue, même s'il brûle de savoir avec qui et depuis combien de temps elle est fiancée. Il marche longtemps, invoquant sa présence. Il décide finalement de plier bagage. Son épouse, ses deux petits garçons, les étudiants de son séminaire sur Kant l'attendent à Marbourg. C'est là qu'il recevra une lettre de Hannah, aujourd'hui introuvable, nous n'en avons que l'écho par Heidegger, lui avouant manifestement, si l'on en croit celui-ci, qu'elle vient de célébrer ses fiançailles. Elle a du mal à le lui dire, de la douleur à imaginer ses réactions, comme s'il y avait pour elle trahison. Il lui répond qu'il lui sait gré de sa franchise, aurait préféré l'apprendre par elle de vive voix et encaisse le coup : « La seule voie qui s'ouvre à moi à l'heure qu'il est, c'est de travailler avec acharnement afin de trouver une déviation au manque qui se fait cruellement sentir de toi et de ta joie profonde[63]. » Heidegger attend son heure. « Loin des yeux seulement[64]. » Mauvais joueur. Vengeur. Post-scriptum : « Ne m'écris de nouveau que si je t'en prie. » Deux mois plus tard, il n'en peut plus, la supplie de lui donner de ses nouvelles et de lui envoyer des photographies d'elle — à la mer de préférence et elle tout entière car « c'est dans ton intégrité que je veux avoir ta chère silhouette, comme je préserve au plus profond de moi-même la pudeur et la bonté de ton cœur[65] ».

Hannah accepte. Il la remercie : « [...] très chère comme tu es souvent présente sur mes chemins les plus solitaires, comme dans les montagnes il y a parfois un rocher imposant, et devant le rocher il y a une fleur qui est là et qui attend, ou plutôt : qui se contente d'être là. Telle est je crois l'"éternité" que je ne parviens pas à saisir autrement[66]. » Heidegger fait contre mauvaise fortune bon cœur, se réjouit de son bonheur et du calme souverain que cette histoire lui procure. Dissipées les ombres du passé, envolés les tourments suicidaires. Heidegger s'en félicite sans savoir avec qui et grâce à qui elle connaît cet apaisement. Il préfère pour le moment ne pas le savoir, joue au gamin en s'achetant des nouveaux skis et intrigue pour sa nomination en mars à l'université de Fribourg.

Il s'étourdit de conférences à Riga, à Berlin, accepte avec satisfaction son nouveau poste beaucoup mieux payé, achète un terrain à Fribourg, prépare son déménagement tout en ne perdant pas de vue l'espoir de la reconquérir. Il prend bientôt prétexte d'un voyage à Mayence où il doit accompagner son fils aîné pour faire un détour par Heidelberg chez son ami Jaspers. But : la voir. « Si je ne viens pas te rendre visite cet après-midi entre 2 et 4, tu n'as qu'à m'attendre ce soir à 10 heures devant la bibliothèque de l'université[67]. »

Que se passa-t-il exactement ? Vraisemblablement ils se virent le 18 avril, mais peut-être Heidegger ne s'est-il pas présenté à un rendez-vous ultérieur.

Un seul être vous manque et tout est dépeuplé, on connaît la chanson. Comme Hannah s'éloigne finalement, il décide de la garder captive dans son œuvre, comme ces colombes de l'âme platonicienne, il demeure le propriétaire de la cage qu'il avait construite pour leur amour, mais contraint d'accepter qu'elle peut, qu'elle doit s'envoler. Pour revenir, peut-être. Sans doute. Dans ce jeu de cache-cache perpétuel et de connivences secrètes où l'amour résonne comme l'union des âmes et la fusion des esprits, chacun d'eux reconnaîtra, et ce jusqu'au dernier souffle de vie, et réciproquement, sa dette envers l'autre, l'Autre, opérateur de révélation et d'ouverture au monde. Donner-recevoir, recevoir-donner. C'est de la vie et de la mort qu'il s'agit dans cette histoire entre Hannah et Martin. À la vie, à la mort. N'être plus dans ce monde si chacun n'accorde pas le droit à l'autre d'en être. Amour-appartenance. Le même souffle, la même tâche : tenter d'être à la hauteur de ce qui leur arrive. Leur horizon : le dépassement de soi-même, l'éternité. Inutile de sourire devant l'emphase et l'exaltation de ces sentiments : plutôt se rappeler la puissante émotion qui nous a saisis quand nous avons lu Rilke pour la première fois, ou découvert les *Lettres à Milena* de Franz Kafka. Inutile aussi de feindre que tout va bien. Hannah confie à Martin le poids de sa solitude, la lourdeur de l'esseulement dans lequel elle se trouve depuis la rupture. Elle termine sa lettre à Martin par ces mots : « Et si Dieu l'accorde, je t'aimerai mieux après la mort[68]. »

Hannah attendra plus d'un an pour lui réécrire. Elle a de nombreux amis. Outre Jonas et Löwith, elle entre dans le cercle de Karl Frankenstein, qui deviendra par la suite professeur de psychologie à l'université hébraïque, se lie avec Erich Neumann, futur psychanalyste jungien, et Erwin Loewenson, de vingt ans son aîné, essayiste, écrivain expressionniste, avec qui elle commence une brève liaison, juste avant de se décider à se fiancer à cet étudiant qu'elle connut par Hans Jonas, et avec qui elle suivait les séminaires de Martin Heidegger : Günther Stern.

IV

ÉTUDIANTE ANTINAZIE

Novembre 2003. Été indien à Essen, au cœur de la Ruhr. Après avoir traversé des forêts rousses sous un soleil caressant, je cherche dans le quartier piétonnier de la ville la rue qui mène à la synagogue. Des jeunes filles attablées à la terrasse d'un café où clignote déjà un arbre de Noël me précisent : « Vous ne pouvez pas vous tromper, c'est le seul bâtiment vert de la ville. »

Aujourd'hui, une autoroute passe juste devant. J'imagine la synagogue avant la guerre, inscrite dans le tissu urbain. Lourdes portes en bois sculpté. Silence, recueillement. Elle fut reconstruite à l'identique grâce à la détermination d'un cercle de rescapés. Des photographies attestent la violence des bombes. J'ai rendez-vous avec Edna Brocke. Edna travaille depuis quelques années au service culturel de la synagogue. Son père, Ernst Fuerst, était le cousin germain de Hannah et a partagé son enfance et son adolescence à Königsberg. Sa mère a rencontré son futur mari à quinze ans, grâce à Hannah qui l'avait prise dans ses bagages un week-end au cours du semestre passé à Berlin. Une photographie les montre tous les trois en pique-nique dans la forêt, entourés d'une bande de joyeux lurons. Toutes deux brunes, les cheveux attachés, belles, intenses. Ovale parfait du visage, on dirait des sœurs. Ernst, face à l'objectif, sourit. Hannah l'a reconnu : les liens familiaux et intellectuels, tissés depuis la petite enfance, firent d'Ernst un frère. Le nazisme se chargera de les séparer et Ernst partira en 1933 pour la Palestine avec sa jeune épouse.

Edna est donc une citoyenne israélienne, une *sabra*, née en Israël, qui, pour des raisons personnelles, est venue vivre dans le pays de ses ancêtres en se consacrant à la vie culturelle juive d'Essen.

Edna ressemble encore à une étudiante. Elle me reçoit dans son petit bureau où sont fixées avec des punaises des photographies de sa tante. Dans les correspondances inédites que j'ai pu trouver à New York, Hannah ne cache pas à ses amis qu'elle considère Edna comme sa fille. Edna le confirme : à chaque voyage en Israël, Hannah lui consacra beaucoup de temps, partagea tout avec elle : rencontres, visites, voyages. Elle l'emmena partout, y compris sur les bancs du procès Eichmann. Quand l'océan les séparait, Hannah lui écrivait. Mais pas question de lire ces lettres. Ni celles que Hannah adressait régulièrement à son père et à sa mère. J'insiste, argumente. Le temps a passé. Il s'agit de comprendre Hannah, non de la juger. Rien à faire. Trop intime. Malicieuse Edna qui, après m'avoir offert un café et montré le carton rempli sans doute de secrets, consent à me livrer quelques fragments de souvenirs.

Oui, me confirme-t-elle, Günther Stern, le premier mari de Hannah, l'a aimée. Jusqu'à son dernier souffle, Hannah a été la femme de sa vie. Oui, Günther l'a influencée, même si elle ne le reconnaissait pas. Oui, Günther a toujours été bon avec elle, contrairement à d'autres, qui lui ont fait du mal. Mais Günther est néanmoins le grand absent de l'histoire de la vie de Hannah. Elle-même a volontairement relégué aux oubliettes son premier mari, n'a jamais publiquement reconnu sa stature intellectuelle, et a omis de mentionner dans sa bibliographie les articles qu'ils ont rédigés ensemble. Elle n'a pas évoqué l'importance de ce lien privilégié, qu'ils ont réussi à préserver jusqu'à leur dernier souffle. Ils ont continué à s'écrire toute leur vie. Lui était fier d'elle, le disait et l'écrivait, n'a jamais ménagé sa peine. Elle est restée distante, froide, avant de construire avec lui, en vieillissant, une relation qui s'apparente plus à de la compassion qu'à de la reconnaissance.

Étrange oubli volontaire. Car non seulement Günther va mettre de l'ordre dans la vie de cette étudiante tourmentée, mais il va lui donner enfin confiance en elle, lui permettre de s'épanouir et de profiter de la vie. Hier angoissée, Hannah devient gourmande : de savoir philosophique, certes, mais aussi d'émotions, de sensations, de plaisirs. L'ancienne étudiante de Marbourg, qui ne parlait qu'à la petite souris cachée dans les combles de sa chambre[1], est devenue une jeune femme courtisée dans les cercles étudiants et certains salons de Königsberg, pour sa beauté, son sens de la repartie, sa gaieté.

Certaines personnalités féminines créent alors à cette période et entretiennent autour d'elles un climat d'effervescence intellectuelle[2]. Dans ce contexte, il ne faut donc pas se représenter Hannah comme une météorite venue du ciel, mais comme quelqu'un de particulièrement doué au milieu d'un cénacle, d'une élite intellectuelle, à la formation précoce et encyclopédique, où les jeunes femmes sont considérées comme des égales. En attestent la créativité et l'incandescence, la profondeur philosophique d'Elisabeth Blochmann, amie de Martin Heidegger, philosophe, première Allemande titulaire d'une chaire de pédagogie, spécialiste de Schiller, ou celle d'Edith Stein, élève d'Edmund Husserl, infirmière à la Croix-Rouge pendant la Première Guerre mondiale, juive convertie au catholicisme et auteur d'un livre bouleversant, *Vie d'une famille juive*[3], arrêtée par la Gestapo et morte en déportation à Birkenau le 9 août 1942, ou encore de Jeanne Hersch, amie et principale traductrice en français de Karl Jaspers, auteur de nombreux ouvrages sur la philosophie[4], pour ne citer que quelques-unes d'entre elles, toutes contemporaines de Hannah Arendt.

L'autre

Günther a quatre ans de plus que Hannah. Ils se sont rencontrés à Marbourg en 1925, par l'intermédiaire de Hans Jonas, et ont suivi ensemble les cours de Martin Heidegger. Quand commence leur histoire ? Comment expliquer cette agressivité démesurée, on l'a vu, dont témoigne Heidegger à l'encontre de ce Stern qui, après tout, n'est qu'un étudiant parmi d'autres ? Faut-il y voir le signe d'une jalousie sexuelle, ou déjà un agacement devant son talent de penseur critique de gauche, mêlé d'un relent d'antisémitisme ?

Günther, comme toute cette bande d'amis, a d'abord suivi le séminaire de Husserl avant de devenir l'élève de Heidegger. Jeune et brillant intellectuel, il est le fils d'un couple de pédagogues révolutionnaires, fort connus en Allemagne. Son père, William Stern, a publié en 1906 le premier tome de son ouvrage *Personne et Chose*[5], dans lequel ce tenant du personnalisme combat le caractère impersonnel de la psychologie et s'insurge contre les « méthodes scientifiques » qui font de la personne une chose. Il transmettra à son fils l'indéracinable conviction qu'il faut toujours se battre pour la dignité humaine et le goût d'une philosophie de l'engagement. Edna se souvient de la personnalité forte, chaleureuse et lumineuse, qu'était Günther aux yeux de ses parents, et de l'influence bénéfique qu'il avait sur Hannah.

Dans les témoignages et les livres de souvenirs de l'époque, on retrouve la même force dégagée par ce jeune homme brillant, profond, séduisant, drôle. Ainsi, dans ses *Souvenirs*, Hans Jonas évoque avec beaucoup de passion l'admiration qu'il éprouve pour Günther Stern et n'hésite pas à le qualifier de jeune génie[6]. Il a lu sa thèse, soutenue avec Husserl, et pense, à juste titre, qu'il deviendra un grand penseur. Beau, élégant, généreux, Günther avait su attirer l'attention de la femme de Heidegger, Elfride, qui l'invita plusieurs fois, dès 1925, avec d'autres étudiants à passer les fins de semaine dans le chalet de Todtnauberg. Du jour où Elfride l'invitera à rejoindre les mouvements de jeunesse proches d'Adolf Hitler, il n'y mettra plus les pieds[7]. Le père de Günther, juif sioniste libéral, avait milité pour l'acquittement de Dreyfus et renoncé à une chaire de pédagogie en refusant de se convertir au christianisme, ticket d'entrée pour accéder à l'Université.

En 1926, Günther devient l'assistant de Max Scheler, autre disciple de Husserl. Il prend alors une certaine distance philosophique, intellectuelle, vis-à-vis de Heidegger, dont il sera après guerre le « déconstructeur » et le critique le plus pertinent et le plus rigoureux. En 1928, il achève son premier ouvrage de philosophie, *De l'avoir*, constitué de sept chapitres sur l'anthropologie de la connaissance, alors que Hannah commence à rédiger une thèse sur *Le Concept d'amour chez saint Augustin*, sous la direction de Karl Jaspers.

Pourquoi ce choix ? Plusieurs éléments permettent de l'expliquer. Tout d'abord, Hans Jonas avait soutenu avec Rudolf Bultmann sa thèse sur Augustin et le problème de la liberté chez saint Paul[8] et présenté, dans le cadre du séminaire de Heidegger, un travail sur le libre arbitre chez saint Augustin. De même, Heidegger avait souvent travaillé sur saint Augustin dans ses cours. Enfin, le cursus de théologie que suivait Hannah, ainsi que sa volonté, depuis l'adolescence, de s'intéresser aux questions sur l'existence de Dieu, l'incitent certainement à choisir saint Augustin. Elle va se passionner pour cette période de consolidation du christianisme, et s'enthousiasmer pour ce texte, les *Confessions*, d'une pureté et d'une sincérité si stupéfiantes qu'il demeure aujourd'hui l'un des plus beaux livres d'introspection sur la révélation. Mais qui trop embrasse mal étreint.

Hannah rédige en effet une thèse qui aborde la totalité du continent augustinien sans autre ordre apparent que celui des découvertes instinctives d'une étudiante persuadée que son angle d'attaque — le concept d'amour — est pertinent. La thèse est tout sauf un travail universitaire : dans les textes d'Augustin qu'elle choisit d'interpréter, Hannah opère par captures successives, au gré de ses intuitions. Non qu'elle détourne Augustin — elle montre le plus grand respect pour son lexique théologique et sa pensée nourricière —, mais elle le fait sien. Elle tente de tirer Augustin du pathos chrétien, et préfère s'intéresser à l'Augustin intime. Elle relève chez lui des notions qui renvoient à ses préoccupations : amour, désir, désir de l'amour. Dans ce texte où cohabitent des passages imprégnés des influences de Goethe ou de Kierkegaard avec des chapitres de réflexions philosophiques, le plus frappant est l'impatience de Hannah. Car Hannah, déjà, ne veut pas se borner à commenter l'histoire de la philosophie, mais elle veut inventer des concepts : l'Autre, le vivre ensemble, sont déjà présents dans le travail inabouti mais ardent de cette étudiante passionnée. Ne prétend-elle pas, dans son introduction, vouloir rendre explicite ce que saint Augustin dit implicitement ? Elle veut en découdre avec lui pour mieux comprendre ses propres tourments. Avec Augustin, elle va tenter de comprendre sa vérité propre.

Hannah Arendt choisit « son » saint Augustin, qu'elle plie à ses propres visions. Jaspers le lui reproche plusieurs fois au cours du travail d'élaboration. Il lui demande d'approfondir, d'argumenter, de ne pas autant personnaliser, mais elle est pressée d'avoir son diplôme. Trois semaines avant la soutenance, elle fait amende honorable et se montre soudain plus câline : elle veut avoir son habilitation et, promis, juré, elle retravaillera son texte par la suite : « Monsieur le professeur, comme je crains de ne pas vous avoir convaincu hier après-midi de ce que je suis parfaitement consciente d'avoir péché contre la correction et l'honnêteté scientifiques, permettez-moi de vous assurer encore que je contrôlerai naturellement ce travail avec tous les scrupules dont je suis capable, sans tenir compte du temps que cela nécessitera. »

La soutenance a lieu à Heidelberg, le 26 novembre 1928. Dans son rapport de synthèse, Jaspers se montre sévère. Il juge son interprétation d'Augustin laborieuse. Certes, Hannah possède « les aptitudes nécessaires », mais « elle n'a pas su réunir tout ce que peut dire Augustin concernant l'amour ; elle a renoncé à certaines idées essentielles notamment sur le thème de la connaissance ». Il critique l'absence de perspective historique de son travail et note que Hannah refuse de prendre en compte l'évolution de la pensée d'Augustin. Il se montre encore plus critique sur sa méthode qui fait, selon lui, « une certaine violence au texte ». Pour Jaspers, Hannah n'a pas toujours échappé au danger de faire dire à Augustin des choses qu'il n'a jamais dites. Il conclut que les défauts de la thèse sont cependant compensés par des qualités personnelles d'ambition et par une vision originale. Karl Jaspers continuera à se montrer critique après cette soutenance. Elle veut publier sa thèse. Il l'incite à faire preuve de plus de rigueur et d'objectivité dans son travail philosophique. Jaspers dut même insister car Hannah, déjà, n'aimait guère se faire critiquer.

Janvier 2004 : Les fêtes sont passées et pourtant c'est un véritable repas de Noël que Thérèse Jerphagnon a préparé pour mettre en appétit son mari Lucien, dit « Jerf » pour les intimes, le plus grand augustinien de son temps, éditeur des *Confessions* dans « La Pléiade » et passeur amoureux tant sur le plan philosophique qu'historique de ce penseur qu'il fréquente quotidiennement depuis des décennies. J'avais pris soin de lui envoyer auparavant l'ouvrage de Hannah Arendt[9], dont il me parle en souriant. Après le foie gras et avant la caille farcie, il reconnaît que Hannah a beaucoup travaillé. Il a relevé pas moins de trois cent cinquante-cinq références. Hannah cite quarante-huit ouvrages d'Augustin sur les soixante-huit que comporte l'œuvre. Néanmoins, il ne comprend pas que Hannah ne fasse pas mention du *De Magistro*, texte pourtant essentiel de sa philosophie de la connaissance augustinienne. Jerphagnon lit ce texte comme une tentative d'autoportrait. Hannah a dû être séduite par l'errance spirituelle d'Augustin qui n'a pu que la captiver au moment où elle était elle-même à la recherche de son identité. Mais, en réalité, elle se montre plus heideggérienne qu'augustinienne. Elle applique en effet au cheminement d'Augustin des schémas de pensée empruntés à Martin Heidegger. Jaspers fut critique avec son élève. Jerphagnon ne l'est pas moins. Il lui reproche de dire de façon abstraite ce qu'Augustin dit de façon concrète, d'intellectualiser à tout bout de champ de manière déroutante : ainsi l'amour vécu concrètement vire-t-il au concept. Elle systématise tant bien que mal une démarche qui est, en fait, vécue au jour le jour. Hannah se montre même caricaturale. Elle voit Augustin de l'extérieur, elle ne comprend que le théoricien et cherche en lui de la matière philosophique un peu comme on chine dans une brocante. Pour Augustin, la philosophie, depuis l'âge de trente-trois ans, c'est la vie avec Dieu, la vie en Dieu.

Hannah imite Heidegger et plaque ses théories sur la mort et l'amour de manière abrupte. Je demande à Jerphagnon si la thèse que Hans Jonas a lui aussi consacrée à Augustin était plus rigoureuse. Il ne la connaît pas et cela ne semble pas lui manquer : « Vous savez, ajoute-t-il en souriant, la bibliographie sur Augustin ne tiendrait pas dans un train de marchandises. » Me voilà rassurée. J'arrête mes lectures de et sur saint Augustin en partageant son point de vue : au fond, ce que reprochait Hannah à Augustin, c'était de ne pas être assez heideggérien.

Depuis soixante-quinze ans, cette thèse, pourtant savante, n'est jamais citée par les spécialistes d'Augustin. À l'époque, trois périodiques importants en rendirent compte de manière critique : l'auteur ne s'était pas livré à un véritable travail philosophique et ne tenait pas assez compte des travaux des théologiens contemporains revendiquant l'héritage paulinien dans l'œuvre de saint Augustin.

Est-ce à ce grand bal masqué organisé à Berlin en vue de renflouer les caisses d'une petite revue marxiste que Günther déclare son amour pour Hannah ? Ce soir-là, Hannah s'était déguisée en favorite de harem[10]... Toujours est-il que c'est le coup de foudre. Un mois plus tard, ils quittent leurs chambres respectives pour vivre ensemble. Ils partagent déjà le même amour de la philosophie, les mêmes amis et la même origine. Ils sont tous deux, comme le dit si bien Pierre Birnbaum, des Juifs désassimilés[11]. Hannah a souvent raconté que, si elle n'avait fait que rarement l'expérience de l'antisémitisme, elle avait toujours su – dans le regard des autres – qu'elle n'était pas comme les autres. La perte de son père très jeune, puis celle de son grand-père, avaient rompu, *de facto*, les fils de la tradition. Günther, lui, refuse très jeune l'assimilation, récuse l'attitude de son grand-père, historien de l'Allemagne, qui croit dur comme fer que, pour pouvoir continuer à être juif allemand, il faut d'abord être allemand. Juif, c'est-à-dire allemand, allemand par la grâce de Goethe. Il éprouve du respect pour son père qui a refusé de se convertir au christianisme mais le trouve trop passif vis-à-vis des gouvernants qui tolèrent, acceptent et encouragent l'antisémitisme.

Günther a très tôt découvert, à quinze ans, les horreurs de la guerre et l'antisémitisme. Enrôlé dans une association scolaire paramilitaire, il est envoyé en France, près de Charleville, où il participe à des exercices. Il découvre les soldats estropiés dans les tranchées et les traitements humiliants infligés aux populations civiles par les troupes allemandes. Très vite, ses petits camarades le considèrent comme un demi-sel au seul motif qu'il est « non aryen ». Ils le mettent à l'isolement, le torturent toutes les nuits. Comme il le dira lui-même dans son livre autobiographique, intitulé *Et si je suis désespéré, que voulez-vous que j'y fasse*[12] ?, il devient un avant-gardiste de la souffrance. L'épreuve est si terrible qu'il en tombe malade. Expédié dans un hôpital militaire, il y rencontre un Français du même âge, fils d'un franc-tireur que les Allemands viennent d'exécuter. Il leur est interdit de se parler. Les deux adolescents se retrouvent la nuit en cachette et communiquent en latin. Dans une baraque du jardin de l'hôpital, ils étalent une carte de l'Europe qu'ils badigeonnent de peinture blanche pour en effacer les frontières, préfigurant ainsi, dans ce petit coin de cour, l'Europe des nations. Pendant son périple de retour, Günther se souviendra toute sa vie avoir croisé dans une gare française une file d'hommes qui « commencent aux hanches » : des soldats allemands qu'on avait amputés jusqu'en haut des cuisses et qu'on laissait là, sur leurs moignons, à attendre un hypothétique train qui les ramènerait dans un pays meurtri et humilié.

À Berlin, alors grande métropole mondiale secouée par les troubles, les conflits et la misère, Günther, comme Hannah, se politise. Il ne s'inscrit pas dans un parti, mais fréquente une mouvance de gauche où l'on s'imprègne autant de marxisme que de sionisme, sans vouloir pour autant adhérer à l'une ou l'autre de ces deux idéologies. Comme la majorité des étudiants engagés dans la lutte pour une Allemagne démocratique, Günther se méfie du jeune parti communiste, tout en assistant à la plupart de ses réunions. De la même manière, tout en militant pour la revendication d'une culture juive européenne, il n'épouse pas les thèses de Theodor Herzl. Il reproche à son père de ne pas revendiquer son appartenance juive face à la montée de l'antisémitisme. Certes, comme il le reconnaîtra plus tard, « il a tenu bon sur un minimum, mais seulement sur un minimum. Car se faire une idée exacte de la situation, ça il ne pouvait pas se l'autoriser, il ne pouvait pas l'oser[13] ».

Le père de Günther, en effet, n'a pas voulu voir la montée du nazisme. Il n'était pas le seul. Cette génération avait communié dans le même désir de faire oublier son origine.

Son ascension sociale et l'immensité de sa culture allemande avaient enraciné en elle une certitude : à savoir que, enfin, après la lutte de leurs ancêtres pour l'émancipation juridique et politique des Juifs, achevée dans les années 1867-1876, ils étaient devenus allemands — allemands sans tache et sans reproche, sans distinction particulière, allemands comme tous les autres. Cet effacement de l'origine constituait même pour certains un passeport pour l'éternité. La génération des fils n'accepta pas ce qui s'apparentait quelquefois à de l'auto-mystification ou à un curieux dédoublement d'identité. Ainsi, chez les parents de Gershom Scholem, on fêtait Noël avec les rôtis d'oie, la bûche et l'arbre décoré. On prétendait que c'était une fête populaire allemande, et qu'il fallait la fêter parce qu'on était allemand. Une tante jouait au piano *Stille Nacht, Douce nuit*[14]. Et si, à l'adolescence, le père de Gershom accepta que son fils prenne des cours d'hébreu, c'est uniquement parce qu'il pensait que c'était de l'érudition, comme le grec, et parce que les cours ne coûteraient rien[15].

Mais il était trop tard, et les pères eurent sans doute du mal à comprendre la révolte des fils, partis en guerre, dès l'aube des années 1920, contre cet effilochage du judaïsme spirituel, cette abdication de soi, cette absence de fidélité à soi-même. En 1933, un oncle chrétien de Gershom, qui avait épousé l'une des sœurs de sa mère, découvrit après plus de vingt ans de mariage qu'il était aryen. Il demanda à sa femme de divorcer pour qu'il puisse épouser une Allemande. Il connaissait les conséquences de son geste : elle finit par être arrêtée puis transportée au camp de Theresienstadt, où elle mourut[16].

Günther Stern est le cousin de Walter Benjamin et l'ami de Gershom Scholem, deux fiévreux lecteurs de littérature philosophique et politique. Ils fréquentent tous les trois des cercles sionistes, comme la Jeune Judée, et vont écouter les conférences de Martin Buber. Gershom Scholem se plonge dans la Bible et fréquente la synagogue. Benjamin étudie la Kabbale. Tous trois ne s'intéressent guère au sionisme politique. Petit à petit, sous l'influence des lectures d'Hermann

Cohen, de Franz Rosenzweig, ils évoluent vers la possibilité d'une renaissance juive sur le plan spirituel en Allemagne. Comme tant d'autres amis passionnés par la philosophie et la métaphysique, ils vivent plongés dans des dilemmes spirituels et non dans les luttes politiques des cercles sionistes.

Hans Jonas qui, parallèlement à ses études de philosophie, avait suivi des cours à l'École supérieure des sciences du judaïsme à Berlin, où il avait étudié le Talmud[17], envisage, comme Gershom Scholem, d'émigrer en Palestine, de s'y établir, d'y enseigner pour vivre. Ce n'est pas tant chez lui un désir politique d'adhérer au sionisme que la volonté d'honorer, à sa façon, sa propre judéité. Car la judéité engage. Un Juif ne doit pas lui tourner le dos, il ne doit pas se renier. Un Juif doit être fier d'être juif.

Günther raconta un jour en riant à Hans Jonas que leur maître en philosophie, Edmund Husserl, lui avait demandé de se méfier de lui. Il venait d'apprendre que Jonas était membre de l'IVRIA, une corporation étudiante sioniste. Jonas était donc à ses yeux un Juif ancré dans la foi, un orthodoxe, ce qui était incompatible avec la philosophie, et Stern ne devait pas se laisser contaminer[18]. Pareille anecdote donne une idée du climat intellectuel de l'époque. Husserl, non seulement ne voulait rien savoir de son judaïsme, lui qui était baptisé protestant, mais il refusait que quelqu'un qui étudiait la foi juive puisse aussi être philosophe[19].

Hannah est alors une Juive consciente mais ignorant tout du judaïsme, dit Hans Jonas qui, pour sa part, depuis l'époque où il l'avait rencontrée à Marbourg, se montrait beaucoup plus soucieux du destin des Juifs[20]. Elle considérait avec amusement son penchant pour le sionisme. Pour Hannah, accorder un intérêt au judaïsme politique lui était aussi étranger qu'en avoir un pour le destin de la classe ouvrière ou de la nation allemande, explique Jonas[21]. Cependant, bien que connu pour sa timidité maladive, il invite un soir Hannah à assister à la conférence du groupe sioniste auquel il appartient. Bientôt il s'enhardit. Apprenant qu'elle a connu, enfant, Kurt Blumenfeld, il lui demande si elle peut l'aider à l'inviter à venir parler devant le groupe. Il n'ose pas lui téléphoner. Amusée par l'idée de retrouver le jeune ami de son grand-père avec qui elle se roulait par terre à Königsberg, désormais reconnu comme chef de file du nouveau mouvement sioniste, Hannah accepte de jouer les intermédiaires.

La conférence est un succès. Hannah y assiste à côté de Jonas. À la sortie, Kurt et Hannah se tombent dans les bras et déambulent toute la nuit dans les rues de Marbourg, se récitant des poèmes, évoquant leur passé, riant aux éclats[22]. Ces retrouvailles se révélent décisives. Blumenfeld devient désormais le mentor en politique de Hannah et ses nombreux écrits sur la question juive s'interprètent et s'expliquent à l'aune de cette amitié admirative. Hannah, par tempérament, n'est guère encline à admirer. Pourtant Blumenfeld devient alors non plus seulement son ami, mais son maître.

Pas un second maître après Heidegger, mais un maître en loyauté, en dignité, en respect. Il la fera adhérer au mouvement sioniste et l'incitera à devenir militante. Il lui donnera l'élan aussi, après sa thèse, pour rédiger un ouvrage sur une femme du siècle dernier qui éprouvait à la fois honte et fierté d'être juive, Rahel Varnhagen[23].

Rahel Varnhagen

Hannah s'installe donc avec Günther à Berlin. Alors que tous ses amis la croient amoureuse, elle se décide à écrire en cachette à Heidegger : « Ne m'oublie pas, et n'oublie pas à quel point je sais vivement, profondément, que notre amour est devenu la bénédiction de ma vie. C'est là un savoir inébranlable, même aujourd'hui où moi — qui ne savais rester en place — j'ai trouvé enracinement et appartenance auprès d'un homme dont peut-être tu t'y attendrais le moins[24]. »

Heidegger reçoit la lettre au retour d'un séminaire retentissant, à Davos, dont la presse a fait longuement écho. Dans un dialogue avec Ernst Cassirer, héritier de l'école de Marbourg, il vient de confirmer sa rupture philosophique avec la phénoménologie husserlienne, devant un public de grands bourgeois qui s'enflamment pour lui et idolâtrent sa manière abrupte et railleuse de s'exprimer, son radicalisme, son refus des mondanités, son vocabulaire. Ils propagent la nouvelle auprès de leurs amis : après Nietzsche et Kierkegaard, un nouveau philosophe est né. Sous le prétexte de questionner la raison pure chez Kant, Martin Heidegger affirme publiquement pour la première fois son désir d'être non seulement un professeur de philosophie mais un maître à penser, un chef de secte, un vrai gourou — une image qu'il donnait déjà à l'université de Marbourg[25]. Les journaux ne s'y trompent pas, qui rendent compte de cette joute oratoire entre deux professeurs de générations différentes comme d'un événement majeur. Heidegger, toujours modeste en apparence, répond aux journalistes qu'il n'est pourtant pas venu à Davos pour livrer un match de philosophie mais seulement pour s'entraîner au ski.

Heidegger ne sait toujours pas avec qui vit Hannah. Elle n'ose d'ailleurs pas le lui avouer. À Jaspers, qui de son côté ignore toujours la relation de Hannah avec son collègue Heidegger, elle demande en juin 1929, trois mois avant son mariage avec Günther, une attestation pour une bourse de recherche sur Rahel Varnhagen[26]. Elle ajoute qu'elle aurait aussi besoin d'une lettre de Heidegger. Jaspers, immédiatement, s'exécute. Il évoque auprès de Heidegger le souvenir de cette ancienne étudiante dont le travail de thèse « n'est pas devenu, terminé, aussi brillant que nous pouvons nous y attendre » mais il se permet d'insister car cette jeune femme possède « un réel souci de ce qu'elle a appris de méthode auprès de vous, et il n'y a pas à douter de l'authenticité de son intérêt pour les problèmes et elle y est prédestinée par sa formation et ses goûts[27] ». Heidegger ne se fait guère prier et envoie une attestation élogieuse par retour de courrier. Il vit dans l'euphorie les retombées de Davos qui amplifient sa notoriété. Il confie à Jaspers : « J'ai fait à Davos l'expérience directe et intense qu'il y a encore un sens à être là... On doit prendre son parti de faire parler de soi[28]. »

Günther et Hannah s'installent au 57 de la Foganeustrasse, à Berlin, dans le quartier étudiant, et tirent le diable par la queue. Günther écrit les premières pages d'un texte intitulé *Die molussische Katakombe* (« Les Catacombes de Malussie »), description d'un pays imaginaire où les hommes sont tous prisonniers, de génération en génération, pendant que Hannah peine à réécrire sa thèse en vue d'une publication. Tous deux n'ont guère de mal à s'intégrer à la jeunesse étudiante. Devenir berlinois n'est pas chose difficile. Il suffit de respirer l'air de Berlin, disait Hannah qui, jusqu'à la fin de sa vie, se souviendra de cette période comme d'un moment exaltant. Elle assiste, dans l'arrière-fond des cafés, à des réunions où l'on refait le monde. Comme ses camarades, elle souscrit à l'espoir d'une nouvelle société où chacun, porté par sa propre responsabilité, serait l'égal de Dieu.

Hannah ne se sent pas allemande au sens d'une appartenance au peuple allemand, mais juive allemande. Elle a de longues discussions à ce sujet avec Jaspers, qui ne veut pas en démordre : « Il me disait : “bien sûr que vous êtes allemande”, et je lui rétorquais : “mais non, et cela se voit[29]”. » Elle ne ressent sa judéité ni comme une infériorité, ni comme une différence. Elle dira elle-même, au lendemain du procès Eichmann, quand elle sera accusée par Scholem de manquer de « l'amour du peuple juif » : « La vérité est que je n'ai jamais prétendu être autre chose, ni être autre que je suis, et je n'en ai même jamais éprouvé la tentation. C'est comme si l'on disait que j'étais un homme, et non une femme, c'est-à-dire un propos insensé. [...] J'ai toujours considéré ma judéité comme une des données réelles et indiscutables de ma vie[30]. » À partir de quand a-t-elle compris la nature du danger que représentait la montée du nazisme ? Elle expliquera que, contrairement à certains de ses amis, elle fut avec Günther l'une des rares à prendre au sérieux la publication de *Mein Kampf* en 1926. Elle se souviendra après guerre de discussions violentes avec certains communistes, qui prônaient la révolution mondiale et mettaient en avant la lutte des classes tout en niant la montée de l'antisémitisme. Elle en voudra longtemps à ses petits camarades qui s'aveuglèrent volontairement. Pour elle, les choses sont claires : lorsqu'on est attaqué en qualité de Juif, c'est en tant que Juif que l'on doit se défendre. Et non pas en tant qu'Allemand, citoyen du monde, ou même au nom des droits de l'homme[31]. Dès le milieu des années 1920, son engagement avec Günther est clair et simple. Pour eux, dans les circonstances présentes, la seule question valide est : que puis-je faire de façon très concrète en ma qualité de Juif ? Et peut-être la rédaction de *Rahel Varnhagen*[32], autoportrait déguisé, odyssée de sa propre judéité tourmentée, est aussi pour elle une manière de répondre.

Il suffit de se plonger dans les innombrables récits et témoignages de l'époque pour se rendre compte que, très vite, certains écrivains et intellectuels ont compris la nature et l'essence de l'hitlérisme, et les conséquences de la montée du nazisme. Dès 1924, Joseph Roth, dans un article publié par la *Frankfurter Zeitung*, note que la plupart des arbres de Berlin s'ornent de croix gammées. Chaque dimanche, les jeunes nazis traînent dans les rues avec gourdins et couteaux. Dans les gares, des jeunes filles distribuent des tracts antisémites au cri strident de « *Heil Hitler* ». Dans ses *Cahiers*, le comte Kessler[33] s'alarme, dès 1925, de l'ascension des nazis et de leur influence dans l'inflation nationaliste ambiante. Nicolaus Sombart constate que de plus en plus de jeunes gens ont adopté les uniformes bruns dans son école de quartier de Grünewald, sous prétexte de devenir porte-fanions dans des associations sportives[34]. Ses petits camarades multiplient les brimades envers les garçons juifs. À l'école primaire aussi, les petits garçons juifs sont roués de coups.

Dans *Mein Kampf*, Hitler met l'éducation physique en tête de ses valeurs et prône l'endurcissement comme moyen de constituer l'armée comme « corps du peuple ». Les drapeaux dans les rues, les vitrines des commerces avec la photographie du *Führer*, les bras tendus faisant le salut nazi, les hommes qui se taillent la moustache à la Hitler, les vociférations à la radio, tout cela a déjà envahi et contaminé l'espace public en préparant le peuple à trouver normal ce qui ne l'est déjà plus. La langue allemande même est gangrenée de l'intérieur. Elle devient la langue supposée d'un groupe social, une soi-disant ethnie allemande, comme l'éprouve et l'explique si bien Victor Klemperer, qui sent à l'intérieur de son corps, dans le corps des autres et dans l'espace entre les corps, cette nouvelle langue nazie s'insinuer ainsi dans les consciences et modifier les comportements[35]. Certains intellectuels se réfugient dans les bibliothèques comme dans des tours d'ivoire et s'enferment dans leurs travaux pour ne pas voir, ne pas entendre : des non-Juifs, mais aussi des Juifs qui avaient appartenu à la *Grunderzeit*, la génération d'intellectuels qui pensaient que l'assimilation incarnait l'espoir de sortir de cette marginalité sans attache. Telle fut l'attitude d'Edmund Husserl, Karl Mannheim, Theodor Adorno et de bien d'autres... La plupart prennent peu à peu conscience, néanmoins, à partir de 1929, de la menace représentée par les nazis, tout en se bornant à ne manifester qu'un certain mépris pour la vulgarité du mouvement national-socialiste, ces meetings de Goebbels, ces troupes d'assaut, ces drapeaux. Tout en observant l'essor des thèses hitlériennes, ils pensent qu'un gouvernement conservateur, voire réactionnaire, accédera au pouvoir et non ces moins que rien[36].

Hannah se trouve prise entre deux feux : d'un côté ceux qui, comme elle, et ils sont rares, pensent qu'ils sont d'abord juifs avant d'être allemands, et de l'autre, tous ceux pour qui la germanité est si intimement, et si chèrement conquise que l'idée de la double appartenance est dépassée, à tout jamais étrangère. Souvenons-nous de la position d'Emmanuel Levinas : « S'interroger sur l'identité juive, c'est déjà l'avoir perdue. Mais c'est encore s'y tenir, sans quoi on éviterait l'interrogatoire. »

Hannah, trop allemande, pas assez juive à son goût, se lance à corps perdu à la recherche de Rahel — sa propre recherche du temps perdu — pour savoir comment continuer à exister intellectuellement dans cet entre-deux. Mais comment vivre ? Hannah entreprend des démarches auprès de l'Académie juive de Berlin et relance Jaspers pour obtenir des lettres de recommandation. Elle travaille toujours en avril 1929 à la nouvelle rédaction de sa thèse et commence en même temps à écrire sur Rahel. Cette fois, sûre d'elle et de la qualité de son projet, elle n'hésite pas à écrire à Jaspers : « [...] il me faut une lettre attestant l'utilité d'un tel travail pour la science. D'après ce que j'ai pu découvrir dans la littérature existante, que j'ai parcourue à cette fin, je pense pour ma part qu'on peut dire cela en toute bonne conscience[37]. » Et pourtant, la conviction d'engager un travail important ne suffira pas.

L'Académie rejette la demande. Commence alors une course effrénée à la pige. Hannah saura faire preuve, au fil des ans, d'une belle endurance à la pratique de ce sport si particulier qui consiste à faire financer ses propres recherches. Citée de nos jours à tout bout de champ, reconnue dans le monde entier, elle jouit aujourd'hui d'une notoriété qu'elle n'a jamais eue de son vivant, et d'une reconnaissance qu'elle obtint si tardivement que, à l'exception de ses douze dernières années, elle passera une grande partie de sa vie à chercher de l'argent... pour vivre !

Échec donc à l'Académie. Hannah tente ses chances en sollicitant une subvention de la Société d'aide à la science allemande, pour financer ses recherches sur le romantisme allemand, puis à la Fondation Abraham Lincoln. Elle perd beaucoup de temps. Dossiers, paperasseries, lettres de recommandation de Jaspers, de Heidegger. Rien n'y fait. Sa demande est finalement acceptée alors qu'elle finit de réviser sa thèse.

Hannah se marie à Berlin en juin 1929. Cérémonie civile toute simple, en présence de sa mère et des parents de Günther. Les témoins sont des amis étudiants, Yela et Henry Lowenfeld. Le jeune couple déménage à Neubabelsberg. Hannah achève enfin les corrections de sa thèse qu'elle envoie à Jaspers pour qu'il puisse la faire imprimer par l'Université. Elle promet à son maître, qui attire son attention sur un certain nombre d'erreurs qui subsistent encore dans le texte, de bien relire ses épreuves et de se faire aider par son mari, plus rigoureux qu'elle dans le maniement des concepts philosophiques. Elle fait alors un court voyage à Heidelberg avec Günther, qui accomplit des démarches administratives en vue d'obtenir une habilitation à l'Université. Elle manque Jaspers qui vient de partir en vacances.

À partir d'août 1929, Hannah signe toutes ses lettres du double nom Stern-Arendt. Le couple ne cesse de changer de domicile. À Berlin, les loyers sont chers et ils n'ont pas un sou. Ils s'installent dans une bourgade, à la sortie de la grande ville, en direction de Potsdam, pour finalement revenir vivre dans un studio, à Berlin-Holensee, où ils ne peuvent entrer et séjourner que la nuit, le propriétaire leur ayant demandé de déguerpir le jour, car il le loue à une école de danse ! Un beau matin, Jaspers débarque. C'est donc au café d'à côté qu'elle lui soumet ses premières pages sur Rahel Varnhagen.

Début 1930, Hannah fait une conférence sur Rahel. Elle en envoie le texte à Jaspers, accompagné d'un extrait de la correspondance de cette dernière avec deux de ses amies, Henriette Herz et Dorothea Schlegel. Ces femmes ont réussi, par les salons littéraires qu'elles ont créés, à construire un espace d'extraterritorialité où se rencontrent juifs et chrétiens. Leurs vies reflètent les espoirs d'un certain judaïsme allemand du XIXe siècle, pris dans les rets d'une tension, entre assimilation et émancipation. On comprend que Hannah soit émue par la personnalité de Rahel Varnhagen. Comment a-t-elle enduré ce grand écart ? Rahel est-elle d'abord juive ou allemande ? Où se situe-t-elle ? Dans le regard des autres uniquement ou en son âme et conscience ? Malgré la distance du temps, les lettres de Rahel, enfiévrées, angoissées, sincères, contradictoires, égarées, se lisent encore aujourd'hui comme le feuilleton palpitant d'une femme belle, intelligente, à qui le destin imposa d'être née juive, et qui crut que le processus d'assimilation lui permettrait de devenir une héroïne de la vie spirituelle allemande et une grande figure mondaine[38]. Cette incarnation du romantisme, cette personnalité hors du commun, muse de Goethe et de Beethoven, était bien connue des Allemands depuis la publication posthume, en 1834, de sa correspondance publiée par son mari, qui crut bon d'en expurger les passages les plus significatifs — ceux où elle a choisi, sur le tard, tout en réaffirmant sa foi chrétienne, de revenir au judaïsme de son enfance.

Hannah connaît le personnage de Rahel par ce livre que lui a offert son amie Anne Mendelssohn en 1921. Dès la première lecture, elle a eu un véritable coup de foudre pour cette femme tout à la fois forte, prétentieuse, troublante, séduisante. Une « accoucheuse morale », selon le mot de son ami le prince Louis-Ferdinand. En dehors de la volonté de Hannah d'entreprendre une recherche historique sur la perte de l'identité juive, alors qu'elle-même subit la montée du nazisme, on peut lire aussi, je crois, dans la passion qu'elle met dans ce travail, la tentative plus personnelle de comprendre ses propres angoisses, ses propres vertiges, ses propres difficultés existentielles. Bien des traits de caractère sont communs à l'auteur comme à son sujet d'étude : le fait de considérer la vie comme une obligation et non comme un don, une constante rudesse vis-à-vis d'elles-mêmes. Rahel s'offre en sacrifice sur le bûcher des vanités perdues. Quand on lui demande ce qu'elle fait de sa vie, elle répond : « Rien du tout. Je laisse la vie pleuvoir en moi[39]. » La vie comme une averse sans parapluie, c'est un programme commun à Rahel et à Hannah. Il existe ainsi de nombreuses affinités secrètes entre les deux femmes. Toutes deux partagent la même capacité à souffrir, le même entêtement à se dire juives sans vouloir vraiment l'accepter, toutes deux communient dans le même idéalisme de l'amour-passion qui se transforme, hélas, très vite en perte de repères et absence de confiance en soi.

Hannah, l'étudiante sérieuse, prend son travail historique à cœur et va élaborer pour la première fois sa théorie de l'espace public, en faisant du salon de Rahel un lieu de protection de la personnalité et de dissolution de l'identité. Elle ne se contente pas des sources publiées, mais passe ses journées en bibliothèque pour trouver des sources inédites et dégager de la fange antisémite la vraie, la pure Rahel. Ainsi découvre-t-elle une correspondance datée de l'été 1800. Rahel, de Paris, écrit à une amie : « Je t'assure, je dis ici à tout le monde que j'en suis une, eh bien l'empressement reste le même. Mais seul un Juif berlinois peut avoir en lui le mépris et l'attitude qui conviennent. Je t'assure que cela donne une contenance d'être de Berlin et juif, du moins à moi. » Hannah ne cachera pas, lors de la publication fort tardive de l'ouvrage, plus de trente ans plus tard et après bien des difficultés, qu'elle revendique consciemment son identification à Rahel. Elle nous préviendra, dans sa préface, qu'on ne trouvera sous sa plume aucune critique de Rahel. « Ce qui m'a intéressée, ce fut de raconter après coup la vie de Rahel telle qu'elle eût pu elle-même la narrer[40]. »

Où et comment se situe Hannah dans ce travail d'écriture, à mi-chemin de l'introspection littéraire et de l'analyse historique ? Où se trouve l'approche philosophique ? Hannah ne s'embarque-t-elle pas dans l'élucidation de ses propres tourments, en prenant Rahel comme prétexte ? Dès le début du travail d'écriture, Jaspers pointe cette confusion : « Malgré votre volonté de rester objective, il se passe quelque chose[41]. » Hannah veut, en effet, objectiver l'existence juive en recourant à la phénoménologie de l'existence. Heidegger encore et encore comme clef de compréhension du monde. Le vocabulaire heideggérien est, en effet, omniprésent dans le texte de Hannah pour expliquer les tourments de Rahel. Heidegger prône l'authenticité du *Dasein*. Comment peut-on ne dépendre que de soi quand vous attache ce que Hannah nomme la « fatalité du destin juif » ? D'ailleurs, dépend-on de soi librement quand on est né juif ? Comment vivre à la fois sans attache et enraciné ? Et d'où vient cet enracinement ? De la culture ? De l'origine ? De la race ? De l'histoire ? Hannah s'attaque frontalement à toutes ces questions fondamentales. La tâche paraît rude. Elle possède déjà cette certitude qu'elle est à la hauteur, assez douée pour mener à bien ce travail si complexe. Elle envoie un texte à Jaspers qui la met en garde : certaines « formules [...] ont quelque chose d'un peu maniéré. Vous philosophez de façon thétique et dogmatique[42] ». Il la critique aussi sur la définition qu'elle donne de la judéité : pour Hannah, ce n'est ni une façon de parler ni une manière d'être négative, mais ce qu'elle nomme « un destin qui n'a pas été libéré du château enchanté[43] ». À cette époque, Karl Jaspers travaille à la rédaction de son livre *La Situation spirituelle de notre époque*[44] qu'il publiera en 1931. Le professeur et l'élève, sur fond de montée du nazisme, s'affrontent sur le thème de la conquête de la liberté. Comment voir clair en soi-même et réaliser son être profond ? *La Situation spirituelle de notre époque* sera terminée en septembre 1930, juste avant le premier grand succès du national-socialisme aux élections du Reichstag. En l'écrivant, Jaspers s'est un peu documenté sur le fascisme, très peu sur le national-socialisme, qu'il qualifie alors de délire et dont il juge l'implantation impossible en Allemagne[45]. Nulle trace non plus de réflexion politique dans le texte de Hannah sur Rahel Varnhagen, mais, comme chez Jaspers, la même méditation douloureuse sur l'acceptation volontaire de la judéité pour toute cette génération du siècle passé dont Rahel fut l'astre mort. Humaine parmi les humaines, pas véritablement humaine pour les non-Juifs, Rahel accomplira ce qu'elle nommait elle-même le chemin de croix d'un parcours solitaire commencé dans la honte extrême, la souffrance et le malheur, parce qu'elle était née juive, et achèvera d'expirer sur son lit de mort en répétant : « Être née juive, désormais je ne voudrais pour rien au monde y renoncer[46]. »

Dans son texte, Hannah décrit minutieusement les états d'âme de Rahel et dissèque ses illusions perdues. Elle intitule le deuxième chapitre « Fini. Mais comment continuer à vivre ? ». Rahel, après s'être amourachée du baron Finckenstein et s'être abaissée à le supplier de continuer à l'aimer, réussit à se détacher de lui en le priant désormais de la laisser vivre, de ne pas la tenter.

En lisant le texte de Hannah sur Rahel, il semble difficile de ne pas y voir le dénouement — temporaire — de sa propre histoire d'amour avec Heidegger. Rahel, aux yeux de Hannah, a réussi à ne pas se laisser détruire par une histoire d'amour. Elle a pris ce que cet amour lui avait donné, en bien comme en mal. Le lecteur a l'impression qu'elle puise des forces dans le comportement de Rahel, l'admire, et qu'elle y entend l'écho de sa propre séparation avec Heidegger. Rahel va boire le calice de la désespérance jusqu'à la lie. Elle s'impose la séparation définitive d'avec son baron et refuse les rabâchages, les malentendus, les offenses, derniers accords d'un concert atroce. Mais comment continuer à vivre après une telle désillusion ? Rahel, depuis la séparation d'avec l'homme qu'elle aimait, parle d'elle-même comme d'une morte. Hannah compatit : grâce à Rahel, elle approche de la vérité : comment accepter la vie telle qu'elle est, et non comme on l'a rêvée ?

Celle qu'elle nomme « mon amie la plus proche[47] », bien qu'elle soit décédée depuis plus de cent ans, sera pour Hannah une sœur jumelle qui lui permettra de commencer son exploration de la judéité, de ses ambivalences, de ses ambiguïtés psychologiques. Hannah admire et critique en même temps Rahel, laquelle échoue dans sa tentative de créer une vie sociale hors des cadres officiels. Hannah s'emporte contre cette judéité sociologique, cette manière de tenter de se construire une originalité mythique en terme d'élection, qui viendrait se substituer à l'appartenance au judaïsme. Son analyse est cinglante de vérité, à la fois sarcastique et moqueuse, mais tissée de contradictions[48]. Force est de constater que Hannah assume déjà et assumera cette judéité dépourvue de tout judaïsme, tout en critiquant à la fois les sionistes et les assimilationnistes. Étrange *no man's land*. Comment fait-on quand on est juif pour vivre dans le monde ? Où est-il possible d'exister sans se nier ? S'échapper, échapper. Il ne reste plus qu'à s'échapper. Mais pour où ?

Le cas Heidegger

Karl Löwith passe sa thèse avec Heidegger à Fribourg. Et pourtant, il est juif. Certes, il a fait la Grande Guerre, et est de religion protestante. Cela a dû l'aider à pouvoir prétendre à l'habilitation. S'il y avait eu des objections, elles auraient été balayées par Heidegger qui aurait empêché qu'elles pussent s'exprimer. Löwith le pense et l'écrit. Celui-là même qui fut l'un des plus virulents à combattre l'attitude de Heidegger pendant son engagement nazi de 1933, et qui porta un coup fatal à sa réputation en décrivant, en 1936, Heidegger à Rome se promenant dans les rues avec son insigne nazi[49], l'affirme clairement : si, pour lui, le maître est déjà tombé dans le piège nationaliste et antisémite comme la plupart de ses collègues, il lutte cependant pour imposer à l'université certains de ses étudiants d'origine juive. Heidegger publie son séminaire sur *Kant et le problème de la métaphysique*[50]. Il n'est pas à une contradiction près : après avoir témoigné d'un profond irrespect envers lui, il fait cependant le discours d'éloge d'Edmund Husserl à l'occasion de son soixante-dixième anniversaire. Passionnément épris de la vie universitaire, où il est à la fois considéré comme un marginal, révolutionnaire non reconnu par l'institution, et comme une autorité redoutée par sa force théorique et son intransigeance morale, il noircit des pages et des pages sur le thème de la nécessaire rénovation de l'Université, et les adresse à son ami Karl Jaspers qui partage le même combat.

Il ne s'agit pas de juger mais d'éclairer. Le cas Heidegger a suscité bien des polémiques depuis les révélations de Victor Farias[51]. Coupable et responsable ? Il ne s'agit pas de monter des procès *post mortem* ni de jouer les procureurs d'un temps où nous n'étions pas nés. Mon intention n'est pas non plus d'excuser l'un des plus grands philosophes de l'histoire qui n'a jamais su, ni voulu aborder frontalement son aveuglement idéologique, politique, et par là même philosophique. Le temps est aujourd'hui venu, avec notamment la publication de l'ouvrage remarquable de Hugo Ott[52], de situer les enjeux de l'époque, de contextualiser, de comparer l'attitude des uns et des autres.

Il est difficile d'évoquer l'adhésion au nazisme de Heidegger en 1933 sans le resituer dans sa volonté de venir sauver l'Université, projet intellectuel auquel adhérait une minorité d'enseignants portés par le désir de transmettre leur savoir. Karl Jaspers pensait que l'Université allemande, à l'aube des années 1930, devait demeurer l'incarnation de la liberté occidentale, le garde-fou à toutes les dérives antidémocratiques, l'espace d'acquisition d'une liberté intérieure, la garantie de l'épanouissement d'une nation. Tous deux, Jaspers et Heidegger, mais aussi beaucoup d'autres professeurs, voulaient rénover leur institution sans tomber dans l'obsession nationaliste. Heidegger va y sombrer. Il croit que le national-socialisme va pouvoir réaliser ce « pouvoir être » propre à chacun, que nous possédons et qu'il revendique à la fois comme un devoir et un destin. Il faut une décision historique pour assumer un destin « authentique ».

Un malaise teinté de rébellion avait gagné certains professeurs et étudiants qui estimaient que l'Université était devenue une école professionnelle, et l'étude, l'arrière-cour d'étudiants futurs chômeurs, où l'on dispensait de plus en plus des enseignements professionnels au détriment des disciplines classiques, comme la littérature et la philosophie. Dans tout le pays, l'Université, de plus, devient alors non seulement un enjeu idéologique mais aussi un enjeu politique. Dès les années 1920, l'extrême droite gangrène le corps professoral, l'antisémitisme règne officiellement. Une minorité de Juifs est à peine tolérée au sein de l'institution, les pacifistes en sont exclus[53], les mouvements de jeunesse pronazis y font la loi et les professeurs ne s'en indignent guère.

Heidegger est en train de basculer : son appétit de pouvoir et de reconnaissance lui fait déjà tourner la tête. Appelé dans la capitale pour discuter de sa nomination à l'université de Berlin, il se vante auprès de Jaspers[54] d'avoir eu un long entretien avec le ministre de l'Éducation, même s'il a finalement décliné la proposition. La brèche est ouverte, mais nul ne le voit, à commencer par l'intéressé lui-même qui fera plus tard semblant d'avoir été contraint de se laisser nommer recteur de l'université de Fribourg en 1933 ! Il faudra l'intuition de Günther Stern et de Karl Löwith, ses anciens élèves, pour comprendre que le refus par Heidegger du poste de Berlin, pour rester enseigner à Fribourg, s'interprète aussi comme une volonté d'enracinement, un désir de terre natale, d'auto-affirmation de soi. Dans ses discours politiques de l'époque du rectorat il rapporte de manière très *völkisch*[55] la « vérité » au sol de la *Heimat*, la patrie. On trouve dans ses formulations de l'existence historique ce qui va le conduire à sa décision politique : le *Dasein* propre à chacun va devenir spécifiquement allemand[56]. Victor Klemperer a raison : la langue pense à notre place, dirige nos sentiments, régit tout notre être moral d'autant plus naturellement qu'on s'en remet inconsciemment à elle, et les mots peuvent être comme de minuscules doses d'arsenic. « On les avale sans y prendre garde, ils semblent ne faire aucun effet, et voilà qu'après quelque temps l'effet toxique se fait sentir[57]. »

Même s'il s'en est voulu de ne pas avoir ouvert les yeux assez tôt, et d'avoir ainsi hérité de la volonté d'aveuglement de son père devant l'antisémitisme, le mari de Hannah, Günther Stern, sera l'un des premiers à articuler un discours et une théorie de la résistance. Dès 1925, il prend très au sérieux les menaces de Hitler, à l'inverse de ses camarades qui se contentent de le traiter de clown vociférant. En 1927, il répond à Elfride Heidegger, qui lui propose, on l'a vu, à la fin d'une partie de campagne, d'adhérer au national-socialisme :

« Regardez-moi donc et vous verrez que je suis de ceux que vous voulez exclure. »

En 1929, Günther achève de bâtir l'architecture générale de sa propre philosophie, et rejette définitivement la pensée de Heidegger qu'il juge dangereuse et délétère. Il lui reproche son manque d'humanisme et son adoration de la nature à tout crin, qu'il estime funeste sur le plan politique. Dès 1930, il affirme la nécessité vitale de l'action dans une conférence donnée à Francfort et intitulée « L'homme sans monde[58] ». Il s'affirme comme le philosophe qui lutte pour le respect des droits de l'homme et qui défendra coûte que coûte les acquis de la démocratie. La philosophie de Heidegger n'est pas seulement grandiloquente et creuse, elle est dangereuse et élimine les dimensions sociale et historique. Le *Dasein* signifie la disparition de l'homme qui construit politiquement son monde[59].

Plusieurs des concepts qu'il développe seront intégrés trente ans plus tard par Hannah, mûrement revus et argumentés, dans son livre majeur intitulé *On Human Condition*[60]. En France, grâce à l'initiative de certains éditeurs courageux[61], on commence seulement à reconnaître l'œuvre littéraire et philosophique de l'un des maîtres à penser de l'humanisme européen. Pourquoi n'a-t-elle pas reconnu sa dette à son endroit ? L'ombre de Heidegger obscurcissait vraisemblablement pour elle la possibilité de reconnaître intellectuellement Günther. Elle se vivra d'abord et avant tout comme une élève du premier, et percevait alors le second comme un de ses condisciples et non comme un philosophe capable de s'opposer au maître et de se forger sa propre autonomie.

En mars 1930, le couple s'installe à Francfort. Günther espère un poste universitaire. Hannah obtient en mai des financements pour Rahel. Le fait d'être juif constitue-t-il un destin ? Oui, répond Hannah, qui ne s'embarrasse pas de faux-semblants : « Ce destin résulte précisément d'un manque fondamental d'appartenance et ne s'accomplit que s'il y a séparation d'avec le judaïsme[62]. » Nous n'oublierons pas cette phrase, écrite à l'âge de vingt-quatre ans, qui résonnera tout au long de sa vie. Pour Hannah Arendt, il n'y a de pensée du/sur le judaïsme que s'il y a sortie/deuil de celui-ci.

Hannah et Günther emménagent dans un presbytère au bord du Main. Hannah redevient étudiante et suit des cours de philosophie à l'université, notamment les séminaires de Karl Mannheim et les conférences d'un théologien protestant, grand connaisseur d'Augustin, Paul Tillich. Les questions, nombreuses et complexes, qu'elle ne peut s'empêcher de poser la font vite remarquer et jalouser. Certains la trouvent prétentieuse et incompréhensible, d'autres brillante et originale. Les étudiants lui font l'honneur de la caricaturer lors du carnaval annuel et se moquent de sa manière passionnée de parler et d'argumenter[63].

Sur proposition conjointe de Max Horkheimer, membre éminent de l'École de Francfort, Paul Tillich et Theodor Adorno, tous déjà enseignants à l'université, Günther tente de passer son habilitation. Par son cousin Walter Benjamin, il avait pu rencontrer auparavant Adorno, qui s'intéressait, comme lui, aux liens entre philosophie et musique. Adorno, qui venait de se faire recaler à sa propre habilitation consacrée au concept d'inconscient, était alors enseignant non titulaire, et non rétribué, à l'université de Francfort, le poste académique le plus élevé auquel pouvait aspirer, en dehors de quelques exceptions, un intellectuel juif travaillant dans les sciences humaines[64].

Benjamin a déjà écrit *Sens unique*[65], *Origine du drame baroque allemand*[66], et travaille à son livre sur les passages de Paris. Adorno se consacre beaucoup à son travail de composition — il est à la fois compositeur, musicien, philosophe et sociologue d'inspiration marxiste —, publie des aphorismes sur la musique et achève son second travail d'habilitation sur Kierkegaard[67]. Protégé par Horkheimer sur le plan intellectuel, il est financièrement aidé par sa famille qui, contrairement à celle de Benjamin, l'entretiendra jusqu'en 1938. Sa jeunesse — il a alors vingt-cinq ans — n'empêche pas Adorno de se comporter avec Benjamin comme s'il était son supérieur hiérarchique, intellectuel, moral. Il le pille sans le citer, le critique sans argumenter. Il fera en quelque sorte de lui son obligé, quand Benjamin, contraint de rester en exil à Paris, deviendra l'otage financier de l'Institut pour la recherche sociale, passé à la postérité sous le nom d'École de Francfort, que dirige Max Horkheimer, le maître d'Adorno. À Paris, en effet, Benjamin n'a plus que les maigres rémunérations de l'Institut pour subsister. Il envoie donc ses articles à Adorno pour être payé. Celui-ci semble profiter de la situation, si l'on en juge par la correspondance aujourd'hui publiée entre les deux hommes[68]. Le ton qu'Adorno adopte vis-à-vis de Benjamin, dès 1928, stupéfie et révolte. Son manque d'opposition au national-socialisme n'arrangera pas la qualité de leurs relations, mais ne les interrompra pas. Adorno fait pourtant les frais des mesures d'épuration nazies en perdant, le 8 septembre 1933, son poste de chargé de cours de l'université de Francfort, comme bon nombre de ses collègues de l'Institut : Horkheimer, Mannheim, Löwe, Wertheimer... Mais il a tout de même souhaité s'inscrire, deux mois plus tard, à la chambre des écrivains créée par les nazis. Son aveuglement est tel qu'en 1934, à deux reprises, il écrit à Benjamin à Paris en lui conseillant de solliciter lui aussi son admission à cette même chambre.

Adorno se comporta-t-il aussi mal avec Günther Stern qu'avec Walter Benjamin ? On peut le penser en lisant la correspondance de Hannah avec Jaspers. Günther n'obtiendra pas son habilitation : Adorno en serait responsable. Est-ce la jalousie à l'égard d'un concurrent qui, de plus, se révèle un véritable musicien ? Günther joue en effet admirablement du violon et du piano. Toujours est-il que son travail sur la philosophie de la musique, au demeurant fort brillant, sera rejeté par Adorno qui ne le trouva pas assez marxiste ! Günther est déçu et Hannah consternée par tant de médiocrité. Elle gardera toute sa vie une haine tenace à l'encontre d'Adorno — « Celui-là n'est pas près de mettre les pieds chez nous », déclara-t-elle à Günther le jour où elle le rencontra[69] — qui ne fera que s'amplifier avec les années. Ce dernier propose néanmoins à Günther de rester à Francfort et de patienter. Mais Hannah trouve la situation avilissante et encourage Günther à partir pour Berlin. Ils décident de chercher du travail hors de l'université.

Le couple est de retour à Berlin, Hannah fait des piges pour survivre. Le 12 avril 1930, elle publie dans le *Frankfurter*

Zeitung « Augustin et le protestantisme », son premier article, à l'occasion du mille cinq centième anniversaire de la mort d'Augustin. Reconnaissant les travaux contemporains des théologiens allemands, elle critique les protestants, coupables, selon elle, d'oublier volontairement l'œuvre d'un des plus grands penseurs de la spiritualité en Occident. Même si l'on sent encore dans son article l'influence mal digérée de la pensée et du vocabulaire heideggériens, Hannah possède un joli talent de journaliste, une plume acérée, et on entrevoit déjà en la lisant l'audace d'une pensée fraîche et personnelle, qui n'hésite pas à entremêler Augustin, Goethe et Luther.

L'article la fait remarquer. La revue *Die Gesellschaft*, dirigée par un ami de sa mère, Rudolf Hilferding, lui commande une critique du nouveau livre de Karl Mannheim, *Idéologie et Utopie*. La prestigieuse revue *Archiv für Sozialwissenschaft und Sozialpolitik*, fondée par Max Weber, lui demande à son tour un compte rendu d'un livre de Hans Weil, *Les Origines du principe éducatif allemand*. Hannah en profite pour affirmer l'importance de la philosophie comme discipline cardinale pour penser le monde. Sa pensée s'affine. Ses pistes de réflexion, à la croisée des chemins historiques, philosophiques, politiques, apparaissent déjà originales et profondes.

Hannah et Günther partent pour Heidelberg un jour d'été 1930. Hannah veut revoir Jaspers, qui est déjà parti en vacances, mais sur le quai de la gare elle tombe par hasard sur Heidegger. Elle tremble de tout son corps, décide de faire semblant de ne pas le voir, puis de l'affronter. Arrivée à sa hauteur, elle comprend avec horreur qu'il ne la reconnaît pas. Hannah rentre le soir dans la chambre d'hôtel où l'attend Günther, à qui elle ne dit rien. Elle a la sensation de revivre, comme dans un cauchemar, un épisode de son enfance et de retomber dans l'état de terreur où la plongeait l'histoire du nain dont le nez s'allongeait si fort que nul ne le reconnaissait. Hannah, petite, hurlait à perdre haleine et suppliait sa mère qui jouait à lui faire peur : « Arrête, reconnais ton enfant, tu vois bien que je suis ta fille, c'est moi, Hannah[70]. »

De retour à Berlin, Hannah rompt le pacte de silence qu'elle s'est imposé et décide d'écrire de nouveau à Heidegger.

Elle lui confie ses pensées et la sensation d'effroi dans laquelle elle se débat. Pas besoin de convoquer les mânes de Sigmund Freud. On comprend mieux, en lisant les aveux qu'elle livre à son ancien amant, pourquoi Hannah n'éprouvera que mépris et agressivité pour la psychanalyse qu'elle considérera toute sa vie comme une charlatanerie. Hannah n'a pas envie d'enlever le masque, ne peut pas, ne veut pas retomber dans les terreurs enfantines. Impossible en effet de faire avec Heidegger ce qu'elle avait demandé à sa maman, et de l'interpeller en lui disant : « Arrête, reconnais ton élève, ton amoureuse, tu vois bien, c'est moi, Hannah. » Alors, étrangement, elle lui pardonne d'avoir fait semblant de ne pas la voir. Elle le remercie de lui avoir fait don de ce qu'elle nomme le savoir « de la continuité de ce qui prévaut entre nous et que tu me permettras d'appeler, *je t'en prie*, du nom d'amour[71] ».

De cette correspondance, Günther ignore tout. De quand, dans leur couple, datent les premières disputes ? Nul ne le sait. Hannah avouera plus tard n'avoir plus pu supporter sa présence physique. Elle choisit de déserter le foyer conjugal pour aller militer dans les cercles sionistes. Pourquoi cet engagement ? Pour s'enivrer de discussions publiques et oublier les tête-à-tête pesants avec Günther ? Pas seulement. À cette période, le judaïsme allemand assimilé, financièrement puissant et culturellement dominant, a été et est toujours majoritairement antisioniste. Pour toute cette génération de Juifs assimilés de gauche, le sionisme apparaît comme une curiosité excentrique, voire exotique, et la colonisation de la Palestine comme éventuelle construction d'une communauté juive, comme l'hypothèse destinée, non aux Allemands occidentaux, mais aux masses juives d'Europe orientale. Les Juifs exilés fuyant les pogroms ne représentaient pas un aspect positif pour le judaïsme allemand, qui qualifiait le yiddish de jargon et craignait que leur différence fasse obstacle à l'assimilation[72].

Hannah n'avait jamais auparavant manifesté le moindre enthousiasme pour le sionisme et personne n'essaya de la convaincre. Mais sous le poids de la montée du nazisme, dès 1930, elle le pense tout à la fois comme engagement politique, arme de survie, moyen d'action et forme de résistance. Son amitié avec Hans Jonas, sa proximité intellectuelle avec

Gershom Scholem l'y prédisposent, mais son basculement idéologique, physique et moral, s'explique en grande partie par l'amitié et la confiance qu'elle témoigne à Kurt Blumenfeld, véritable initiateur de cette révolution mentale.

Kurt est un homme doux, simple, chaleureux. Il sera, jusqu'à la fin de sa vie, le grand ami de Hannah. Les événements, les idées auront beau les séparer, ils ne réussiront pas vraiment à se brouiller. Kurt est comme l'oncle chéri de Hannah, une sorte de substitut paternel avec qui on peut dire et faire les plus grosses bêtises, mais qui vous pardonne tout, et dont on sait qu'on peut compter sur lui dans n'importe quelle circonstance. Hannah aime Kurt depuis la petite enfance. Elle aime ses mains, sa voix, sa présence rassurante. Avec lui, dès l'âge de trois ans, on l'a vu, elle a passé, chez les grands-parents, des heures à jouer avec le chien ; quand elle en avait vingt, ils déclamaient ensemble des poèmes de Schiller des nuits entières dans les rues de Heidelberg. À vingt-cinq ans, elle décide de le suivre dans l'action clandestine et de risquer sa vie pour ses idées. Le sionisme lui apparaît comme le seul mouvement assez structuré pour pouvoir en même temps aider les Juifs en difficulté et alerter l'opinion publique.

Pour Hannah, la question n'est pas : comment ou pourquoi on devient une personne engagée. Mais : comment peut-il se faire qu'on ne le devienne pas ? Dès le début des années 1930, l'engagement politique devient pour Hannah et Günther un impératif. Chacun le pratique à sa façon : Hannah milite dans une organisation juive, Günther crée un cénacle intellectuel au domicile conjugal. Il abandonne en effet l'écriture de son livre pour organiser un séminaire clandestin sur *Mein Kampf*. Écrire des textes pour ses collègues universitaires lui semble désormais grotesque, indécent, immoral, aussi dénué de sens que si un boulanger ne faisait plus ses pains que pour les autres boulangers[73]. Dans le Berlin du début des années 1930, la lutte contre Hitler devient pour tous deux la préoccupation principale, leur morale, leur règle de vie. Ils militent jour et nuit. Impossible de faire autrement. Hitler a surgi non seulement à l'horizon mais au sein de « notre propre horizon », dit Günther Stern. Il fait de la résistance à titre individuel parmi les intellectuels. Mais ses exhortations à lutter contre Hitler ne sont guère suivies. À son séminaire, ne viennent que de rares amis.

Hannah choisira de son côté de résister en entrant dans l'organisation sioniste présidée par Kurt Blumenfeld qui se disait lui-même sioniste par la grâce de Goethe[74].

Cet homme, remarquable à bien des égards, avait réalisé, dès 1910, une révolution politique dans le sionisme allemand. En rupture avec la génération antérieure, qui insistait sur l'antisémitisme, la souffrance à être juif, Blumenfeld revendique le sionisme comme idéal personnel, auto-affirmation de son identité, complétude de soi. L'exil en Palestine ne représente pas pour lui un pis-aller permettant aux Juifs pauvres subissant les pogroms de rester en vie, mais un idéal à construire avec tous ceux qui pensent l'appartenance juive au monde comme une culture spécifique. Gershom Scholem, Franz Kafka, Manès Sperber, comme tant d'autres jeunes gens épris de la langue hébraïque, des écrits de Maimonide et des textes de la Kabbale, se situent dans cette même mouvance. Cette redécouverte, intellectuelle et non religieuse, de la culture juive s'accompagne d'un sentiment de fierté qui s'oppose à la volonté d'effacement qu'avaient manifestée leurs pères. Reprenant la phrase de Theodor Herzl, « Le sionisme est le retour au judaïsme avant le retour au pays des Juifs », Blumenfeld revendique à cette époque une pensée fondée sur l'épanouissement, l'authenticité morale, le respect de l'autre. L'émigration en Palestine constitue pour lui un projet personnel qui s'accompagne du désir de créer là-bas les bases d'une civilisation judéo-arabe.

Le sionisme allemand, depuis l'aube des années 1920, regroupe une minorité active nouvelle, constituée de myriades de tendances que Blumenfeld choisit, après avoir réussi à faire taire les querelles internes, de rassembler en un seul mouvement. Devenu président de l'organisation, la ZVfD (pour *Zionistische Vereinigung für Deutschland,* l'Union sioniste d'Allemagne), il œuvre dès 1929 pour le caractère existentiel du sionisme et milite pour un palestino-centrisme dans le cadre du mandat britannique[75]. Personnage influent, il est aussi l'ami de Robert Weltsch, rédacteur en chef de la *Jüdische*

Rundschau, relais actif du mouvement Brit Shalom fondé par Martin Buber, lequel milite pour un accord judéo-arabe.

Hannah et Kurt divergeront idéologiquement au cours du temps. Kurt émigrera en Palestine et s'y installera définitivement. Hannah ne fut pas tentée par cette idée, qui ne l'effleura même pas lors de son premier voyage, en 1935. Scholem, lui aussi, choisira d'aller vivre en Palestine. Il enseignera à l'université hébraïque de Jérusalem et suppliera Benjamin de venir le rejoindre. Pendant plus de dix ans, ce dernier jouera avec cette idée. Il prendra des cours d'hébreu, promettra plusieurs fois, quand il le pouvait encore, de venir enseigner en Palestine. Mais Benjamin n'ira jamais à Jérusalem. Trop tard. Il est toujours trop tard pour Walter Benjamin, figure héroïque de ces temps si sombres. Gershom Scholem sera israélien et fier de l'être. Blumenfeld aussi. Pour eux, Israël deviendra la terre qu'ils ont choisie, leur patrie, le seul territoire où, dès le réveil, ils peuvent respirer sans être inquiétés, et continuer à vivre sans qu'on leur reproche, tout simplement, d'exister.

On le verra, Hannah se montrera sévère avec les sionistes avant même la création de l'État d'Israël. Elle ne rejoindra pas à proprement parler le mouvement sioniste allemand, mais s'engagera par amitié à ses côtés tout en demeurant indépendante. Elle ne ménagera jamais ses critiques politiques envers les gouvernants. Elle leur reprochera d'avoir volontairement oublié que, lors de leur arrivée, vivait sur cette terre un peuple palestinien. Dès 1940, elle militera pour un État binational et s'élèvera violemment, avec Judah Magnes, contre le principe d'un État-nation juif.

Elle n'est pas la seule à mener ce combat. L'absence de reconnaissance des Arabes par les politiques sionistes est vivement combattue dès 1929, date des premières émeutes arabes à Jérusalem, par cette frange de jeunes intellectuels engagés dont fait partie, notamment, Gershom Scholem. Ils entendent prendre en compte la culture arabe et faire partager au peuple palestinien leurs espoirs, leurs utopies. Ils ne viennent pas pour déloger de leurs terres un peuple, mais comme des inventeurs d'une nouvelle forme de communauté. Ces jeunes gens avaient émigré d'Allemagne vers la Palestine non pour des motivations politiques mais pour des raisons éthiques. Ils sont fiers de leurs racines et entendent assumer leur culture. Leur mouvement, intitulé Brit Shalom et qui s'appellera plus tard « *The League for Jewish-Arab Rapprochement* », rassemble les plus grands esprits de leur génération, porteurs d'une haute autorité morale. Mais leur désir se heurtera à l'absence de volonté de dialogue tant du côté arabe que juif et leur idéalisme les contraindra à demeurer une minorité. Cette façon de vivre sa judéité s'incarne alors à Berlin avec l'existence de l'université juive, fréquentée par un large public.

Marée brune

Hannah écrit des articles pour la presse juive et milite. Günther fait des petits boulots. Le sociologue Karl Mannheim lui laisse espérer un poste un peu plus tard à l'université et lui demande d'être patient : pour l'instant, lui dit-il, c'est le tour des nazis. Il y en a pour un an au maximum. Quand ils seront tombés, on lui donnera son habilitation. Günther ne partage pas l'aveuglement coupable de Mannheim et a besoin de gagner sa vie. Il arrive à se faire engager au coup par coup pour des piges à la radio. Il demande un jour à interviewer Bertolt Brecht. Brecht n'a alors que trente ans mais a déjà créé *L'Opéra de quat'sous*, enregistré à la radio de Hesse. Il n'est connu que par un cercle d'initiés. Günther se présente donc chez Brecht, qu'il connaît et admire comme poète, et le lendemain titre sa chronique : « Bertolt Brecht le penseur ». Brecht lui téléphone pour le remercier. Günther en profite pour lui demander de l'aide et lui explique qu'il n'a pas de quoi vivre : « À partir de demain il faut que je gagne de l'argent. Pouvez-vous m'aider ? » Brecht téléphone à un de ses amis, Herbert Jhering, journaliste et critique influent, considéré comme le pape de la culture au *Börsen Courier*, pour le recommander[76].

Ce sera le coup de foudre entre les deux hommes. Günther tombe bien. Jhering a besoin d'un jeune homme cultivé que le travail n'effraie pas. Du jour au lendemain, Günther devient son homme à tout faire, enquêtant sur les faits divers, suivant l'actualité littéraire, couvrant les colloques en tout genre. Payé au feuillet, il en inonde le journal. « Calmez-vous, lui dit Jhering, la moitié du journal ne peut être signée par vous. » Du tac au tac, Günther lui répond : « Si c'est cela le problème, vous n'avez qu'à m'appeler Autrement. — Comment ? lui demande Jhering. — Comme je viens de dire, Autrement[77] », lui répond Günther. *Anders :* autrement, en allemand. Günther, à compter de ce jour, signera tous ses textes journalistiques du nom d'Anders, et conservera le nom de Stern pour ses textes philosophiques. Choisir un autre nom, c'est aussi s'éloigner du sien, son seul bien propre.

Hannah écrit des comptes rendus de livres pour une revue socialiste de pointe, *Die Gesellschaft*, et commence à élaborer une réflexion sur l'autonomie de la pensée. Parallèlement, elle travaille sur les salons berlinois du XIXe siècle et publie dans la presse populaire des articles sur les adorateurs de Goethe et de Rahel. Sa pensée devient de plus en plus politique sous le poids des événements, la fréquentation de Kurt Blumenfeld et de ses amis sionistes, et d'amis universitaires comme Sigmund Neumann qui luttent activement contre la montée du nazisme. Elle commence à lire Marx et Trotski et publie un article sur la place des femmes en politique. Pour elle, le front politique est celui des hommes. « La naïve tentative d'édification d'un parti des femmes montre combien le mouvement est discutable[78]. » Hannah ne sera jamais féministe. Pour l'heure, la situation des Juifs la préoccupe, l'inquiète, l'obsède. Elle se bat avec une poignée d'amis contre l'idée qui voudrait ne voir en Hitler qu'un pitre, ou qu'un sauveur. Elle avoue à son amie Anne Mendelssohn, un jour de 1932, que, devant la montée de l'antisémitisme, elle a songé à émigrer. Anne, elle, répond qu'elle n'a rien remarqué. Hannah lui lance : « Mais tu es folle », et tourne les talons[79]. Anne n'est pas la seule à ne pas comprendre. Hannah est pour sa part, depuis 1931, intimement convaincue que les nazis vont prendre le pouvoir[80]. Elle ne s'engage pas pour autant dans un parti pour tenter de les en empêcher. Elle estime que « c'est sans espoir ». Le 27 février 1933, jour de l'incendie du Reichstag et des arrestations qui s'ensuivirent, sera pour elle déterminant. « Ce fut pour moi un choc immédiat, et c'est à partir de ce moment-là que je me suis sentie responsable[81]. » Hannah ne veut pas vivre comme une citoyenne de seconde zone. Elle pense tout de suite que les Juifs ne peuvent pas rester en Allemagne et songe à son départ. Selon elle, les choses ne peuvent qu'empirer.

De son côté, Günther commence un roman et rédige une satire intitulée « L'École nazie du mensonge » à partir des articles de la presse nazie. Il fréquente un cercle d'intellectuels et d'artistes opposants à Hitler, adhérents ou proches du parti communiste, alors que Hannah passe de plus en plus de temps avec ses amis sionistes. Les deux groupes n'ont pas les mêmes combats et ne s'estiment guère. Ainsi, insensiblement, pour des raisons au moins en partie idéologiques, Hannah et Günther s'éloignent, se quittant le matin pour ne se retrouver que très tard dans la nuit.

1933 sera aussi l'année où Hannah va rompre définitivement avec Heidegger. Essayons d'en préciser les enjeux en recourant à la méthode qu'elle revendiqua toute sa vie : tenter de comprendre, non de juger à partir d'aujourd'hui. De quel droit le pourrais-je, moi qui suis née après la guerre et qui fais partie d'une génération élevée dans l'admiration de la Résistance et le tourment incessant du souvenir de la Shoah ? Rien ne sert de ruser, de lancer des anathèmes, de contourner. Oui, Heidegger devient nazi et accepte d'être recteur de l'université de Fribourg en avril 1933. Il prononce des discours nazis. Il salit son vocabulaire et sa pensée. Il tombe. Sa langue chute. Sa pensée aussi.

Il ne s'en est jamais repenti. S'il a prononcé des regrets lors de conversations personnelles, il s'est toujours refusé à faire des excuses publiques. Il a continué, après sa démission, l'année suivante, à faire ses séminaires et à porter l'insigne nazi. Cela ne peut nous empêcher de considérer son œuvre comme l'une des plus novatrices du XXe siècle. Chaque année, nous en redécouvrons l'ampleur grâce à de nouvelles publications — il reste encore plus de trente manuscrits inédits, sans compter des séminaires connus d'une poignée de chercheurs et qu'on ne découvre que progressivement, notamment grâce aux récents travaux d'Emmanuel Faye[82]. En dépit de son engagement nazi, Martin Heidegger demeurera, aux yeux de Hannah, le philosophe le plus important de la modernité occidentale.

Hannah lui sait gré d'avoir réveillé la discipline et d'avoir rompu avec la tradition du bavardage académique sur la philosophie. Elle connaît les liens qui unissent Heidegger et Jaspers et défend l'idéal rebelle de ces deux grands esprits que l'érudition laisse indifférents et qui veulent atteindre l'expérience de la pensée elle-même. Les deux hommes, au même moment, élaborent tous deux de nouveaux systèmes conceptuels. Ils se montrent exaltés par la nécessité de faire de la philosophie une science cardinale, et se retrouvent également marginalisés par un système universitaire qui prend l'eau de toutes parts. Tous deux critiquent la faculté, devenue le relais de vanités exacerbées, où des professeurs sont prêts à tout pour le moindre petit avancement. Tous deux, ayant une haute idée de l'institution, entendent la réhabiliter. Ils sont alors très liés, se voient régulièrement et refont le monde en philosophant. Ils s'écrivent souvent et se disent tout : leurs espoirs, leurs luttes. Ils partagent une même vision de l'avenir. En symbiose, ils forment une communauté de pensée qui se veut combative et déterminée.

La période précédant la prise du pouvoir par Hitler est féconde pour eux deux : Jaspers vient de publier sa *Philosophie* en trois volumes[83], Heidegger son texte sur Kant[84]. Ils s'échangent des conseils destinés à supporter la médiocrité des jeux de leurs collègues qui cherchent à favoriser la nomination de tel ou tel. Dès 1930, Jaspers, qui partage les idées de Heidegger sur le renouveau de l'institution, mais se sent faible physiquement, déjà atteint par la maladie, l'encourage à travailler au projet d'une Université nouvelle, même s'il sait cette lutte difficile : « Ce *pourrait* être une chance si l'Allemagne veut réellement, un jour, une "Université allemande", vous seriez alors indispensable[85]. »

Heidegger, s'il continue à lutter intellectuellement contre les douteuses luttes de clans de ses collègues, choisit, dans un premier temps, de ne pas s'engager. On lui propose un poste à Berlin. Il refuse. Il demande un congé sabbatique à l'université de Fribourg afin de pouvoir s'isoler dans sa « hutte » et travailler. Il en a assez d'enseigner et de jouer « le rôle de surveillant de galerie qui a entre autres à faire attention que les rideaux aux fenêtres soient ouverts, et fermés de manière correcte[86] ». Il explique à Jaspers qu'il se sent trop vieux pour mener de tels combats : « [...] je suis à l'âge de la discrétion où l'on devient assez avisé pour savoir ce qui vous est possible et ce qui vous est permis, et inversement[87]. »

Que s'est-il donc passé ? Hannah ne le comprendra jamais. D'abord elle ne veut pas croire les méchantes rumeurs. Heidegger obtient son congé sabbatique. Il se réfugie là-haut, dans son chalet, avec pour seuls compagnons le mugissement du vent, les cris des renards, les conversations avec ses amis paysans sur la beauté du monde. Il se sent enfin apaisé, loin des tintamarres de la notoriété. Il travaille d'arrache-pied, se met en question, tente de révolutionner sa propre philosophie sans s'enfermer dans ce qu'il nomme lui-même ses « heideggereries ».

L'idée de sauver l'Université subsiste tout de même dans son esprit. En témoigne cette lettre du 8 décembre 1932, où il demande à Jaspers : « Arriverons-nous à faire, pour les décennies à venir, un sol et un espace à la philosophie, des hommes viendront-ils, porteurs en eux d'une injonction lointaine[88] ? » Heidegger s'inscrit dans la lignée de Nietzsche. Ce n'est ni la première ni la dernière fois qu'il lance des prophéties. Les événements vont précipiter son désir d'action.

Plus les années passent, plus les recherches avancent, plus les archives s'ouvrent. Et plus les preuves de l'antisémitisme de Heidegger deviennent accablantes. Ainsi, cette lettre datée du 2 octobre 1929, adressée au conseiller privé du gouvernement, un Souabe comme lui, Viktor Schwoerer, directeur du bureau des Universités du ministère de l'Instruction publique du pays de Bade, où Heidegger baisse le masque : « [...] ou bien nous dotons à nouveau notre vie spirituelle allemande de forces et d'éducateurs authentiques, émanant du terroir, ou bien nous la livrons définitivement à l'enjuivement croissant, au sens large et au sens restreint du terme[89]. »

Au prétexte de s'opposer à l'extension du néo-kantisme, sa bête noire, il se plaint de plus en plus ouvertement auprès des autorités universitaires de la perversion intellectuelle qui règne au sein de l'institution : « Chemin faisant, sous l'apparence d'une fondation plus rigoureusement philosophique et scientifique, on s'est détourné de la vision de l'homme dans son enracinement historique et sa tradition issue du peuple, du sang et du sol[90]. » Dans une lettre qui n'a jamais été retrouvée mais dont on peut comprendre la teneur en lisant la réponse de Heidegger, Hannah Arendt l'accuse d'antisémitisme. Sans doute informée, par des amis qui circulent d'université en université, de faits et gestes qui la choquent et l'indignent, elle le soupçonne d'avoir exclu de ses séminaires certains élèves juifs. Au lieu de se montrer interloqué et peiné par de telles insinuations, Heidegger se montre agressif, vindicatif, blessant, et se justifie maladroitement : comment ose-t-elle l'accuser d'antisémitisme lui qui a tant fait pour les Juifs ? À Hannah, il détaille comme un expert en philosémitisme ses derniers faits et gestes : alors qu'il était censé être encore en congé de l'université, il a accepté de suivre les travaux de trois étudiants, tous trois juifs, a réussi à obtenir trois bourses, deux à Fribourg, une à Rome... De plus, à l'université de Marbourg, il lui précise qu'il a eu le soutien dix ans auparavant de deux professeurs juifs, Jacobsthal et Friedländer. Il termine même en se vantant auprès de Hannah d'avoir des amis juifs comme Husserl, Cassirer et bien d'autres. « Si c'est là de l'"antisémitisme enragé", à la bonne heure ! » s'exclame-t-il. Comment peut-elle même imaginer une telle obscénité ? Il ajoute cette phrase d'une ambiguïté et d'une perversité confondante : « Encore moins cela peut-il concerner mon rapport à toi[91]. » Étrange manière de la rassurer que de désigner en elle son origine juive ! Chez les antisémites, chacun a ses Juifs, même et surtout ses « bons Juifs ».

Hannah interrompt toute relation avec Heidegger et le range dans le camp des ennemis irréductibles.

Magistrats, fonctionnaires, industriels, prêtres, intellectuels — à l'exception d'une infime minorité constituée d'opposants politiques et de Juifs allemands comme Hannah Arendt et Günther Stern —, tous collaborent à l'écrasement de la gauche et deviennent les instruments passifs de la montée d'un antisémitisme de plus en plus meurtrier. Sous prétexte d'éradiquer le communisme, le socialisme, le syndicalisme, les conservateurs acceptent le démantèlement de l'État de droit. L'incendie du Reichstag, le 27 février 1933, accélère l'acceptation des procédures d'exception et légitime l'antisémitisme comme bréviaire de la nouvelle Allemagne. Ce soir-là, Günther et Hannah vont manifester dans les rues de Berlin. Ils voient des SA interdire *Salomé* de Richard Strauss au Stadttheater et exiger qu'il n'y ait désormais plus de Juifs sur une scène allemande. Ils entendent le directeur refuser que Strauss soit remplacé par Wagner, au motif que la Walkyrie est grippée. *Salomé* sera jouée. Mais les SA ont gagné : un Juif, au lieu de cinq, monte sur la scène.

Hannah et Günther sont choqués de voir un directeur de théâtre négocier ainsi tranquillement avec les nazis. Depuis des mois, ils n'ont pas cessé de mettre en garde leurs amis contre la montée de la violence antisémite et ils ont l'impression de crier dans le désert. Hannah subira de plein fouet l'indifférence de certains de ses compagnons. Elle leur reprochera violemment leur aveuglement volontaire : « Ce qui fut bien pire, c'est que certains y ont vraiment cru ! Pour peu de temps, la plupart pour très peu de temps. Ce qui signifie encore : les intellectuels allemands ont également eu leurs théories sur Hitler. Et des théories prodigieusement intéressantes ! Des théories fantastiques, passionnantes, sophistiquées et planant très haut au-dessus du niveau des divagations habituelles ! J'ai trouvé cela grotesque. Les intellectuels se sont laissé prendre au piège de leurs propres constructions[92]... »

Après l'incendie du Reichstag, la terreur nazie s'installe. Ce n'est pas seulement au parlement qu'on met le feu, mais à toute la culture. Sur les places publiques, on dresse des bûchers. Durant les premiers mois, des meutes nazies poursuivent les passants juifs, les battent avec sauvagerie, les laissant quelquefois sans vie[93]. Günther décide de s'exiler pour Paris. Hannah préfère agir sur le terrain et pense qu'elle « ne peut plus se contenter d'être spectateur[94] ». Elle met son petit appartement au service des ennemis du régime hitlérien, la plupart communistes, qui s'en servent comme d'un gîte d'étape dans leur fuite. Elle prend des risques croissants pendant que les arrestations se multiplient. Elle dira plus tard : « Ce qui commença alors fut monstrueux et se trouve souvent occulté de nos jours par des choses plus tardives[95]. » Hannah s'engage alors dans son travail clandestin au péril de sa vie, collectant, à la demande de Kurt Blumenfeld, des documents antisémites dans tous les quartiers de Berlin. Il s'agit de constituer un recueil de tous ces témoignages pleins de haine envers les Juifs pour les diffuser à l'étranger. Faire ce travail tombe sous le coup de la loi sur la contre-propagande et est passible de la peine de mort. Hannah le sait, et accepte immédiatement. « J'étais très contente : cela m'avait tout d'abord semblé une excellente idée, et par la suite j'avais même eu le sentiment que c'était une manière d'agir[96]. »

Le 29 mars 1933, Hitler annonce que la juiverie devrait comprendre qu'une guerre contre l'Allemagne la toucherait en premier lieu et justifie le boycott contre tous les magasins juifs. Les Juifs sont à la fois otages et objets de représailles. Le gouvernement prépare une loi destinée à exclure les Juifs de l'administration, ou plutôt les non-aryens, c'est-à-dire, pour les nazis, toute personne ayant au moins un de ses grands-parents de religion juive.

Comment ignorer ce qui se passe ? À Heidelberg, Jaspers et Heidegger s'entretiennent de Kant et de Hegel sans commenter la situation politique. Jaspers, dans son autobiographie, le confirme : « Malgré le national-socialisme qui venait de gagner les élections de mars, nos entretiens furent comme ceux d'autrefois. Il m'offrit un disque de musique wagnérienne que nous écoutâmes ensemble[97]. » Heidegger, avant de repartir pour Fribourg, faisant allusion à l'évolution rapide de la situation, lui souffle : « On doit s'en mêler. » Jaspers s'étonne mais ne pose pas de questions.

Le rectorat

Le 20 avril, von Möllendorf, recteur social-démocrate de Fribourg, refuse d'appliquer une loi nouvelle — il est un des rares universitaires à réagir ainsi —, imposée par le *Land* de Bade, visant à mettre d'office en disponibilité les professeurs réputés « non-aryens ». Il démissionne de ses fonctions sous la pression des étudiants nationaux-socialistes. Le 21 avril, Heidegger est élu recteur de l'université de Fribourg dans le cadre du dispositif général de la « mise au pas » (*Gleichschaltung*). Il s'agit d'écarter les « non-aryens » de la fonction publique, et notamment de l'Université, pour assurer « l'homogénéité raciale ». Heidegger est donc élu par un corps enseignant qui vient de subir l'exclusion de tous ses membres juifs. Les universités du Reich ont en effet mis en application, le 7 avril, la loi « pour la reconstitution de la fonction publique ». Le 14 avril, Edmund Husserl, professeur émérite à l'université de Fribourg, est révoqué, moins de dix jours avant l'élection de Heidegger au rectorat. L'assistant de ce dernier, Werner Brock, est également révoqué parce que demi-juif[98].

Heidegger a toujours dit — et son fils Hermann le confirme aujourd'hui, qui se souvient très bien des hésitations paternelles — qu'il s'était fait prier pour accepter. Peu importe. Ses états d'âme paraissent dérisoires quand on sait les décisions scélérates qui viennent d'être mises en vigueur. Heidegger accepte donc ce poste en toute connaissance de cause, dans une université d'où treize de ses collègues sur quatre-vingt-treize viennent d'être chassés parce qu'ils sont juifs. Il est élu à l'unanimité moins une voix, et sa nomination est annoncée officiellement le 22 avril 1933.

Le lendemain, les étudiants adressent au nouveau recteur un message exprimant leur fidélité et leur dévouement. Jaspers le félicite. Son élève Karl Löwith, lui aussi, se réjouit. Pour ce brillant intellectuel juif, à l'instant décisif de la révolution nationale, l'accession au poste suprême de recteur d'un professeur au zénith de sa renommée, qui ne doit son poste qu'à ses qualités intellectuelles et non à l'insigne du parti nazi, est un événement prometteur…

Dans toute l'Allemagne, la décision de Martin Heidegger de prendre la tête de l'université trouve un écho extraordinaire, et les étudiants de Berlin exigent que toutes les facultés suivent l'exemple de la mise au pas réalisée à Fribourg[99]. Les autres universités manquaient de chefs charismatiques ayant choisi d'adhérer au parti nazi et désireux, comme lui, de devenir un acteur décisif de la mise en place du principe du *Führer*, notamment dans les universités du pays de Bade. Heidegger se bat pour rejeter explicitement la liberté académique et affirmer que l'Université doit être réintégrée dans la communauté du peuple et rattachée à l'État[100].

Le 1er mai, Heidegger prend sa carte du parti. S'il ne l'a pas prise plus tôt, c'est pour avoir les mains plus libres car il s'est déjà engagé à adhérer dès qu'il le jugera utile[101] ! Le 27 mai 1933, il prononce son discours de rectorat, intitulé « L'Université allemande envers et contre tout elle-même », discours qui est un chef-d'œuvre d'ambiguïté politique[102]. Il l'enverra à ses élèves d'origine juive avec ses « amicales salutations » et à ses collègues aryens avec son « salut allemand ». Il définit son rôle comme celui d'un directeur spirituel et jette les bases de l'essence de la nouvelle Université allemande. Son collègue Horder le remerciera pour la qualité de son appel intellectuel dans sa revue de philologie classique. Karl Jaspers le congratule : « Votre discours a [...] un soubassement digne de foi. Je ne parle pas de style et de densité, lesquels [...] font de ce discours le document, unique à ce jour et qui restera comme tel, d'une volonté dans l'Université actuelle. » Certes, Jaspers critique quelques passages « artificiels et quelques phrases qui me semblent même avoir une résonance creuse », mais il lui réaffirme sa confiance et conclut : « Somme toute, je suis seulement heureux que quelqu'un puisse parler ainsi, en atteignant aux limites et aux origines authentiques[103]. »

Au début de l'été 1933, on retire à Jaspers, parce que époux d'une juive, le droit de collaborer à l'administration de son université. En 1937, on lui enlèvera sa chaire de philosophie. Et dès 1936, Heidegger cessera toute correspondance avec lui. Des rayons entiers de bibliothèques commentent, dissertent, dissèquent le discours de rectorat de Heidegger. À le relire dans l'édition de l'époque, avec les caractères gothiques et la typographie de ce qui fut aussi utilisé comme un document de propagande, on demeure stupéfait par la violence du ton et l'impureté de l'argumentation, entièrement inspirée par la langue nazie : « essence de l'Université », « destin du peuple allemand », « missions spirituelles », les termes utilisés de manière incantatoire appellent à une ère nouvelle. Sans aucun doute, Heidegger croit à la révolution nationale. Son soutien au *Führer* est explicite. Il souhaite s'appuyer sur le parti nazi pour développer cette réforme de l'Université à laquelle il tient tant. Il explique même qu'il y a extrême urgence à sauver l'institution en créant un corps commun d'élèves et de maîtres, en redéfinissant le statut de la science, en opérant un retour méditatif sur eux-mêmes.

Heidegger met au service des nazis ses propres concepts et donne l'impression que ses intentions philosophiques peuvent et doivent se concilier avec la situation politique nouvelle. Il en appelle au « commencement de notre *Dasein* historique par l'esprit[104]». Il dévoie sa propre pensée tout en essayant de faire passer son adhésion au *Führer* pour une admiration de la philosophie grecque. Sinon, comment comprendre cette virtuosité verbale perverse et ce jargon biologico-philosophique quand, en guise d'éloge de la pensée grecque, il écrit : « Là se dresse l'être humain de l'Occident : à partir de l'unité d'un peuple, en vertu de sa langue, pour la première fois tournée vers *l'étant en entier*, il le met en question et le saisit *en tant que* l'étant qu'il est[105]. » Il se félicite que la liberté universitaire soit désormais chassée de l'Université allemande, « car cette liberté-là était de mauvais aloi, étant uniquement négative. Elle signifiait avant tout : insouciance, arbitraire des intentions et des inclinations, absence de liens dans les faits et gestes[106] ». Dorénavant, la liberté doit être dirigée et les étudiants dressés à faire partie de la communauté du peuple. Heidegger en appelle à un « *Dasein* étudiant » par le service du travail, et évoque un avenir radieux quand la « sélection » — c'est le terme qu'il emploie — des meilleurs leur permettra de reprendre courage. « Le corps des étudiants allemands est en marche. Qui cherche-t-il ? Il cherche les dirigeants par lesquels il veut voir sa propre destination élevée à la vérité fondée en savoir et installée au sein de la clarté de parole et d'œuvre qui l'interprètent et la font devenir agissante[107]. »

Karl Löwith se demande si, à écouter le discours de rectorat, il faut relire les présocratiques ou plutôt aller manifester avec les SA[108]. Heidegger utilise la science grecque, la parole grecque, comme modèles pour justifier sa croyance à un nouveau commencement, et Nietzsche comme référence pour appeler à un nouveau monde. Dans un charabia peu digne de ce qu'il prétend être — un philosophe rigoureux —, il mélange allégrement certains ingrédients de sa propre philosophie à une vision du monde clairement fondée sur l'idéologie nazie. On ne peut, en le lisant, que constater une exaltation délétère, une instrumentalisation de ses propres concepts qu'il applique à la nouvelle idéologie nazie. Heidegger ne semble avoir aucun regret, aucun tourment. Bien au contraire, il se sent si fier d'avoir écrit ce texte courageux et révolutionnaire qu'il l'imprime et l'envoie à quelques collègues. Il fait l'éloge de la jeunesse étudiante — celle qui, justement, s'agite, inspire la peur, vérifie l'interdiction d'accès des Juifs à l'université. Il entend devenir le maître spirituel de cette jeunesse « qui tôt se risque au cœur de l'âge viril, et tend l'arc de son vouloir sur le destin futur de la nation[109]... » Il l'appelle à participer à une « communauté de lutte » pour faire barrage au déclin de « l'Occident qui craque de toutes ses jointures[110] ». Et il conclut en citant Platon : « Tout ce qui est grand s'expose à la tempête[111]. »

Si l'on peut distinguer dans le vocabulaire qu'il emploie et dans l'idéologie qu'il déploie l'influence du courant intellectuel développé depuis les années 1920, par des auteurs comme Stefan George, Oswald Spengler et Ernst Jünger, il signe, par ce texte, tout en s'appropriant la philosophie de Platon et de Nietzsche, un appel au peuple allemand pour conquérir le monde.

La figure platonicienne du philosophe-roi comme seul législateur valide hante-t-elle Heidegger ? Il ne se contente pas, en tout cas, d'adhérer au national-socialisme. Il veut le conseiller et l'influencer. Il a des idées et souhaite les proposer. On sous-estime encore aujourd'hui son vif désir d'entrer dans l'action, de se rendre utile, mieux : de devenir l'un des maîtres-penseurs du national-socialisme dans le domaine de l'éducation. Dans le même discours, il fait aux nazis des propositions pratiques : outre une cogestion réelle et active des étudiants et professeurs pour diriger l'université, il suggère aux autorités l'idée d'une trilogie — travail, défense, savoir — qui pourrait permettre à cette jeunesse étudiante de ne faire « qu'une seule force », « une communauté de luttes » pour le « service suprême du peuple en son État[112] ».

Heidegger s'emballe, Heidegger harangue la foule. Heidegger, à Fribourg, est retransmis à la radio. Il parle devant l'archevêque, le maire, le général d'artillerie, les associations étudiantes dont les étudiants SA et leurs pavillons à croix gammée, le ministre de la Justice et de la Culture du *Land* de Bade. Tout le monde applaudit.

Durant les premières semaines de son rectorat, les étudiants nazis nettoient les librairies des ouvrages juifs et réclament un autodafé public dès le début du mois de mai. Heidegger dira l'avoir empêché. En fait, ce soir-là, la pluie interdit la cérémonie. Le 3 mai, Heidegger explique à son frère qu'il vient d'adhérer au parti nazi « dans la conviction que c'est en passant par là qu'il sera possible d'apporter au mouvement dans son entier assainissement et clarification[113] ».

Le 17 mai, étudiants et professeurs écoutent le discours de Hitler sur la paix au stade universitaire. Tout de suite après, Heidegger prend la parole et fait son second discours politique. Après avoir félicité et encouragé le nouveau chancelier, « notre grand dirigeant », il dit sa détermination à le suivre, jusqu'au « bout du possible », et termine par ces mots : « Pour notre grand dirigeant, Adolf Hitler, un *Sieg Heil* allemand[114]. »

« *Sieg Heil* » restera jusqu'en 1945 l'une des formules rituelles les plus répétées pendant les meetings de masse. Heidegger avance, imperturbable, sur ce chemin de honte personnelle et de forfaiture intellectuelle. Le 26 mai, le 20 juin, le 24 juin, il continue à s'adresser aux étudiants. Son rôle prend une ampleur nationale.

Le 4 septembre 1933, il reçoit une proposition de Berlin, liée à une mission politique. Il hésite à l'accepter, et finalement la refuse, car son travail se restreindrait à la Prusse, « ce qui constituerait une limite pour susciter les forces vives appropriées de l'enseignement ». Trop petit pour lui, donc. Il préférerait Munich, où il sait qu'une chaire est vacante. Le

19 septembre, il écrit à son amie Elisabeth Blochmann : « Cela présenterait l'avantage d'un plus grand rayonnement et ne serait pas aussi à l'écart que l'est aujourd'hui Fribourg ; la possibilité notamment d'approcher Hitler[115]... » Le 1er octobre, il nomme doyen de la faculté de droit le jeune Erik Wolf, propagandiste de la doctrine raciste et eugéniste du nazisme[116].

Le vendredi 3 novembre, il lance un appel : « Étudiants allemands ! La révolution du socialisme national mène au bouleversement complet de notre existence d'Allemands... Vous ne pouvez plus être de simples auditeurs... Le *Führer* lui-même et lui seul est la réalité allemande d'aujourd'hui, et du futur, ainsi que sa loi[117] », déclare-t-il. Le vendredi suivant, il monte le ton et élargit considérablement son ambition puisqu'il écrit un appel à tous les Allemands. Après avoir exposé les raisons de faire confiance à Hitler, il enjoint ses concitoyens à voter pour lui. « C'est non pas l'ambition, non la passion de la gloire, non la volonté aveugle de se singulariser, et non l'appétit de puissance, mais uniquement la lucide volonté d'être soi-même sans restriction responsable de la prise en charge et de la maîtrise du destin de notre peuple qui a incité le *Führer* à sortir de la Société des Nations[118]. »

Il n'y a pas d'avenir sans Hitler. Hitler est notre avenir. Heidegger le dit, l'écrit, le publie. Heidegger se répète. Il quitte Fribourg pour faire acte de propagande en prononçant un discours à Leipzig deux jours avant le vote. Le 25 novembre, de retour devant ses étudiants, il affirme : « Les Allemands deviennent un peuple historique[119]. » La lutte est bien engagée, la révolution déjà effective et l'État bien gardé ! Être étudiant ce n'est plus désormais seulement se fatiguer la tête : le corps est également sollicité ; il s'agit de devenir un travailleur, un être de travail et de savoir, qui permettra à son peuple de s'inscrire dans l'histoire : « [...] l'étudiant allemand passe à présent par le service du travail, il se tient aux côtés de la SA ; il est assidu aux sorties sur le terrain. Voilà certes qui est neuf. Et qui ne manque pas d'être largement approuvé, surtout si l'on peut être sûr que malgré tout l'étudiant n'oublie pas ses "études". Celles-ci, d'ailleurs, s'appellent désormais "service du savoir". Dans un proche avenir, il sera veillé à ce que tous ces services soient mis en harmonie[120]. »

Cette année-là, Karl Jaspers vit encore dans sa bulle. Le monde a changé si vite que certains ne peuvent pas encore comprendre ce qui se passe réellement. D'autres ne veulent pas savoir, comme Hans-Georg Gadamer, ancien étudiant de Heidegger à Marbourg, dont la réprobation morale de l'antisémitisme ne fait aucun doute, qui continua à occuper son poste universitaire pendant toute la durée du nazisme, et prit la défense de son ancien maître[121]. L'auteur de *Vérité et Méthode* admettra lui-même avoir traversé cette période sans courage excessif, mais ne reviendra jamais dans ses textes sur sa passivité, ni n'essaiera d'élucider comment, par « quels tortueux détours, le glorieux héritage de l'idéalisme allemand avait pu être utilisé au service de la barbarie génocidaire[122] ». Il ne fut pas le seul.

En juin 1934, Theodor Adorno publie, dans *Die Musik*, une critique élogieuse du compositeur Herbert Müntzel s'inspirant des poèmes du dirigeant nazi, chef des Jeunesses hitlériennes, Baldur von Schirach, et fait l'éloge « de cette musique chorale qui renoue avec la tradition ancienne et se réfère explicitement à ce que Goebbels a appelé le réalisme romantique ». Il a aussi pris la défense de Wagner en feignant d'ignorer l'utilisation qu'en faisaient les nazis, et applaudi à l'interdiction du « jazz nègre » sur les ondes des radios allemandes, musique qu'il juge « en pleine dégénérescence[123] ». Pour pouvoir continuer à exercer au sein de l'Université, Adorno, qui a pour patronyme Wiesengrund, un nom typiquement juif, a entrepris, dès 1933, des formalités administratives auprès des autorités du Reich en faisant prévaloir l'origine génoise de sa mère dont il a adopté le nom et en taisant l'origine juive de son père[124]. Horkheimer et lui accusent d'antisémitisme quiconque se mettrait en travers de leur avancement universitaire ou menacerait de le faire. Un milieu vraiment répugnant, dira Hannah.

Benno von Wiese, un ami étudiant rencontré à Fribourg, lui rend visite à Berlin et tente de la convaincre que Hitler, non seulement n'est pas dangereux, mais qu'il peut sauver les Allemands. « Nous vivons un grand moment de l'Histoire », répète-t-il à Hannah, atterrée. On comprend pourquoi elle parlera d'un milieu inconscient et répugnant. Le problème, comme elle le dira, n'était pas tant ce que pouvaient faire ses ennemis mais ce que faisaient ses amis. Comment imaginer aujourd'hui cet aveuglement des intellectuels ? Pendant longtemps, ils ne virent en Hitler qu'un obstacle parmi d'autres à la démocratie, certes, mais pas l'aube d'une dictature sanglante, comme le dit Ludwig Marcuse dans son autobiographie : « Même le plus pessimiste ne peut voir l'avenir qu'avec les représentations de ce qui est connu[125]. »

Si Hitler n'a pas encore annoncé l'extermination des Juifs, le boycott des magasins juifs, les manifestations de rue, les agressions, les intimidations, de même que l'exclusion des étudiants et des professeurs ont bel et bien commencé. Il faut se voiler la face pour ne pas voir. L'intelligentsia, par son indécision et son désir de croire au bouffon, ne s'opposa pas à la chasse aux Juifs. Nulle part, on ne fit état d'un quelconque mouvement de protestation des professeurs contre le renvoi de collègues juifs.

Rares même furent ceux qui, individuellement, ne prêtèrent pas serment à Hitler. Ils n'en sont que plus respectables aujourd'hui. Ils s'appellent Bultmann, Koehler, Spranger, Kohesrausch. Avec une poignée d'autres, ils osèrent publiquement affirmer leur désapprobation et refusèrent de signer l'appel lancé par l'association générale des étudiants allemands, « *Wider den Undeutschen Geist* » (« Contre l'esprit non allemand »). Ce texte stipule, dans son article 4 : « Notre ennemi le plus dangereux est le Juif et celui qui lui obéit » ; et dans son article 5 : « Le Juif ne peut penser que de manière juive. S'il écrit en allemand, il ment[126]. »

Combien d'écrivains demeurés en Allemagne pendant la tourmente restèrent étrangers à toute compromission ? Et combien qu'on peut qualifier de non-nazi, voire d'antinazi ? Les « émigrés de l'intérieur » se réfugièrent dans leur opposition silencieuse et solitaire. Hannah appartient à cette Allemagne souterraine, qui a cru comme Heinrich Mann et Bertolt Brecht à la possibilité d'une prise de conscience collective[127].

Elle a dit son dégoût et son mépris pour ceux qui, avant et après 1933, ont laissé faire. Pour elle, la question ne se pose même pas. Son problème personnel devient un problème politique. Née juive allemande, on la désigne juive. Juive, elle se revendique, allemande plus pour très longtemps. Dans une lettre à Jaspers, elle explique : « Pour moi l'Allemagne c'est la langue maternelle, la philosophie et la création littéraire[128]. » Contestant le patriotisme à tout crin de Max Weber, qui affirme que la liberté rime avec germanité, elle s'oppose à lui quand il affirme que, pour le redressement de l'Allemagne, il s'associerait au diable lui-même. Jaspers lui répond : « Je suis surpris qu'en tant que Juive vous vouliez vous distinguer de ce qui est allemand[129]. » Jaspers réaffirme à Hannah sa fierté d'être allemand en ce moment et comprend cette jeunesse nationaliste allemande qui, certes, s'exprime dans un bavardage confus, mais manifeste sa bonne volonté et un élan authentique pour le renouveau dans leur pays[130]. Jaspers entend donner un concept éthique au contenu du mot « allemand ». Il préface donc les écrits de Weber et n'hésite pas à confier cette tâche à un éditeur nationaliste, seul capable selon lui « d'atteindre les lecteurs qui ont besoin de cette impulsion pédagogique[131] ».

Jaspers reproche à Hannah de se montrer si virulente avec son propre pays. La langue, la philosophie, la littérature ne suffisent pas pour définir sa propre identité : pour vouloir être allemande aujourd'hui, il faut ajouter le destin historique et politique. Hannah refuse. S'insurge. Elle répond à Jaspers qu'elle est juive d'abord et allemande malgré tout. Jaspers, excédé, continuera à lui faire des reproches et se moquera de son idéalisme : « J'aimerais vous demander comment tout cela peut marcher sans le diable dans la société humaine prise globalement, ou avec quel autre diable vous préférez pactiser. » Hannah a toujours su qu'il ne fallait pas pactiser. Jaspers l'apprendra un peu tard. Sa femme Gertrud est d'origine juive et à ce titre ils sont inquiétés. Après l'interdiction d'enseigner à l'Université, les nazis lui signifieront l'interdiction de publier. Karl et Gertrud vécurent cachés toute la période de la guerre. Leurs amis vinrent à leur secours. Un seul ne sera pas fidèle : Martin Heidegger.

Hannah continue à collecter des textes antisémites pour éditer un document, que les sionistes appelaient la « propagande de l'horreur », destiné à être distribué au prochain congrès sioniste, à Prague, pendant l'été 1933. Depuis le départ de Günther pour Paris, elle vit avec sa mère. Un jour de printemps, alors qu'elle a rendez-vous avec Martha pour déjeuner, Hannah est arrêtée en plein cœur de Berlin avec des documents compromettants, et emmenée à la direction de la police. Martha est également arrêtée. Interrogée, elle dira aux policiers qu'elle ne sait pas ce que fait sa fille, mais qu'elle a raison de le faire et qu'elle-même en aurait fait autant ! Elle est relâchée. L'appartement est fouillé. Il faudra plusieurs jours aux policiers pour décrypter un cahier de Hannah truffé de citations grecques.

Elle passe huit jours en prison, à l'isolement, et subit des interrogatoires serrés. Elle raconte au policier des histoires insensées et lui tient tête pendant toute la semaine. Elle est ensuite questionnée par un fonctionnaire de la police judiciaire, membre de la police criminelle récemment promu dans la section politique, à qui elle tient le même discours. Elle tente d'obtenir sa confiance et se fait passer pour une midinette, égarée par mégarde dans l'opposition politique au nazisme. Le fonctionnaire croit-il en son discours ou a-t-il décidé de relâcher cette jeune femme dont il tombe peut-être amoureux ? Nul ne le sait. Hannah s'en sort miraculeusement et regrettera même d'avoir menti à cet homme qui l'avait sauvée. « Il avait un visage si honnête, si ouvert. Il me répétait : "C'est moi qui vous ai fait entrer ici. Je vous en ferai sortir. Ne prenez pas d'avocat, les Juifs n'ont plus d'argent, économisez votre argent[132]." »

Hannah fut relâchée, mais elle savait que son affaire serait de nouveau jugée. Elle préférera anticiper son départ, déchirée à l'idée de quitter son pays, mais en paix avec sa conscience. Jusqu'à la fin de sa vie, elle se montrera fière et heureuse de s'être opposée, à sa mesure, au nazisme, contrairement à tant d'autres de ses camarades qui n'ont jamais rien fait. En 1963, lors d'un séjour en Allemagne, elle déclara au journaliste Günther Gaus qui l'interrogeait sur cette période : « Au moins j'ai fait quelque chose ! Au moins je ne suis pas tout à fait innocente[133]. »

Le 14 juillet 1933, le gouvernement examine un projet de loi excluant les Juifs de la profession d'avocat. Dans le débat concernant une éventuelle exception pour les anciens combattants, Hitler intervient. Le peuple juif tout entier est refusé. Hitler néglige temporairement la loi concernant les mariages mixtes mais étudie la possibilité d'acheter des commerces juifs pour les membres du parti dès le mois d'octobre. Le régime montre qu'il fait désormais de la question juive son affaire personnelle et, comme le dit Philippe Burrin, dose sa politique en fonction de la situation[134]. Disparaissent de l'espace public des rues, des places portant le nom de personnalités juives. Quand on transmet des télégrammes par téléphone, il est interdit d'employer les noms juifs pour épeler... Déjà, l'Europe spirituelle capitule. Déjà, l'invasion sanglante des barbares à la technique perfectionnée occupe les corps et les esprits. La fumée des autodafés des livres des écrivains allemands de sang juif monte au ciel. Rilke est un quart juif, Klaus Mann demi-juif, juifs Stefan Zweig, Ernst Weiss, Anna Seghers, Siegfried Kracauer, Lion Feuchtwanger ou Joseph Roth qui, de Paris, dans les *Cahiers juifs*, déclare en septembre 1933 : « Nous avons écrit pour l'Allemagne, nous sommes morts pour l'Allemagne, nous avons donné notre sang pour l'Allemagne doublement : le sang qui fait notre vie physique et celui avec lequel nous écrivons. Nous avons chanté l'Allemagne, la vraie ! C'est pourquoi aujourd'hui nous sommes brûlés par l'Allemagne. »

V

EXILÉE

Le lendemain de sa libération, Hannah convie tous ses amis chez elle à une grande fête. Anne Mendelssohn s'en souviendra comme de la plus grande soûlerie de leur vie. Kurt Blumenfeld, qui lui aussi a bu quelques verres de trop, y confiera tout à trac à Martha : « Vous êtes vraiment quelqu'un avec qui j'aurais aimé concevoir Hannah Arendt[1]. »

Hannah n'a guère évoqué les circonstances de son exil forcé. Tout juste a-t-elle précisé plus tard, à ses amis, que le périple fut épuisant, et angoissant. En cet été 1933, la mère et la fille quittent l'Allemagne à pied, de nuit, par la forêt du Erzgebirge, une zone frontalière connue sous le nom de « Front vert », par où s'échappent déjà des centaines de Juifs et de militants de gauche. Elles évitent les patrouilles, parviennent enfin à leur but : une maison située sur la frontière, habitée par une famille allemande antinazie et dont la porte de devant ouvre sur l'Allemagne, celle de derrière sur la Tchécoslovaquie. Le couple leur offre à dîner. Elles repartent en pleine nuit. Elles sont ensuite dirigées, sans doute par l'organisation sioniste, à Prague, lieu de ralliement des exilés allemands, puis envoyées à Karlsbad, alors le point de passage le plus utilisé. De nouveau Prague, d'où elles partent pour Genève, où une amie de Martha Arendt, Martha Mundt, une militante socialiste berlinoise qui a réussi à se faire embaucher au Bureau international du travail, les héberge. Elle engage Hannah comme secrétaire temporaire chargée des rapports officiels. Hannah fait des merveilles, à tel point que l'Agence juive la remarque et la recrute à son tour pour rédiger des discours en yiddish, langue qu'elle a commencé à apprendre à Berlin dès la montée du nazisme[2]. La direction de l'Agence la félicite pour son travail. Dans la précarité, Hannah la débrouillarde a trouvé très vite un emploi, mais elle s'empresse de quitter sa mère pour rejoindre Günther à Paris.

Elle s'installe avec lui au 269 rue Saint-Jacques — téléphone Odéon 116 —, et essaie d'aider Anne, qui vient d'arriver de Berlin, à trouver du travail. Hannah préfère secourir ses amies plutôt que de se plaindre. Sans emploi, sans argent, le couple tire pourtant le diable par la queue. Ils traînent dans les bistrots, vivent misérablement. Rejetés par la branche marxiste communiste de l'intelligentsia, désignés comme indésirables par les Français qui craignent pour leur emploi, acculés aux petits boulots sans lendemain, ils restent sans papier, sans autre possibilité de subsistance que les maigres subsides venus des organismes de secours. On a du mal aujourd'hui à imaginer l'état de misère matérielle et d'isolement moral dans lequel ont vécu ces exilés antinazis qu'on traitait en France de sales boches et, en réalité, qu'on ne souhaitait pas accueillir.

Hannah, heureusement, est prise en charge par les membres du groupe sioniste allemand en exil et se lie avec Felix Rosenblath, cofondateur de l'Aliyah Hadasha, un mouvement sioniste qui milite contre l'assimilation, puis, par son intermédiaire, fréquente la mouvance sioniste engagée dans l'émigration des jeunes Juifs pour la Palestine. Elle cohabite avec Günther plus qu'elle ne partage sa vie. Lui prépare un énorme ouvrage intitulé *Pathologie de la liberté*. Ils se nourrissent de discussions philosophiques et d'odeurs de jambon. Hannah avait en effet transporté dans ses bagages le manuscrit de Günther, *Les Catacombes de Malussie*, qu'il avait confié à l'éditeur de Brecht, Kiepenheuer. Celui-ci l'avait caché dans une vieille carte d'Indonésie où il avait ajouté le dessin d'une île du nom de Malussie. Mais la Gestapo l'arrêta et emporta les manuscrits. La ruse marcha pourtant. La carte d'Indonésie fut renvoyée à la maison d'édition où Günther récupéra le manuscrit qu'il confia alors, avant son départ pour Paris, à des amis qui l'enveloppèrent de parchemin et le cachèrent dans leur cheminée, à côté des jambons fumés. Hannah le décrocha et l'emporta dans son voyage. À son arrivée à Paris, elle remit donc à son mari un texte particulièrement goûteux, qui parfumait toute la chambre[3].

Günther achève son livre et commence à rédiger une nouvelle intitulée « Leorsi, réflexion sur la situation d'outsider du Juif ». Leorsi vient d'une terre lointaine et tente de se faire accepter dans un pays où tous le considèrent comme un étranger. Il n'arrive pas à obtenir de chambre, car les hôtels sont complets. Il s'installe en clandestin, dort dans des débarras, rend des services, se rend aimable pour faire oublier son statut. Les autres ne possèdent que leur chambre alors que Leorsi donne l'illusion d'habiter l'hôtel tout entier. Günther et Hannah lisent Franz Kafka avant de s'endormir. Pour Hannah, Kafka est et demeurera le seul modèle de réflexion intellectuelle sur la signification de l'origine. Les pages de ses trois romans et de son Journal demeureront inscrites en lettres de feu dans sa mémoire. Elles nourriront toute sa vie sa réflexion.

Hannah communie avec Günther dans la même admiration[4]. Ils reconnaissent, en lisant *Le Château,* les tentatives de vie de ce K qui accomplit « l'effort, si familier comme nous autres Juifs, de faire partie du tout et de se faire admettre ». Comme K, Hannah et Günther ne font pas partie de la communauté. Ils sont déchus de leur nationalité allemande, et ne sont pas des citoyens pour les autorités françaises. Comme tant d'exilés, ils font la queue tous les jours à la Préfecture de police — un authentique château — dans l'espoir d'obtenir des papiers. Mais pour cela, il faut en présenter. Si l'on n'en a pas — et beaucoup n'ont pas de passeport valide ou se le sont vu retirer sous la république de Weimar —, on ne peut en recevoir ! Situation pour le moins kafkaïenne.

Dans une France ravagée par le chômage, les exilés n'ont pas le droit de travailler, pas le droit non plus de séjourner sans argent. C'est de cette impossibilité physique, matérielle, morale, de vivre, d'être même tolérés, que souffrent Hannah et Günther, comme tant d'autres. Et de ce désespoir, témoignent leurs correspondances. Comment respirer ? De quel espoir se nourrir ? Comment payer la chambre d'hôtel ? Comment ne pas être arrêté et renvoyé en Allemagne ? Détresse, apathie. Même plus la force de penser. Se cacher dans une chambre. Essayer de tenir. Ainsi font-ils tous. Benjamin : « Je suis allongé depuis des jours, simplement pour n'avoir besoin de rien et pour ne voir personne... et je travaille tant bien que mal[5]. »

Jean-Michel Palmier, dans son ouvrage magistral *Weimar en exil*, a su cartographier avec passion les déchirures les plus intimes de ces exilés en proie, au mieux à l'indifférence, au pis à la misère[6]. Nombreux sont ceux auxquels personne n'a prêté l'oreille, qui se sont épuisés à force de crier dans le désert. Certains se sont donné la mort dans leur chambre d'hôtel, leur âme vide et épuisée. Leur souvenir, aujourd'hui, n'est guère honoré. Les exilés allemands, que Goebbels qualifiait de cadavres en sursis, furent maltraités par les autorités françaises, et leur histoire demeure encore trop méconnue. Ce n'est que justice de leur rendre hommage. Même si cette justice vient un peu tard.

Il faut citer le courage de certains intellectuels français qui leur tendront la main, comme Gabriel Marcel ou Raymond Aron, qui participa dès 1931, à Berlin où il était enseignant, au sauvetage de Juifs allemands et d'intellectuels de gauche. À Paris, devenu secrétaire du Centre d'études sociales à l'École normale supérieure, Aron continuera à les accueillir, à les aider, à leur trouver du travail. Ainsi tente-t-il de procurer un travail à Hannah, qu'il a connue à Berlin, et dont il apprécie les grandes qualités intellectuelles. En vain. Ils sont si nombreux tous ces écrivains, acteurs, metteurs en scène, cinéastes, plasticiens, comédiens, dès 1933, qui cherchent de quoi subsister.

Les exilés allemands à Paris ne forment pas pour autant une communauté. Chacun vit pour soi, dans la peur du lendemain. Leurs différences sociales, politiques, idéologiques sont exacerbées par la concurrence d'être les seuls à pouvoir légitimement bénéficier de la mendicité déguisée que représentent les comités de secours. Benjamin va ainsi se trouver l'obligé, on l'a dit, de l'Institut d'études sociales de Francfort, Günther de l'Institut d'études germaniques de Paris, où il est censé donner des cours d'allemand et arrondir ses fins de mois en faisant des conférences. Günther donnera sa première conférence début 1934 sur Franz Kafka. Le directeur de l'époque essaie de lui faire changer de sujet car il n'a jamais entendu ce nom... Dans la salle, ce soir-là, une poignée d'intellectuels allemands s'est déplacée pour écouter un inconnu parler d'un inconnu. Parmi eux, Hannah Arendt et Walter Benjamin.

Allemands juifs plus que Juifs allemands ? La plupart — ils furent trente-sept mille réfugiés en France en 1933 — gardent leurs habitudes de Juifs assimilés et trouvent, dans les réunions qui les rassemblent, qu'on parle trop des actes antisémites. Certains, comme Manès Sperber, ne tombent pourtant pas dans ce genre de piège et dénoncent très vite l'ambiguïté de la situation : « J'aimais une ville dont les habitants se vantaient dans leurs chansons et leurs beuglements d'avoir un cœur d'or, et se montraient, en même temps, étonnamment fiers de leur antisémitisme déchaîné[7]. »

Hannah et Günther se consolent du mépris qu'ils rencontrent en lisant beaucoup de littérature et de poésie françaises. Ils font partager leurs émotions à leurs rares amis, comme Hans Jonas qui a émigré en Angleterre en 1934 et viendra rendre visite au couple avant de partir vers la Palestine.

En 1934, Hannah et Günther publient, sous leur double signature, un article consacré à Rilke — le seul texte signé de leurs deux noms. En exergue, cette citation : « Et qui, si je criais, m'entendrait donc depuis les ordres des anges[8] ? » Cet article analyse les *Élégies de Duino* comme un chant de l'impossibilité à vivre, du renoncement à se faire comprendre, la transcription d'un désespoir assumé[9]. Günther et Hannah admirent en Rilke son style obscur, abrupt et exalté, et refusent toute interprétation religieuse de sa poésie. S'entrelacent, dans ce texte profond et émouvant, les méditations de Hannah sur la religion et les réflexions de Günther sur l'expérience de la transcendance. S'y perçoit surtout cette imprégnation de la douleur et du désespoir, cette empathie qui leur est commune à partager intimement ce que Rilke décrit admirablement, l'étrangeté du monde : « Des voix, mon cœur, des voix. Écoute, comme n'en ont jadis entendu les Saints ; telles que l'immense cri les soulevait de terre ; mais eux ne laissaient pas, Impossibles, d'être à genoux et n'y prêtaient point garde : *ainsi* étaient-ils à l'écoute[10]. »

Solitude de l'homme dans ce monde passager, accomplissement de son destin propre comme être limité par la mort, imploration de l'angoisse de la perte : Hannah et Günther décryptent Rilke à l'aune de leur propre situation d'exilés. On peut lire aussi dans ce texte commun leurs propres difficultés à interpréter l'amour chanté dans la poésie de Rilke. L'amour est-il renoncement, expérience d'une perte définitive de son individualité propre ? Autant de questions qu'ils se posent aussi à eux-mêmes...

Günther écrit énormément. Hannah aussi. Toute autre activité leur est de toute façon refusée. Ils croient à l'après-demain, mot magique. Ils n'écrivent pas pour leurs tiroirs mais pour la valise qu'ils vont bientôt rouvrir en Allemagne. Ils fréquentent les romanciers Arnold Zweig et Alfred Döblin, et Walter Benjamin bien sûr. Hannah revoit Raymond Aron, assiste aux séminaires d'Alexandre Kojève sur Hegel où elle croise Sartre, a de longues conversations avec François Wahl, qui a introduit la pensée de Karl Jaspers en France, et avec Alexandre Koyré qui collabore à la revue *Recherches philosophiques*[11]. Elle relit Kant, annote Hegel, fréquente la Sorbonne. Elle voit souvent son amie Anne Mendelssohn qui tombe en même temps que sa sœur amoureuse du philosophe Éric Weil. Elle lit les pages que lui donne Benjamin, fragments de ses futurs *Passages* qu'il rédige dans sa chambre d'hôtel, la nuit, assis au bord de son lit.

Les exilés intellectuels allemands vivent différemment selon la catégorie sociale à laquelle ils appartiennent. Thomas Mann, à soixante ans passés, a perdu la plus grande partie de sa fortune en quittant définitivement l'Allemagne. Mais les conditions de son exil ne sont pas comparables à celles de Joseph Roth, Alfred Döblin, Gustav Regler, et bien d'autres exilés réfugiés dans un petit hôtel de la rue de Tournon. Ils se vivent comme des émigrés et non des immigrés, la valise toujours ouverte pour plier bagage. Pour rentrer chez soi ? Mais quel chez-soi ? Ils n'ont plus de patrie et ne songent aucunement à revenir en Allemagne, mais se sentent néanmoins de passage en France. La nostalgie les emprisonne dans un passé, une culture, une langue, dont ils ne peuvent se défaire ni psychologiquement ni intellectuellement. Au plus profond d'eux-mêmes, ils demeurent d'abord et encore allemands. Hannah est l'une des rares qui décident d'apprendre très vite le français : Günther s'y refuse et se persuade qu'il pourra un jour rentrer en Allemagne pour continuer ses activités antifascistes.

Günther a-t-il participé au meeting parisien du 21 mars 1933, contre Hitler et les atrocités commises en Allemagne, où Malraux apostrophe la foule ? A-t-il raconté à Hannah qui arrivera trois mois plus tard le discours d'ouverture d'André Gide, qui met en garde l'Europe entière contre la menace nazie ? Se rendent-ils au congrès mondial contre la guerre et le fascisme, le 22 septembre 1933 ? Pas de trace ni dans ses carnets ni dans ses correspondances.

Il est possible cependant d'imaginer qu'ils font partie de cette minorité d'exilés qui ne se sentent pas des immigrés mais des émigrés antifascistes concernés par ces manifestations, et qu'ils se montrent sensibles aux témoignages d'aide et de sympathie de cette poignée d'intellectuels français. Hannah, courageusement, reprend à la Sorbonne, en français, des études de philosophie en compagnie de Léon Werth. Benjamin travaille avec le Viennois Franz Werfel sur une traduction de Proust et obtient un versement mensuel de cent francs suisses du bureau genevois de l'Institut d'études sociales, ce qui lui permet enfin de pouvoir chauffer sa chambre, le soir, quand il rentre de la Bibliothèque nationale. Alfred Döblin réussit à mettre en traduction son grand roman *Berlin Alexanderplatz*. Günther entreprend un nouveau traité philosophique. Mais ils constatent chaque jour que, si les émigrés allemands se montrent désunis, ils sont aussi les plus indésirables de tous les réfugiés[12]. Arthur Koestler évoque de façon poignante ces Français qui vous « serraient dans les bras » pour vous laisser encore plus seul, « tout frissonnant dans la rue, condamné à rester un éternel touriste ou un éternel exilé selon le cas[13] ». Koestler, pour survivre, traduit un ouvrage de six cents pages sur le Paris des anomalies et perversions sexuelles. Heinrich

Mann sera engagé pour écrire une fois par mois un article politique dans la presse régionale. Werth collabore aux *Nouvelles littéraires*.

Hannah ne trouve pas de travail, Günther non plus. Exceptionnellement, il fait encore de temps à autre des conférences et tente de publier les articles philosophiques qu'il fait traduire par son ami Emmanuel Levinas. Son texte, intitulé « Une interprétation de l'*a posteriori* », sera publié en 1934 dans les *Recherches philosophiques*[14].

Levinas publie au même moment, dans la revue *Esprit*, son essai qui porte pour titre « Quelques réflexions sur la philosophie de l'hitlérisme[15] », un texte remarquable, tant par sa profondeur morale que par l'acuité de son analyse politique. Il apparaît aujourd'hui comme une contribution majeure à la compréhension de l'hitlérisme. Dès 1934, Levinas comprend et explique ce qu'est par essence le nazisme et désigne déjà ce que ce mouvement a d'unique dans sa volonté radicale d'attenter à la dignité humaine. Il est écrit en 1934 et il est le seul avec le texte de Bataille, « La structure psychologique du fascisme » publié en novembre 1933 dans *Critique sociale*, à analyser si tôt la singularité de ce mal radical en s'attachant à éclairer les mécanismes psychiques de l'hitlérisme et en mettant en scène le mouvement nazi dans toutes ses dimensions. Levinas pressent l'asservissement de tout un peuple, le primat du corps, la nécessité de l'antisémitisme comme corpus du catéchisme de la nouvelle criminalité érigée en doctrine officielle. On le lit aujourd'hui dans la passion de l'effroi, tant les ressorts les plus intimes de l'être au monde nazi et les aspirations les plus élémentaires à la destruction du peuple juif y sont déjà répertoriés, analysés, représentés, disséqués.

Hannah fut très impressionnée par ce travail qui pensait l'hitlérisme pour la première fois et affirmait déjà que la source de la barbarie n'était pas à chercher dans une anomalie singulière de la raison humaine, mais dans la création d'une idéologie meurtrière. Grâce à Levinas, Hannah comprit très tôt que la doctrine de Hitler était à prendre au sérieux : Comment se fait-il que les hommes combattent pour leur servitude comme s'il s'agissait de leur salut ? Levinas reprend le thème de la servitude volontaire de La Boétie et développe sa vision de l'hitlérisme comme mode d'être de l'enchaînement, de l'acceptation profonde. Ceux qui s'y livrent croient ainsi trouver la paix avec les autres et la vérité avec eux-mêmes. Sans jamais le nommer, Levinas attaque aussi son maître Heidegger qui, à l'université de Fribourg, continuait début 1934 à tenir des discours pronazis.

Le 6 janvier 1934, Heidegger déclare que l'Université est devenue la plus haute école politique du peuple. Le 22, il convoque dans le plus grand amphithéâtre les travailleurs du programme d'urgence de la ville de Fribourg — six cents hommes —, et les enjoint, au nom du destin du peuple, à venir apprendre à l'université. Il lance le projet d'un pont vivant entre le travailleur manuel et le travailleur intellectuel et appelle à la création de cette nouvelle communauté que constitue le peuple allemand. « [...] Devenir des gens qui savent » et non pratiquer « l'aumône d'une vague culture générale. [...] Le savoir et la possession du savoir, on peut enfin y croire grâce au national-socialisme. » Et de conclure : « Pour l'homme de ce vouloir inouï, pour notre *Führer* Adolf Hitler, un triple "*Sieg Heil*[16]". » Le 23 janvier, il lance un appel aux étudiants pour les enjoindre à travailler dans un nouvel esprit : « Enraciné dans le sol porteur qu'est le peuple, et librement ajointé dans la volonté historique de l'État, *c'est l'ordre du travail*, dont la frappe se trouve préfigurée dans le mouvement du *parti des travailleurs* qu'est le socialisme national allemand[17]. »

Le 23 avril 1934, Heidegger démissionne. Loin de lui la volonté de s'opposer, par ce geste, à Hitler, comme nous l'apprend Hugo Ott[18]. Il le fait parce qu'il y est contraint par son échec dans la gestion administrative de l'université de Fribourg. Se retirer du rectorat ne signifie pas pour lui renoncer à son engagement politique, et il continuera à payer sa cotisation au parti nazi jusqu'en 1945.

Ce ne sont que des bagatelles et des petits déraillements, expliquera-t-il après la guerre, en guise de justification. Mais plus les années passent, plus les témoignages et les enquêtes vont dans le même sens : Heidegger est coupable et responsable. Il a collaboré activement avec la Gestapo. Dans le dossier du professeur Baumgarten, on trouve sous sa plume la dénonciation d'un professeur à la direction de police de Fribourg. Des arguments antisémites apparaissent également dans des rapports qu'il rédige pour l'association des professeurs nazis, avec les expressions : « le Juif Fraenkel[19] », « le cercle intellectuel gravitant autour de Max Weber[20] ». On l'a vu, Heidegger, sur le plan amical, se montrera encore plus décevant. Il ne rend plus visite à Husserl dès 1933 et ne s'oppose pas à ce qu'il devienne une « non-personne » à partir de 1935. Husserl précisera que cela faisait déjà quelques années que Heidegger manifestait ouvertement son antisémitisme, même vis-à-vis du groupe enthousiaste de ses élèves juifs, et au sein de sa famille universitaire. Comme il le dira lui-même : « C'était difficile de passer là-dessus[21]. » Heidegger fut donc obligé de se retirer, non par antinazisme, mais en réalité parce qu'il était plus nazi que certains nazis. Nazi à sa façon. Il voulait en découdre, mais son exaltation se heurta à l'inertie de ses collègues pronazis plus paisibles. Il dut déchanter. Sa sortie fut peu glorieuse. Lors du repas qui suivit sa démission, ses collègues remarquèrent qu'il ne prononça pas un mot. L'un d'eux note dans son carnet : « Heidegger semble assister à l'enterrement d'un suicidé[22]. »

Günther publie dans *Recherches philosophiques* son étude à la fois philosophique et anthropologique, « L'étrangeté de l'homme au monde », dont Jean-Paul Sartre dira, trente ans plus tard, s'être inspiré pour élaborer sa conception de l'existentialisme[23]. On peut imaginer que c'est Hannah qui traduisit les méditations philosophiques de son époux, qui refusait, contrairement à elle, de parler une autre langue que sa langue maternelle. Encore influencé par Heidegger, Günther y développe la théorie d'un être qui s'expérimente en tant que « non posé par soi » et vit dans un sentiment perpétuel de honte. Il y revendique son destin d'intellectuel sans patrie et, dans la tradition de Kafka et de Brecht, déploie une vision d'homme sans monde.

Günther continue à peaufiner ses *Catacombes de Malus-*

sie, avec l'aide de Hannah qui tape le manuscrit et le corrige. Une fois fini, il présente son texte à la seule maison d'édition parisienne de langue allemande, qui se trouve être dirigée par des communistes. Le livre a pour sous-titre *Pédagogie du mensonge*. Günther est persuadé d'avoir écrit un texte antifasciste et, du moins le croit-il, très proche du marxisme. Et pourtant… le roman, jugé trop politique, est refusé de manière lapidaire par Manès Sperber, qui l'écarte au motif qu'il n'est pas dans la ligne du parti. Günther, fou de rage, exigea des explications : « Vous croyez, Monsieur Sperber, que l'idée d'être dans la ligne du Parti est digne d'un philosophe ? » La querelle avec Sperber sera vive et violente, et Hannah, solidaire de son mari, ira elle-même lui demander des comptes. Près de trois décennies plus tard, au moment de la publication d'*Eichmann à Jérusalem*, Sperber se révélera l'un de ses plus redoutables adversaires et l'accusera d'être, depuis longtemps, une antisioniste violente et hargneuse.

Günther ne sera pas le seul exilé à se voir refuser pour des raisons politiques la publication de ses écrits. Arthur Koestler dut faire la même expérience. Lui aussi avait transporté son manuscrit au prix des plus grands périls. Lui aussi pensait avoir écrit une œuvre antifasciste et se proclamait alors communiste[24]. Son roman ne sera pas publié, soi-disant parce qu'il reflétait des tendances individualistes bourgeoises. L'Association des écrivains allemands en exil (le SOS, organisme créé à Paris à l'été 1933), sorte de centre culturel que fréquentaient assidûment Günther et Hannah, était officiellement indépendante des partis politiques, mais on trouvait en son sein de nombreux écrivains communistes qui n'acceptaient pas le moindre questionnement sur la nature du régime soviétique. Hannah et Günther se rendaient aux réunions, d'abord mensuelles, puis hebdomadaires à partir de 1934, qui avaient lieu au sous-sol du Café Méphisto, boulevard Saint-Germain. Henri Barbusse et Paul Nizan y venaient régulièrement. On y combattait Hitler, mais on s'y déchirait tout autant sur la manière de définir le communisme.

Une telle ambiance, lourde de dissensions jamais énoncées au grand jour, un tel climat d'accusation perpétuelle vis-à-vis d'intellectuels non encartés encouragèrent-ils Günther à quitter le sol français ? Où est-ce parce que les disputes avec Hannah étaient de plus en plus fréquentes et la cohabitation invivable ? Le mystère reste entier. Toujours est-il que Günther décide de précipiter les formalités pour tenter de quitter le territoire. Ses parents ont pour leur part réussi à rejoindre les États-Unis et son père a repris une chaire d'enseignement de psychologie en Caroline du Nord, à la Duke University. Günther demande son visa, l'obtient miraculeusement, part pour les États-Unis en laissant Hannah seule à Paris. Il vivra d'abord chez ses parents, gagnera brièvement sa vie comme répétiteur, puis rejoindra la Californie où Herbert Marcuse l'accueille, à Los Angeles, dans le quartier où habitent déjà Bertolt Brecht, le compositeur Kurt Eisler, Thomas et Heinrich Mann. Il rédige un scénario pour Charlie Chaplin qui ne lui parviendra jamais et, pour subsister, travaille comme ouvrier à la chaîne dans une usine de Los Angeles.

Sur leur séparation, l'un comme l'autre furent peu bavards : « En 1936, je suis parti seul en Amérique. Hannah Arendt et moi nous sommes séparés », note-t-il dans son autobiographie[25]. « Mon mari est parti pour l'Amérique il y a quelques semaines. Quant à moi je reste en Europe pour le moment », écrit-elle à Jaspers en août 1936[26]. Elle vit seule dans une chambre d'hôtel de la rue Saint-Jacques.

Aider les Juifs

Hannah trouve un travail de secrétaire au sein de l'organisation Agriculture et Artisanat, aux Champs-Élysées, une organisation présidée par le sénateur Justin Godard, lequel dirige aussi l'association sioniste France-Palestine. Elle obtient ce petit boulot en faisant valoir qu'elle sait taper à la machine, connaît le français et un peu d'hébreu. Son amie Anne n'a pas son aplomb ni son énergie. Elle passera les premiers mois de son exil à Paris à vendre des allumettes dans la rue avant de donner des cours d'allemand chez une duchesse vieillissante, qui veut achever sa thèse sur Ernst Cassirer et la soutenir avant que la Sorbonne ne devienne « entièrement communiste[27] ». Hannah essaiera de l'aider et demandera à Kurt Blumenfeld de rédiger pour elle une lettre de recommandation. Hannah s'excuse de sa démarche en ces termes : « Je ne te solliciterais pas pour une histoire aussi saugrenue s'il n'était pas de fait si effroyablement difficile de trouver quelque chose ici, et s'il ne fallait pas absolument exploiter la moindre chance[28]. » Bientôt, Anne se marie avec le philosophe Éric Weil. Hannah est témoin. La sœur d'Anne aussi. Du reste, dès le lendemain de la cérémonie, Éric Weil vivra avec les deux sœurs, Anne étant, de fait, l'épouse, l'autre l'amante[29]...

Hannah continue à militer dans les cercles sionistes où, pour la plupart, devant l'avancée du nazisme, la Palestine ne constitue plus un idéal mais une nécessité. Hannah soutient clairement les positions de Chaïm Weizmann, président de l'Agence juive depuis 1929 et futur premier président de l'État d'Israël, qui se bat pour l'établissement des Juifs allemands en Palestine[30]. Mais la Grande-Bretagne étend sa politique de restrictions. Et, bien que Weizmann se prononce officiellement contre l'immigration clandestine, l'organisation est débordée par ce flot de réfugiés allemands qui veulent, malgré les dangers, rejoindre la Palestine... pour rester en vie. Weizmann réussit alors à débloquer des papiers et fournit à Agriculture et Artisanat, où travaille Hannah, des certificats d'immigration pour les réfugiés allemands en exil en France.

Confrontée aux désarrois et aux tourments de ces exilés qui veulent fuir à tout prix, elle gardera longtemps le souvenir des tensions qui déchirent ces hommes et ces femmes : pour obtenir leur certificat, ils sont prêts à tout, y compris à oublier qu'ils sont juifs. Certains Juifs français méprisent les Juifs polonais et veulent d'abord venir en aide aux Juifs allemands. Hannah se donna pour règle d'aider tous les Juifs, quelles que soient leur origine géographique et leur classe sociale. Elle s'imprègne de plus en plus de culture juive traditionnelle, parle un peu yiddish avec ceux qu'elle secourt, et pour qui elle établit des papiers. Elle décide, non de baragouiner, mais d'apprendre l'hébreu avec Chanan Klenbort, un Juif polonais, ressemeleur et écrivain, rencontré dans son bureau sur les

Champs-Élysées. Elle confie à ceux qui travaillent avec elle qu'elle veut mieux connaître son peuple, son âme, sa langue.

Participe-t-elle à la vie de la communauté juive de Paris ? Se rend-elle aux réunions de la rédaction du *Journal juif des jeunes* qui accueillait, depuis 1935, les intellectuels allemands de gauche[31] ? Il semble qu'elle y fut active et qu'elle y écrivit, au nom de la rédaction, plusieurs articles où elle s'oppose à l'assimilation et revendique le sionisme comme culture et identité. « Tous les Juifs de gré ou de force devraient prendre conscience d'eux-mêmes en tant que Juifs... Réussira-t-on à donner à ce nouveau ghetto, imposé du dehors, un contenu spirituel[32] ? » Ce journal, qui épouse les thèses de Hannah à l'époque, considère Martin Buber comme son maître spirituel et lutte contre un sionisme purement politique et une orthodoxie religieuse qu'il juge desséchante. Tiré à quinze mille exemplaires, il croit en la force d'une jeunesse à la recherche du contenu spirituel d'un judaïsme réinterprété à l'aune de leurs rêves d'une nouvelle société.

Hannah, comme Walter Benjamin et Gershom Scholem, appartient à cette mouvance qui pense pouvoir jeter les ponts d'une nouvelle civilisation méditerranéenne à partir de l'histoire et des textes spiritualistes juifs. Si elle apprend l'hébreu avec de plus en plus de passion et de sérieux, tout en complétant ses connaissances en yiddish, c'est pour chercher dans le passé juif ses propres racines. Elle lit en même temps Buber et Kafka. Elle a d'interminables discussions avec Benjamin qui vient d'achever un article sur *Le Château*. Kafka pose des questions mais n'y répond pas. Vaut-il mieux se dresser contre la loi ou l'intérioriser ? Quelles sont les conséquences du Jugement dernier sur le cours du monde ? Le soir, Hannah et Walter lisent à haute voix et dissèquent les textes de Kafka. Il incarne pour elle l'écrivain qui sait effleurer le néant et rendre définitivement absurde toute idée de rédemption. Il devient le viatique à tous ses tourments, l'incarnation de sa résistance à la théologie, son lait d'espérance. Chaque jour, il lui donne le courage de vivre. Chaque nuit, il l'aide à dépasser son désespoir.

De plus en plus engagée dans le mouvement sioniste, Hannah se met à fréquenter assidûment la rédaction du *Journal juif des jeunes* qui s'oppose à la ligne des dirigeants du Consistoire français. Elle lit *Le Paysan de Paris* et, emballée par sa lecture, demande à rencontrer Aragon, sans succès. Elle assiste à une lecture du *Serpent* de Paul Valéry, vient chaque fin d'après-midi chercher Benjamin à la fermeture de la Bibliothèque nationale.

Comment Hannah fut-elle engagée par l'*Aliyah* des jeunes, une organisation reliée au Comité national de secours pour fournir de l'aide aux réfugiés allemands victimes de l'antisémitisme ? Vraisemblablement par cooptation. Les sionistes l'avaient remarquée à l'Agence juive et avaient testé sa détermination. Ils connaissaient son allant, son énergie et l'opiniâtreté dont elle avait fait preuve pour aider les réfugiés. Cette fois, le travail qu'on lui confie est nouveau : il ne s'agit plus de régler des problèmes de paperasserie, certes fort compliqués, mais de préparer psychologiquement des jeunes à partir en Palestine. Hannah accepte immédiatement cette nouvelle tâche.

Cette organisation achemine de jeunes enfants juifs, ainsi que des adolescents de treize à dix-sept ans, d'Allemagne en Palestine et les place dans des kibboutzim. Prenant son rôle au sérieux, Hannah s'engage totalement dans son travail dont la règle est de se montrer « social et éducatif ». Elle s'occupe des jeunes réfugiés juifs allemands transitant en France et aide l'organisation à les préparer à partir pour la Palestine. Elle les envoie dans des campements installés à travers le pays, où ils reçoivent des cours, apprennent à travailler la terre. Se remémorant avec émotion cette période, elle dira que les enfants « devaient avant toute chose grandir. Il fallait les vêtir de pied en cap, leur faire la cuisine, leur procurer des papiers, négocier avec leurs parents — et surtout trouver de l'argent. Cette tâche m'incomba en grande partie[33] ».

Tout en accomplissant ce travail épuisant, elle continue à rédiger des articles sur le problème juif. Grâce à un de ses amis, qui collabore au *Journal juif des jeunes*, Isaac Pougotch, deux de ses textes y sont publiés sous sa signature. Comment devenir de vrais Juifs ? Comment être de vrais Juifs sans pour autant être religieux ? Telle est l'une des principales problématiques à l'époque. Hannah pense, comme Martin Buber, que l'épanouissement de la judéité peut se concilier avec la modernité. « Je veux continuer à vivre, je veux mon avenir, je veux une vie nouvelle intégrale : une vie pour moi, pour le peuple en moi, pour moi dans le peuple[34]. » De cette période douloureuse, elle retiendra cette leçon qui demeurera un leitmotiv : « Je veux comprendre. » Comprendre, non pas seulement intellectuellement, mais en agissant. À l'époque de la rédaction de *Rahel Varnhagen,* déclare Hannah, « ce n'était pas mes propres problèmes juifs dont je débattais ». Après son départ de l'Allemagne, ajoute-t-elle, « manifestement l'appartenance au judaïsme était devenue mon propre problème et mon propre problème était politique. Purement politique[35] ».

Trente-quatre mille nouveaux immigrants arrivent en Palestine au cours des années 1930, soit près de la moitié des immigrants qui débarquent avec des visas d'immigration dits d'ouvriers. Pour les autorités britanniques mandataires, avoir la carte d'ouvrier était alors plus efficace que celle d'étudiant, mais moins que celle de « capitaliste ». En 1935, les Britanniques décident de limiter l'immigration en Palestine. Hannah n'en continue pas moins le combat. Au cours de ses pérégrinations et de ses collectes de fonds, elle rencontre la baronne Germaine de Rothschild. Le coup de foudre est immédiat, et manifestement réciproque. Germaine se prend d'amitié pour elle et l'engage comme secrétaire pour superviser la gestion de ses contributions aux œuvres de charité juives.

Malgré tout ce qui pouvait les éloigner l'une de l'autre, Hannah aima beaucoup Germaine, sa correspondance en atteste[36], et Germaine le lui rendit bien. L'ardeur et l'enthousiasme de Hannah ont dû plaire à Germaine qui demeure, dans le souvenir de son petit-fils David[37], une femme généreuse, cultivée, dévouée et, comme Hannah, aimant beaucoup les petits enfants. Femme du baron Édouard, mélomane, auteur d'un livre sur le compositeur italien Luigi Boccherini, elle était une intellectuelle tenant salon et aimant recevoir des écrivains comme Marcel Proust et Paul Valéry, mais aussi une femme généreuse, engagée dans les œuvres de charité juives. Elle s'intéressait à la philosophie et était liée à Jean Wahl et Éric Weil, qui lui ont sans doute présenté Hannah. Responsable d'une maison d'enfants dans la région parisienne, elle y emmène Hannah une fois par semaine pour la journée. Chaque fois, elles arrivent chargées de peluches et de bonbons[38] et sont accueillies comme des reines par les enfants. Germaine de Rothschild ne cessa, avec générosité et dynamisme, d'aider par la fondation qu'elle a créée toutes celles et ceux qui étaient en difficulté pendant la guerre. Sioniste de cœur et d'âme, elle ne ménagea pas sa peine pour aider ceux qui voulaient partir pour la Palestine et ne cessera, ensuite, d'apporter son soutien à Israël[39].

Hannah trouve encore le temps de se mêler davantage au petit milieu du journalisme juif à Paris. Outre le *Journal juif des jeunes*, elle fréquente la rédaction de *La Terre retrouvée* et se lie d'amitié avec Nina Gourfinkel, alors assistante sociale et collaboratrice de la revue. Nina racontera, avec ironie, dans son livre empreint de nostalgie rieuse, *L'Autre Patrie*[40], leurs longues conversations avec Victor Jacobson, alors grande figure du sionisme, qui leur expliquait à toutes deux que la nouvelle Sion serait universaliste ou ne serait pas.

Hannah décide de passer à l'acte et de partir à son tour pour la Palestine. La presse militante de l'époque, et notamment *La Terre retrouvée*, parle alors à longueur de pages de ces jeunes Juifs vigoureux, bronzés, larges d'épaules, musclés, « dont les yeux ne cillent pas et dont aucun tressaillement nerveux ne dépare les traits », qui ont de leurs mains transformé le désert de Palestine en jardin d'Éden. Ces reportages, pour le moins édifiants, évoquent la transformation physique de ces jeunes hommes qui, il n'y a pas si longtemps, fréquentaient les bibliothèques d'Occident et se révèlent dorénavant experts dans le maniement de la pelle ou du soc de la charrue. Pour préparer son voyage, Hannah rencontre Juliette Stern, grande bourgeoise issue d'un milieu assimilé, épouse d'un riche producteur de sucre, qui revient d'un séjour en Palestine.

Un jour du printemps 1935, Hannah prend à la gare de

Lyon un train pour Marseille avec un groupe de jeunes gens. Un bateau les y attend pour Haïfa. De ce voyage, elle ne parlera jamais. Ni dans ses écrits ni dans ses entretiens. On ne connaît ses impressions que par des conversations avec des amis qui témoigneront. Pourquoi ce blanc dans la continuité de son existence ? Ses futures positions antisionistes, qu'elle rendra publiques dans des articles dès 1941, expliquent peut-être ce lourd silence. Voulut-elle, au contraire, taire ses désillusions pour ne pas gêner ses amis ?

En Palestine, vit son cousin Ernst qui a fui l'Allemagne depuis deux ans avec l'amie de Hannah, Kaethe, qu'il a épousée. Ils subsistent grâce à des petits boulots, comme tous ces exilés allemands qui, arrivés en Palestine, deviennent *de facto* des déclassés sociaux. Ils habitent des logements exigus, possèdent pour seule patrie quelques livres de littérature, mais sont portés par la certitude d'avoir fui l'irréparable et ils estiment que là, enfin, sur cette terre qui leur est hostile et étrangère, dans ce Moyen-Orient qu'ils trouvent sale et infesté de microbes, malgré les divisions croissantes du mouvement sioniste, les émeutes arabes et les violences des Britanniques, ils ont enfin droit de respirer, d'exister, et peut-être même d'envisager le lendemain. Collés à leur transistor qui leur donne des nouvelles d'une Europe en proie à l'antisémitisme, ils prient jour et nuit pour que leurs familles, restées là-bas, à la merci des pogroms, puissent un jour venir les rejoindre. En Palestine, on les appelle, de manière assez méprisante, des *Yekkes*. Avec les premiers colons, ils ne partagent rien, ni idéal, ni valeurs, ni modes de vie. Avec les Arabes, qu'ils ignorent et dont tout les sépare, ils n'ont aucun désir de reconnaissance. Comment établir une vie sans, avec ou contre les Arabes ? Amos Oz a admirablement décrit dans *Une histoire d'amour et de ténèbres*[41] l'état d'esprit de ces exilés qui ne se sentent déjà plus des réfugiés mais ne sont pas encore, dans les années 1930, vraiment tolérés en Palestine et tentent désespérément de se faire une petite place dans ce territoire déjà déchiré politiquement, scindé en plusieurs appartenances ethniques, idéologiques, politiques.

Hannah est accueillie au port de Haïfa par Ernst et

Kaethe et part vivre quelques jours chez eux à Jérusalem. Elle baigne dans un climat d'hospitalité, de retrouvailles familiales, de ferveur idéologique partagée. À l'époque, à Jérusalem, personne ne ferme sa maison. En rentrant chez soi, on ne craint pas le vol mais on court le risque de trouver dans son lit l'ami d'un ami à qui on a donné votre adresse pour lui permettre de passer la nuit[42]. Hannah adore ces quelques jours passés dans l'euphorie de l'amitié.

Elle rejoint les jeunes de l'expédition et part avec eux visiter les colonies agricoles de la vallée du Jourdain. Elle se rend ensuite en Judée et en Galilée, où travaillent plus particulièrement des Juifs d'origine allemande. La dernière colonie agricole, celle de Warbourg, vient de se construire non loin de Kfar Saba. Hannah y passe quelques jours où elle accompagne les jeunes dans les vergers ; le soir, elle assiste à des concerts et à des conférences. Elle constate que les Juifs allemands ne se comportent pas dans ce kibboutz comme les autres immigrants. Ils entendent vivre comme en Allemagne, conserver leurs habitudes occidentales dans la nostalgie d'un monde désormais englouti. Comme le dit un reporter de *La Terre retrouvée* après un séjour dans un kibboutz allemand : « L'on est émerveillé de voir ces gens, dans le fumier toute la journée, se mettre à table le soir, devant un repas très modeste mais servi sur une nappe impeccable, avec de l'argenterie, des couverts fins, dans une salle élégante ! Est-il au monde d'autres paysans de ce type[43] ? »

Hannah éprouve là sa première désillusion de militante sioniste : elle constate qu'au lieu de construire une nouvelle société, certains se réfugient dans un individualisme qu'elle juge mortifère. Sur fond de désespoir et de mal-être, ils manifestent une intolérance grandissante vis-à-vis du monde arabe. Comme des déracinés qui n'ont pas choisi de partir, ils gardent l'espoir de pouvoir, un jour, rentrer en Allemagne, qui demeure à leurs yeux leur unique et véritable patrie.

De retour à Jérusalem, elle s'ouvre de ces problèmes à Gershom Scholem, qui ne lui cache pas que le rêve d'une nouvelle civilisation, fondée sur un mélange de culture arabo-islamique et de théologie juive, semble déjà mis en échec face à la montée des violences dans le pays. L'intolérance, tant du côté juif que du côté arabe, ne cesse en effet d'augmenter. Rien ne sert de se réfugier dans la nostalgie du monde d'hier. Comment à la fois être de culture allemande, sioniste de gauche, vivre parmi les Arabes, reconnaître leur civilisation et s'implanter sur leur territoire ? Comment faire de la Palestine la tête de pont d'une nouvelle civilisation arabo-méditerranéenne pétrie d'humanisme européen ? Certains, comme Gershom Scholem ou Kurt Blumenfeld, vont tenter d'imaginer des solutions démocratiques pour rapprocher le peuple arabe et le peuple juif, par leurs principes et leurs valeurs. Elles seront, hélas, toutes vouées à l'échec...

Hannah ne se pose pas la question de savoir si elle veut rester vivre en Palestine. Elle est pourtant une femme seule, sans attaches, avec une famille sur place qui lui propose de l'héberger. Elle est à l'époque une sioniste ardente, avec des amis qui travaillent à la nouvelle université de Jérusalem et d'autres dans les kibboutzim. Pressent-elle le malaise de ses proches ? La Palestine, ce n'est pas chez elle. À la même période Arnold Zweig, Juif allemand et sioniste comme elle, confie à Sigmund Freud sa déconvenue devant la réalité de ce qu'il endure chaque jour dans cette terre de Palestine : « Je constate sans affect que je n'appartiens pas à ce pays-ci... c'est naturellement difficile après vingt ans de sionisme. Mais où aller ? Où vivre ? C'est presque pareil, où qu'on soit, si l'on n'est pas chez soi. Tout était mensonge de ce qui nous amenait ici[44]. »

Hannah revient à Paris. Dans les cercles sionistes, elle affiche son admiration pour l'endurance et le courage des nouveaux colons. En privé, à ses amis, elle confie ses réserves sur la possibilité qu'a le pays de pouvoir devenir un jour, sans violence, une démocratie. Plus tard, elle avouera : « Je me souviens très bien de ma première réaction devant les kibboutzim. J'ai pensé : une nouvelle aristocratie. Je savais alors déjà [...] qu'on ne pourrait pas y vivre. *Rule by your neighbors*, le règne du voisin, voilà en définitive à quoi cela revient[45]. »

Elle a trente ans, de longs cheveux attachés, toujours cet ovale parfait du visage, de grands yeux. Sur la photographie, elle porte une redingote près du corps. Elle semble coquette. Elle est belle, séduisante, attirante. Je ne suis pas sûre qu'elle ait rompu avec Günther, mais elle l'a laissé partir. Elle veut devenir journaliste, se soucie de l'avenir pour ses proches mais pas pour elle. Elle vit au jour le jour, au gré des amitiés, des rencontres dans les cafés. Travaille énormément, boit un peu, rit beaucoup. Bohémienne intellectuelle et fière de l'être. Dans ce Paris vibrant de joutes intellectuelles, portée par son amitié avec Walter Benjamin, elle croit qu'il est encore possible de refaire le monde et déambule avec lui dans les rues pendant d'interminables nuits. Elle récite du Baudelaire pour mieux parfaire son français et du Goethe pour faire vibrer au plus profond d'elle sa langue natale, désormais sa seule patrie.

Elle vit seule et s'y habitue. Hannah est une solitaire dans l'âme et la vie de couple n'est pas son idéal. Elle a Günther, au loin, avec qui elle sait qu'elle ne revivra jamais, mais dont elle n'est pas séparée. C'est son compagnon de classes, son camarade, son protecteur. Elle sait qu'elle peut compter sur lui dans n'importe quelle circonstance. Elle sait qu'il sera toujours là. Mais patatras ! Au printemps de l'année 1936, un homme surgit qui va tout bouleverser. La vie est ainsi faite, pleine de ruses et de malices.

Heinrich Blücher

Ce ne fut pas un coup de foudre. Elle n'attendait rien et s'en serait bien passée. Mais que faire d'un homme qui vous déclare son amour ? En revanche, pour lui, ce fut immédiat, de l'ordre de la révélation. Il s'appelle Heinrich Blücher. Il est marié, croit dur comme fer aux théories de Marx sur la dictature du prolétariat. Il n'est pas juif, se déclare antisioniste, mais pense que les Juifs sont appelés à devenir le fer de lance d'une révolution mondiale. Il ne cherche pas à tromper son épouse, d'ailleurs il n'en aurait guère le temps tant il est pris jour et nuit dans les luttes fratricides de son propre parti, le parti communiste, qui se déchire en exil au nom de la pureté des théories de l'évangile marxiste au lieu de lutter contre le nazisme.

Heinrich tombe éperdument amoureux de Hannah. Cela ne l'arrange pas, lui non plus. Il attend donc quelques jours pour savoir s'il est vraiment amoureux, puis, soudain, lui déclare sa passion. Elle lui oppose une fin de non-recevoir. Il lui répond qu'il l'attendra, et précise qu'il est très patient... Trois mois plus tard, il lui dit de nouveau qu'il l'aime, qu'il n'y peut rien. Est-elle seulement sensible au romantisme de sa démarche, au côté enflammé de sa personnalité, à l'ardeur de sa déclaration ? Toujours est-il que Hannah ne lui ferme pas la porte de son cœur. À reculons au début, puis de plus en plus fiévreusement, elle accepte la relation. Hannah est-elle amoureuse ? Pas vraiment. Elle est plutôt, au début de leur histoire, amoureuse de l'amour. Romantique mais prudente. À un Heinrich fou transi, elle propose un galop d'essai : « Tentons le coup — pour l'amour de notre amour[46]. » Petit à petit, c'est elle qui tombera dans les pièges de la passion, et dans les rets de l'amour conjugal, et lui qui s'éloignera. Elle aura toujours besoin de lui. Il saura souvent l'aider mais pas forcément protéger leur relation ni l'aider à surmonter cette violence qu'elle éprouve vis-à-vis d'elle-même.

Lente histoire de métamorphose de l'amour passion en considération réciproque. Inversion des rôles aussi. Il est le mentor, elle jouera à l'élève, tout en devenant le véritable maître. Certains, dont Jaspers, le comparèrent à Socrate et tous les amis conviendront qu'il fit bien plus que simplement stimuler Hannah. Les pensées de Platon n'existeraient pas sans Socrate. Hannah, dès le début de sa liaison, comprend que ses pensées seront nourries, influencées, de façon souterraine, sur les plans politique et philosophique, par Heinrich Blücher que certains de ses amis n'hésitaient pas à surnommer le « Socrate des temps modernes », tant était vive son intelligence, captivante sa présence, intense et mystérieuse son influence sur les êtres qui le côtoyaient. D'elle, il reste son œuvre, de lui des cassettes et des polycopiés de cours, édités par les soins de Hannah après sa mort.

Curieux personnage que ce Blücher. Massif, intellectuellement imposant, rusé, voire roublard, toujours dans un rapport compliqué, contourné, avec la vérité. Sur sa carte d'identité, il avait indiqué « marionnettiste » comme profession. Celui qui tire les ficelles n'a jamais connu son père, mort dans un accident du travail, à l'usine, quelques mois avant sa naissance. Émilie élève seule son fils, qui travaille dès l'adolescence comme livreur pour aider sa mère blanchisseuse, tout en continuant ses études. Il décide de devenir instituteur quand la guerre interrompt sa formation. Gazé en 1917, il est hospitalisé. Il a dix-huit ans à la signature de l'armistice. Il rejoint Berlin et participe aux émeutes avec les conseils d'ouvriers.

Spartakiste de cœur et de conviction, il se rallie, la mort dans l'âme, au parti communiste, après l'assassinat de Liebknecht et de Rosa Luxemburg. Quand Heinrich Brandler est nommé à la tête du parti, il devient l'un de ses proches. Brandler a été envoyé à Moscou pour préparer les conditions d'une nouvelle révolution d'Octobre. Des conseillers russes se rendent à leur tour à Berlin alors que des militants allemands partent pour Moscou suivre un enseignement militaire. Mystérieux Blücher, qui se déguise sans cesse, au propre ou au figuré, et qui disparaît toute cette année-là. Nul ne sait et ne saura ce qu'il a fait pendant toute cette période. Était-il à Moscou ? Certains prétendent qu'il était agent secret, à la solde des Soviétiques. Personne ne peut aujourd'hui le vérifier. Ce qu'on sait, c'est que, à Berlin, dès le début de 1923, il rédige une série de petites brochures sur les stratégies insurrectionnelles et les armes de la guérilla qu'il fait diffuser dans toute l'Allemagne par des réseaux clandestins[47].

Quand Hannah le rencontre — c'est son professeur d'hébreu Chanan Klenbort qui les présente —, il a trente-sept ans, il est pauvre, il déménage à la cloche de bois dans les petits garnis du Quartier latin, se fait appeler Heinrich Lorser et se déguise en grand bourgeois afin de détromper les logeuses qui le poursuivent pour lui faire payer ses dettes. Sans diplôme, fier d'être un autodidacte, c'est un homme extrêmement cultivé et prodigieusement intelligent qui a suivi, en auditeur libre à Berlin, les cours de théorie politique de la prestigieuse *Hoheschule für Politik* et, à l'université, les cours d'histoire militaire du grand théoricien Delbrück. Il a été l'assistant de Fritz Fränkel, un des premiers psychanalystes freudiens, d'obédience adlérienne. À Paris, il vit au milieu d'un clan d'amis poètes, écrivains de chansons et d'opérettes, fréquente des peintres, passe ses journées au musée du Louvre, ses nuits dans des réunions du KPO, le Parti communiste allemand-Opposition, que Brandler, désormais en délicatesse avec Moscou, avait fondé en 1928. Ses amis politiques lui reprochent ses fréquentations littéraires et son goût prononcé pour le cinéma d'avant-garde, qu'il préfère au catéchisme des léninistes de service. Cet intellectuel bohème voue, comme Hannah, un véritable culte à Goethe : « Tu as déplacé, bousculé tous mes pinceaux[48]. »

Discuter avec Heinrich, passer des nuits à philosopher et à refaire le monde, pourquoi pas ? Mais de là à envisager autre chose... Hannah, prudente, l'invite dans sa chambre, mais en compagnie de Klenbort qui joue les chaperons. Dîner, dessert, café. Chaque fois qu'il tente de les laisser en tête à tête, elle l'enjoint de rester. À deux heures du matin, il se lève. Hannah les accompagne tous deux à la porte.

Klenbort part quelques jours en Espagne faire un reportage pour la presse yiddish comme correspondant de guerre. Quand il revient, Hannah l'invite à dîner. Il aura la surprise de voir Blücher installé avec armes et bagages dans la petite chambre de Hannah ! Mais à peine ont-ils décidé de vivre ensemble qu'ils se trouvent séparés. Hannah doit partir pour Genève suivre le Congrès juif mondial. Elle sera hébergée chez Martha Mundt, la meilleure amie de sa mère. C'est bien connu, la séparation avive le manque. Très vite, elle s'ennuie de lui. Loin de Heinrich, elle se sent « littéralement comme si on m'avait arraché la peau du corps[49] ». Elle craint de n'être pas à la hauteur. Elle se sent vieille, déjà vieille, trop vieille pour lui : « Si je t'avais rencontré dix ans plus tôt[50]. » Elle ne mérite pas cet amour et l'encourage même à trouver une autre femme, plus belle, plus jeune qu'elle, car lui avoue-t-elle : « J'ai malheureusement d'une certaine manière été obligée de cesser d'être une femme. Et cela me chagrine pour toi[51] ». Hannah n'a plus d'illusion sur son pouvoir de séduction. Elle croit avoir tourné la page de sa féminité et se voit bien désormais mener une vie de célibataire. De l'amour, elle a connu les transes, les excès, avec Heidegger, la déception, les souffrances aussi. Elle ne sent pas « aimable » et ne désire pas, au fond, être encore aimée. Elle aspire à la tranquillité et n'est pas partante pour une histoire qui risque de la blesser. Mais lui est fou d'amour.

Il lui répond une lettre enflammée. Sans elle, le ciel n'est pas le ciel, Paris n'est pas Paris. Il l'appelle ma reine et n'envisage déjà plus la vie sans elle[52]. Il se console de son absence en lisant Schiller et Goethe — encore Goethe, toujours Goethe. La séparation dure trois semaines. Ils s'écrivent chaque jour. Hannah, très occupée par la première réunion du Congrès juif mondial qu'elle suit en hébreu et en yiddish et les papiers qu'elle rédige pour la presse allemande en exil, lui confie qu'elle prend son rôle de déléguée au sérieux : « Les participants au Congrès peuvent être classés en deux catégories : ceux qui attendent le Messie et ceux qui veulent expliquer les choses. J'appartiens à la deuxième... ou pour appeler les choses par leur nom, de [ceux] qui ne se prennent pas pour de la merde et qui croient tout savoir[53]. »

L'ignorance affectée de la montée de l'antisémitisme par les autorités du Congrès juif mondial la tourmente et l'indigne. Heinrich apprend l'assassinat, par les nazis, de proches amis à Berlin. Le coup est dur et l'onde de choc le fait se replier dans le noir. Il se soulage en racontant un ancien cauchemar qu'il a fait lors de l'exécution de son camarade X : sur un échafaudage sanglant qui va cogner le ciel, le bourreau s'apprête à exécuter son ami. Une cohorte de camarades escalade l'escalier pour le sauver. Ils ont tous une jambe de bois : « Ils avaient beau monter dans un grondement de tonnerre, la cadence énergique de leurs pas résonnait sur toute la terre sans parvenir pour autant à la réveiller. » Alors Heinrich court vers son ami : « Je courais de toutes mes forces parce que j'y mettais toute mon âme. Arrivé en haut, je me jetais sur X à l'instant même où le bourreau abattait le couteau sur lui[54]... » X est mort. Ni lui ni les autres n'ont pu le sauver, ajoute Heinrich, qui confie à Hannah qu'il faut désormais sans cesse s'entraîner pour pouvoir courir de toutes leurs forces au secours de tous ceux qu'ils ont déjà pris ou qu'ils vont prendre. Hans le marin est mort le crâne défoncé, parce qu'il avait la tête dure. Karl est dans un bain d'huile, parce qu'il n'a plus un seul endroit intact sur la peau. Le gars de Charlottenburg est mort piétiné, celui de Moabit s'est fait défoncer la poitrine par des barres de fer, Paul a crié toute la nuit dans sa prison. Il faut savoir, précise-t-il à Hannah, que Paul est un homme plein d'une force tranquille. « Je dois dire que, s'il a crié, lui, je ne vois pas comment nous pourrons tenir le coup[55]. » Il ne suffit pas d'avoir ses deux jambes, ni même de savoir courir. Comment dormir à Paris quand, chaque nuit, à Berlin, des camarades tombent ?

Le nazisme prive tout homme de son individualité, de son être propre. Les dirigeants du Reich aimeraient emprisonner les mauvais rêveurs. Hannah l'écrira dans *Les Origines du totalitarisme :* « La seule personne en Allemagne qui a encore une vie privée est celle qui dort. » Charlotte Beradt, amie de Heinrich depuis le début des années 1920 à Berlin, n'a pu quitter l'Allemagne, clouée à Berlin par une belle-mère aveugle. Charlotte, militante communiste, travaille clandestinement pour l'organisation en collectant des rêves de médecins, d'avocats, de femmes de ménage, de femmes au foyer pour la presse en exil. De la même manière que Hannah avait collecté à Berlin pour l'organisation sioniste la littérature antisémite pour la faire connaître à l'étranger, Charlotte inventorie les rêves pour témoigner et résister[56]. Le rêve de Heinrich en exil à Paris ressemble aux cauchemars des Berlinois interrogés par Charlotte qui, avec sa fantastique collection de rêves, ramassa, entre 1933 et 1939, autant de preuves que la terreur nazie malmenait aussi les âmes.

Hannah et Heinrich vivent ce début de leur amour dans l'angoisse permanente face à la montée de la terreur nazie, et dans la culpabilité mélancolique de se sentir loin de leurs camarades qui risquent chaque jour leur vie en Allemagne. Leur relation amoureuse naît dans cette peur. Heinrich promet de lui dire tous ses tourments. Il pense sans cesse à ses camarades qui se font torturer pour avouer leurs noms et qui se taisent. Heinrich pense aux rêves fiévreux des prisonniers, au cœur des vieilles mères des torturés. Hannah se sent inquiète, perdue, « très nuageuse » comme elle dit, un peu folle ; elle a besoin de quelqu'un qui la protège des autres, mais aussi d'elle-même. Elle lui avoue : « Mon chéri, je crois que je t'aime. Sans rire[57]. » Pourtant, elle pense que tout s'oppose à leur histoire : leur différence d'origine sociale et leur histoire personnelle. Comme elle dit alors si bien, « nous ne pouvons avoir de monde commun[58] ». Et de citer Rahel Varnhagen, sa « meilleure amie[59] », morte depuis un siècle, qui disait : « Voilà pourquoi c'est si affreux d'être juive, il faut sans cesse se justifier[60]. » Hannah croit qu'on ne peut jamais se justifier d'être juif, et qu'on n'en a pas le droit. Elle est juive. C'est ainsi. À Heinrich, elle déclare fièrement : « Je suis la seule Juive allemande à l'horizon qui ait appris le yiddish malgré Hitler[61]. » De Genève, elle lui demande conseil, s'en étonne elle-même. Elle n'a jamais demandé conseil à personne. Elle découvre, ravie, que Heinrich parvient à lire son écriture. « Personne d'autre n'y arrive — à part ma mère[62]. »

Hannah fait entrer Heinrich dans son univers. Il ne sait pas encore qu'elle a une mère. Il s'en moque. Il est prêt à tout, y compris à accepter sa judéité. Hannah semble gênée de lui avouer son amour du peuple juif, sa passion pour le sionisme. Elle comprend très vite que la question juive n'est pas, aux yeux de Blücher, une question décisive. Aveuglé par la doctrine marxiste, Blücher n'accepte la judéité que si elle est synonyme d'engagement révolutionnaire. La lutte des classes ne passe pas par la reconnaissance de la race. Les prolétaires n'ont pas d'histoire individuelle. Hannah n'ose pas l'affronter et ironise : « Pense aux Juifs, mon garçon. Leur piquer la meilleure de leurs femmes et ne pas penser à eux, cela fait bien l'affaire de ton âme de pierre[63]. » Heinrich s'emporte, ne cache pas son mépris pour les membres du Congrès juif qu'il nomme le « Congrès mondial des imbéciles[64] », et les accuse d'emprunter à Hitler sa méthode délirante de persécutions nationales et racistes, en poussant de grands cris à Genève : « Juda, réveille-toi », allusion à l'exclamation pré-nazie, « Allemagne, réveille-toi ». Pour lui, le peuple juif ne s'est pas encore « réalisé ».

Il exhale dans les lettres qu'il lui envoie une méfiance envers les organisations juives et un rejet radical du sionisme, sans avoir l'air de se rendre compte qu'il s'adresse à quelqu'un qui, même si elle se montre souvent critique, milite toujours dans ce mouvement. Manifestement aveuglé par sa foi idéologique, il oublie l'engagement politique de celle qu'il dit idolâtrer. Pour lui, les sionistes, dans leur lutte de libération nationale, taisent volontairement la dimension internationale. Il écrit à Hannah : « Il faudrait empêcher que ce merveilleux explosif international ne se transforme, dans le pot de chambre d'une internationale juive de Schnorrer, en merde[65]. » *Schnorrer*, en yiddish, signifie « mendiant »...

Hannah ne répond pas à ces violentes critiques, ne défend pas ses positions. Sous l'influence de Heinrich, elle est en train de basculer politiquement et idéologiquement : elle s'éloigne des positions de Blumenfeld pour embrasser les théories internationalistes marxistes et antisionistes de Blücher, pour qui la Palestine n'est qu'une illusion. Le projet même est ruiné par essence, d'avance, et ceux qui, comme certains Juifs allemands, sont contraints par le nazisme à s'installer là-bas pour pouvoir rester en vie, ne sont que des bourgeois corrompus qui veulent qu'on leur offre tout un pays. Mais un pays c'est comme une femme, ça ne se donne pas, ça se conquiert.

Et il enfonce le clou. Au lieu d'écrire des lettres d'amour, il écrit des lettres d'endoctrinement antisioniste. « Vouloir en cadeau tout un pays, pour ainsi dire par charité, n'est-ce pas comme si on voulait faire en sorte qu'une femme qui ne peut pas vous aimer couche quand même avec vous, par charité chrétienne — ou juive [...] certes en des temps barbares on peut bien acquérir une femme de cette façon, mais au prix de tout son mépris et de sa haine inextinguible[66]. »

Le communisme de Heinrich sert d'armure idéologique à son antisionisme virulent. Comment justifier la violence de ses jugements et la radicalité de ses propos ? Hannah, au lieu de s'en offusquer, s'en amuse et répond par une longue lettre de six pages, qu'elle lui adresse en l'appelant son « bien-aimé rabbin miraculeux[67] ». Cette fois, elle défend ses positions : les Juifs sont un peuple sans territoire, à l'Est comme à l'Ouest. La Palestine n'est pas une illusion mais une nécessité. « Un quelconque territoire que nous donnerait un jour la révolution mondiale ne nous servirait guère si nous voulons devenir un peuple. Car cela est inéluctablement lié à notre passé. Et la Palestine n'est pas au centre de nos préoccupations parce qu'il y a deux mille ans y vivaient des gens dont nous serions en un certain sens issus, mais parce que le plus insensé des peuples s'est amusé pendant deux mille ans à conserver le passé dans le présent[68]... »

Les cartes sont battues. Hannah lui demande de bien vouloir respecter ses convictions. L'amour, c'est aussi le respect réciproque. Mais la bataille de Heinrich contre le sionisme ne fait que commencer. Le poison de la défiance qu'il instille pénètre tout doucement l'esprit de Hannah. L'argumentation qu'il déploie et les hypothèses qu'il développe seront reprises quasiment mot à mot par elle trois ans plus tard, avec l'appel qu'elle lancera pour la constitution d'une brigade juive internationale[69].

En août 1936, ils s'installent dans une chambre d'un hôtel de la rue Servandoni, à Paris. Ils fréquentent Anne et Éric Weil, Robert Gilbert, Peter Huber et toujours Walter Benjamin. Ils passent leur vie dans les cafés en s'adonnant à leur sport favori : la conversation politique. Blücher avoue à ses amis politiques, qui connaissent sa propension au donjuanisme, qu'il a enfin trouvé une compagne digne de lui et un mode de vie idéal : « Nous travaillons chacun de notre côté, puis nous nous retrouvons pour discuter. » Hannah ne sait toujours pas que Heinrich est marié à Natasha Jefroikyn, la belle-sœur de Peter Huber. Elle l'appelle « mon nigaud chéri [70] » et, en dépit de ses opinions fortement antisionistes, continue son travail de déléguée au Comité juif international. Elle est obligée de voyager fréquemment : Zurich au mois de novembre 1936, Genève tout le mois de février 1937. Il s'ennuie d'elle, tâte le lit le matin, surpris de ne pas la trouver, la cherche dans la chambre plusieurs fois par jour[71].

En son absence, il perd un peu la tête. Elle est déjà son garde-fou, sa conscience morale, sa colonne vertébrale. Pour tromper son ennui, il relit Hegel et perd ses soirées dans des réunions de cellule où l'on se déchire sur la guerre d'Espagne. Lors d'une de ces algarades, où l'on se montre un peu prompt aux échauffourées inutiles, un de ses camarades le traite d'esprit talmudique et d'intellectuel juif typique. Il réplique qu'il n'est pas juif : « J'ai eu droit à la réponse classique, que c'était égal, que j'étais totalement enjuivé. Pas mal, hein[72] ? », écrit-il à Hannah. Elle lui conseille de l'attendre en écoutant leurs disques préférés, et en prenant des cours de français[73]. À Genève, elle se fait chouchouter par Martha Mundt, qui l'héberge de nouveau, puis par sa mère qui l'a rejointe. Trois repas par jour, un Vermouth à l'apéritif, du chianti à volonté au déjeuner comme au dîner. Elle se surnomme elle-même la « grive alcoolisée[74] ». Deux mères pour s'occuper d'elle ! Elle tarde à rentrer. Elle travaille, dans des conditions matérielles idéales, aux derniers chapitres de *Rahel*. Elle se sent comme dans un cocon, retour à l'enfance. Alors, elle le fait patienter : « Sois un bon chat, et attends patiemment — sans désir de clair de lune[75]... » Sa mère va à la synagogue. Hannah refuse de l'accompagner mais célèbre avec elle la fête de *Rosh Ha-Shanah*, la fête du Nouvel An juif.

Heinrich, qui vit son absence de plus en plus difficilement, assiste à Paris, impuissant et malheureux, aux scissions de son propre parti, le KPO. Il veut théoriser le présent au lieu d'appliquer les préceptes léninistes. Il a bien du mal. Pour les prochaines discussions, « il faudra des infirmiers psychiatriques », confie-t-il à Hannah en précisant : « On a bien des soucis quand on n'est pas au KPD ou à la SPD, car eux font la fête et sont contents[76]. » Les luttes fratricides tournent à la catastrophe politique et psychique. Pour se remonter le moral, il passe au Louvre des journées entières devant des toiles de Rembrandt et de Raphaël. Le soir, il lui écrit : « Dis-moi, Hannah, penses-tu aussi fort à moi que je pense à ma mer, à mon port, à mes sources, à ma propre terre ? Je t'embrasse encore et encore, je t'approche par mes baisers, j'entre en toi, je veux être dans les bras, entre les cuisses, sur la bouche, sur les seins, dans le ventre de ma femme[77]. »

Au retour, c'est l'amour fou. Ils nagent dans le courant chaud et larguent les amarres. Heinrich l'aime, la désire, l'encourage à abandonner toute pudeur. Elle accepte vite. Il la découvre impudente, effrontée, devient son initiateur, son cupidon, et le premier qui aime l'aimer. « Ô toi qui es mienne, t'en souvient-il ? je suis l'homme dont le destin est de sonder tes abîmes — celui qui a l'ancre pour s'ancrer en toi, et la tarière qui fera jaillir de toi toutes les sources vives du plaisir —, qui a la charrue pour te labourer et animer en toi toutes les sèves nourricières[78] ? » Elle l'appelle « mon Heinrich chéri », « mon alpha et mon oméga[79] ». Il devient son maître en érotisme et l'encourage à confesser ses désirs sexuels en se moquant de ses anciennes amours : « Pauvrette, tu as reçu des coups pour rien... et tu les as bien mérités un peu. » Il découvre en elle une puissance sexuelle qui la déborde et le fascine. Il la supplie de ne pas en avoir honte mais d'en éprouver de la jouissance : « Je veux que tu te donnes à moi sans aucune barrière, que tu ouvres toutes les vannes ; laisse couler ce merveilleux courant d'amour ; j'y nage, il me porte, il me porte en avant. Lâche tout, n'aie pas ces peurs de femme puisque tu es ma femme[80]... »

Dans le Paris de leur amour, ils vivent dans l'éternel provisoire de l'exil, à la merci du premier fonctionnaire venu, dans un dédoublement d'eux-mêmes, indésirables tous deux, émigrés soudés par leur amour et leur refus de devenir des immigrés. Ils subissent l'indifférence des Français qui se montrent de plus en plus rétifs à les protéger. Certes, l'élan d'allégresse soulevé par le Front populaire, qu'ils vivent comme une espérance assombrie par les horreurs de la guerre d'Espagne, a au moins un moment amélioré leur sort : les exilés allemands arrivés en France n'ont plus à craindre la procédure d'expulsion et un certificat d'identité provisoire leur est délivré pour circuler dans les États signataires de la Convention de Genève.

Mais, dès août 1936, une circulaire enjoint aux préfets de ne plus laisser pénétrer en France d'émigrés allemands et leur demande même de procéder au refoulement de tout étranger, sujet allemand ou venant d'Allemagne. La droite se déchaîne contre la présence d'espions allemands sur le territoire et contre la politique laxiste du gouvernement qui laisse entrer encore trop d'« éléments indésirables ».

Hannah et Heinrich ont pour méthode de ne jamais se plaindre. Ils se nourrissent de la solidarité d'amis français, comme Jean Wahl et Gabriel Marcel, se rendent aux invitations à dîner de Raymond Aron et fréquentent un cercle de personnalités formées à différentes écoles marxistes. Les réunions ont lieu chez Walter Benjamin, au 20 rue Dombasle. Y viennent régulièrement le juriste Erich Cohn-Bendit, le psychanalyste Fritz Fränkel, le professeur d'hébreu de Hannah, Chanan Klenbort.

Le 9 septembre 1937, elle apprend par sa mère que sa demi-sœur Eva, prothésiste dentaire de profession, ne peut plus travailler. Elle note : « Les nazis ont mis ma sœur sur la paille d'une manière vraiment infâme. Elle va émigrer début 1938 et aura besoin d'argent[81]. » Elle tente de l'aider grâce aux réseaux sionistes et réussit à la faire partir pour Londres. Parce qu'elle continue à travailler pour l'Agence juive, elle est souvent contrainte de se rendre à Genève, où elle retrouve sa mère qui de son côté effectue des démarches pour obtenir le nouveau passeport dont elle a besoin pour venir à Paris. Martha est inquiète. Elle a besoin de Hannah. Heinrich aussi, et Hannah se sent déchirée entre ses deux amours. À Heinrich, elle écrit comme pour s'excuser : « Mais que faire ? Depuis que je suis au monde, elle m'a tout rendu possible. Que dois-je faire[82] ? » On ne peut qu'être frappé par ces temps de séparation, longs et répétitifs, qui marquent le début de leur vie de couple. Elle tente de se faire pardonner ses absences en lui écrivant souvent.

Entre deux réunions politiques, Heinrich passe ses nuits à jouer aux échecs avec Walter Benjamin. Ils assistent, tous deux désespérés, au Congrès de philosophie où la délégation allemande, représentée par Alfred Baeumler, philosophe devenu, à l'image d'Ernst Krieck et Martin Heidegger, chantre officiel de Hitler, respire la pourriture nazie. « Son attitude copie celle de Hitler jusque dans le détail, et sa nuque de lard est le complément parfait d'un canon de revolver[83] », écrit Benjamin à Scholem.

Hannah apprend, de Genève, le 18 septembre 1937, que les démarches qu'elle a entreprises pour divorcer de Günther viennent d'aboutir[84]. Elle est heureuse d'être enfin libre, de retrouver son nom. Heinrich l'appelle désormais « ma femme » : « Tu es le tout de mon amour, un tout qui comprend tout cet amour. » Lui-même vient d'entreprendre la même démarche. Il rêve de se marier avec elle et d'avoir un enfant. « Tu es mienne, je suis à toi, et ceci dans un éternel aller-retour du mélange des âmes, jusqu'à ce que, de notre enfant, nous ne puissions plus dire qui a donné quoi[85]. » Fin octobre, à son retour de Genève, Hannah assiste à Paris, en sa compagnie, aux représentations des *Fusils de la mère Carrar* de Bertolt Brecht. En novembre, le couple aide Benjamin, obligé de quitter sa chambre au Quartier latin parce qu'il n'a plus un sou, à déménager. « Benji », surnom affectueux que lui a donné Hannah, a réussi à trouver un logement gratuit en banlieue, une sorte de couloir, au rez-de-chaussée d'un immeuble construit aux abords d'une des principales sorties de Paris. Au milieu du vacarme des camions, il écrit son *Baudelaire*[86] la nuit et, le jour, se réfugie à la Bibliothèque nationale où l'attend Georges Bataille, qui le protège, l'aide et l'accompagne de sa chaude amitié[87].

Début mars 1938, Hannah, Heinrich et Benji retrouvent Gershom Scholem qui passe quelques jours à Paris avant de rejoindre New York pour un cycle de conférences. Leur état d'esprit est sombre et la situation politique des quinze mille réfugiés allemands à Paris de plus en plus difficile : la fin du gouvernement du Front populaire, l'échec du projet d'unir les Juifs parisiens pour venir au secours des Juifs exilés, tout les incite à penser que l'action politique, en plus d'être illégale, est inutile. Après l'annexion de l'Autriche par Hitler, le 13 mars, une masse importante de réfugiés arrive à Paris. Par peur des représailles, la communauté juive ne dénonce pas l'*Anschluss*. Hannah soutient la Fédération des sociétés juives de France, qui en appelle à la Société des Nations et se joint au groupe qui dans *Samedi*, nouveau périodique juif qui prend la relève de *Vendredi*, dénonce la lâcheté du gouvernement français. Depuis peu, les étrangers entrés illégalement sur le territoire ne peuvent plus ouvrir d'entreprises, travailler dans des commerces, et ceux qui n'ont pas de permis de travail sont désormais passibles d'expulsion.

Pour la première fois, Benjamin évoque l'hypothèse du suicide et se sent de plus en plus isolé des écrivains français qui le laissent tomber. Céline publie *Bagatelles pour un massacre* aux éditions Denoël. Dans la *NRF* d'avril, Gide estime que Céline, en dépit de son génie, remue là les passions banales avec un cynisme et une désinvolture inexcusables. La presse vomit tous les jours sur les Juifs et Satan mène le bal.

Des centaines de réfugiés allemands sont emprisonnés, d'autres, contraints par les autorités françaises au rapatriement, choisissent de se suicider. Toute aide qu'on peut leur apporter est désormais passible de condamnation. Interdiction leur est faite de se déplacer. Des réfugiés « suspects » sont assignés à résidence en province lors de la venue du ministre des Affaires étrangères du Reich, Joachim von Ribbentrop, à Paris. Après les accords de Munich, le 29 septembre 1938, reçus par les réfugiés comme une véritable capitulation des démocraties face à Hitler, la pratique du droit d'asile atteint en France sa limitation la plus extrême. Le ton de la presse de droite se fait de plus en plus antisémite. Les émigrés « complotent contre l'Allemagne » et forment la fameuse « cinquième colonne ».

Le 7 novembre 1938, Ernst vom Rath, troisième secrétaire à l'ambassade d'Allemagne à Paris, est assassiné par Herschel Grynszpan. Quelques heures plus tard, en Allemagne, c'est la nuit de Cristal : les nazis brûlent les synagogues, attaquent et pillent les maisons des Juifs allemands et arrêtent des milliers de Juifs. Silence du gouvernement français. Stupeur mais silence aussi dans la communauté juive française. L'Allemagne nazie a pourtant déclaré la guerre aux Juifs, à tous les Juifs.

La nuit de Cristal décide la mère de Hannah à quitter Königsberg pour rejoindre sa fille. L'oncle paternel de Hannah, Martin Beerwald, vient d'être tué par les nazis. De son côté, sa nièce Eva vient d'émigrer en Grande-Bretagne grâce à Hannah. Martha se sépare de son mari, qui ne souhaite pas quitter sa ville. Elle ne réussit pas non plus à convaincre sa sœur Margarethe de rejoindre son fils, Ernst, en Palestine. Celle-ci mourra dans un camp de concentration. Martha débarque à Paris chez Hannah et Heinrich, qui habitent désormais rue de la Convention. Elle vient de franchir la frontière avec des pièces d'or maquillées en bouton, qui seront bien utiles au couple pour boucler les fins de mois...

En janvier 1939, l'Agence juive déménage en Grande-Bretagne. Hannah se retrouve sans travail. Elle voit souvent Benjamin, qui se montre de plus en plus désespéré, et ne trouve d'apaisement que dans sa lecture de Franz Kafka. Dans l'œuvre de Kafka existe un chemin pour celles et ceux qui ont résolu de ne pas fermer les yeux sur l'essentiel. Kafka comme espoir infini ? Oui, mais comment continuer à survivre ? Comment trouver une source de lumière, un petit souffle de sérénité, juste un peu d'air pour continuer à respirer ? Comment ne pas sombrer dans le désespoir sans perdre son honneur ? Comment fait-on pour refuser d'être comme « un monsieur distingué échouant dans un bistrot de troisième ordre qui renonce pudiquement à essuyer son verre[88] » ?

Benjamin vit comme un clochard. Comme il l'avoue à Scholem, il est physiquement et intellectuellement épuisé, en pleine dépression. Il n'a plus d'abri, même plus sa bibliothèque, son seul terrier, son unique radeau. Il n'en peut plus. Seule demeure l'amitié comme remède à la solitude. Hannah est son amie. Elle lui remet son manuscrit sur Rahel Varnhagen. Il lit le texte en une nuit et, enthousiaste, l'envoie à Gershom Scholem, le 20 février 1939, avec ce mot d'accompagnement : « Ce livre m'a fait une grosse impression. Il nage par brasses puissantes à contre-courant d'une judaïstique édifiante et apologétique. Tu sais mieux que personne que tout ce qu'on pouvait lire jusqu'à ce jour sur "les Juifs dans la littérature allemande" se laissait justement pousser par ce courant[89]. »

Walter Benjamin va mal, de plus en plus mal. Hannah est là, fidèle, aimante, proche, voulant le sauver. Le vent de l'espérance est aussi clairsemé que celui de ce froid printemps de 1939 dans les rues de Paris. Benjamin écrit à Scholem : « Je suis tombé ici à Paris sur quelqu'un s'intéressant à moi jusqu'à vouloir m'aider, Hannah Arendt. Il n'est pas encore sûr que ses efforts aboutissent à quelque résultat[90]. » Hannah active tous ses réseaux mais n'arrive à rien pour tenter de lui venir en aide. Brecht cherche à partir pour la Suède, Benjamin préférerait les États-Unis. L'attente crée en lui la sensation qu'il vit une véritable noyade.

Quatre mois après l'arrivée de Martha à Paris, la guerre est déclarée. Le gouvernement français décide d'interner tous les citoyens allemands, ainsi que tous les réfugiés venus d'Allemagne. Blücher est arrêté. Benjamin aussi. À son amie de cœur, Margaret Steffin, il écrit : « Écoutez ceci : la société viennoise de gaz a cessé toute livraison de gaz aux Juifs. L'utilisation du gaz par la population juive entraînait des pertes pour la société parce que les plus forts consommateurs justement ne réglaient pas leurs factures. Les Juifs recouraient de préférence au gaz pour se suicider[91]. »

VI

PARIA

Les camps de la honte

Ils tenaient la France pour le pays de la justice, de l'égalité, de la fraternité. Ils avaient vécu l'exil comme une obligation de survie, une possibilité de lutte et de résistance contre le nazisme, un déchirement aussi. Brecht l'a exprimé, au nom de tous, dans un de ses poèmes :

Nous sommes expulsés, nous sommes des proscrits
Et le pays qui nous reçut ne sera pas un foyer mais l'exil[1].

Le traitement infligé aux réfugiés allemands en France figure depuis peu dans les livres d'histoire. Il constitue une sorte de trou noir, une zone d'effacement de la mémoire collective. Une fois la guerre déclarée, le 3 septembre, ces émigrés deviennent du jour au lendemain des ressortissants d'une puissance ennemie. Ils ont vingt jours pour se présenter au commissariat de leur résidence. Sur les colonnes Morris, de grandes affiches les invitent à le faire au plus vite. Ceux qui tardent seront arrêtés.

Deux policiers arrivent ainsi chez un réfugié antinazi. « Suivez-nous, c'est pour une vérification. [...] Prenez donc un pull-over. Les nuits sont fraîches. Emportez aussi une couverture, une fourchette, une cuillère. » Cet homme a déjà entendu ce genre de conseils. Ce sont ceux dont on a gratifié son père quand les nazis sont venus le chercher à Berlin[2]. Il s'appelle Claude Vernier. Sans nouvelle de son père, face à la montée du péril nazi, il a choisi la France comme terre d'asile et havre de paix. Il sera embarqué *manu militari* pour le stade de Colombes, où Heinrich Blücher se trouve déjà en compagnie de Walter Benjamin et de plus de vingt mille autres réfugiés. Ils ont droit à une fourchette et un couteau. La plupart pensent qu'ils vont y rester quelques heures.

À Hannah, Heinrich écrit : « J'ai trouvé ici tous les copains y compris le malheureux Benji. » Certes les nuits sont fraîches, mais il pense à elle en regardant les étoiles. Il se montre rassurant : « Tous les militaires et les agents sont pleins de gentillesse. Il ne manque rien sauf mon couteau, mon briquet et toutes mes allumettes. » Il ne sait rien : Y aura-t-il permission de visite, possibilité d'envois de paquets ? « [...] foule énorme, conditions précaires, ma petite, fais de ton mieux, je vais le faire aussi[3]. »

La solidarité s'installe. Les plus vaillants s'occupent des plus faibles, leur donnent des couvertures, se chargent de la corvée d'eau, parlent sans s'arrêter pour leur remonter le moral. Si Heinrich est porté par la force de son amour et son désir de se marier — ils viennent de déposer aux autorités françaises leur demande —, Benjamin, fatigué, déprimé, réagit mal psychologiquement et physiquement.

À Adrienne Monnier, son amie qui l'a toujours soutenu et l'a hébergé dans sa librairie, il écrit : « Nous tous, nous nous trouvons frappés avec la même vigueur par l'horrible catastrophe. Espérons que les témoins et les témoignages de la civilisation européenne et de l'esprit français survivent à la fureur sanglante de Hitler[4]. »

Dans le stade de Colombes, plus de vingt mille personnes vivent dans des conditions difficiles. Certains sont entassés debout, dans les virages, d'autres campent dans les tribunes. Les chanceux, comme Heinrich et Benji, se font une place sur la pelouse. Matin, midi et soir, on leur donne du pain et du pâté. Les installations sanitaires du stade étant fermées à clef, il faut se mettre à deux pour permettre aux plus âgés de monter sur des tonneaux à bord tranchant pour satisfaire leurs besoins. Interdiction de se laver. Impossible de se changer puisque les colis ne sont pas remis.

Seuls les hommes, parmi les réfugiés, ont été arrêtés. Par des camarades d'exil, Hannah apprend où est enfermé Heinrich. Elle apporte des lainages, des boîtes de sardines, et reste des heures entières avec ses camarades. Des milliers de conserves et de tablettes de chocolat, des centaines d'écharpes de laine seront déposées aux portes du stade et jamais distribuées. Le soir, pour se réchauffer, Heinrich chante avec les copains *La Marseillaise* dans les allées cendrées. Interdiction est faite aux médecins réfugiés de soigner leurs compagnons de détention. La nuit, ils tentent de dormir, surveillés à la lampe torche par des gardes mobiles qui les frappent à coups de crosse à la moindre protestation.

Le 18 septembre, Heinrich est envoyé dans le Loir-et-Cher dans le camp de rassemblement de Villemalard, avec entre autres ses amis Peter Huber et Erich Cohn-Bendit. Il peut écrire à Hannah. « C'est pas pour le grand voyage. Pour une fois ça ira. » Il a le droit de recevoir un paquet. Elle lui enverra une malle de chandails, de livres et deux pipes. Elle s'inquiète de l'état de santé de Heinrich, lequel tente, dans son mauvais français, de la rassurer : « Je ne suis pas bavard parce ce qu'il n'y a pas lieu en temps de guerre pour la bavarderie. Surtout il ne faut pas faire tant de bruit de soi-même[5]. » Il ne lui parle ni de son séjour à Blois et de leur installation précaire dans les roulottes du cirque Amar, ni des nuits sous la pluie dans les bottes de foin. Il ne lui raconte pas sa rage d'être enfermé dans ce camp où ils vivent dans un état de complète passivité. Il n'évoque pas les insultes de ses gardiens, qui considèrent ces réfugiés allemands comme des ennemis vaincus. Il lui cache le désespoir qui le saisit, lui et ses camarades, émigrés politiques, Juifs, antifascistes sans parti, combattants de la guerre d'Espagne, évadés de Dachau, devant l'attitude de la France. Il ne s'étend pas sur ce froid qui commence à habiter son corps, sa fatigue à aller, chaque matin, dans des champs gelés, encadré par des militaires, arracher les betteraves. Il préfère évoquer la beauté du paysage, lui dire qu'il travaille sur Descartes, sur Kant. Malgré tous ses efforts, Hannah ne peut obtenir de droit de visite, au contraire d'Anne Weil, sa meilleure amie, qui vient d'obtenir la nationalité française. Mais elle se bat avec tant d'obstination qu'elle finit elle aussi par obtenir l'autorisation de le voir. Le dimanche 15 octobre, elle prend le train pour Blois, puis arrive à Villemalard. Enfin. Hannah et Heinrich tombent dans les bras l'un de l'autre.

Cette visite donne des forces à Heinrich, de plus en plus malade, en proie à des crises de coliques néphrétiques. Ses lettres, empreintes de courage et de fatalité, impressionnent par leur modestie et leur profondeur. Au lieu de gémir, il se porte au secours des plus démunis, soigne son ami Alfred Cohn, se plonge dans les œuvres de Kant sur la morale, conforte ses camarades.

Arthur Koestler est interné au camp du Vernet, en Ariège, Walter Benjamin au camp de Saint-Joseph, près de Nevers, les écrivains Alfred Kantorowicz et Lion Feuchtwanger au camp des Milles, d'autres exilés allemands antifascistes à Saint-Cyprien, Anglès, Gurs, Rieucrois, Villerbon, Montargis, Montbard, Saint-Julien... En novembre 1939, dix-huit à vingt mille hommes sont enfermés dans des camps français au seul prétexte de leur nationalité allemande. Les ennemis les plus farouches de Hitler et du nazisme sont internés parce que la guerre a été déclarée... au dictateur. Tous veulent pourtant le combattre, mais la France ne les autorisera pas à rejoindre les rangs de son armée. Réquisitionnés dans l'urgence, les camps relèvent d'ailleurs du ministère de la Guerre. Aucun n'est destiné à accueillir pendant si longtemps autant de personnes arrivées dans un état de dénuement extrême.

À Villemalard, il n'y a ni électricité ni chauffage. Heinrich, toujours aussi digne, n'évoque pas la dégradation de ses conditions de vie. Tout juste dit-il qu'il fait froid. Avec un peu de chance, écrit-il à Hannah, le beau temps reviendra avec la lune croissante. Il trouve de la force dans leur amour : « Je vois encore dans la lumière de tes yeux le reflet de ce temps et je le sais aussi dans les miens[6]. » L'hiver arrive. Les maladies se multiplient : tuberculose, fièvres, troubles cardiaques. On ne sait pas encore aujourd'hui combien de réfugiés, hommes, femmes, enfants, sont morts dans ces camps. Les recherches, initiées par Gilbert Badia et Denis Peschanski, ne font que commencer[7]. Elles révèlent déjà les conditions dramatiques qui étaient celles de ces camps de la honte qui, pour les plus importants comme ceux du Vernet, de Gurs ou de Saint-Cyprien, avaient été créés pour recevoir les combattants et les réfugiés de l'Espagne républicaine vaincue. Ils dorment à deux cents dans des baraquements insalubres, sans couverture, sur de la paille humide infestée de vermine. Les « intellectuels » sont plus particulièrement affectés aux corvées de latrines. Dans leurs Mémoires, certains affirmeront que ces camps supportaient la comparaison avec Dachau et Buchenwald[8].

Heinrich attend l'arrivée d'une commission de criblage, qui doit répartir les étrangers en plusieurs catégories, et espère pouvoir sortir. À Paris, Jules Romains, Paul Valéry, Adrienne Monnier, entre autres, s'agitent pour essayer de les faire sortir. Le Pen Club aussi, qui réussit à faire libérer Alfred Cohn pour cause de maladie. Par décision ministérielle, et grâce à l'opiniâtreté d'Adrienne Monnier, Benji quitte le camp des « travailleurs volontaires » de Nevers fin novembre. Caché à Lourdes, il se réfugie dans ses rêves et aspire à être enterré dans un sarcophage de mousse[9]. Comme tant d'autres, il enrage de ne pas être plus utile aux adversaires de Hitler. Le Congrès juif mondial s'organise à son tour pour porter secours aux prisonniers, alors que Hannah n'a plus le droit de voir Heinrich. Début novembre, elle obtient néanmoins, par un passe-droit, qu'une de ses amies, Juliette Stern, lui rende visite. Celle-ci lui apporte un sac de couchage et une pleine malle de nourritures. Heinrich partage tout avec ses camarades. Il demande à Juliette de dire à Hannah que tout va bien, alors qu'il souffre terriblement des reins et traverse une période de grave désarroi.

Hannah s'efforce toujours de le faire libérer. Elle débarque à son tour à Villemalard dans la seconde semaine de novembre, et tente d'intercéder auprès des autorités. Déception. Seuls sont autorisés à sortir les Allemands mariés à des Françaises. Hannah essaie alors d'inscrire Heinrich sur la liste des malades, mais ce dernier s'y oppose. Il veut combattre. À cinq reprises, il a signé des papiers attestant sa volonté de remplir ses devoirs militaires envers la France. Il en a le droit puisqu'il bénéficie du droit d'asile. « J'espère que notre sort sera décidé par le gouvernement. » Il calme l'impatience et l'angoisse de Hannah. « Je t'aime, mon cœur, je t'aime, je ne sais plus dire comment[10]. » Hannah va de faux espoirs en déceptions. Le commandant du camp libère les mutilés, pas les malades. De plus en plus faible, Heinrich est hospitalisé à l'infirmerie alors que les rumeurs les plus folles circulent dans les baraquements. L'une d'elles rapporte que les hommes de plus de quarante ans pourraient être libérés et affectés à des travaux d'utilité publique pour le ministère de la Défense nationale. Heinrich croise les doigts. Il a quarante ans depuis dix mois et cela le sauvera.

Le 15 janvier 1940, une minorité de réfugiés allemands et autrichiens sont libérés pour cause d'« inaptitude médicale aux camps ». Mais la libération d'un réfugié ne signifie pas forcément sa mise en liberté. Certains, qui ne sont pas considérés comme des civils par le gouvernement français en guerre, sont renvoyés dans d'autres camps en tant qu'« étrangers dangereux et indésirables ».

Grâce à une étude portant sur les camps d'internement[11] de septembre 1939 à mai 1940, on sait que, sur les deux cent cinquante-quatre Allemands internés à Villemalard en décembre 1939, quatorze seulement furent libérés début 1940. Heinrich est l'un d'eux. En principe, ces « libérés » pouvaient rejoindre leur lieu de résidence antérieure. En principe seulement, car les militants communistes, les suspects du point de vue national et les « étrangers dangereux et indésirables » sont transférés dans un autre camp. Heinrich, pourtant passible de ces trois chefs d'accusation, échappe à un nouvel emprisonnement et arrive sain et sauf à Paris où l'attendent Hannah et Martha.

La première sortie de Heinrich est pour la mairie. Accompagné de Hannah, il présente ses papiers attestant son divorce et demande l'autorisation de se marier. La cérémonie a lieu le 16 janvier 1940 à la mairie du XVe arrondissement. Sans chichis, et avec une certaine gravité, Hannah et Heinrich se marient juste à temps pour bénéficier du certificat de mariage des réfugiés. Deux mois plus tard, l'administration parisienne refusera de le leur délivrer. Un drame puisque ce document était indispensable pour obtenir ensuite le précieux *emergency visa*, le « visa d'urgence » américain.

Hannah et Heinrich reprennent ensemble leur vie faite d'incertitude et de précarité, et courent à chaque instant le risque d'être de nouveau arrêtés. Pour tenter de l'éviter, ils décident de se mettre sous la protection du *Joint Committee*, qui finance en France la plupart des organisations de secours juives, et s'est fixé comme but de secourir les populations juives en Europe. Ils espèrent, grâce à l'intervention d'Adrienne Monnier, qui connaît un fonctionnaire important au Quai d'Orsay, quitter le territoire français et partir pour les États-Unis.

Dès la fin janvier, en vue de leur prochain départ, Hannah prend avec Heinrich et Benji des cours particuliers d'anglais. Ils s'inscrivent également sur la liste de l'*Emergency Rescue Committee* qui s'efforce de venir en aide à des intellectuels antifascistes en tentant l'obtention d'un visa d'urgence. Désormais, il ne suffit plus de franchir les chicanes administratives pour l'obtenir ; il faut encore bénéficier de lettres de recommandation, d'une attestation de ressources, et de la chance d'être inscrit sur la liste des visas hors quota ou d'appartenir à la catégorie des « non-immigrants » ! Heinrich et Hannah lisent *Lumière d'août* de Faulkner et le *Journal* de Gide. Ils espèrent chaque jour pouvoir partir et quitter la France où ils sont de plus en plus indésirables, et où leur situation ne cesse de s'aggraver.

La fuite

Le 5 mai 1940, cinq jours avant l'offensive allemande contre la France, ils apprennent par les journaux que le gouverneur général de Paris ordonne à tous les réfugiés allemands de dix-sept à cinquante-cinq ans, hommes et femmes, originaires d'Allemagne ou de Dantzig, de se faire connaître. Les hommes sont conduits à la caserne des Invalides pour être emmenés, le 14 mai, au stade Buffalo. Les femmes le lendemain au Vélodrome d'Hiver.

Hannah laisse sa mère, qui a dépassé l'âge limite, dans l'appartement de la rue de la Convention et prend le métro pour se rendre au Vel' d'Hiv. Elle y restera une semaine, dormant sur une paillasse dans les gradins, auprès de la maîtresse de Fritz Fränkel, Franze Neumann, et de deux autres femmes : on isole les détenues par groupes de quatre pour éviter les mouvements de foule. Parfois, un avion militaire survole la verrière du bâtiment. Des femmes deviennent hystériques. Avec deux cent cinquante internées, Hannah choisit Lotte Eisner comme déléguée pour parlementer avec les officiers français des problèmes de nourriture et d'hygiène. Hannah se porte au secours de toutes ces femmes qui pleurent, sans nouvelles de leurs amis, de leurs maris. Kaethe Hirsch, une de ses amies, confirmera la nervosité collective, l'absence d'informations de l'extérieur. Le 23 mai, des soldats français les transportent en autobus jusqu'à la gare de Lyon. On les insulte : « Ah ! La cinquième colonne. Hitler vous paye bien[12] ? »

Au stade parisien de Buffalo, Heinrich se retrouve enfermé avec trois mille réfugiés. Des tracts, introduits clandestinement, les informent que le gouvernement français veut les transférer dans des camps du sud de la France. Quelques jours plus tard, par groupes de cent, ils sont emmenés en camion hors de la capitale, sous une sévère surveillance policière. Blücher se retrouve dans un camp d'internement qui sera évacué quand les Allemands entreront dans Paris.

De son côté, Hannah est embarquée dans un train, en direction de Gurs. Il fait horriblement chaud. Les femmes ont soif. À leur arrivée, un scout veut leur donner de l'eau. Une sœur de la Croix-Rouge intervient : « Ne donnez pas d'eau à ces gens-là. Ce sont des gens de la cinquième colonne[13]. »

Hannah arrive à Gurs le 23 juin 1940, le lendemain de l'armistice. Le camp compte alors neuf mille deux cent quatre-vingt-trois détenues. Les conditions d'hébergement sont rudes et les baraques déjà dégradées. Le camp se transforme en bourbier à la première pluie. Condamnées à vivre dans cet environnement, des détenues s'organisent et créent des coopératives d'entraide pour échanger leurs vivres, leurs vêtements et leurs savoir-faire. Hannah participe à cet élan de courage et de solidarité et donne toutes ses forces à ce combat collectif des prisonnières. Elle lutte, comme elle le peut, contre la saleté, la misère, l'humiliation. Les détenues sont parquées dans des îlots par groupe de soixante. Son amie Lotte Eisner se trouve dans l'îlot 3, où tous les soirs l'officier responsable vient, avec un fouet, chercher la plus jolie fille. En échange de ses faveurs, il lui donne à manger.

Les responsables de cantine obtiennent bientôt une autorisation quotidienne de sortie par îlot pour aller acheter du lait chez des paysans des environs. Hannah fait partie de celles qui se battent pour de meilleures conditions matérielles et luttent auprès de leurs gardiens pour obtenir un minimum d'hygiène. Elle rejoint un collectif de femmes qui organise des cours d'histoire et de langue. Dans les baraques, chacune aménage son coin du mieux qu'elle peut : elles n'ont pas le droit de se changer et la paille qui sert de litière, vite sale et humide, n'est pas renouvelée. La saleté régnant dans le camp oblige les femmes à conserver la nuit leurs vêtements de jour. De toute façon, elles sont arrivées sans rien et ne peuvent rien se procurer à l'intérieur du camp. Elles ont droit à une douche tous les quinze jours. Dans cet enfer de Gurs, qui l'habitera à tout jamais, Hannah estimera plus tard, en 1941, dans une correspondance inédite[14], avoir tous les jours côtoyé la mort et sérieusement songé à se suicider. Vingt-cinq personnes mouraient là quotidiennement, quatre mille enfants tentaient d'y subsister aux côtés des neuf mille femmes et des mille cinq cents hommes de plus de soixante-dix ans, eux aussi soumis à des conditions effroyables.

Confrontée à cet enfer quotidien, Hannah ne cédera pas au désespoir. Au contraire, elle s'engage de plus en plus dans l'action collective et proteste avec ses compagnes d'infortune auprès des soldats français, postés devant la double barrière de barbelés qui les dissuade de toute velléité de fuite, contre cet internement abusif. Elle continue à lutter, malgré la certitude qui l'habite : la France les a enfermés pour les laisser mourir. Comme l'écrira une de ses codétenues, Hanna Schramm : « Nous avions perdu notre passé, nous n'avions plus de patrie, sur notre avenir était suspendu un nuage noir : l'ombre menaçante de la victoire de Hitler[15]. » La lutte collective se transformera en un violent courage de vivre, et donnera à Hannah un optimisme insensé qui renforcera son désir de chercher à s'enfuir du cloaque[16].

La Gestapo entre début juillet 1940 dans le camp. Elle vient y chercher les rares internées nazies. Une Allemande d'origine juive prend à part un officier pour lui demander des nouvelles de sa chère Allemagne, et se plaint auprès de lui de la mauvaise nourriture française. La Gestapo n'emmena ce jour-là que celles qui demandaient à retourner en Allemagne, mais elle revint chaque jour chercher des émigrées pour les emprisonner.

Hannah convainc ses camarades de rester mobilisées. Le pire piège est de s'asseoir par terre et de ne plus rien faire, de s'apitoyer sur son sort et de ne pas garder l'espoir de fuir. L'occasion va se présenter, en effet, après le 20 juillet, comme elle le racontera en 1962 au magazine américain *Midstream* : « Quelques semaines après notre arrivée au camp, la France était battue et toutes les communications interrompues. Dans le chaos qui suivit, nous parvînmes à mettre la main sur des papiers de libération grâce auxquels nous fûmes en mesure de quitter le camp[17]. » Ce moment de battement ne dura que quelques jours. Ensuite, tout redevint comme avant, et les possibilités d'évasion quasi impossibles.

Hannah, qui avait prévu ce retour à la normale, supplia ses camarades de saisir leur chance et de s'enfuir avec elle. « C'était une chance unique, mais qui signifiait qu'il fallait partir avec pour seul bagage une brosse à dents. » En compagnie de deux cents femmes, Hannah Arendt choisit la liberté.

Quelques mois plus tard, sous l'administration de Pétain, les camps deviennent infiniment plus dangereux que sous Daladier. Les opposants à l'Allemagne hitlérienne sont livrés à la Gestapo puis assassinés. À partir du 27 septembre 1940, les autorités allemandes édictent la première ordonnance sur le recensement des Juifs en zone occupée quelques jours avant la loi du 3 octobre 1940 du gouvernement de Vichy portant sur le statut des Juifs et définissant « la race juive », ce que ne faisait pas l'ordonnance allemande. Pleins pouvoirs sont donnés aux préfets pour interner les Juifs étrangers. Le 22 octobre, six mille cinq cent quatre Juifs sont expédiés à Gurs avec le concours des autorités françaises. Le camp d'internement, devenu camp de concentration, verra la majorité de ses internés envoyés en camp d'extermination où ils mourront entre 1942 et 1943.

Hannah s'enfuit donc de Gurs à pied avec sa brosse à dents et l'intention de rejoindre son amie Lotte Klenbort, qui avait réussi à s'échapper de Paris occupé et vivait dans une petite maison près de Montauban. La voilà sur les routes, dans cette atmosphère de débâcle, seule, sans nouvelles de son mari. Des centaines de femmes sont dans son cas. On les appelle, dans la région du Sud-Ouest, les « gursiennes ». Hannah envoie des télégrammes dans tous les camps de la France non occupée pour retrouver Heinrich, elle marche des heures, dort dans des fermes où, en échange d'un lit — elle n'a pas un sou —, elle travaille le jour dans les champs. Elle est épuisée, affolée. Toute la région vit dans un état de grande confusion : un décret préfectoral enjoint tous les anciens internés de Gurs de quitter le département des Basses-Pyrénées dans les vingt-quatre heures, sous peine d'être à nouveau emprisonnés, pendant qu'un décret de Vichy interdit à tout étranger de voyager et de quitter son domicile. Hannah est une sans-logis, une sans-papiers, une sans-argent.

Elle parvient finalement à Montauban où elle retrouve Lotte qui la soigne et la nourrit dans sa petite maison de deux pièces, à une dizaine de kilomètres de la ville, où se cachent déjà Renée Barth et sa fille, ainsi que le petit Gaby Cohn-Bendit[18]. Hannah souffre pendant quelques jours d'un fort rhumatisme dans les jambes, conséquence de sa longue marche, qui la tient alitée. Dès que ses forces reviennent, Hannah part en vélo à Montauban pour tenter d'avoir des nouvelles de Heinrich. La ville est devenue le point de convergence de tous les évadés des camps. Son maire, socialiste, opposé au gouvernement de Vichy, a décidé d'en faire une ville ouverte à tous les réfugiés, à qui il affecte tous les logements laissés vides après la débâcle.

En quelques mois, Montauban devient le refuge de tous les opposants politiques au nazisme. La ville entière organise l'entraide. Sur le sol de la place de la mairie, la municipalité installe de la paille pour accueillir les réfugiés qui ne trouvent pas de chambre chez l'habitant, et ouvre un bureau d'accueil. Les exilés se regroupent dans les cafés. Un autocar leur permet de circuler entre tous les locaux réquisitionnés à leur usage.

Où est Heinrich ? Comment faire pour le retrouver ? Hannah revient chez Lotte bredouille et désespérée. Il n'y a aucune raison de penser qu'elle puisse découvrir où est son mari. Et puis, quelques jours après, incroyable mais vrai : dans la grande rue de Montauban, les voilà qui se retrouvent comme par enchantement. À quoi tient la destinée... Ils se croisent, s'étreignent et s'enlacent au milieu de la foule. L'histoire de Hannah et de Heinrich est un roman vrai, où l'amour force le destin à s'accomplir.

Heinrich souffre d'une infection à l'oreille interne. Elle le soigne et l'héberge dans la minuscule maison où vivent déjà dans deux pièces Lotte, Renée et les deux petits. Puis ils s'installent dans un modeste studio au cœur de Montauban, au-dessus de la boutique d'un photographe. Hannah et Heinrich tentent toutes les démarches possibles pour partir aux États-Unis et relancent, à Montauban, l'antenne de l'*Emergency Rescue Committee*. Comme tant d'autres, ils s'inscrivent sur la liste pour tenter de fuir l'Europe *via* Lisbonne. Mais comment obtenir un visa d'entrée aux États-Unis ? Et comment franchir la frontière ? La liste des demandeurs, avec ou sans visa, ne cesse de s'allonger. Ils tenteront l'impossible.

De Lourdes où il est réfugié, Benjamin demande à Adorno, déjà exilé aux États-Unis, de lui procurer un papier pour le faire venir à New York comme professeur. « La totale incertitude de ce que le prochain jour, la prochaine heure apporte domine mon existence depuis plusieurs semaines[19]. » Hannah effectue la même démarche auprès de son premier mari, Günther Stern, qui vient de s'installer en Caroline du Nord. Adorno, comme Stern, envoie les papiers demandés. Rien n'y fait. Ce ne sont pas les bons. Les demandes ne sont pas agréées. Heinrich et Hannah patientent à Montauban. Elle lit Simenon, lui Kant. Un semblant de communauté s'ébauche avec d'anciens amis retrouvés : Peter Huber, interné avec

Heinrich, Erich Cohn-Bendit, ancien compagnon de Heinrich aux réunions communistes de Berlin, Anne Weil, qui avait réussi à faire sortir sa sœur de Gurs et avait loué une petite maison près de Souillac.

Montauban, ville refuge, est aussi une ville piège, où la police de Vichy vient arrêter les illégaux. Les rumeurs chez les réfugiés se font insistantes : il y aurait plus de chance de fuir l'Europe en s'installant à Marseille. Mais comment rejoindre la cité phocéenne ? De Montauban, une filière communiste leur promet un passage vers l'Espagne. Certains tentent l'Afrique du Nord. D'autres achètent à des intermédiaires véreux des visas pour l'Amérique latine. Hannah et Heinrich ne savent plus qui croire et tentent de départager les informations fiables des rumeurs sans fondement. Ils fréquentent la bibliothèque municipale où elle découvre et dévore le *Léviathan* de Hobbes. Le soir, ils retrouvent des cercles d'anciens communistes allemands. La matrice des *Origines du totalitarisme*, grand livre à venir, naîtra au cours de ces réunions.

Chaque soir, les réfugiés se retrouvent devant la poste de Montauban. Des nouvelles encourageantes provoquent de l'espoir : au consulat américain de Marseille, on délivrerait des visas pour certains réfugiés. Ils hésitent à partir, décident d'attendre. Hannah découvre Tocqueville et étudie la notion d'autonomisation de l'appareil d'État. Le soir, Heinrich, lui, développe la théorie de Marx sur le bonapartisme. Hannah travaille, élabore un début de réflexion philosophique sur la notion d'histoire.

Il y aura toujours chez eux deux, soudés qu'ils sont par l'amour de l'action et la passion de la réflexion, le même désir de penser l'événement et donc de ne pas le subir. Malgré les conditions précaires qui sont les leurs, malgré le quotidien tissé de peur et d'attente, Hannah et Heinrich tentent ensemble de comprendre, par le biais de la philosophie politique, ce qui leur arrive. Comment cette combinaison de foi collective et de terreur individuelle, sur fond d'absence totale de liberté, peut-elle créer un nouveau régime d'essence totalitaire, structurellement opposé à l'idée même de démocratie ? Dans les groupes de discussion qu'ils côtoient, chaque soir, les mêmes thèmes sont abordés : pourquoi les démocraties occidentales ont-elles abandonné la révolution espagnole ? Pourquoi ce mouvement, d'essence révolutionnaire, a-t-il été poignardé par les agents de l'Union soviétique ? Pourquoi Staline a-t-il conclu un pacte avec Hitler ? Hannah dévore Clausewitz et commence à prendre des notes pour un livre à venir sur l'impérialisme et le nazisme, une recherche qu'elle voudrait historique sur ce qu'elle appelle alors l'« impérialisme racial[20] ».

Ils survivent plus qu'ils ne vivent dans le plus grand dénuement matériel. Pois chiches et rutabagas à tous les repas, sans matière grasse, ce n'est guère appétissant. Avec de l'argent, on obtient tout : viande, laitages, vin, tabac. Mais Heinrich et Hannah n'en ont guère. Alors ils attendent. Espèrent. Patientent. Unis. Solidaires entre réfugiés. Portés par l'illusion qu'ils vont s'en sortir : « Tous ensemble pareils à des épaves que des forces incontrôlables avaient fait s'échouer dans cette petite ville de province française, nous n'arrivions pas à nous persuader que nous étions engagés sur une voie sans issue[21]. »

La collaboration entre la Gestapo et la police française se fait de plus en plus étroite. Fanny Ridner, une amie de Hannah, réfugiée qui fréquente les mêmes cafés qu'elle et qui pourtant ne fait pas de politique, mais est fiancée avec un résistant, est arrêtée en plein cœur de Montauban par la gendarmerie française. Elle est emmenée chez elle où se trouvent sa mère et sa sœur. Toutes trois doivent suivre les gendarmes, qui les remettent à la Gestapo. Elles seront finalement envoyées dans un camp de concentration. La panique s'empare de la communauté antifasciste allemande de Montauban.

En octobre, ordre est donné aux Juifs de se faire recenser dans les préfectures. Hannah et Heinrich voudraient partir mais attendent que Martha les rejoigne. Hannah entreprend de nouvelles démarches. En tant qu'ancien membre de l'*Aliyah* des jeunes, elle dit vouloir continuer son travail dans le cadre de l'organisation sioniste aux États-Unis. Elle demande à être accompagnée par son mari. Elle a besoin de son « Affidavit » : mot fétiche, talisman à la signification alors quasi mythique, ce papier signifie que deux citoyens américains se portent garant de vous et s'engagent à subvenir à vos besoins. Benjamin le demande à Horkheimer, Hannah supplie son premier mari de chercher un garant. Mais au moment où elle reçoit le papier tant attendu de Günther, elle apprend que détenir un tel sésame ne suffit plus.

Il est désormais nécessaire de posséder également le certificat de libération du camp, des papiers d'identité, mais aussi le visa de sortie du gouvernement de Vichy. Il faut donc se rendre à Marseille, aux bureaux de la préfecture. Et pour se rendre à Marseille, un permis de la gendarmerie de Montauban est nécessaire, délivré à ceux qui sont en règle... Comment obtenir la liberté alors même que, *de facto*, on est prisonnier ?

Encore une fois, Hannah prend tous les risques. Elle fait plusieurs fois le voyage à Marseille. Et obtient le visa américain. Pourtant miraculeux — sur mille cent trente-sept demandes soumises au département d'État des États-Unis, seuls deux cent trente-huit furent signés entre août et décembre 1940 —, ce document, transmis par l'*Emergency Rescue Committee* pour elle, en tant que personnalité du mouvement sioniste, et pour Blücher à titre de conjoint, ne suffit déjà plus pour leur permettre de fuir l'Europe. En plus, le gouvernement de Vichy exige désormais une autorisation de transit, que les gouvernements espagnol et portugais n'accordent qu'au compte-gouttes. Comment obtenir ces nouveaux documents ? Hannah retourne à Marseille faire la queue devant les consulats.

Marseille, ville de tous les espoirs et de toutes les solitudes. Marseille, cul-de-sac des rescapés, Marseille, cité de l'attente des antifascistes d'une Europe anéantie. Marseille, où il fallait se cacher des policiers français qui pouvaient vous expédier dans un de ces camps de la région qui se remplissaient de nouveau.

Après plusieurs voyages infructueux, Hannah décide de partir s'y installer avec Heinrich et de laisser sa mère qui, pour sa part, n'a pas encore obtenu ni l'« affidavit » ni le visa, à Montauban, chez son amie Nina Gourfinkel. À Marseille, ils retrouvent Walter Benjamin, Alma Mahler, Franz Werfel et bien d'autres. Marseille devient une gigantesque nasse où les exilés tentent de s'organiser dans l'espoir de partir pour les États-Unis. Hannah passe des journées entières au consulat, dans l'espoir d'obtenir un simple numéro de dossier. Elle entreprend des démarches afin de se procurer un visa espagnol, très rarement accordé aux émigrés allemands qu'on soupçonne d'être antifranquistes. Elle apprend que le consulat mexicain offre des visas aux anciens des Brigades internationales et aux antifascistes allemands. Elle hésite. Décide finalement de faire la queue devant le consulat portugais. Anna Seghers, dans son roman *Transit,* décrit la situation de ces réfugiés allemands épuisés, obligés de se cacher le jour de la police française dans des hôtels borgnes où l'on n'est pas très regardant sur les papiers d'identité, attendant dans des cafés sur le vieux port, au petit matin, les hommes qui vendent au noir, à des prix exorbitants, des billets de bateaux pour les États-Unis, étreints par l'espoir du départ, donc déterminés à rester pour obtenir tous les papiers. Hannah Arendt n'a rien vu de Marseille, ni les femmes qui raccommodaient les filets de pêche, ni les ouvriers solidaires des réfugiés qui organisaient des secours, ni les patrons de cafés qui mettent des baguettes de pain à leur disposition. Anna Seghers a raison : « Toutes les villes se voilent, sans qu'il y paraisse, devant ceux qui les prennent comme un lieu de passage[22]. »

Vous avez un visa ? Vous avez un permis de séjour ? Vous voulez partir ? Ces trois phrases, répétées à satiété, constituent leur vocabulaire de survie. Ceux qui, comme Hannah et Heinrich, ont un visa peuvent aller dans une banque chercher de l'argent... qu'ils n'ont pas. Un banquier véreux fait du trafic et leur vend des dollars au noir. Le temps d'obtenir les différents papiers, le bateau sur lequel on veut embarquer est déjà parti. Chaque réfugié est menacé d'être pris dans une rafle dès qu'il sort dans la rue, et nombreuses sont les arrestations dans les hôtels où ils campent, comme en témoignent les correspondances et les textes de souvenirs de ces clandestins, qui ont vécu dans le désespoir cette attente brûlante du départ.

Avertisseur d'incendie

Avec beaucoup d'émotion dans la voix et les yeux au bord des larmes, Stefan Hessel se souvient aujourd'hui de cette atmosphère de détresse. Alors âgé de vingt-trois ans, ce futur ambassadeur de France se rappelle précisément l'ambiance à la fois délétère et électrique du Marseille des antifascistes allemands. Porté par l'élan de sa jeunesse et la certitude qu'il va s'en sortir, il met au compte de l'épuisement psychique la sombre mélancolie des propos de Walter Benjamin, qu'il va rencontrer dans le petit hôtel où il se cache. Pour Stefan Hessel, Marseille est une plaque tournante où l'hypothèse de la liberté peut concrètement s'incarner. Son père et sa mère, réfugiés à Sanary, viennent le rejoindre à Marseille grâce à la bonne étoile de Varian Fry, chargé par le gouvernement américain de venir en aide aux intellectuels menacés par la Gestapo et qui, fort de son courage et de son intelligence, sauvera des centaines d'antifascistes allemands de la mort, avec l'appui d'un réseau qui passe par le Portugal. Fry lui donne l'adresse de Benjamin, qu'il connaît depuis l'enfance et pour lequel il éprouve une immense admiration. Il tente de lui expliquer les raisons de sa confiance, de lui redonner espoir, l'assure de la fiabilité du réseau de Fry ; mais Walter Benjamin a déjà décidé de tenter le passage de la frontière franco-espagnole par les Pyrénées-Orientales.

Il s'y était préparé physiquement — un historien espagnol a récemment pu révéler que Benjamin avait repéré les lieux la veille de son dernier voyage à travers champs, jusqu'au point de passage —, mais il vit depuis des années dans un état de désespoir profond, habité par la certitude qu'il est de trop sur cette planète. Aux encouragements du jeune Stefan Hessel, qui croit à la victoire de la liberté, Walter Benjamin répond : « Certes, certes, mais là n'est pas le problème. Nous sommes au point le plus bas de la démocratie dans le monde. La France croit en Pétain. Partout c'est la guerre. L'Allemagne est vainqueur sur tous les fronts. La Grande-Bretagne ne sera pas capable de s'opposer seule. Quel espoir encore puis-je avoir de faire connaître mes idées ? Même des amis comme Horkheimer et Adorno qui m'aident à m'enfuir ne semblent pas avoir besoin de mes réflexions[23]. »

Hannah, qui, déjà à Paris, puis à Lourdes et maintenant à Marseille, n'a eu de cesse de le réconforter, de façon très maternelle mais aussi en parlant longuement avec lui, confiait à

Gershom Scholem : « Je suis en grand souci de Benjamin. J'avais essayé de lui procurer quelque chose ici mais j'ai lamentablement échoué. Cependant je suis plus convaincue que jamais de la nécessité de l'aider, afin qu'il puisse mener à bien la suite de ses travaux[24]. » À Marseille, Walter Benjamin confie à Hannah Arendt ses angoisses sur les conséquences du pacte germano-soviétique. Amaigri, il parle à plusieurs reprises de son désir d'en finir. Hannah lui redit son admiration, et lui demande de lire à haute voix ses thèses sur le « concept d'histoire », réponse poétique et politique aux sombres temps, traité philosophique aux postulats nouveaux, formulés, comme le dira Scholem, en vue de placer le matérialisme historique sous la protection de la théologie.

La suite, on la connaît par le témoignage de Mme Gurland, de son fils et de Lisa Fittko[25], qui firent avec lui le trajet depuis Marseille jusqu'à la frontière espagnole. La veille, ils partent en repérage. Au tiers du trajet, Benjamin décide de dormir à la belle étoile et d'attendre que ses compagnons d'infortune viennent le rechercher. Le lendemain matin, il les attend, les yeux cernés, une lourde sacoche à la main. Ils reprennent le chemin des crêtes, la route Lister, le chemin des contrebandiers. Vignobles escarpés. Pentes verticales. Benjamin s'arrête toutes les dix minutes pour reprendre son souffle. Le voyage se termine par dix heures de marche ininterrompue, dix heures d'efforts atroces en terrain inconnu, dix heures d'enfer pour Benjamin qui souffre de problèmes cardiaques. Il faut parfois se mettre à quatre pattes pour avancer. Le soir, lorsque Benjamin arrive à Port-Bou en compagnie de Mme Gurland et de son fils, il se rend à la gendarmerie espagnole pour obtenir le cachet ayant valeur de visa d'entrée. On leur dit qu'un décret vient d'être promulgué pour empêcher les personnes sans nationalité de passer la frontière. Les femmes pleurent, supplient. On leur permet de passer la nuit à l'hôtel, soi-disant sous surveillance. On les raccompagnera le lendemain matin à la frontière française. Pour Benjamin, le retour en France signifie l'internement immédiat dans un camp. « Nous gagnâmes donc nos chambres tous assez désespérés », racontera Mme Gurland. Au petit matin, Benjamin demande à parler à cette dernière. Il lui dit que la veille, vers dix heures du soir, il a pris de grandes quantités de morphine, et qu'il faut présenter cela comme un accès de maladie. Puis il perd connaissance. Le médecin conclut à une apoplexie foudroyante[26].

C'était le 26 septembre 1940. Comme l'écrira Hannah dans son texte d'hommage à Benjamin, publié en 1971 en Allemagne : « Un jour plus tôt, Benjamin serait passé sans difficulté, un jour plus tard, à Marseille, on aurait su qu'il n'était pas possible à ce moment de passer en Espagne. C'est seulement ce jour-là que la catastrophe était possible[27]. »

La veille, à Marseille, Benjamin avait confié à Hannah Arendt ses derniers textes manuscrits, dont les thèses sur le concept d'histoire, en vue d'une publication à New York, par l'Institut des sciences sociales. Depuis leur départ forcé de Paris, et malgré l'exode, la débâcle, les changements d'adresse, ils n'ont jamais coupé le fil de leur amitié fécondante, vitale, sans concessions, et n'ont cessé de correspondre. À elle, il pouvait tout dire : ses périodes d'abattement, mais aussi les espoirs de se ressourcer de nouveau grâce à Kafka, Baudelaire, cette sensation de posséder le monde parce que avec des livres on le comprend enfin. Une des dernières lettres de Walter Benjamin est adressée à Hannah : « Je serais plongé dans un cafard plus noir encore que celui qui me tient à présent si, tout dépourvu que je sois de livres, je n'avais pas trouvé dans ma mémoire la seule maxime qui s'applique magnifiquement à ma condition actuelle : "Sa paresse l'a soutenu avec gloire, durant plusieurs années, dans l'obscurité d'une vie errante et cachée" (La Rochefoucauld parlant de Retz[28]). »

Pourquoi le médecin de Port-Bou n'a-t-il pas tenté de le sauver ? Pourquoi le permis d'inhumer n'a-t-il pas été délivré ? Pourquoi son nom ne figure-t-il pas dans le registre des défunts ? Pourquoi a-t-il été enterré dans la fosse commune ?

Pour son ami disparu, Hannah composa ce poème intitulé « W. B. » :

Un jour le crépuscule reviendra,
La nuit tombera des étoiles
Nous reposerons nos membres disloqués,

Près d'ici, loin d'ici.
Dans les ténèbres on entend
Poindre de douces mélodies
Écoutons bien, perdons nos habitudes,
Brisons enfin les rangs.
Voix lointaines, chagrin proche :
La voix de chacun des morts,
Qui nous précède, messager envoyé
Pour nous conduire au sommeil[29].

À Marseille, chaque exilé s'attend à être arrêté du jour au lendemain. Hannah y échappera de peu. Comme lors de sa première arrestation en Allemagne, elle saura, avec cette acuité de comportement qui la caractérise, affronter l'adversaire en lui mentant. Blücher reçoit un message dans sa chambre d'hôtel de Marseille. On lui demande de descendre dans le hall où quelqu'un veut le voir. Hannah pense immédiatement à un piège, elle a l'intuition que la police est à leurs trousses.

Heinrich part discrètement le premier, par la porte de derrière, dans le café d'à côté, Hannah descend à la réception payer la note. Quand le réceptionniste demande à Hannah si son mari est dans la chambre, elle se met à hurler qu'il est déjà à la préfecture et qu'elle le tient pour responsable de complicité avec la police. Le soir même, le couple s'enfuit de Marseille. Pour où ? On perd leur trace. On sait qu'ils profitent d'un bref relâchement de la politique de Vichy vis-à-vis de l'autorisation de sortie des étrangers et prennent un train pour Lisbonne. Dans leur valise, les manuscrits de Walter Benjamin.

« On raconte qu'il aurait existé un automate qui, construit de façon à parer n'importe quel coup d'un joueur d'échecs, devait nécessairement gagner la partie. Le joueur automatique aurait été une poupée, affublée d'un habit turc, installée dans un fauteuil, la bouche garnie d'un narghilé. L'échiquier occupait une table dotée d'une installation intérieure qu'un jeu de miroirs savamment agencés rendait invisible aux spectateurs. L'intérieur de la table, en vérité, était occupé par un nain bossu maniant la main de la poupée à l'aide de fils. Ce nain était passé maître en jeu d'échecs. Rien n'empêche d'imaginer une sorte d'appareil philosophique semblable[30]. »

Ainsi commence la première thèse de *Sur le concept d'histoire*, que Hannah Arendt et Heinrich Blücher se lisent à Lisbonne à haute voix. Grâce à une correspondance inédite avec Salomon Adler retrouvée à Jérusalem, on peut désormais savoir que le couple a obtenu début février, de façon inattendue, des visas pour le Portugal. Ils viennent de manquer, faute de places, d'embarquer à Marseille sur un bateau américain, censé apporter en France des denrées alimentaires et repartir avec des réfugiés. On leur dit qu'à Lisbonne les bateaux sont plus nombreux et les formalités moins draconiennes. Mise en contact avec Varian Fry, elle se montre confiante dans la fiabilité de ses réseaux et reprend espoir. Hannah et Heinrich prennent donc le train pour Lisbonne.

Ils y passeront six mois, à attendre un bateau pour fuir l'Europe dévastée. Grâce à cette correspondance inédite, nous pouvons connaître l'état d'esprit dans lequel Hannah vécut cette période. Le 2 avril 1941, réfugiée avec Heinrich dans la chambre d'un petit hôtel de la capitale portugaise, elle consigne pour Salomon Adler l'évolution dramatique de la situation politique pour les réfugiés : « Nouveaux internements de masse en vue. Nous, par exemple, nous avons été contraints de faire toute notre immigration de façon illégale... Les Allemands peuvent exiger n'importe qui sans liste et cela sous vingt-quatre heures. Cela empêche la possibilité d'être averti par des autorités bienveillantes, ce qui est arrivé à plusieurs reprises. Plus de possibilité de s'en tirer avec un peu de chance, ce qui est encore pire. L'antisémitisme du gouvernement Pétain ne relève pas seulement de la pression des forces d'occupation, mais il provient sans aucun doute d'une initiative autonome et prend un caractère français[31]. »

Hannah donne alors l'impression de vivre dans un état d'angoisse profonde et de violente révolte contre la France. Comme Heinrich, elle se considère comme une miraculée et évoque d'abord les conditions de son voyage : « Ça s'est passé relativement bien et nous n'avons presque jamais été battus[32]. » On notera le « presque ». Un même sentiment de culpabilité étreint la petite communauté allemande antifasciste de Lisbonne. La capitale portugaise est devenue le goulet de l'Europe, la dernière porte d'un immense camp de concentration qui s'étend sur tout le Vieux Continent. Les émigrés allemands jouent là le rôle le plus actif de cette tragédie, en tentant de venir en aide à leurs frères internés dans les camps français, en organisant des comités de secours. Certains Allemands sont emprisonnés en France pour la troisième fois et attendent d'être renvoyés en Allemagne. Le nombre de suicides augmente. Hannah sait qu'elle doit son inscription sur une *short list* pour les États-Unis à son appartenance à une élite intellectuelle : écrivains, journalistes, ils sont deux cents sur dix mille à avoir été retenus. Elle sait que le visa qu'elle a obtenu pour elle et son époux, selon une liste « d'intellectuels de valeur » (*sic*), a été établi par les comités de l'*Emergency Rescue Committee* de New York. Elle sait donc qu'elle pourra sans doute partir pour le continent américain, mais les bateaux n'arrivent pas et l'attente se prolonge. Le suicide de Benjamin la hante. Comment croire encore au progrès ? Comment ne pas être désespéré par la montée inéluctable du nazisme ? Faut-il adhérer aux vieilles croyances des anciennes démocraties pour conserver l'espoir et résister ?

Hannah lit et relit la méditation de Benjamin sur le tableau de Paul Klee, l'*Angelus Novus*. « On y voit un ange qui a l'air de s'éloigner de quelque chose à quoi son regard semble rester rivé. Ses yeux sont écarquillés, sa bouche est ouverte et ses ailes déployées. Tel devra être l'aspect que présente l'ange de l'Histoire. [...] L'ange voudrait bien se pencher sur ce désordre, panser les blessures et ressusciter les morts. Mais une tempête s'est levée venant du Paradis : elle a gonflé les ailes déployées de l'ange et il n'arrive plus à les replier[33]. »

Hannah confie ses angoisses à son ami Salomon Adler : « Vous existez encore ? Comment penser le désastre ? Comment continuer à lutter ?[34] » Elle se replonge dans Benjamin. Elle apprend par cœur les *Thèses*, qui en appellent à une nouvelle manière d'être intellectuel. « L'acte de penser ne se fonde pas seulement sur le mouvement des pensées mais aussi sur leur blocage[35]. » Hannah méditera la leçon. Une boule de feu franchit l'horizon du passé. Préparer l'avenir signifie organiser le pessimisme. L'attente devient interminable. La procession du désespoir des réfugiés va en s'allongeant dans les rues de Lisbonne, où l'Europe vomit le contenu de son estomac empoisonné. Hannah et Heinrich côtoient Alfred Koestler. Seule la pensée du miracle le fait encore tenir debout. « Et le déluge fut sur la terre pendant quarante jours et les eaux recouvrirent la terre ; mais il n'y avait pas encore d'arc-en-ciel dans les nuages[36]. » À Lisbonne, les policiers en civil arrêtent maintenant des exilés. Des rumeurs évoquant l'enlèvement par la Gestapo de réfugiés politiques accroissent l'anxiété. Le pacifiste allemand Berthold Jacob sera reconnu dans une rue à Lisbonne et arrêté. Hannah réussit à procurer à sa mère un *rescue visa*. Elle s'achète une machine à écrire. À Salomon Adler, elle écrit le 2 avril 1941 : « Pour réussir à obtenir une place pour partir, il faut affronter ici une vraie bataille à laquelle nous ne prenons pas part. Toute cette émigration me rappelle le vieux jeu... où l'on jette des dés et selon le résultat, au hasard, on voudrait avancer ou reculer de tant et tant de cases ou même recommencer depuis le début[37]. »

Anna Seghers raconte dans *Transit* l'histoire d'un vieil homme, engagé à Caracas comme chef d'orchestre, qui attend son bateau pendant plusieurs mois. Il obtient enfin son billet mais, au moment de s'embarquer, on lui dit qu'il manque une photographie d'identité dans son dossier. Il meurt d'une crise cardiaque sur le quai. Cette histoire n'est peut-être pas inventée, et Hannah et Heinrich vivent certainement des angoisses comparables. Jusqu'au dernier moment, ils ne savent pas si le bateau attendu va arriver, et s'ils vont pouvoir embarquer.

Le 2 mai 1941, Salomon Adler écrit à Hannah : « Si la guerre dure longtemps, une bonne partie du problème juif se résoudra tout seul par la mort[38]. » Hannah ne reçut pas la missive. Elle venait d'embarquer pour l'Amérique, nouvelle Terre promise.

VII

JOURNALISTE

Trois semaines sur le pont. Hannah avec les femmes dans la grande salle, la nuit, et Heinrich dans la salle des machines, avec les hommes. Seuls quelques couples privilégiés bénéficient de cabines. Le vieux cargo ressemble à un camp et la traversée est éprouvante. Mais il y a bien pire : certains réfugiés, qui réussissent à s'évader d'Europe, périssent à la suite de torpillages de la flotte allemande, d'autres succombent à des épidémies de typhus. D'autres encore sont internés à l'occasion d'une escale et doivent attendre plusieurs mois pour atteindre l'Amérique.

Tout compte fait, Hannah et Heinrich ont de la chance. Leur voyage ne dure que trois semaines. « Si je ne m'étais sentie gênée par le regard des autres, j'aurais embrassé le sol américain », raconte Alma Mahler dans *Ma vie*[1]. Hannah arrive épuisée, mais heureuse d'être saine et sauve. Elle a quitté dans les larmes cette Europe qui l'a contrainte à l'exil pour un pays qui lui fait peur et dont elle se méfie. Comme bien d'autres Allemands, elle craint le gigantisme, la puissance, le goût de l'argent des Américains. Elle connaît par cœur *Les Temps modernes* de Charlie Chaplin, *Metropolis* de Fritz Lang, *Amerika*, le roman de Kafka : « Quand le jeune Karl Rossmann, âgé de dix-sept ans et expédié en Amérique [...] entra dans le port de New York sur le bateau qui avait déjà réduit son allure, la statue de la Liberté qu'il regardait depuis un long moment lui parut tout d'un coup éclairée d'un soleil plus vif. Son bras armé d'un glaive semblait brandi à l'instant même, et sa stature était battue par les brises impétueuses[2]. »

Mais en cette fin mai 1941, si elle se méfie de l'Amérique, l'Amérique aussi se méfie de ce genre de réfugiés qui débarquent, comme elle et Heinrich, avec vingt-cinq dollars en poche. Personne ne les connaît. Personne ne les attend. Comme le dit Brecht : « Il est difficile ici pour les émigrants de ne pas sombrer dans un flot d'imprécations tumultueuses contre "les Américains" soit de ne pas s'exprimer avec leur chèque hebdomadaire dans la gueule, comme Kortner le reproche à ceux qui gagnent bien et parlent bien[3]. » Son premier geste est de télégraphier à son ancien mari, installé en Caroline du Nord : « Günther, sommes sauvés. Habitons 317 West 95. Hannah. 1941 May 23[4]. » Grâce à l'Organisation sioniste d'Amérique, elle obtient rapidement une allocation mensuelle de soixante-dix dollars.

Tous ces émigrés, qui incarnent le sommet de la culture européenne, les États-Unis, en leur donnant leur visa, leur sauvent la vie. Pourtant ils ne les reconnaissent pas plus qu'ils ne les accueillent. Il faudra attendre plus de trente ans pour que les Américains se rendent compte que Bertolt Brecht, Thomas Mann, Ernst Toller et tant d'autres ont vécu parmi eux. Que serait ce pays sans eux ? Ils apprendront à l'aimer tout en continuant à se sentir avant tout européens. Que seraient devenues les sciences sociales outre-Atlantique sans l'apport fondateur de ces exilés — aux personnalités aussi différentes que celles de Leo Strauss, Herbert Marcuse, Theodor Adorno ou Max Horkheimer — qui ont apporté dans leurs bagages une nouvelle manière de penser et de disséquer la société ?

Tabula rasa

Hannah Arendt se fait assez vite aux mœurs américaines, au mode de vie comme à la langue. De ce choc si vif avec une culture qui lui est profondément étrangère, naît chez elle une nouvelle manière de penser, de réfléchir, d'agir. Hannah, comme tant d'autres exilés antifascistes, aura en revanche du mal à se faire une place et à trouver un emploi. Heureusement, la plupart des associations universitaires américaines se sont regroupées pour venir en aide aux intellectuels allemands. Columbia accueille les membres de l'École de Francfort, Chicago invite le philosophe Leo Strauss et le théologien Paul Tillich, Princeton les écrivains Thomas Mann et Hermann Broch. Quelques universités privées hébergent sur leur campus d'autres antifascistes. Mais la grande crise économique n'est pas loin, le chômage sévit encore outre-Atlantique, et la plupart des universitaires considèrent l'arrivée de ces nouveaux collègues comme une menace et une concurrence.

Ni Heinrich ni Hannah ne parlent anglais. De plus, Heinrich est autodidacte, et ne peut donc prétendre enseigner. Hannah, certes, a soutenu sa thèse et pourrait éventuellement remplir un dossier de candidature, mais elle a égaré, dans les errances de l'exil, ses certificats universitaires. Elle n'a aucun moyen d'apporter la preuve de son habilitation. Elle mettra d'ailleurs vingt ans à récupérer son dossier allemand et bénéficier de réparations. Heinrich et Hannah se tournent donc vers les organisations de secours, créées principalement par des organisations juives, comme le *German Jewish Club* de New York et l'*American Federation of German Jews*. Ils peuvent aussi prétendre à une petite allocation de l'*Emergency Committee in Aid of Displaced Persons*, spécialisé dans l'aide aux artistes et aux intellectuels, et perçoivent de l'*Emergency Rescue Committee*, qui leur attribua les visas, une somme minuscule.

Mais très vite, dès les premières semaines, Heinrich refuse l'Amérique, son capitalisme, sa foi dans la société de consommation, son arrogance, sa bruyante affirmation de soi. Il fréquente des amis qui, s'ils rendent grâce aux États-Unis de les avoir sauvés, n'en rejettent pas moins corps et âme le système politico-économique. Brecht, son mentor, stigmatise la puissance de l'argent qui y cimente les rapports humains : « On est continuellement vendeur ou acheteur, on vendrait quasiment son urine à la pissotière. L'opportunisme passe pour la suprême vertu, la politesse devient immédiatement lâcheté[5]. » Alfred Döblin n'y voit qu'un enfer sans issue, se déclare ni émigrant ni immigrant mais exilé temporaire, dans un pays où il ne souhaite pas prendre racine. Ludwig Marcuse déclare qu'il n'y a aucune différence entre le niveau culturel de l'Amérique et celui de l'Afrique. S'il est aux États-Unis, proclame-t-il, c'est par pure nécessité. Aucun autre pays, hélas, ne l'a demandé : « Ni l'Alaska, ni la Terre de Feu, ni le Panamá ne m'ont dit : venez[6]. » Peu ou prou, ils se sentent tous à la fois reconnaissants et malheureux.

Martha arrive à son tour, le 21 juin, à New York, en provenance de Lisbonne. Hagarde, amaigrie, mais soulagée. Julie Vogelstein, son ancienne voisine de Königsberg, l'aidera à supporter sa nouvelle vie new-yorkaise par sa présence constante. Hannah a réussi à trouver pour elle une chambre meublée qui jouxte leur studio. Paul Tillich la met en relation avec la *Self Help for Refugees*. Hannah dit à l'organisation qu'elle est prête à tout accepter — il faut nourrir Martha et Heinrich — pour gagner un peu d'argent. Le 18 juillet, elle est engagée à Winchester, dans le Massachusetts, comme « hôte au pair », sorte de surveillante pour personnes âgées[7]. Elle laisse son mari et sa mère à New York. Le 21 juillet, elle écrit à sa mère et à son mari : « Mes chéris [...] cette expérience ici est si excitante par sa nouveauté, et si insensée, qu'elle vaut la peine d'être racontée en détail[8]. »

Hannah regarde tout, s'amuse de tout et, comme une gamine gourmande, s'émerveille : de la gentillesse de sa famille d'accueil, un vieux couple, de la ville, de la maison qu'ils habitent, « sorte de machine à vivre avec des livres[9] ». Il y a là un piano, sur lequel elle joue, une forêt où elle aime marcher. Elle s'attire assez vite l'amitié du mari, un Américain d'origine polonaise qui parle allemand et souffre du régime alimentaire sévère que sa femme lui fait subir. Dès que l'épouse a le dos tourné — elle a pour passion l'ornithologie et passe des journées entières dans les arbres à répertorier les espèces —, Hannah s'installe aux fourneaux et lui prépare du poulet rôti... il n'ira pas, cependant, jusqu'à accepter les frites ! Pas étonnant qu'elle fasse de lui, comme elle le dit, « un bon copain[10] ». « Il se donne un mal de chien avec moi et il a le sombre pressentiment que je lui suis supérieure et éprouve cette peur, typiquement américaine, de paraître ridicule[11]. »

Trait constant de son caractère, Hannah vit pleinement la situation. Elle entre en contact sans préjugé avec les personnes qu'elle est amenée à rencontrer, s'ouvre à elles, se rend disponible. Finalement, elle qui venait pour les aider se fait servir ! C'est un comble. Seule obligation : elle doit leur faire la conversation.

À New York, Heinrich s'ennuie d'elle. Il lui écrit des lettres enflammées, l'appelle son adorée, son étoile filante, mais supporte difficilement son absence. Il déteste les amis de Hannah comme Albert Salomon, qu'il se sent pourtant obligé de voir et avec qui il n'a aucune affinité. Il s'occupe de sa belle-mère, qu'il trouve acariâtre, et sue sang et eau pour rédiger quelques piges radiophoniques sur l'histoire de l'Allemagne. Heinrich vit à New York, mais entouré d'intellectuels allemands, il parle allemand, lit la presse allemande, pense allemand et ne consent qu'à prendre irrégulièrement des cours d'anglais.

Hannah, elle, n'a pas le choix : à Winchester, on ne doit parler que l'anglais, qu'elle s'astreint à étudier quotidiennement, non sans mal : « Mon anglais va couci-couça, je commence à comprendre une partie de ce qui ne m'est pas adressé directement, mais pour ce qui est de parler moi-même, c'est lamentable[12]. »

Hannah Arendt a trente-six ans et ne sait pas ce qu'elle va faire de sa vie. Elle aimerait bien aider des gens. Alors, assistante sociale, pourquoi pas ? Elle apprend par son mari que l'exemplaire de son texte sur Rahel Varnhagen qu'elle avait emporté avec elle à Paris lors de son exil, et qu'elle pensait avoir pris dans ses bagages pour les États-Unis, est perdu[13]. Elle est furieuse, déprimée aussi. Difficile d'imaginer aujourd'hui la volonté qu'il fallait pour tenter de se reconstruire une identité en l'absence de traces du passé, de tout ce qui vous a constitué : livres, objets, textes personnels. Hannah est une sans-papiers. Sans ses travaux, sans le certificat de son habilitation universitaire, elle n'est rien, ni personne. *Tabula rasa*. Ils sont alors plus de mille neuf cents écrivains et universitaires à débarquer aux États-Unis sans vraiment vouloir y vivre.

Sans plus de patrie, celle à laquelle on se sent appartenir corps et âme, il faut faire l'apprentissage de la perte, avec l'espoir que ce ne sera pas irrémédiable.

Heinrich s'enferme dans les musées et s'abîme devant les tableaux de Picasso et de Matisse. Il éprouve beaucoup de difficultés à rédiger ses chroniques pour la radio. Il rejette toujours ce pays, fréquente son cercle d'exilés allemands et se moque de l'ardeur de Hannah à vouloir apprendre l'anglais. Il juge qu'à son âge c'est trop tard. Il pense qu'on ne possède qu'une langue, la sienne. L'autre n'est pour lui « qu'un savoir inutile que les élèves indigènes détiennent en naissant et ne leur permet même pas une situation[14] ».

Heinrich est immobile. Hannah est en mouvement. Elle envisage de recommencer des études, de passer des concours, d'obtenir des certificats, d'intégrer le monde du travail. Heinrich tente de l'en dissuader. Il ne veut pas qu'elle accepte de parler et de travailler dans une langue qui n'est pas la leur. Ce n'est pas la peine, car pour lui, « quand on s'est fait piquer son stradivarius et qu'on est obligé de payer un prix incroyable pour un misérable crincrin, la langue étrangère ne pourra être plus que... la licence d'utiliser ce crincrin[15] ». Il sut la convaincre d'abandonner ses cours d'assistante sociale, mais elle ne lui cède pas quand il lui demande de la rejoindre, toutes affaires cessantes, à New York. Elle respecte son contrat et continue à vivre sous le toit de ce vieux couple, dans cette petite ville du Massachusetts où elle perfectionne son anglais. Elle joue, comme elle le dit, le brave soldat de plomb, entretient une correspondance avec Günther, joue des *Lieder* de Schumann, pense à Benjamin, ne sait pas ce qu'elle veut mais sait parfaitement ce qu'elle ne veut pas : « Devenir un singe pseudo-savant tel que l'Amérique en demande. » À Heinrich, elle avoue : « Je suis bien décidée à crever de faim dans ce pays de canular plutôt que de dégénérer en ce genre de piètre personnage — j'en serais d'ailleurs tout à fait incapable —, mais ça me fait peur tout de même. Brr...[16] »

Heinrich n'arrive pas à écrire, et cette incapacité décuple son agressivité à l'encontre des nantis du savoir, des prêtres de l'éducation, des clercs universitaires. Il y a chez lui une grande violence, teintée de mépris, pour ce que la guerre de

1914 l'a empêché de devenir : un professeur. Bien que n'ayant pu terminer ses études d'instituteur, il se sent, sur le plan intellectuel, supérieur à beaucoup d'universitaires bardés de diplômes. Il parle beaucoup, énonce des théories, mais ne parvient pas à écrire noir sur blanc ses propres réflexions. Et cette souffrance le rend fou furieux. Au lieu de ne s'en prendre qu'à lui-même, il préfère vitupérer contre les puissants du savoir et les imaginer, de manière assez paranoïaque, comme une sorte d'internationale de faussaires. Tous ces gens qui croient tout savoir, ces donneurs de leçons, deviennent son obsession. À Hannah, il confie : « C'est à vomir, cette manie de fouiller dans les fripes accrochées dans les placards des siècles pour en tirer une guenille historique soi-disant typique d'une époque telle que la nôtre et d'en affubler les gens. Ils sont tous incapables de trouver "l'uniforme de ce siècle" alors qu'il est en vente dans n'importe quel magasin de confection[17]. »

Heinrich, qui ne manque ni de style ni de punch, vit ces premiers mois dans un état de grande confusion. Il dit lui-même qu'il chancelle. Hier encore, il était un intellectuel allemand d'extrême gauche, reconnu comme tel lors de son exil en France. Aujourd'hui, à New York, il vit la perte de ses repères idéologiques — il ne croit plus au communisme tel qu'il s'est incarné en URSS mais recherche encore un idéal révolutionnaire — et n'a plus, comme à Paris, ces interminables réunions de section qui l'agaçaient, certes, mais qui présentaient l'avantage d'occuper son temps, son corps et son esprit. Amoureux fou de Hannah, il souffre de son absence et trouve sans elle le temps long. Sans même parler du fait qu'il vit avec sa belle-mère, dans un studio, avec très peu d'argent, dans une mégapole dévoratrice où le respect de l'autre, dont on ne comprend pas la langue, cède souvent le pas à l'indifférence. Comment ne pas le comprendre, quand il écrit à Hannah : « Ma mignonne, [...] mon cœur, ne sois pas chagrine, la farce va finir et nous rirons ensemble de ce bal masqué[18]... » Il est atteint de coliques, vit dans la confusion des langues, ne sait plus bien qui il est, mais est certain que Hannah peut lui apporter secours. Il s'excuse auprès d'elle de sa faiblesse : « Mon cœur, ne sois pas fâchée, aie encore un peu de patience. Je vais bien arriver à m'en sortir de toutes ces histoires[19]. »

Klaus Mann a créé en janvier une nouvelle revue littéraire à New York, intitulée *Decision*, dans laquelle écrivent des réfugiés allemands. Heinrich prend rendez-vous avec lui pour y collaborer. Autour de la revue, se réunissent Franz Werfel, Stefan Zweig, mais aussi des écrivains américains comme Wistan Hugh Auden et Julien Green. Pour les intellectuels allemands, c'est une manière d'éprouver leur solidarité, d'échanger avec des Américains et de ne pas se laisser aller au désespoir. Le premier numéro de *Decision* parut en janvier 1941. Thomas Mann y apporta une importante contribution financière[20].

Heinrich se sent désespéré. Loin de Hannah, il tente de tuer le temps en allant à l'ouverture du Théâtre autrichien, où l'on donne *Les Parents terribles* de Jean Cocteau. Il est cet intellectuel allemand en exil qui, le soir, se gave de spectacles, mais, le jour, ne parvient pas à rédiger le travail qu'il s'est assigné : une dissertation géopolitique sur l'importance de la guerre dans l'histoire de l'Allemagne. Son travail finira, un soir de désespoir, à la poubelle, inachevé. Hannah compatit à ses souffrances et l'encourage à reprendre son texte sous une forme plus philosophique : « Je suis si curieuse de voir "tes œuvres" que je voudrais te les tirer de la poche... en cachette[21]. »

Heinrich n'est pas le seul à se morfondre de ne pouvoir créer. La déchirure que vit cette génération d'auteurs, d'artistes et d'intellectuels, sommés de quitter l'Europe pour pouvoir survivre, n'a aucun équivalent historique. Dans l'histoire de la pensée, l'exil fut souvent créateur, parce que les exilés constituaient des exceptions et restaient considérés comme telles. L'exilé était unique, et de ce fait même représentatif. Mais avec le nazisme l'exil est devenu collectif. Comment préserver son propre nom, sa propre individualité, sa capacité à dire « je » ? Comment lutter contre ce malheur universel du nazisme dans un pays qui reste sourd encore à la menace ? Comment éviter l'esthétique du déracinement ? Y a-t-il des plantes sans racines ? demande Klaus Mann.

Dans le mot « déracinement » gît, pour elle, toute la question de l'exil. Hannah, dans son *Journal de pensée*, soulignera plus tard la précision des images auxquelles ce mot nous renvoie. Elle distingue ceux qui, « chassés, ont le plus souvent laissé leurs racines », détachés, « déracinés au sens propre », et les autres, qui ont pensé à emporter leurs racines avec eux, celles-ci étant « désormais privées du sol dans lequel elles étaient plongées », ne pouvant plus porter de charge. Heinrich appartient à la première catégorie, Hannah à la seconde. Mais pour tous deux, le sentiment d'appartenance le plus intime, le plus secret, a été détruit[22].

Elle a transporté les manuscrits de Walter Benjamin de Marseille à Lisbonne, puis de Lisbonne à New York. Lui-même avait pris soin, avant son suicide, d'en envoyer aussi un double, jamais reçu, à Adorno, aux États-Unis, en vue d'une publication dans la revue *Social Research*. Dès son arrivée sur le continent, Hannah s'acquitte de sa dette morale et envoie — par l'intermédiaire de Günther — les textes de Walter Benjamin à Theodor Adorno. Le 3 août 1941, elle reçoit ce qu'elle appelle la lettre de malheur. Pour des raisons financières, elle apprend par Günther que le dernier manuscrit de Benjamin ne sera pas publié pour le moment. Elle en veut à Adorno mais aussi à Max Horkheimer et les traite de « bande de cochons ». Pour elle, c'est un scandale. La mort de son ami lui impose le devoir de le publier sans délai. À Heinrich, elle confie son indignation : « Je suis toute seule et terriblement désespérée et angoissée à l'idée qu'ils ne voudront pas l'imprimer[23]. » Comment savoir la vérité avec ceux qu'elle appelle des imbéciles ? Comment leur faire confiance ? « Il faudrait d'abord que je sache que ces imbéciles n'acceptent pas le manuscrit. Et mauvais comme ils sont, ils ne le diront jamais. Ils vont faire traîner[24]. » Hannah éprouve une telle colère qu'elle a des envies de meurtre. Elle se sent salie par ce refus, humiliée pour lui, pour sa mémoire, pour son œuvre. Elle s'estime exécutrice testamentaire et entend le leur faire savoir. Mais comment procéder ? Elle demande conseil à Heinrich : « On ne peut quand même pas leur faire un discours sur la loyauté envers des amis morts. Ils vont se venger, tout comme Benji, au fond, s'est vengé en écrivant ce texte[25] »

Hannah connaît par cœur les dix-huit thèses de Benjamin, écrites sur le modèle des *Thèses sur Feuerbach* de Marx. Elle sait que ce texte annonciateur de la catastrophe nazie sera jugé, par la vulgate néo-marxiste de l'École de Francfort en exil, pétri de théologie et de messianisme judaïsant, et considéré comme politiquement incorrect.

Elle sait aussi, avant tout le monde, le caractère radical, désespérément lucide, positivement destructeur, que contiennent ces pages de Benjamin, brûlantes, encore aujourd'hui, du désir de comprendre ce monde de la terreur et rédigées dans la douloureuse certitude de l'impossibilité de tout espoir. Benjamin a écrit, dans l'urgence, un traité philosophique qui est aussi un diagnostic de la grave maladie de la social-démocratie, et un arrêt de mort de la conception de l'histoire comme progrès continu.

Les relations entre Adorno et Benjamin, qui se connurent en 1923 en Allemagne, d'abord tissées d'amitié et d'admiration réciproque, se dégradèrent après 1933. Adorno, le plus jeune des deux, se mit peu à peu vis-à-vis de son aîné dans une position de supériorité matérielle, institutionnelle et intellectuelle. Hannah était bien placée pour savoir que, lors de ses années d'exil, Benjamin souffrit d'avoir à attendre les subsides d'Adorno, lequel ne se privait guère de critiquer certaines de ses théories. Petit à petit, l'ami intellectuel s'était transformé en camarade mécène, avant de devenir un censeur idéologique[26].

Hannah a raison de dire que, dans son dernier texte, Benjamin s'est vengé : il s'est vengé des faux penseurs, des donneurs de leçon, des pseudo-vertueux, des professionnels de la révolution sociale programmée. Porté par la crise aiguë que provoque le fascisme qui s'étend en Europe, il tente de trouver une porte de sortie, si minuscule soit-elle, pour penser le monde loin des paradis qu'imaginent ces prophètes sociaux. Benjamin est censuré par « ces cochons » parce qu'il gêne. Ils crachent sur lui comme ils le font sur leurs idoles d'hier et d'aujourd'hui. Ils promettent le paradis alors que l'enfer est déjà réalisé dans les camps.

Heinrich tente de calmer la colère de Hannah. Il lui explique que ce ne sont là que des querelles de chapelles, des fils qui se vengent de leurs pères, des débats théologiques à n'en plus finir sur la mort du progrès. Il lui conseille de ne pas s'en mêler et pense qu'elle n'a que des coups à prendre dans cette querelle. « Il faut bien se garder des balles perdues dans ce "combat[27]" », lui dit-il. Mais Hannah n'en démord pas. Sa colère a des fondements philosophiques — impossible pour elle d'accepter l'idée que ce texte fondamental soit censuré — mais aussi moraux — les morts peuvent difficilement se défendre...

Elle prévient donc Gershom Scholem, sachant que celui-ci possède à Jérusalem des textes de Benjamin et qu'il aura à cœur, comme elle, de les rendre publics. Scholem lui répond et s'étonne, lui aussi, du silence inquiétant d'Adorno sur la publication de l'œuvre posthume de Benjamin : « Je n'ai jamais reçu la moindre réponse... Si vous pouviez vous renseigner sur ce qui se cache derrière ce silence bizarre, je vous serais reconnaissant aussi si vous pouviez me dire s'il y a des papiers et des écrits, et lesquels, que vous avez sauvés de Paris à New York. J'ai moi-même un grand nombre de choses ici[28]... »

Hannah a placé, dès l'exil à Paris, la relation de Benjamin avec Adorno sous le signe de la peur, peur due autant à la timidité et la fragilité de Benjamin qu'à la dépendance matérielle asservissante et humiliante qu'il subissait. De cette peur, elle entend se venger. En son nom. Et, de cette façon, la liquider[29].

La réhabilitation de Walter Benjamin par Hannah Arendt et Gershom Scholem porte ses fruits. Hannah réussit, grâce à l'intermédiaire de son ancien mari, Günther Stern, qui donne lui-même le texte de Benjamin à Bertolt Brecht, à faire fléchir l'Institut. Brecht juge les thèses sur le concept d'histoire, malgré leur brièveté, leur aspect fragmenté, leurs métaphores et leurs nombreuses références au judaïsme, claires et dignes d'être publiées. La revue étant suspendue pour des raisons financières, le texte est imprimé en 1942 sous forme de tiré à part polycopié, édité par Horkheimer et Adorno, et intitulé *En mémoire de Walter Benjamin*. Il faudra attendre 1947 pour qu'une première traduction française paraisse dans *Les Temps modernes* grâce à Pierre Missac.

Une fois son contrat terminé, Hannah rentre enfin du Massachusetts et retrouve Heinrich et sa mère. De retour à New York, elle se met en contact avec les cercles sionistes dans l'espoir de trouver un travail. Le 14 novembre 1941, elle signe son premier article dans *Aufbau*, un journal de l'émigration juive allemande publié à New York. Sous le titre « L'armée juive, le début d'une politique juive[30] ? », elle soutient ardemment la position – minoritaire – de son ami Kurt Blumenfeld, à l'époque bloqué à New York par la guerre mais désireux de vivre en Palestine (il y partira seulement en mai 1945). Hannah milite pour la création d'une brigade juive à l'intérieur des forces antinazies. Comme Hans Jonas, elle pense que des soldats juifs, dans des unités juives et sous le drapeau juif, sont nécessaires pour rassembler les Juifs de tous les pays contre Hitler et sa guerre antisémite. Indépendamment de la menace qui pèse sur l'existence économique des Juifs, entraînée par le boycott, et du danger de ghettoïsation vers lequel tendent les événements en Allemagne, Hans Jonas est, dès 1940, profondément pénétré du sentiment que l'on bafoue son honneur et que l'on porte atteinte à sa dignité d'être humain par la négation des droits civiques, et que cela ne peut être réparé que les armes à la main. Comme Hannah, il estime que l'antisémitisme est le cœur de la machine de guerre hitlérienne. Dès 1941, Hannah écrit noir sur blanc que Hitler mène avant tout une guerre contre un peuple, le peuple juif. Elle affirme qu'il ne faut pas se tromper d'adversaire ni de combat. Ce n'est pas en tant que Juif allemand, français ou anglais que chaque homme doit lutter, mais en tant que Juif. Juifs de tous les pays, unissez-vous. Paraphrasant Clemenceau, elle écrit : « L'existence d'un peuple est une chose trop sérieuse pour qu'on la laisse aux mains d'hommes riches[31]. »

Reprenant l'exemple des Brigades internationales en Espagne, inspirée par Heinrich qui, dès août 1936, avait fait d'un commandant du bataillon de Juifs volontaires, mort au combat en Espagne, sa figure de héros, influencée sans doute aussi par l'attitude de Hans Jonas qui vient de s'engager comme soldat dans une unité juive de l'armée britannique,

Hannah en appelle à une véritable politique juive menée, non par des hommes influents dans le secret des cabinets et des pourparlers, mais par des centaines de milliers d'hommes du peuple, prêts à « lutter, les armes à la main, pour leur liberté et pour le droit du peuple à vivre[32] ».

Déjà en germe, cette idée qu'elle soutiendra lors du procès Eichmann : être juif, c'est être libre, et être libre, c'est mourir les armes à la main. Être juif, c'est ne pas accepter la moindre compromission, ni avec les autorités nazies ni avec les conseils juifs, encore moins avec soi-même, en effaçant sa propre identité par l'assimilation. Déjà, chez elle, la révolte contre les puissants, les riches, les influents, qu'ils soient juifs ou non, ainsi que la certitude que le combat pour la Palestine passe d'abord et avant tout par un combat pour la liberté du peuple juif : « Ce n'est que si le peuple juif est prêt à se livrer à ce combat que l'on pourra également défendre la Palestine[33]. » Elle veut que les Juifs européens combattent mais n'indique pas comment ils pourraient le faire dans une Europe dominée par les lois nazies. Les Juifs de Palestine tenteront de créer leur propre armée : cela leur prendra trois ans. Après la défaite de la France, la *Jewish Agency* et la *Haganah* passent des accords avec le haut commandement britannique et des unités palestiniennes de volontaires se constituent. Mais il n'y a pas de commandement unique et les volontaires sont disséminés. Il faudra attendre septembre 1944 et la décision de Churchill pour que soit reconnue, en une seule formation militaire, le *Jewish Brigade Group*. Hans Jonas fera partie de cette armée juive et portera ses insignes : bleu et blanc, avec une étoile de David brodée d'or.

Hannah Arendt fréquente les cercles sionistes mais aussi le groupe d'exilés socialistes allemands *Neu Beginnen* où, en compagnie de Heinrich, elle se bat pour une nouvelle Europe. De toutes leurs forces, ces exilés antifascistes tentent d'alerter l'opinion publique américaine de la menace que représente l'ordre nouveau de Hitler. Hannah devient une Européenne convaincue. Elle croit encore au sursaut, à la possibilité de la victoire, à la force de la dignité humaine. Elle n'est pas la seule : d'autres intellectuels, réfugiés allemands comme elle, pensent encore qu'il n'est pas trop tard. En témoignent les tournées et les allocutions radiophoniques de Thomas Mann qui, des États-Unis, s'adresse aux auditeurs européens : « Nous voulons que l'Allemagne devienne européenne. Hitler veut rendre l'Europe allemande... Gardez inébranlables votre fermeté et votre patience. C'est vous-mêmes qui créerez la vraie Europe. Ce sera une fédération européenne dans le cadre plus vaste de la collaboration économique entre les peuples civilisés du monde[34]. »

L'enthousiasme de Hannah, sa verve, son goût pour la polémique plaisent au rédacteur en chef d'*Aufbau*, Manfred George. Il l'engage comme éditorialiste d'une chronique bimensuelle qu'elle intitule « C'est votre affaire ». *Aufbau*, au départ simple bulletin de liaison de la communauté juive allemande, devient en effet un journal hebdomadaire d'opinion, lu par tous les émigrés juifs allemands politisés de New York. Manfred George décèle chez elle « une puissance et une fermeté d'homme[35] ». C'est tout dire ! Devenue une collaboratrice régulière, Hannah intervient dans le domaine politique et critique l'attitude des instances officielles du sionisme. Pour elle, l'urgence n'est pas de se vanter des actions déjà passées, mais de trouver une réponse politique à l'antisémitisme. Dès 1941, la Palestine ne constitue pas à ses yeux la bonne réponse. Le fait de trouver une petite parcelle de terre où l'on se sent en paix n'est qu'une chimère dangereuse. Pour Hannah, la solution de la question juive ne passe pas par la Terre promise. Si le sionisme est le cadeau que l'Europe a fait aux Juifs, il faut, estime-t-elle, que la politique de la Palestine soit faite par des Juifs européens et non que la politique palestinienne détermine la politique générale juive. La Palestine n'est pas donnée. Elle se mérite par l'auto-émancipation. La Palestine, c'est une histoire d'avenir pour le peuple juif, la masse du peuple juif et non pour des privilégiés, Juifs de cour, Juifs d'argent.

À New York les conditions de vie matérielles et morales sont toujours difficiles. À soixante et un ans, Martha se sent inutile. Elle fait, quand elle le peut, des petits jobs à domicile : du travail à la pièce, dans la fabrication de galons, des ouvrages de tapisserie. Heinrich Blücher tourne en rond dans sa chambre, noircissant des cahiers d'écolier de ses théories philosophiques. Hannah, qui parle et écrit déjà un anglais courant, tente de lui en apprendre quelques rudiments, le minimum pour pouvoir se faire embaucher. Finalement, Heinrich réussit à entrer dans une usine de produits chimiques du New Jersey, d'où il revient chaque soir déprimé, et épuisé. Martha ne va pas mieux. Affectée d'une paralysie de la moitié du visage, elle maigrit à vue d'œil et s'enfonce dans la dépression. Les nouvelles d'Europe contribuent à augmenter leur désespoir et le sentiment de misère qu'ils endurent tous trois.

Les chroniques d'*Aufbau* ne suffisent pas à payer le loyer. Comme le dit Brecht : « D'abord la bouffe, ensuite la morale. » Hannah décroche un mi-temps d'enseignement au Brooklyn College. André Schiffrin[36], l'éditeur américain, se souvient d'avoir assisté à ses cours du soir, lorsqu'il était adolescent. Sa mère l'emmenait deux fois par semaine, en fin d'après-midi, suivre cet enseignement gratuit de philosophie, à l'usage de celles et ceux qui voulaient étudier sans obtenir de diplômes. Il se rappelle une salle mal chauffée, une assistance dispersée mais attentive, captivée par l'élan et la générosité de cette jeune femme, au fort accent allemand, qui lui faisait découvrir Platon, Kant, Kierkegaard, et transmettait avec fougue l'idée que la philosophie était la seule matière qui permettait de comprendre la vie, sa vie.

Blücher quitte l'usine où il travaille et réussit à se faire engager au *Committee for the National Morale* dont la principale mission est de convaincre les Américains d'entrer en guerre. Comment, en effet, persuader les nationalistes et les isolationnistes, qui composent la majorité, de cette nécessité ? Comment faire passer le message qu'il en va de la défense du pays et non de l'influence du lobby juif, ou même d'un sentiment de solidarité envers une communauté ? Si, aujourd'hui, sur le plan historique, il est acquis que le Président Roosevelt n'a pas délibérément abandonné la possibilité d'un sauvetage des Juifs d'Europe[37], sa politique de restriction de l'immigration s'explique plutôt par le contexte de la crise économique qui sévit alors. Heinrich est chargé de rassembler de la documentation pour rédiger un ouvrage qui devait s'appeler *Les*

Grandes Manœuvres de l'Axe, un texte grand public destiné à convaincre l'opinion américaine d'entrer dans la guerre. « Monsieur travaille, et souvent si tard, qu'il peut difficilement garder les yeux ouverts[38] », écrit Hannah à Lotte et Chanan Klenbort, réfugiés en Uruguay. Elle leur avoue qu'ils vivent mal, sont débordés par leur travail respectif, elle pour *Aufbau*, lui au comité, désespérés par les difficultés matérielles, obsédés par la situation politique mondiale. Alors que le livre n'est pas achevé, Pearl Harbor est bombardé. L'éditeur précipite la publication mais l'accueil n'est pas à la hauteur des espérances. Blücher est désespéré. Il n'a plus de travail. Hannah saisit toutes les possibilités, multiplie les contacts. À Lotte Klenbort, elle confie : « Que d'efforts pour gagner de la monnaie de singe ; tout le monde travaille dur, surtout les émigrants, parce que la guerre n'en finit pas ; mais cela ne permet pas pour autant de se sentir fier de soi[39]. »

Lutter contre le silence

En avril 1942, dans un article intitulé « Papier et réalité », Hannah interpelle l'opinion publique sur le silence qui recouvre le sort réservé aux Juifs d'Europe envoyés à la mort, aux Juifs emprisonnés derrière des barbelés dans des camps français, aux Juifs de Palestine toujours sans armée autonome. Elle s'indigne du climat de défaitisme qui s'est emparé des institutions juives, aussi bien l'*Institute of Jewish Affairs*, que le *Jewish Labor Committee*, l'*American Jewish Committee* ou *Agoudath Israel*, qui préfèrent déjà préparer la paix au lieu de faire la guerre. De manière prémonitoire, elle les apostrophe ainsi : « Nous voulons espérer qu'ils ne réussiront pas à transformer “le peuple du Livre” en “peuple de papier”[40]. »

Le 8 mai 1942, sous le titre « L'éloquence du diable », elle s'inquiète de nouveau de la conspiration du silence concernant les Juifs, et désigne comme raison essentielle, principielle, de la guerre que mène Hitler, l'extermination des Juifs. Hannah affirme que seuls deux peuples sont embarqués dans la guerre : les Allemands et les Juifs, « à ceci près que les Allemands ont un gouvernement reconnu tandis que celui des

Juifs est occulte. Tous les peuples, sauf le peuple allemand, seraient gouvernés par les Juifs ». Seule « l'égalité originelle et inconditionnelle de tous ceux qui ont figure humaine » peut servir d'arme pour faire taire l'éloquence du diable[41].

Le 22 mai 1942, sous le titre « La prétendue armée juive », elle supplie l'opinion publique d'ouvrir les yeux et de cesser de s'abriter derrière des mensonges. Hurlant son désespoir, pleurant les morts, elle clame alors son angoisse d'une extermination complète. Elle appelle toute la communauté juive à ne plus croire au miracle : « Si l'on pouvait combattre ses ennemis sans se battre, si les millions de Juifs des camps de concentration et des ghettos pouvaient ne mourir que sur le papier des statistiques, si nous avions la miraculeuse garantie que la Palestine ne se trouve pas sur les rivages de la Méditerranée mais sur la lune et qu'elle est hors de portée de toute attaque, si les morts du *Struma*[42] pouvaient ressusciter, en bref, si ma grand-mère avait des roues et était un autobus, alors nous autres *fous et hommes*[43] du peuple nous commencerions peut-être aussi à nous intéresser à la question de savoir si cet autobus va tourner à gauche ou à droite[44]. »

Le 19 juin 1942, soit six mois après la conférence de Wannsee, où quinze dignitaires nazis ont secrètement décidé de la mise en œuvre de la « solution finale de la question juive », Hannah Arendt explique qu'à partir de 1941 la politique antisémite du régime nazi a changé de nature. Après avoir essayé de chasser les Juifs, elle consiste maintenant à les tuer en pratiquant le meurtre de masse. Hannah Arendt est l'une des rares à prendre au sérieux, et à la lettre, ce que dit Goebbels, le propagandiste du Reich : « L'extermination des Juifs d'Europe, et peut-être de ceux qui sont hors d'Europe, a commencé[45]. » Le passage à l'acte a d'ailleurs précédé la déclaration. Le diable a pris le pouvoir. Il a dorénavant la maîtrise de la terreur. Hannah écrit : « Le destin des Juifs est devenu de plus en plus clair, on sait où conduit le voyage[46]. » Toute sa conscience douloureuse se nourrit pourtant d'un espoir actif pour une humanité... plus humaine. « "On ne chantera pas la messe, on ne prononcera pas le Kaddish." Les morts ne laissent derrière eux aucun testament écrit. À peine laissent-ils un nom – nous ne pouvons pas leur rendre les derniers honneurs, nous ne pouvons pas consoler leurs veuves ou leurs orphelins. Ils sont les victimes d'un sacrifice tel qu'il n'en a plus existé depuis l'époque de Carthage et la destruction du Moloch. Nous ne pouvons plus que rêver leurs rêves jusqu'au bout[47]. »

Comment porter secours ? Comment agir quand il est encore temps ? Hannah tente de convaincre les institutions juives américaines de l'ampleur de la catastrophe en cours et les incite à faire pression sur le gouvernement américain pour constituer cette armée juive qu'elle appelle de ses vœux et qui pourrait encore aller sauver des Juifs en Europe. Mais l'*American Jewish Congress* et les autres coordinations juives rechignent à affronter l'administration. Les Juifs américains sont alors profondément dévoués à Roosevelt, qui a engagé dans son équipe des collaborateurs d'origine juive. Les antisémites appellent son gouvernement le « *Jew deal* ».

Force est de constater que Hannah Arendt se trouve très isolée. Son combat incessant, opiniâtre, pour le sauvetage des Juifs européens ne constitue pas alors une priorité absolue pour les organisations juives américaines. On est surpris de constater leur méconnaissance, voire leur aveuglement, sur l'ampleur des massacres, alors même qu'ils étaient revendiqués par les autorités nazies. Impossibilité de comprendre ce qui, par essence, est inconcevable ? Les organisations juives, informées des atrocités nazies, soulignent alors qu'elles touchent non seulement les Juifs mais aussi les protestants, les catholiques, les Tchèques, les Polonais, les Russes... Hannah Arendt est la seule à mettre l'accent d'abord et seulement sur les Juifs. D'ailleurs, au même moment, le rédacteur en chef de son journal écrit : « Les souffrances des Juifs, si hors du commun et aggravées soient-elles, ne sont qu'un aspect des souffrances de toutes les victimes de la sauvagerie d'aujourd'hui. » Dans le même numéro, un rabbin russe ajoute : « Les Juifs sont devenus les victimes parce qu'ils sont les protagonistes inflexibles de la liberté, de la foi et de la démocratie. » Hannah dit le contraire : « Les Juifs sont devenus les victimes parce qu'ils sont juifs. »

Hannah et Heinrich n'ont aucune nouvelle d'Anne et d'Éric Weil, pas plus que de leur amie Juliette Stern et du couple Cohn-Bendit qu'ils n'ont pas revu depuis Montauban. Ils s'inquiètent. Angoisses et découragements[48]. Ils tentent encore diverses démarches pour venir en aide à des exilés allemands coincés en France, mais les visas sont désormais accordés au compte-gouttes et les Américains n'admettent plus sur leur sol que ceux qui ont déjà de la famille proche dans le pays.

Hannah Arendt apprend alors que le combat qu'elle mène pour une armée juive est également prôné à New York par des émissaires de l'Irgoun, parti révisionniste de Palestine, qui lutte pour l'indépendance d'Israël et qu'elle juge extrémiste et aventuriste. Elle ne veut de confusion ni idéologique ni politique avec ces militants. Elle décide donc, avec un nouvel ami, collaborateur d'*Aufbau*, Joseph Maier, de constituer un nouveau groupe, le Groupe de la jeunesse juive. Elle organise leur première réunion le 11 mars 1942, au club du Nouveau Monde, sur la 44e Rue[49]. L'annonce est faite dans *Aufbau*. Hannah s'adresse à tous ceux qui, convaincus de la banqueroute des idéologies du passé, veulent lutter pour la survie de leur propre peuple. Hannah dirige cette première réunion et prépare un texte pour fonder théoriquement ce qu'elle entend par l'appel à une nouvelle politique juive.

Elle travaille alors simultanément sur l'histoire de l'antisémitisme, la philosophie politique, les conditions de naissance d'une nation. Si elle est une militante acharnée du combat immédiat pour le sauvetage des Juifs, elle souhaite aussi, dans le même mouvement, théoriser ce qui se passe : penser l'événement, en tirer les conséquences, l'inscrire dans des réflexions plus générales, ne pas plier devant le réel mais tenter de l'ordonner intellectuellement pour permettre l'action. Cette orientation majeure de sa philosophie est déjà pleinement affirmée, voire revendiquée. Au milieu des grandes questions théoriques qu'elle présente dans ce club new-yorkais, devant un parterre fourni, elle lance des axes de réflexion qu'on retrouvera bien plus tard dans *Les Origines du totalitarisme* et *Condition de l'homme moderne*. Rejetant Hegel comme Marx, elle dénonce la croyance aux lendemains qui chantent. Inspirée par les thèses philosophiques de Benjamin, elle en appelle à une pensée neuve, dégagée de toute hypothèque sur l'avenir. Pour elle, construire un projet en l'inscrivant dans le temps est une contradiction, voire une faute : seule la liberté et la justice, qui se reconquièrent sans cesse, dans un présent en suspens, peuvent constituer les principes de la politique. Évoquant les souffrances du judaïsme, elle récuse le concept de « peuple élu », qui pour elle est synonyme de défaitisme, d'acceptation de la souffrance éternelle, de survie coûte que coûte, de religiosité absurde de la vie[50].

Son groupe traverse des tensions internes de plus en plus vives et les discussions orageuses sur le devenir de la Palestine se multiplient. Hannah, tout en se disant sioniste, attaque le sionisme officiel qui considère que la Palestine est « le point de cristallisation de la politique juive[51] ». Hannah, entre les sionistes de rédemption et les sionistes de sauvetage, choisit son camp. Pour elle, *Eretz Israël* n'est pas la Terre promise et la vision nationaliste, qui se développe dans le mouvement sioniste et envisage la terre d'Israël comme « solution » contre l'antisémitisme, ne lui paraît pas la réponse adéquate. Internationaliste, Hannah Arendt refuse l'idée de faire la guerre par tous les moyens, y compris le terrorisme, pour conquérir un territoire et obtenir l'indépendance, elle fustige violemment le comportement de certains groupes extrémistes juifs dont les militants de l'Irgoun, qu'elle traite dans son article du 6 mars 1942 de « fascistes juifs[52] ».

Pour elle, être juif n'est pas un supplément d'âme, une singularité, ni même un fardeau, mais un devoir de morale, une réassurance de la dignité, une conscience de vigilance supérieure, une obligation à vivre en citoyen du monde. Elle récuse l'idée même de représentativité de l'être juif et attaque, de plus en plus frontalement, la politique des sionistes officiels : « [...] les ploutocrates et les philanthropes par lesquels nous nous sommes laissés persuader depuis deux siècles que la survie consistait à passer pour mort[53]. » Hannah leur pose la question : « Nous, les Juifs, sommes-nous encore vivants ou déjà morts ? » Elle éprouve cette sensation physique et psychique de ne plus savoir si c'est elle ou son fantôme qui parle, pense et agit à sa place. Le monde dans lequel on l'oblige à vivre est un monde de mensonges et d'apparences. Écrire sa vérité la désigne à la vindicte de ses camarades et l'isole. Le Groupe de la jeunesse juive se dissoudra fin juin 1942.

Hannah conserve sa chronique dans *Aufbau*, qui lui permet de continuer à prendre position publiquement dans la crise que traverse le sionisme. Pour elle, l'idée même que le sionisme puisse s'insérer dans le grand jeu de la *Realpolitik* est morte avec les accords de Munich. Hannah désespère de la politique en général, qui ne peut plus organiser un monde démocratique puisque le diable en personne domine l'Europe, et elle s'élève contre les politiciens juifs qui ont tout fait pour que leur peuple se désintéresse de la politique juive. Elle s'indigne de voir les organisations juives enterrer l'idée de l'armée juive et sombrer dans l'apathie. Certains dirigeants, comme Nahum Goldmann, émettent alors l'hypothèse de la création d'un État mû par une justice plus haute que celle des hommes. Hannah n'y croit pas. Pourquoi cet État serait-il une exception ? À quelles conditions le peuple juif peut-il formuler des droits sur la Palestine ? Comment en avoir la force et la possibilité, quand la communauté juive européenne disparaît physiquement, quotidiennement, sans que les Juifs américains ne se rendent compte de l'ampleur de l'extermination ? Hannah est tourmentée par le silence et l'inactivité de ses frères sionistes américains.

On peut le vérifier : à cette période, c'est à peine si les archives de l'*American Jewish Committee* et celles l'*American Jewish Congress* évoquent la question de l'extermination. Hannah Arendt a raison de souligner la passivité de la communauté. La question du sauvetage ne figure même pas à l'ordre du jour de la plus grande réunion organisée par l'*American Jewish Conference* en 1942. Lors de la session, elle fut néanmoins soulevée par des minoritaires et finalement inscrite pour qu'on en débatte. Hélas, elle fut vite abordée et aussi vite expédiée. Rares en effet sont alors ceux qui tiennent informellement des meetings de mobilisation contre le massacre des Juifs en Europe. Le compositeur Kurt Weill est l'un d'eux. Il constate amèrement que tout cela n'aboutit à rien... « Nous n'avons réussi qu'à faire pleurer une petite quantité de Juifs, ce qui n'est pas vraiment une prouesse[54]. »

Pourquoi ce silence assourdissant ? Un Juif ne fait pas de *rishis*, pas d'histoires. Alors que les ghettos d'Europe s'embrasent, la grande synagogue de New York organise un banquet en l'honneur d'un comédien connu. Discours interminables, toasts, honneurs. La vie continue. On ne veut pas savoir. Élie Wiesel pose la question : « Si nos frères avaient montré davantage de compassion, davantage d'initiatives, davantage d'audaces... Si un million de Juifs avait manifesté devant la Maison-Blanche... si des notables juifs avaient commencé une grève de la faim... qui sait[55] ? » On aurait sans doute tort de n'y voir que de l'indifférence. Les Juifs américains, craignant d'exacerber l'antisémitisme en militant pour le sauvetage des Juifs européens, ne veulent pas porter sur la place publique ce que les organismes représentatifs pensent alors être un problème spécifiquement juif.

Pour Hannah, le problème n'est plus tant le sauvetage des Juifs européens que le sauvetage de l'espèce humaine tout entière. En Palestine aussi, le sauvetage des Juifs européens ne constitue pas une priorité. Autre page noire de notre histoire, l'attitude des autorités mandataires britanniques et des responsables sionistes vis-à-vis de l'extermination demeure encore un tabou[56].

Ben Gourion délègue la question du sauvetage à Itzhak Gruenbaum, ancien responsable de la communauté juive polonaise entre les deux guerres, membre influent de l'Agence juive, installé en Palestine depuis 1933. Questionné sur la possibilité de financer le sauvetage des Juifs européens sur le budget du financement des terres arabes, Gruenbaum ne s'embarrassera pas d'explications : « On va dire que je suis antisémite, que je ne veux pas sauver les exilés, que je n'ai pas un vrai *yiddish hortz*, un brave cœur yiddish... qu'ils disent ce qu'ils veulent. Il n'est pas question pour moi de demander à la *Jewish Agency* d'allouer une somme de trois cent mille ou de cent mille livres sterling pour venir en aide aux Juifs européens[57]. »

On ne pouvait être plus clair : être sioniste et être juif n'était pas, déjà, tout à fait la même chose. Hannah Arendt l'a compris avant tout le monde. Le combat sioniste pour obtenir un territoire est légitime, mais à la condition que la Palestine ne devienne pas l'unique alternative à l'antisémitisme.

Elle attaque là un point fondamental : accepter la Palestine comme solution, c'est accepter, en l'intériorisant comme un mal inéluctable et éternel, l'antisémitisme. C'est faire de l'antisémitisme un destin depuis la nuit des temps, au lieu d'en faire l'objet d'un combat politique incessant. Ce n'est pas l'urgence de la situation qui doit légitimer la Palestine comme futur État des Juifs. La Palestine oui, mais à certaines conditions : Il faut « abandonner des conditions dépassées selon lesquelles le passé en tant que tel confère des droits, ou que l'on peut acheter un pays avec de l'argent[58] » ou que le travail permet de se l'approprier oubliant le peuple qui y vit. Hannah plaide pour l'obtention d'un statut international juif et propose de réfléchir, non en termes d'État-nation, mais de fédération. « Lorsque la politique juive prendra ce sens, alors non seulement vivre sera un plaisir mais ce sera une joie que de contempler comme Juif la lumière du monde[59]. »

On n'en est pas là. En Palestine, les sionistes travaillistes considèrent qu'il faut créer une majorité juive sur ce territoire, une société nouvelle, grâce à une immigration sélective et non une intégration massive des Juifs européens. Le sionisme avait travaillé, dès ses débuts, sur l'hypothèse d'un État fort, même s'il concédait qu'il fallait respecter les Arabes, qu'ils nommaient la minorité. Hannah Arendt récuse l'idée d'un État national juif autosuffisant, et plaide donc pour une Palestine inscrite dans une constellation de fédérations nationales. Dans le rejet profond qu'elle manifeste d'un mouvement juif d'essence nationale, elle rejoint les réflexions de penseurs révolutionnaires comme Heinrich Heine, Karl Marx ou Rosa Luxemburg qui, tous, ont voulu réfléchir sur la judéité en refusant l'idée d'une communauté juive trop contraignante, ou trop archaïque. Chacun à sa manière, ils ont tenté de proposer un modèle théorique, cosmopolitique, qui fait de chaque être humain un citoyen du monde et non le ressortissant d'une nation. Hannah se montre aussi proche des thèses de ses amis juifs allemands partis vivre en Palestine, porteurs d'une vision du monde humaniste, pluriethnique, intégrant le respect et l'égalité des droits des Arabes pour imaginer les bases d'une civilisation nouvelle. Elle s'oppose de toutes ses forces à la conception élitiste d'un sionisme majoritaire, sûr de son bon droit et de ses mérites.

Une correspondance inédite[60] avec un de ses amis, Ernst Simon, permet de comprendre qu'elle travaille déjà intellectuellement à la récusation systématique des concepts d'élite et de génie, qui ne sont à ses yeux que des croyances historiques, et non des réalités politiques. Pour elle, l'élément fondamental de notre humanité est l'égalité et la politique est une affaire de volonté. On peut voir là l'influence du modèle de la Constitution des États-Unis d'Amérique, qu'elle commence à étudier. Utopiste Hannah ? Théoricienne en tout cas. Et prophète. Donc isolée.

Sans l'écarter, *Aufbau* juge dorénavant plus prudent, avant la publication de ses articles, que la rédaction intitule désormais « Libres opinions », l'encart suivant : « Bien que nous ne partagions pas dans tous ses détails le point de vue de Mme Arendt, la situation tragique et difficile du peuple juif exige qu'une place soit faite à toutes les opinions à partir du moment où elles sont honnêtes et reposent sur un raisonnement sain[61]. » Cela ne dura pas. *Aufbau* mit un terme à sa collaboration vers la fin de 1944. La chronique de Hannah fut remplacée par une tribune consacrée à l'éloge du sionisme.

Penser l'impensable

En attendant, le monde s'est écroulé. Plus jamais Hannah Arendt n'a pu respirer comme avant. Elle prend pleinement conscience de la réalité de la Shoah dès mars 1943. « Ce qui a été décisif, dira-t-elle à Günther Gaus le 28 octobre 1964, c'est le jour où nous avons entendu parler d'Auschwitz. [...] Et tout d'abord, nous n'y avons pas cru, bien qu'à vrai dire mon mari et moi-même estimions ces assassins capables de tout. Mais cela nous n'y avons pas cru, en partie parce que cela allait à l'encontre de toute nécessité, de tout besoin militaire[62]. » Bien sûr, depuis 1940, elle n'a cessé de débusquer dans tous les journaux disponibles les informations sur les exécutions, meurtres en série et autres pogroms d'Europe. Elle a interpellé l'opinion publique américaine et la communauté juive allemande en exil sur le caractère systématique et l'ampleur des massacres. Elle a été l'une des premières à écrire sans détours, on l'a vu, que le nazisme avait pour fondement l'antisémitisme et que la machine totalitaire fonctionnait d'abord et avant tout pour l'élimination la plus efficace, la plus rapide, des Juifs, et des Juifs parce qu'ils sont juifs. Elle le disait, elle l'expliquait aux autres, elle l'écrivait, mais au fond d'elle-même elle ne voulait pas y croire.

Car comment croire à l'impensable ? L'extermination ne pouvait se justifier ni militairement ni économiquement. Puisque cela allait à l'encontre de toute logique, comment pouvait-on même l'imaginer ? Hannah est tourmentée. Heinrich la raisonne : « Ne prête pas foi à ces racontars. Ils ne peuvent pas aller jusque-là[63]. » La presse américaine ne met pas en une les massacres depuis longtemps, la presse juive en exil informe peu. Ce que certains historiens comme Peter Novick nomment aujourd'hui la marginalisation de l'« Holocauste » touche aussi la presse de Palestine. Ainsi le *Jerusalem Post* daté du 30 mars 1943 donne plus d'espace au renvoi du Premier ministre du Bengale qu'à un article publié sous le titre « Un demi-million de Juifs tués à Varsovie ».

Hannah dut pourtant accepter la réalité de ce qui paraissait à peine imaginable. Elle expliquera à Günter Gaus : « Et cependant nous avons bien dû y croire six mois plus tard lorsque nous en avons eu la preuve[64]. » Ce fut une révélation. Il y a désormais une Hannah d'avant et une Hannah qui sait : « Ce fut là le vrai bouleversement. Auparavant on se disait : Eh bien, ma foi nous avons des ennemis. C'est dans l'ordre des choses. Pourquoi un peuple n'aurait-il pas d'ennemis ? Mais il en a été tout autrement. C'était vraiment comme si l'abîme s'ouvrait devant nous, parce qu'on avait imaginé que tout le reste aurait pu d'une certaine manière s'arranger, comme cela peut s'arranger, comme cela peut toujours se produire en politique. Mais cette fois, non. Cela n'aurait jamais dû arriver[65]. »

La soudaine connaissance de l'extermination se heurta à l'impossibilité de la penser, à l'insupportable de son existence même. Hannah Arendt dira : « Auschwitz n'aurait pas dû se produire. Il s'est passé là quelque chose que nous n'arrivons toujours pas à maîtriser[66]. » Hans Jonas expliquera : « En réalité Auschwitz fut l'œuvre de la liberté humaine, cette liberté de faire le Bien ou le Mal. Jusqu'alors ce qui arrivait était ce qu'ordonnait la loi de la nature. Mais désormais il était impossible de rendre responsable de ce qui arrive une quelconque puissance supérieure ou l'aveugle nécessité[67]. »

La tante maternelle de Hannah arrêtée à Königsberg, alors qu'elle avait refusé de se cacher, ne reviendra pas du camp de concentration où elle fut déportée. La mère de Hans Jonas, qui s'était préparée à émigrer en Palestine, n'a pu sortir d'Allemagne. Envoyée au ghetto de Łódź, elle fut déportée à Auschwitz en 1942. Hans n'apprendra sa mort qu'après la libération. Hannah vit jour et nuit dans les tourments de la mort.

[...]
Morts que voulez-vous ?
N'avez-vous pas chez Orcus votre lieu et votre patrie ? [...]
L'eau et la terre, le feu et l'air Vous sont voués comme si
Puissamment un Dieu Vous possédait. Et qu'il Vous appelle
À sortir de vos eaux stagnantes, de vos marais, mares et étangs
Et près d'ici, unifiés, Vous rassemble.
Luisants dans la pénombre Vous couvrez de brume le royaume des vivants
Vous moquant du sombre naguère[68].

Ce poème, sans titre, écrit en 1943, témoigne de son état d'esprit : Hannah est encore vivante alors qu'elle pense qu'elle aurait dû mourir. À New York, elle continue à tirer le diable par la queue, à donner des cours du soir au Brooklyn College tout en publiant des articles dans le *Menorah Journal*. Là encore, elle n'y va pas par quatre chemins pour dire ce qu'elle pense. Tout en exaltant le courage du combattant juif, elle stigmatise l'inaction de la « victime », thème qu'elle reprendra plus tard dans *Eichmann à Jérusalem* mais qu'on trouve déjà, omniprésent, avant même la fin de la guerre.

La chance sourit enfin au couple en 1943 : Heinrich se fait engager comme consultant civil auprès du programme éducatif de l'armée américaine et donne des séminaires sur l'histoire de l'Allemagne à des prisonniers de guerre allemands, avant de devenir journaliste de langue allemande de la station de radio NBC[69] ; Hannah obtient son permis de travail à temps plein comme directrice de recherches à la *Conference on Jewish Relations*. Cette société, créée en 1936, présidée par Albert Einstein et dirigée par l'historien Salo Baron, publiait depuis 1939 une revue, *The Jewish Social Studies,* qui s'était initialement donné pour but de s'opposer à la propagande des nazis puis, à la fin de la guerre, de récupérer les trésors spirituels de la communauté juive européenne. Hannah est chargée d'établir le catalogue de ces biens et, pour ce faire, d'entrer en contact avec les réfugiés juifs européens susceptibles de lui donner des informations. L'organisation travaille avec les bibliothèques, les écoles, les musées juifs d'Europe. Elle devient donc la coordinatrice de l'inventaire des trésors de la culture juive dans les pays occupés de l'Axe. Tout en se livrant à ce travail de collecte et de classement, elle continue à écrire des articles dans *Aufbau*, qui reprend ses textes de temps à autre, mais aussi *Partisan Review, Jewish Social Studies, Menorah Journal.* Au cours de l'année 1944, elle abordera à plusieurs reprises le thème de la résistance juive, de la honte et de la victimisation. Dans un article fameux, intitulé « Pour l'honneur et la gloire du peuple juif[70] », elle fait l'éloge du soulèvement du ghetto de Varsovie. Au mois d'août, sous le titre « Une leçon en six coups de fusil[71] », elle rend un hommage vibrant aux jeunes combattantes juives du ghetto russe de Vilnius qui ont résisté aux Allemands. En septembre, elle entreprend le recensement des partisans juifs dans les forces combattantes européennes, et dit toute son admiration pour les chefs de la clandestinité juive : « Il est clair que lorsqu'on n'accepte pas ce qui fait figure de "destin", on n'en change pas seulement le cours, mais on modifie aussi les lois de l'ennemi qui joue le rôle du destin[72]. »

En ce mois de septembre 1944, Hannah croit encore à la possibilité d'une armée juive internationale combattant au sein des mouvements européens clandestins et qui fera se soulever le continent tout entier. Elle pense que cette force révolutionnaire sera contagieuse et riche d'avenir pour une nouvelle vision de l'histoire juive. Cette idée, porteuse d'insurrection, outre qu'elle se heurte à la réalité des faits — Hannah sait que la *Jewish Brigade* est disséminée en petites unités à travers l'Europe, et sans possibilité concrète de commandement opérationnel unique —, semble également contredire ses théories politiques : Hannah ne veut pas d'un État mais appelle à l'existence d'une armée. Comment une armée peut-elle exister, flottant librement dans l'atmosphère, comme le fera ironiquement remarquer l'historien Walter Laqueur[73], sans le support d'un État ? Un tel manque du sens de la réalité peut sembler une aberration. Mais c'est le côté caché de l'histoire qui l'intéresse, et la figure des héros qui lui importe. Ainsi interprète-t-elle l'insurrection du ghetto de Varsovie comme la victoire d'un mouvement souterrain mais profond de ce que doit être, selon elle, la morale juive : celle du combat, non de la victimisation.

Dans cette volonté très insistante, trop sans doute, d'en appeler à un sursaut des Juifs européens face au nazisme, elle se met dans la position de juger l'attitude de ses frères quand elle-même ne peut agir. Que peut-elle faire, elle, qui est devenue une exilée américaine ? Qui est-elle pour se permettre de donner des leçons aux millions de Juifs européens en proie à la terreur ? Dans cet article « Pour l'honneur et la gloire du peuple juif » qui fera date, elle se laisse emporter : elle méconnaît délibérément les conditions dans lesquelles se trouvent les communautés juives, et manifeste une absence étonnante de compassion vis-à-vis des victimes. Même si elle met sur le compte du nazisme l'éradication de l'idée de rébellion dans la communauté, elle parle de la « docilité des cadavres », « des martyrs qui ne connaissent que la gloire de Dieu », « des désespérés qui ne possèdent que le triste courage du suicide[74] ». N'ont grâce à ses yeux que ceux qui ont combattu :

elle rend ainsi un vibrant hommage à Betty, qui a tué avec sa mitraillette six Allemands dans les rues de Vilnius, elle fait l'éloge des combattants du ghetto de Varsovie, qui ont montré qu'ils pouvaient désirer davantage que leur propre survie. Il n'y a de Juifs valeureux que ceux qui ont pris les armes. « L'honneur et la gloire sont des vocables nouveaux dans le vocabulaire politique de notre peuple[75]. » Elle en appelle à un statut identique de la nationalité juive dans la communauté future des peuples européens.

Pour elle, les Juifs qui sont morts dans les camps sont des victimes qui auraient pu, mieux, qui auraient dû combattre leur sort au lieu d'accepter le destin du malheur immémorial que constitue le fait d'être juif. Être juif, pour elle, encore une fois, c'est être combattant et donc s'opposer à tout ce qui a été appris et intériorisé tout au long des siècles, l'effacement de l'identité, la honte d'être encore là. L'histoire du judaïsme se résume à un lamento d'obéissances à la Loi et d'intériorisation de la différence. Le nouveau Juif auquel elle aspire est un Juif valeureux, fier de l'être, un individu qui considère que, être juif, c'est combattre aux avant-postes de la clandestinité pour une nouvelle Europe.

Contre l'inaction des Juifs européens, Hannah écrit le 21 avril 1944 : « Non seulement il vaut mieux — mais il est également plus sûr — d'appartenir à une troupe de guérilla que d'être enfermé dans un camp de concentration ou d'être envoyé aux travaux forcés[76]. » Hannah Arendt croit, en 1944, mais elle croira encore en 1963, et jusqu'à la fin de sa vie, qu'on avait encore le choix de ne pas se retrouver, quand on était arrêté, dans un camp de concentration, et quand on était derrière les barbelés, qu'on détenait encore la force de combattre, qu'on avait encore le choix de la révolte, le choix de ne pas mourir !

Elle n'est pas la seule, ni aux États-Unis ni en Palestine, à considérer la Shoah comme une défaite du peuple juif tout entier. N'oublions pas que si, de nos jours, le statut de victime existe pleinement et entièrement, il inspirait dans ces années-là au mieux une pitié mêlée de mépris[77]. Ben Gourion le déclare dès décembre 1942 : « L'extermination du judaïsme européen est une catastrophe pour le sionisme[78]. » Dès les années 1920, une blague circulait dans les cercles sionistes qui donnait bien l'atmosphère du refus de la plupart des Juifs européens de venir s'établir en Palestine : « Un sioniste, c'est quelqu'un qui demande à quelqu'un qui demande à quelqu'un de vivre en Palestine. » Les victimes du génocide n'ont pas voulu écouter les sionistes. Ben Gourion n'hésite pas à l'affirmer : « Avec leurs morts, ils ont saboté le rêve sioniste. » Pour la quasi-totalité des membres de l'exécutif de l'Agence juive, ainsi que pour les journaux de Palestine, ces morts étaient... bien gênants, et les survivants bien encombrants. Début 1943, le comité de sauvetage publia un mémorandum où il est précisé : « Nous pouvions agir en faveur des Juifs allemands tant qu'ils représentaient un avantage, tant qu'ils venaient avec leurs biens. Les réfugiés actuels ne représentent plus cet avantage puisqu'ils arrivent les mains vides, et de manière plus générale pour l'ensemble des rescapés européens, il est trop tard et peu utile de les accueillir car si nous avions les moyens de les sauver tous, il ne fait aucun doute que nous aurions dû accepter cet état de fait. Mais malheureusement, nous ne disposons pas des moyens suffisants pour sauver ne serait-ce que les bons éléments, nous n'avons que le choix de renoncer à sauver les mauvais éléments[79]. » En Palestine, la jeune génération sioniste semblait persuadée que les Juifs de la diaspora s'étaient fait exterminer parce qu'ils étaient faibles. Rappelons, comme le fait si bien Ilan Greilsammer, que c'est une époque où l'on méprise beaucoup, en Palestine, les Juifs qui se sont fait massacrer, et où naît la terrible formule : Ils ont été menés « comme du bétail à l'abattoir[80] ».

Par sa famille, son cousin Ernst et son épouse, ainsi que par son ami Gershom Scholem, Hannah Arendt a régulièrement des nouvelles de ce qui se passe en Palestine. Son ami Kurt Blumenfeld, cloué par la guerre à New York, attend avec impatience d'y retourner. Il veut « arriver au port », comme il dit, s'installer dans ce qu'il considère comme sa terre, en espérant qu'elle deviendra sa nouvelle patrie. Gershom Scholem, l'un des premiers arrivés — il occupe un poste de bibliothécaire à Jérusalem depuis 1923 —, parti pour rénover socialement et spirituellement le judaïsme, écrit à Hannah Arendt : « La guerre s'approche parfois de nous, pour s'éloigner ensuite, de sorte que nous pourrions parler d'une chance si les choses restaient en l'état. L'atmosphère de ce pays est malheureuse, ce qui fait naître les réflexions les plus sombres par rapport au destin de notre œuvre ici... et je peux bien dire que la preuve a été faite de manière drastique, par les événements et les expériences à l'intérieur de Sion, que Sion n'existe pas du tout dans un isolement orgueilleux et aristocratique d'une diaspora tombée bien bas. Nous ne sommes certainement pas plus mauvais qu'ailleurs, mais on ne peut plus dire que nous sommes meilleurs. Le mieux que l'on puisse dire à notre sujet, c'est que nous sommes là[81]. »

Début juin 1945, Kurt Blumenfeld réussit enfin à rejoindre la Palestine et, à peine installé, écrit à Hannah : « L'air de Jérusalem vous rend-il intelligent ? Je ne sais. Bien portant en tout cas. Je me sens parfois si bien que je m'écrie, effrayé : [...] euphorie[82]. » Hans Jonas, à la fin de la guerre, choisit lui aussi de vivre en Palestine. Il accepte l'invitation de Gershom Scholem, qui tente alors d'encourager ses amis universitaires à venir enseigner à la toute nouvelle université hébraïque de Jérusalem. Hannah est également sollicitée. Elle lui demande comment évolue la situation politique sur le terrain. Scholem répond, tout en précisant qu'il ne peut pas tout dire en raison de la censure : « Vous me demandez ce que je pense de la situation en Palestine. À mon avis, il n'y a plus de politique juive, rien d'autre qu'un pur bavardage [...] de l'autre côté on ne peut pas exclure qu'il y aura des situations pour lesquelles les chefs juifs mèneront, par chance, une politique juive. Cela nécessitera évidemment beaucoup d'indépendance dans le jugement et d'absence de passion, deux aspects qui manquent le plus naturellement à la politique sioniste. Les Juifs ne prennent pas très au sérieux l'apocalypse, et après qu'on les a nourris pendant trois ans avec une apocalypse officielle, ils se résignent avec le plus grand calme, et sans qu'il y ait le moindre changement, à ce qu'on leur annonce l'abolition de toute apocalypse[83]. »

Hannah Arendt rejoint alors les positions de Scholem sur l'absence d'imagination des partis politiques en Palestine, critique comme lui Ben Gourion, s'effraie de l'enlisement de la situation politique et de la spirale de la violence. Si le sionisme n'est qu'un mouvement de nantis, plus soucieux de faire partir ses pauvres du territoire pour assurer la tranquillité du peuple juif, comment croire encore qu'il puisse être un mouvement de libération ? Hannah, influencée par Bernard Lazare, reprend point par point son analyse critique du sionisme, élaborée un demi-siècle plus tôt, qui aurait échoué pour s'être détourné des classes populaires. Avec Scholem, elle communie dans la déception de leurs illusions, le désenchantement de l'idéal sioniste, auxquels ils ont tant cru comme force spirituelle, politique, intellectuelle et culturelle. Ils se consolent en relisant Kafka : lui décryptant dans ses œuvres une vision théologique du monde, elle, le reconnaissant comme l'écrivain d'une culpabilité qui se transforme inexorablement en destinée. Aux yeux de Hannah, Kafka est, depuis la découverte de la Shoah, le seul écrivain qui ait pressenti que le monde *a priori* imaginaire du cauchemar deviendrait réalité. Kafka demeure pour elle une source, une clef de compréhension du monde contemporain, le seul éveilleur de conscience européen. Kafka l'initiateur : « La grandeur de son art réside dans le fait qu'aujourd'hui encore il continue à nous bouleverser, que la terreur de la colonie pénitentiaire n'a rien perdu de son immédiateté avec la réalité des chambres à gaz[84] », écrit-elle dans *Partisan Review* à l'automne 1944. Kafka nous aide à nous délivrer de l'arrière-monde sanguinaire où l'Europe s'est souillée, pour imaginer un monde peut-être pas nouveau, mais possible, où l'action des hommes prévaudrait sur les puissances secrètes, où chacun serait citoyen, un monde à construire, un monde que Arendt théorisera plus tard sous le nom de monde commun.

VIII

ANTISIONISTE

En 1945, au Proche-Orient, la situation politique se tend et la terreur est pratiquée des deux côtés. Les attentats perpétrés par les extrémistes juifs contre des établissements britanniques compliquent les négociations pour la fondation d'un État juif avec la Grande-Bretagne. Blumenfeld écrit à Hannah qu'il a l'impression de vivre sur un baril de poudre avec la crainte qu'on y jette, à tout moment, une allumette. Comme Scholem, il n'éprouve pas de peur tant que demeure cette impression physique et psychique d'avoir atteint, après l'horreur du nazisme et les difficultés de l'exil, non la Terre sainte mais le port d'attache, là où on n'a que des frères et où la lumière limpide dévoile tout ce qui, de l'intérieur, demeurait auparavant dans la brume. À New York, tout en continuant à intervenir dans le débat politique[1], Hannah se bat pour faire publier les manuscrits de Benjamin et les textes de Scholem sur la mystique juive.

A-t-elle réellement envisagé d'aller s'établir en Palestine ? Scholem l'y invite de nouveau et Blumenfeld ne désespère pas de la voir débarquer à Jérusalem, avec Heinrich. Il la relance : « Où en sont les projets palestiniens[2] ? » Pour lui, c'est l'évidence : un Juif ne peut soutenir le peuple juif qu'en allant vivre en Palestine. Pour Scholem et Jonas, il en est de même, malgré les difficultés à trouver un emploi et les désillusions politiques. Leur place à tous deux est ici, au milieu d'intellectuels remarquables, débordant de vie et d'espoir. On a besoin de vous pour réfléchir, discuter, méditer, explique Blumenfeld à Hannah. Ce n'est pas seulement à l'amie qu'il s'adresse mais aussi à la théoricienne du politique : « J'imagine que cette période de turbulences et la situation mondiale te persuadent que tu n'as rien à attendre en venant t'établir ici. Je suis d'un autre avis[3]. »

De New York, Hannah Arendt plaide pour qu'on accorde un statut juridique aux rescapés de la Shoah, tous ces Juifs qui, depuis 1940, n'ont plus de papiers, plus d'identité, plus de nationalité, apatrides donc réfugiés, réfugiés donc traités comme des étrangers hostiles[4]. Elle s'indigne de cette situation de non-droit qui les rejette et les humilie, « comme si un no man's land pouvait leur déclarer la guerre ». Hannah ne pense pas, comme son ami Scholem, que la Palestine seule pourra les absorber. Elle croit que le peuple juif survivra à la guerre et affirme que la chute de Hitler ne signifie pas automatiquement la fin de l'antisémitisme en Europe.

Le « sionisme reconsidéré »

À partir d'août 1944, elle s'oppose de plus en plus violemment à la politique sioniste menée en Palestine. Elle propose à la revue *Commentary* un article historique et politique sur l'essence même du sionisme, où elle récapitule les cinquante années de politique sioniste. *Commentary* le refuse, au motif qu'un lecteur malintentionné pourrait y détecter trop d'implications antisémites[5]. Hannah Arendt, antisémite ? Pourquoi un journal de la qualité et du sérieux de *Commentary* préfère-t-il ne pas la publier ? Antisémite ou antisioniste ? Plus portée à interroger la signification de sa judéité plutôt que de partager les difficultés du judaïsme et les contradictions qu'affronte le mouvement sioniste sur le terrain ? Hannah, au risque de sombrer dans l'idéalisme, préfère soulever les problèmes, avant qu'il ne soit trop tard, au lieu de les éluder. Le *Menorah Journal* décide de publier ce texte, qui ressemble plus à un essai qu'à un article de journal, sous le titre « *Zionism reconsidered* » en octobre 1944[6]. Ce fut pour Hannah Arendt l'acte fondateur des nouvelles recherches qui la conduiront vers *Les Origines du totalitarisme*. Il inspirera tout au long de sa vie ses réflexions sur la nation, l'État, et la possibilité même de la survie de la démocratie.

Elle y dresse un constat d'échec du sionisme, mouvement libérateur qui s'est fourvoyé puis enlisé dans la *Realpolitik*. Elle critique la dernière résolution de la plus grande section de l'organisation sioniste mondiale, qui a adopté, à l'unanimité, la revendication d'un territoire juif, libre et démocratique, comprenant toute l'étendue de la Palestine sans division ni diminution. Elle craint que cette résolution ne porte un coup fatal aux partis juifs de gauche et d'extrême gauche, qui se sont battus pour une entente entre Juifs et Arabes, et vienne renforcer considérablement la majorité de Ben Gourion, « laquelle, sous la pression de nombreuses injustices en Palestine et des terribles catastrophes en Europe, est devenue plus nationaliste que jamais[7] ».

Elle juge la politique menée en Palestine opportuniste, contradictoire, inconséquente vis-à-vis des Arabes. Pour elle, les choses sont simples : le projet sioniste ne peut exister que s'il accepte les Arabes. Pour Hannah, en effet, les gouvernements passent mais les peuples restent. Or, il suffit de regarder la carte. La Palestine est délimitée par les pays arabes, et un État juif en Palestine avec une majorité juive dominante, voire une Palestine purement juive, constituerait, en l'absence d'un accord préalable avec les peuples arabes vivant à ses frontières, une solution trop précaire.

Hannah soutient la ligne d'une coopération qui prône une entente permanente entre les deux peuples, avec une administration binationale et la possibilité pour ce nouvel État de s'intégrer dans une fédération avec les pays voisins. De façon ô combien prophétique, elle s'indigne du mépris qu'affichent les sionistes à l'égard des Arabes, et se révolte contre l'idée, prônée par les mêmes sionistes, selon laquelle la terre de Palestine appartiendrait aux Juifs au nom d'« une justice supérieure ».

Elle critique le fait que les sionistes oublient que des Arabes vivaient et vivent encore sur cette terre et note que, dans la dernière résolution de la réunion du Congrès juif d'Atlantic City, le mot même d'arabe n'est plus mentionné. Pour Hannah, « cela ne leur laisse plus d'autre choix que l'émigration volontaire ou le statut de citoyen de deuxième classe[8] ». Le nationalisme, « déjà assez néfaste lorsqu'il fait exclusivement confiance à la force brute de la nation[9] », dans cette situation géographique difficile, avec des territoires si petits, ne peut que déboucher sur un conflit tragique.

Prémonitoire Arendt qui stigmatise déjà l'oubli volontaire du peuple palestinien, l'effacement du contexte méditerranéen, l'absence de volonté politique des sionistes d'accepter l'existence du peuple palestinien en Palestine et des peuples arabes qui l'entourent.

La force n'a jamais été le viatique de la liberté. Le rêve de Hannah vole en éclats. Elle est aussi déçue par la gauche du sionisme, et reproche notamment à ceux qui avaient inventé l'idéal pionnier des kibboutzim de n'avoir eu aucune influence politique sur la nature du mouvement, inconscients qu'ils étaient du destin général de leur peuple. Elle les juge sectaires, autosatisfaits, plus soucieux de faire entendre leur propagande que d'inculquer une morale à la politique, devenue la sphère des politiciens de la pire espèce, qui font régner le rapport de forces au lieu d'appliquer les règles les plus élémentai res de la démocratie.

Au nom du tribunal de la mémoire et de la dignité humaine, Hannah Arendt poursuit les sionistes et les rend responsables et coupables d'avoir fait des affaires avec Hitler dès 1933. L'accord entre les sionistes et les nazis demeure encore une part maudite de notre histoire. Hannah Arendt a le courage de rappeler cette négociation qui commença quelques mois seulement après l'accession de Hitler au pouvoir[10]. S'il paraît indécent aujourd'hui de rapprocher le nazisme du sionisme, il faut néanmoins rappeler que Ben Gourion souhaitait que le nazisme provoque une immigration massive en Palestine. Et qu'un dirigeant sioniste, du nom de Ruppin, est bien allé trouver des responsables nazis pour leur proposer une négociation. Le contrat dit de la Haavara-transfert fut conclu dès avril 1933. Il était fondé sur les intérêts complémentaires des deux parties : les nazis voulaient les Juifs hors d'Allemagne, les sionistes les Juifs en Palestine. Chaque Juif allemand qui émigrait en Palestine était autorisé à emporter mille livres sterling — le prix demandé par la Grande-Bretagne pour s'installer « en tant que capitaliste » —, en devises étrangères, et pouvait se faire envoyer par bateau des marchandises pour un montant de vingt mille marks et davantage. Des compagnies d'assurance, juives et allemandes, contrôlaient les transferts financiers. Une partie des bénéfices alla à l'acquisition des terres et à l'implantation des colonies. Le système fonctionna jusqu'au milieu de la guerre. Il permit l'émigration de quelque vingt mille Juifs allemands. Mais les efforts de sauvetage furent très insuffisants, et les rescapés des camps furent reçus avec rudesse[11].

Cet accord déchira les sionistes. Les révisionnistes le stigmatisèrent — la nation juive se vend à Hitler pour le salaire d'une putain, disaient-ils. Les dirigeants le justifièrent pour des raisons d'ordre pratique. Pour elle, le sionisme change alors de nature et d'essence. Il a pour unique but la réalisation en Palestine de l'indépendance du peuple juif. « Si je savais qu'il était possible de sauver tous les enfants d'Allemagne en les installant en Angleterre ou juste leur moitié en les installant en *Eretz Israël*, je choisirais cette deuxième solution, car nous devons prendre en compte non seulement la vie de ces enfants mais aussi l'histoire entière du peuple juif », avait déclaré devant le comité central du Mapai son chef Ben Gourion, le 7 décembre 1938[12].

La plupart des Juifs allemands qui viendront se réfugier en Palestine grâce à cet accord le feront pour sauver leur peau. Ils auront des difficultés à intégrer les valeurs fondamentales du sionisme des dirigeants et se réfugieront dans leurs codes occidentaux. On les appellera, jusqu'après la guerre, « les sionistes de Hitler ».

C'est en rappelant cela que Hannah remet en cause la nature même du mouvement sioniste. Pour elle, le fait que l'avant-garde révolutionnaire juive en Palestine ne se soit pas opposée à l'accord nazi-sioniste signe l'échec du sionisme en tant que mouvement de libération. Désormais, à ses yeux, le mouvement a perdu son idéal et peut même devenir dangereux car il laisse le champ libre à tous les fanatismes. Hannah se pose la question : le sionisme existe-t-il encore ? Mort avant de pouvoir naître il déambule, « pareil à un fantôme vivant parmi les ruines de notre époque[13] », écrit-elle.

Hannah Arendt est-elle antisémite parce qu'elle dit la vérité ? Pour la communauté des sionistes américains à qui elle s'adresse, ces choses-là ne sont pas à dire, encore moins à discuter. L'important pour eux est d'avancer, de construire le futur État sans se préoccuper du socle de valeurs sur lequel il doit se fonder. Hannah n'en a que faire. Pour elle, la politique, c'est déjà le vivre ensemble, non le rapport de forces. Estimant qu'il n'est pas encore trop tard, elle interpelle les Juifs réfugiés aux États-Unis et les dirigeants sionistes. Elle croit et en appelle au gouvernement du peuple par le peuple. Pour elle, la Palestine ne peut et ne doit pas être la réponse à l'antisémitisme. Les Juifs de Palestine ont tort de se replier sur eux-mêmes, en pensant que, sur cette nouvelle terre, ils sont protégés de l'antisémitisme, en refusant de constater l'étroitesse du territoire et les ennemis qui les environnent. Le nationalisme extrémiste et le philosémitisme comme réponse à l'antisémitisme sont les pires des solutions. Elle prône une révision radicale du sionisme et les enjoint d'abandonner une idéologie qu'elle juge sectaire, irréaliste et de courte vue.

Hannah Arendt dit défendre la pureté de l'idéal sioniste. Forte de la certitude qu'une nation ne peut et ne doit se construire que par et avec la souveraineté du peuple, elle analyse, avec une intuition remarquable et une analyse historique et politique rigoureuse, les vices de procédure, les oublis volontaires, les mensonges conscients et inconscients dans lesquels les dirigeants sionistes se piègent et s'enlisent. « Il ne sera pas facile de sauver les Juifs ni de sauver la Palestine au XXe siècle, et il est tout à fait improbable que cela puisse se faire à l'aide des catégories et des méthodes du XIXe siècle[14]. »

Ruptures et retrouvailles

À partir de ce problème concret que sont les conditions d'existence d'un nouvel État dans le monde, Hannah remet les compteurs à zéro et nous oblige à penser hors des cadres qu'elle juge erronés du nationalisme et du socialisme. Puissante, indépendante, audacieuse, sa pensée nous paraît aujourd'hui prophétique, même si elle s'alimente aux illusions d'un utopisme révolutionnaire et verse dans les excès d'un internationalisme théorique irréaliste, en oubliant volontairement l'attitude de refus des pays arabes et la violence qu'ils manifestent vis-à-vis des autorités sionistes. Hannah avait, avant même l'existence de l'État-nation d'Israël, émis l'hypothèse que seul un État binational serait viable. Dans les soubassements de son argumentation, on peut aussi distinguer une sorte d'autojustification à ne pas avoir choisi de vivre en Palestine et une croyance alors très forte à la possibilité de devenir... une Américaine juive, certes, et fière de l'être, mais d'abord et avant tout une citoyenne américaine.

Hannah ne viendra donc pas en Palestine. Elle y était pourtant chaleureusement attendue, espérée. Sa rupture avec ses amis vivant là-bas n'en sera que plus grave et violente. En réalité, la brouille avec la communauté juive, qui retentira publiquement à l'occasion de son reportage lors du procès Eichmann, en 1963, prend ses sources dès 1945, avec les conséquences qu'entraîne la publication de « *Zionism reconsidered*[15] ». Cet article provoque une déchirure profonde dans son amitié avec Kurt Blumenfeld, pourtant habitué depuis l'enfance à lui pardonner son agressivité et son arrogance, et entraîne une rupture de ses relations avec Gershom Scholem. Celui-ci n'entend pas la laisser continuer à exprimer ses contrevérités. Il répond à Hannah après avoir lu son texte, le 28 janvier 1946 : « Vous vous livrez à une attaque en règle nourrie d'arguments communistes et trotskistes, mâtinés d'un certain nationalisme... comment pouvez-vous vous permettre d'écrire que les Juifs de Palestine vivent sur la lune, vous qui êtes convaincue de la méchanceté foncière du genre humain[16] ? »

Fou de rage, Scholem souligne l'absurdité de son catalogue de récriminations antisionistes, qu'il juge fausses pour la plupart, et exprimées de manière véhémente et prétentieuse. Mais pour qui se prend-elle, cette intellectuelle méprisante qui nous donne des leçons du haut de son exil à New York où elle vit bien protégée, alors qu'ici on s'expose quotidiennement, au risque d'être emporté par un attentat terroriste, tout en conservant néanmoins l'espoir d'un futur à construire ? La lettre sonne comme une condamnation morale et intellectuelle sans appel. Cependant, Scholem concède à Arendt que la question de la majorité arabe traitée comme une minorité lui pose lui aussi problème. Est-ce qu'un cadre fédéral, national, voire binational pourrait constituer la solution ? Le problème, souligne Scholem, est que les Arabes, n'en déplaise à Arendt, refusent toute hypothèse qui admette l'immigration juive.

On le voit, les enjeux théoriques et les hypothèses politiques n'ont guère évolué, et la situation demeure aussi dramatique. Les propositions formulées par Hannah Arendt, avant la création de l'État d'Israël, sont les mêmes que celles avancées par les intellectuels arabes et juifs du mouvement « La Paix maintenant », désireux aujourd'hui encore de trouver une solution de paix qui passe par la reconnaissance mutuelle des deux peuples.

Scholem critique la position de Hannah et s'exprime au nom des Juifs palestiniens, au nom aussi de l'honneur de pouvoir vivre sa judéité sur cette terre de Palestine, au nom surtout des rescapés : « Aurions-nous dû abandonner les Juifs d'Allemagne à Hitler ? » demande-t-il à Hannah. Sa colère est si grande qu'il en vient à lui écrire, lui l'opposant de Ben Gourion, qu'il est cependant plus facile de s'entendre avec lui qu'avec elle. La seule possibilité qu'il lui offre pour réparer leur amitié est non seulement de s'excuser personnellement, mais de faire publiquement acte de repentance. Hannah refuse. La brouille durera six mois.

Hannah sait bien que son texte incandescent pose problème, qu'elle a été trop loin par esprit de contradiction et de provocation. Mais, et c'est un trait de caractère profond chez elle, elle assume et ne revient pas en arrière. Elle persiste et signe. La repentance, ce n'est pas son genre. Elle hésite plusieurs mois avant de faire parvenir son texte à Kurt Blumenfeld. Plusieurs fois, elle diffère son geste, se doutant que la lecture de l'article pourrait provoquer une rupture. Craignant que quelqu'un ne l'en informe, elle se décide à lui envoyer, accompagné d'une lettre où elle se fait chatte, câline et, comme pour s'excuser par avance, le prévient : « [...] veuille s'il y a moyen, ne pas t'irriter. N'oublie pas que je suis un peu demeurée[17]. » Elle ajoute, comme pour se faire pardonner, que son texte lui est inspiré non par une quelconque désinvolture mais par une profonde angoisse. Kurt, trop déçu par ses prises de position, ne souhaite même pas lui répondre. Son silence signifie son mépris. Hannah le comprend qui, de nouveau, lui écrit et le supplie de renouer. Elle lui dit que son amitié si précieuse, si profonde et si ancienne, constitue la preuve et la garantie qu'elle est encore en vie, dans le même monde que lui.

Comment résister à une amie qui vous dit que vous réussissez, par votre existence même, à créer en elle cette certitude d'existence ? Comment ne pas pardonner à une amie qu'on a vue naître et qu'on n'a jamais perdue de vue depuis la petite enfance ? Hannah sait y faire : « Mon cher, mon bon ami, je ne t'ai pas écrit plus tôt, parce que je redoutais qu'un mot de moi puisse t'énerver, te troubler, t'inquiéter, te fâcher. Maintenant, j'espère que cela s'est assez arrangé pour que je puisse de nouveau avancer mes pions[18]. » Devant son silence persistant, Hannah se ronge les sangs. Elle ne peut supporter l'idée de la brouille. Elle le couvre de déclarations d'amour.

Kurt mettra le temps, mais il cédera. L'éros de l'amitié survivra à la querelle idéologique. Hannah ne peut vivre sans le filet de protection, la chaude couverture, l'enveloppe nourricière et matricielle que représente pour elle l'amitié.

Hannah reprend des forces. Elle se pacifie. Elle a un grand projet : écrire un long texte, qu'elle imagine en deux volumes, entièrement consacré au totalitarisme. Le lien qu'elle va alors renouer avec Karl Jaspers lui donne un nouvel élan. Elle éprouve la sensation, au plus intime d'elle-même, de vivre une résurrection. L'histoire de leurs retrouvailles pourrait fournir la trame d'un roman. Melvin Lasky, un ami de Heinrich Blücher, qui enseignait comme lui à New York l'histoire de la guerre, part à l'automne 1945 pour l'Allemagne accompagner les forces armées américaines en tant que correspondant de la *Partisan Review*. De passage à Heidelberg, il demande l'adresse du philosophe, le rencontre et lui annonce que Hannah Arendt est vivante[19]. Jaspers, très ému — il n'a aucune nouvelle d'elle depuis 1938 —, écrit immédiatement à son ancienne élève : « Avoir de vos nouvelles... quelle joie. Souvent, durant toutes ces années, nous avons pensé avec inquiétude à votre sort et avions depuis longtemps perdu l'espoir de vous savoir encore en vie. Et puis voilà non seulement cette réapparition mais aussi une activité intellectuelle vivante venue du vaste monde ! Vous avez imperturbablement conservé une substance, que vous soyez à Königsberg, à Heidelberg, en Amérique ou à Paris. Celui qui est un être humain doit savoir le faire[20]. » Désormais, Hannah confiera à Karl Jaspers ses moments de force mais aussi ses faiblesses. Elle lui fera l'aveu de ses impatiences, de cette maladresse qui l'encombre et que certains prennent pour de l'arrogance et, jusqu'à la fin de sa vie, il deviendra son interlocuteur principal, son mentor, son ami, son protecteur.

Avec les femmes aussi Hannah saura, dans un rapport de réciprocité, d'égalité et de transparence, nouer des alliances à la vie, à la mort. Peu importe la classe d'âge, le milieu social, le niveau de culture. Seuls comptent la disponibilité, la qualité de la présence, le tissage du lien. Avec ses amies — Lotte Köhler, Mary McCarthy, Hilde Fränkel, Julie Vogelstein, Rose Feteilson, et bien sûr l'amie d'enfance Anne Weil, dite Anouchka —, mais aussi avec certaines de ses étudiantes, comme Elisabeth Young-Bruehl, elle construisit un monde commun, forgé par la solidarité et la fidélité. Avec elles, Hannah aimait marcher, cuisiner, jouer la midinette, bavarder, voir des navets au cinéma, dire du mal des autres — une de ses spécialités —, se risquer aux confidences, livrer ses chagrins, ses peurs obsessionnelles et récurrentes d'être abandonnée, ce sentiment qui l'habitait souvent d'être au bord du précipice et de pouvoir sombrer dans des épisodes soudains de mélancolie, poignardée par un malheur existentiel qui la laisse immobile, pantelante. Pour comprendre Hannah, il faut toujours revenir à l'enfance, au malheur du père fou qui l'a laissée seule, sans défense, et à qui elle n'a pu dire adieu[21].

Hannah apprend ce qu'ont enduré Gertrud et Karl Jaspers en Allemagne pendant huit ans. Le couple a vécu à Heidelberg pendant toute la guerre, replié sur lui-même. Quelques amis viennent leur rendre de rares visites. Ils doivent subsister dans des conditions matérielles difficiles. Réduit au silence — interdiction de diriger l'université, interdiction de publier et d'enseigner depuis 1938 —, Jaspers se réfugie dans l'exil intérieur, cette attitude solitaire et silencieuse de résistance au nazisme, intellectuelle, spirituelle, éveil permanent, méditation continue sur les événements, morale du refus. Il apprend le 14 avril 1945 qu'il doit être déporté avec son épouse. Les troupes américaines entrent ce jour-là à Heidelberg, et leur sauvent la vie[22].

À la fin de la guerre, il a soixante-deux ans. Il ne cessera plus d'interroger ses compatriotes sur leur responsabilité. Comment envisager une nouvelle vie après douze ans de nazisme ? À Hannah, il confie ses tourments les plus intimes : si la grande histoire ne se contente pas de passer sur nous pour nous détruire définitivement, comment et à quel prix est-il possible de se reconstruire dans ce chaos ? L'histoire universelle a été plus intelligente que Hitler, mais comment penser la responsabilité du peuple allemand qui a accepté Hitler ? Pourquoi cette soumission au *Führer* ? Est-elle individuelle et/ou collective ? Le national-socialisme a-t-il, dans l'histoire de ce peuple, répondu à une certaine logique ? En quoi consiste désormais l'essence de l'Allemagne ? Existe-t-elle encore ? Comment penser l'Allemagne d'aujourd'hui sans tomber dans le simplisme ? Jaspers ouvre son cœur à Hannah : comment remonter le fil du temps, discerner la continuité ou assumer la rupture que constitue l'irruption du Reich dans l'histoire de l'Allemagne ? Il ne s'agit pas de faire son *mea culpa* mais de comprendre pour pouvoir, ensemble, construire les lendemains. Jaspers a de l'espoir, « il reste des jeunes brûlant de zèle[23] », c'est avec eux qu'il faut travailler, écrit-il à Hannah.

Hannah apprend que Hans Jonas est vivant et qu'il vient de rendre visite à Jaspers sous l'uniforme de la *Jewish Brigade* de l'armée britannique. Elle est le genre de femme à attendre avec impatience ce qu'elle appelle les *Gute Nachrichten*, les bonnes nouvelles. Elle n'a, à cette période, que des bonnes nouvelles. Jaspers est vivant, Jonas est vivant. Elle apprend qu'Anne a survécu. Son mari, Éric Weil, vient de recouvrer la liberté, et ils vivent tous deux de nouveau à Paris. Il faut imaginer Hannah à New York, avec sa mère et son mari, recevant ces lettres annonciatrices d'espoir, porteuses pour elle d'une nouvelle vie : celle d'après l'exil. C'est comme si elle se reconstituait, physiquement et psychiquement, comme si toutes les parties disséminées dans le temps et l'espace, cette explosion intérieure que constitue l'exil, se recollaient, certes de manière fragile, mais en créant une cohérence, un rapport plus sensible à l'existence. Oui, Hannah éprouve la sensation d'être au monde, dans le monde, vivante, encore vivante. Elle-même a si souvent douté de son existence ! Elle s'est si souvent interrogée sur le fait même de vivre, de savoir quelle partie d'elle-même est encore en vie. En retrouvant ses amis disséminés à travers le monde, elle se perçoit enfin entière, d'un bloc, rassemblée.

À Gertrud et Karl Jaspers, elle écrit : « Depuis que j'ai appris que vous êtes passés sains et saufs à travers tout ce vacarme d'enfer, je me sens de nouveau un peu plus chez moi dans le monde[24]. » Comme elle, Jaspers, Jonas et Löwith, qui enseigne maintenant au Japon, et dont elle était sans nouvelles depuis huit ans, existent encore et sont de ce monde, dans le monde. Ils sont bien, malgré les distances géographiques, dans le même monde et, jusqu'au plus secret de leur cœur, ce qui les habite, les relie et les construit, c'est toujours et encore l'amour de la philosophie.

Justement, comment fait-on, quand on est philosophe, pour penser ce qui s'est passé ? Comment, sans s'engloutir dans les ténèbres de l'histoire, peut-on envisager de tourner une nouvelle page ? Pour Karl Löwith, c'est uniquement par manque d'assurance que les Allemands, après l'avènement de Hitler, se sont donné cette conscience politique et raciste de soi. Ils n'ont jamais été sûrs d'eux-mêmes et ne savent pas qui ils sont. Ils ont toujours besoin d'un ennemi ou d'un bouc émissaire pour pouvoir s'affirmer eux-mêmes. Hannah, elle, inscrira sa réflexion politique sur l'Allemagne à partir de l'antisémitisme, qu'elle considère, on l'a dit, comme la matrice de la construction du IIIe Reich.

Juive d'exception

Juive et déjà plus allemande, puisque refoulée par l'Allemagne en tant que Juive ; donc Juive de langue allemande, même si, à l'époque, elle rédige la majorité de ses articles en anglais ; Juive pas encore américaine, Juive exilée, Juive de nulle part, Hannah est habitée par une profonde intuition : le monde de l'après-guerre ressemblera à l'Europe du début des années 1930. Il s'agit d'être clair et de choisir, de nouveau, le seul camp qui vaille : celui de l'antifascisme.

Hannah la généreuse, Hannah l'attentionnée n'oublie jamais, dans cette immense correspondance qu'elle commence avec Gertrud et Karl Jaspers, au milieu de longues lettres d'analyse de la politique mondiale, de leur demander comment ils vont, ce qu'ils vivent au quotidien, comment va la santé, la famille, ce qu'ils lisent... mais aussi ce qu'ils mangent. Elle précise qu'elle connaît beaucoup de médecins à New York, et qu'il lui est facile de leur envoyer de la pénicilline, un médicament alors fort précieux. Elle ajoute : « J'ai joint aux derniers colis une saucisse *cacher*, car ici nous devons être très prudents avec la viande de porc, à cause des trichines. » Et en parfaite *yiddish mama*, elle précise : « Si je vous envoie du bacon (j'ai oublié le nom allemand, que le diable l'emporte), faites-le toujours poêler de manière suivante : vous posez les tranches dans une poêle sur petite flamme et vous faites revenir à feu doux, vous retirez la graisse jusqu'à ce que les tranches soient bien croustillantes[25]. » Hannah leur enverra aussi régulièrement des cigarettes, des fruits séchés, du thé, du café, du lait concentré.

Elle se vit alors comme écrivain indépendant, quelque chose qu'elle-même ne sait pas définir, une activité intellectuelle qui tient à la fois à l'histoire et au journalisme politique. Elle n'a pas véritablement choisi, mais échapper à telle ou telle catégorie lui convient bien. Elle aime bien se situer *entre* et non *dans*. Elle est, entre l'identité juive et l'identité américaine, entre l'allemand et l'anglais, entre la philosophie et la politique, entre le sionisme réel et l'idéal rêvé. Libre, sans attaches, fière de son indépendance, affiliée à aucun parti, elle n'est soumise à aucune idéologie, bohème de nulle part avec pour seule patrie l'approche de la vérité. Elle n'a comme compagnons d'armes que ses amis, peu nombreux, et comme confident, amant, interlocuteur privilégié, que son mari.

Curieusement, Hannah se sent obligée d'avouer à Jaspers qu'elle est mariée à un non-Juif. « [...] je suis remariée depuis neuf ans à un Allemand : voilà sans doute pour me "punir" de mes bêtises aussitôt après 1933, où, par suite des mises au pas de presque tous mes amis non-juifs [...], j'avais éprouvé une méfiance automatique envers les non-Juifs[26]. » Manière pour elle de se disculper de ne plus vivre avec Günther Stern, que connaissait bien Jaspers ? Culpabilité d'avoir épousé en secondes noces un *goy* ? Aveu indirect de la confusion de Heinrich sur le problème juif ? Elle ne dit à Jaspers ni son nom ni sa profession. Sa manière de le définir : un non-Juif. Karl Jaspers n'est pas juif, Gertrud, si. Jaspers a été poursuivi par les nazis en tant qu'époux d'une Juive. Il s'est ainsi construit une nouvelle identité, qui n'est pas une appartenance à la communauté de race mais à la communauté spirituelle que constitue le fait d'être juif. Hannah, elle, a épousé un *goy* fier de l'être, qui la chamaille sur ses origines, et qui considère, en bon marxiste, que la lutte des classes prime sur le combat pour la revendication de son existence propre. Si Heinrich a perdu ses illusions avec le stalinisme, il n'en demeure pas moins un révolutionnaire internationaliste, qui espère encore une révolution mondiale menée par les oubliés de l'histoire. Il n'éprouve aucune attirance particulière pour les combats menés en Palestine pour la construction d'un État juif et ne s'intéresse guère à la culture juive ni à l'histoire du sionisme. Contrairement à Karl Jaspers, qui a fait un chemin vers son épouse Gertrud, en vivant dans sa chair et en essayant de comprendre par l'esprit ce que veut dire être juif, Heinrich Blücher se montre indifférent, voire sarcastique et agressif sur la question. Certes, Hannah ne lui demande pas forcément son avis sur ce sujet. Elle qui ne niera jamais l'influence que Blücher exerça sur elle, ne va-t-elle pas être ébranlée par son refus de considérer le judaïsme comme un mode singulier d'appartenance au monde ? Force est de constater qu'elle opérera progressivement une mise à distance raisonnée de sa propre identité juive et deviendra, tant par ses prises de positions intellectuelles que politiques, de plus en plus polémique sur la nature, l'identité, la singularité de la question juive.

En refusant de prendre en compte la dimension spirituelle de la *yishouv* — littéralement, l'installation en Palestine —, en refusant l'idée de la Palestine comme Terre promise, en faisant de l'exil la condition même de l'être juif, Hannah rejoint cette longue cohorte d'intellectuels européens d'origine juive, tourmentés par le souci de se faire considérer d'abord et avant tout comme des individus à part entière. Penseurs juifs, pourquoi pas ? Mais penseurs d'abord.

Hannah Arendt a, depuis les débuts du nazisme, compris, vécu et écrit que l'antisémitisme était l'arme principale du diable. C'est au nom d'une vision de l'honneur que constitue le fait d'être juif qu'elle s'exprime. À ce titre, elle se permet de stigmatiser le comportement, dans le passé lointain mais aussi le plus proche, de tous ceux qui ont cru que l'assimilation constituait une solution à l'acceptation de leurs différences. Elle s'autorise, juste après avoir pris conscience du génocide, non d'analyser l'incommensurable rupture que constitue son existence même, mais d'élaborer une théorie historique de la défaite du peuple juif. Elle tente d'expliquer les raisons pour lesquelles il n'a pu, n'a pas voulu, s'opposer à sa destruction. Il y a toujours un malaise à lire, sous sa plume, des jugements sur son propre peuple, coupable à ses yeux d'avoir intériorisé son effacement, au lieu de s'affronter à la réalité de l'antisémitisme. Cette défaite concerne selon elle le peuple juif tout entier. Elle s'explique par l'acceptation, par le peuple juif, de l'antisémitisme comme d'une donnée naturelle et éternelle. Elle a commencé quand les Juifs allemands assimilés ne sont pas intervenus lors de l'arrestation des Juifs d'Europe de l'Est, parce qu'ils ont estimé que les habitants des ghettos n'étaient pas comme eux. Face aux nazis, les Juifs allemands ont préféré se battre en tant qu'Allemands et non en tant que Juifs.

Chacun d'eux croyait que ses droits pourraient être protégés par des privilèges spéciaux : être ancien combattant de la Première Guerre mondiale, ou fils d'un ancien combattant, ou fils d'un blessé ancien combattant, voire fils d'un combattant mort au front. L'idée même de communauté ayant *de facto* disparu, il ne restait plus que des individus. « Les Juifs en "masse" semblant avoir disparu de la terre, il était aisé de se débarrasser des Juifs "en détail". La terrible et sanglante annihilation des Juifs individuels fut précédée par la destruction sans effusion de sang de la communauté juive[27]. »

Les Juifs sont-ils responsables de leur extermination ? Cette question, obscène, Hannah Arendt nous contraint à la poser. Pour elle, le mécanisme de l'effacement volontaire de l'être juif a précédé et peut-être autorisé la Shoah. La débâcle spirituelle de la communauté juive a commencé bien avant la montée de l'hitlérisme. Dans l'article intitulé « *Privilized Jews* », Hannah Arendt développe la théorie des Juifs d'exception, Juifs de cœur, Juifs privilégiés qui, au fil du temps, ont voulu et réussi à se distinguer des autres. Le chacun pour soi a introduit une rupture de solidarité dans l'idée même de communauté, permettant à l'antisémitisme de prospérer. L'antisémitisme n'est pour elle ni un problème de classe, ni un problème de race. La question juive est, par nature, par essence, une question politique. La définition du judaïsme est, essentiellement, externe. Les Juifs sont des hommes comme les autres. Mais, pour Hannah Arendt, à partir du moment où certains se distinguent, ou sont distingués par les *goyim*, est acceptée l'idée qu'ils sont différents. Qu'ils soient en bas de l'échelle sociale comme les parias, ou en haut comme les parvenus, ils sont diffamés dans l'un et l'autre cas, mis au ban de la société.

L'écrivain Aharon Appelfeld dit d'une autre manière, et avec davantage de compassion, la même chose : né dans une famille où l'assimilation était un mode de vie, un héritage que nul ne cherchait à justifier ni à condamner, la catastrophe s'abattit sur les siens comme sur les dizaines de milliers de Juifs qui avaient fui la communauté et qui, par le doigt de Satan, s'étaient tous retrouvés dans le même bateau, Juifs de l'Est comme Juifs de l'Ouest, ensemble sous un ciel de fer. « Si à l'extérieur les Juifs étaient accablés d'accusations, à l'intérieur, un supplice fouillait l'esprit. C'était qui, c'était quoi, un Juif[28] ? »

Hannah entend briser par des moyens politiques, et non idéologiques ou psychologiques, les règles implicites et jamais énoncées de l'antisémitisme. La politique n'est pas pour elle une expérience individuelle et la réalité des affaires publiques ne doit pas relever de la sphère du privé. La judéité n'est pas le judaïsme, et la question juive n'est pas un problème personnel. L'antisémitisme n'est pas la discrimination d'une minorité, mais bel et bien le mouvement de fond qui a balayé l'Europe entière, l'expression même, mise à nu, des mécanismes du fascisme. Ce n'est pas parce que la guerre est finie qu'on va s'en débarrasser, prophétise Hannah dès octobre 1945[29]. Lutter contre cette internationale que constitue l'antisémitisme est un devoir vital de la démocratie.

Pourquoi les Juifs ont-ils été l'étincelle qui a permis au nazisme de s'enflammer ? Telle est la question essentielle que pose Hannah Arendt. Elle met en relation la décomposition de l'État-nation dans toute l'Europe, depuis l'aube des années 1920, avec la résurgence, sur le plan international, de l'antisémitisme. Aujourd'hui, après la guerre, explique-t-elle, les puissances sont devenues mondiales, la politique globale. L'antisémitisme est promis à un bel avenir...

Comment penser cet après-guerre ? Hannah est persuadée que le national-socialisme, malgré sa défaite, n'est pas éradiqué et qu'il continuera à agir sous la forme d'une internationale fasciste à travers l'Europe. Il trouve déjà des appuis dans les régimes de Franco et de Salazar mais aussi dans les dictatures militaires d'Amérique du Sud. Hitler mort, le fascisme continue. Le national-socialisme n'est pas à ses yeux un mouvement national allemand dans son essence, mais une internationale criminelle, fondée sur le racisme, l'antisémitisme, l'impérialisme. Celle-ci peut s'emparer du politique et asservir, au-delà des frontières, les peuples de l'Europe entière.

Elle se nourrit de l'affaiblissement économique et de la montée des minorités.

Pour Hannah, à l'automne 1945, les nazis sont toujours là, cachés et puissants, reliés par cette internationale du crime. Leur défaite n'est que temporaire. Ils s'apprêtent à prendre le pouvoir dans une Europe appauvrie, déchirée, ensanglantée par les conflits nationalistes. Hitler avait prédit que l'Allemagne gouvernerait l'Europe ; ce slogan d'une Europe allemande pourrait encore être l'outil d'une propagande active. Les nazis ont offert l'Allemagne en sacrifice au fascisme à venir. Pour elle, si les nazis ont permis que leur pays se transforme en État exterminateur, et ce avec une froideur jamais égalée, sans se laisser distraire par la moindre sentimentalité nationale ni par le moindre scrupule humanitaire, c'était pour le bien-être de leur peuple. Après douze ans de national-socialisme, c'est la notion même de nation allemande qui se trouve, *de facto*, ruinée.

L'analyse de Hannah s'inscrit alors dans une interprétation de la politique internationale, et ne fait pas de l'extermination des Juifs son objet de réflexion central. Cela peut nous paraître étrange aujourd'hui, mais il faut se souvenir qu'à l'époque la libération des camps d'extermination ne fut pas, pour les Américains, une reconnaissance et une révélation de la Shoah telle que nous l'entendons et le percevons à présent au plus intime de nous-mêmes. Aussi bien dans les articles de presse que dans les récits des soldats, les rescapés des camps de concentration sont des personnes qui se sont opposées au régime nazi, ont appartenu à la résistance ou avaient eu le malheur de naître juifs. Les Juifs sont alors considérés comme des victimes des nazis, des victimes comme les autres. Et les camps font partie de la barbarie nazie en général.

Volonté de ne pas savoir ou aveuglement devant ce réel impensable ? Sans doute un peu des deux. Et d'ailleurs, comment comprendre l'incompréhensible, concevoir l'inconcevable, imaginer l'inimaginable ? Force est de constater que la solution finale n'a pas été comprise tout de suite. Ce que les témoins ont raconté était, peut-être, impossible à entendre, à admettre. La plupart des victimes libérées par les soldats américains n'étaient pas juives. Les Juifs constituaient un peu moins d'un cinquième des détenus à Dachau, un peu plus à Buchenwald. Mais aujourd'hui, les photographies des survivants de ce dernier camp, que nous avons tous en tête et qui habiteront à jamais notre mémoire, sont d'abord pour nous des photographies de survivants juifs. Comme l'explique Peter Novick : « Nous voyons des Juifs. En 1945, ces images étaient vues tout autrement, et cette vision n'était pas fausse[30]. »

Au cours des mêmes semaines, Theodor Adorno et Max Horkheimer publient un livre intitulé *La Dialectique de la raison*[31] où ils tentent, comme Hannah, d'imaginer un monde après l'hitlérisme. Esquissant une histoire philosophique de l'antisémitisme, ils expliquent son fonctionnement par le processus d'une raison devenue, par essence, autodestructrice. Les Juifs sont stigmatisés comme mal absolu par ceux qui sont le mal absolu. La société s'est transformée en un vaste marché où la politique est devenue un business mais où le business est toute la politique. Le Juif, pour l'antisémite, est une entrave au business. Il faut donc l'éliminer. Horkheimer et Adorno, contrairement à Arendt, pensent que l'antisémitisme est désormais voué à disparaître. Mieux, il n'existe déjà plus. L'antisémitisme n'est plus qu'un cliché d'une pensée stéréotypée. L'antisémitisme a été remplacé par le fascisme.

Karl Jaspers, qui reçoit en Allemagne toutes les publications des philosophes allemands exilés aux États-Unis, tant celles d'Arendt que celles de Horkheimer et d'Adorno, s'écrie : « Et on peut imprimer cela en Amérique en dépit de tout ? Heureuse Amérique[32]. » Il voit, dans ses analyses et ses controverses, une liberté d'esprit, une absence de prévention, un esprit de justice qui lui manquent dans cette Allemagne qu'il juge étouffante. Jaspers, comme tous les Allemands, subit le rationnement et constate que le retour à la démocratie s'opère très lentement, de façon trop chaotique et sans transparence. Il éprouve le besoin de consigner par écrit pour Hannah les étapes de ce long et douloureux apprentissage du retour à une vie normale. Nourriture psychique, ressourcement spirituel, ses lettres impatiemment attendues. Elles l'informent sur la situation politique de l'Europe et lui donnent confiance. Comme elle le dira joliment à Jaspers, « durant toutes ces longues années, j'ai été pour ainsi dire plus sûre de vous que de moi[33] ». Cette relation de confiance est réciproque. Jaspers lui aussi veut connaître et faire connaître l'opinion de Hannah sur l'Europe de l'après-guerre et lui proposera très vite de collaborer à la revue *Wandlung* qui vient de naître à Heidelberg. Elle répond qu'elle écrira pour lui : « Avec plaisir, à condition que je puisse signer en tant que Juive[34] » et non en tant qu'Allemande.

La tentation du retour

Américaine elle ne l'est pas encore. Allemande elle ne l'est plus. Juive elle le demeure. C'est donc en tant que Juive, écrivant sur le problème juif, que son article paraîtra en allemand. Écrire dans sa langue natale, n'est-ce pas une manière de revenir dans son pays d'origine ? Arendt, début 1946, n'exclut pas l'hypothèse. Elle met une condition : être accueillie par son pays en tant que Juive. Pour elle, il n'est pas suffisant que l'Allemagne commence à reconnaître les Juifs en tant que citoyens allemands à part entière. Le gouvernement doit montrer qu'ils sont les bienvenus *en tant que Juifs*. Le thème du retour obsède alors la plupart des émigrés allemands. Certaines personnalités sont approchées par les partis démocratiques qui leur demandent de revenir œuvrer à la reconstruction du pays. Cette demande de retour leur est signifiée comme une injonction, une obligation morale. L'Allemagne les veut de nouveau. L'Allemagne a besoin d'eux. Mais que faire de ce désir ? Est-on encore allemand ? Comment être encore allemand ? À quel prix ?

Dans un article intitulé « Pourquoi je ne rentre pas en Allemagne[35] », Thomas Mann, qui considère que son corps et son cœur ont été mis à rude contribution pendant ces années d'exil, refuse de balayer d'un revers de main ces douze années, comme s'il ne s'était rien passé, et ne voit pas pourquoi il irait aider à relever un peuple qui s'est fourvoyé dans un si grand abaissement. Il n'envie pas tous ceux qui sont restés, tous ceux qui ne se sont pas révoltés, qui ne se sont pas solidarisés avec les exilés. Il les juge : « Vous avez fait de la culture sous

Goebbels. » Même s'il ne veut jeter la pierre à personne, il constate : « Nous autres, à l'extérieur, pouvions faire preuve de vertu et dire à Hitler ce que nous pensions de lui. » L'Allemagne lui est devenue profondément étrangère. « C'est, vous en conviendrez, un pays qui fait peur. » Thomas Mann avoue donc ne pas vouloir rentrer au pays, rencontrer des ruines humaines, affronter ce pays détruit, mis à bas, au ban des autres nations, sous tutelle. Il ne veut pas oublier, n'imagine même pas un jour vouloir oublier. Le désir de tourner la page, d'effacer la honte et de passer à autre chose, lui paraît suspect. Les ennemis subsistent et il n'y a pas d'ennemis plus dangereux que des ennemis vaincus. L'Allemagne n'est plus l'Allemagne. Son esprit et son peuple sont entachés par l'horreur absolue. Ce serait trop facile de croire qu'il y a eu une mauvaise Allemagne et que la nouvelle sera la bonne. La bonne, avec ses compromissions, sombre déjà dans la faute, le malheur, la perdition. Le pacte avec le diable continuera-t-il ? Thomas Mann, comme Hannah Arendt, comme Karl Jaspers, a mal à l'Allemagne. Cette douleur ne les laisse pas en paix. Comment être encore allemand aujourd'hui ? Thomas Mann voudrait croire à la fin de la haine grâce à un humanisme mondial qui permettrait à l'Allemagne de s'inscrire à nouveau dans le concert des nations.

Karl Jaspers et Hannah Arendt tenteront de s'opposer aux affirmations de Thomas Mann, qu'ils jugent tous deux dangereuses pour l'avenir du pays et trop dures pour le peuple allemand. Pour Jaspers, qui eut à subir la guerre comme réfugié intérieur, l'Allemagne n'est pas seule responsable des actes qu'on lui reproche. Il est vital d'y retrouver un *modus vivendi* qui permettra de vivre de nouveau ensemble. Cela n'est possible ni par le désespoir, l'indignation ou les insultes, mais par le respect de l'autre et le désir d'élucidation de la vérité. Durant l'hiver 1945-1946, Jaspers donne un cours à l'université sur la situation spirituelle de l'Allemagne et les problèmes de culpabilité, cours qu'il envoie à Hannah tout en lui précisant qu'il n'y fait pas œuvre de politicien, encore moins de tacticien, mais qu'il tente simplement, au nom de ses concitoyens, de voir clair et de vivre l'amour au cœur.

Pour lui, le seul fait d'avoir survécu et souffert ne vaut pas justification. Comment sauver son âme ? Comment conserver son indépendance d'esprit alors que le pays est mis sous tutelle par les Alliés ? Les Allemands n'ont en commun aujourd'hui que des éléments négatifs. Comment retrouver une échelle de valeurs, des désirs, un accord spirituel ? Jaspers livre à Hannah ses doutes, ses espoirs, ses incertitudes aussi. « Maintenant que nous pouvons parler de nouveau librement, nous nous retrouvons comme si nous venions de mondes différents. Et pourtant nous parlons tous allemand, nous sommes tous nés dans ce pays et nous avons ici notre patrie. » Jaspers avoue à Hannah qu'il aurait préféré devenir américain mais qu'il doit continuer à œuvrer pour que l'Allemagne retrouve sa liberté politique, morale, intérieure. Il donne ses premiers cours à la réouverture de l'université sur le thème de la situation spirituelle en Allemagne. Ces cours seront à l'origine de son texte *La Culpabilité allemande,* qui frappe encore aujourd'hui par sa radicalité[36]. Jaspers, contrairement à Thomas Mann, refuse le châtiment et les représailles. S'il faut qu'elle affronte avec clarté sa culpabilité, l'Allemagne appartient encore à l'humanité, car « nous sommes d'abord des hommes et ensuite des Allemands ». Certes les vainqueurs nous proclament coupables mais le sommes-nous vis-à-vis de nous-mêmes ? Jaspers pose les questions fondamentales de la justice et de la responsabilité en termes éthiques. Son raisonnement sur la justice du dehors et du dedans, sur la faute collective ou / et individuelle, influencera profondément Hannah Arendt qui reprendra à son compte certaines de ses thèses au moment du procès Eichmann, à Jérusalem. Impossible pour Jaspers de faire l'économie de la responsabilité politique à assumer. La honte donc, mais pas la déchéance. La justice se montre utile voire nécessaire pour définir le champ et l'ampleur des responsabilités. Mais la justice ne vaut pas quitus. Au procès de Nuremberg, qui se tient alors, et où sont déférés des chefs nazis, se joue l'avenir d'une humanité nouvelle où les criminels sont poursuivis ; mais cela n'exonère en aucun cas le peuple allemand de sa responsabilité collective qu'il doit continuer à assumer.

Il reste que la véritable responsabilité ne se juge ni dans les procès ni dans les négociations politiques. Elle se joue en notre for intérieur, à guichets fermés. Chaque Allemand qui n'a pas risqué sa vie pendant le nazisme est un homme qui a manqué à la solidarité absolue, celle qui nous lie à tout être humain : « Nous les survivants nous n'avons pas cherché la mort. Quand on a emmené nos amis juifs, nous ne sommes pas descendus dans la rue, nous n'avons pas crié jusqu'à ce qu'on nous détruisît. Nous avons préféré rester en vie pour un motif bien faible, quoi qu'il soit juste : notre mort n'aurait quand même servi à rien. Que nous soyons en vie fait de nous des coupables. Nous le savons devant Dieu et cela nous humilie profondément. Pendant ces douze années, quelque chose s'est passé en nous, comme une refonte de tout notre être. »

Jaspers, au nom de l'âme allemande, se veut plus proche de ceux qui, comme lui, au nom de son identité, assument collectivement la responsabilité des actes passés, que de ceux qui, à l'exemple de Thomas Mann, veulent individuellement renier ce lien. Hannah prendra parti dans le conflit qui les oppose en conseillant à Jaspers de ne pas poursuivre Mann de sa vindicte par voie de presse, et lui rappellera le grand romancier qu'il est — on se rappelle qu'elle a fait découvrir à Heidegger *La Montagne magique* —, même si elle le juge piètre idéologue et faible théoricien politique. Elle précisera, en outre, que Thomas Mann a des ennuis de santé et que cette polémique risque de le fatiguer. Le 8 mai 1946, Jaspers lui écrit : « Je n'avais déjà plus l'intention de répondre à Thomas Mann. Ce n'est plus le moment. L'homme est trop important en tant qu'écrivain pour qu'on lui inflige une offense inutile. Il faut respecter ce qu'il a souffert lui-même en tant qu'émigré, et puis il ne nous fait aucun mal[37]. »

Hannah est taraudée par le désir de revenir en Allemagne. Elle entreprend diverses démarches, saisit toutes les occasions, se révèle si anxieuse et si impatiente qu'elle ne peut s'atteler à aucun texte. Son projet ne pourra se concrétiser, et cet échec fait remonter en elle le souvenir du suicide de Walter Benjamin, l'atmosphère atroce de sauve-qui-peut de l'époque. Elle est envahie de nouveau par des pulsions de destruction. « Il faut détester la mort très fort à notre époque pour ne pas céder à la tentation du suicide[38] », confie-t-elle à Gertrud Jaspers. Quitter les États-Unis pourrait être une hypothèse afin de repousser la dépression. L'idée d'un recommencement la hante. Elle a l'impression qu'il est possible de vivre à nouveau en Allemagne, à condition que l'extermination, qu'elle appelle pudiquement « notre problème », soit évoquée publiquement. Impossible en effet pour elle de continuer à vivre dans ce silence : « Ce sont nos morts[39]. » Impossible aussi de s'autoflageller, de se rendre coupable individuellement alors qu'on ne l'est pas. Contrairement à Jaspers, elle pense que la culpabilité d'avoir collaboré au régime nazi ne peut être imputée qu'à des individus, et non au peuple tout entier. Le « Je suis l'Allemagne » de Jaspers heurte Hannah. À Gertrud, elle écrit : « Il n'est pas l'Allemagne, me semble-t-il, ne serait-ce que parce qu'être un homme est beaucoup plus. L'Allemagne n'est pas un homme, un individu[40]. »

Ces problématiques obsèdent certains milieux intellectuels allemands mais aussi hantent les réunions de nombre d'exilés juifs allemands aux États-Unis. Hannah participe aux débats houleux qui agitent à New York la rédaction de la *Jewish Frontier*. Le national-socialisme est-il un accident de l'histoire allemande ou lui est-il consubstantiellement lié ? L'ensemble des Allemands a-t-il accepté la politique hitlérienne ? L'asservissement de tout un peuple sous la botte nazie ne peut s'expliquer uniquement par la terreur. Le national-socialisme plonge ses racines dans l'histoire la plus secrète du pays, la plus profonde. C'est de l'idée de l'Allemagne qu'il est question. Et de quelle Allemagne s'agit-il ? Thomas Mann, dans les conférences qu'il donne alors sur le continent américain, réaffirme le lien entre la mauvaise Allemagne, nazie, et la bonne, celle de Schopenhauer, de Nietzsche et Wagner. Contrairement à Hannah Arendt, il estime que l'Allemagne n'est pas prête pour la démocratie et qu'il faudra une longue quarantaine de prudence et de surveillance pour qu'elle puisse accéder à sa propre gouvernance, tant elle reste encore dangereuse, capable de fabriquer les éléments d'une nouvelle guerre.

Hannah Arendt, comme Bertolt Brecht, refuse cette diabolisation de l'Allemagne. Tous deux pensent qu'il est faux et absurde de lier le national-socialisme à une prétendue nature allemande. Tous deux croient en l'Allemagne future et à sa capacité de reconstruction démocratique. Un ami proche de Blücher et de Hannah, Paul Tillich, théologien connu pour son engagement antinazi de la première heure, et compagnon de la grande amie de Hannah de cette époque, Hilde Fränkel[41], fonde à New York le *Concil for a Democratic Germany*, sorte de club privé de personnalités exilées, qui se donne pour but d'œuvrer pour la restauration de la démocratie en Allemagne. Hannah et son mari y participeront activement. Elle y élaborera des projets dans le domaine de la santé et de l'économie, en compagnie de Brecht. Thomas Mann refusera d'y adhérer mais prendra tout de même connaissance des propositions, qu'il trouvera hâtives. Le groupe se dissoudra rapidement sans résultats concrets.

Heinrich Blücher a, comme Hannah, le désir d'œuvrer à la reconstruction de l'Allemagne, mais, en même temps, il craint d'être déçu et de s'affronter à l'impossibilité d'y trouver de nouveau sa place. Personne ne les attend là-bas, personne ne leur demande de revenir. Il apprend la mort de sa mère par la poste : une des lettres qu'il lui a adressées revient avec la mention « destinataire décédé ». Personne ne l'a prévenu. Blücher, fils unique d'une veuve, n'a pu assister aux obsèques. Il est tourmenté par cette disparition, obsédé par la culpabilité de n'avoir jamais su être un bon fils. Il l'avoue dans une lettre à Hannah qui passe quelques jours de vacances avec Julie Vogelstein dans le New Hampshire[42]. Hannah lui répond agressivement : « Mon chéri, ne sois pas si chagrin, et ne te joue pas la comédie. C'est avant toute chose une libération et ça ne peut être rien d'autre pour toi. » Libération que l'annonce de la mort de sa mère ? Hannah n'y va pas par quatre chemins. La brutalité, elle l'assume : « Je sais, je suis comme la hache[43]. » Mieux, elle la revendique comme méthode pour tenter de sortir Heinrich de la dépression rampante dans laquelle il se réfugie. Elle lui rappelle ses quatre vérités : il n'a jamais été un fils, n'a jamais voulu l'être, ne s'est jamais occupé de sa mère, ni financièrement, ni psychologiquement.

Ce n'est pas parce qu'elle est morte qu'il lui faut s'étouffer de culpabilité. Elle l'encourage à assumer cette absence de lien et se montre fière que son mari ne soit pas tombé dans les rets d'une fausse relation mère / fils. « Cela aurait été non seulement condamnable mais inhumain, comme toute cette comédie parent-enfant le devient automatiquement quand les enfants deviennent adultes[44]. »

Stupéfiante Hannah, qui se permet de critiquer la tristesse bien légitime de son mari, alors qu'elle-même ne peut se passer de sa propre mère dont elle lui impose la présence depuis une bonne décennie. Mais sa violence est salvatrice. Blücher lui donne raison tout en la suppliant de lui laisser le temps d'accomplir son deuil : « J'ai essayé de comprendre combien elle m'avait donné plus d'amour que je ne lui en ai donné et combien d'amour il faudra donc que je donne à d'autres si je ne veux pas rester dans cet état pitoyable de culpabilité[45]. » De ce désespoir qui l'habitera longtemps, il fera un usage philosophique et politique, en tentant d'ébaucher un système de la volonté, une théorie du salut de l'âme.

Comme tant d'autres émigrés allemands de New York, Heinrich Blücher tergiverse, hésite à envisager concrètement la question du retour au pays natal. Hannah insiste, le relance. Début juillet 1946, il consent à réfléchir sérieusement à l'hypothèse mais précise à Hannah : « Je n'aimerais y aller qu'à condition de faire beaucoup de choses là-bas. » Mais quelles choses ? Heinrich n'a que des sentiments agressifs vis-à-vis des Allemands et campe dans la position du redresseur de torts. Il estime en effet le peuple allemand coupable et responsable. Il n'entend dans le discours de Jaspers que du prêchi-prêcha. Les Allemands n'ont pas à chercher une voie de rédemption, ils doivent d'abord affronter la honte : « Je me fous de savoir qu'un jour ils brûleront en enfer si seulement ils font quelque chose pour sécher les larmes de ceux qui furent humiliés, avilis, et s'ils meurent pour la liberté[46]. » Si l'autre Allemagne existe, où est-elle ?

Heinrich, comme Hannah, comme tant d'autres exilés socialistes, tentera d'inscrire le devenir de l'Allemagne dans une problématique plus générale de reconstruction européenne, qui pourrait être dotée de structures fédérales supranationales. Comment reconstruire un monde démocratique après le constat de l'échec de l'État-nation ? Tous deux rêvent d'un monde meilleur. Heinrich griffonne des cahiers de philosophie politique, Hannah, comme elle le dit elle-même, « tripatouille énormément les droits de l'homme[47] », à la recherche d'une grille de lecture du nouveau monde. Comment penser les rapports Est-Ouest ? Comment envisager une action politique quand on est exilé et sans papiers ? Hannah et Heinrich restent soudés. L'amour demeure leur seule évidence. Il leur permet de lutter contre la lassitude de l'être, l'angoisse du néant. Quand l'un s'enfonce dans la spirale du désespoir, l'autre lui sort la tête de l'eau. Et vice versa. Temps sombres, sombres temps.

La rencontre avec Hermann Broch les tirera de cette torpeur délétère. Pour Hannah, la lecture de son roman *La Mort de Virgile* sera une véritable révélation. Avant de devenir son amie, elle sera une lectrice époustouflée qui n'hésitera pas à lui écrire : « Je viens vers vous [...] pour vous dire avec une clarté brute mon remerciement. Votre *Mort de Virgile* est une œuvre merveilleuse et une merveille d'œuvre. » Elle lui avoue qu'avec l'exil elle s'est constitué une sorte de bibliothèque invisible de livres essentiels qu'elle a appris par cœur. C'est ce qu'elle s'apprête à faire avec *La Mort de Virgile* qu'elle range dans la catégorie des grands romans : « Il m'est un grand soulagement de savoir que Brecht n'est plus le grand poète allemand vivant et que William Faulkner et Thomas Mann ne sont plus les grands auteurs épiques vivants[48]. »

Hannah lui avoue qu'elle divise les écrivains qu'elle aime en deux camps : les dionysiaques, Joyce, Döblin, Brecht, et les apolliniens, Kafka, Proust... et Broch. L'admiration littéraire se transformera très vite en amitié. Hannah termine sa lettre en lui proposant... de venir boire un whisky à la maison et, très vite, Heinrich, Hermann et Hannah passeront leurs nuits à refaire le monde. Écrivain, immense écrivain, Hermann leur apportera sa foi en l'écriture, ses rêveries de poète, son énergie dans le combat politique, et tombera vite sous le charme de Hannah à qui il fera, sans succès, des déclarations d'amour enflammées[49].

Hannah Arendt fut encore, comme journaliste, une collaboratrice des revues de gauche, juives et non juives, *Partisan Review, Jewish Frontier, Contempory Jewish Record, Chicago Jewish Review, Review of Politics, Commentary, The Nation, Menorah Journal*, une marginale et fière de l'être, indépendante, parfois brutale mais soucieuse de dire la vérité, sa vérité, souvent dérangeante et contradictoire. Toujours apatride, elle vit dans des meublés. Elle a quarante ans. On dit que c'est la force de l'âge. Elle ne se perçoit pas comme une femme rangée mais plutôt comme une femme engagée, éternelle minoritaire. Elle s'en vante : « Si j'avais voulu devenir respectable, j'aurais dû, soit me désintéresser des choses, soit ne pas épouser un non-Juif. Deux choses également inhumaines et quasiment insensées[50]. » Heinrich, qu'elle appelle « Monsieur », ce gros ours mal léché qui passe son temps à écrire mais sans jamais rien achever ni publier, cet autodidacte charmeur et emporté, cet homme en proie aux foucades violentes et à certaines fixations obsessionnelles, est à la fois son maître spirituel et son initiateur en politique. Il est étrange de constater, au fil des correspondances, combien cette femme, qui construit son œuvre dans les difficultés matérielles, en abattant une impressionnante quantité de travail, se mésestime pour mieux mettre en lumière celui qu'elle considère comme son inspirateur. Sans lui, elle ne pourrait affronter les difficultés de la vie. À Kurt Blumenfeld, elle avoue : « Il y a toujours Monsieur, sa sapience, sa bonté et son absolue indépendance vis-à-vis de tout et de tous, mon seul point d'appui[51]. » Elle a presque honte d'être aussi dépendante. Aussi, elle s'en excuse : « En réalité on ne devrait pas écrire ainsi sur son propre mari, aussi ne le fais-je que *once in a life time*[52]. » À Karl Jaspers aussi, elle précise : « Voyez-vous, ici, je vis sur le plan intellectuel pour ainsi dire exclusivement avec Monsieur, c'est-à-dire que nous sommes tout simplement les seuls à pouvoir nous dire quelque chose[53]. » Et quand, très rarement, elle le quitte quelques jours pour aller se reposer à la campagne, elle en est malade. Alors, reprenant ses vieilles habitudes d'amoureuse éplorée, elle écrit, comme elle le faisait avec Heidegger, des poèmes à son Heinrich, le seigneur de ses nuits :

> [...]
> *Pleine d'impatience,*
> *J'attends ton rêve, j'attends la nuit.*
> *Les jours s'alignent en une chaîne*
> *Mais chaque soir vient la briser.*
>
> *Seigneur des nuits*
> *Jette la passerelle sur le fleuve*
> *De rive à rive.*
> *Ainsi quand, assoiffée je courrai*
> *Pour me coucher dans ta fraîcheur*
> *Au dernier bond je pourrai me reprendre*
> *Sur la passerelle entre les rives, entre les jours*
> *Au-dessus de l'éclat de ton or*[54].

Hannah est mariée depuis six ans. Elle n'a pas revu Martin Heidegger depuis seize ans. Elle a lu son discours du rectorat, pris acte de sa démission et connaît le contenu de son séminaire jusqu'en 1945. Elle sait aussi qu'il a continué à adhérer au parti nazi jusqu'à la défaite. Pour elle, les jeux sont faits, il n'y a même pas d'ombre à dissiper. Heidegger fut un nazi. Cela porte un grave préjudice à sa philosophie. En septembre 1946, dans *Commentary,* elle écrit : « [...] s'il est parfaitement vrai que quelques respectables professeurs allemands se sont portés volontaires pour offrir leurs services aux nazis, il est non moins vrai — ce qui a plutôt choqué ces Messieurs eux-mêmes — que les nazis ne se sont pas servis de leurs idées. Les nazis avaient leurs propres idées, ils avaient besoin de techniques et de techniciens sans idées du tout ou élevés dès le début dans l'idéologie nazie exclusivement. Les savants que les nazis mirent en premier au rancart, parce qu'ils leur étaient relativement inutiles, furent les nationalistes démodés comme Heidegger dont l'enthousiasme pour le IIIe Reich n'eut d'égal que son ignorance stupéfiante de ce dont il parlait. Une fois que Heidegger eut rendu le nazisme respectable au sein de l'Université, Alfred Baeumler, bien connu avant l'époque hitlérienne pour être un charlatan, prit sa place et reçut tous les honneurs[55]. »

Son article intitulé « L'image de l'enfer[56] » prend pour point de départ la critique d'un ouvrage sur le nazisme intitulé le *Livre noir*, collectif édité par le Yiddish Scientific Institute. Hannah Arendt en dissèque la problématique historique et analyse le processus mental par lequel les nazis, non seulement ont menti en faisant croire que les Juifs étaient des sous-hommes, mais ont fabriqué la réalité elle-même pour faire en sorte que les Juifs ressemblent à des sous-hommes. Avoir recours à ce genre de procédé, où c'est le réel souhaité qui se fabrique, en échappant à sa nature même qui est de s'offrir et non de se construire, est la perversité même. Le nazisme a élaboré dans les camps de la mort la plus monstrueuse innocence qui soit : ceux qu'on tua ne furent pas considérés comme des êtres humains, mais comme de futurs cadavres[57].

Hannah Arendt souligne le caractère insondable du mal qui a été commis. « La perversité monstrueuse de ceux qui ont établi une telle égalité dépasse les capacités de la compréhension humaine. Mais l'innocence de ceux qui sont morts dans cette égalité est également monstrueuse et dépasse la justice humaine. Les chambres à gaz, c'était pire que ce que quiconque aurait pu mériter, et par rapport à cette chose-là, le plus abominable criminel était aussi innocent qu'un nouveau-né[58]. »

Victimes et coupables ?

Comment expliquer cette volonté, qui vire chez elle à l'obsession, de reprocher avec véhémence au peuple juif de ne s'être pas révolté ? Alors que Thomas Mann s'interroge sur l'absence de réaction du peuple allemand tout entier pendant les douze années du national-socialisme, et interpelle l'opinion publique pour que les bourreaux soient poursuivis, Hannah Arendt, en septembre 1946, au moment même du procès de

Nuremberg, préfère interroger les raisons pour lesquelles les victimes des camps moururent, non comme des individus, mais, dit-elle, « comme du bétail ; comme des choses qui n'auraient ni corps ni âme, ni même un visage sur lequel la mort aurait pu apposer son sceau[59] ». Pour elle, les Juifs sont fondés à dresser l'acte d'accusation contre les Allemands à une condition : qu'ils n'oublient pas qu'en cette occasion ils parlent au nom des peuples de la terre.

Hannah s'oppose à la vision d'une histoire propagande et ne se satisfait pas de l'opposition, qu'elle trouve simpliste et outrageante, d'un peuple juif complètement innocent contre un peuple allemand absolument coupable. Elle refuse que l'histoire soit présentée, du côté juif comme l'histoire des éternels persécutés, et du côté antisémite comme une histoire diabolique. Les nazis n'ont pas construit les usines de la mort exclusivement à l'usage des Juifs. Les Tziganes aussi furent exterminés. Hannah plaide pour que le désir de vérité soit plus fort que la douleur et la colère : « Nous avons désespérément besoin, pour l'avenir, de l'histoire vraie de cet enfer construit par les nazis[60]. » Hannah en appelle à une nouvelle connaissance de l'homme : « Ceux qui auront un jour peut-être la force de raconter toute l'histoire devront toutefois prendre conscience de ce que cette histoire *en elle-même* doit n'offrir rien d'autre que peine et désespoir, mais surtout pas d'argument susceptible de servir quelque but politique que ce soit[61]. »

L'histoire vraie de cet enfer était déjà racontée. David Rousset termine son récit sur Buchenwald, *L'Univers concentrationnaire*, dès août 1945. À peine revenu de l'enfer, son témoignage est aussi une réflexion philosophique et politique sur les camps qui continuent à hanter le monde contemporain comme un astre mort chargé de cadavres. Ce mal, qui a gangrené tout un système économique et social, contaminera encore l'Europe pendant longtemps, prophétise Rousset qui rend un vibrant hommage à tous ceux qui ont résisté derrière les barbelés. Malgré l'humiliation des coups, la faiblesse des corps sous les fouets, les ravages de la faim, la volonté des nazis de ruiner leur dignité, ces hommes sont restés des êtres humains.

Les hommes normaux ne savent pas que tout est possible, écrit David Rousset dans cet ouvrage où il tire, dès 1945, des enseignements politiques pour l'avenir : « L'existence des camps est un avertissement, l'expérience peut recommencer ailleurs, plus tard. Ce n'est qu'une simple question de circonstances. Elle est universalisable et reproductible sous toutes les latitudes. [...] Ce serait une duperie, et criminelle, que de prétendre qu'il est impossible aux autres peuples de faire une expérience analogue pour des raisons d'opposition de nature[62]. »

Rousset fut sans doute le premier à tirer les conséquences philosophiques, éthiques et politiques, de l'existence des camps. Robert Antelme, son compagnon de détention à Buchenwald, prolongea et approfondit dans *L'Espèce humaine*[63], écrit en 1946-1947, sa réflexion. Il y explore la possibilité que détenait chaque déporté d'appartenir encore à l'espèce humaine. Dans cette analyse à la fois existentielle et philosophique, qui demeure incandescente par sa profondeur et son universalisme, non seulement il décrit son expérience de déporté, mais il lui donne un sens. Comment continuer à appartenir à l'espèce humaine après la déshumanisation des camps ? Sa pensée, qui rompt avec l'humanisme positif, présente quelques parentés avec celle de Hannah Arendt, notamment dans son penchant à conserver un résidu d'humanité au bourreau nazi, mais aussi dans sa volonté de penser désormais les conditions du monde d'après les camps, et dans le désir d'imaginer de nouvelles catégories pour le conceptualiser.

Mais les deux penseurs divergent profondément sur la nature même de la résistance, pas seulement chez le peuple juif, mais dans chaque être humain. Pour Hannah Arendt, la résistance passe par la lutte armée. Pour Robert Antelme, vivre c'est déjà résister, résister c'est vivre, refuser la destruction de l'être humain que veut le nazi. Hannah Arendt a toujours méconnu cette dimension : résistance de base, résistance première, antérieure aux formes politiques ou idéologiques, résistance existentielle, résistance humaine, trop humaine.

Quarante ans après Auschwitz, Primo Levi reviendra, dans *Les Naufragés et les Rescapés*[64], sur ce sentiment de honte et de faute qui envahit le cœur des rescapés. Il critique celles et ceux qui, comme Hannah Arendt, ont trop parlé, et trop légèrement, de l'absence de résistance dans les camps. Ceux qui s'y sont essayés savent à quel point, le plus souvent, elle se révélait impossible. Primo Levi rappelle que, à l'intérieur du camp, les victimes étaient réduites à essayer de survivre. Et il y eut pourtant des évasions, des actes de révolte, des rébellions organisées, des soulèvements, qui manifestaient un courage inouï et dont les témoignages sont recueillis dans le grand film de Claude Lanzmann, *Shoah*, ainsi que dans son récit intitulé *Sobibor, 14 octobre 1943, 16 heures*. Devant ces documents, on comprend combien il est *impossible* de demander des comptes aux victimes. De même en lisant Primo Levi, quand il est amené à répondre à cette question qui ne manque jamais de lui être posée, à mesure que les années passent, avec une insistance croissante et un accent d'accusation de moins en moins dissimulé — pourquoi ne vous êtes-vous pas révoltés ? —, lorsqu'il répond donc pour les Juifs : « Même en supposant qu'ils aient réussi à franchir le réseau de barbelés et le grillage électrifié, à échapper aux patrouilles, à la surveillance des sentinelles armées de mitrailleuses sur les miradors, aux chiens dressés à la chasse à l'homme, où auraient-ils pu se diriger ? À qui demander l'hospitalité ? Ils étaient hors du monde, hommes et femmes faits de rien. Ils n'avaient plus de patrie... ni de maison... Sauf exception, ils n'avaient plus de famille, ou si quelques-uns de leurs parents étaient encore vivants, ils ne savaient où les trouver, ni où leur écrire sans mettre la police sur leurs traces. » Primo Levi demande de la pitié et de la compassion. Il le dit et le répète : « Je crois que personne n'est autorisé à les juger, ni ceux qui ont connu l'expérience ni, encore moins, les autres. »

Pourquoi Hannah Arendt se permit-elle de juger les victimes, et de quel droit ? Elle a lu Rousset et s'en inspirera pour *Les Origines du totalitarisme*. Elle ne fut pas la seule à ne pas reconnaître la dignité des victimes et à se montrer aussi sourde, aussi rétive, à accepter la réalité des écrits et des témoignages des rescapés. Indicible ou inaudible ? « Pourquoi la douleur de chaque jour se traduit-elle dans nos rêves de manière aussi constante par la scène toujours répétée du récit fait et jamais écouté », demande Primo Levi. Comme le rappelle Annette Wieviorka, et contrairement à une idée reçue, les déportés ont parlé d'abondance et ils ont beaucoup écrit ; leurs récits couvrent du reste l'ensemble du système concentrationnaire de l'époque nazie. Mais on n'a pas souhaité — pas pu — les écouter[65]. En France au moins, l'extermination des Juifs ne parvint pas à la conscience de chacun dans les années d'immédiat après-guerre, malgré tous les témoignages des déportés.

Aux États-Unis, comme en Israël, les survivants se trouvèrent face à face avec des auditeurs qui répugnaient à écouter leurs souvenirs. Un rescapé raconte que sa tante lui faisait la leçon quand il racontait sa vie au camp de concentration : « Si tu veux te faire des amis aux États-Unis, ne passe pas ton temps à relater tes expériences. Ça n'intéresse personne, et si tu les racontes, ils vont t'écouter une fois puis, la fois suivante, ils auront peur de venir à toi ; n'en parle jamais[66]. »

Par ailleurs, on ne peut négliger le fait que Hannah Arendt se situe alors dans le courant d'une jeunesse juive issue de l'immigration inspirée par le communisme, pour lequel le nazisme n'était qu'une des modalités du capitalisme, ce qui niait la spécificité de l'antisémitisme. Diluer le malheur juif dans le malheur universel, faire des Juifs des victimes du fascisme parmi d'autres, ne pas clamer son martyre : telles étaient les injonctions communistes.

Bien qu'elle se montre critique envers le stalinisme, qu'elle met déjà sur le même plan que le nazisme, tout en précisant que ce dernier est plus terrible parce qu'il assigne à la nature le rôle que le marxisme assigne à l'Histoire, Hannah Arendt réfléchit et réagit comme si l'identité communiste — non au sens du parti, mais au sens d'une communauté de lutte — recouvrait et dépassait son identité juive, chancelante. Son souci est de rendre justice : non pas de rappeler ce que fut la souffrance des victimes, mais bel et bien de punir les coupables.

Il faut d'ailleurs rappeler que les ouvrages de Robert Antelme, de David Rousset, de Primo Levi n'eurent au moment de leur sortie aucun écho. Rares furent les journalistes qui y accordèrent quelque intérêt. À quelques exceptions près, ils ne suscitèrent qu'une compassion légèrement condescendante. Il fallait tourner la page. La voix des déportés sera encore inaudible pendant une bonne vingtaine d'années.

Meurtrier potentiel

Sur la photographie, Martin Heidegger sourit. Il fait beau, c'est l'été, il est en bras de chemise sur son perron. Il serre la main d'un jeune officier avec un beau béret. Je montre la photo à l'un des plus grands cinéastes vivants pour savoir s'il se reconnaît sous l'uniforme militaire. L'homme — en l'occurrence Alain Resnais — acquiesce, sourit. Oui, il se souvient très bien de cet instant. C'était en juillet 1945. Frédéric de Towarnicki, philosophe, est l'auteur de la photographie. Tous deux avaient décidé de rendre visite au philosophe dans sa maison de Zähringen, dans la banlieue de Fribourg, sur les flancs d'une colline boisée couverte, cet été-là, de carrés de choux et de pommes de terre. Il n'était alors pas facile de parvenir dans cette zone militaire occupée, et il fallait braver bien des obstacles pour parvenir chez ce penseur allemand dont ils avaient entendu parler en France par Jean-Paul Sartre et Jean Beaufret. Ils seront les premiers à revoir Heidegger après la guerre. Dans l'Allemagne agenouillée, en cendres, verrouillée de toutes parts, le philosophe leur confiera qu'il avait été enrôlé en 1944 comme manœuvre lors de la levée en masse des réservistes mais que, étant tombé malade, il n'avait pu rejoindre l'armée. Après avoir été hébergé dans une maison forestière, il avait retrouvé son épouse à Fribourg à la fin des combats. Heidegger vit alors sous la menace de voir sa maison réquisitionnée par les autorités françaises. Un comité d'épuration, composé de professeurs allemands chargés par les Français de procéder à l'épuration politique dans les universités, vient d'être constitué. Dans un premier temps, une commission enquête sur Heidegger, personnalité la plus controversée de la région. Elle doit rendre son verdict en septembre. Au moment où il reçoit longuement Frédéric de Towarnicki et Alain Resnais, Heidegger sait qu'il est montré du doigt par plusieurs de ses collègues qui exigent au moins sa mise immédiate à la retraite et l'interdiction d'enseigner. Il sait aussi que ceux qui parlent en sa faveur souhaitent garder l'anonymat. Frédéric de Towarnicki, en tant que capitaine de l'armée française, se renseigne auprès du fonctionnaire chargé du dossier. Celui-ci lui avoue qu'il n'a pas de preuves bien précises : son discours de rectorat en 1933, bien sûr, mais le fonctionnaire se dit lui-même incapable d'en comprendre le sens véritable, et quelques témoignages à charge. Aujourd'hui, en me sortant ses photographies, Frédéric de Towarnicki en rit encore : l'embarras des militaires était d'autant plus grand que personne, parmi les forces d'occupation, ne comprenait rien aux écrits de Heidegger. Et pourtant... son sort intéressait au-delà des frontières, les universités à l'étranger demandaient une sanction et l'Église catholique s'en mêlait. Ce beau matin d'été donc, les voisins crurent qu'Alain Resnais et Frédéric de Towarnicki venaient arrêter le philosophe. Une fois rassuré, s'exprimant tantôt en allemand tantôt en français, Heidegger les fait entrer et leur explique qu'il est très éprouvé par ce qui s'est passé dans son pays[67].

Frédéric de Towarnicki se souvient très précisément de la scène, gravée à tout jamais dans sa mémoire. Heidegger les fait asseoir et parle interminablement. Heidegger est petit, très petit, insiste Towarnicki. Il est habillé ce jour-là d'une étrange façon, comme un paysan endimanché, avec une veste folklorique aux revers brodés. Il a des cheveux blancs, il est fatigué, semble angoissé et, avec sa femme Elfride à ses côtés, ne cesse de se justifier et de se lamenter. Il faut aller jusqu'à la racine, remonter aux véritables causes, répète-t-il. Derrière les événements politiques et militaires se prépare une autre guerre, non moins redoutable, qui vise directement la dignité de l'homme. Alors qu'il est inquiet de son sort, qu'il sait qu'il est l'objet de règlements de comptes, Heidegger ne fait pas amende honorable, ne dit pas un mot sur le nazisme et ne regrette rien.

Il dira la même chose jusqu'à la fin de sa vie. Oui, il a été nazi. Oui, il a cru au réveil national dont il espérait qu'il sortirait le peuple allemand de la misère et du chaos. Oui, il a accepté d'être recteur sous les autorités nazies parce qu'il souhaitait rénover l'Université. Oui, c'était une mission, un fardeau. Il a échoué. Il s'est trompé, non sur ses croyances idéologiques, mais sur sa possibilité à transformer l'institution. C'est pourquoi il a donné sa démission. Nul remords dans cette évocation. Juste une assurance tranquille.

Frédéric de Towarnicki se souvient qu'il parlait d'un ton égal, comme s'il s'agissait d'une évidence. C'était d'ailleurs évident pour lui : il avait été nazi, il avait cru à Hitler, et alors ? Il n'était pas le seul. Ceux qui, comme Karl Jaspers, Karl Löwith, Paul Celan et tant d'autres, lui demanderont des comptes exigeront des explications, espéreront un *mea culpa*, ne voudront pas entendre ce que disait tranquillement Heidegger quelques mois à peine après le suicide de Hitler et la capitulation de l'Allemagne. Non, il ne regrettait rien. Non, il n'éprouvait ni remords ni culpabilité. Non, il ne pensera jamais la Shoah et ne s'intéressera jamais aux implications philosophiques et éthiques du génocide. Il y avait des choses plus importantes sur lesquelles réfléchir : le pillage de la nature, la montée de l'industrialisation qui mettaient, eux, en péril l'avenir de l'humanité, bien plus que le nazisme avec l'extermination des Juifs. On peut tout reprocher à Martin Heidegger, sauf d'avoir changé d'avis et de ligne de conduite. Le reste peut apparaître accessoire. Le fait qu'il n'a pas procédé lui-même, en tant que recteur, à d'autodafé, ou qu'il n'a pas fait interdire de bibliothèque son vénéré maître Edmund Husserl, l'interdiction, durant son mandat, des affiches antisémites dans l'enceinte de l'université, ses cours sur Nietzsche destinés, depuis 1934, à le désembourber de la gangue nazie dans laquelle sa sœur Elisabeth l'avait jeté, les insultes des professeurs hystériques, plus nazis que lui et qui lui en voulaient d'être nazi à sa façon et non comme l'exigeait Hitler, tous ces faits sont désormais vérifiés, mais ils paraissent bien dérisoires au regard de son désir d'avoir toujours et encore raison, de son refus de prendre en charge le réel, de son incapacité à se remettre en question.

Heidegger tente des démarches auprès des autorités françaises pour sauver son statut de professeur. Il doit se montrer convaincant puisque la commission militaire française décide en effet, le 28 septembre 1945, qu'il n'est pas suspendu mais mis en disponibilité par le gouvernement militaire français.

En octobre, il figure en seconde place sur une liste de nomination de professeurs pour l'université de Tübingen. Cette annonce provoque un tollé chez les universitaires de Fribourg, qui demandent à la commission de se montrer plus sévère avec lui. De nouvelles procédures de consultation sont relancées. Comment peut-on juger Heidegger ? Si l'on sait aujourd'hui, grâce aux travaux de Hugo Ott et de Victor Farias, que Heidegger a appartenu au parti nazi jusqu'à la fin de la guerre et qu'il a, par écrit, en tant que recteur, écarté la possibilité de nomination d'étudiants pour la raison qu'ils étaient juifs[68], on le pressentait déjà fortement en 1945, sans pour autant pouvoir apporter de preuves.

Heidegger se défend en affirmant qu'il avait sauvé en les nommant à l'étranger certains étudiants juifs, qu'il avait apostrophé le pouvoir nationaliste en l'accusant de déformer pour son propre usage des philosophes comme Platon et Nietzsche, qu'il avait été poursuivi par des professeurs nazis qui l'insultaient dans la presse et l'interdisaient de publication. Tout cela, aussi, est vrai. Mais là n'était pas le problème.

À la tête de cette commission, Friedrich Oehlkers ne veut pas juger son comportement mais comprendre réellement ce qui lui est arrivé. Heidegger lui souffle que Jaspers peut l'aider. Oehlkers demande donc à Jaspers, par une lettre datée du 15 décembre 1945, de lui permettre de juger le plus équitablement possible Heidegger car, dit Oehlkers de manière lumineuse : « Il n'est certainement pas un nazi au sens habituel du terme... il était justement apolitique d'un bout à l'autre, et le national-socialisme qu'il s'était fabriqué n'avait rien de commun avec la réalité[69]. »

Heidegger, nazi apolitique[70] ? L'affaire est, en effet, compliquée. Jaspers ne se dérobera pas à ses responsabilités et, quinze jours plus tard, répondra à Oehlkers : Oui, Heidegger est devenu antisémite en 1933. L'attestation par écrit de mots comme « le Juif Fraenkel » le prouve. Il ne l'était pas avant. Il a eu un comportement d'antisémite puisqu'il a commis des actes d'antisémitisme. Cela ne signifiait pas forcément que l'antisémitisme n'allait pas contre sa conscience et son goût. Oui, Heidegger est coupable et responsable d'antisémitisme, mais coupable et responsable aussi d'avoir fait partie des quelques professeurs qui ont contribué à mettre en selle le national-socialisme. Jaspers continue donc en expliquant qu'à ces deux titres il ne doit pas enseigner tout de suite car il pourrait être dangereux pour les étudiants. Puisqu'il n'a pas fait de chemin intellectuel pour comprendre et juger ses propres engagements, il ne faut pas lui confier de responsabilité[71].

Jaspers ne pardonne rien à Heidegger. Il pense que son discours, mélange de nihilisme actif, de mystique irraisonnée et de magie verbeuse, est dangereux et que l'homme possède encore une manière « essentiellement non libre, dictatoriale de penser ». On ne peut l'excuser de n'avoir à ce point aucun sens politique et de s'être fabriqué, à son propre usage, une manière très personnelle d'envisager le national-socialisme. Il a bel et bien embrassé le nazisme. « Les enfants qui mettent la main dans la roue de l'histoire sont broyés », disait Max Weber. Pour Jaspers, Heidegger a mis la main dans la roue de l'histoire du nazisme[72]. Nul ne l'y obligeait. Heidegger doit payer.

Hannah n'est pas plus tendre. Pour elle, Heidegger est un « meurtrier potentiel[73] » coupable d'avoir signé de sa main une lettre interdisant à Husserl l'accès à l'université. Jaspers lui répondra qu'il ne s'agissait pas d'une lettre personnelle mais d'une circulaire. Peu importe, rétorque-t-elle. Lettre personnelle ou administrative, il n'aurait pas dû la signer. Beaucoup de gens l'excusent. Pas elle. « Moi, j'ai toujours pensé qu'au moment où il a été contraint d'apposer sa signature sous ce texte, Heidegger aurait dû démissionner. Quel qu'ait pu être le degré de folie qu'on lui attribuait, il était capable de comprendre toute cette histoire. On pouvait attendre de lui qu'il ait suffisamment le sens de ses responsabilités [...] vous pourriez naturellement me dire que cela suivait le cours des événements. Et je répondrais sans doute que ce qui est vraiment irréparable surgit souvent presque — de manière trompeuse — comme un accident, que parfois, sur une ligne insignifiante traversée dans la certitude qu'elle n'a plus tellement d'importance, se dresse cette muraille qui sépare réellement les hommes[74] », écrit-elle à Jaspers.

Hannah juge l'homme, elle s'éloigne de lui, ne lui accorde plus sa considération et son crédit. Elle édifie un mur entre eux, un sas de sécurité. Mais elle ne met pas en question, contrairement à Jaspers, la philosophie même de Heidegger. Fin décembre 1945, Jaspers affirme que « la manière de penser de Heidegger et ses actions ont une parenté certaine avec les phénomènes nationaux-socialistes[75] ». Avec Carl Schmitt et Alfred Baeumler, il a tenté réellement de parvenir intellectuellement à la tête du mouvement national-socialiste. Pour Jaspers, même si Heidegger arrivait à faire croire auprès de la commission qu'il a pu faire preuve, pendant la guerre, de ces quelques gestes et actes d'opposition au nazisme, cela n'aurait aucune importance. Il propose donc à la commission de suspendre Heidegger pendant plusieurs années de son poste de professeur, et de lui donner une pension personnelle lui permettant de continuer à travailler.

Jaspers a longuement hésité avant d'envoyer cette lettre en raison de son ancienne amitié avec Heidegger. Le fait que cette demande ait été initialement proposée par Heidegger lui-même a motivé l'envoi. Jaspers, en effet, croit alors encore possible la restauration de l'amitié et imagine que son ancien confrère va se livrer à des aveux afin qu'ils puissent, tous deux, rapidement travailler à la tâche essentielle : la reconstruction spirituelle de l'Allemagne. Cette lettre fut, semble-t-il, déterminante. Le 19 janvier 1946, le sénat de l'université de Fribourg mettait Heidegger à la retraite avec interdiction d'enseigner[76].

Deux semaines auparavant, paraissait le numéro 4 des *Temps modernes,* avec deux articles consacrés à l'auteur de *Être et Temps* : le premier, intitulé « Visite à Martin Heidegger », était signé de Frédéric de Towarnicki et montrait sous un jour très favorable le philosophe allemand, le second était l'œuvre Maurice de Gandillac[77], qui revenait lui aussi de pèlerinage en Forêt-Noire, dans la demeure du maître. Pendant son entretien, il fut frappé par l'ambiguïté des propos et la mollesse de réaction de Heidegger vis-à-vis de son engagement nazi. À la question de la responsabilité du peuple allemand, il répondit que la désintoxication serait longue et difficile, que l'hitlérisme ne fut, en un sens, que l'explosion historique d'une maladie structurelle de l'homme tout entier. Mais il refusa d'incriminer nommément l'homme allemand... et de confesser une sorte de responsabilité collective de la communauté germanique. Maurice de Gandillac se souvient encore aujourd'hui de sa moustache, qui le faisait irrésistiblement penser à Hitler, et de son assurance à lui tenir des discours sur la liberté sans la moindre intention de justifier.

Hannah confirmera : elle vient de rencontrer Jean-Paul Sartre qui lui a raconté que, quatre semaines après la défaite allemande, Heidegger a parlé d'un « malentendu » entre l'Allemagne et la France, et proposé une « entente franco-allemande ». À Jaspers, elle confie : « Vous devez connaître les différentes interviews que Heidegger a données ensuite. Rien que des mensonges insensés, avec, me semble-t-il, une teinte nettement pathologique[78]. » Et d'ajouter : « Triste et inquiétante histoire. » Certes. « Mais c'est là une vieille histoire. » Soit. Pas une histoire passée. Pas une histoire enterrée, comme le pense alors Hannah. Juste une espérance...

IX

MILITANTE POLITIQUE

Dès 1946, Hannah Arendt met en œuvre un travail gigantesque qui va l'occuper cinq ans, période pendant laquelle elle publiera de nombreux articles où elle tentera de décortiquer les mécanismes de la terreur contemporaine. À l'origine de ce vaste chantier, une intuition qui devient petit à petit certitude : la terreur du XXe siècle, quelle que soit son origine géographique, ses motifs et ses objectifs ultimes, se présente toujours comme le moyen de faire régner l'idéologie dans le réel. Cette terreur est collective. « Les idéologies sont connues pour leur caractère scientifique : elles allient approche scientifique et résultats d'ordre philosophique, et ont la prétention de constituer une philosophie scientifique. [...] Une idéologie est très littéralement ce que son nom indique : elle est la logique d'une idée. Son objet est l'histoire, à quoi l'idée est appliquée. [...] L'idéologie traite l'enchaînement des événements comme s'il obéissait à la même "loi" que l'exposition logique de son "idée". Si les idéologies prétendent connaître les mystères du processus historique tout entier, les secrets du passé, les dédales du présent, les incertitudes de l'avenir — c'est à cause de la logique inhérente à leurs idées respectives[1]. » Par essence, la terreur détruit l'individu et transforme le pouvoir en décret supérieur et surhumain dont dérive sa force absolue. Si les mécanismes du stalinisme sont identiques à ceux du nazisme, la version nazie du totalitarisme nie encore plus radicalement l'humanité et sa liberté, car elle est basée sur une pseudo-nature ; or « le fondement de la nature n'est rien, en tout cas rien de plus que ses propres lois et ses propres modes de fonctionnement[2] ». Mais Hannah Arendt dévoile une parenté plus profonde entre les deux idéologies totalitaires dans la mesure où le nazisme, qui emprunte à la théorie de Darwin l'idée de sélection naturelle, fait du processus naturel un processus historique, tandis que le marxisme naturalise le mouvement historique de la lutte des classes. « La lutte des classes, en tant que moteur de l'Histoire, n'est, selon Marx, que le reflet de l'évolution des forces productives, lesquelles à leur tour ont pour origine la "force de travail" des hommes. Pour Marx, le travail n'est pas une force historique, mais une force naturelle-biologique[3]... » De ce fait, sous l'influence du darwinisme — et Engels avait noté l'affinité de la pensée de Marx avec celle de Darwin en le nommant le « Darwin de l'histoire » — le marxisme opérait une naturalisation de l'histoire interprétée comme mouvement d'ascension d'une nouvelle classe sociale éliminant l'ancienne, tandis que le nazisme se présentait comme un naturalisme de la lutte des races érigée en loi de l'histoire. « La loi "naturelle" selon laquelle seuls survivent les plus aptes est tout aussi historique — et, comme telle, le racisme pouvait l'utiliser — que la loi de Marx selon laquelle survit la classe la plus progressiste[4]. »

Dans son étude comparée du nazisme et du stalinisme, à chaque moment de sa réflexion, Hannah Arendt ne cessera, jusqu'en 1951, date de la publication des *Origines du totalitarisme*, de tenter d'intégrer à son travail les informations qui parvenaient sans cesse des camps soviétiques. Sa recherche est en mouvement permanent, de par la nature même de son objet. Difficile entreprise, qui tente de circonscrire et d'isoler les « éléments qu'on retrouve dans toutes les situations et tous les problèmes politiques de notre temps ». Chacun de ces éléments cache pour Hannah « un vrai problème non résolu ». « Derrière l'antisémitisme, la question juive ; derrière le déclin de l'État-nation, le problème non résolu de la nouvelle organisation des peuples ; derrière le racisme, le problème non résolu d'un nouveau concept d'humanité[5]... » Hannah veut repenser l'organisation du monde, un monde bouleversé par la guerre et ses conséquences.

Elle intègre dans ses réflexions le sort des « *displaced persons* », cette fange de l'humanité que constitue cette horde de rescapés de la guerre qui survit dans des camps disséminés dans l'Europe, oubliées des puissances tutélaires, gênantes, obstacles à la reconstruction du monde. Hannah appelle à la fermeture de tous ces camps. C'est même pour elle la revendication politique la plus importante, une question de vie ou de mort. Elle attend de l'Allemagne, même défaite, même humiliée, une déclaration officielle permettant aux Juifs d'avoir le choix de vivre dans cette future nation allemande, cette nouvelle république, où serait constitutionnellement décidé l'abandon de l'antisémitisme, et où vivraient des citoyens égaux en droit qui garderaient leur identité juive européenne[6]. Hannah rêve. Elle imagine un monde nouveau, régi par les droits de l'homme, d'où tout racisme serait exclu. Hannah veut à la fois que le Juif vive en tant qu'homme parmi les hommes au sein du peuple juif, mais en vivant également en communauté avec d'autres peuples. Lourde tâche qui paraît contradictoire. Comme le dit Pierre Birnbaum, l'existence juive relève chez elle d'un défi particulièrement difficile[7]...

Hannah suit avec passion le procès de Nuremberg. Elle trouve les accusés très gais. S'ils se montrent si joyeux, pense-t-elle, c'est parce qu'ils savent que leur faute dépasse et transgresse tous les ordres juridiques[8]. Leur faute, affirme Hannah, se situe au-dessus du crime. Mais comment faire quand la justice se dérobe ? Elle ne propose pas de solution. Taraudée par l'absence complète de remords des bourreaux, et leurs affirmations répétées selon lesquelles ils n'étaient pas responsables de leurs crimes : en réfléchissant aux conséquences de la faute des nazis, elle montre le statut paradoxal des victimes et surtout l'usage politique que l'on risque de faire de celles-ci. « D'une faute qui se situe au-delà du crime et d'une innocence qui se situe au-delà de la bonté ou de la vertu, on ne peut rien faire humainement, ni politiquement. [...] Nous autres Juifs avons en charge des millions d'innocents au nom desquels chaque Juif aujourd'hui se considère comme l'innocence personnifiée[9]. »

Malgré son absence de compassion pour les victimes, et son manque de solidarité avec son peuple qui lui sera tant reproché, c'est bien en tant que Juive qu'elle dit réfléchir. Comment les Allemands puniront-ils de façon adéquate des centaines de milliers de personnes avec un système juridique désormais inadéquat ?

Hannah Arendt n'est pas la seule à se poser des questions sur le statut des victimes. Dans la presse américaine, on s'interroge sur les raisons qui ont permis aux survivants d'échapper à l'enfer. Morris Waldman, un membre du *Jewish Committee* écrit, d'Europe, à un collègue de New York : « Ceux qui ont survécu ne sont pas les plus aptes, [...] mais largement les éléments juifs les plus bas qui, par la ruse ou les instincts animaux ont pu échapper au sort terrible des éléments plus fins et meilleurs qui, eux, ont succombé[10]. » Hannah est proche des thèses du journaliste du *Saturday Evening Post* qui s'interroge sur la survie tenace des rescapés, « survie non pas des plus aptes, ni des âmes les plus nobles ou des plus raisonnables, certainement pas des plus faibles, mais des plus rudes[11] ».

Cette vision du génocide comme défaite juive imprégnait également une partie des sionistes de Palestine qui avaient à cœur de construire un nouvel homme fier, orgueilleux, courageux. Cette notion de victime les gênait dans leur tentative de créer une nouvelle idéologie. Ils en vinrent donc à reprocher aux victimes de s'être laissé assassiner sans se battre dans l'honneur. Rappelons qu'au plus fort du génocide, Gruenbaum, le conseiller de Ben Gourion, osa déclarer que « les Juifs de Pologne n'avaient pas trouvé en leur âme le courage de se défendre » et que cela le remplissait « d'une blessante mortification ». Il stigmatisait l'attitude passive de ses frères avec mépris : « Des milliers de Juifs attendirent calmement qu'on les charge dans les wagons qui les transportaient vers la mort[12]. » Ils ont préféré « une vie de chien à une mort honorable ». Six mois après, il affirmait : « Ces gens sont devenus des déchets[13]. » Le mépris pour l'attitude des Juifs européens déportés continua, même lorsqu'on savait. Le journal *Davar*, publié en Palestine, titre en 1944 : « Pourquoi les Juifs de Hongrie ne se défendent-ils pas ? » Un autre journal, en caractères gras, annonce : « Nous sommes dégoûtés par les pleurs des opprimés, ils sont incapables de se défendre. » Le poète sioniste Haïm Nahman Biolik décrit ainsi les réactions lors des premiers pogroms : « Ils ont fui comme des souris, se sont cachés comme des punaises et sont morts comme des chiens là-bas partout où on les retrouvait. Là-bas en Europe. Ici, en Palestine, s'ils avaient accepté de nous rejoindre, ce ne serait pas arrivé. Ici, la terre d'Israël produit un homme nouveau[14]. » Avec le temps, explique Tom Segev, ce mépris mêlé de colère et d'absence de compassion pour les victimes devint en Israël un poids psychologique et politique qui pesa sur les consciences, hantées par le souvenir de tant de victimes.

Question douloureuse, question poignante, question indicible. Il fallut, on l'a dit, plusieurs années aux héros de la résistance aux nazis pour raconter l'enfer et se faire comprendre. Les dirigeants sionistes en Palestine ont-ils pris la mesure de l'extermination et considéré la catastrophe des Juifs d'Europe comme un problème en soi ? Israël, d'une part, et la Shoah, d'autre part, ont été perçus par la conscience juive depuis 1945 comme des pôles radicalement antithétiques, explique Ilan Greilsammer.

Les amis de Hannah qui vivent en Palestine, Kurt Blumenfeld et Gershom Scholem, ne partagent pas cette vision des victimes consentantes, alors qu'elle-même stigmatise cette vision d'un sionisme idéal, fabrication factice d'un peuple élu. Hannah veut toujours se singulariser, quitte à endosser des raisonnements discutables et attirer sur elle les foudres des bien-pensants. Elle aime choquer, surtout lorsqu'elle aborde les problèmes juifs, et elle le revendique haut et fort. Pour ce faire, elle est prête à emprunter des argumentations compliquées, comme le prouve son article « Les germes d'une internationale fasciste », qu'elle publie à New York dans *Jewish Frontier*[15], et que Jaspers, avant de le faire publier en Allemagne, va vivement critiquer.

Dans ce texte, qui sera la matrice de la première partie des *Origines du totalitarisme*, Hannah dissèque la force la puissance, la vitalité de l'antisémitisme, et ce en dépit de la récente révélation de l'existence des camps de la mort. Pour elle, c'est l'antisémitisme qui a donné au mouvement fasciste une audience internationale. Il s'agit donc d'un des mouvements politiques les plus importants de notre époque et « lutter contre lui constitue l'un des devoirs les plus vitaux des démocraties, sa persistance constituant l'une des indications les plus significatives des périls à venir[16] ».

Le fascisme n'est pas mort car l'antisémitisme n'est pas mort, dit Hannah. Certes, lui répond Jaspers, il faut toujours prendre au sérieux l'antisémitisme, et « c'est avec une profonde satisfaction que je lis cette attitude fondamentale chez vous ». Mais cet article est pour lui un « casse-tête ». « Voilà ce qui me préoccupe, lui avoue Jaspers : vous "exagérez[17]". »

Oui, Hannah exagère tout. Elle est trop brillante, trop emportée, trop passionnée. Mais elle ne parviendra pas à convaincre, car elle n'exprime pas les choses assez clairement et elle est trop brutale. Jaspers lui demande donc de reprendre son article : « Est-il possible d'exprimer les corrélations de façon plus prudente et, du même coup, plus efficace ? — c'est-à-dire plus juste aussi d'un point de vue historique et moins visionnaire[18] ? »

Le vieux professeur parle à son ancienne élève au nom de leur amitié et lui conseille vivement de ne plus se laisser aller à sa fougue et à sa passion. Il craint qu'elle manque ainsi son véritable objectif : la conviction fondée sur la compréhension. Mais Hannah n'en a cure. Certes, elle va tenter de maîtriser sa fougue, mais au fond elle est très fière de sa capacité à exagérer. « Venons-en à votre lettre sur l'exagération, lui répond-elle. Voyez-vous c'est la plus belle lettre que j'ai reçue de vous et elle m'a tout simplement ravie[19]. » Elle pense que ses textes provocateurs peuvent être entendus et compris aux États-Unis, mais pas encore en Allemagne. Jaspers lui reproche toujours de vouloir avoir raison et l'enjoint de faire attention : « Une ruse de la raison — ou plutôt du diable — constitue votre principe d'interprétation[20]. » Hannah n'écoute pas ses conseils. Portée par son intelligence exaltée, qui la dépasse elle-même, elle est soutenue dans son attitude provocante par son mari, qui tout à la fois l'inspire, la guide, la conseille, et encourage tous ses débordements. À cette époque, elle confie à Jaspers que ce n'est pas elle qui pense toute seule, mais eux deux ensemble, et qu'ils vont peut-être publier leurs travaux sous leurs deux noms. « Voyez-vous, ici je vis, sur le plan intellectuel, pour ainsi dire exclusivement avec Monsieur, c'est-à-dire que nous sommes tout simplement les seuls à pouvoir nous dire quelque chose[21]. » Reconnaissant l'influence de son mari, elle s'excuse même d'être aussi amoureuse de lui, se montre admirative, s'inclinant devant ses prises de position, ses visions du monde. Heinrich Blücher, en revanche, ne reconnaîtra jamais, ni à titre personnel ni publiquement, l'influence que Hannah eut sur lui.

Il préférait même dire, en riant, à leurs amis communs que, sans lui, Hannah n'aurait jamais pu écrire. Il disait aussi, quand des invités remerciaient Hannah de la qualité de ses dîners, que c'était lui qui avait tout préparé. Hannah souriait... Jamais Heinrich ne sut faire des œufs au plat. Jamais il n'écrira un livre. Il faudra attendre sa mort pour que Hannah, après beaucoup de difficultés, fasse publier par ses étudiants une partie des séminaires qu'il donnera au Bard College.

Blücher n'a toujours pas de travail et reste financièrement à la charge de son épouse jusqu'en 1949. Il encourage à cette époque le penchant de Hannah pour le politiquement incorrect et l'invite à user de son esprit de transgression. Orgueilleux, excessivement doué mais peu apte à l'esprit de synthèse et victime de l'angoisse de la page blanche, il parcourt, comme un cavalier de l'apocalypse, les terres brûlées de l'absence d'espérance occidentale en griffonnant des pages et des pages qu'il n'a même pas le courage de relire. Dans cette fuite en avant désespérée et désespérante, il n'a qu'un guide, sa femme : Hannah, « je continue à crapahuter dans le labyrinthe de l'homme occidental et je note les traces de mon Minotaure, c'est-à-dire le mythe. Je veux bien tenir mes idées principales comme un fil d'Ariane tant que je sais que tu tiens l'autre bout et que je peux revenir vers toi[22] ». Cet état de dépendance réciproque perdurera de nombreuses années et sera teinté, chez lui, de perversité.

Hannah accepte bien volontiers en 1946 la proposition de Salman Schocken[23] de travailler pour sa maison d'édition.

Éditrice, Hannah l'est depuis longtemps, même s'il ne le sait pas. Introductrice en France, avec son premier mari Günther Stern, de l'œuvre de Rilke, elle a également contribué, en encourageant Walter Benjamin, à la découverte en France des œuvres de Kafka qu'il traduisait. On se souvient aussi de la détermination dont elle fait preuve pour publier l'œuvre posthume de Walter Benjamin. Plus tard elle déploiera des efforts pour faire reconnaître l'œuvre de Hermann Broch, et tentera, infructueusement, de faire traduire les livres de Karl Jaspers aux États-Unis.

C'est tout naturellement que Schocken, connaissant son énergie, sa qualité de lectrice et son talent d'organisatrice, lui propose de rejoindre sa minuscule équipe éditoriale, en remplacement de Max Strauss, atteint d'une maladie cardiaque. Elle connaît Schocken depuis 1931, date à laquelle il a fondé, à Berlin, sa maison d'édition. Autodidacte, fils d'un tailleur juif de Zwickau, il s'intéresse autant à l'art qu'à l'architecture et à la littérature. Il salarie Agnon[24], le futur lauréat du prix Nobel de littérature en 1966, dont il admire les poèmes, avant de fonder sa propre maison d'édition où, pendant les premières années de l'hitlérisme, il accueille les œuvres de Buber, Rosenzweig, Kafka. Il a cinquante-sept ans quand, en 1934, fuyant le nazisme, il rejoint la Palestine où il devient l'ami de Scholem, dont il publie en 1938 *Les Grands Courants de la mystique juive*, mais aussi de Kurt Blumenfeld, avec qui il entretient des relations passionnées autour de la lecture de Broch et de Kafka. Schocken est un mécène de gauche qui apprend l'arabe et plaide pour un État binational. Il s'installe à New York en 1945, où il poursuit son travail de découvreur. Hannah connaît bien ses défauts : elle le trouve autoritaire — une sorte de Bismarck[25], dit-elle — et peu cultivé.

Ce travail qu'elle entreprend avec passion lui permettra de publier, de concert avec Max Brod, le *Journal* de Kafka, un travail qui lui prit beaucoup de temps. Travail ardu, de bonne ouvrière, dont elle se sentit fière même si elle se plaignait auprès de Blumenfeld du surmenage que cette tâche exigeait, et de l'abrutissante vie de bureau qu'elle était obligée de mener. Malgré tous ses efforts, jamais elle n'arriva pourtant à convaincre Schocken de publier Walter Benjamin. Elle échoua aussi à faire traduire les poèmes de Heine. Schocken ne veut surtout pas prendre de risques inconsidérés sur le plan financier, et Hannah lui en veut. Bon an, mal an, elle trouvera avec lui un *modus vivendi*. À Jaspers, elle avoue : « Pour le moment, les éditions Schocken m'amusent vraiment. Jusqu'à présent, je m'entends assez bien avec le vieux monsieur, il a un sens très vif de l'humour et n'a pas essayé de me tyranniser. Il est intelligent et a un respect passionné et nostalgique pour les réalisations savantes et les intellectuels[26]. » Ce travail lui permet, en outre, de nouer une amitié avec le poète américain Randall Jarrell, de rencontrer T. S. Eliot et de se réconcilier avec Gershom Scholem.

Elle fait rapidement de son bureau d'éditrice une plaque tournante, un lieu de rencontre où se croisent exilés allemands et jeunes écrivains américains. Comme c'est souvent le cas quand l'édition vous dévore, elle n'éprouve plus guère le temps ni le désir d'écrire. Servir les autres lui suffit. Elle confie à Scholem qu'elle ne va plus écrire pendant quelques mois, ce qui la ravit car elle se sent épuisée. Cette décision de suspendre tout travail d'écriture s'accompagne d'un sentiment d'intense tranquillité. Car pour elle, écrire, que ce soit un compte rendu journalistique, un texte philosophique, un argumentaire sociologique ou le brouillon des *Origines du totalitarisme*, constitue toujours un moment de tension effroyable, un véritable tourment. Elle se sent peut-être aussi coupable de pouvoir publier, alors que Blücher continue à vivre dans les affres de son impuissance créatrice. Avec son amie Julie Vogelstein, qu'elle connaît depuis son enfance à Königsberg, elle part en vacances dans une maison du New Hampshire pour lire, se détendre et réfléchir.

Hannah a besoin de temps pour réfléchir, beaucoup de temps. Et le temps, c'est justement ce qui lui manque. En janvier 1947, elle décide donc de renoncer à son enseignement au Brooklyn College. À la maison d'édition Schocken, elle a réussi à recruter et les choses se sont organisées. Karl Jaspers lui demande si elle se sent encore juive et allemande. Elle répond : « Pour être honnête, je dois dire que, d'un point de vue individuel et personnel, ça m'est complètement indifférent. »

Mais elle précise : « Sur le plan politique, je parlerai toujours uniquement au nom des Juifs, dans la mesure où les circonstances m'obligeraient à indiquer ma nationalité [27]. »

Elle s'engage de plus en plus dans le dossier du conflit judéo-arabe. On pouvait deviner à quel point Hannah Arendt s'était investie dans ce combat en lisant ses articles, mais on ignorait le degré et la profondeur de cet engagement, que dévoile une correspondance inédite avec Gershom Scholem. Grâce à Blumenfeld et Scholem, Hannah était régulièrement informée de l'évolution de la situation palestinienne. Et grâce à sa collaboration, devenue régulière, à plusieurs revues sionistes de gauche, elle était entrée en contact avec les chefs de file du mouvement ouvrier sioniste américain. Elle participe toujours à la rédaction de la nouvelle revue juive de gauche *Commentary*, laquelle sert de forum de discussion, et écrit dans *Jewish Frontier*. Face à la montée de la violence en Palestine, elle critique de plus en plus ouvertement la politique de Ben Gourion et se rapproche des positions du groupe Brit-Shalom, une organisation sans lien avec aucun parti, qui défend l'idée d'un État binational et d'une entente avec les Arabes. Elle lutte activement contre la revendication d'un État juif en Palestine.

Le 19 juillet 1947, elle écrit à Kurt Blumenfeld en Israël : « Sans même qu'on y pense, c'est devenu une habitude que d'ouvrir tous les matins avec angoisse le *New York Times* en commençant par la page sur la Palestine. Je sais, tu vas dire de ton côté que la vie y suit son cours normalement détraqué. [...] De désespoir, on voudrait devenir superstitieux[28]. » Durant l'été 1947, Hannah suivit avec attention les travaux de la commission spéciale des États-Unis pour la Palestine. Le 19 novembre 1947, l'Assemblée générale de l'ONU vota pour la partition. Hannah s'inquiète du chaos qui grandit chaque jour en Palestine, au fur et à mesure que les Britanniques opèrent leur retrait. Le 14 mai 1948, l'État d'Israël est proclamé. Le même mois, elle publie dans *Commentary* un article qui fera parler de lui, intitulé « Pour sauver le foyer juif, il est encore temps[29] ». Elle s'oppose aux attitudes racistes qui empoisonnent les débats lors de la naissance de l'État d'Israël, ne communie pas à l'enthousiasme guerrier de ses premières victoires militaires et stigmatise ses prétentions nationalistes et même chauvines. Peu importe de tels succès contre des soldats mal armés et mal entraînés. Ce qui compte, explique-t-elle dans un article publié le 23 octobre 1948 dans le *New Leader*, c'est la petitesse, l'étroitesse, l'emplacement géographique de ce nouveau pays, entouré, dit Hannah Arendt en octobre 1948, par « l'opposition ferme et menaçante que représentent plusieurs millions d'hommes du Maroc jusqu'à l'océan Indien ».

Hannah fonde son analyse de la position juive au Proche-Orient sur le long terme. Ce qui lui tient à cœur, c'est d'examiner, loin des incantations et des justifications idéologiques, les conditions de viabilité et de l'existence même de l'État d'Israël. La philosophe se montre une fois de plus pragmatique. Seule compte la réalité. Par sa capacité d'analyse et son sens de la prospective politique, elle parvient à s'extraire de la gangue des discours claniques et nationalistes pour prendre le réel à bras-le-corps et, à partir des faits, déplier des perspectives. « Si j'étais insuffisamment insensée et résignée pour jouer le rôle d'un prophète, je devrais aussi être tout à fait satisfaite de partager son éternel destin : avoir toujours tort sauf au moment crucial, lorsqu'il est trop tard. »

Luttant contre l'hystérie générale des politiques du tout ou rien, ses articles la font remarquer des dirigeants sionistes de gauche qui n'ont pas perdu l'espoir qu'un État viable, qui reconnaisse les Arabes, puisse voir le jour en Palestine. Parmi eux, Judah Magnes, figure de proue de l'opposition à l'Agence juive. Impressionné par la profondeur des analyses de Hannah et par son courage politique, il demande à la rencontrer. L'entrevue est décisive : Hannah bascule dans la politique.

Étrange personnage que ce Judah Magnes, dont Hannah va vite devenir l'amie, la confidente, la fidèle collaboratrice. Né à San Francisco en 1877, émigré en Palestine en 1922, président de l'Université hébraïque, ami de Scholem et de Blumenfeld, il lutte depuis l'aube des années 1920 pour cet idéal de réconciliation judéo-arabe dans le contexte d'une renaissance d'une civilisation méditerranéenne. Il pense que les Juifs vivant en diaspora et ceux qui vivent dans l'État d'Israël sont d'une égale importance pour la nation juive. Le renouvellement de la communauté juive d'Israël ne peut à son sens se faire que par et avec l'apport intellectuel et culturel constant de la diaspora. Hannah Arendt entre dans son cercle de travail à la mi-mai 1948. Elle s'y applique à définir les conditions de cette entente judéo-arabe et prépare les propositions de paix que Judah Magnes entend soumettre aux Nations unies. Au début, « sans grande conviction, par sentiment du devoir, dans un certain remue-ménage, avec des discours en public et des mémorandums secrets », confie-t-elle à Jaspers [30]. Mais en quelques semaines, Hannah se pique au jeu. Hannah Arendt, femme politique ? Précieuse conseillère en tout cas, et collaboratrice émérite de Magnes, qui l'engage comme *political adviser* dès juin. Elle travaille nuit et jour avec lui. C'est un type extraordinaire, écrit-elle à Jaspers. Pour lui, elle étudie en détail les plans de paix, se plonge dans les propositions diplomatiques, observe les cartes, dissèque les discours, rédige des communiqués de presse, relit les télégrammes et les annote. Elle prend de plus en plus de responsabilités. Elle prépare pour Magnes des notes de synthèse, convoque le comité de direction du groupe, et joue un rôle de premier plan comme en atteste cette correspondance adressée à Magnes le 9 juillet 1948 demeurée encore inédite : « Seriez-vous assez aimable de me dire sur quels points spécifiques vous souhaitez vous exprimer ? Je continue de croire que le point crucial de votre plan de confédération demeure le concept de Jérusalem comme capitale de la Confédération. Et je pense également que la question d'une neutralisation possible de tout le territoire (peut-être sur le modèle de la garantie de la neutralité de la Suisse par les grandes puissances en 1815) devrait être mentionnée. Il y a maintenant un sentiment général que le plan Bernadotte[31] appartient déjà à l'histoire, je ne suis pas sûre que cela soit exact. D'autres négociations et propositions suivront et il pourrait être utile de prendre une part dans leur élaboration à travers une analyse publique du plan[32]. »

Hannah participe aux discussions entre le médiateur de l'ONU et Magnes. Elle rédige des motions expliquant que nationalisme et confédération ne sont pas forcément contradictoires. Désapprouvant la politique de Ben Gourion qu'elle juge terroriste, elle s'oppose à la possibilité que laisse ouverte ce dernier de gagner de nouveaux territoires à la faveur d'une initiative armée. Son principal ennemi s'appelle le chauvinisme : « Il tend à diviser le monde en deux moitiés dont l'une est votre propre nation que le destin, la malveillance ou l'histoire, a opposée au monde entier composé d'ennemis. » Ni les Arabes, ni les Anglais ne sont pour elle des ennemis. Le nouvel État n'a pas besoin de soldats partisans mais de citoyens responsables. « Il nous faudra vivre en paix, les uns avec les autres. La lutte en Palestine s'inscrit dans un vaste contexte international commun et la distinction entre les amis et les ennemis deviendra une question de vie ou de mort pour l'État d'Israël[33]. »

Hannah proclame que l'idée de « la "race des maîtres" juive n'engage pas ses partisans à la conquête mais au suicide... les dirigeants juifs sont capables de brandir la menace d'un suicide collectif, de la tendre aux applaudissements de leurs différents auditoires, et le terrible ou irresponsable "sinon, nous disparaîtrons" gît au fond de toute déclaration officielle juive, quelle que soit son origine, modérée ou extrémiste[34] ».

Hannah croit à la possibilité de l'instauration de conseils en Israël, à un gouvernement local, à des conseils municipaux et ruraux mixtes, judéo-arabes, très nombreux et à petite échelle. Hannah voudrait qu'Israël soit le modèle de ses rêves d'un monde politique meilleur. Elle y projette ses utopies, ses espérances, ses modèles de réflexion, faisant fi de la réalité qui s'y déroule. Elle suggère une plate-forme de revendications avec des propositions si précises qu'elles vont jusqu'à la construction d'une autoroute Tel-Aviv-Jérusalem sous mandat international. Elle rencontre à plusieurs reprises le délégué des Nations unies pour les affaires palestiniennes. Magnes propose la médiation de son mouvement dans le cas où une tutelle de l'ONU sur Israël serait acceptée, et demande à Hannah de devenir la présidente de son comité au sein du Ikhud.

Elle décline l'offre. Le 3 août 1948, elle s'en explique à Magnes : « il me manque nombre de qualités qui font un bon président[35] », tout en continuant à militer. Elle qui a tant rêvé d'un État modèle est en train de se rendre compte que l'idéal sioniste s'écroule et qu'avec l'État d'Israël qui s'édifie, ce n'est pas l'hypothèse d'une société égalitaire qui s'incarne mais un pays comme un autre, avec ses clans, sa petite politique, ses rapports de forces. Elle rejoint ainsi dans son pessimisme lucide Gershom Scholem qui comprend très tôt que la notion même d'État ne peut que faire voler en éclats la dimension du mythe sioniste : « Habituellement on reproche à Ben Gourion ceci : qu'est-ce qui va se passer si les attentes ne sont pas remplies après avoir excité la jeunesse ? La réponse est toute simple : rien du tout... je crois que beaucoup de choses vont finir en queue de poisson, c'est-à-dire que rien ne sera aussi excitant que ce que nous avions imaginé[36]. »

De plus, Hannah convainc Judah Magnes d'intégrer dans ses propositions une clause supplémentaire sur l'immigration. Dans une correspondance inédite avec lui elle insiste : « La restriction de l'immigration en termes de temps et de nombre est *le* problème crucial de la compréhension entre Juifs et Arabes [...] Du point de vue arabe, il ne peut y avoir d'autre garantie contre l'utilisation de l'immigration comme instrument d'une politique expansionniste[37]. » On ne peut qu'être frappé par sa profondeur de vues et l'analyse réaliste qu'elle fait de la situation, par son insistance aussi à souligner l'importance de l'affaire des réfugiés arabes, qui demeure encore aujourd'hui l'un des points centraux du conflit : « Je ne pourrai certainement pas m'empêcher d'ignorer l'aspect moral de cette affaire. Mais même en dehors de cela, je suis parfaitement convaincue que de telles méthodes ne peuvent conduire qu'à une fin désastreuse[38]. »

Hannah se bat pour que les Arabes reconnaissent Israël et propose à Audrey Eban, représentant d'Israël aux Nations unies, le modèle du Benelux comme matrice du dialogue judéo-arabe. En septembre 1948, se réunit à Paris l'Assemblée générale de l'ONU. Le 19 septembre, Bernadotte présente un rapport corrigé, mais qui reprend le même plan de partage. Quelques jours après, il est assassiné par le groupe Stern. L'annonce de l'assassinat du comte Bernadotte plonge Hannah dans un profond désespoir. Dans un article du *New Leader*[39], Hannah lui rend un vibrant hommage et appelle à ce que les idées du comte, et notamment la tutelle de l'ONU sur cette partie du monde pour interrompre la guerre d'indépendance, soient encore envisagées. Magnes lui répond : « Votre article m'a tristement touché ; je me demande s'il n'y a réellement aucune solution. » Elle le rassure, l'encourage. Elle se bat à ses côtés et avoue sa dette à son égard : « La politique dans notre siècle est presque toujours une œuvre de désespoir et j'ai bien la tentation de la fuir en courant. Je voulais que vous sachiez que votre exemple m'a protégée de ce désespoir et combien il m'en protégera encore pendant des années[40]. »

Elle anime son cercle new-yorkais et centre les débats sur la question de nouveau centrale des réfugiés arabes. À son avis il serait peu sage et aussi plutôt embarrassant de leur interdire le retour. L'Assemblée générale de l'ONU n'adopte finalement pas le plan Bernadotte, en raison de l'opposition conjuguée de l'Union soviétique, des pays arabes et d'Israël. Magnes se désespère, mais pas Hannah, qui prône dorénavant l'existence en Israël d'une partie arabe qui devrait disposer d'une égalité complète. Judah Magnes ne pourra lui répondre. Il meurt le 27 octobre 1948 et sa disparition signifie l'engloutissement d'un rêve. La paix entre Juifs et Arabes est-elle encore envisageable ? Qui a encore la force de la prêcher et d'y croire ? Hannah Arendt vit sa mort comme un deuil personnel et une perte morale. Elle écrit au vieil ami et compagnon d'armes de Magnes, Hans Kohn : « La mort de Magnes en ce moment est une tragédie. Personne ne possède son autorité morale. Je ne vois personne par ailleurs, vraiment, dans le monde juif et avec une position importante dans les institutions juives, qui ait le courage d'élever la voix contre ce qui se passe aujourd'hui[41]. » À Karl Jaspers, elle annonce sa mort et confie : « Je ne sais pas ce qui va se passer maintenant. Cet homme est irremplaçable : un étrange mélange de solide bon sens et d'intégrité et d'un authentique et pathétique sentiment juif de la justice, quasi religieux[42]. » Elle continue néanmoins le combat, s'associe avec ses amis pour créer la fondation Magnes, et rejoint le groupe d'intellectuels dont Albert Einstein fait partie pour combattre Menahem Begin. Ils rédigent une lettre de protestation qu'ils adressent au *New York Times* lorsque ce dernier vient chercher du soutien auprès des Américains. Intitulée « La visite de Begin et ses objectifs politiques », elle est publiée le 4 décembre 1948 : le parti de Begin « est intimement lié aux partis fasciste et national-socialiste, tant par la structure de son organisation que par ses méthodes, sa philosophie politique et son pouvoir d'attraction sociale[43] ». La lettre entend informer l'opinion américaine du passé de Begin et rappelle le massacre de Deir Yassin, un village arabe pacifique, où ses troupes assassinèrent deux cent quarante hommes, femmes et enfants. « Loin d'en éprouver de la honte, les terroristes se montrèrent fiers de leur massacre[44]. » Ce qui s'est passé à Deir Yassin illustre bien le caractère et la pratique du parti de Begin. Les signataires de l'article appellent à ce que la vérité soit faite sur Begin et poussent tous ceux qui en sont affectés « à ne pas soutenir cette nouvelle expression du fascisme[45] ».

Hannah va, dans le même mois, porter ces paroles dans une réunion publique dans le Massachusetts devant un auditoire hostile. Elle en revient très éprouvée tant les réactions de haine à son égard — elle se fait traiter de mauvaise Juive et de collabo — la remuent et la tourmentent. Elle décide d'en tirer les conséquences. Elle qui a flirté un temps avec l'engagement dans l'action politique s'en éloigne définitivement. Elle considère désormais qu'elle n'est pas faite pour cela, trop émotive, trop à fleur de peau, pas assez tacticienne, trop éprise de vérité. À Elliot Cohen, un de ses amis membres du groupe, elle raconte, après cette manifestation : « Je n'éprouve aucun plaisir à me battre avec une foule, je suis trop facilement dégoûtée, n'ai pas assez de patience pour savoir manœuvrer ni assez d'intelligence pour garder la réserve nécessaire[46]. » Dans une lettre à Karl Jaspers, elle reconnaît qu'elle tourne une page, avec le sentiment du devoir accompli. Hannah a maintenant besoin d'être seule. De réfléchir. Hannah est cernée par la mort.

Elle fait mine de ne pas être affectée par la disparition de l'être qui lui est le plus proche : sa mère. Elle en fait mention, comme ça, en passant, dans un paragraphe d'une longue lettre bavarde à Jaspers, deux mois après : « J'ai eu deux longs mois de vacances au cours desquels ma mère est morte. Elle était partie pour l'Angleterre pour revoir ma demi-sœur et d'autres parents qu'elle n'avait plus revus depuis dix ans ; une crise cardiaque l'a frappée sur le bateau[47]. »

En réalité, l'histoire de la mort de sa mère l'affecte beaucoup, la trouble, la culpabilise pendant des années et l'entraîne dans une profonde mélancolie. Depuis quelque temps, les tensions n'ont fait qu'augmenter entre son mari et Martha. Heinrich tourne en rond dans l'appartement et échappe à sa belle-mère en allant en bibliothèque pour écrire son livre sur l'histoire de l'art. Martha reproche à son gendre de se faire entretenir par sa fille et se montre inquiète de la santé de Hannah qui, pour subvenir aux besoins matériels du couple, est *de facto* dans un état de surmenage permanent, qu'elle ne cache guère d'ailleurs mais dont elle ne se plaint pas. Elle considère son mode de vie comme normal et pense que son mari, un jour ou l'autre, accouchera d'une œuvre géniale. Martha ne partage pas son optimisme. Elle travaillait il y a encore quelques mois dans une fabrique de tricot et de crochet. Cela l'occupait, elle y retrouvait ses amies. Mise au chômage, elle est obligée de passer des journées entières en tête à tête avec Blücher. Elle a le cafard, et se plaint de ne pas assez voir sa fille qui ne revient le soir que pour le dîner, puis repart à des réunions. Martha sent-elle que Heinrich commence à tromper Hannah ? Celui-ci emporte-t-il la décision auprès de Hannah de précipiter le voyage de Martha vers l'Europe pour retrouver un peu de tranquillité ?

Est-ce de gaieté de cœur que Hannah laisse partir sa mère chérie qu'elle n'a jamais quittée, et dont elle disait un an auparavant, à Karl Jaspers, qu'elle était le centre de son univers ? « Je lui dois beaucoup, en particulier une éducation sans préjugés et ouverte[48]. » Toujours est-il que sa mère, qui vit mal son chômage, s'apprête enfin à partir pour la Grande-Bretagne rejoindre sa belle-fille, Eva Beerwald. Ce voyage a, semble-t-il, été décidé sur l'insistance de Blücher. Hannah sait que sa mère n'a jamais accepté son exil américain et qu'elle-même ne le lui a proposé que parce que c'était une question de vie ou de mort. Hannah est déchirée entre sa mère et son mari. Avec sa mère, elle se sent en permanence coupable, Martha jugeant néfaste l'influence de Heinrich sur sa fille.

Avec son mari, elle se sent également débitrice, estimant lui devoir beaucoup sur le plan intellectuel.

Hannah accompagne sa mère à pied en portant ses bagages, de son domicile de la 95e rue au port de New York. Martha embarque sur le *Queen Mary*. Hannah part en vacances seule, dans le New Hampshire, pour travailler. Heinrich est resté à New York, pour compulser la documentation du futur ouvrage de Hannah. Elle ne lui demande rien moins que de relire Goethe, Tocqueville, Chateaubriand, Voltaire, et ne plaisante pas sur la qualité de son travail, ni sur les délais impartis[49]. Il faut dire qu'elle est harcelée par son éditeur qui attend son texte impatiemment et qu'elle a pris beaucoup de retard. Hannah ne se fait aucun souci pour la santé de sa mère. D'ailleurs, elle n'a aucune raison de s'inquiéter. Sa mère est partie en bonne santé. Le 12 juillet, elle apprend, par la lettre d'une amie, que sa mère achève son voyage sur le *Queen Mary* dans de bonnes conditions. Elle a rencontré des personnes qu'elle connaît sur le bateau et le changement d'air lui fait du bien. Hannah envoie à Londres un télégramme à Eva et à sa mère pour leur souhaiter un bel été.

Mais Martha ne lira pas le télégramme de sa fille. Atteinte d'une crise d'asthme sur le bateau la veille de son arrivée, elle est hospitalisée en urgence à Southampton, au Royal Hospital. Le 18 juillet, Eva envoie un télégramme à Hannah pour lui annoncer la mauvaise nouvelle. Le lendemain, nouveau message alarmiste : « Hier, *Mutti* n'a pas passé une bonne journée... dès qu'elle est réveillée elle est très agitée, malheureuse, elle se plaint de douleurs partout, et se trouve dans un état terrible. En ce moment où elle dort si paisiblement, je pense qu'elle arrivera à se rétablir encore une fois, mais dès qu'elle se réveille, je ne souhaite rien d'autre qu'une fin rapide, sans souffrance[50]. » Chaque jour qui passe voit la dégradation inéluctable de l'état de santé de Martha. Eva informe régulièrement Hannah : « Mère stationnaire — tenue éveillée par les médicaments — souffre asthme[51]. » Le dernier télégramme est daté du 27 juillet : « *Mother died sleeping last night*[52]. »

Hannah ne tente pas de rejoindre la Grande-Bretagne

pour voir une dernière fois sa mère. Pourquoi ? Elle laissera à Eva le soin de l'enterrer. Elle ne sera pas présente à la cérémonie. Cette fille qui n'a jamais quitté sa mère est loin d'elle quand arrivent ses derniers instants. Cette mère qui a suivi sa fille d'Allemagne en France, de la France aux États-Unis, mourra loin de son unique enfant. À New York, Martha s'était constitué une petite bande d'amies d'origine allemande, avec qui elle partageait ses secrets et ses adresses de travaux de couture. De même, certaines des amies de Hannah, comme Lotte Klenbort, qu'elle avait connue à Paris, et Julie Vogelstein, native de Königsberg, étaient devenues ses confidentes même si, au fil du temps, la dépression rampante de Martha avait rendu les relations de plus en plus difficiles. Ces derniers temps, la mère se plaignait beaucoup de l'autoritarisme et de la dureté de sa fille.

Le jour même de l'annonce de la mort de sa mère, elle écrit à son mari resté à New York : « Je suis bien sûr à la fois triste et soulagée. Peut-être n'ai-je rien tant raté que cette affaire dans ma vie. Je ne pouvais pas tout simplement refuser cette exigence parce qu'elle était faite par amour et d'une manière inconditionnelle qui m'a toujours marquée. Mais je ne pouvais bien sûr jamais être à la hauteur, parce que ce radicalisme me poussait à me détruire et à détruire tous mes instincts. Mais pendant toute mon enfance et la moitié de ma jeunesse, j'ai fait comme si répondre à toutes les attentes était ce qu'il y avait de plus facile et de plus évident au monde, comme si c'était, en somme, naturel. Par faiblesse peut-être, par compassion aussi, mais sûrement aussi parce que je n'arrivais pas à faire autrement[53]. »

Hannah s'excuse auprès de son mari d'avoir été si proche de Martha... Elle se reproche d'avoir manqué la seule histoire qui vaille : celle avec sa mère. Hannah s'en veut de ne pas avoir été à la hauteur de sa mère. Mais quelle fille peut avoir le sentiment d'avoir été à la hauteur de sa mère, à la hauteur de l'amour que prodigue une mère — cette mère — à sa fille ? Hannah, le jour même de l'annonce de la mort de Martha, fait son *mea culpa* à Heinrich. C'est à lui qu'elle pense : « Quand je pense à toi, ça me donne le vertige[54]. » Elle s'en veut de lui avoir menti, et de lui avoir promis de s'installer aux États-Unis sans sa mère. « Je n'y pouvais vraiment rien et je ne t'ai même pas trompé consciemment puisque j'étais toujours bien décidée à ce que nous ne nous installions pas avec ma mère. » Et Hannah de justifier sa décision d'avoir fait venir sa mère de France aux États-Unis avec ces mots : « Et puis il y a eu les chambres à gaz... l'histoire du monde[55]. »

Hannah s'aperçoit qu'elle n'a pas les adresses des amies de sa mère. Elle demande donc à son mari d'envoyer un faire-part à *Aufbau* : « Ne le fais pas trop grand, pas trop petit non plus, ne lésine pas pour le prix[56]. » Voici comment elle l'a rédigé :

Le 27 juillet est décédée en Angleterre à l'âge de 74 ans
Martha Beerwald, veuve Arendt, née Cohn.
Hannah Blücher-Arendt — New York
Eva Beerwald — Londres.

Hannah veut faire les choses bien mais garder la mesure. Faire comme si cette mort était dans l'ordre des choses. De toute façon, ce n'est pas à son mari qu'elle peut confier sa tristesse. Tristesse pour elle, libération pour lui ? En l'espace de sept ans, Blücher n'a jamais vécu une seule fois en tête à tête avec Hannah. Il n'a jamais réussi non plus à nouer le moindre lien de complicité avec sa belle-mère. Il s'est toujours interposé dans la relation mère-fille, ne souhaitant pas la comprendre mais préférant la juger. Souvenons-nous que Hannah et Heinrich sont orphelins de père et que la mère a donc joué, pour tous deux, le rôle d'éducateur, de guide, d'autorité. Blücher comprit qu'il aimait sa mère quand il apprit qu'elle venait de mourir. Hannah ne peut pas, ne veut pas penser à la mort de sa mère. Elle n'en a pas la force. Alors elle recourt au déni. Sa mère, comme elle le dit, ce n'est pas une affaire — un dossier à classer — mais une histoire d'amour entre une mère qui, depuis son premier souffle de vie, l'a aimée plus que tout, et une fille qui s'est sentie protégée par cet amour. Difficile d'accepter cet amour-là, tant son inconditionnalité et son exigence le placent hors d'atteinte. Une mère aime sa fille. Cela semble naturel, évident. Pas pour Hannah qui ne s'est jamais sentie aimable, même pour sa mère. Toujours ce besoin de s'excuser d'être au monde, ce sentiment de ne pas mériter d'exister, obsédante douleur, obscur revers de cette posture dure et arrogante qu'elle affichera toute sa vie comme une cuirasse.

Blücher prend ses désirs pour des réalités. On ne fait pas son deuil si vite. Il l'encourage à oublier, à passer à autre chose. Il la supplie même : « C'est tout et ça suffit. *And just forget about it.* » Il lui dit qu'elle n'a rien à se reprocher, qu'elle a toujours fait de son mieux et que, de toute façon, sa mère n'en aurait jamais eu assez, « car quand on aime comme une éponge on ne se sent jamais au sec[57] ». Il se félicite de ne pas être tombé, comme elle, dans le piège de l'amour maternel qui n'est au fond qu'une folie. Il ne lui en veut pas d'avoir aimé sa mère, mais c'est tout juste. Deux jours après l'annonce du décès, il écrit à Hannah : « Hitler et Staline ont fait pire que de nous coller ta mère sur le dos, mon insouciance était au diable, je commençais à avoir mauvaise conscience et le mariage n'a fait que renforcer tout cela. La vieille a seulement rendu tout ça insupportable[58]. »

Jaspers, lui, trouve les mots pour l'apaiser : « Votre mère est morte, je ne sais pratiquement rien d'elle, sauf que vous l'avez sauvée en la faisant sortir d'Allemagne et l'avez emmenée plus tard en Amérique où vous viviez avec elle. Il est bien sûr dans l'ordre de la nature que les vieux meurent. Mais on devient cependant un autre lorsque sa mère n'est plus, et la douleur est profonde... Avec sa mère, on perd ce qui est toujours resté une sécurité, un oui inconditionnel[59]. »

Au lieu de compatir et d'aider sa femme, Blücher, le maître en ironie, enfonce le clou. Les mots blessants qu'il utilise donnent l'impression étrange que la mort de Martha signifie pour lui la possibilité d'une libération. En tout cas, cette disparition coïncide avec une métamorphose psychique, intellectuelle et sans doute sexuelle de Heinrich. Il avoue à Hannah vivre une véritable révolution mentale et être atteint par des accès subits de productivité qui lui permettent de croire qu'il va enfin pouvoir rédiger son *opus magnum*[60]. En fait, Heinrich est tombé amoureux de Rose, une jeune femme d'origine juive et d'ascendance russe, vive, intelligente et cultivée[61]. De cet adultère, Heinrich ne parle pas. Hannah ne l'apprendra qu'à la fin de l'été. Mais il refuse de venir la rejoindre dans le New Hampshire : « J'aimerais donc bien, car chaque jour je découvre de nouvelles choses, ne pas devoir voir des gens, et je n'ai pas envie non plus de rencontrer des arbres[62]. » Il ne lui dit pas pourquoi...

Aujourd'hui, les langues se délient. Edna, la nièce chérie de Hannah, n'a jamais aimé Blücher qu'elle trouvait prétentieux, arrogant, méchant avec sa tante. Elle se demande même si ses refus répétés de ne pas aller en Israël ne sont pas à interpréter comme une attitude antisémite. Lotte Köhler et Lore Jonas, les amies de Hannah, quand je les questionne, n'en font pas mystère : ce gros ours pataud et charmeur de Heinrich était aussi un séducteur et Hannah en a beaucoup souffert. Il n'y a pas que Heidegger qui considère que l'une des vertus les plus excitantes et les plus exaltantes du professorat consiste à savoir pêcher dans l'auditoire féminin les plus belles proies ! Dès que Blücher deviendra professeur au Bard College, lui l'autodidacte qui n'a jamais passé aucun diplôme, dès qu'il sera engagé dans l'une des universités les plus avant-gardistes des États-Unis, il fera de certaines de ses élèves des compagnes érotiques.

Mais cet été-là, Rose vient briser ce que Hannah pensait encore comme essentiel dans leur couple : la fidélité. Elle a du mal à accepter cette relation, que lui avoue Heinrich à son retour du New Hampshire. Elle-même avait décliné à plusieurs reprises la possibilité d'une aventure avec Hermann Broch, qu'elle aimait comme un ami mais dont elle connaissait le donjuanisme. Avec autant d'ironie que de délicatesse, elle lui lance quand il se permet d'insister : « Hermann, laissez-moi être l'exception[63]. » Le poète Randall Jarrell, rencontré chez Schocken, était lui aussi sous le charme de cette femme si ardente, si enthousiaste, qui connaissait tant de choses. Hannah ne manquait ni d'admirateurs ni de soupirants. À quarante ans, elle a une allure incroyable, sportive, rieuse, caustique. Ses cheveux, que maintenant elle porte court, soulignent l'ovale de son visage et toujours cette intensité dans le regard, ses yeux profonds et sombres. On dirait un cheval sauvage toujours prêt à se cabrer. Hannah tourne les têtes et les cœurs, vit dans un milieu d'intellectuels aux mœurs libres, encore imprégnées de l'atmosphère berlinoise où le désir et le plaisir irriguent la vie, et où la morale bourgeoise sert de repoussoir. Bref, elle n'aurait que l'embarras du choix pour rendre sa pareille à son cher philosophe de mari qui se prend pour Kant et Nietzsche réunis. Mais voilà, elle est amoureuse de lui.

Hannah se retrouve pourtant au pied du mur. Son mari ne lui demande pas son avis et ne s'excuse pas de sa liaison. Elle est mécontente d'apprendre que Blücher affiche, déjà depuis le début de l'été, sa liaison dans leur groupe d'amis. Il lui répète qu'il lui est fidèle, à sa façon ; elle n'y croit guère et décide de s'étourdir dans le travail — terminer enfin son opus. Elle s'épanouit aussi dans une nouvelle amitié féminine, particulièrement tendre. En effet, sa relation avec Hilde Fränkel, sensuelle, joyeuse, câline, drôle, est une révélation. Elle lui permet de nourrir sa passion de la conquête et de continuer à se sentir désirée, tout en faisant doucement évoluer sa relation avec Blücher en amitié amoureuse. À Hilde, Hannah confiera ses émois, suscités par ce nouveau type de relation : « Ce n'est pas seulement pour la sorte de détente que procure une intimité comme je n'en ai encore jamais connu avec une femme, mais pour l'inoubliable bonne fortune de notre proximité, une bonne fortune qui est d'autant plus haïssable que tu n'es pas une intellectuelle (quel mot haïssable) et que tu me confirmes dans mon propre moi et dans mes vrais sentiments [64]. »

Dans le souvenir de Lotte Köhler, Hilde était une femme très belle, très drôle, maîtresse de l'écrivain et philosophe Paul Tillich. Hannah l'avait croisée quand elles étaient jeunes, à Francfort, et elle la retrouve à New York par le biais du *Self Help for Refugees*, où Hilde travaille comme secrétaire, avant de devenir, à l'*Union Theological Seminary* de New York, la collaboratrice de Paul Tillich puis son amoureuse. La correspondance en témoigne : il y eut bien un coup de foudre entre les deux femmes. Avec Hilde, Hannah peut parler de tout, et en toute liberté. Elle la considère comme une enchanteresse, douée pour les contes et les confidences, « pas réellement perverse par nature », mais « seulement — et c'est si rare — douée de génie érotique[65] ». Entre elles, elles pouvaient échanger leurs petits secrets, leurs trafics amoureux, leurs jugements aussi sur la fragilité et la lâcheté des hommes. Mais toutes deux, si elles critiquent leur égoïsme et leur lâcheté, ne savent pas encore comment s'en passer. Pour Hilde : « Tous les hommes, les maris ou les assimilés comme le mien sont des paquets — pas gênants — mais ils nous gênent. » Oui, répond Hannah, « les hommes sont des paquets plutôt lourds, mais on ne peut pas vraiment bien aller sans eux ».

Comme elle le dit dans son *Journal de pensée*, « l'amour est un événement à partir duquel une histoire ou un destin peut advenir. Le mariage en tant qu'institution de la société broie cet événement, comme toutes les institutions consument les événements sur lesquels elles ont été fondées[66] ». Comment vivre avec un mari volage et ne pas trop en souffrir ? Hannah n'a guère le temps de s'abîmer dans le désespoir, car la vie va, elle s'enfuit à toute vitesse. Elle n'a guère le temps, ni l'envie, de s'enfoncer dans le rôle de la femme trompée. Elle court toujours, travaille énormément, et décide de consacrer tout son temps et toute son énergie à terminer ce qu'elle a commencé depuis plusieurs années de manière dispersée : son grand ouvrage sur les origines du totalitarisme.

X

PREMIER RETOUR EN EUROPE

Hannah travaille avec acharnement à son manuscrit. Son éditeur lui arrache la promesse de donner la totalité du texte au plus tard le 1er juin 1949. Elle se plonge dans sa documentation. « J'ai beaucoup écrit, le livre est aux trois quarts terminé. Le quatrième quart m'effraie maintenant, j'ai encore beaucoup à lire[1]... », écrit-elle à Jaspers. Elle décide de passer tranquillement chez elle les fêtes de fin d'année. Toujours ce mélange entre la *yiddish mama* et l'intellectuelle sévère. Le froid de l'abstraction, la solitude nécessaire pour réfléchir, et la chaleur vitale de son cercle de fidèles. Le 22 décembre, elle invite ses amis à fêter Noël et prépare une grande réception. Sa préoccupation majeure est alors de savoir comment faire rôtir le canard. Jaspers, qui ne l'a pas revue depuis 1930, lui demande à quoi elle ressemble. Elle lui envoie sa photographie découpée dans un journal. À la réception de la photo, il lui écrit : « Vous avez l'air si austère, sèche, noble et supérieure. Si je ne vous connaissais pas, vous et vos lettres, vous m'intimideriez un peu, mais je souhaiterais ardemment connaître cette créature[2]. »

Jaspers a quitté Heidelberg pour Bâle, en Suisse. Il n'a pas voulu continuer à vivre dans une Allemagne qui refuse de prendre en charge les conséquences du nazisme. Il flotte dans le monde, sans patrie. Les nouvelles d'Allemagne ne sont pas bonnes, même si l'éloignement accroît la pitié et modère la colère. Il est malheureux et tourmenté. Les Allemands ne veulent pas voir, pas savoir. Alors, ils refoulent, ne veulent pas comprendre. Cela le glace d'effroi. Il faut réveiller les gens. Seul le savoir permettra d'empêcher à jamais que la catastrophe se reproduise. Il pense à Heidegger, dont il est sans nouvelles depuis 1936. Il lui avait bien envoyé une lettre en 1942 pour lui reprocher son silence et lui dire qu'il ne comprenait guère le sens philosophique de ses derniers écrits sur Platon, qu'il juge problématiques, historiquement peu dignes de foi, obscurs[3]. La lettre est restée sans réponse et ce silence pèse à Jaspers. En 1945, après que fut mis fin au danger que représentait la censure du national-socialisme, il a attendu une lettre de son ami Heidegger, qui l'aurait éclairé sur ce qu'il n'arrivait pas à comprendre.

Dans le rapport qu'il rédige sur Heidegger en 1945 pour la commission d'épuration de l'Université, Karl Jaspers, après avoir rappelé l'engagement de Heidegger envers le régime et son idéologie, n'avait pas, rappelons-le, prononcé un réquisitoire sans appel. En effet il estimait que « des cas exceptionnels demandent qu'une réglementation exceptionnelle soit trouvée » et il propose qu'une pension soit attribuée à Heidegger « pour lui permettre de poursuivre son travail philosophique et d'élaborer ses œuvres, avec comme justification ses productions reconnues et l'attente de ce qui va naître encore d'important[4] ». Il demande également que le rapport qu'il a rédigé soit envoyé en partie à Heidegger, espérant vraisemblablement une explication directe de sa part au nom de leur amitié.

Toujours pas de réponse de la part de Heidegger. Le 1er mars 1948, c'est Jaspers qui, de nouveau, fait un geste. Il espère encore recevoir de lui « une explication désormais possible sans arrière-pensée[5] ». Il lui renouvelle son amitié et a confiance en lui à cause de leur passé commun. « Les bons souvenirs qui nous lient à un monde passé depuis longtemps ne se sont pas éteints pour moi[6]. » Il ne veut pas d'une rupture. Il lui est insupportable de devenir étranger à quelqu'un qui lui est lié. « En ce qui me concerne, je voudrais au contraire tout faire pour qu'il soit encore possible de nous parler de nouveau sérieusement[7]. » Il propose même à Heidegger de l'aider à publier. « Que vous fassiez connaître vos travaux en les publiant a un intérêt non seulement pour moi qui n'ai jamais pu l'étouffer, mais aussi, il va sans dire, un intérêt qui ne saurait être mis en doute, un intérêt européen. Depuis 1945, je profite de toutes les occasions pour le dire explicitement[8]. »

En réalité, Jaspers veut renouer avec lui, reprendre le dialogue, quitte à s'expliquer pour, ensuite, faire comme avant. Heidegger ne répond toujours pas. Jaspers insiste. Le 6 février 1949, un dimanche matin, il lui avoue : « Autrefois, il y avait entre nous quelque chose qui nous liait. Je ne peux croire que cela se soit complètement éteint. Le temps semble mûr à présent pour que je me tourne vers vous dans l'espoir de vous voir venir à ma rencontre[9]. [...] » Jaspers demande depuis des années des éclaircissements sur sa conduite antisémite et réalise qu'il ne les obtient pas. Il n'en fait plus désormais une condition. Beaucoup de temps a passé. « Pour ma part, je dois dire que je ne vous accuse pas parce que votre attitude dans cette catastrophe mondiale ne se tient pas élémentairement sur le plan des débats moraux[10]. » Il accepte son silence et espère que « dans notre activité philosophique et peut-être aussi dans notre vie privée, un mot passe entre nous de l'un à l'autre[11] ».

D'abord et avant tout la philosophie. Toujours et encore la philosophie. Eux deux, comme avant, unis pour, avec et grâce à la philosophie. Et il conclut, à la fois confiant et désespéré à l'adresse de Heidegger : « Je vous adresse mon amitié comme depuis un lointain passé, par-delà le gouffre des temps, restant attaché à quelque chose qui fut et qui ne peut pas n'être rien[12]. »

À New York, Hannah tente de boucler *Les Origines du totalitarisme*. Le texte s'allonge sans cesse et le temps lui manque. Elle explique à Jaspers : « J'écris avec ardeur et la visite chez vous me sert de "carotte[13]". » Partagée entre l'espoir et la crainte de revenir en Europe, Hannah Arendt promet en effet à Jaspers de venir lui rendre visite. Elle aimerait partir le cœur léger, en ayant remis la totalité de son manuscrit à son éditeur qui la relance. De toute façon, elle doit séjourner quelques semaines à Paris pour son travail de collecte de manuscrits hébraïques à sauvegarder. Elle parle de l'Allemagne comme de la première nation qui s'est anéantie en tant que nation, et où subsiste un silence coupable sur la question juive. Hannah ne s'est jamais sentie « spontanément allemande », et ne s'est jamais proclamée telle. « Ce qui reste, c'est la langue[14]. » Et pour elle, c'est suffisant. Heidegger ? Elle n'en parle pas. C'est Jaspers, au milieu d'une lettre sur Spinoza, qui lui avoue qu'il a renoué avec une « âme impure » qui a dénaturé la philosophie de l'existence, « une âme qui ne sent pas son impureté et ne tente pas constamment de s'en échapper mais continue à vivre étourdiment dans la saleté[15] ».

Étrange double discours. Quand Jaspers écrit à Heidegger, il se montre respectueux, empressé même de reprendre le dialogue. Quand il parle de Heidegger à Hannah, il emploie des termes ironiques, caustiques. Il ne croit guère en lui, se montre indigné par son engagement nazi et son absence de regrets : « Peut-on voir ce qu'il y a de plus pur dans le manque de sincérité ? ou bien connaîtra-t-il une révolution[16] ? » Jaspers demeure plus que sceptique…

Du trio infernal, soudé par Heidegger dès 1928 quand il demanda, comme un service à son ami Jaspers, d'accepter Hannah à Heidelberg pour sa thèse[17], que reste-t-il ? Le temps a fait évoluer les relations. Hannah, qui n'a pas revu Jaspers depuis seize ans mais qui a beaucoup correspondu avec lui, a construit une amitié profonde et réciproque avec son ancien professeur. De maître à élève, ils sont insensiblement passés à une relation qui ressemble à celle qui unit, et désunit dans le même temps, un père et sa fille. Une fille par définition toujours en révolte. Un père par essence aimant et tolérant, même s'il peut tout s'autoriser avec elle, et surtout ne pas la ménager en critiquant tous ses défauts : exagération, manque de sérieux, de rigueur et de méthodologie, formules à l'emporte-pièce. Père et fille unis au plus profond de leur être par leur amour de la philosophie et le dépassement constant de soi-même que celle-ci suppose. Heidegger est l'invité permanent du banquet, celui qui leur manque à tous deux sans qu'ils n'osent véritablement se l'avouer. Désir de Heidegger. Désir de le voir, de lui parler, de le lire, de discuter. Que faire de lui ? Oublier qu'il fut nazi ? Sûrement pas. Ne pas l'accuser, comme Jaspers ? Hannah ne sait plus très bien. Hannah se réjouit que Jaspers ait renoué avec Heidegger : « Comme il est bien connu qu'on n'est pas logique, pas moi en tout cas, je me suis réjouie [...] Ce que vous qualifiez d'impureté, je l'appellerai faiblesse de caractère mais au sens où il n'a littéralement pas de caractère du tout, sûrement même pas un caractère particulièrement mauvais. Et il vit pourtant dans une profondeur et une passion qu'on n'oublie pas facilement[18]. »

Heidegger répond enfin à Jaspers le 22 juin 1949. Il lui dit éprouver du bonheur à renouer avec lui : « À travers tant d'erreurs et de confusions et une contrariété temporaire rien n'a jamais porté atteinte à ma relation à vous. » Pas d'excuses, pas de regrets, pas de commentaire sur le passé. Au contraire l'arrogance, la prétention, la reconnaissance et la réaffirmation qu'il a encore une fois raison : « Les gardiens de la pensée ne sont que peu nombreux encore, dans la détresse mondiale qui monte ; cependant ils doivent persévérer dans leur opposition au dogmatisme, de quelque sorte qu'il soit, sans attendre de résultat. Le monde comme publicité et son organisation n'est pas le lieu où se décide le destin de *l'essence* de l'homme. On ne doit pas parler de solitude. Mais elle reste l'unique localité où des hommes qui pensent et poétisent, dans la mesure des possibilités humaines, se tiennent dans la proximité de l'être. C'est depuis cette localité que je vous adresse mes sentiments les plus sincères[19]. »

Heidegger, Arendt et Jaspers communient tous trois dans l'idée que la vérité s'accompagne toujours de duplicité, que l'ambiguïté mène le monde, qu'il n'y a pas d'un côté le bien, de l'autre le mal. Pour tous trois, ces notions sont désormais inopérantes pour penser le passé et imaginer l'avenir. Tous trois communient dans l'anticommunisme et la critique d'un nivellement planétaire dont ils perçoivent la progression. L'Europe doit échapper à l'étau des deux super-puissances. Tous trois ont le même amour pour la langue allemande, éternel creuset de la germanité, essence de la civilisation. S'ils diffèrent, c'est dans leur vision du destin futur de l'Occident. Heidegger se prend encore pour un penseur politique. Même s'il n'intègre plus, dans son discours philosophique, le vocabulaire nazi, il continue à opérer la jonction entre la pensée et l'histoire et à croire à la supériorité de la terre, du sol, de la langue, de l'esprit allemands. Il est vain d'attendre de lui une autocritique puisqu'il pense qu'il a encore raison. À ses yeux, le nazisme et ses conséquences sont bien moins importants à méditer que notre futur qui risque d'être broyé par la société de consommation ou l'idéologie communiste. Si, à partir de 1945, Heidegger se montre plus discret et ne cesse de répéter aux autorités d'occupation qu'il n'a fait que dix mois de rectorat sous le régime nazi, c'est dans le seul but de se protéger matériellement et de tenter de continuer à enseigner et à écrire.

Il continue à penser que l'Allemagne est la matrice et le modèle de la civilisation, il a à cœur de ne parler qu'à ceux qui savent l'entendre et s'en montrent capables et sa seule préoccupation est de remplir la mission qui lui a été échue : penser. Penser dépend de nous. Le cours du monde ne dépend pas de nous. La pensée peut-elle agir sur le cours du monde ? Heidegger, après la défaite, nourrit encore cette prétention et continuera à penser le devenir du monde.

Il est, de fait, abasourdi par les ennuis, les procès d'intention, les chicanes administratives qu'il a rencontrés. Son problème est moins de peiner à avouer sa culpabilité que de comprendre pourquoi il le devrait. Ne se sentant ni coupable ni responsable, il est certain de pouvoir continuer à compter sur l'amitié de Jaspers. Si Jaspers a hésité, médité pendant des mois sur le ton et la manière dont il écrirait à Heidegger pour lui demander des comptes sur son passé sans trop le heurter, ce dernier ne se pose pas ce genre de question tant il s'est toujours senti réconforté par la profondeur de leur relation : « Pendant toutes ces années, je suis resté sûr que le rapport établi entre les centres de gravité de notre existence de penseurs n'a pas été ébranlé[20]. » Il lui avoue quelques difficultés pour trouver un chemin qui mène au dialogue, mais revendique sa bonne foi : entré, comme il dit, dans l'opposition dès 1934, le problème n'est pas pour lui de faire des excuses. Il ne voit même pas à qui il en ferait. Le temps presse : « Ce n'est nullement que je veuille passer à autre chose. Ne faire qu'expliquer entraîne aussitôt sur une pente sans fin[21]. »

Sa tâche est de penser l'être et de préserver un chemin de salut pour l'homme. Il se sent plus alourdi et plus averti qu'au début de leur amitié. En pleine révolution intérieure aussi. En rupture avec lui-même. « Chez moi [...], lui avoue-t-il dans la même lettre, et sans me plaindre, tout va à reculons[22]. »

Être au clair avec lui-même, en finir avec cet ébranlement qui a commencé dès 1911 avec le rejet de la théologie, c'est cela qui préoccupe Heidegger, le tourmente, lui prend tout son temps. Il ne s'en plaint pas. En effet, il constate ce qui lui arrive et s'y abandonne. Comme il le dit avec force : « J'ai le sentiment de ne croître encore que dans les racines et non plus dans les branches[23]. » Il pense aussi près de lui-même que possible, comme le paysan fauche son champ le plus minutieusement du monde. Il faut lire son texte, « Le Chemin de campagne », écrit au printemps 1948 pour commémorer son pays natal[24] — où il fait l'éloge d'une nature bienfaisante, éternelle, qui nous appelle et nous porte, contrairement à l'homme contemporain qui, par son désir de planifier et de rentabiliser, s'efforce d'imposer un ordre au monde dans le vacarme de ses machines —, pour comprendre que Heidegger ne fait guère le partage entre la poésie des champs et la philosophie d'une patrie, d'une terre, par essence et pour l'éternité supérieures. Rien ne manque, ni dans le ton ni dans le style, l'alouette au matin dans le ciel d'été, le char de la moisson vacillant dans les ornières du chemin, le bûcheron qui traîne son fagot dans l'âtre. Heidegger se prend encore et toujours pour un prophète, une sorte de sourcier à la recherche du « Même ».

Son opération de charme réussira auprès de Jaspers qui lui dit sa reconnaissance à sentir « ce quelque chose d'impalpable[25] » en lui qui lui manquait tant. Jaspers se montre impressionné par la publication, quelques semaines plus tard, des *Holzwege*, les *Chemins qui ne mènent nulle part*[26], et lui dit avoir lu « Le Chemin de campagne » avec émotion. Mais il avoue ne pas avoir tout compris. Il a l'impression de lire de temps en temps des fragments initiatiques d'une pensée encore inachevée. Heidegger est-il un penseur-poète, un moraliste de type nouveau ou un irréligieux gnostique ? Il l'ignore, mais il cherche à le comprendre ainsi qu'à se faire reconnaître de nouveau par lui. Il lui envoie tous ses discours en s'excusant de l'encombrer de papiers. Il le couvre de compliments, lui exprime sa honte d'avoir été pris en 1945 pour un héros national, l'envierait presque d'être rejeté, mis au ban de la société, lui dont l'existence publique est celle d'un pantin qui n'a jamais fait montre d'un courage particulier[27]. Propos vertigineux d'un philosophe qui donne l'impression d'avoir usurpé sa notoriété et qui appelle Heidegger au secours pour tenter de penser avec lui la possible renaissance morale de l'Allemagne ! Ce n'est pas ce qui intéresse Heidegger qui, s'écartant du bourbier du réel, cherche à devenir, comme il l'autoproclame lui-même, le « penseur historial de l'Être ».

Pierre Bourdieu a vu juste. À un penseur qui se voudrait de haut rang convient un langage de haute volée. C'est par la hauteur stylistique que se distinguent la hauteur d'un discours et le respect qui lui est dû. Et Heidegger s'y entend à écrire pour un groupe de professionnels de la lecture philosophique et à se faire lire comme il demande à être lu ! Pierre Bourdieu, dans son analyse lumineuse, *L'Ontologie politique de Martin Heidegger*[28], fait de la *Lettre sur l'humanisme*[29] l'œuvre manipulatrice stratégique d'une soi-disant rupture de Heidegger avec lui-même : une sorte de lettre pastorale, matrice infinie de commentaires, permettant aux vicaires de l'Être, aux adorateurs inconditionnels de Heidegger, de reproduire, à leur propre compte, la mise à distance et les mises en garde formulées par le maître lui-même sur son œuvre, et de se placer ainsi du bon côté de la frontière entre les initiés et les profanes. Non il n'y a pas, comme il tenterait de le faire croire lui-même, un nouvel Heidegger, comme il y a chaque automne un beaujolais nouveau. Il n'y a pas un Heidegger II qui renie le Heidegger I. Il y a un seul Heidegger qui ne renie rien du tout.

Dans une lettre à Jean Beaufret, Heidegger proclame que l'Être aborde l'homme, qu'il le relance. Il récuse l'humanisme pour penser plus originellement le destin de l'essence de l'homme. Charabia ou discours génial ? Hannah Arendt hésite et, de manière très significative, elle écrit : « J'ai lu la *Lettre contre l'humanisme* [*sic*] très équivoque elle aussi et souvent à double sens[30] », confie-t-elle à Jaspers, en lui expliquant qu'elle a lu les cours sur Hölderlin, les séminaires sur Nietzsche, « affreux et bavards », et qu'il dénature sa propre pensée, ce qu'elle trouve insupportable. Jaspers aussi se montre impressionné même s'il reconnaît de nouveau ne pas tout comprendre. Bourdieu n'a pas tort de comparer Marcel Duchamp et Heidegger. Sa philosophie est sans doute le premier des *ready-mades* philosophiques : fabriqué pour être interprété tout autant que fabriqué par l'interprétation. L'interprète procède nécessairement par excès et l'auteur peut toujours faire des retouches, des corrections, des démentis, pour protéger son œuvre, par définition incompréhensible, hors d'atteinte, infranchissable, hors d'accès pour un autre même peut-être pour lui-même ! Jaspers à Heidegger : « J'ai été captivé. Votre façon de vous défendre contre les fausses interprétations est étonnante. Vos commentaires des Anciens sont toujours surprenants. Il est indifférent qu'ils soient justes ou faux, si l'on envisage à partir de quoi vous parlez et à quoi vous voulez aboutir[31]... »

Hannah Arendt ne se pose pas tant de questions. Là où Jaspers trébuche en lisant certaines phrases, là où il oppose, à la vision heideggérienne de la parole comme raison de l'être, sa vision d'une parole de communication, elle ne voit que ruse et diversion. Elle se moque de lui, de ce pseudo-personnage qu'il s'est construit, de ce faux ermite qui s'est enfermé dans sa hutte pour pester contre la civilisation, de ce philosophe ruminant qui bricole avec la langue en se prenant pour Hölderlin et qui croit encore qu'en écrivant *Sein* avec un *y* il va révolutionner l'histoire de la métaphysique occidentale. Elle pense que c'est un homme lâche qui se réfugie loin de tous, barricadé dans son chalet de Todtnauberg, « trou de souris » dans lequel il s'est retiré parce qu'il pense, avec raison, qu'il n'aura à rencontrer là que des gens qui, pleins d'admiration, viendront là en pèlerinage[32]. Elle en veut à cet homme de tirer un trait sur son passé, de faire comme si, encore comme si, toujours comme si... « Il a sans doute cru qu'il pourrait ainsi se sauver du monde, se tirer hypocritement de tous les désagréments et ne faire que de la philosophie. Et puis, voilà que très vite, toute cette malhonnêteté tarabiscotée et infantile a tout de même envahi sa philosophie[33]. »

En Europe

Hannah hésite. Partira, partira pas ? Elle part, puisqu'elle vient de finir son livre et qu'elle a besoin d'une rupture. S'aérer, prendre l'air, voyager. S'éloigner de son mari quelques mois. Son nouveau travail l'appelle en Europe, où elle doit rencontrer les principaux responsables culturels de la communauté juive européenne. Elle n'a que trop tardé. Mais toujours est-il qu'elle diffère son départ. Son cœur est déchiré. Son amie Hilde est malade, les médecins ne peuvent plus rien pour elle. Elle sait qu'elle va mourir. Hilde domine courageusement la situation, essaie de tenir, de profiter des jours qui lui restent pour jouir de l'existence. Hannah peut-elle, doit-elle partir ?

Hilde encourage Hannah à entreprendre ce voyage. Elle l'accompagnera en pensée, lui demande de profiter pour elle de ce qu'elle va vivre : « Ne ressens que de la joie, il n'y a que la beauté qui t'attend[34]. » Elles promettent de s'écrire. Hannah s'envole le 24 novembre 1949 pour Paris. C'est la première fois qu'elle prend l'avion et elle n'en revient pas. « Voler était tout simplement magnifique. On est au milieu du ciel, on se meut tout aussi naturellement dans les airs qu'un bon nageur dans l'eau[35]. » Le voyage est fatigant. Escale interminable à Terre-Neuve, froid polaire. Elle retrouve Paris avec enthousiasme. « Mon Dieu que cette ville est belle », écrit-elle à Heinrich. Elle pleure d'émotion en retrouvant la petite place des Ternes, fait le pèlerinage dans les lieux où elle a vécu son amour, retrouve les patrons de l'hôtel de la rue Servandoni, qui l'étreignent avec joie. La gentillesse des gens la frappe, la douceur de la ville la séduit. Miracle : elle peut marcher des journées entières sans se fatiguer. Hannah redécouvre une ville européenne. Elle s'y sent comme un poisson dans l'eau. Hébergée chez Alexandre Koyré, elle revoit Jean Wahl et sa grande amie d'adolescence, Anne. L'étincelante, la brillante, la frondeuse Anne s'est transformée en une femme épuisée, grosse et malheureuse, qui accepte la domination de son mari Éric Weil, lequel la méprise. Hannah n'a jamais aimé Éric Weil, toujours amoureux de la sœur d'Anne, Kaethe, qui lui imposera jusqu'à la fin de vivre à trois. Sa sœur s'épanouira, Anne se recroquevillera, ne trouvant pas sa place dans cette étrange relation. Comme une pomme tombée du pommier, note Hannah, désolée de voir son amie s'étioler, captive de ce malheur qu'elle subit sans l'affronter.

Après le plaisir des retrouvailles — Paris est toujours la plus belle ville du monde —, Hannah juge la France bien fatiguée : tout menace de s'y écrouler. Est-ce son regard de femme habituée au confort américain qui lui fait dire : « Personne n'investit de capital, tous les appartements tombent en ruine parce que rien n'a été fait depuis dix ans, le chauffage ne fonctionne pas, et tout est à l'avenant[36] » ? De New York, les nouvelles sont mauvaises : son amie Hilde résiste courageusement à la maladie qui empire malgré toutes les piqûres qu'on lui administre. Hannah lui fait envoyer de gros bouquets de fleurs rouges tous les jours. Elle apprend que son collègue et ami de chez Schocken, Joshua Starr, vient de se donner la mort. Tous les amis ont assisté à l'enterrement. L'historien Salo Baron a fait l'oraison et tout le monde se sentait coupable. « Ma chérie, écrit Heinrich à sa femme, je sais que tu l'aimais beaucoup... mais ne sois pas trop triste, je t'en prie, c'était inévitable, ainsi soit-il ! Il a longtemps porté la mort en lui[37]... » Blücher a bien tort de se faire du souci pour la peine qu'éprouverait sa femme. Hannah réagit très froidement. « C'est triste, mais sans plus — bien que j'aie bien aimé ce garçon mélancolique. Ainsi finit l'aspiration aux hautes sphères, pourrait-on dire en étant méchant[38]. »

Hannah ne manifeste ni compassion, ni regrets, méprisant si fort le suicide qu'il jette à ses yeux l'opprobre sur l'être qui y a succombé. Elle quitte la France pour l'Allemagne où, dans le cadre de la *Jewish Cultural Reconstruction*, elle va recenser les catalogues des bibliothèques juives qui n'ont pas été incendiées par les nazis. Travail gigantesque que de rassembler toutes ces informations en si peu de temps. Voyage harassant. Tous les jours, elle change de ville, Bonn, Wiesbaden, Francfort, Würzburg, Nuremberg, Erlangen, Heidelberg. Elle n'a pas d'adresse privée, passe son temps dans les trains avec des *military travel orders*, se sent fatiguée, perdue. Le 1er décembre, elle remet un premier rapport à l'organisation. Débordée par sa tâche, elle ne prend guère le temps de rencontrer les gens, de humer l'atmosphère, mais elle lit quotidiennement tous les journaux, de gauche comme de droite, et porte un jugement sévère sur son peuple. Elle s'en veut d'avoir imaginé pouvoir revivre en Allemagne. Blücher avait bien raison de ne pas vouloir revenir au pays. « La sentimentalité vous reste coincée dans le gosier après vous avoir donné envie de rendre. Les Allemands vivent du mensonge et de la bêtise. Cette dernière étant monumentale, vraiment[39]. » Elle traite le parlement de vrai guignol et juge que l'Allemagne n'a pas fait le deuil de son passé proche : « Ce qui n'est pas vrai, c'est qu'il y a ici beaucoup de nazis. Mais ils ont la nostalgie de Hitler, avec la guerre en moins et ne comprennent rien à rien, les étudiants pas plus que les travailleurs[40]. » Elle pense que les meilleurs parmi les jeunes veulent partir. Tous les Juifs survivants aussi. Vis-à-vis de l'Allemagne, Hannah ressent amertume et ressentiment. Une tristesse immense, également. Allemagne, mère blafarde. Allemagne, champ de ruines.

Elle voit une succession de villes détruites, d'hommes défaits. « Car il s'agit quand même de la langue allemande, de ce paysage familier d'une beauté inouïe, d'une familiarité qui n'a pas existé et qui n'existerait pas ailleurs[41] », avoue-t-elle à Hilde. Sa patrie n'est plus l'Allemagne, à tout jamais. Son « chez-soi », comme elle dit, c'est désormais et pour toujours les États-Unis d'Amérique.

À New York, Heinrich est le témoin du mariage d'Hermann Broch. Champagne et nostalgie. Hannah lui manque. La séparation le coupe en deux. « Tu n'imagines pas, et je ne l'imaginais pas moi-même, à quel point tu me manques[42]. » Il tente de se consoler en lisant Nietzsche, mais rien n'y fait. Pourquoi son éloignement de quatre semaines, l'été dernier, a-t-il été bien vécu, mieux, lui a procuré du plaisir, alors que ce séjour de Hannah en Europe suscite en lui un fort sentiment d'abandon ? Blücher a le cafard, il perd le sommeil, déprime. Il est obligé, pour des raisons financières, de sous-louer leur petit appartement. Pas de chance, le colocataire est un peintre qui reste toute la journée à la maison avec femme et enfant. Le tout pour cinquante dollars par mois, ou guère plus. La chambre de Hannah devient leur séjour, et sa chambre la leur. Il dort dans le bureau, ne se sent plus chez lui, n'arrive pas à travailler. Il s'occupe beaucoup de Hilde dont la santé décline chaque jour. Elle a de plus en plus de mal à respirer et son estomac ne s'habitue pas à la morphine. Il mange avec elle, la fait marcher, l'emmène au cinéma. Ensemble, ils parlent de Hannah, de l'intensité de sa présence, de ses gestes tendres, de ses permanentes marques d'attention.

Hannah vit dans le tourbillon du voyage, du travail à accomplir, de l'Allemagne d'après-guerre qu'elle découvre chaque jour, de l'attente aussi de retrouver son ancien professeur. Le 17 décembre 1949, elle rend visite à Gertrud et Karl Jaspers. Leur dernière rencontre remonte au printemps 1933. Ils se tombent dans les bras. Hannah n'en revient pas. C'est comme si le temps n'avait pas existé, la distance les a rapprochés. Ce n'est plus une élève qui vient chez son professeur, mais une amie qui, en chair et en os, continue pendant ces trois jours de rêve cette conversation ininterrompue depuis la fin de la guerre. Hannah appréhendait ce rendez-vous, craignait d'être maladroite, empruntée. Tout sera très simple. Comme elle le désirait. « Complètement évident et spontané. Sans aucune gêne. Jaspers très jeune, très animé, plein d'énergie. Elle [Gertrud], finalement très sympathique et très jeune aussi[43] », écrit-elle à son mari. Trois jours à se parler, à refaire le monde et l'histoire de la philosophie. Hannah n'a jamais parlé avec cette liberté. Personne ne l'a jamais écoutée ainsi. Jaspers lui montre sa dernière correspondance avec Heidegger.

La confiance est si forte que Hannah, pour la première fois, lui avoue son histoire d'amour d'étudiante. Et toute heureuse de s'être délivrée de ce vilain secret qui alourdissait leur relation, elle se montre ravie de la manière dont Jaspers réagit : « Ah bon ! mais c'est tout à fait passionnant[44]. » Hannah se réjouit de la spontanéité de sa réaction et de son absence de jugement moral. « Ouf ! » écrit-elle à Blücher. Ouf ? Comme si elle l'avait échappé belle ? Manifestement, Hannah se sent soulagée d'avoir dit la vérité. Cet aveu augmentera entre eux le désir et le souci de toujours tout se dire. Ainsi, dans le dialogue que Jaspers a renoué avec Heidegger, elle sent une ouverture d'esprit du côté du premier, mais de la ruse et de l'hypocrisie dans l'attitude du second. Elle peut maintenant le lui dire en toute liberté. Jaspers, lui aussi, semble bouleversé par cet aveu de Hannah, qui augmente l'intensité du respect et de la confiance qu'il éprouve pour elle. « Pauvre Heidegger, ironise Jaspers. Voilà que ses deux meilleurs amis se retrouvent ensemble et ne sont plus dupes[45]. » Quand Hannah quitte Bâle, le 28 décembre 1949, c'est à Heinrich Blücher que Jaspers écrit. Il tient à lui dire toute l'admiration qu'il éprouve pour l'énergie que Hannah lui a donnée et l'élan de son activité créatrice, qui lui a fait se sentir lui-même plus courageux[46].

Hannah doit repartir pour l'Allemagne et achever son travail sur l'inventaire des biens juifs européens. Son rapport est si bien accueilli que l'organisation lui propose de soumettre au gouvernement allemand une ordonnance pour contraindre les *Länder*, non seulement à restituer les fonds hébraïques existants, mais aussi à dédommager les bibliothèques juives dont les livres ont été brûlés par les nazis. Elle ne sait quoi en penser, demande conseil à Heinrich, s'amuse elle-même de l'ampleur de sa tâche : « Que même ça puisse réussir me semble bizarre. Quand même, je ne suis pas allée en Allemagne pour en changer la Constitution[47]. » Berlin, puis Londres, début janvier, pour la première fois. Impression d'une ville monstrueuse, laide et belle à la fois, pleine de vie. « On y travaille, mais pas comme en Allemagne jusqu'à en devenir stupide, ce n'est pas une intoxication[48]. » Elle retrouve sa demi-sœur Eva Beerwald, qu'elle n'a pas revue depuis son départ d'Allemagne, elles évoquent le souvenir de Martha. Elles vont au théâtre et, le lendemain, Eva l'emmène sur la tombe de sa mère. Hannah s'incline quelques minutes. En hâte, toujours en hâte. Toujours de passage. Hannah vit à toute vitesse des événements importants sans jamais vouloir s'y attarder.

Elle découvre Virginia Woolf dans le train. Choc profond. De retour à Paris, où elle retrouve Anne, elle va au théâtre voir *Les Justes* de Camus, discute avec le couple Cohn-Bendit, s'inquiète de la santé de Hilde, lui écrit chaque jour, s'énerve contre son éditeur qui trouve son ouvrage trop gros et lui demande de le réécrire, s'ennuie de Blücher qui traîne interminablement une sale grippe. Elle se fâche contre lui parce qu'il ne lui écrit pas assez. Heinrich avait pourtant promis qu'il lui écrirait une fois par semaine. C'est tout juste s'il consent à envoyer une lettre par mois. Elle ne prend plus de précautions pour lui dire ce qu'elle pense de lui : « Je n'arrive pas à comprendre cette totale absence du sens des responsabilités et des obligations les plus élémentaires[49]. » Elle devient même menaçante : « Je n'ai plus vraiment envie de jouer à ce jeu, de faire semblant de ne rien voir et de continuer à vaquer à mes petites affaires dans mon coin. Si la relation avec toi ne te semble même pas valoir que tu prennes sur toi pour donner régulièrement de tes nouvelles, que veux-tu que je te dise ? ou que je fasse[50] ? » Heinrich s'excusera : « Que ton cœur soit lourd rend le mien lourd aussi[51]. » Il continue à s'occuper quotidiennement de Hilde qui pleure sur son épaule, ne peut plus rien faire, plus marcher, plus lire, plus rien écouter, à peine un peu de musique, à la radio, tout doucement. Hilde se laisse mourir : « Je persiste discrètement à la convaincre de rester en vie. [...] Elle croit fermement qu'elle ne te reverra pas et je la contredis énergiquement[52]. »

Hannah repart pour Wiesbaden, apprend à Heidelberg que Heidegger a parlé en public de Jaspers de manière insultante, s'arrête à Bâle mais n'en parle pas à l'intéressé[53], et reprend aussitôt sa course insensée : Baden-Baden, Cassel, Marbourg. Prochaine étape : Fribourg. Ira-t-elle voir Heidegger ? Elle s'en remet au hasard. Comment reconstituer la scène ? L'hôtel de leurs retrouvailles est toujours là, rococo et charmant, dans ce quartier paisible de Fribourg. L'esprit des lieux ne délivre pas l'énigme. Hannah a loué une voiture pour aller plus vite dans ses pérégrinations. Elle se dit obligée de passer par Fribourg pour raisons professionnelles. À Blücher, elle raconte : « Lundi je serai à Fribourg, il faudra bien que j'y aille mais je n'ai plus la moindre envie maintenant d'avoir affaire à ce monsieur[54]. »

Jaspers n'est pas au courant de son passage à Fribourg ni de l'attaque que Heidegger aurait lancée contre lui. Elle interroge son mari : « Faut-il le lui raconter ? Ne rien dire ? Je ne sais pas. Je suis désemparée[55]. » L'envie de revoir Heidegger sera la plus forte. Elle décide finalement de ne rien dire à Jaspers et part pour Fribourg. À peine arrivée à l'hôtel, elle rédige une lettre qu'elle fait porter chez les Heidegger pour lui demander un rendez-vous. La lettre arrive le 7 février à midi. L'après-midi, Heidegger se rend à l'hôtel, ne la trouve pas et lui laisse cette missive : « Je me réjouis de l'occasion de recueillir en propre à présent notre première rencontre au sein d'un âge plus avancé de la vie, comme quelque chose qui demeure[56]. » Il lui propose de venir chez lui à huit heures du soir et précise : « Ma femme, qui est au courant de tout, aurait plaisir à vous saluer. Mais elle a malheureusement un empêchement ce soir[57]. »

Finalement, il décide de retourner à son hôtel. Ce qui s'est passé cette nuit-là n'appartient qu'à eux. On peut tout imaginer. On comprend qu'il y a eu re-appartenance physique, psychique, intellectuelle. Promis l'un à l'autre, ils découvrent de nouveau la nécessité du lien. Manifestement ils ne se sont jamais quittés. Hannah avoue à son mari : « Nous avons pour la première fois de notre vie, je crois, parlé ensemble... » Et d'ajouter comme pour s'excuser : « Même là, je n'ai pu m'empêcher de penser à mon maudit Stups[58], qui a un jugement si sûr[59]. »

Blücher a toujours été fasciné par Heidegger et a encouragé son épouse à renouer le lien. Hannah demeure à la recherche de la loi intérieure qui a fondé et fonde peut-être encore son amour pour Heidegger. Que se sont-ils promis ? Pour Hermann Heidegger, le fils du philosophe, son père aurait alors proposé à Hannah de vivre avec lui, en trouvant un arrangement avec Elfride. Hannah était traversée à l'époque par la possibilité d'une rupture avec son époux et caressait en même temps l'idée d'un éventuel retour en Europe, plus vraisemblablement à Bâle, en Suisse, dans la ville d'exil de Jaspers. Pour la première fois de leur histoire d'amour,

Heidegger lui fait cette nuit-là une proposition. Elle laisse les choses ouvertes, lui permettant d'espérer. Les retrouvailles avec lui ont l'éclat retrouvé de la promesse initiale et apportent la réponse : entre eux, rien n'est rompu. Hannah le dit à Heidegger : « Cette soirée et cette matinée apportent sa confirmation à toute une vie[60]. » L'attente, suscitée par le temps et l'éloignement, attise les retrouvailles. Quelque chose de sauvage et de pur tout à la fois surgit en Heidegger, quelque chose de si profond qu'il a alors, de manière lumineuse, la certitude que cet amour-là continue à s'imposer. C'est de l'ordre de la révélation. Cette chance qui s'offre à lui, il ne veut pas la laisser passer.

Il demande donc à Hannah, le lendemain matin, de venir chez lui pour qu'elle puisse entendre de sa bouche l'aveu de son amour devant Elfride, son épouse ! Heidegger laisse toujours les choses advenir et fait confiance à ce qui lui arrive. Il considère que cette histoire d'amour qui recommence le comble et l'enrichit et, contrairement à ce qu'il fit lorsqu'il était jeune marié, l'accueille comme un présent de la destinée. Il commence à être un vieux monsieur et se sent rajeunir par ce regain de vitalité amoureuse. Il n'entend donc pas laisser repartir pour toujours celle qui l'a, depuis si longtemps, inspiré, accompagné, compris.

Dans une correspondance inédite, que j'ai retrouvée dans les archives de la New School, une lettre de Hannah raconte à son amie Hilde comment elle a vécu cette nuit-là. « Heidegger apparaît quasiment tout de suite à l'hôtel où a commencé à se dérouler une sorte de tragédie dont je n'ai vécu probablement que les deux premiers actes. Il n'a aucune idée du fait que tout cela s'est passé il y a vingt-cinq ans, qu'il ne m'a pas revue depuis dix-sept ans et se comporte sur le mode qu'on peut appeler poliment celui de la culpabilité, ou plus ouvertement exprimé : celui du chien qui a la queue entre les jambes. S'il te plaît ne montre pas cette lettre aux tiens... » Et Hannah d'avouer, en jubilant : « Au fond je suis heureuse, simplement pour la confirmation — j'avais raison de ne jamais oublier[61]. »

Retour de flamme

Le lendemain matin, Hannah se rend donc dans la maison de Zähringen, à côté de Fribourg. Pourquoi ? Pour confirmer à Elfride qu'elle aime son mari ? Heidegger a besoin de sa présence pour dire à nouveau à son épouse qu'il est engagé à tout jamais avec Hannah et qu'elle doit l'accepter. Mais pour quelles raisons Hannah accepte-t-elle de jouer le jeu ? Elle est venue sans savoir ce que sa femme attendait d'elle au juste. De toute façon, ce n'est pas le genre de Hannah de se dérober. Quelle est la nature du pacte ? Heidegger souhaite s'excuser et s'expliquer devant elles deux. Il veut les deux. Il a besoin de son épouse qui, depuis trente ans, lui sert de secrétaire particulière, le protège des intrus en faisant le cerbère, organise sa vie quotidienne, lui prépare ses repas, organise les vacances et prend toujours fait et cause pour lui. L'engagement nazi de Heidegger en 1933 a ressoudé le couple. Il est de notoriété publique, à Fribourg, qu'Elfride a continué pendant la guerre à exprimer sa sympathie active pour le national-socialisme. L'isolement universitaire à la fin de la guerre et ses ennuis professionnels ont accentué la solidarité sans faille qu'affiche son épouse. L'absence de nouvelles de leur fils Hermann, prisonnier en Russie, nourrit leur angoisse commune. Il sait qu'il peut compter sur elle. Il ne fera plus l'économie du mensonge — omission de l'amour qu'il éprouve pour Hannah. Il pense qu'elle comprendra. Il a tort.

L'entretien se déroule en effet de manière orageuse. On voit d'ailleurs mal comment il aurait pu se dérouler autrement. Elfride se comporte comme une vraie furie. Comme une louve blessée qui découvre les ruines d'un monde à jamais incendié, comme une femme jalouse qui perd pied, elle se déchaîne en propos agressifs vis-à-vis de Hannah puis hurle des insultes antisémites, bafouille, gémit, la poursuit de sa vindicte et de sa haine au lieu de s'en prendre à l'unique responsable de cette situation grotesque : son mari. Hannah se souviendra longtemps de cette matinée de cauchemar qu'elle commencera à raconter en détails à son amie Hilde : « Scène fantastique de sa femme, qui, dans son emportement, me disait tout le temps "votre mari" au lieu de mon mari. Elle crachait des détails dont je ne pouvais rien connaître ni soupçonner — elle savait ce qu'il me devait, le rapport avec ma production, etc.[62] » Heidegger a donc reconnu auprès d'Elfride sa dette intellectuelle envers Hannah Arendt. Le geste l'honore, mais accroît évidemment l'agressivité de son épouse. Hannah note qu'Elfride profite de sa présence pour répéter des reproches qu'elle adresse depuis longtemps à son époux ainsi que son manque de confiance : « Apparemment une scène souvent répétée[63]. » Hannah devient l'otage temporaire, le catalyseur de la scène conjugale, l'excitant érotico-maniaque de ce duo. Fine mouche, elle a découvert le type d'économie libidinale du couple : elle l'insulte, il se repent. Puis ça repart. Cela fonctionne ainsi entre eux depuis vingt-cinq ans. Ce que Hannah ignore, ce sont les raisons profondes de la colère de Mme Heidegger. Hannah n'en est pas, à vrai dire, l'unique destinataire. Elfride sait, ou se doute, que son mari la trompe depuis longtemps, et qu'il entretient de multiples liaisons, mais elle ne sait pas que, dans cette constellation, Hannah demeure la seule, l'unique, l'adorée, celle dont Heidegger a encore besoin, sur tous les plans, pour pouvoir continuer à vivre et à écrire, dans l'idée exaltée que rien ni personne ne pourra désormais porter atteinte à la nécessité de son amour.

Hermann Heidegger, tout heureux de pouvoir parler de son père pas seulement comme d'un grand philosophe mais aussi comme d'un Don Juan, me confie en souriant que sa mère avait quelques raisons de surveiller son emploi du temps quand des étudiants, et qui plus est des étudiantes, se présentaient au domicile conjugal. Elle enfermait son mari dans son bureau en l'enjoignant d'écrire son œuvre au lieu de butiner. Avec elle, Heidegger jouait à cache-cache, mais il s'était résolu à se soumettre à sa loi. Elfride, garante et protectrice du travail de penseur de Heidegger ? Encore aujourd'hui, les inédits sont nombreux. Et lorsqu'on constate néanmoins le nombre impressionnant de publications de Heidegger, on ne peut qu'être admiratif devant pareille production, mais force est de se demander comment il trouvait encore du temps pour ses dulcinées... Il y arrivait en s'échappant de la maison comme un écolier, avoue, en pouffant, son fils, qui garde de sa mère le souvenir d'une femme sérieuse, digne, dévouée, mais aussi sévère et autoritaire, tant avec ses fils qu'avec son mari qu'elle traitait plus comme un grand fils que comme un époux dont elle était encore amoureuse.

À cette époque, Heidegger s'apprête à publier *De l'essence de la vérité*[64], relit Maître Eckhart, travaille de nouveau Aristote, répond aux malentendus que provoque la publication de la *Lettre sur l'humanisme*. Il engage sa réflexion sur le rôle de la technique dans notre monde moderne, tout en méditant sur la nature intrinsèquement impure de la parole. Il accumule des notes, griffonne des carnets, noircit des pages sans véritablement les classer dans cette petite pièce annexe de la maison, que lui a dessinée puis fait construire sa femme, et qu'il a transformée en bureau. Cette surproduction qui l'entraîne et l'effraie à la fois, il ne sait comment l'ordonner, la mettre en forme. Miraculeusement, Hannah arrive à ce moment-là. Il sait qu'il peut avoir confiance en sa rigueur et son esprit de synthèse. Il connaît sa profondeur intellectuelle, sa connaissance des textes anciens. À elle, il peut confier ses travaux en cours, trouver dans le dialogue philosophique des pistes d'ordonnancement, demander conseil, classer tous ses papiers qui s'amoncellent depuis des années. De nouveau, le compagnonnage philosophique renaît de ses cendres.

Désormais, ce ne sera plus à sa brillante élève que Heidegger enverra ses manuscrits, mais à l'intellectuelle accomplie, dotée d'esprit critique, que Hannah est devenue.

Hannah quitte Fribourg pour Wiesbaden le jour même. Elle ne peut trouver le sommeil. Elle commence la lecture des *Chemins qui ne mènent nulle part*. « C'est tout à fait remarquable[65] », écrit-elle à Heinrich. Elle se plonge dans son manuscrit sur Héraclite qu'il vient de lui confier et cède à la tentation de lui écrire. Elle se dit étonnée par la violence de son épouse — « Je suis venue sans savoir ce que ta femme attendait de moi au juste » —, comme femme trompée et comme femme ayant tenu vis-à-vis d'elle des propos étrangement insistants et lourds de connotation en évoquant à plusieurs reprises le terme de « femme allemande ». Puis le rassure : « À moi personnellement, tout cela m'est parfaitement égal. Je ne me suis jamais sentie une femme allemande, et il y a bien longtemps que j'ai cessé de me sentir une femme juive. Je me sens telle que je suis tout bonnement, à savoir celle qui vient d'ailleurs[66]. » Comment faut-il comprendre cet aveu ? Pourquoi Hannah dit-elle au mari d'une antisémite qui vient de l'insulter qu'elle a cessé de se sentir une femme juive ? De quel ailleurs se prévaut-elle ? Elle dit s'être tue par discrétion, par amour pour lui aussi. À Heidegger, elle écrit qu'elle a même ressenti pour Elfride « un sentiment soudain de solidarité ; et de sympathie profonde et croissante ». À son mari, la même nuit — l'insomnie est créatrice —, elle écrit : « Je crains que, tant que je serai en vie, sa femme ne soit bien décidée à noyer tous les Juifs. On n'y peut rien, c'est une sombre idiote[67]. »

À l'aube, elle envoie cependant une lettre stupéfiante à Elfride. « [...] Martin et moi avons vraisemblablement tout autant failli l'un envers l'autre qu'envers vous. Cela n'est pas une excuse. Du reste, vous n'attendiez pas d'excuse et je ne pourrais d'ailleurs en fournir aucune. » Elle la remercie d'avoir rompu le charme de cette relation. Elle lui avoue même qu'elle a commis plus tard à cause de cette histoire d'amour « des choses répréhensibles ». Elle avait été si malheureuse en quittant Marbourg qu'elle avait décidé de ne plus jamais aimer un homme de sa vie, ce qui ne l'a pas empêchée d'épouser « le premier venu, sans l'aimer[68] ».

Pourquoi raconte-t-elle sa vie à Elfride ? Pourquoi lui exprime-t-elle sa gratitude d'avoir permis à l'histoire de s'achever alors même qu'elle est en train de recommencer ? Pourquoi donne-t-elle des armes à son adversaire en souillant son premier mariage ? Sans doute parce qu'elle pense ainsi tromper l'adversaire, endormir Elfride et aider Heidegger à avoir une vie conjugale plus paisible. Car l'important n'est pas Elfride. L'important est leur amour. Elle veut le revoir avant son départ. Elle lui propose de venir le rejoindre, quand il veut, quand il peut, hôtel du Parc à Berlin ou à Wiesbaden, dans la zone britannique[69]. Elle l'attendra en vain. En fait leurs lettres se sont croisées.

Le surlendemain, avant de repartir pour Berlin, elle reçoit une lettre d'excuses de Martin Heidegger : « "Belle est la clarté." Ce mot de Jaspers, que tu m'as rapporté hier soir, n'a eu de cesse de me remuer, tandis que dans le dialogue entre ma femme et toi trouvèrent finalement à s'accorder, après malentendus et tâtonnements, les bonnes volontés qui, de part et d'autre, avaient à cœur de s'entendre. Le dialogue ainsi noué n'avait pas d'autre sens que de permettre à la rencontre qu'il y eut *entre nous deux*, et à ce qui en elle est appelé à demeurer, de s'installer dans un climat serein de confiance réciproque entre nous trois, pour toi comme pour moi. Ce que ma femme a pu te dire ne visait *qu'à cela*, et non à t'extorquer l'aveu d'une faute vis-à-vis d'elle[70]. » Il la rassure : sa femme n'a, d'aucune façon, voulu porter atteinte au sort réservé à leur amour. Il se sent fautif de son silence à son égard. « C'est à partir de cette confiance en ma femme que j'aurais dû lui en parler à elle, et avec toi. Auquel cas non seulement la confiance eût été sauve, mais tu aurais pu savoir de quelle étoffe est ma femme, tout cela nous aurait aidés[71]. » Désormais, tout est clair et la faute réparée. L'accord a pris vie, se réjouit-il.

À peine Hannah est-elle éloignée qu'il souhaite la voir revenir. Il veut qu'elle se replonge dans son univers et il lui envoie... des tombereaux de textes.

Elle retrouve à Berlin ses amis de l'université et l'atmosphère des années d'avant l'exil. La ville en ruine, méconnaissable, l'impressionne. Mais les Berlinois, eux, demeurent inchangés, toujours aussi vifs, critiques, drôles. Hannah a l'impression, pour la première fois, de rentrer chez elle. Chaque soir en regagnant son hôtel, elle trouve des lettres et des colis envoyés par Heidegger. Elle est inondée de publications, de manuscrits. Il ne précise pas s'il va la rejoindre. Alors, au lieu de le voir, elle le lit. Et cela lui suffit. Elle note : « Si seulement, il pouvait parler, être compris. Pourtant il est plus célèbre que jamais, sans qu'il ait l'air du tout de le comprendre ou du moins de s'en rendre compte[72]. »

A-t-elle hésité à repartir pour New York ? On lui propose d'enseigner les sciences politiques à l'université de Berlin. Elle en est flattée. À Wiesbaden, puis dans Berlin en ruine, elle a une vie intérieure très mouvementée, une véritable tempête de pensées. Ce qui vient de lui arriver la tourmente. Tout ce passé qui remonte l'obsède, cette affaire de Fribourg lui semble fantomatique. Elle se plonge dans la lecture des textes que lui envoie Heidegger. Beaucoup de choses étonnantes, écrit-elle à Heinrich, des choses aussi si fausses, si insensées parfois, qu'on préférerait ne pas le croire. Elle vit, en pensée, avec Heidegger. Elle l'attend encore. Mais se méfie. Elle se sent en suspens.

Le 2 mars, il lui donne enfin rendez-vous. Elle passera avec lui quatre jours à Fribourg sur lesquels on sait peu de choses. À Hilde, Hannah dira que Heidegger l'a suppliée de reporter son départ pour New York. Elle refuse mais accepte de revenir à Fribourg. Elle se sent obligée. Acculée. Pourquoi ? Elle ne le sait pas elle-même. Elle n'a pas envie mais en même temps se sent captive. Finalement, elle y va. Il lui faut, comme elle l'avoue à Hilde, un « courage bestial ». Il lui a réservé une chambre dans l'hôtel de leurs retrouvailles. Elle a cédé à ses supplications : « Il faut que tu reviennes de la même manière que tu as pris congé sur le seuil... Car nous avons, Hannah, un quart de siècle de notre vie à rattraper[73]. »

Pendant ces quatre jours, Heidegger lui livrera ses questionnements philosophiques, son état d'esprit sur l'Allemagne des villes en ruine, et l'Allemagne où subsistent, intacts, les chemins, les forêts et les montagnes, l'Allemagne de la nature où il trouve la force de se ressourcer. À Heinrich, elle confie : « Heidegger est sûrement normal, mais il est complètement à la merci de sa propre pensée (à défaut d'un autre terme !) comme d'ailleurs, soit dit en passant, il est à la merci de tout le reste aussi. Il fait d'ailleurs des poèmes magnifiques. Et te salue bien[74]. » Heidegger lui écrit en effet quotidiennement des poèmes d'amour, où il la supplie de rester ; mais rien n'y fait. Hannah refusera de changer son itinéraire et son calendrier : Hambourg, Cologne, Hanovre. « J'ai fait le plus possible et je ne me sens même pas aussi fatiguée que j'aurais le droit de l'être », écrit-elle à Hilde. Puis de nouveau Wiesbaden. Elle revient pourtant à Fribourg passer quelques heures avec Heidegger. Bâle ensuite, où elle fait ses adieux à Jaspers sans manifestement évoquer sa rencontre avec Heidegger. Paris enfin, où elle travaille déjà à la documentation de son prochain ouvrage, et retrouve son amie Anne. De l'autre côté de l'Atlantique, son mari s'impatiente. Elle lui a pardonné ses infidélités. Elle le croit quand Heinrich lui dit : « Tu viens de vivre un séjour épuisant, une course incessante. Repose-toi bien sur le bateau, au calme de la mer, bon vent. J'ai l'impression de te voir sans cesse, mon Dieu, heureusement que tu existes[75]. » Sur ce bateau, enfin seule, Hannah aura cinq jours pour réfléchir à ce qui vient de lui arriver : cet amour blessé qui renaît de ses cendres, cette confiance retrouvée, cette amitié si forte désormais construite comme un habitacle de survie avec Jaspers, ce sentiment qu'elle a éprouvé d'exister enfin dans les yeux de Heidegger, cette sensation même qu'elle lui est devenue nécessaire, cette fusion qui recommence avec Heinrich, qui demeure le mari et redevient l'amant.

XI

PENSER LE TOTALITARISME

Trois livres en un

À New York, Heinrich l'accueille amoureusement. Bouquet de fleurs, champagne, déclarations. Le grand jeu. Ils partent quelques semaines en vacances à Manomet, sur la côte du Massachusetts. À son retour, elle trouve ce poème qu'a rédigé pour elle Heidegger, et qu'il a intitulé « Celle qui vient d'ailleurs » :

Ailleurs,
Où tu es toi-même ailleurs,
C'est comment ?
— Forteresse de ravissement,
Mer d'amertume,
La désolation du désir,
Première lueur d'un avent.
Ailleurs, où est chez soi ce regard unique
Qui entame un monde
Entamer : opérer le sacrifice[1]. [...]

Ce passé qui revient bouleverse Heidegger. Il écoute l'*allegro* du deuxième mouvement du troisième *Concerto brandebourgeois*, contemple les reproductions de Braque que lui envoie Hannah. Le petit cheval, comme se dénomme elle-même Hannah, est rentré à l'écurie. En drôle d'état mais rentrée quand même. Heinrich, lui, n'est pas au mieux. Atteint de calculs, perclus de rhumatisme, incapable d'écrire une ligne, englué dans des problèmes financiers, il a pourtant réussi un remplacement au pied levé et donné, dans une soirée à Greenwich Village, une conférence si brillante sur Malraux qu'il peut espérer pouvoir être de nouveau demandé[2]. Pendant ce temps, Hilde meurt à petit feu. Même avec la morphine, elle souffre beaucoup. Hannah lui sert de confidente et de garde-malade. Elle évoque à Heidegger le calvaire de son amie. Heidegger écrit un poème à la malade auquel celle-ci répondra le 4 avril 1950. « Votre poème m'a énormément impressionnée. Je l'emmène toujours avec moi jour et nuit [...]. Il est merveilleux que Hannah soit de retour même si je sais quel sacrifice cela a été. Elle est un des rares êtres humains qui existe. Et ces derniers jours, on se languit seulement de vous. Elle est simplement tout pour moi[3]. » Hilde signe : « l'amie de l'amie ». Elle sait que ses jours sont comptés. Elle garde sa pleine conscience et Hannah l'accompagne jusqu'à son dernier souffle. Devant la mort, elle a le courage de Socrate : « Quant à vous plus tard chacun partira pour là-bas à son heure. Mais moi le destin m'appelle dès maintenant, et il doit être temps de me rendre au bain afin que soit épargnée aux femmes la peine de laver mon cadavre[4]. »

Hilde s'éteint tout doucement le 6 juin 1950. Hannah écrit à Jaspers : « Tout s'est passé naturellement. [...] Elle a encore tout arrangé, [...] toujours en tenant compte de la vie des autres. Donc aucune rupture de la communication parce qu'elle ne se détournait pas de ce qui vivait — qu'elle n'avait pour ainsi dire pas besoin de se détourner et que les vivants ne se sont pas détournés de sa mort[5]. » Blücher lit les *Chemins qui ne mènent nulle part*. Hannah tente de faire traduire Jaspers, lequel, une nuit, fait un étrange rêve qu'il lui confie : « La nuit dernière, j'ai fait un rêve surprenant. Nous étions ensemble chez Max Weber. Vous, Hannah, êtes arrivée en retard et avez été reçue avec allégresse. L'escalier conduisait à travers un ravin. [...] Max Weber venait de rentrer d'un voyage autour du monde, il avait ramené des documents politiques. Il nous en a offert une partie, les meilleurs à vous parce que vous compreniez mieux la politique que moi[6]. » Troublée par ce rêve, Hannah relira tout Max Weber[7].

Après la disparition de Hilde, Hannah a du mal à se réhabituer au monde. Elle se sent épuisée et le dit. Elle doit relire les épreuves de son livre, *Les Origines du totalitarisme*. Son éditeur, Harcourt & Brace, lui a dit être « *convinced of the greatness of the book* ». Alfred Kazin est chargé par l'éditeur de mettre en forme le texte — Hannah rend toujours à ses éditeurs des textes en leur demandant de revoir et de corriger la forme, la langue, et leur fait confiance — mais n'envisage que des modifications limitées, en aucun cas d'en changer le style. Hannah doit à son tour reprendre ce texte sur lequel elle travaille depuis plus de cinq ans[8].

Ce n'est pas un hasard si Jean-Luc Godard lit des extraits des *Origines du totalitarisme* dans le film qu'Anne-Marie Miéville réalise en 1997, *Nous sommes tous encore ici*, dont le titre même sonne comme un hommage à l'idée principielle de Hannah Arendt, de cette communauté au monde que nous formons tous ici, les vivants. C'est en effet un texte de survie, un texte brûlant, un texte matriciel, où on peut puiser de l'énergie pour envisager le lendemain. *Les Origines du totalitarisme* est un livre considérable, un gros volume de plus de neuf cents pages. Le texte se décompose en trois parties : « L'antisémitisme » et « L'impérialisme » furent publiés ensemble, « Le totalitarisme » fut plus tardif, et remanié jusqu'au dernier moment, à l'aune des événements de l'actualité contemporaine. Le lecteur se trouve, comme dans une fête foraine, avec le jeu des labyrinthes, des glaces déformantes, entraîné dans la salle des machines du navire Europe qui, depuis la Révolution française, prend l'eau de toutes parts en cédant aux vagues des nationalismes les plus barbares, et des idéologies les plus délétères que sont l'impérialisme et le racisme.

Lire plusieurs fois *Les Origines du totalitarisme* constitue une aventure d'ensevelissement dans le temps et permet de prendre la mesure de la puissance intellectuelle de son auteur. Il faut savoir suivre Hannah dans son impétuosité, ses brusques changements de direction, ses tournants d'argumentation, ses passages lents et appuyés, mais aussi ses éclaircies de pensée et ses pressentiments de génie. Chirurgienne du désastre de l'après-guerre, Hannah Arendt, dans ce projet d'une ambition rare, tant sur le plan intellectuel que philosophique et politique, dissèque les éléments du totalitarisme et non la globalité de ce qu'il constitue. Mélangeant les cartes d'un monde gangrené par l'appât du gain, l'exaltation de la nation au détriment de la souveraineté de l'État, Hannah Arendt met à jour les grands mouvements mortifères qui, depuis longtemps, morcellent inexorablement le corps des nations qui constituaient l'Europe. Le Vieux Continent n'est plus une configuration d'États, mais une fabrique de destruction de l'idée même de démocratie et, *de facto*, la ruine de l'espérance en une humanité commune.

Mais ce livre est aussi la profession de foi d'une femme qui a souffert, dans sa chair, l'exil, l'errance, les camps, le fait de ne plus être allemande, de ne pas être réfugiée française, et pas encore citoyenne américaine. Elle s'attaque aux problématiques de la déchirure intérieure et tente de comprendre ce que signifie être encore vivant après la fin de la Seconde Guerre mondiale.

Pas de solutions, rien que des analyses. Pas d'espoir, pas d'incantation, mais le face-à-face avec le réel. Hannah Arendt nous enseigne les lendemains qui déchantent, l'idéologie comme croyance, l'idée même du progrès définitivement ruinée. Avec cette somme, elle se hisse au niveau des penseurs modernes les plus profonds du politique : Leo Strauss, Raymond Aron, Michel Foucault, Claude Lefort. Elle est la seule femme du XXe siècle à avoir tenté de prendre à bras-le-corps les tourments du siècle et à avoir su décrire comment ces déchirures d'humanité avaient ruiné la croyance en une raison capable d'expliquer ce qui s'était passé, tout en portant atteinte, à l'intérieur de chacun de nous, à l'idée même de l'universel. Simone Weil, comme elle, a tenté de penser la destruction du politique comme une éradication de la possibilité même du futur. Son suicide l'a empêchée de continuer à travailler sur cet impensé de l'histoire, incandescent et dangereux. Hannah Arendt et Simone Weil furent toutes deux brûlées par le désir de savoir et de comprendre — comprendre ne voulant pas dire accepter. Sœurs d'armes et d'âme, elles ont le courage d'aborder les zones les plus obscures de notre acharnement à mettre en faillite les droits de l'homme, et notre entêtement à accepter la servitude volontaire[9].

Véritable cartographie des maux du XXe siècle, *Les Origines du totalitarisme* sont une œuvre maîtresse pour comprendre comment des peuples ont pu adhérer à l'idée du génocide, comment notre pacte social a été définitivement brisé, comment l'hypothèse d'une Société des Nations est tombée en ruine, comment on accepte l'inacceptable : l'inutilité de l'existence, la sensation d'être de trop, le refus de l'Autre.

Hannah Arendt y parle d'elle et de son expérience sans jamais aller plus loin que l'allusion. Elle s'exprime comme une intellectuelle passionnée par les temps modernes et dont la mission — car il y a bien chez elle l'idée que chacun est sur terre pour faire quelque chose (elle, c'est pour penser) — est de donner des éléments de compréhension pour décrypter ce qui nous arrive. Elle entrecroise, dans cette traversée longue et périlleuse, l'histoire, la littérature, la sociologie, les philosophies d'Aristote et de Hobbes. L'homme est un animal politique, c'est-à-dire quelqu'un qui, par définition, vit en communauté ; mais l'homme est aussi un être qui désire le pouvoir, un être dénué de raison, sans libre arbitre, régi par la peur, incapable de vérité et de responsabilité.

Hannah considère, et c'est une originalité à la période où elle rédige *Les Origines du totalitarisme*, que les règles économiques constituent une grille de lecture des mécanismes politiques. Rétive à tout système de croyance, religieuse, idéologique ou politique, elle démontre qu'elle est un esprit libre, indépendant de toute catéchèse, à un moment où nombre d'intellectuels se sentent tenus de s'engager dans le communisme ou le libéralisme. Critique sévère de l'idéologie, elle se montre en cela disciple de Leo Strauss et d'Eric Voegelin, qu'elle ne cite pas, et dont pourtant elle est imprégnée. Elle est ainsi : pilleuse, fouineuse ; elle butine, emprunte ce qui lui sert sans forcément le dire, revendiquant cependant les thèses sur le concept d'histoire de Walter Benjamin. Elle considère qu'écrire, réfléchir, c'est aussi intégrer les pensées et les écrits des autres dans son propre atelier intellectuel, assembler et en agencer des matériaux hétéroclites issus de différentes disciplines. Au contraire d'une penseuse autoritaire, elle intègre, met en relation des textes d'écrivains aussi différents que Joseph Conrad, Marcel Proust, Céline mais aussi Bernard Lazare, Charles Péguy, Bernanos et Stefan Zweig, et réussit dans cette tour de Babel de citations à construire son propre corpus, édifiant ainsi un nouvel espace pour une pensée critique du XXe siècle.

Certes, elle ne fut pas la seule ni même la première à s'attaquer à ce genre de problématique. Raymond Aron, dès 1939 dans des textes sur Machiavel, dissèque les mécanismes des régimes autoritaires et analyse déjà la politique en termes d'efficacité et non de vertu. Dans *Machiavel et les tyrannies modernes*, il s'inquiète du devenir de la démocratie et s'interroge sur la montée des totalitarismes : « La même inquiétude, la même interrogation suscite toutes nos recherches : image des temps futurs ou accidents historiques, pathologiques, les régimes totalitaires préfigurent-ils notre destin, où n'ont-ils d'autres fonctions que d'enterrer les morts et d'éprouver notre volonté[10] ? » En 1946, Raymond Aron refuse de se contenter de la victoire et continue à porter l'accent sur la persistance des totalitarismes. Dans l'introduction à *L'Homme contre les tyrans*[11], il analyse les forces profondes qui avaient favorisé le surgissement du IIIe Reich et qui, pour lui de façon indubitable, agitent toujours et encore les sociétés du XXe siècle.

Hannah Arendt est, comme Raymond Aron et David Rousset, l'une des initiatrices de la pensée du phénomène totalitaire. Avec Alexandre Kojève, dont elle avait suivi le séminaire à Paris, Leo Strauss, Max Horkheimer, Theodor Adorno et Eric Voegelin, elle s'inscrit dans la lignée des critiques réfléchissant à la nature et à l'essence du politique à partir des textes de Platon, Hegel, mais surtout de Hobbes. Carl Schmitt[12], dès 1938, puis Franz Neumann[13] en 1942, avec son *Béhémoth*, avaient déjà érigé Thomas Hobbes en penseur moderne de la dictature. Hannah est déchirée par le conflit — par essence tragique — de la possibilité de l'action qu'entraîne la réflexion philosophique. La philosophie peut-elle penser le monde ? Elle permet en tout cas de ne pas s'aveugler et de poser les questions, non en termes de morale, mais d'approche de la vérité, par définition ni une ni atteignable.

Au-delà de l'énorme travail qui repose sur de nombreuses lectures, *Les Origines du totalitarisme* même s'il n'est pas pour autant un livre prémonitoire est le premier texte à défricher en profondeur le problème du totalitarisme. Plusieurs penseurs, dans la décennie précédente, avaient déjà analysé les caractères spécifiques du totalitarisme, comme Ernst Fraenkel[14], Waldemar Gurian[15], Franz Borkenau[16], Boris Souvarine[17], Rudolf Hilferding[18]. Mais la nouveauté de l'ouvrage tient à l'incorporation d'éléments hétérogènes à son sujet : ses analyses sur Lawrence d'Arabie, ses descriptions de l'impérialisme britannique, ou même l'affaire Dreyfus vue par Marcel Proust. Hannah Arendt aimait et admirait Proust pour sa mise en abyme de la figure et du Juif et de l'homosexuel, incarnations, pour la bourgeoisie et l'aristocratie, à la fois du désir, du dégoût et de la fascination. Il y a d'ailleurs dans *Les Origines du totalitarisme* quelque chose d'une « recherche de la judéité perdue », ainsi qu'une tentative d'expliquer l'inexplicable : pourquoi l'antisémitisme, d'une doctrine raciale repérable historiquement, dotée d'un fonctionnement économique et sociétal explicable dans des périodes de perte de l'autorité, a-t-il eu la possibilité de se transformer en une nouvelle religion transnationale ? Comment l'antisémitisme a-t-il pu faire du Juif la figure de l'anti-homme, celui qui doit être exterminé pour que la nouvelle idée de l'humanité, porteuse de la négation de l'humain en nous, puisse perdurer[19] ?

Hannah Arendt quitte les chemins du journalisme, du commentaire sur l'actualité, pour s'aventurer dans les terres de la philosophie politique et de la sociologie historique. Comment ne pas abandonner la cité aux tyrans ? Comment imaginer le futur de la démocratie et les conditions de sa viabilité[20] ?

Hannah Arendt n'a pas inventé le concept de totalitarisme. Elle n'est pas non plus la fondatrice de ce mouvement de pensée, isolé mais fécond, d'intellectuels qui, avant même le début de la Seconde Guerre mondiale, tentaient de réfléchir aux effets destructeurs du pouvoir absolu et au règne des tyrannies. Le mot même tente de désigner une réalité nouvelle : une société plus ou moins asservie à un parti-État. L'adjectif se propage, dès les années 1920, en Italie. Mussolini, dès 1925, évoque devant ses troupes sa féroce volonté totalitaire. L'adjectif acquiert droit de cité partout en Europe. Hitler ne l'utilise pas mais Goebbels l'emploie. Ernst Jünger, dès 1930, fait de ce concept l'argument principal de son ouvrage *La Mobilisation totale*[21], en justifiant par avance l'État nazi. Ce terme devient fréquent dès la fin des années 1930 chez les intellectuels antinazis pour dénoncer et analyser le nazisme. L'analyse même du mot montre, comme l'explique de façon si convaincante François Furet dans *Le Passé d'une illusion*[22], que le terme avait été choisi dans les milieux intellectuels pour comparer l'Allemagne hitlérienne et l'Union soviétique. Hannah Arendt est celle qui donnera toute son ampleur à ce concept. En véritable tête chercheuse, elle réussira à dégager les éléments communs de la pratique totalitaire, en disséquant ce régime nouveau, monstre froid de la post-modernité, déconstruction définitive d'un ordre apparent du monde.

Ainsi, le XXe siècle a accouché d'un nouveau monstre, le totalitarisme, et la face du monde s'en trouve obscurcie à tout jamais. Sa volonté d'absolu est totale. En cela, Arendt est le maître d'une nouvelle école spirituelle et antitotalitaire[23]. Contrairement à Simone Weil qui, en 1939, dans ses « Réflexions sur l'origine de l'hitlérisme[24] », désignait l'Empire romain comme premier régime totalitaire, démontrant ainsi que l'« originalité » de Hitler est limitée, loin des théories de Franz Neumann qui, en 1942, analyse le système nazi en opérant une synthèse des perspectives internationalistes, Hannah Arendt pense le nazisme comme nouveauté intrinsèque dans l'histoire des régimes politiques.

Ce n'est pas un hasard si le premier titre de l'ouvrage devait être *Les Éléments de la honte* et s'il s'ouvre sur l'antisémitisme. Et l'on peut rappeler que les conditions et les raisons de la naissance du livre sont de tenter de penser l'*inutilité* des massacres des Juifs. Hannah s'est d'abord montrée incrédule quand elle a su l'ampleur de l'extermination. Cela n'avait plus rien à voir avec la guerre. C'était d'un autre ordre. Comment penser l'impensable ? Comment faire pour penser après la découverte des camps ?

« De la honte », tel en effet aurait pu s'intituler le premier tome consacré à l'antisémitisme. Constitué à la fois d'articles déjà rédigés et de réflexions nouvelles sur le devenir du sionisme, il est habité par une douleur, une souffrance, mais aussi une incompréhension de ce qui s'est passé dans les camps de concentration. Pourquoi les victimes ont-elles obéi ? Pourquoi sont-elles allées à l'abattoir ? Pourquoi ont-elles consenti ? On trouve encore, dans ce premier tome des *Origines du totalitarisme*, non pas une interrogation spirituelle sur la Shoah, non pas une analyse de ses conséquences en termes psychiques, ni une méditation sur le devenir du peuple juif, mais un questionnement incessant et tourmentant : pourquoi les victimes sont-elles devenues des victimes ?

Au moment où elle rédigeait ce premier tome, Arendt confiait à Jaspers vouloir continuer à travailler en vue d'un projet plus important de recherche sur les conditions sociales, politiques et psychologiques des camps de concentration dans les régimes totalitaires. « Comme pour toutes ces questions, ajoute Hannah, il y a là une part de mystification, de mystification sous un déguisement scientifique[25]. » En effet, saisir la nature des camps ne peut se faire par le moyen d'une démarche scientifique qui viserait les faits pour les décrire sans chercher à les comprendre dans leur sens et leur non-sens humains.

Pour comprendre l'incompréhensible, Hannah remonte le temps et analyse les causes structurelles de l'antisémitisme. Il y a, dans cette première partie des *Origines du totalitarisme*, une originalité, une richesse, une force dans la démarche et la diversité des angles de vue : Hannah réfléchit sur les Juifs « puissants » dits Juifs de cour, repère les causes structurelles de l'antisémitisme européen, souligne que l'assimilation, au lieu de faire croître l'indistinction, n'a fait qu'accuser le soupçon de la différence. Elle recourt à la notion de Juifs d'exception, restitue clairement les enjeux de l'affaire Dreyfus, met l'accent sur l'opposition « juif à la maison, homme dans la rue », exprime lumineusement le conflit qui opposa, tout au long du XIXe siècle, riches et intellectuels juifs, explique comment les Juifs sont devenus, au fil du temps, un groupe social qui ne se définit plus ni par sa nationalité ni par sa religion, mais par ses caractéristiques psychologiques. Hannah ne veut pas céder à une vision de l'histoire par trop manichéenne et désigne certains Juifs qui n'ont pas voulu endosser leur origine, coupables d'avoir transformé le « crime » qu'est le judaïsme en un « vice à la mode » qu'est la judéité. Elle tente de trouver des explications qui auraient échappé aux historiens et permettraient de comprendre comment l'antisémitisme « purement politique » s'est trouvé, « sur une voie qu'il n'aurait jamais prise de lui-même ».

Hannah Arendt sait qu'elle va choquer et n'en a cure. Elle se dit que les temps sont venus d'évoquer autrement ce qui s'est passé pendant la guerre, et pas uniquement avec douleur et affliction et, « par conséquent, avec une tendance à la lamentation ». Pour elle, le temps de l'indignation muette et du sentiment de l'horreur paralysante est désormais révolu. Elle a le courage de vivre ses propres interrogations et de ne pas se réfugier dans le lamento de la plainte.

Son premier mari, Günther Stern, écrira en 1964, dans une lettre ouverte adressée au fils d'Eichmann, que le devoir des Allemands est de penser encore et encore aux morts juifs et d'y penser comme à des personnes ayant eu chacune leur propre individualité alors que le nazisme les avait réduits à un chiffre. « Quand le monstrueux se produit, l'impuissance de ceux qui sont frappés égale celle de ceux qui frappent [...] Quoi qu'il en soit, réagir autrement qu'elles ne l'ont fait, les victimes ne l'auraient pas pu. Quiconque le conteste [...] quiconque prétend que ces millions auraient pu réagir de manière plus adéquate à la situation monstrueuse, celui-là ne fait que trahir ainsi un des aveuglements des plus désespérés face à la réalité[26]. »

Hannah Arendt, elle, par la force de sa pensée voudrait voir accélérer le temps biologique de l'apprentissage du deuil, pour en découdre intellectuellement et penser le passé proche. C'est la première fois, expliquera-t-elle en 1966 à l'occasion de la troisième édition des *Origines du totalitarisme*, qu'il est enfin possible d'articuler et d'élaborer ces questions « en compagnie desquelles ma génération avait été forcée de vivre la meilleure part de sa vie d'adulte[27] ».

« Que s'est-il passé ? Pourquoi cela s'est-il passé ? Comment cela a-t-il été possible[28] ? » Dans cette odyssée que constitue *Les Origines du totalitarisme*, arborescente, pleine de chemins de traverse, pétrie d'érudition, on peut lire aussi un travail d'autodévoilement, une douloureuse introspection. Arendt va au fond du puits. Et ne trouve jamais la source, attirée qu'elle est par la mise en abyme. Elle multiplie les pistes de réflexion sur l'antisémitisme, la question juive, le déclin de l'État-nation, la question des peuples, le racisme. Derrière la trame de l'histoire, elle voudrait, intrépide, mettre au jour les points d'orgue d'un réel encore dissimulé.

Lapidée ?

Hannah est effrayée par l'ampleur que prend son livre. Elle avoue le 19 novembre 1948 à Jaspers : « Le malheur est que dans ma tête ce fut toujours un livre mais que ce sont en réalité trois livres, du moins en ce qui concerne le matériel historique à exploiter : l'antisémitisme, l'impérialisme, et le totalitarisme. Mais ce n'aurait pas été bon d'en faire trois livres ; et pas seulement parce que, après le premier, les Juifs m'auraient carrément lapidée (ce que j'ai différé en traînassant mais aussi parce que l'argumentation politique ne serait pas ressortie[29]). »

Les Juifs ne l'ont pas « lapidée ». Les institutions de la communauté juive américaine, qui la poursuivront après la publication d'*Eichmann à Jérusalem*, n'ont pas dû prendre connaissance du premier volet des *Origines du totalitarisme* où, dès la préface, Hannah Arendt rendait les Juifs responsables de se distinguer, non par une divergence en matière de foi ou de croyance, mais par une différence de « nature profonde », et où elle accusait les théologiens du judaïsme de souffler sur les braises de la haine dans une « intention polémique et apologétique ». Pour Hannah, en effet, ils auraient construit un mythe de la supériorité de leur religion. « Cette théorie spécieuse, pour laquelle les Juifs se trompaient eux-mêmes, accompagnée de la conviction qu'ils n'avaient jamais cessé d'être l'objet passif, souffrant, des persécutions chrétiennes, revenait en fait à prolonger et à moderniser l'ancien mythe du peuple élu[30]. »

Les Origines du totalitarisme est dédié à Heinrich Blücher. Le manuscrit original, nous confie-t-elle, « fut achevé à l'automne 1949, soit plus de quatre ans après la défaite de l'Allemagne hitlérienne, et moins de quatre ans avant la mort de Staline. [...] Rétrospectivement, les années que j'ai passées à l'écrire, à partir de 1945, apparaissent comme la première période de calme relatif après des décennies de tumulte, de confusion et d'horreur pure[31] ». De fait, le tempo des tragédies du siècle constitue l'essence même et l'origine de l'ouvrage. Le deuxième tome, plus particulièrement, porte l'empreinte de Blücher. Intitulé « L'impérialisme », il fut conçu entre 1946 et 1947. Il n'est pas dénué, dans certains de ses chapitres comme celui, remarquable, consacré au déclin de l'État-nation, d'un certain souffle prophétique, de la vision brûlante d'un humanisme exacerbé autant que désespéré. À partir du concept d'expansion, Hannah dissèque avec brio le fonctionnement de l'impérialisme, fin en soi, qui fonde son autorité sur le pouvoir et son pouvoir sur la seule violence. Elle écrit des pages magnifiques sur les ravages de la colonisation qui engendre cette nouvelle société de petits Blancs qui, aux quatre coins du monde, font régner l'ordre capitalistique sur des populations asservies. Ces fonctionnaires de la violence comprennent le pouvoir comme unique contenu de la politique.

Dans l'impérialisme, première phase de la domination politique de la bourgeoisie, se trouve en germe, pour Arendt, la possibilité même du totalitarisme : la violence devient en effet le fondement du politique, et la destruction du corps de la communauté le moyen d'y parvenir. L'homme se transforme alors en un être sans raison, sans liberté, sans responsabilité, un pion sur l'échiquier de la société, une valeur marchande à la hausse ou à la baisse selon les circonstances.

Reprenant les thèses de Hobbes — la société comme pacte de paix contre la peur de chacun, la société comme égalité de meurtriers en puissance[32] —, elle les applique à ce nouvel ordre mondial qu'elle voit se dessiner devant elle. Elle fait du penseur anglais le théoricien prophétique d'une société sans foi ni loi, fondée sur l'accumulation du pouvoir et de l'argent, régie par le rapport de forces, joyeuse ronde de la mort et du négoce qu'a si bien décrite Joseph Conrad. Mélangeant allègrement Benjamin, Joyce, Marx et Heidegger (qu'elle ne cite pas), elle jongle avec le vocabulaire marxiste, emprunte aux grandes théories économiques, fait de courtes incursions historiques. Au milieu de ce tissu de réflexions, apparaissent de temps à autre de véritables éclairs de génie, des pensées fulgurantes sur la nature du contrat humain, l'importance politique des théories de la race ainsi que des analyses d'une rare profondeur sur la possibilité de la destruction de l'humanité.

Cette singularité d'approche débouche sur sa théorie des droits de l'homme. Dans le dernier chapitre, intitulé « Le déclin de l'État-nation et la fin des droits de l'homme », Hannah Arendt en effet met au jour, à partir des faits, une théorie sur les sans-droits, ceux qu'elle appelle « la lie de la terre » et qu'elle place au centre de sa réflexion politique. On ne peut qu'être bouleversé et admiratif devant cette force de pensée qui éclaire si tôt dans l'histoire de la pensée politique un thème devenu hélas central. En mettant au premier plan les oubliés de l'histoire contemporaine, ceux qui ne sont plus rien ni personne, ceux à qui les guerres ont tout enlevé, patrie, nation, identité, elle met en lumière un impensé du politique : pourquoi les États modernes ont-ils accepté que ces millions de réfugiés — *displaced persons* —, en marge de la société, vivent dans des camps, en attente de nulle part, désirés par personne, surplus inutile, fardeau encombrant pour des pays qui s'en débarrassent en les envoyant chez leurs voisins, lesquels, à leur tour, les enferment dans des camps de transit ? Hannah met en exergue ce jeu pervers de trafic géographique et humain auquel se livrent les États pour mieux souligner ces sombres temps de la nouvelle modernité, où l'effacement même de l'identité devient la carte maîtresse du politique. Ces réfugiés sont des hommes qu'on ne traite plus comme tels. On leur propose les poubelles de l'histoire comme salle d'attente, en réfléchissant à la meilleure manière de s'en débarrasser.

Hannah Arendt réussit ainsi à mettre à nu la structure même de la civilisation européenne. En enlevant à certains, apatrides, minorités, des droits qui, par définition, sont inviolables et universels, les États-nations ont commencé à ne plus être des États de droit. Les droits de l'homme deviennent alors « le signe manifeste d'un idéalisme sans espoir ou d'une hypocrisie hasardeuse et débile[33] ». Il faut donc juger un régime à l'aune de sa capacité à respecter les droits de l'homme en leur donnant une signification politique. Elle met au centre du débat politique, et elle est la seule à le faire aussi radicalement à cette époque, l'apatridie qui représente, à ses yeux, le phénomène le plus nouveau de l'histoire contemporaine, le symptôme le plus grave de toute la politique contemporaine. Apatrides des traités de paix de 1919, réfugiés des États-nations de la grande Europe, qui ne leur accordaient plus le statut de citoyens, rescapés des camps, personnes déplacées, cette population sans droits qui, après la Seconde Guerre mondiale, représente plus de dix millions d'êtres dont personne n'évoque le sort.

Elle pointe là le cynisme des politiques, critique le fait que les droits de l'homme ne sont jamais devenus des lois mais revêtent une signification floue qui répond au coup par coup à des problèmes individuels. Elle engage une réflexion philosophique sur la signification de cette tribu de femmes et d'hommes de trop, vivant comme en contrebande, dont on tolère à peine l'existence aux marges de cette Europe déchirée, ruinée économiquement et ayant abdiqué moralement. Certes, il y a du Flora Tristan — cette ardeur à défendre les sans-droits et cette vision humaniste du politique — dans l'enthousiasme de Hannah Arendt à défendre la figure du paria, tout comme il y a du Blücher dans sa vision de la haine de l'homme pour l'homme comme élément contaminateur de la peste qu'est le totalitarisme. Mais il y a surtout là l'émergence d'une pensée neuve, un pressentiment du dommage définitif subi par le concept d'humanité, une volonté de penser la politique, en rappelant à l'époque moderne la nécessité du lien entre les hommes.

L'apatridie devient le problème de tout État-nation, qui porte en lui la ruine de son avenir s'il cède sur son principe d'égalité devant la loi. Arendt précise que, dans sa négation de l'égalité entre citoyens, le nouvel État d'Israël ne se distingue guère des autres. Au contraire, « cette solution de la question juive n'a réussi qu'à produire une nouvelle catégorie de réfugiés, les Arabes, accroissant ainsi le nombre des apatrides et des sans-droits de quelque sept cent à huit cent mille personnes[34] ».

Elle décrit en termes philosophiques cette longue traversée de l'apprentissage de la perte du monde : être privé des droits de l'homme, c'est d'abord et avant tout être privé d'une place dans le monde. De cette même place dans le monde dont il est sans cesse question chez elle, depuis sa thèse sur saint Augustin, son portrait de Rahel Varnhagen et ses articles sur l'édification de l'État d'Israël. Ce tourment, cette obsession, cette difficulté à la fois existentielle, psychologique et intellectuelle, la tarauderont jusqu'à la fin de sa vie.

La troisième et dernière partie des *Origines du totalitarisme* est la plus radicale, la plus nouvelle. Elle porte en exergue cette phrase de David Rousset tirée de *L'Univers concentrationnaire* : « Les hommes normaux ne savent pas que tout est possible. » Ce dernier tome, intitulé « Le totalitarisme », s'approche en effet des portes de l'enfer et va tenter de circonscrire ce que Kant nomme le mal radical. Il se distingue des deux précédents par la rigueur de sa démonstration, le rythme de la réflexion, sa puissance de feu, non plus seulement historique mais aussi théorique, laissant au lecteur l'impression que Hannah Arendt se lance dans le projet d'élaborer une théorie politique en même temps qu'une philosophie morale.

« Le totalitarisme » a été entièrement réécrit sous le poids des événements politiques. Arendt met au centre de sa réflexion les modes de fonctionnement du totalitarisme, qu'il soit nazi ou soviétique. Contrairement à Raymond Aron, pour qui le totalitarisme s'appuie sur un parti qui lui-même s'appuie sur une idéologie, Hannah Arendt affirme le caractère nouveau de ce monstre froid qu'est le totalitarisme, par essence mouvement dynamique, perpétuel, jamais fixé ni fixable, alimenté par la propagande elle-même relayée par les masses. Au-delà du diagnostic politique de ces années de fer que le monde vient de subir, Hannah Arendt s'attache à décrire la défiguration du monde, analyse un nouveau modèle politique qui plie le réel en l'évacuant, pour nous proposer une fiction du monde qui dénature notre humanité.

Tissé de questions existentielles, ce traité du totalitarisme est aussi une plongée dans la fabrique des éléments du mal, une tentative, par-delà les catégories du vrai et du faux, de l'humain et de l'inhumain, de *comprendre* : pas acquiescer ou rejeter, mais s'affranchir de tout préjugé pour dessiner les lignes de force de cet empire de la terreur, où la dignité de l'homme fut salie à tout jamais.

Avec l'émergence du totalitarisme, il y a bien pour Arendt rupture et non malaise dans la civilisation. Ce qui l'intéresse, et qui nous intéresse encore aujourd'hui, ce qui rend ce texte encore brûlant par ses intuitions et ses analyses, c'est le décryptage de ce monde de fiction, créé de toutes pièces par le totalitarisme, ce monde qui n'existe pas mais auquel ont adhéré, sous l'empire de la propagande, des millions de personnes.

Hannah détaille les mécanismes d'adhésion, d'acceptation, d'élan même des masses — c'est-à-dire potentiellement de nous tous — vers le totalitarisme. Elle inverse ainsi la perspective de tous ceux dont elle se nourrit intellectuellement et historiquement, comme Boris Souvarine, Isaac Deutscher[35] ou David Rousset. Ceux-ci démontrent comment l'homme, même asservi par la terreur qui ne laisse que peu d'espace —

mais un espace tout de même —, peut continuer à être homme, c'est-à-dire un être de liberté, de dignité, de responsabilité. Pour elle, le totalitarisme est par essence attentatoire à la possibilité de la persistance de la liberté. Quand elle cite David Rousset, c'est pour ne retenir de *L'Univers concentrationnaire* que son évocation de la servitude volontaire dans les camps de concentration, alors que le texte est aussi et d'abord un hymne à tous ceux qui, dans les camps, à chaque seconde de leur vie, luttaient pour exister, conserver leur dignité, montrer leur solidarité, continuer à vivre dans ce système dont la mort était la grande prêtresse.

Hannah Arendt met en lumière, non la capacité de résistance de l'homme, mais sa volonté d'adhésion à l'oppression. Dans son analyse du totalitarisme, seules les masses existent, non les personnes ; et les masses, sans qu'on les y ait contraintes, ont accepté de leur plein gré l'asservissement. C'est sur ce point qu'elle se montre courageuse. Courageuse en soutenant que la plainte n'est pas un mode opératoire de la pensée, même si sa froideur à l'égard des victimes demeure une énigme. Courageuse encore parce que, parallèlement à Jaspers qui l'influence beaucoup à l'époque, et dont elle essaie en vain, on l'a dit, de faire publier aux États-Unis le texte intitulé *La Culpabilité allemande*[36], elle tente de penser la responsabilité en terme collectif d'une société qui, en son entier, a participé à ce crime mondial qu'est le nazisme, au lieu de se contenter d'accepter la désignation des bourreaux comme seuls responsables du génocide. Courageuse enfin parce qu'elle empoigne la totalité de la philosophie politique pour penser, seule, l'impensable, sans garde-fou moral, ni appareillage théorique protecteur.

Telle une aventurière de l'esprit dans les *terra incognita* de la raison, telle une tête brûlée, elle force les verrous de la pensée pour mieux affirmer son propos. L'importance qu'elle accorde à la propagande et l'insistance qu'elle met à définir le totalitarisme comme système par essence inutile demeurent aujourd'hui d'une rare puissance. On ne peut qu'être impressionné par son approche du totalitarisme comme mépris des faits, refus de la réalité, surgissement permanent d'accidentel et d'incompréhensible. Cette soif de fiction où tout ce qui est promis doit se réaliser constitue une réponse au désespoir de ces masses qui veulent un ordre — quelle que soit la nature de l'ordre et quel que soit le prix à payer. Comme si le monde occidental était épuisé d'avoir à gérer l'imprévisibilité du réel.

Pour Hannah Arendt, le totalitarisme n'existe que lorsqu'il est en possession du pouvoir. Il ne peut perdurer après une défaite, car les masses qui y ont adhéré l'abandonnent après, n'y trouvant plus intérêt. Hannah réfléchit-elle à la reconstruction d'une Allemagne ruinée ? Veut-elle exonérer les Allemands du sentiment de culpabilité vis-à-vis du génocide ? Se montre-t-elle ainsi, encore une fois, plus allemande que juive ? Ou, plus simplement, essaie-t-elle de comprendre ce qui est en train de se passer : l'oubli volontaire de tout un peuple qui se réveille après le cauchemar ? Elle écrit : « Les alliés essayèrent vainement de trouver un seul nazi avoué et convaincu parmi le peuple allemand dont quatre-vingt-dix pour cent avaient été des sympathisants sincères à un moment ou à un autre… le nazisme, en tant qu'idéologie, avait été si complètement “réalisé” que son contenu cessait d'exister comme ensemble autonome de doctrines, qu'il perdait, pour ainsi dire, son existence intellectuelle ; la destruction de la réalité n'a donc presque rien laissé derrière elle, à commencer par le fanatisme des croyants[37]. »

Elle réfléchit déjà au mal radical : D'où vient-il ? Quelle est son origine ? « *Le mal radical* est ce qui n'aurait pas dû se produire, c'est-à-dire ce avec quoi on ne peut pas se réconcilier, ce qu'on ne peut en aucune circonstance accepter comme un destin, et ce vis-à-vis de quoi on ne doit pas non plus se taire et passer outre[38] », note-t-elle dans son *Journal de pensée*, où elle aborde déjà le thème qu'elle traitera dix ans plus tard à l'occasion du procès d'Eichmann : l'absence de responsabilité des individus dans un système où tout le monde obéit à un chef suprême. Fonctionnant comme une société secrète, le système totalitaire efface toute individualité. Hannah Arendt dissèque la multiplication des modes de fonctionnement que requiert le totalitarisme et le décrit comme une sorte d'oignon, où chaque enveloppe nouvelle vient recouvrir la suivante : derrière l'État fantôme, le parti tout-puissant, derrière le pouvoir apparent, le pouvoir nu, derrière l'armée, la police secrète. L'invisibilité constitue la règle primordiale du pouvoir effectif. En cela les deux régimes, nazi et soviétique, sont semblables. « Le pouvoir réel commence où le secret commence », répète Hannah Arendt. Hitler n'a déclaré la guerre que dans l'intention d'accélérer le processus de réalisation de sa vision du monde. La domination totalitaire ne commence réellement pour elle qu'en 1942.

Ces deux affirmations d'Arendt sont discutables et aujourd'hui contestées par certains historiens. Ce qui l'est moins, c'est sa manière pénétrante d'analyser l'intériorisation du processus psychique qu'implique le totalitarisme : ce qui était interdit devient, sous le régime totalitaire, nécessité puisque réalité. Comme elle le dit si clairement, et si crûment : « Une fois acquise la possibilité d'exterminer les Juifs comme des punaises au moyen de gaz toxiques, il n'est plus nécessaire de propager l'idée que les Juifs sont des punaises[39]. »

L'importance du déni de la mort dans le système totalitaire constitue le point d'orgue du dernier chapitre et résonne sur l'ensemble du texte. Hannah Arendt souligne que, dans les systèmes totalitaires, les victimes n'ont pas droit à la tombe. Dans les autres régimes, même le meurtrier le plus violent est obligé de laisser un cadavre derrière lui. La victime du système totalitaire est littéralement effacée du monde des vivants.

Il y a dans ces toutes dernières pages des *Origines du totalitarisme* une volonté de ne pas sombrer dans l'éloge de la souffrance, un manque d'empathie pour les victimes, une manière si étrange de parler des survivants... Selon Hannah, le récit du témoin rescapé du camp ne peut pas nous éclairer. Inutile donc de les lire et de les faire lire car ces « expériences ne peuvent communiquer rien de plus que des banalités nihilistes[40] ». Selon elle, l'expérience des camps n'a pas provoqué un changement de personnalité pour ceux qui l'ont vécu. « Lorsque, comme Lazare, il se lève d'entre les morts, il retrouve sa personnalité ou son caractère inchangés, exactement comme il les avait laissés[41]. » Il faut abandonner là notre bonté naturelle et être réaliste. Le fait même que le survivant revienne au monde des vivants l'empêche de croire à ses expériences passées, prétend Hannah Arendt.

Et s'il s'agissait justement du contraire ? Parce qu'il est encore du monde des vivants, le survivant ne peut-il pas, justement, être le seul à pouvoir parler à ceux qui n'ont pas vécu l'enfer ? Parce qu'il est encore un homme, ne peut-il pas transmettre et prouver, de par son existence même, la réalité de l'horreur que fut le camp ?

En même temps qu'elle rédige les dernières pages des *Origines du totalitarisme*, Hannah publie dans *Jewish Social Studies* un article intitulé « Les techniques de la science sociale et l'étude des camps de concentration[42] ». Laboratoire d'un type de domination totale, le camp est pour elle « un asile d'aliénés où toujours ce maudit couple de victime et de bourreau semble fou ». Elle se montre encore plus critique à l'égard des victimes que dans son gros ouvrage, en affirmant notamment que les nombreux rapports des survivants « se bornent toujours à relater de façon monotone, sans vraiment communiquer, les mêmes horreurs et les mêmes réactions[43] ».

Elle va plus loin encore en accusant les rescapés d'avoir estimé plus important pour eux d'interpréter leurs souffrances comme un châtiment plutôt que d'avoir témoigné d'une « conscience dite pure ». Elle évoque « la docilité terrifiante qui menait tous les prisonniers du camp à leur propre mort » et apporte comme preuve de la faiblesse morale des victimes l'infime pourcentage des suicides dans les camps. Onze ans avant le procès Eichmann, elle affirme : « Il est absurde de condamner à la pendaison un meurtrier qui a participé à la fabrication de cadavres (bien qu'il soit difficile d'avoir recours à une autre solution). Aucun châtiment ne semble leur convenir car la peine de mort est la limite de tout châtiment[44]. » Stupéfiante Hannah, qui ose porter un jugement moral sur les victimes contraintes de devenir bourreaux et affirme que la mort ne suffit pas pour punir les vrais bourreaux. « *Hutzpah Hannah* », Hannah la culottée, comme l'appelait son ami Hans Jonas, qui lui reprochait souvent de s'emparer d'idées sans vraiment avoir le désir d'argumenter. Contradictoire

Hannah qui, en même temps qu'elle affirme que les camps sont hors du champ de la compréhension humaine, définit une nouvelle vision de la nature : tout ce que l'homme, depuis l'aube de l'humanité, avait imaginé dans ses pires cauchemars et n'avait pas osé faire, il peut dorénavant, depuis la naissance du totalitarisme, l'accomplir sans que le ciel ne lui tombe sur la tête et que la terre ne s'ouvre devant lui. On le constate en lisant son *Journal* de l'époque. Hannah tente de penser l'impensable, taraudée par cette obsession : comment le monde peut-il continuer à exister ? Peut-on croire encore au genre humain alors que le totalitarisme a rendu l'homme superflu ? Hannah n'a cure des critiques. Elle affirme qu'elle a le courage de penser par elle-même, penser comme si personne ne l'avait fait avant elle. Hannah l'arrogante, comme la surnommaient ses camarades de *Partisan Review*, qui se moquaient de sa prétention à tutoyer les plus grands, Kant ici, mais aussi Aristote et Platon. Son credo ? « Ni diable ni maître mais Dieu comme arbitre suprême pour penser si loin de toute idée de bonté, de sollicitude, de considération[45]. »

Hannah Arendt dépasse les bornes et le sait. Elle persiste et signe en ne changeant pas une ligne de son argumentation lors de la correction des épreuves. Elle s'attend au pire. Elle a raison. Les réactions ne sont pas tendres. Certes, Mary McCarthy — qu'elle connaît depuis 1944, mais avec qui elle noue alors d'étroites relations, romancière et journaliste, déjà connue à l'époque pour son roman *Oasis* et ses nouvelles autobiographiques *Dis-moi qui tu hantes*[46] — la félicite de cet extraordinaire travail qui fait avancer de dix ans au moins la pensée humaine, et qu'elle trouve fascinant et accaparant comme un roman. Mary, qui a avalé les neuf cents pages en quinze jours, lui avoue même les avoir lues en voiture, dans sa baignoire et même en faisant la queue à l'épicerie[47] ! Ses compliments paraissent un peu excessifs. Mary les modère d'ailleurs en critiquant la lourdeur du style, nombre de barbarismes grammaticaux et, beaucoup plus grave, l'insistance de Hannah à affirmer des thèses sans les étayer, sa lourde utilisation des paradoxes, l'affirmation de vérités non démontrées... La liste est longue, mais Mary l'adoucit en s'excusant de l'« innocence » de sa lecture et de sa difficulté à lui faire comprendre ses critiques : « Je crois que je m'exprime assez mal, et je ne peux consulter le livre, l'ayant déjà prêté, mais tu comprends peut-être ce que je veux dire. » On ne sait si Hannah comprendra. Elle dut sans doute faire la part des choses, connaissant le caractère, tout aussi fougueux que le sien, de Mary[48].

XII

RADICALE

Le livre sort en février 1951 et fait la couverture du magazine littéraire *Saturday Review* le mois suivant[1]. Il suscite la polémique de la part d'intellectuels new-yorkais comme David Riesman, qui met en cause son défaut de construction, ou le philosophe Eric Voegelin[2] qui, s'il s'incline devant l'ambition théorique, critique sa part obscure et ne lui donne pas entièrement satisfaction dans un débat difficile, tant moralement qu'intellectuellement. Tout en lui reconnaissant des formules brillantes et des intuitions profondes, il lui reproche son absence de maîtrise philosophique surtout « lorsque l'auteur prolonge ces intuitions jusque dans leurs conséquences, la construction s'affaisse jusqu'à une regrettable platitude[3] ». Ces déraillements, bien que troublants, conclut Voegelin, constituent sans doute un symptôme de la confusion des temps dans lesquels nous vivons.

Hannah Arendt n'est guère affectée par ces griefs. C'est elle qui a fait envoyer le livre à Eric Voegelin, avec qui elle entretiendra dorénavant une correspondance nourrie sur les conséquences du totalitarisme. Bonne joueuse, elle accuse réception de ses critiques et reconnaît sa dette envers lui : « Je dois beaucoup à vos travaux, ils ont toujours été très proches de ma propre pensée, quand bien même je ne m'accorde pas sur tout avec vous [...] Votre critique de la perspective générale touche absolument au cœur de ce qui m'importe moi aussi[4]. » Elle se montre en revanche tourmentée par cette phrase du post-scriptum d'une longue lettre que lui adresse Jaspers le 15 février 1951. À propos du dernier chapitre sur les camps, le philosophe note : « Magnifique par son exigence — entièrement vrai et incontournable. Mais comment faire pour que chacun le reconnaisse ? Il faut sans doute pour cela plus que la simple exigence. Yahvé n'aurait-il pas trop disparu[5] ? » Des *Origines du totalitarisme*, Jaspers ne connaît que l'architecture générale dont Hannah lui a longuement parlé au cours de ses précédents séjours à Bâle. À lui, elle a confié le contenu de son dernier chapitre, intitulé « En guise de conclusion », rédigé juste avant que le livre ne soit remis à la fabrication, début 1951[6]. Elle y écrit que les chances du totalitarisme s'amenuiseront et que la domination totale de l'homme ne se produira plus jamais !

Comment expliquer cette soudaine soif d'optimisme, en contradiction flagrante avec les assertions définitives et pessimistes du chapitre précédent ? Hannah affirme que le totalitarisme disparaîtra : « Il se peut bien que, de son vivant, même notre génération connaîtra une époque où il sera permis de ne plus garder en mémoire les oubliettes, la fabrication massive de cadavres et le fait que des péchés plus graves que le meurtre aient jamais eu lieu[7]. » Ces péchés furent d'attenter à l'essence même de la nature humaine et de vouloir « non pas changer l'homme mais le détruire ». Comment imaginer un monde encore possible et à quel prix ? Hannah en appelle à un nouveau fondement de la communauté humaine, s'appuyant sur la pluralité des hommes régis par des droits nouveaux. Certes, la tâche est écrasante mais la restauration de la dignité de l'homme est à ce prix et le futur aussi. « Ce n'est que si nous comprenons quel bonheur extraordinaire représente le fait que l'homme a été créé avec le pouvoir de procréer et que ce n'est pas l'homme au singulier mais les Hommes qui habitent la terre, que nous pouvons nous réconcilier avec la diversité de l'humanité[8]. »

Ce vaste programme ne convainc guère Jaspers. Trop vaste, flou, imprécis, idéaliste. Hannah veut « détyranniser » la pensée, rompre les amarres avec la logique, passer à autre chose. Elle se débat encore dans la problématique douloureuse de la responsabilité allemande vis-à-vis du génocide : les Allemands, dans leur écrasante majorité, n'ont pas réagi aux crimes nazis. Certes, ceux qui les ont commis constituent une infime minorité. Les Allemands sont-ils collectivement responsables ? Face à leur silence après la guerre — terriblement lourd de conséquences morales et spirituelles —, comment continuer à envisager l'avenir ? Jaspers pense qu'il faut considérer les Allemands, qui sont maintenant cinquante millions, avec humanité. Hannah Arendt ne veut pas, elle non plus, rendre l'Allemagne responsable de la solution finale. Elle ne veut pas admettre qu'Auschwitz est une invention allemande. Son approche fonctionnaliste et comparative lui permet d'analyser le nazisme dans un contexte qui n'est pas spécifiquement allemand. Elle fait ainsi, comme certains intellectuels allemands — et comme son maître Heidegger — qui préfèrent mettre en lumière les sources du nazisme en rapport avec la modernité occidentale plutôt que d'en rechercher les causes dans les traditions spécifiquement allemandes.

L'être ensemble

Heinrich Blücher commence ses cours à la New School et y prend grand plaisir. Hannah est soulagée de voir enfin son mari trouver une université où ses talents peuvent être reconnus. Elle lit Marx, Platon, écoute en boucle *L'Enlèvement au sérail*, voit ses amis, cuisine, se réjouit des critiques sur son livre, même des négatives, donne des conférences dans le *Middle West*, à Chicago, et aussi à l'université catholique Notre-Dame, où elle est la première femme à parler en chaire. Elle s'inquiète de la situation mondiale, craint que l'Amérique n'entre en guerre contre l'URSS, imagine un nouvel ordre européen. Elle rêve de nouveau à un voyage en Europe, mais Heinrich résiste à ce projet. Lui, vivant, ne remettra jamais les pieds en Allemagne. Elle discute sans fin avec lui et tente de le convaincre.

Désir de revoir Jaspers ? Oui, bien sûr, pour continuer à travailler avec lui. Besoin de Heidegger ? Oui, sans doute, pour continuer à réfléchir avec lui.

Jaspers vient, l'année précédente, d'extorquer à Heidegger un soi-disant aveu de culpabilité. Au moment de la sortie de son texte *Origine et sens de l'histoire*[9], *Die Zeit* publia un article défavorable, affirmant que Jaspers s'abaissait dans ce livre à attaquer Heidegger. Jaspers demanda un droit de réponse : « Quand je voudrai rechercher publiquement un débat critique avec Heidegger [...], je le ferai franchement. Les relations que j'entretiens avec ce penseur important, relations au total privées jusqu'à présent et depuis longtemps, ne peuvent être troublées par de tels propos. Mais une mise au point me semble nécessaire pour empêcher de fausses rumeurs[10]. » Jaspers prendra ainsi publiquement la défense de Heidegger tout en exigeant de lui une mise au point claire et définitive sur son engagement nazi. Encore une fois, Heidegger fait d'abord semblant d'accepter, pour mieux ensuite se dérober. Dans un premier temps, il remercie Jaspers d'avoir été à ses côtés pendant ces années où il était calomnié. Il remarque qu'il est « aujourd'hui d'usage de faire entrer en ligne de compte des *noms* dressés l'un contre l'autre au lieu de penser à *ce qui est en cause*[11] », ce qui est une manière d'acter la situation et de se justifier mais pas de se remettre en cause. Il continue à promettre à Jaspers, qui les lui demande depuis 1945, des explications : « Vous vous souvenez certainement de notre ancien projet, auquel je pense parfois, d'avoir un jour une explication publique entre nous. Aujourd'hui, ça ferait plus que jamais scandale, et il n'y en aurait qu'un petit nombre qui s'en tiendrait à ce qui est en cause. Mais peut-être que l'important, c'est ce petit nombre[12]. »

Jaspers ne se contente pas de ces mots flous, de ses vagues promesses, de sa manière de vouloir gagner du temps en éludant et avoue à Hannah qu'il se sent gêné et inhibé par sa réponse. Heidegger n'a tout de même « rien d'authentique, aucune réelle volonté de comprendre[13] », lui avoue-t-il. Il ne comprend pas son désir d'ensevelir le passé et espère avoir le bonheur de tenter un jour avec lui une explication claire. Heidegger lui envoie ses *Chemins qui ne mènent nulle part* et sa dernière conférence intitulée « De l'essence de la vérité[14] ». Jaspers lui répond qu'il veut bien philosopher avec lui mais que ses questions restent en suspens. Heidegger, traqué, lui répondra d'une phrase : « Cher Jaspers, si je ne suis plus venu dans votre maison depuis 1933, ce n'est pas parce qu'y habitait une femme juive, mais *parce que j'avais simplement honte*... à la fin des années trente quand le mal absolu commença avec les persécutions sauvages, j'ai aussitôt pensé à votre femme[15]. » Il avoue à Jaspers que, par l'intermédiaire d'un professeur qui était alors en étroit contact avec l'administration, il reçut alors la ferme assurance que rien n'arriverait à son épouse Gertrud. « Mais l'angoisse demeura, l'impuissance et la faillite, je ne mentionne pas cela non plus pour ne m'imputer que l'apparence d'avoir servi à quelque chose. Aujourd'hui encore, je ne pourrais aller à Heidelberg avant de vous avoir revu, non pas dans la bienveillance, *mais dans le maintien de ce qui est toujours douloureux*[16]. »

Ce mot de honte est important. Ce sera le seul moment où Heidegger reviendra sur sa période nazie et la seule trace écrite en ce sens qu'il laissera. Dans un premier temps, à la réception de la lettre, Jaspers se sent apaisé. Cette honte avouée réintègre à ses yeux Heidegger dans la communauté, même si lui-même n'a jamais pensé en son for intérieur qu'Heidegger avait été nazi. « Vous me pardonnerez si je dis ce qu'il m'est arrivé de penser : que vous sembliez vous être conduit, à l'égard des phénomènes du national-socialisme, comme un enfant qui rêve, ne sait ce qu'il fait, s'embarque comme en aveugle et comme sans y penser dans une entreprise qui lui apparaît ainsi autrement qu'elle n'est dans sa réalité, puis reste bientôt avec son désarroi devant un amas de décombres et se laisse entraîner plus loin[17]. » Par retour du courrier, Heidegger lui répond : oui, il entérine et il prend en charge. C'est bien de la honte qu'il ressent, pas seulement lui, mais également son épouse. Oui, le mot d'enfant rêveur lui convient. Poussé de toutes parts au rectorat, il a cru bien faire sans se rendre compte de la publicité mondiale qu'une telle nomination revêtirait. Oui, il a accepté ce poste de recteur dans ce qu'il nomme une « mécanique de fonctions » et a sombré, comme sa femme le lui en a fait le reproche, dans l'ivresse du pouvoir. À Noël 1933, il a commencé à y voir clair ; il a donc démissionné en février, en signe de protestation. On parla beaucoup de sa nomination mais on fit silence sur son départ. La machine était en marche. « L'individu ne pouvait plus rien faire. Les faits que je rapporte là ne peuvent disculper de rien ; ils ne peuvent que faire voir combien, d'année en année, à mesure que le malfaisant se découvrait, croissait aussi la honte d'y avoir un jour contribué directement ou indirectement[18]. »

Heidegger botte en touche, élude, ment par omission. Même s'il use et abuse du mot honte, il fait croire à Jaspers qu'il n'a pas été véritablement un collaborateur du nazisme et qu'il fut traité par ceux-ci comme un adversaire. S'il endosse la responsabilité et la culpabilité d'avoir été nazi pendant neuf mois, ce n'est pas pour autant qu'il s'amende car pour lui le pire… n'a pas eu lieu : il est à venir !

C'est dans cette négation bien réelle des crimes du nazisme que réside la faute de Heidegger. Le problème n'est pas tant de savoir s'il a continué à payer sa cotisation jusqu'à la fin de la guerre ou s'il a porté l'insigne nazi depuis 1933. Nous savons aujourd'hui qu'il a agi, qu'il a pensé, qu'il a écrit comme un nazi. La langue l'a trahi au plus profond de lui-même. Certes, il avoue à Jaspers que le fond des choses le désespérait ; que dans les années 1937 et 1938 il était au plus bas ; qu'il voyait la guerre venir et ses deux fils menacés de partir se battre. Puis « ce furent les persécutions contre les Juifs, et tout alla à l'abîme[19] ». Honte, désespoir, abîme. Après la guerre, s'il ressent de la honte pour avoir gardé le silence, il ne revient pas sur le nazisme, il n'en dit même rien sauf à le qualifier de « malfaisant » et d'avoir su, dès 1937, que ce régime ne pourrait parvenir à une « victoire ». « Et si les choses en étaient arrivées là, nous aurions été les premiers à succomber[20] », ajoute-t-il. Heidegger veut tourner la page sans évoquer ce que fut ce régime. Ce qui l'intéresse, c'est l'avenir. Ce qui est en cause avec le mal n'est pas à son terme, affirme-t-il. Il entre simplement dans sa phase mondiale. « En 1933 et avant, les Juifs et les hommes politiques de gauche, en tant qu'ils étaient directement menacés, ont vu plus clair, plus rigoureusement et plus loin[21]. » Mais aujourd'hui, le véritable mal, c'est Staline, qui n'a même plus de guerre à déclarer mais qui, chaque jour, gagne une bataille même si « on » ne le voit pas. La politique n'est qu'illusion en dehors de ce mal qui gagne, et le nazisme n'est que de l'histoire ancienne sur laquelle on pourra revenir un jour, mais il faudra faire attention à la tentation de manichéisme car « plus "ce qui est en cause" devient simple, plus il devient difficile de le penser et de le dire dans sa mesure[22] ».

La politique est pour Heidegger depuis longtemps hors jeu et même une sphère illusoire. Il se prend à rêver de ce que Hegel et Schelling auraient pensé et proposé s'ils avaient vécu cette période : nul doute qu'ils auraient réussi à trouver un règlement et non un compromis. « Maintenant c'est à nous », confie-t-il à Jaspers. À nous ? Oui, à eux de penser le monde. C'est leur tour désormais. « Malgré tout, cher Jaspers, malgré la mort et les larmes, la souffrance et l'atrocité, la détresse et la peine, le défaut de sol et l'exil, ce n'est pas rien qui a eu lieu en *ce défaut de chez soi* ; en lui *se dissimule un avent* dont peut-être encore, dans un léger souffle, nous pouvons éprouver et devons recueillir les signes lointains en vue d'un avenir qu'aucune construction historique, surtout pas l'actuelle avec sa pensée partout technique, ne déchiffrera[23]. »

Jaspers est décontenancé, gêné par son attitude. Hannah Arendt pas du tout. Dans son *Journal de pensée*, on peut lire son changement d'attitude et d'état d'esprit. Hannah pense à Heidegger tout le temps, elle lit du Heidegger, annote du Heidegger, pense du Heidegger, commente les sources de pensée de Heidegger, reçoit des lettres de Heidegger, réfléchit à partir de Heidegger, et commence à élaborer sa formulation du « penser-agir » qui constituera le fil rouge de sa philosophie future, en se nourrissant de la définition de la pensée de Heidegger. Hannah est revenue d'Allemagne avec dans ses bagages un manuscrit dactylographié de Heidegger, encore inédit aujourd'hui[24], intitulé « Promenade à travers *Être et Temps* ».

Elle le relit, le commente, le ressasse. À la fois philosophiquement mais aussi amoureusement. Elle en tire des théories sur l'amour, le mariage, la fidélité. Sur la réconciliation aussi. Hannah rassemble les fragments épars de sa douloureuse histoire, se les réapproprie, et dans le même mouvement les incorpore en inventant un système de valeurs. Elle se raccommode avec elle-même. Elle intègre enfin, dans sa propre histoire, l'aventure qu'elle a vécue avec Heidegger, en la rendant douce, passionnelle toujours, mais apaisée. Elle se découvre princesse éternelle amoureuse d'une histoire qu'elle comprend dorénavant comme un destin. Elle devient donc fidèle à Martin Heidegger. Être infidèle serait nier la vérité de ce qui a existé. Être infidèle est « un véritable anéantissement, car c'est dans la fidélité et en elle seulement que nous maîtrisons notre passé : son existence dépend de nous[25] ».

Hannah maîtrise enfin son passé et élabore une définition de l'amour à partir de sa propre histoire. « L'amour, écrit-elle, est un événement à partir duquel une histoire ou un destin peut advenir[26]. » L'amour ne peut perdurer dans l'institution du mariage. Dans le couple, l'amour se transforme en amitié. L'amour, lui, ne veut ni ne peut s'accommoder du quotidien conjugal. L'amour, c'est : « l'être ensemble de deux êtres » qui « développe en toute liberté l'histoire et le destin de l'événement, sans toutes les garanties[27] ». « La fidélité consiste uniquement à ne pas oublier ce qui est arrivé et ce qui a été un destin[28]. » Elle restera fidèle à cette fidélité. Elle va donc s'employer à protéger à la fois Heidegger et sa propre réputation.

La gêne de Jaspers vis-à-vis de Heidegger la peine d'autant plus qu'elle pense que ce dernier a fait preuve d'une compréhension authentique. Elle s'oppose à sa volonté de lui demander des explications, car « il ne sait vraiment pas et n'est guère dans une situation susceptible de lui faire découvrir quel est le diable qui l'a entraîné jusque-là[29] ». Elle accepte son silence. Mieux : elle pense qu'il ne peut aller plus loin. Il lui semble impossible de poursuivre avec lui ce travail de mémoire. Piégée dans la relation Jaspers-Heidegger, Hannah choisit sa propre voie : Jaspers est un éducateur, « l'unique et le véritable éducateur ». « Heidegger est un maître », le seul, le « successeur de Goethe[30] », le maître de la vie. Comment se concilier les deux ? Elle a besoin de l'un comme de l'autre mais veut se déprendre de la mauvaise relation qui règne entre eux. Dans son *Journal*, elle note ironiquement : « Jaspers pourrait dire : comment un philosophe peut-il à ce point manquer de sagesse ? Heidegger pourrait dire : comment un philosophe peut-il encore se soucier de sagesse [...] — Tous deux ont raison[30bis]. » Elle devient dès lors *de facto* le seul et véritable trait d'union entre eux[31].

Arendt a choisi son camp. Elle entend désormais protéger Heidegger de ses ennemis. Elle va lui faire confiance, faire connaître ses écrits outre-Atlantique, le réconforter et l'accompagner dans ses recherches philosophiques. Elle se réjouit de sa levée d'interdiction d'enseigner — Heidegger est mis à la retraite à 80 % depuis septembre 1950, mais a désormais l'autorisation de faire des travaux dirigés — et du succès public qu'il remporte dans un amphithéâtre bondé où il fait cours chaque vendredi à l'université de Fribourg, sur le thème : « Qu'appelle-t-on penser ? » Les étudiants arrivent quatre heures à l'avance et lui-même a du mal à se frayer un passage pour rejoindre sa chaire[32].

Heidegger lui aussi se sent enfin en accord avec lui-même, comme réconcilié au plus profond de lui-même, lui qui s'est senti exclu, sali, humilié depuis cinq années. Il confie ses états d'âme à Hannah, se félicite de trouver de nouveau les mots justes pour dire sa propre philosophie. Il ne parle que de lui-même, jamais d'elle, et se montre d'une muflerie insigne. Ainsi, c'est tout juste s'il accuse réception de l'envoi des *Origines du totalitarisme*, en employant dans sa réponse laconique le « nous » conjugal : « Nous te remercions pour ton livre, que mes lacunes en langue anglaise ne me permettront pas de lire. Cela ne manquera pas d'intéresser beaucoup Elfride[33]. » Il la considère comme sa confidente, à qui il peut faire part de ses penchants les plus narcissiques, sachant qu'il sera sûrement compris et peut-être pardonné. Il se vante par exemple auprès d'elle de savoir parler à ses étudiants de manière plus simple et plus directe qu'autrefois et d'ériger en art la pratique de ne pas avoir à s'expliquer. C'est vrai qu'il en est devenu un expert ! Il faudrait commencer par apprendre à apprendre, confie-t-il à Hannah dans des lettres auxquelles il joint tous ses textes en chantier. Avec elle, il se sent en confiance. Il peut lui avouer ses moments de doute, d'incertitude — « cet hiver, j'ai "patiné[34]" » —, et va jusqu'à lui livrer ses impressions de voyage en Italie avec sa chère et tendre

Elfride, tout en évoquant ses méditations sur Héraclite et Parménide.

Martin et Hannah sont tous deux conscients d'avoir chacun une œuvre à écrire ; ils s'épaulent mutuellement, dans la certitude réciproque de leur capacité à penser des choses neuves, même si elles doivent faire scandale. Ils communient dans la nécessité de faire appel à la poésie pour irriguer la possibilité de concevoir un monde nouveau. Ils demeurent attirés l'un par l'autre, et espèrent se revoir pour travailler, échanger, s'aimer. Ils se manquent l'un à l'autre. Hannah déploiera des efforts considérables pour retourner en Europe, qui seront temporairement entravés par des difficultés de formalités administratives pour obtenir la citoyenneté américaine. Voyager sans passeport lui semble risqué. Elle prend donc son mal en patience et accepte des conférences à Yale sur Karl Jaspers et à Columbia sur la philosophie existentialiste pour l'été 1951.

Qu'est-ce que la politique ?

Son livre continue à faire couler beaucoup d'encre. Elle-même s'en dit étonnée. Même si certains de ses amis, y compris les plus proches, ne ménagent pas leurs critiques, elle n'en a cure, emportée qu'elle est par le succès comme une midinette. Devenir la *covergirl* d'un hebdomadaire littéraire aussi prestigieux que le *Saturday Review* lui fait au moins autant plaisir que d'apprendre que les cours que Heinrich donne à la New School sur l'histoire de l'art sont enregistrés en vue d'être publiés.

Elle commence à recevoir des propositions de traduction pour l'Allemagne, et même en Israël, où — lui explique son ami Kurt Blumenfeld — son texte a les honneurs du *Palestine Post*[35]. Kurt explique à Hannah ce qu'il ressent au plus profond de lui depuis qu'il vit à Jérusalem. « Tu as sans doute du mal à imaginer que l'on aime ce peuple juif. On n'aime pas être mais renaître, on se voit renaître parce qu'on en est. C'est d'être sans terre qui compte pour toi, pour moi c'est d'avoir un sol où poser les pieds[36]. »

Kurt Blumenfeld met trois mois à lire *Les Origines du totalitarisme* et, en vertu de l'amitié qui les lie, après avoir reconnu ses mérites conceptuels et sa hauteur de vue politique, lui adresse des reproches qui atteindront Hannah en plein cœur. Il stigmatise sa capacité à ne considérer que les aspects négatifs des problèmes, sa volonté d'opposition systématique, ainsi que son absence de complexité. Il touche juste. Mais ce qui l'a le plus choqué, c'est la manière dont Hannah, tout au long de ses trois livres, analyse la question juive : « Les Juifs bien entendu s'en tirent mal. Un critique malintentionné pourrait en conclure à de la haine de soi. Sur un des plateaux de la balance, Bernard Lazare plane dans les hauteurs, et, sur l'autre, tout en bas, il y a l'abjecte populace juive. Pour ce qui est de la critique des mouvements annexionnistes, de ton jugement sur la politique coloniale anglaise, tes aversions s'affichent noir sur blanc. Quant à l'amour de la vie [...], je n'en ai guère trouvé trace[37]. » Fatigué par deux embolies pulmonaires récentes, Blumenfeld préfère en rester là, faire taire sa colère pour tenter de lui faire partager sa fierté d'être juif, ce bonheur d'appartenir à ce peuple, cet honneur d'être devenu un citoyen d'Israël.

Hannah Arendt devient citoyenne américaine le 11 décembre 1951. Pour célébrer son nouveau statut, elle apprend l'histoire constitutionnelle américaine[38]. Elle est reconnaissante à ce pays de l'avoir accueillie puis adoptée. L'université Harvard lui demande de venir enseigner les sciences politiques à l'automne prochain. Elle possède enfin son passeport. Elle part de New York le 21 mars et arrive à Paris le 27 mars 1952. Elle travaille dans le cadre d'une mission de son organisation, la *Jewish Cultural Reconstruction*. Logée à l'Hôtel d'Angleterre, elle passe beaucoup de temps à se promener et à parler avec son amie Anne Weil. Hannah avait imaginé revenir passer quelques jours chez Ernst et Edna Fuerst, en Israël. Elle décide finalement d'annuler ce voyage. Les amis comptent plus que la famille, écrit-elle à Blücher. Elle veut prendre son temps et elle en a assez de courir le monde comme un lapin affolé. Elle lui demande avec humour s'il ne la trouve pas trop folle et s'il a envie de divorcer : « Soit tu divorces, soit non[39]. » Elle lui pose la question en espérant en retour de nouvelles déclarations d'amour et écrit : « J'espère que non[40]. »

Le 1er avril elle part pour la Suisse retrouver Gertrud et Karl Jaspers. Avec Jaspers, elle vit, dix jours durant, un extraordinaire dialogue philosophique ininterrompu. L'échange se fait plus orageux les trois derniers jours car Jaspers tente de démolir Heidegger que Hannah défend bec et ongles, à la fois sur le plan politique et philosophique. À Heinrich, elle explique : « J'ai quand même dû lui faire comprendre que ses derniers textes ne sont pas des sornettes [...] Quand j'étais arrivée, j'étais franchement désespérée [...] tant il ratiocinait et faisait la morale, encore plus qu'avant. Mais après j'ai réussi à l'avoir, parce que c'est un type formidable, on n'en voit pas deux comme lui[41]. » Que veut-elle bien dire par : « J'ai réussi à l'avoir » ? J'ai réussi à l'endormir sur Heidegger ?

Elle rentre à Paris le 10 avril où elle commence à rédiger le début d'un ouvrage intitulé *Les Éléments totalitaires dans le marxisme*, un texte qu'elle ne publiera jamais mais dont il reste des fragments qu'on a pu découvrir après sa mort sous le titre *Qu'est-ce que la politique*[42] ? La politique repose sur un fait : la pluralité humaine. Arendt, qui reprend ses thèses sur la diversité, développées à la fin des *Origines du totalitarisme*, affirme que la politique, pour redevenir noble et fiable, doit reposer sur les hommes et non sur une théorie de l'homme. Elle entend réhabiliter le politique comme forme d'organisation du monde qui prendrait en charge l'égalité, donc la diversité de chaque homme et non de tous les hommes. Elle récuse le modèle de la famille comme principe d'organisation. Elle évoque la nécessité de réfléchir en termes de représentation d'une histoire du monde et définit l'humanité essentiellement par la pluralité. Pour la première fois, Hannah met en forme et par écrit ce qui constituera désormais le fil rouge de ses recherches postérieures, tant en philosophie qu'en histoire : cette idée, fondamentale chez elle, que la politique prend naissance dans l'espace qui est *entre* les hommes, donc dans quelque chose de fondamentalement extérieur à *l'*homme. On ne peut qu'être frappé de sa hauteur de vue, de son attitude morale, de son refus des modes et de l'originalité de sa démarche.

Elle bataille ferme en effet avec tous ceux qui, à Paris, Berlin, New York, continuent à voir dans les récents soubresauts du monde une « nécessité historique » et qui communient dans un post-hégélianisme délétère et un marxisme approximatif. Elle a lu l'analyse d'Eric Voegelin sur Marx dans la *Review of Politics* et sa magistrale et nouvelle interprétation des *Thèses sur Feuerbach*. Elle aussi veut embrasser l'ensemble de l'histoire moderne dans un esprit a-religieux. Elle ébauche déjà la question du poids de la tradition dans l'histoire de la pensée, et veut questionner avec des instruments nouveaux l'après-totalitarisme. Elle se demande pourquoi nous ne sommes pas capables de répondre et de « résoudre » les questions qui nous sont adressées par notre propre époque.

Elle retrouve Raymond Aron pour de longues conversations sur la tyrannie et le totalitarisme. Il enseigne alors à l'Institut d'études politiques de Paris les théories de Tocqueville et de Marx. Elle lui donne son livre, *Les Origines du totalitarisme*. Il en fera une critique magistrale en janvier 1954 dans un article intitulé « L'essence du totalitarisme selon Hannah Arendt[43] ». Livre important, juge Aron, malgré des défauts parfois irritants. Livre envoûtant par la force et la subtilité de certaines analyses. Livre choquant aussi par ses inexactitudes à la fois sur l'affaire Dreyfus, sur l'attitude de Jean Giraudoux pendant la guerre, ainsi que sur la pseudo-collaboration de Maurras à la même époque. Livre irritant par sa violence négative, par son ton de supériorité hautaine. Aux yeux d'Aron, Hannah Arendt, trop fascinée par les figures négatives dans un mélange explosif de métaphysique allemande, de sociologie subtile et de vitupérations morales, exagère les défauts et les qualités des hommes et des régimes.

Ce même défaut d'exagération revient sous la plume tant de Voegelin que de Mary McCarthy, Kurt Blumenfeld, Karl Jaspers et maintenant Raymond Aron. Mais elle n'entend pas s'amender. Bien au contraire, elle en tire fierté et s'en expliquera une fois pour toutes à Karl Jaspers : « La réalité a en vérité tellement exagéré dans notre siècle qu'on peut dire sans crainte que la réalité est "exagérée". Notre pensée qui aime par-dessus tout les voies de l'habitude réussit à peine à suivre. Les "exagérations" de ma pensée — qui s'efforce toujours d'exprimer sur un ton si possible adéquat quelque chose d'adéquat — paraîtront effectivement incroyablement radicales si on les mesure non à la réalité mais à ce qu'ont dit du même sujet d'autres historiens qui supposaient que tout était finalement bien ainsi[44]. »

Le débat entre Arendt et Aron ne fait que commencer. Aron lui reproche d'exempter Lénine de la responsabilité du totalitarisme soviétique et de définir imparfaitement une essence du totalitarisme[45]. Tous deux n'assignent pas le même rôle aux idéologies et ne définissent pas de la même manière la réalité. Pour Aron, il existe une polyphonie des totalitarismes et non une unique matrice, comme il le démontrera magistralement quelques années plus tard dans *Démocratie et Totalitarisme*[46]. Pour Aron, il y a continuité de la tyrannie au totalitarisme. Pour Arendt, il y a rupture de civilisation et accouchement d'un monstre nouveau. Aron se montre plus subtil, plus convaincant, plus argumenté, plus sensible à la multiplicité des causes, donc plus désireux de multiplier les interprétations du totalitarisme qu'Arendt qui se donne pour tâche de cerner ses origines.

Hannah se remet au travail et décide d'accepter de participer à un livre d'hommage à Jaspers. Sa contribution, intitulée « Idéologie et terreur », commencée en mars 1952, sera publiée en 1953 puis intégrée aux *Origines du totalitarisme* lors de sa seconde édition, en 1958. L'œuvre avance ainsi, par fragments. Elle tire un fil, le dénoue puis le renoue, part dans plusieurs directions, tricote, détricote, accumule, expulse, a besoin de publier de manière disséminée pour ensuite agréger, faire sens, inscrire ses multiples approches dans une continuité de pensée.

Parmi les critiques que lui adresse Aron, il y a sa manière d'envisager l'antisémitisme. Il n'a pas tort quand il oppose les théories de Léon Poliakov sur l'antisémitisme aux interprétations quelquefois étranges et oiseuses de Hannah. Poliakov, pragmatique, informe, raconte et dissèque la responsabilité des nazis et décrit l'ampleur de la Shoah. Avec lui, tout devient lumineux et, à le lire, notre chagrin pour les victimes est immense et notre peine incommensurable. Avec Arendt, tout est compliqué, subtil, sans cœur, et le lecteur ne ressort pas de sa lecture avec une véritable explication. Pour elle, l'idéologie raciste ne suffit pas à rendre compte de ce fait monstrueux : la mort de six millions de juifs. Le livre *Le Bréviaire de la haine*[47] de Poliakov est riche des mérites qui manquent à celui d'Arendt. Il ignore les paradoxes de l'histoire, ne problématise pas ce qui n'a pas lieu de l'être, décrit ce que les nazis ont fait et comment ils l'ont fait. De son côté, Hannah Arendt ne se contente pas de décrire les faits. Elle veut les interpréter et, ce faisant, s'imagine accoucher d'une nouvelle philosophie de l'Histoire. Sans doute y est-elle portée à la fois par son désir de prolonger les thèses de son ami Walter Benjamin, développées dans *Sur le concept d'histoire*, par sa certitude de la ruine définitive de l'idée de progrès, par ses réflexions communes avec Heidegger sur le lien qui, selon eux, ne peut que se resserrer entre industrialisation et totalitarisme, par l'élan et la confiance que lui accorde Jaspers, par les encouragements nourris de Blücher, ainsi que par le crédit que lui apporte la publication de sa trilogie sur le totalitarisme.

Pour elle, le totalitarisme constitue la négation de la philosophie politique traditionnelle. Elle entend être la cartographe des temps nouveaux de la barbarie. À Eric Voegelin, elle avait confié : « À mon avis le “processus de destruction” ne peut plus être arrêté parce qu'il est déjà arrivé à son terme dans certains espaces décisifs de notre monde spirituel et géographique. Je ne retirerais ma proposition de trouver des nouvelles vérités morales seulement si l'on me convainc que les crimes commis à notre époque peuvent être compris et saisis avec nos anciennes catégories religieuses et morales[48]. »

À Paris, elle est effrayée par le sectarisme et l'aveuglement idéologique de certains intellectuels comme Jean-Paul Sartre ou Alexandre Kojève qui se cachent derrière leurs théories et vivent dans les nuages[49]. Elle est choquée par cette prétention bien française de refaire le monde sans se soucier de la réalité, et toute sa vie elle gardera une forme de mépris pour cette figure de « l'homme de lettres » français, brillant et talentueux, certes, mais sans égard pour la vérité[50]. « Ici chacun définit pour lui ce qu'est l'histoire, on ne peut jamais être sûr des faits, c'est-à-dire des faits reconnus comme historiques, en revanche on sait que le schéma provient de Hegel. L'ensemble est plutôt faiblard, il n'y a que l'esprit qui soit un tant soit peu acéré[51]. »

Hannah fait au même moment la connaissance d'une ancienne élève de Jaspers, aussi douée et talentueuse qu'elle, grande historienne de la philosophie, enseignante remarquable, auteur de nombreux livres, aujourd'hui trop méconnue : Jeanne Hersch. Cette nouvelle amitié aide Hannah à prendre confiance en elle-même. Elle se considère alors comme une *outsider*, une intellectuelle critique, à la fois demandée par les universités et pour des conférences occasionnelles, mais toujours pas intégrée ; une femme qui veut rompre les habitudes de pensée en assumant ses exagérations ; une philosophe isolée qui, certes, vient de se faire inviter à un congrès sur le totalitarisme pour l'automne prochain, mais ne fait pas partie de la *short list* des exilés allemands invités dans les grands cénacles, comme Max Horkheimer, Theodor Adorno, Carl Friedrich, Eric Voegelin, Waldemar Gurian. Avec Jeanne Hersch, elle trouve une compagne d'armes intellectuelle, une femme jeune du même acabit qu'elle, une lectrice de philosophie politique, une confidente à qui elle détaille ses projets théoriques et historiques. Elle visite régulièrement le Louvre et fréquente assidûment la Bibliothèque nationale pour ses recherches. Une lettre de son mari lui apprend que la fondation Guggenheim vient de lui décerner sa bourse annuelle[52]. Distinction honorifique importante — la première pour elle — et non négligeable du point de vue financier. Hannah souffle enfin : elle a deux ans devant elle pour travailler tranquillement à son projet de « revisitation » de Marx, sans devoir faire des piges ou des conférences pour assurer les fins de mois. Une bonne nouvelle n'arrivant jamais seule, Heinrich lui annonce que le président du Bard College, institution universitaire huppée située à une heure et demie de New York, a pris rendez-vous avec lui. Celui-ci lui demandera de développer un projet pédagogique et le 2 août Heinrich annoncera à Hannah qu'il est engagé aux conditions qu'il avait réclamées[53].

Elle rencontre Albert Camus, « sans aucun doute pour le moment le meilleur homme en France. Tous les autres intellectuels sont tout juste supportables[54] », écrit-elle à Blücher. Elle découvre Chartres, va au concert, au théâtre, sort tous les soirs avec son amie Anne. Hannah est au septième ciel, Hannah s'enivre de Paris. Blücher, qui continue manifestement son idylle avec Rose à New York, l'encourage à prolonger son séjour en Europe et l'incite à retourner voir Jaspers dans son chalet de Saint-Moritz[55]. Elle accepte immédiatement sa proposition. Comme elle l'écrit à son mari : « Cette fois-ci, ça marche bien avec nos lettres. Mes lettres te plaisent, tout va pour le mieux[56]. » Quelquefois, celles qu'elle lui envoie sont pourtant très déplaisantes. Dans l'une d'elles, elle parle des Juifs dans des termes méprisants et de manière obsessionnelle : « Je ne vois que des Juifs à la chaîne pour ainsi dire. » « Les Juifs français sont vraiment au-delà de tout ce qu'on peut imaginer »... « Entre autres Juifs Louis Finkelstein[57]... » Haine de soi ? Mépris de son peuple ? Désir de plaire à Blücher qui ne déteste pas les blagues antisémites et lui reproche ce qu'il appelle sa « yiddichite[58] » ? Manière étrange en tout cas de décrire ce qu'elle vit. Inquiète de sa manière de parler et de penser, sa meilleure amie Anne Weil aura avec elle une discussion sérieuse sur ce qu'elle-même qualifie d'attitude antisémite. Cette conversation ne l'affecte guère. Hannah est ailleurs. Elle vit une sorte de crise mystique. À la fin du printemps, elle va au concert écouter *Le Messie* de Haendel interprété par l'orchestre philharmonique de Munich et en sort illuminée. C'est une révélation. Elle écrit à Blücher que, pour la première fois, elle comprend l'énigme : « un enfant nous est né ». Elle ajoute : « Le christianisme, c'est quand même quelque chose[59]. »

Le 18 mai, Hannah se trouve à Munich et le 19 mai, elle est enfin à Fribourg où elle rencontre Heidegger. Elle relate à Heinrich la semaine atroce qu'elle a passée avec lui et avec sa chère et tendre Elfride ! Plusieurs fois, elle pense s'enfuir tant les scènes de jalousie de l'épouse se multiplient. « L'épouse est folle, folle d'une jalousie qui n'a fait que s'accroître dans les années où elle avait espéré qu'il m'oublierait tout simplement[60]. » Un jour où elles se retrouvent en tête à tête, Elfride lui fait « une scène plus ou moins antisémite[61] ». Hannah juge l'épouse « d'une bêtise si bornée, si méchante, si pleine de ressentiment[62] » qu'elle plaint le pauvre Heidegger de la subir et décide de rester pour le protéger ! Hannah s'isole donc dans le bureau de Heidegger. Pendant des journées entières, il lui lit les manuscrits des cours magistraux qu'il donne à l'université de Fribourg.

Elle l'accompagne à son séminaire, s'assoit au premier rang.

Elle l'écoute penser.

Elle et lui au milieu de cet immense chantier, seuls à se comprendre. Elle est la première lectrice, la première auditrice et l'unique interlocutrice.

Heidegger vit comme un ermite. S'il est vénéré par ses étudiants, il demeure isolé à Fribourg et sans contacts avec la communauté universitaire. De plus, à l'époque, ses relations épistolaires avec Jaspers subissent une éclipse. Hannah l'encourage, nourrit sa réflexion, le fait simultanément avancer dans de multiples directions. À Heinrich, elle explique : « C'est comme s'il était si sûr d'avoir trouvé son centre qu'il peut commencer à tout moment, n'importe où, tout se rattache à tout, rien ne présuppose autre chose. Ce n'est ni de l'arbitraire, ni la nécessité du commencement, mais une vraie liberté[63]. » Au cours de ce séjour en Europe, Hannah est plus proche de Heidegger que de Jaspers. Si elle a réussi à raccommoder les deux hommes et à forcer le destin en demandant à Heidegger d'avouer sa honte d'avoir été nazi, elle se retrouve, sans véritablement le vouloir, à le défendre contre Jaspers. À ce jeu pervers qu'instaure Heidegger entre eux trois, elle se livre pieds et poings liés. L'élève rend gorge et se soumet. Heidegger se vantera même auprès d'elle d'en avoir fait assez sur ce sujet et lui demandera de calmer la soif d'élucidations politiques que lui témoigne encore Jaspers. « Tu es mieux à même que moi d'avoir une vue d'ensemble de ces rapports, et tu ne pourras désapprouver le fait que *je fasse preuve de quelque retenue*[64]. » Heidegger, en effet, a à l'époque le souci de soigner sa propre réputation. Il lui parle sûrement de Jean Beaufret qui cherche à faire connaître son œuvre en France.

Blücher tente de son côté pour la énième fois de rédiger un traité de philosophie morale et politique. Il a tendance — il l'écrit, en riant de lui-même, mais l'écrit tout de même — à se prendre pour un prophète, voire un génie. Hannah est son « diablotin domestique », lui le génie, genre « vieil esprit frappeur[65] ». Lui, l'homme — donc celui qui théorise —, elle, la fille douée qui sait mettre par écrit les intuitions qui n'appartiennent qu'à lui. Il est flatté de la relation qu'entretient sa femme avec celui qu'il considère comme le plus grand philosophe vivant, flatté et excité tout à la fois que la relation érotique — lui qui croit tant aux vertus de l'éros — continue, par-delà les années, à perdurer entre son épouse et son ancien professeur.

On est saisi, en lisant leur correspondance, de voir avec quelle force et quelle avidité Blücher protège et légitime la relation de son épouse avec Heidegger. Comme s'il en jouissait. En échange, Hannah lui confie ses états d'âme, la manière dont la relation avec Heidegger l'épanouit. « Stups, je suis un peu moins bête qu'avant parce que, sinon, je n'y serais pas arrivée ; mais j'ai aussi l'impression que je peux me le permettre ; mais j'ai aussi l'impression de me permettre des choses inouïes. La seule chose qui le justifie, c'est la certitude d'une bonté fondamentale, d'une confiance toujours bouleversante qu'il me porte (je ne sais pas comment appeler ça autrement), l'absence totale quand il est avec moi de ce qui sinon prend probablement le devant de la scène, le fait qu'il soit vraiment désemparé et sans défense[66]. »

Elle pense qu'il ne risque rien tant qu'il restera productif. Mais elle craint ses dépressions, qui peuvent s'emparer de lui à tout moment. Amoureuse Hannah, qui protège un homme qui ne sait, ou ne peut, ordonner son travail. Infirmière et secrétaire : elle reste donc une semaine chez lui à ranger ses papiers. Un rendez-vous secret est prévu vers le lac de Constance autour du 5 juin, mais Heidegger l'annule. Celui-ci, sous prétexte d'une fatigue généralisée et d'une mauvaise grippe, lui adresse une fin de non-recevoir. Elfride a dû une nouvelle fois lui faire une scène. Martin écrit à Hannah : « Il est actuellement préférable que tu *n'écrives pas* et que tu *ne passes pas* non plus. Tout est *douloureux et pénible*. Mais il nous faut l'assumer[67]. »

Le piège

Le cours de Blücher à New York s'intitule « Misère et grandeur de l'Éros métaphysique ». Son sous-titre est « Sur le concept de l'amour philosophique ». Cela ne pouvait mieux tomber. L'époux se nourrit aussi de ce que sa femme est en train de vivre par-delà les océans. Hannah baigne dans une intensité amoureuse exceptionnelle qui augmente sa capacité de travail. Après sa visite à Heidegger, elle écrit : « Quelle que soit la manière de considérer les choses, il est incontestable qu'à Fribourg je suis allée (et non tombée) dans ce piège. Il est incontestable également que Martin, qu'il le sache ou non, est installé dans ce piège, qu'il y est chez lui, qu'il a construit sa maison autour du piège, si bien qu'on ne peut lui rendre visite qu'en lui rendant visite dans le piège, en allant dans le piège. Donc je suis allée lui rendre visite dans le piège. Le résultat est qu'il est maintenant tout seul dans le piège[68]. » Hannah, pas dupe... Tout en voyageant, en donnant des conférences, en voyant longuement ses amis, elle trouve l'énergie de rédiger un texte sur Montesquieu et de réfléchir en termes philosophiques à ce qu'elle vit. Il faut que tout cela se stabilise dans ma tête, confie-t-elle à Blücher.

Ils éprouvent tous les deux des sentiments amoureux pour un tiers tout en continuant à s'aimer et à avoir besoin l'un de l'autre. Blücher aime d'autant plus Hannah qu'elle est désirée par Heidegger. De quelle nature est donc cet amour qui s'affranchit de tout préjugé ? Un amour absolu, sans nul doute, et réciproque.

Grâce à sa proximité avec Jaspers et Heidegger, Hannah se sent plus forte, plus libre aussi, moins dépendante de cet amour qu'elle éprouve pour Blücher et qui l'a tant fait souffrir. Heidegger lui permet de placer autrement son amour pour Heinrich et de le re-définir : « Oui, mon chéri, nous avons pris chacun notre place dans nos cœurs et nos pas vont à la même cadence. Et rien ne pourra venir déranger cette cadence, même si la vie continue. Les imbéciles qui croient que la fidélité c'est la vie qui s'arrête, quand on a pour ainsi dire planté ses crocs dans l'autre — non seulement ils y perdent la vie commune, ils y perdent la vie en général. Si ce n'était pas si dangereux, on devrait quand même raconter un jour au monde en quoi consiste vraiment un mariage[69]. »

Hannah se déplace beaucoup : à Bâle le 30 mai, elle part ensuite pour Stuttgart, passe par Munich, puis va en Angleterre à la fin du mois de juin : Manchester, Newcastle, Londres, Cambridge, puis retour en Allemagne au début du mois de juillet, Schloss Georghausen, Heidelberg, Francfort. Elle signe ses contrats pour la traduction des *Origines du totalitarisme* en allemand et en français et acquiert une solide réputation de conférencière politique en Allemagne et en Angleterre. Elle honore sa mission pour la *Jewish Cultural Reconstruction* et collecte de nouveaux documents. Elle réussit par ailleurs à conceptualiser le lien entre idéologie et terreur dans ses notes de travail, jette les grandes lignes d'un travail sur Marx et Montesquieu, débroussaille le terrain philosophique de la compréhension en politique. Malgré cette productivité intellectuelle incessante, elle continue à mener à bien ses diverses activités. Dans chaque ville qu'elle visite, elle s'enferme dans les bibliothèques, sait écrire un texte dans une chambre d'hôtel tout en gardant le temps d'aller à l'opéra et de dîner avec ses éditeurs ! Elle porte un jugement sévère sur l'Allemagne d'après-guerre qu'elle compare à un bal masqué des années 1920, avec ses pseudo-intellectuels, et ses pseudo-querelles. Elle s'était déjà, lors de son premier voyage, montrée déçue de l'absence de réaction des Allemands après la guerre et elle avait, dans un article publié en 1950 et intitulé « Après le nazisme, les conséquences de la domination », stigmatisé leur amour de l'impuissance, leur art de l'esquive, de l'apitoiement sur soi-même, la complaisance passive de ce peuple pour un relativisme nihiliste : « Les ruines sont vraies, les honneurs passés sont vrais, les morts sont vrais. Mais les Allemands sont des fantômes vivants que ne touchent plus le discours ni l'argument, le regard des hommes ni le deuil des cœurs[70]. » Elle n'espère guère d'un peuple qui a vécu la domination totalitaire pendant douze ans et qui n'arrive pas à intégrer en son for intérieur la réalité de la guerre. Injuste et agressive quant aux espérances réelles et aux projets de reconstruction du pays, elle réduit l'Allemagne à une poignée de bibliothécaires, telles celles qu'elle rencontre à Mayence et qui, dans les toilettes, n'arrêtent pas de jacasser sur leur belle ville alors qu'il n'en reste qu'un abominable monceau de ruines. Elle met tous ses espoirs dans la nouvelle génération, ceux qui ont vingt ans, des jeunes qu'elle juge remarquables, avec qui on peut parler sans détours mais qui auront du mal à prendre l'initiative tant l'atmosphère dans laquelle ils vivent est empoisonnée[71].

Elle retrouve Gertrud et Karl Jaspers à Saint-Moritz le 1er août pour dix jours exceptionnels de conversations amicales. Elle écrit à Kurt Blumenfeld, lui avoue qu'elle pense souvent à lui. Quand elle retourne à Heidelberg, les souvenirs la submergent et elle reconnaît : « Des individus respirant une vraie humanité, on en rencontre encore beaucoup là-bas[72]. » Hannah n'est plus allemande, à la rigueur un peu berlinoise. Elle critique le retour des intellectuels exilés et ne croit pas à un renouveau spirituel.

Elle communie ainsi avec son mari Heinrich dans ce rejet excessif d'une terre qui leur est devenue étrangère. Cette fois, Hannah a envie de rentrer. Elle ne contrôle plus rien, ni la faiblesse de Heidegger ni la fécondité inutile de Jaspers, qui — elle s'en rend compte — n'est plus reconnu dans le monde universitaire allemand où, dit-elle, le charlatanisme règne. Elle s'envole pour New York avec la certitude qu'elle a changé. Ce vagabondage lui a fait du bien. Très impatiente de retrouver sa maison, elle écrit à son mari : « La fille a appris toutes sortes de choses... j'aurai énormément de choses à faire dans les deux ou trois années à venir[73]. »

Pendant ce temps, à New York, un nouveau Blücher est en train de naître : il est enfin naturalisé américain — même s'il a été obligé de mentir sur ses anciennes activités de militant communiste pour y parvenir, ce qui le tourmentera longtemps —, et engagé au Bard College, près de New York, on l'a vu. C'est la première fois qu'il gagne véritablement sa vie, la première fois aussi qu'il se sent vraiment heureux de vivre. « J'ai l'impression de nager[74] », dit-il à Hannah. Grâce à Rose ? Il goûte sa soudaine autonomie, son indépendance. Il a avoué à Hannah être contrarié par son prochain retour car il avait tant à faire ! Mais Hannah est bien obligée de rentrer. Elle est partie depuis cinq mois... Elle lui répond avec ironie : « Je suis très fière de Stups le malin et le sage, qui arrive même à convaincre une faculté américaine. Les conditions sont bonnes, mon chéri, et tu t'en es très bien sorti. Il suffit manifestement que je m'en aille... pour que Monsieur fasse carrière[75]. » Au fond, Hannah est très fière que les talents de son Socrate soient enfin reconnus et que son animal politique chéri, comme elle le nomme parfois, entre — lui qui n'a aucun diplôme — par la grande porte de l'Université américaine, qui plus est pour renouveler les méthodes d'enseignement et de transmission du savoir ! De retour à New York, Hannah se montre pourtant préoccupée par le changement de vie que le nouveau travail de Heinrich va provoquer dans leur vie conjugale. Il va devoir s'absenter désormais cinq jours par semaine de New York. « Je ne suis pas du tout enchantée que tu sois si souvent parti de chez nous. Qui viendra me mettre au lit chaque soir ? Sérieusement, je me sens déjà abandonnée[76]. » Elle est toujours aussi désemparée par la possible perte de l'être aimé.

Le couple passe un court mais sublime été dans un bungalow de Palenville, à la campagne, pas loin de New York, à jouer aux cartes, écouter de la musique ; elle relit Platon, en grec bien entendu, et Machiavel, lui Nietzsche et Bouddha. Elle le trouve au sommet de sa forme intellectuelle mais physiquement vieilli, préoccupé par ses nouvelles charges, alourdi par des maladies banales mais qui le rendent moins sportif, moins rieur. Alors elle marche toute seule des journées entières, profite de la nature, nage dans les rivières glacées, se brûle au soleil. Elle est heureuse de le retrouver, a conscience qu'elle a besoin de lui. « Toute mon existence dépend de la vie d'un seul être. Cela est si vrai que, par moments, je suis prise d'effroi. Toute seule je n'aurais pas la force. Avec Heinrich qui m'épaule, rien ne peut m'arriver et je m'offre alors parfois les escapades les plus incroyables. Outrecuidance sur fond de sécurité [77] », écrit-elle à Kurt Blumenfeld.

Les « escapades » sont une allusion aux séjours de Fribourg. Entre elle et Heidegger, les échanges intellectuels continuent par voie épistolaire. Il lui envoie d'ailleurs par mégarde un de ses cahiers manuscrits sur lequel il est en train de travailler [78]. Bel acte manqué ! Ils sont sur la même longueur d'ondes, tous deux certains que le temps des anciennes représentations du monde s'est essoufflé, et qu'il faut trouver de nouvelles forces théoriques pour penser ces si sombres temps nouveaux. Tous deux s'estiment, chacun à sa manière, capable d'une telle tâche. Entre poésie, obscurité et prophétie, chemine Heidegger qui se ressource aux mots du poète autrichien Georg Trakl, clame que le mot « Europe » est désormais vide de sens, pressent que l'histoire se fait de plus en plus énigmatique mais qu'il ne faut pas se résigner, bien au contraire car, dit-il à Hannah : « Je vois venir, malgré la recrudescence des menaces extérieures en tous les domaines, les signes annonciateurs d'arcanes nouveaux, ou plutôt fort anciens [79]. » Hannah lui envoie des photographies d'elle et lui propose de devenir son interlocutrice principale pour la traduction de ses œuvres aux États-Unis. Elle supervise la traduction d'*Être et Temps* en anglais et en relit les épreuves, donne des conseils sur la couverture de ses livres. Elle lui confie sa difficulté à exister dans ce milieu intellectuel abêtissant, plein de faux érudits, et s'afflige de l'état désespérant des sciences politiques.

Jaspers, lui, se décide, après deux ans de silence, à dire à Hannah ce qu'il pense de l'attitude de Heidegger : comment peut-il faire de Staline le responsable du mal dans le monde et publier en même temps une défense du marxisme dans sa *Lettre sur l'humanisme* [80] ? Comment peut-il affirmer qu'il n'y a plus rien à espérer du politique alors que, justement, il attend de lui un désaveu et une analyse de ce que fut le nazisme ? Il l'estime coupable et responsable de préparer, *de facto*, la victoire de Staline en jetant le voile de l'oubli sur le passé, et de prôner un nouveau national-socialisme en invoquant le retour aux anciennes traditions de pensée. En colère, Jaspers interpelle enfin Heidegger du plus profond de son être, et lui demande pourquoi il a effectivement été disposé, sur le plan politique comme sur le plan intellectuel, à accepter Hitler. Et si quelque chose de semblable arrivait aujourd'hui, que ferait-il ? Il lui reproche de semer encore le trouble, d'envelopper ses interlocuteurs dans le brouillard de ses pseudoconcepts comme l'ont fait ceux qui ont berné les Allemands depuis un demi-siècle. « Êtes-vous sur le point de jouer au prophète, qui montre le suprasensible à partir d'une connaissance occulte, ou au philosophe qui fourvoie loin de la réalité ? Qui fait manquer le possible par des fictions[81] ? » Heidegger attendra sept mois, non pour lui répondre sur le fond, mais juste pour accuser réception et lui souhaiter bon anniversaire. Il terminera sa courte missive en lui adressant les saluts d'un marcheur qui continue chaque jour à faire l'expérience d'une pensée différente...

Questions de marxismes

Hannah et Heinrich acceptent l'invitation de Mary McCarthy à passer une semaine dans sa maison, à Wellfleet, dans le Massachusetts. Le jour, ils font de longues promenades dans cette région boisée et sauvage, pleine d'étangs bleu acier où se reflètent les pins ; la nuit, ils discutent de politique. Ils suivent la campagne des élections américaines et éprouvent un mépris tenace pour le candidat Eisenhower — que Hannah traite de « dangereux imbécile[82] » — et pour son colistier Richard Nixon. Pour Mary McCarthy, si Nixon passe, « c'est plus terrifiant que les succès de la propagande nazie ou soviétique qui, après tout, reposent sur quelque chose des idéologies dévoyées, des intérêts nationaux, un mysticisme primitif et sur un fait : la dictature[83] ». Hannah compare elle aussi les méthodes de Nixon à celles des anciens nazis...

La victoire du tandem Eisenhower-Nixon les plongent dans un état de dépression amer et, pour affronter la défaite, ils décident de créer avec quelques amis intellectuels désireux de créer un renouveau du débat — Arthur Schlesinger Jr, Dwight Macdonald, Alfred Kazin, Harold Rosenberg, Dick Rovere — une nouvelle revue politique, intitulée *Critic*. Hannah y est plus particulièrement chargée de décrypter la nouvelle droite américaine, curieux amalgame d'éléments de gauche, de nihilistes, d'anarchistes et de conservateurs. Le projet tombera à l'eau, mais Hannah publiera les textes que Mary lui a commandés dans *Commentary*.

Hannah est à cette époque à la fois rejetée et admirée, critiquée et célébrée. Elle s'en moque, tant elle est peu mondaine et peu soucieuse de reconnaissance publique. Elle est la première femme à donner des cours à l'université de Princeton et a devant elle deux années de tranquillité grâce à une bourse qu'elle compte utiliser pour une étude complémentaire des *Origines du totalitarisme*. Si elle a besoin de son mari, de son cercle d'amis proches, qu'elle voit régulièrement, elle fuit par tempérament toutes les réunions publiques. Bien des intellectuels américains, de gauche comme de droite, ont du mal à l'étiqueter. L'un d'eux, David Riesman enfonce le clou : « Une chose me trouble, l'animosité dont vous faites preuve envers les bourgeois et les libéraux. Clemenceau n'était-il pas un libéral ? N'êtes-vous pas vous-même libérale[84] ? »

Hannah Arendt ne répondra pas. Sur la lettre de Riesman, elle barre l'adjectif libéral à côté du nom de Clemenceau et met à la place : « non, radical »... Radicale, Hannah ? Sûrement, même si elle ne souhaite pas directement s'engager dans la mêlée politicienne. Refusant toute idéologie, toute appartenance à un parti, elle s'engage alors dans de nouvelles pistes de réflexions et commence à élaborer la matrice de ce qui deviendra *Condition de l'homme moderne*. S'appuyant sur l'actualité politique, elle va s'atteler à cartographier les conditions du vivre ensemble. Elle publie sous le titre « Comprendre le communisme[85] » un compte rendu de l'ouvrage de son ami Waldemar Gurian, *Bolshevism : An Introduction to the Soviet Communism*. On la sent gênée aux entournures, coincée entre son devoir d'amitié et son désir de vérité. De fait, elle n'adhère pas aux thèses de Gurian qui fait du marxisme une théologie. Elle n'a jamais adhéré à l'école intellectuelle qui fait du totalitarisme une religion séculière. Elle refuse aussi l'analyse de Gurian affirmant qu'il existe une continuité intellectuelle et politique reliant Marx à Lénine, mais aussi à Staline. Pour Hannah, l'auteur du *Capital* — comme pour Heidegger au même moment — demeure le véritable héritier de la pensée occidentale. Elle affirme que le communisme contient en son sein, contrairement au nazisme, des éléments de la grande tradition de la pensée politique. Elle veut sauver Marx comme « rebelle et révolutionnaire », contrairement à Jaspers qui avait désigné en lui un tyran de la raison et un théoricien du totalitarisme. Hannah ne veut pas entendre ce que Jaspers lui répète : « La passion de Marx me paraît impure à sa source, elle-même injuste *a priori*, vivant de négatif, sans image de l'homme, la haine incarnée d'un pseudo-prophète du style d'Ézéchiel[86]. »

Contre Jaspers, elle préfère se tourner vers Heidegger, et le rejoint dans sa vision d'un Marx analyste clairvoyant de la notion de travail et distinguant l'*homo faber* de l'*homo laborans*. Elle affirme, comme lui, sa stature incontournable de penseur du réel. Les voilà à nouveau dans le même cheminement de pensée. Heidegger affirme en effet dans sa *Lettre sur l'humanisme* : « Parce que Marx, en faisant l'expérience de l'aliénation, passe dans une dimension essentielle de l'histoire, la vision marxiste de l'histoire est supérieure à toute recherche historique. On peut prendre de différentes manières position à l'égard des doctrines du communisme et de leur fondement, il est établi quant à l'histoire de l'être, que s'exprime en lui une expérience élémentaire de ce qui est historique au sens mondial[87]. »

Arendt, marxiste *et* heideggérienne ? Oui, pendant qu'elle travaille à ce texte sur lui dont elle rédige quatre chapitres. Jaspers ne lâche pas et parle d'un homme néfaste, porteur d'une vision du monde destructrice, un homme à combattre, comme Luther : « Les démons n'existent pas mais il existe quelque chose d'analogue dans de tels individus. Il faut les reconnaître dans la mesure du possible afin de s'en débarrasser. Mais il faut surtout agir contre eux autant qu'on le peut[88]. »

Mais bientôt, elle ne se sent pas à la hauteur de sa tâche et abandonne le projet d'un livre sur l'auteur du *Capital*, et donne raison à Jaspers : « Plus je lis Marx, plus je vois que vous aviez raison ; il ne s'intéresse ni à la liberté, ni à la justice. (De plus, un personnage dégoûtant[89]). » Mais elle lui consacrera néanmoins ses premières conférences à Princeton. Hannah préfère se consacrer au thème de la terreur qu'elle juge ne pas avoir assez approfondi à la fin des *Origines du totalitarisme*. Elle travaille assidûment. Pour la première fois en toute liberté, sans avoir d'article à rendre. Elle-même s'étonne de prendre autant de temps pour réfléchir et de distance pour rédiger. « J'écris lentement avec tant de précautions que je ne me reconnais pas moi-même. Un jour ou l'autre, tout le monde se rend à la raison. Il faut seulement savoir attendre. »

Son texte, publié en juillet 1953, « Idéologie et terreur[90] », fera date. Édité dans un livre collectif d'hommages à Jaspers à l'occasion de ses soixante-dix ans, sous-titré « Une forme nouvelle de régime », il en appelle à une pensée de l'après-totalitarisme. Pour elle, la menace du totalitarisme ne disparaîtra pas plus avec la mort de Staline qu'elle n'a disparu avec la chute du régime nazi. Le totalitarisme, par essence, diffère de la tyrannie et de la dictature. Il brise la tradition, la justice, la morale, le sens commun. Le totalitarisme n'est pas mort. Les masses remplacent les classes, la police l'armée, la domination du monde la politique étrangère. Le règne de la terreur devient souverain lorsque plus personne ne s'y oppose. Essence de la domination totalitaire, la terreur dispose de son propre tribunal où ne sont plus jugés des coupables ou des innocents, mais des exécutants ou des opposants à la loi historique ou naturelle.

La terreur annihile l'espace entre les hommes, garant de la diversité, et construit « un cercle de fer » où, littéralement, les hommes sont écrasés les uns contre les autres. Tous les hommes n'en deviennent qu'Un, objet du totalitarisme, possiblement et successivement victime et/ou bourreau[91]. Hitler et Staline ont utilisé les idéologies du nazisme et du communisme pour justifier leurs politiques, expliquer le présent et dessiner l'avenir en s'affranchissant de toute idée de réalité, au profit d'une « réalité plus vraie » qui se dissimulerait derrière toute chose. Pour Arendt la logique du totalitarisme tend à effacer la distinction entre le fait brut et la fiction, le vrai et le faux. C'est ce qui se produit quand les gens perdent le contact avec leurs semblables : ils perdent à la fois leur faculté d'expérimenter et celle de penser.

Dans un mélange de philosophie existentialiste et de méditation politique, Hannah élabore une réflexion sur la nature et l'essence de l'homme et donne une nouvelle signification aux mots isolement et désolation. L'isolement est la condition qu'érige le système totalitaire pour détruire la force initiale que possède tout individu, la désolation en est la conséquence : c'est l'expérience d'absolue non-appartenance au monde, l'une des expériences les plus radicales et les plus désespérées que puisse vivre l'homme. Hannah distingue, suivant en cela Épictète, la désolation de la solitude : « La solitude requiert que l'on soit seul, alors que la désolation n'apparaît jamais mieux qu'en la compagnie d'autrui[91*bis*]. »

Prophétique comme Heidegger à la même période, Arendt n'exclut pas que le totalitarisme, ce nouvel instrument de terreur, puisse mettre « le désert lui-même en mouvement (et) déchaîner une tempête de sable qui pourrait couvrir de part en part la terre habitée[92] ». Le monde ancien est en train de mourir. Le nouveau auquel Hannah aspire s'imposera-t-il avant que le totalitarisme n'étende sa loi partout ?

Apocalyptique, comme Heidegger encore dont elle partage les thèses sur la fin de l'Histoire et le règne du mal, elle prolonge sa pensée en l'optimisant : si l'homme est un être vers la mort chez le philosophe allemand, il est aussi pour elle un être pour la vie, de la vie, comme la vie, dans la vie qui est, par essence, éternel recommencement. L'amour chez Hannah triomphe de la mort, toujours. Car l'amour lui-même crée un nouveau monde. Et il y aura toujours à nouveau des gens qui s'aiment. Chaque fin de l'histoire contient nécessairement un nouveau commencement. Le commencement est la promesse, la suprême capacité de l'homme, la marque indélébile et indestructible de sa liberté : « Ce commencement est garanti par chaque nouvelle naissance : il est, en vérité, chaque homme[93]. »

Jaspers la remercie de lui avoir envoyé son étude « Idéologie et terreur », qu'il juge à la fois profonde et vraie, plus compréhensible à ses yeux que les neuf cents pages des *Origines du totalitarisme*. Il lui reproche cependant, encore une fois, son exagération et sa prétention à vouloir récuser toute idée de continuité dans l'histoire pour mieux accueillir le « nouveau ». Qu'est-ce que ce nouveau ? Jaspers ne comprend pas. Suggérerait-elle qu'il existe une histoire mystérieuse, dans le sens d'un événement total, qui accoucherait de quelque chose d'absolu ? Il lui concède que, si elle a découvert une nouvelle orientation pour la recherche, elle n'a pas encore « acquis le savoir sur la réalité du totalitarisme dans toute son ampleur, avec toute sa réalité humaine. Car cela est inaccessible, voire absurde. Si l'on ne procède pas constamment à une telle restriction dans sa conscience, c'est comme si l'on devenait la proie d'un nouveau démon de la philosophie de l'histoire[94] ».

Professeure

Arendt ne suivra guère les conseils de tempérance intellectuelle de son maître Jaspers. Intellectuelle engagée, elle se place au cœur de la mêlée pour s'opposer au système de délation généralisée, à la décomposition de l'appareil d'État, à l'autocensure qui se répand alors dans le pays dont elle est désormais citoyenne. Elle se bat contre la « chasse aux sorcières » menée par le sénateur Joseph McCarthy, croit à la force des États-Unis d'Amérique, à leur système constitutionnel, à leur ancrage démocratique. Elle voit dans le maccarthysme l'atteinte aux droits les plus élémentaires des citoyens. En pleine croisade anticommuniste, dans un climat d'épuration et de délation où les Américains d'origine étrangère, et particulièrement les intellectuels, sont étroitement surveillés, Hannah Arendt publie en mars 1953 un article intitulé « *The Ex-Communists*[95] », véritable mise en garde politique contre le maccarthysme dans lequel elle décèle un phénomène prétotalitaire, issu d'une société de masse et non d'individus capables de résister, toujours de plus en plus soumis qu'ils sont à la pression d'une opinion publique contre laquelle on ne peut lutter.

Hannah et Heinrich vivront cette période noire de la « chasse aux sorcières » dans un état d'angoisse et de vive anxiété. Heinrich n'ayant pas, lors de sa naturalisation, reconnu avoir été communiste, s'attend à tout moment à être dénoncé. Tous deux songent même sérieusement à partir en Suisse se réfugier chez Jaspers.

Blücher continue néanmoins à mener sa double vie de professeur à la New School de New York et au Bard College. Hannah donne ses premiers cours à Princeton. Elle est, en outre, la première femme à se voir accorder un tel honneur... Ses cours sonnent comme autant d'avertissements adressés à une gauche désorientée, qui croit trouver l'apaisement en pratiquant un anticommunisme virulent. Elle explique à ses étudiants que la politique est, par essence, espace commun entre les hommes, inscrit dans une histoire qui a commencé avant nous et qui perdurera après. Cette inscription temporaire dans le flux de l'humanité nous contraint à beaucoup de modestie. Car s'il est nécessaire de respecter l'autre pour assurer le bien commun, il serait faux d'imaginer que l'homme puisse façonner l'histoire. Nul ne peut jamais tout à fait savoir ce qu'il est en train de faire, inséré qu'il est dans l'histoire du monde. Puisqu'on est mortel, on ne peut faire davantage qu'agir dans et pour le présent. Dès lors, l'idée de changer le monde, de construire l'avenir de l'humanité, lui paraît illusoire. Marx a tort d'imaginer qu'on puisse faire l'histoire. Hannah, qui le relit à la lumière de Platon et d'Aristote, tente de distinguer la confusion qui existe entre agir politiquement et faire l'histoire.

Au début, elle panique à l'idée d'enseigner, mais son cours se passe manifestement bien. Hannah ne dispense pas un enseignement structuré, ossifié, pourrait-on dire. Elle livre à ses étudiants ses dernières recherches, ce sur quoi elle est justement en train de travailler, et qui s'inscrira peut-être plus tard dans un ouvrage. Cette prise de risque fait d'elle une enseignante exceptionnelle et très aimée. Les étudiants qui ont eu la chance de suivre ses séminaires se souviennent encore de leur qualité, de leur rigueur, et des textes philosophiques qu'elle leur demandait de préparer avec le plus grand soin. Hannah ne fait que recommencer, à sa manière, le modèle des séminaires de Heidegger. Enseigner n'est pas coudre de belle façon les pensées des philosophes mais transmettre et donner à l'autre l'envol de la pensée. Hannah préfère les petits cercles aux grands amphithéâtres. À Princeton, elle a la chance d'avoir un auditoire de vingt-cinq étudiants [96] au maximum, dans un séminaire dont elle apprend soudain qu'il est interdit aux femmes ! Hannah est outrée. Aux gentlemen organisateurs, elle pose comme condition à sa venue de voir, dès l'année suivante, une femme faire le séminaire et qu'il soit dorénavant ouvert aux étudiantes. Elle gagnera son combat.

Elle se battra souvent pour n'enseigner qu'à des étudiants qu'elle peut suivre personnellement plutôt qu'à des foules qui prennent des notes pour alimenter des cursus de connaissance générale.

Si l'enseignement l'angoisse — « insensé, dément, je m'étais fait un sang d'encre [97] », confie-t-elle à Kurt Blumenfeld —, il lui permet aussi, parallèlement, d'avancer son chantier d'écriture. Face publique, face cachée, l'un équilibre l'autre. Pour rien au monde elle ne se réembarquera dans l'odyssée des mille pages du *Totalitarisme*. Mais elle ne peut s'empêcher de mettre par écrit ses propres tourments philosophiques et politiques, sans savoir véritablement ce qu'elle en fera. À Kurt, elle confie : « Pour moi, écrire un livre c'est comme une incarcération volontaire. Volontaire, tu m'en diras tant ! Pour le moment je tâche encore d'abréger comme je peux, au moins sur le plan formel. Je ne veux à aucun prix écrire encore un pavé. Cela ne m'arrange pas, tout simplement[98]. »

Après Princeton, puis Harvard, Hannah est invitée aussi à donner des cours à la New School de New York. Elle publie le prolongement de ses réflexions, énoncées à haute voix dans ses séminaires, dans un article intitulé « Compréhension et politique [99] », où elle explique que les concepts traditionnels ne sont plus suffisants pour comprendre ce qui se passe dans la sphère du politique. Faut-il pour autant abandonner toute réflexion ? Jeter l'éponge ? La politique a-t-elle encore un sens ? Pour Hannah, la réponse est assez simple : oui, la politique a un sens, si le sens de la politique est la liberté. L'expérience du nazisme et du stalinisme montre pourtant à l'évidence l'absence de compatibilité entre la politique et la liberté. La liberté commencerait-elle précisément là où cesse la politique ? Arendt, plus vitaliste que jamais, pense ensemble liberté et vie. Dans son *Journal*, elle note : « Tout se passe comme si, depuis Platon, les hommes ne pouvaient prendre au sérieux "le fait d'être nés" mais uniquement le fait de mourir[100]. » Ce qui lui importe n'est pas tant d'échafauder un énième système qui rende compte du totalitarisme, mais de penser comment et à quelles conditions la vie et la liberté, la vie ensemble sur terre, sont encore possibles. Car la politique consiste d'abord et avant tout à assurer la simple possibilité de la vie, celle de l'humanité entière. Au lieu de la rejeter comme monde du chaos, de la mettre en accusation et de s'enfermer dans le désespoir, elle préfère en appeler à la compréhension de la réalité. Elle cherche, en quelque sorte, à digérer biologiquement et historiquement le totalitarisme, pour pouvoir continuer à penser, à vivre, à respirer, tout simplement à espérer.

Hannah cite Franz Kafka : « Il est difficile de dire la vérité car il n'y en a qu'une, mais elle est vivante et a, par conséquent, un visage changeant. » Hannah se met dans ses pas. Elle témoigne de ce même désir de comprendre les tourments du monde, de prendre en charge la complexité du réel qui se dérobe sans cesse. Nul n'est détenteur de la vérité. Les livres ne sont pas des armes et les mots employés pour combattre des idées, s'ils ne sont pas porteurs de dialogue, deviennent des clichés éculés, de la mauvaise propagande. Contre toute idée d'endoctrinement, d'enfermement dans une idéologie, Hannah opte pour une démarche de compréhension de soi-même. Réaliste et acerbe, elle constate que les temps sont troubles et le mode d'engagement complexe : « Car si nous savons simplement, sans le comprendre encore, ce contre quoi nous luttons, nous savons et comprenons encore moins ce pour quoi nous nous battons[101]. » Elle aspire à une nouvelle inventivité de l'esprit et du cœur, à un ressourcement au sens commun, à un dépassement de son propre savoir pour trouver, en toute humilité, les nouveaux instruments de navigation décryptant les chaos du monde.

Résolue à débarrasser le discours politique théorique de toute trace d'esprit de système qui déforme notre perception du monde, Hannah applique la maxime de la phénoménogie de Husserl, le « retour aux choses mêmes », en écartant les théories toutes faites, et en appelle à une véritable quête du sens, même si celle-ci est à la fois stimulée et freinée par notre incapacité à en produire. Certes, dans les articles de cette période, elle a tendance à faire montre de tout ce qu'elle étudie : Montesquieu, Lucrèce ou Paul Valéry, sont cités par paragraphes entiers et cohabitent plus qu'ils ne sont intégrés à une théorie générale clairement affirmée. Cela tient du bricolage, de l'échafaudage d'un chantier qui préfigure l'œuvre maîtresse, *Condition de l'homme moderne*[102], qui sera publiée en 1958. Il n'empêche, on est frappé par la profondeur de son intelligence aventurière, sa loyauté vis-à-vis d'elle-même, mais aussi sa radicalité à poser les questions qui taraudent l'humanité depuis ses débuts, avec une étonnante fraîcheur et un puissant désir de comprendre. Innocence du plaisir du fait même de vivre.

Hannah irrite et agace. Encore une fois, elle n'en a cure. À Harvard, lors de l'automne 1953, une de ses conférences est un véritable échec. Elle est violemment critiquée par des sociologues présents dans la salle qui l'interrompent et se mettent en colère. Elle s'en réjouit. Enfin on l'attaque. C'est donc qu'on la reconnaît. À Jaspers, elle écrit : « C'était assez drôle. Car j'aime bien me bagarrer[103]. » Elle rentre à New York, trouve son Heinrich un peu surmené, s'occupe de lui et, comme toute ménagère juive qui se respecte, prépare pour ses amis des repas gargantuesques pour les fêtes de fin d'année. Elle aime recevoir, faire la cuisine, mettre les petits plats dans les grands. Souci de l'autre, envie de faire plaisir. Pendant les années d'après-guerre, elle n'a cessé d'adresser des colis de nourriture à Karl et à Gertrud Jaspers qui aimeraient bien lui rendre la pareille et lui envoyer, maintenant qu'ils touchent leur retraite, un chèque de compensation[104]. Hannah ne leur fera jamais parvenir le relevé d'identité bancaire demandé. Cette prodigalité affectueuse lui semble naturelle. À Gertrud et Karl, elle explique : « Dans la mesure où nous n'étions pas d'indécrottables petits-bourgeois, [Heinrich et moi] avons pris l'habitude de pratiquer un peu la solidarité et, sans vous, chacun de nous aurait été perdu un jour ou l'autre[105]. » Son geste est à comprendre comme l'expression d'une hospitalité à distance, une hospitalité qui ne pouvait matériellement exister qu'avec de la nourriture, mais qui s'est étendue et nourrie de réciprocité intellectuelle.

Hannah aime dépenser le peu d'argent qu'elle gagne en cadeaux de toutes sortes. Sa mère lui a appris qu'avoir trop d'argent est chose méprisable. L'argent est fait pour être distribué. En 1954, elle touche mille dollars pour l'obtention du prix du *National Institute for Arts and Letters*[106], une distinction qui l'étonne et l'amuse[107].

Heinrich bénéficie d'un congé de deux mois. *Visiting professor*, Hannah ne peut se permettre de s'arrêter si longtemps et enchaîne les conférences : à Notre-Dame University, sur les rapports entre philosophie et politique, une autre pour une société de philosophie sur le concept moderne d'histoire, une allocution pour la réunion annuelle de l'*American Political Science Association*, qu'elle aurait bien tort de refuser tant elle est bien payée. Elle prépare six conférences à Princeton pour l'automne suivant sur les relations entre Ancien et Nouveau Mondes, à destination d'un cénacle d'étudiants déjà formés aux sciences politiques.

Elle publie un article intitulé « L'Europe et l'Amérique[108] », dans lequel, analysant historiquement les liens qui unissent le nouveau et l'ancien continent, elle rend un hommage vibrant à Tocqueville. Ce dernier ne doutait pas que l'Europe, voire le monde entier, pourraient un jour s'américaniser. L'Amérique a toujours été, depuis qu'elle est devenue une république indépendante, à la fois le rêve et le cauchemar de l'Europe. Hannah Arendt entend, dans le sillage de Tocqueville, et contre tous les clichés anti-américains véhiculés par de soi-disant progressistes, réhabiliter l'image d'une Amérique civilisée et démocrate. Elle s'insurge violemment contre un anti-américanisme qui risque de fédérer un mouvement nationaliste paneuropéen.

Certes, Hiroshima et la victoire du maccarthysme pourraient freiner bien des ardeurs. Mais la fabrication des bombes atomiques fut une invention d'exilés européens, et le mouvement antidémocratique de violation des droits de l'homme vivement combattu par une opposition qui s'exprima en toute liberté, ce dont on ne parle jamais en Europe. Le plaidoyer *pro domo* de cette nouvelle citoyenne américaine peut faire sourire aujourd'hui. Mais son insistance à défendre les États-Unis d'Amérique comme terre constitutionnellement rétive à tout totalitarisme, où la possibilité du désaccord est garantie, demeure aujourd'hui lumineuse et pertinente, de même que sa manière d'espérer en une Europe future où, comme aux États-Unis, nationalité et État ne coïncideraient pas. Sa prophétie d'un monde futur, matrice de ce qu'on nomme aujourd'hui la globalisation, résonne aujourd'hui avec force, tant par son originalité que par sa singularité.

Serait-elle en train de devenir réactionnaire ? Hannah se pose elle-même la question. Elle sait bien qu'elle évolue psychologiquement, intellectuellement, politiquement. Elle n'a pas l'impression qu'elle se « droitise », mais seulement qu'elle devient plus calme, plus tranquille, plus tempérée. Elle vit retirée, écoute beaucoup de musique, feuillette les auteurs grecs. Elle se sent de plus en plus apaisée. Un tantinet plus futée aussi, comme elle dit à Kurt Blumenfeld, « mais juste ce qu'il faut pour que nous nous entendions plus facilement[109] ».

Les Origines du totalitarisme paraissent en Suisse et en Allemagne, en version abrégée et dans une édition grand public. Elle fait elle-même la traduction, ce qui la retarde dans sa production et l'agace, tant ce travail minutieux est obsédant. « J'aimerais te dédier la partie sur l'antisémitisme, écrit-elle à Kurt Blumenfeld. Elle est de toute façon ton bien, parce que sans toi, je n'aurais jamais compris tout cela[110]. » Comme à Jaspers en Suisse, elle lui envoie tous ses articles en Israël. « Je n'accorde pas la moindre valeur à l'approbation des gens qui me sont étrangers... les gens ne commencent à m'intéresser que lorsque je les connais depuis au moins dix ans[111]. » Elle tente d'organiser depuis New York la première rencontre entre ses deux meilleurs amis et propose à Blumenfeld, contraint de revenir en Allemagne pour obtenir des réparations, de faire un détour par Bâle pour rencontrer Jaspers. Mais le séjour en Allemagne se passe mal : angoisse, remontée du passé, troubles cardiaques. Kurt ne peut faire de crochet par la Suisse et rentre désespéré en Israël. À Hannah, il écrit : « L'état du monde déteint sur nous, j'en ai l'impression de semblable manière. Partout on a oublié la signification des Dix Commandements, en Europe et en Israël[112]. » Il sent qu'il va mourir, il perd ses forces et lui déclare : « J'aurais aimé te revoir. J'ai l'impression que nous n'y parviendrons pas. Depuis mon retour je me prépare à des adieux en règle[113]. » Hannah possède cette faculté d'empathie et de don particulier pour l'amitié, sorte de toit commun où on peut toujours s'abriter, et tout se dire. Ses lettres, très nombreuses, très longues aussi pour la plupart, d'une infinie tendresse, sont comme le carnet de bord de ses aventures intellectuelles. À eux deux, elle dit tout : ses intuitions, ses lignes de force, les attaques dont elle est l'objet, ses manières d'avancer, mais aussi ses fragilités.

Hannah a besoin de solitude pour travailler mais, pour des raisons financières, se trouve acculée à accepter des conférences. Éternelle tension entre la tentation de la vie d'ermite et la joie qu'elle ressent à trouver à l'extérieur des compagnons pour dialoguer, des amis pour échanger. Elle fait toujours, à l'occasion, des conférences de sciences politiques dans des universités, à Harvard, à New York University, où elle aime rencontrer des étudiants avec qui elle noue des relations durables. Il y a toujours dans la salle, pense-t-elle, quelqu'un à qui parler est essentiel, et à qui transmettre est donner du plaisir. Heinrich vit aussi l'enseignement comme un sacerdoce, une élévation morale et spirituelle, une transformation de l'être. Chacun a son étudiant préféré : pour Hannah, c'est une jeune fille juive, si douée pour la philosophie et si accomplie à tout point de vue qu'elle l'admire du fond du cœur. Pour Heinrich, c'est un jeune garçon sorti de Bergen-Belsen, où il a perdu père et mère, qui ne parle pas encore anglais, n'a pas un fifrelin et se balade au Bard College avec les dialogues de Platon sous le bras. Il est *perfectly happy*, et très doué. Pour ces jeunes gens, le jeu en vaut la chandelle et aucun effort d'enseignement n'est de trop[114]. À Berkeley, Hannah noue des relations durables avec deux étudiants extraordinairement doués. L'un est fils du général de l'Armée du Salut du Texas, l'autre débarque du fin fond du Kenya.

Hannah n'aime pas les manifestations officielles, les cocktails universitaires, les forums retentissants, nombreux à cette époque, où les intellectuels de gauche et de droite refont le monde. Hannah qui réfléchit à un livre sur la *vita activa*, la philosophie et la politique, recherche de plus en plus la solitude. En août 1954, elle écrit ce poème :

Une fille et un garçon
Au ruisseau comme en forêt,
D'abord ils sont jeunes ensemble
Puis ensemble ils sont vieux.
Dehors il y a les années
Et ce qu'on appelle la vie,
Dedans habite l'ensemble,
Ignorant la vie et les ans[115].

À l'occasion du soixante-dixième anniversaire de Kurt Blumenfeld, elle lui envoie cet autre poème :

[...]
Propagandiste et chef
Et maître de la parole,
Architecte de l'esprit
Éducateur qui enseigne et exhorte,
Prophète et chef d'orchestre,
Figure de l'époque,
Révolutionnaire conservateur
Et toujours insatisfait,
Méprisant les compromis
Fougueux — chaleureux —, charmant
Regard fulgurant
Et grand ami[116] [...]

L'université de Berkeley lui propose pour 1955, de février à juin, un poste de professeur invité à des conditions intéressantes. Elle accepte après avoir beaucoup hésité tant la séparation de six mois d'avec Heinrich l'angoisse. Elle prépare un cours magistral sur l'histoire de la théorie politique, de Machiavel à Marx, et deux séminaires. Le voyage sera excitant et magnifique. Trois jours et trois nuits de train à découvrir des paysages si impressionnants qu'elle a l'impression d'assister, médusée, aux débuts de la création. À son arrivée, elle se sent isolée, désemparée, loin de son mari et de ses habitudes. Mais très vite, elle s'impose et ses cours sont bondés. Après l'avoir trouvée despotique, les jeunes — qu'elle appelle « ses enfants » — la trouvent « *terrific*[117] ». À la compagnie des professeurs, qu'elle juge médiocres, elle préfère celle d'un docker autodidacte féru de philosophie, Eric Hoffer, qui lui fait visiter San Francisco *by night*[118], ainsi que celle de sa voisine de palier, une très jeune étudiante astucieuse, Beverly Woodward, avec qui elle peut passer des nuits entières à parler de Kant et de Hegel[119].

La reconnaissance dont elle jouit très vite sur le campus n'apaise pas cette angoisse qui la saisit à chaque fois qu'elle prend la parole en public. Elle a l'impression d'être comme un directeur de cirque obligé d'aller sur la piste. Malgré plusieurs mois d'expériences positives, elle confie à Jaspers : « Une chose est parfaitement claire pour moi : à la longue je ne pourrais supporter l'enseignement et cela simplement parce qu'il m'est presque insupportable de me mouvoir constamment dans un contexte public où je suis "quelqu'un", comme sur un plateau. J'en suis simplement incapable[120]. »

Hannah n'aime pas les feux de la rampe, même ceux des petits cénacles universitaires. Elle déteste l'idée d'attirer l'attention sur elle, de se retrouver au centre de l'histoire, comme si elle avait sans cesse besoin d'être à la recherche d'elle-même. Elle préfère les coulisses. À force de ne pas sacrifier aux règles mondaines et de dire toujours sa vérité, elle se fait critiquer. Le fait qu'elle soit devenue un professeur admiré de ses étudiants augmente la jalousie qu'elle suscite. Encore une fois, elle s'en moque. À Kurt, elle confie : « Les collègues ne m'aiment pas, je ne les aime pas non plus [...] Tu vois, j'ai tiré de nouveau ma révérence à la société des gens respectables. On ne se refait pas[121]. »

Elle quitte Berkeley et rentre épuisée à New York fin juin 1955. Ses cours lui ont laissé le temps d'achever la traduction allemande des *Origines du totalitarisme* ainsi que l'édition des essais de l'écrivain Hermann Broch, remplissant ainsi le devoir moral auquel elle s'était engagée auprès de lui avant qu'il ne meure.

L'Europe, de nouveau, l'attire. Elle trouve New York sale, brûlante, bruyante. Elle saute sur l'occasion quand un de ces « bêtes colloques internationaux » lui propose, tous frais payés, de venir à Milan parler du totalitarisme. Heinrich et Hannah s'éloigneraient-ils l'un de l'autre ? Celui-ci continue sans doute sa liaison avec Rose. Quoi qu'il en soit, elle ne parviendra pas, malgré tous ses efforts, à le persuader de partir avec elle pour ce périple européen qui lui permettra de voyager en Italie, en Grèce, en Israël, en Allemagne, en Suisse. Elle quitte New York avec en tête l'idée d'un livre à venir, qu'elle aimerait bien intitulé *Amor mundi* tant elle éprouve un profond sentiment de reconnaissance à être encore vivante. Avant de s'envoler pour l'Europe, elle confie : « J'ai commencé si tard à aimer vraiment ce monde, à vrai dire ces dernières années seulement, et je devrais être capable de le faire maintenant[122]. »

Elle arrive à Paris le 31 août 1955, descend à l'hôtel d'Angleterre et retrouve Anne Weil. Le 2 septembre, elle part pour une semaine à Venise. Elle réside chez Mary McCarthy, qui y a loué un appartement pour plusieurs mois, visite Ravenne, avant de rejoindre Milan le 11 septembre où elle donne une conférence sur le thème « *Autority in the Twentieth Century*[123] ». Le colloque se révèle ennuyeux à mourir et Hannah, toujours aussi tendre avec ses petits camarades spécialistes en totalitarisme, les trouve si incompétents et prétentieux qu'elle assure un minimum de présence tout en essayant de paraître sociable. Telle une enfant, avoue-t-elle à Jaspers, elle fait semblant : « J'ai toujours peur que le mépris que m'inspirent la plupart des gens ici ne se lise trop bien sur mon visage. Ainsi suis-je plus qu'aimable. » Elle est scandalisée par le luxe des conditions. « Ça voyage, ça bouffe, ça claque son fric », écrit-elle à son mari avant d'ajouter cyniquement : « Enfin moi ça ne me fait pas de mal. Mais même avec la meilleure volonté du monde, on ne peut pas prendre la chose au sérieux et, quand je vois mon papier, ça me fait vraiment rire. Personne ne le sait, mais moi ça me crève les yeux, ici je ne suis vraiment pas à ma place[124]. » De New York, Heinrich l'approuve : « Voilà ce que font ces salauds d'intellectuels avec le concours de salauds de gouvernants sur le dos du peuple dans le monde entier[125]... » Elle quitte Milan pour Rome, se sent « désarticulée » par tout ce qu'elle voit, ivre de bonheur, honteusement heureuse, avant de retrouver Blumenfeld de passage à Gênes.

Kurt et Hannah ne se sont pas revus depuis 1943. C'est un choc. « Blumenfeld est à l'état de ruine mais c'est magnifique de voir qu'il n'a pour ainsi dire pas changé[126]. » Les heures passées ensemble, malgré l'épuisement de Kurt, les rendent tous deux très heureux. Ils refont le monde, l'histoire du sionisme et celle de l'État d'Israël. Deux non-conformistes ne peuvent que s'entendre, même s'ils se disputent tout le temps. Blumenfeld demeure critique sur Ben Gourion et l'absence d'ampleur de la vie politique en Israël. Mais contrairement à Hannah il a fait de cette terre sa patrie, au plus intime de lui-même. « Et pourtant — non seulement c'est en Israël que je vis le plus volontiers, mais je ne voudrais vivre non plus dans aucun autre univers. C'est le seul où j'ai le droit de m'emporter de manière productive. Et puis je suis dans une relation profonde avec cette nature : avec la nature, les arbres et quelques individus[127]. »

Après un séjour idyllique en Grèce en compagnie de son amie d'enfance Julie Vogelstein, Hannah décide d'aller rendre visite à sa famille en Israël. Kaethe, son amie de Königsberg devenue l'épouse de son cousin germain, Ernst Fuerst, est venue la chercher en Grèce. Elles arrivent toutes deux à Tel-Aviv le 14 octobre. Kaethe et Ernst fêtent, en compagnie de leurs deux filles, l'anniversaire de ce dernier. Hannah retrouve là le goût de son enfance grâce à la gentillesse de sa famille. Elle rend visite à des amis et fait la tournée des kibboutzim. Hannah retrouve des personnes qu'elle avait rencontrées en 1935, lors de son premier séjour en Palestine. Elle se dit consternée par ce qu'elle voit et écrit à Heinrich : « Le déclin, la décrépitude sont sensibles partout, jusque dans les réfectoires crasseux et les rapports humains. Tout ce qui prend la parole est d'un nationalisme exaspéré. On aurait dû chasser les Arabes qui sont encore là "et tout à l'avenant[128]". » Elle appelle Israël « ce petit pays où on ne cesse de voir les frontières[129] ». Heinrich, de New York, lui enjoint de rester le moins longtemps possible : « Garde l'œil ouvert et fiche le camp dès qu'il est temps de le faire[130]. » Elle quitte Tel-Aviv le 22 octobre pour Jérusalem où elle restera une semaine. Si elle reconnaît le travail accompli par les Juifs allemands dans les villes, « dans cette porcherie qui a pour nom le Proche-Orient[131] », elle dresse un diagnostic sévère sur l'état désespéré de la situation politique : « On ne peut que retirer son épingle du jeu. Tout le monde, à part quelques rares exceptions, est d'une bêtise obstinée souvent fabuleuse. » Tout le monde est contre la guerre et tout le monde appelle à la faire. « La bande noire [de l'orthodoxie] avide de pouvoir devient de plus en plus insolente. Et ceci bien que la majorité des gens ne soit pas pieuse[132]. » La façon dont on traite les Arabes suffirait à mobiliser le monde entier contre Israël. « Et même l'opposition à Ben Gourion semble vieillie et hébétée[133]. »

Rien dans ce pays ne trouve grâce aux yeux de Hannah, qui sent bien que la pression sur les habitants est terrible, et que la peur règne en permanence. Pas une seule fois, dans sa correspondance, elle ne citera le nom d'Israël, s'obstinant à nommer cette terre Palestine. Son séjour la laissera pantelante, triste et en colère. Comme elle le dit à Heinrich, elle a gardé pour elle tout ce dégoût, ce ressentiment, cette amertume : « N'aie pas peur que je me brûle la bouche. Je parle peu, la plupart du temps, pas du tout même[134]. » Elle fuit Jérusalem le 28 octobre, soulagée de quitter « ce chaudron de sorcières pas piqué des vers », et arrive à Istanbul le soir même, heureuse de respirer enfin : « C'est comme une pierre qui me tomberait du cœur, je ne m'étais jamais rendu compte du sens mystique du mot soulagement. Et pourtant ces gens me font pitié, et j'ai peur aussi pour eux[135] », avoue-t-elle à Heinrich. En réalité, a-t-elle jamais accepté l'existence de l'État d'Israël ? Toujours prompte à juger négativement, elle retient de ce second séjour un climat de grandes tensions sociales, une violence à fleur de peau, qui ne demande qu'à éclater, une obsédante atmosphère de veillée d'armes.

Le séjour à Bâle chez Jaspers la rassérène. Elle se remet de son effroi. Ils discutent des journées entières de Schelling, de la bombe atomique, de la situation spirituelle de l'Europe. Elle signe là-bas avec l'éditeur de Jaspers, Piper Verlag, un contrat pour une *Introduction à la politique*[136]. Hannah enchaîne, pour la troisième fois, une série de conférences en Allemagne à l'occasion de la sortie de la traduction des *Origines du totalitarisme*. Francfort, Cologne, Berlin, partout elle est accueillie comme la grande théoricienne du politique qu'elle est devenue aux yeux des universitaires et intellectuels allemands. Elle découvre une Allemagne en pleine reconstruction, un pays neuf, plein d'espoir et d'énergie, moderne, solide. À Francfort, fin novembre, elle retrouve son premier mari, Günther Stern, *alias* Günther Anders, et passe avec lui une soirée empreinte de nostalgie et de tendresse. Comme elle le raconte à Heinrich, elle hésite à prendre contact avec Heidegger : « Je ne sais pas encore ce que je vais faire, mais je ne crois pas que j'irai le voir. Le fait que mon livre sorte maintenant justement [...] ne me semble pas du tout favorable. Il ne sait pas que je suis ici et de toute façon j'ai l'impression qu'en ce moment il ne tient pas à me revoir. [...] Tu sais bien qu'avec Heidegger je suis tout à fait prête à faire comme si je n'avais jamais écrit la moindre ligne et comme si je n'allais jamais écrire quoi que ce soit. Et c'est expressément la condition *sine qua non* de toute l'affaire[137]. »

Hannah ne se trompe pas sur l'absence de générosité de Heidegger à son égard. Lui qui n'a jamais daigné prononcer la moindre parole publique sur les œuvres de Hannah n'hésite pas, pendant toutes ces années, à la relancer pour qu'elle fasse traduire ses livres outre-Atlantique. Hannah, pour la seconde fois de son existence, trente ans après la première rencontre, préfère le fuir que de l'affronter. Elle se dit incapable d'avoir la force de le revoir avant « d'avoir couché sur le papier et mis en lieu sûr des choses importantes ». Autrement dit, son œuvre contre la sienne. Sa volonté d'écrire, sa certitude d'être une penseuse, elle aussi. Est-ce la quiétude de la cinquantaine ? Hannah se protège enfin de sa puissance vénéneuse, de sa volonté à la nier, de sa force narcissique. Elle préfère laisser reposer toute l'histoire et classer ses propres idées. Elle ne se sent pas disponible pour lui mais ne désespère pas... de le revoir l'an prochain. À son mari qui se montre déçu qu'elle ne l'ait pas rencontré, elle explique : « Pour ce qui est de Heidegger, mon chéri, ce n'est pas aussi simple que ce que je t'ai brièvement écrit. C'est comme si on s'était mis d'accord sans se le dire, Heidegger et moi[138]. »

Hambourg, de nouveau Berlin, Francfort, Londres, pour négocier des contrats. Dernière escale à Bâle, chez Gertrud et Karl Jaspers. Le voyage en Europe aura duré quatre mois. Hannah est devenue une véritable célébrité en Allemagne où sa tournée s'est terminée de manière triomphale. Elle repart réconciliée avec son pays natal, pleine d'entrain et d'énergie, en pleine forme physique, belle, bronzée, mince, des idées plein la tête.

Dans les quatre années qui suivent, elle publie trois livres majeurs : *La Crise de la culture, Condition de l'homme moderne, Essai sur la révolution.* C'est une nouvelle Hannah dans la force de l'âge, heureuse, épanouie, équilibrée, amoureuse, qui écrit à Heinrich, juste avant de s'envoler pour New York : « Dors bien, mon cœur. À toi, À toi, À toi, Je reviendrai bientôt te déranger[139]. »

XIII

MANGEUSE DE LIVRES

De retour pour Noël 1955, elle pose sur son bureau les photographies qu'elle a prises de Jaspers lors de son séjour à Bâle et remercie Heinrich qui vient de lui offrir un gramophone. Comme chaque année, pour ses amis, elle organise une fête pour le réveillon. Oie rôtie et *Strudels* aux pommes : Hannah n'a de cesse, pendant ce premier trimestre de l'année 1956, de tester pour Heinrich toutes les recettes gastronomiques qu'elle a rapportées d'Europe. Elle s'enivre de musique — « c'est vraiment comme une autre vie car le pouvoir des sons est tout de même ce qu'il y a de plus grand pour moi[1] », écrit-elle à Jaspers. Elle relit Goethe et annote Max Weber, dont elle découvre l'ampleur de la pensée et qu'elle qualifie de véritable génie. Elle retrouve avec délices la vie conjugale, met au point son dernier manuscrit qu'elle pense appeler *Vita activa*, s'étonne elle-même de son activité intellectuelle — « il faut que je veille à ne pas attraper la grosse tête[2] » —, et s'envole pour deux semaines à Chicago pour donner six conférences.

Celles-ci lui permettent de se replonger dans Platon et de tenter de comprendre, depuis le procès de Socrate, le conflit qui s'est dès lors instauré entre politique et philosophie. De retour à New York, où elle arrive pleine d'énergie, l'attend une lettre de Jaspers qui lui reproche de trop subir l'influence de Heidegger, et par conséquent de se tromper de méthode pour prendre à bras-le-corps la philosophie, et tenter ainsi d'élucider le problème de la vérité[3]. Difficile ici de restituer en détail le dialogue philosophique qui va alors avoir lieu entre eux sur l'allégorie de la caverne chez Platon. Exigence intellectuelle, loyauté réciproque, volonté de s'expliquer en profondeur, pareil échange témoigne d'un fort sens de l'amitié, conçue comme approche permanente d'une mise en question radicale de soi-même. Il s'agit de Platon, mais aussi évidemment du pourquoi et de la raison d'être de la philosophie. Pour Jaspers, philosopher, c'est donner de l'espoir et essayer de recoller les fragments d'un monde d'après la catastrophe. Pour Arendt, c'est assumer une lucidité désespérée, mettre en doute toute vérité, s'affronter au nouveau. Elle est invitée à donner une conférence à Harvard dans le cadre d'un séminaire de jeunes professeurs de sciences politiques qui ont besoin de conseils. « C'est ainsi qu'on vieillit et blanchit sous les honneurs, en dépit de ce qu'on a fait pour ne pas arriver à ce stade[4]. » Hannah a toujours exprimé la plus grande défiance vis-à-vis des honneurs publics. Elle n'entend pas être « récupérée » ni être considérée comme « politiquement correcte ». Elle sera ravie d'apprendre, cet été-là, que ses étudiants de Berkeley l'ont surnommée Rosa-Hannah, en clin d'œil à Rosa Luxemburg. C'est un des plus beaux compliments qu'elle ait reçu depuis longtemps[5].

Hannah passe un été magnifique — baignades, promenades, travail —, mais de retour à New York, l'Allemagne lui manque à nouveau. Décidément, elle ne tient pas en place. Comme si elle sentait une nécessité presque physique de s'éloigner régulièrement de Heinrich. Veut-elle le laisser tranquillement vivre sa vie ? Continuer à vaquer en toute liberté à ses activités amoureuses et philosophiques ? Kurt Blumenfeld lui fait remarquer cet été-là : « Tu me disais que toute ta vie repose sur Heinrich. C'est beaucoup, me semble-t-il[6]. » Elle tente donc des démarches pour se faire inviter en Europe et, après bien des difficultés, réussit à faire financer son voyage par la Fondation Rockefeller.

Le 30 septembre 1956, elle s'envole pour Amsterdam où elle a rendez-vous avec Mary McCarthy pour voir l'exposition Rembrandt. Elle arrive fatiguée, ayant beaucoup travaillé les dernières semaines avant son départ, sans avoir pu achever ses travaux. La *Vita activa* n'est pas terminée, et son *Introduction à la politique* demeure en chantier. Mais voyager en Europe, pour elle, c'est aussi pouvoir réfléchir à ce qu'elle écrit. Elle ne part d'ailleurs de New York que lorsque ce qu'elle appelle son « chez-soi », c'est-à-dire son atelier d'écriture, est assez construit dans son esprit pour pouvoir le transporter avec elle dans le monde entier. Hannah part en Europe pour s'apaiser, se ressourcer et laisser déposer les strates de son *work in progress*.

Elle vit son séjour comme un entracte, empreint à la fois du bonheur des retrouvailles avec Mary McCarthy, Anne Weil, Alexandre Koyré, et la possibilité de travailler dans les bibliothèques de Paris, Genève, Cologne ou La Haye, pour compléter et nourrir la *Vita activa*... À Paris, à la Bibliothèque nationale, où elle se rend quotidiennement pendant son séjour, les employés l'appellent « la mangeuse de livres » tant elle en commande[7]. Elle passe, seule, à Genève, le cap du cinquantième anniversaire, touchée par l'attention de Jaspers qui lui câble une longue missive : « Quelle vie vous avez eue ! Elle vous a été donnée et vous l'avez gagnée avec une persévérance qui a maîtrisé le malheur, cette horreur qui nous vient du dehors et qui le plus souvent nous use, et avec la merveilleuse et noble énergie qui modifie votre dangereuse vulnérabilité, vos précaires incertitudes et transforme même votre "désir de fuir" en moments riches de signification pour votre être[8]. »

Hannah se serait-elle assagie avec l'âge ? Pas du tout. Elle garde son exceptionnelle vitalité, son impétuosité, son enthousiasme, ses foucades, ses violences. Elle ne se sent pas vieillir. Ce qu'elle craint avec l'âge, ce sont les transformations physiques à venir, mais « sûrement aussi la "dignité" qui ne saurait manquer de s'imposer et que, avec la meilleure volonté du monde, je ne sais pas comment aménager[9] ». Elle a peur de commettre des bévues et de se rendre ridicule. Heinrich oublie de lui fêter son anniversaire. Elle menace de lui en tenir rigueur jusqu'à la fin des temps. Son chéri de « Stups » se rattrapera par l'envoi d'un bouquet de fleurs et une lettre d'amant : « Je suis heureux d'avoir passé une bonne partie de ce premier demi-siècle avec toi, et pour cette raison déjà je souhaite que ça se prolonge encore bien longtemps. On peut être seul et quelqu'un quand on est à deux et vraiment deux avec toi, ce ne sont pas que des cercles sans vie mais des spirales vraiment vivantes. Comme le cycle d'énergie des anciens Chinois des forces de la vie du Yin et du Yang[10]. » Hannah est à la fois son Yin et son Yang ? Pourquoi pas ? Elle lui répond : « C'est vrai, jusqu'à présent on s'en est plutôt bien tirés, nous deux, et il faut supposer que nous allons continuer à en faire de même[11]. »

Son séjour à Bâle est orageux. Jaspers lui demande de ne plus continuer ni à voir, ni à correspondre, ni à traduire Heidegger, si elle n'obtient pas de lui un aveu clair et net de sa culpabilité pendant le nazisme. Jaspers, en effet, n'a pas perdu espoir de le voir parler et pense que Heidegger ne peut continuer à garder le silence sur son passé. Son métier de penseur le contraint à s'exprimer et non à se réfugier dans de vagues formules creuses poético-prophétiques. Déjà en avril 1953, par écrit, il l'avait supplié : « Entre nous il n'y a que tout ou rien, car des superficialités conventionnelles sont interdites en raison de ce qui fut autrefois[12]. » Il lui avait posé l'alternative suivante : ou bien ils parlent ensemble, ou bien ils cessent de faire semblant d'appartenir à la même communauté. Trois ans ont passé. Heidegger n'a toujours pas accusé réception. Jaspers espère donc lui faire rompre son silence en envoyant Hannah à Fribourg, ce que Hannah refuse violemment. À Heinrich, elle explique : « Je me suis mise en colère et je lui ai dit que je n'acceptais aucun ultimatum. Il a aussitôt fait marche arrière et je crois que rien n'est définitivement gâché, mais je n'en suis pas tout à fait sûre. *On verra*[13]... »

Hannah n'a pas envie de remuer le passé. Contrairement à Jaspers, elle s'accommode du silence de Heidegger. Pourquoi ? Sans doute parce qu'elle sait qu'il ne parlera pas et que toutes ces tentatives sont inutiles, mais aussi parce qu'elle est moins choquée par son attitude que Jaspers. Elle n'a plus besoin d'aller le voir et ne se pose même plus la question. Mais elle souhaite conserver avec lui une relation calme et paisible, sans secousses ni drames. Elle veut aussi pouvoir continuer à réfléchir, à écrire, sans être contaminée par sa pensée. Elle éprouve le besoin de se protéger intellectuellement. Pour la radio allemande, elle écrit deux conférences, « Nature et histoire » et « Histoire et politique dans les Temps modernes », où elle reprend les grands thèmes de la tradition politique depuis Platon et Aristote jusqu'à Karl Marx, et explique comment le totalitarisme constitua le point de rupture de la civilisation occidentale. De Cologne, elle part pour La Haye où elle revoit le tableau de Rembrandt *Saül et David* qui la bouleversa vingt ans auparavant et travaille à la bibliothèque. Toujours chez elle ce désir de se ressourcer dans les livres, pistes d'incendies pour nourrir sa réflexion et son imaginaire. Elle rejoint Munster pour une nouvelle conférence radiophonique. L'histoire la rattrape. Si elle se réjouit de la résistance du peuple hongrois à l'invasion des chars soviétiques — « jamais ce ne sera comme avant[14] » —, elle se sent terriblement angoissée par les événements en Israël. Comment interpréter la crise du canal de Suez ? « Y comprends-tu quelque chose[15] ? », demande-t-elle à Heinrich. Elle panique, se sent loin de son cher mari, se pend au téléphone pour savoir s'il faut qu'elle revienne d'urgence. Elle craint une Troisième Guerre mondiale et veut rentrer *at home*. Revoir son vieil ami Benno von Wiese et quelques universitaires allemands ne dissipe guère son angoisse. À Heinrich, elle confie : « Ah mon chéri comme le monde est sombre et comme je m'y sens perdue quand tu n'es pas près de moi[16]. » Finalement, elle ne modifie pas ses plans. Kiel, Francfort, Cologne, Paris.

De retour à New York, elle rouvre son chantier de la *Vita activa* tout en reprenant ses cours à la New School. Elle achève en mai les derniers chapitres de son second chef-d'œuvre. Finalement intitulé *The Human Condition*[17], ce texte majeur, traité fondamental de résistance, dresse les ressources que possède tout homme pour créer, persévérer, reconstruire un espoir avec les autres, un espoir politique. Ce que je propose, explique Hannah dans sa préface, c'est de « reconsidérer l'espèce humaine du point de vue de nos expériences et de nos craintes les plus récentes[18] ». Elle ajoute qu'il s'agit d'un livre de réflexion, et fait remarquer que l'irréflexion est l'une des principales caractéristiques de l'époque... Essai théorique donc, mais aussi livre qui s'adresse à tout un chacun, tant les enjeux en sont essentiels et la problématique claire. « Ce que je propose est donc très simple : rien de plus que de penser ce que nous faisons[19]. »

« Ce que nous faisons » sera en effet le thème central d'une recherche divisée en trois parties : le travail, l'œuvre et l'action, les trois activités humaines fondamentales qu'elle regroupe sous ce terme de *Vita activa*. Le travail correspond au processus biologique de l'être humain. L'œuvre n'est possible que parce que l'homme peut et sait dépasser sa propre nature. L'action met directement en rapport les hommes entre eux et témoigne de leur pluralité. La condition humaine du travail est la vie elle-même. L'action correspond au fait que ce sont des hommes et, non pas l'homme, qui vivent sur terre et habitent le monde. Telles sont, à grands traits, les lignes de force essentielles de cet ouvrage qui entend traiter des articulations les plus élémentaires de la condition humaine. Ouvrage sauvage, luxuriant, incandescent, qui s'inscrit en continuité totale avec *Les Origines du totalitarisme*. Même construction en triptyque, même questionnement radical sur la notion d'origine, même conceptualisation à l'extrême de ce qui nous fait — encore — appartenir à l'humanité. Même questionnement sur l'existence aussi : nous qui sommes encore vivants, combien de temps allons-nous le rester et comment pouvons-nous nous inscrire dans ce flux incessant que constitue la vie avec ces nouveaux venus qui, à chaque seconde, peuplent davantage le monde déjà existant ? Comment ne pas être le fantôme de soi ? Comment s'assurer que vivre n'est pas seulement apprendre à savoir mourir ?

Dès les premières pages, Arendt met l'accent sur ce concept de natalité, qu'elle avait déjà abordé, comme en creux, dans les dernières pages des *Origines du totalitarisme*. La naissance, c'est la vie, le commencement, la capacité à faire du neuf, la possibilité d'agir. Hannah Arendt opère une méditation qu'on peut qualifier, comme le dit si bien Paul Ricœur dans sa préface à l'édition française : « "D'Anthropologie philosophique" qui est alors conçue d'emblée comme une introduction à la philosophie politique[20] ». En mettant en avant la vie comme processus, création *ex nihilo*, vague incessante, plus forte que la mort, elle déplace, bouscule la pensée de Heidegger. Son être au monde devient « être pour la vie ». La natalité, par opposition à la mortalité, est sans doute la catégorie centrale de la pensée politique, affirme-t-elle d'entrée de jeu[21].

Pour Hannah, aujourd'hui, il n'y a plus lieu de croire ni au dieu des philosophes, ni au Dieu de la théologie. L'homme s'est arrogé un pouvoir sur la nature et a attenté à l'essence de l'espèce à laquelle il appartient en exterminant son prochain dans les camps de concentration. À quelles conditions l'homme cesse-t-il d'être superflu ? Depuis la fin de la guerre, le concept même de nature humaine est devenu suspect. Les hommes sont mortels mais en état, de par leur capacité à agir, de se hisser à une sorte d'immortalité. Certains sont aptes à laisser des traces impérissables dans cet univers qui continuera à exister après eux.

Arendt reprend dans son ouvrage ses critiques de Marx, dont la position sur la notion de travail, centrale dans son œuvre, lui semble contradictoire. Il définit l'homme comme animal *laborans* mais lui propose un rêve de société où l'on n'a plus besoin de travailler ! Pour Hannah Arendt, le travail est notre plus grande force, la plus humaine, et l'économie doit rester liée au domaine privé. L'unique domaine commun, c'est le domaine politique. Hannah définit une constitution de la nature humaine et analyse les conséquences de notre « condition temporelle d'êtres mortels[22] ». L'homme est le seul animal qui se sait mortel, le seul qui pense ce qui est éternel. Comme le fait remarquer Paul Ricœur, Hannah ne s'est jamais éloignée de cette vision du monde fondamentale : « L'éternité est ce que nous *pensons*, mais c'est en tant que "mortels" que nous [la] pensons[23]. » Notre appartenance à l'espèce humaine, qui consiste aussi à savoir que nous sommes mortels et que le monde continuera après notre mort, est le garant de notre humanité, laquelle demeure inchangée malgré la révolution industrielle et les bouleversements introduits par la bombe atomique. Le monde change mais pas la condition fondamentale de la vie humaine sur terre. Ce qui intéresse Hannah, encore et encore, c'est la manière dont nous nous insérons dans le monde, nous tous en tant qu'espèce humaine, et chacun de nous en tant qu'êtres singuliers et uniques. Par le verbe et l'acte, nous transcendons en personne le fait brut d'exister, comme une seconde naissance. Chacun d'entre nous est donc un créateur qui fait advenir non seulement son monde mais le monde. « Bien que chacun commence sa vie en s'insérant dans le monde humain par l'action et la parole, personne n'est l'auteur ni le producteur de sa vie[24]. » Comment ne pas en être le spectateur ?

On le voit : les questions que pose Hannah Arendt nous plongent au plus secret de nous-mêmes. Visiblement imprégnée par un christianisme primitif, influencée par les *Confessions* de saint Augustin, faisant de l'amour du bien une qualité politique, Hannah serait-elle devenue croyante ? On se souvient qu'elle avait confié à Jaspers qu'elle croyait en Dieu, sans préciser lequel, et qu'elle avait écrit, après avoir écouté *Le Messie*, que « le christianisme, c'est quand même quelque chose[25] ». On peut constater à la lecture de son *Journal de pensée* combien elle est une lectrice attentive des Évangiles, particulièrement de celui de saint Jean. La naissance du Christ lui apparaît comme une césure dans l'histoire de l'humanité. « [...] tout commencement est salut, c'est au nom du commencement, au nom de ce salut que Dieu a créé les hommes dans le monde. Chaque nouvelle naissance est comme une garantie de salut dans le monde, comme une promesse de rédemption pour ceux qui ne sont plus un commencement[26]. »

On ne peut évidemment rendre ici toute l'ampleur de cet ouvrage, devenu texte de référence de la philosophie contemporaine, où Hannah élabore ses concepts centraux de pluralité et fragilité des affaires humaines. Elle y rend un hommage appuyé et énigmatique à Jésus et affirme : « Le miracle qui sauve le monde, le domaine des affaires humaines de la ruine normale, "naturelle", c'est finalement le fait de la natalité, dans lequel s'enracine ontologiquement la faculté d'agir[27]. » Avant de conclure : « C'est cette espérance et cette foi dans le monde qui ont trouvé sans doute leur expression la plus succincte, la plus glorieuse, dans la petite phrase des Évangiles annonçant leur "bonne nouvelle" : "un enfant nous est né[28]"... »

Work in progress

Achever ce texte difficile procure à Hannah beaucoup de plaisir. Comment Hannah fait-elle pour avoir autant d'énergie ? Comment fait-elle pour produire autant ? Bien que débordée de travail, elle éprouve le désir de beaucoup publier. Elle en a presque honte. À Jaspers, elle avoue — comme un péché — avoir aussi, pendant l'été 1957, réuni des essais théoriques de ces dernières années publiés en anglais et entièrement révisé leur traduction. Le recueil porte le titre de *Fragwürdige Traditionsbestände in politischen Denken der Gegenwart*, traduit sous le titre anglais de *Between Past and Future*, et tardivement traduit en français, en 1972, sous le titre *La Crise de la culture*[29]. Elle continue à publier en Allemagne, dans les grandes revues, ses principaux articles philosophiques. Parallèlement, elle continue à se passionner pour la politique et suit avec attention l'évolution de la situation au Proche-Orient, comme l'attestent ses lettres enflammées sur le sujet avec Jaspers. Ce dernier admire l'attitude de ce petit État, menacé de toutes parts. Pour lui, « l'anéantissement d'Israël signifierait la fin de l'humanité[30] ». Hannah lui répond : « Il me semble que, même en tant que sentiment, cela ne peut se justifier. J'ai quant à moi souvent l'impression que cela signifierait la fin des Juifs et je ne suis pourtant pas sûre que même cela soit exact. Nous ne sommes pas non plus d'accord sur l'importance des Juifs pour l'Europe, sur leur signification politique et culturelle. Celle-ci s'est modifiée de façon significative au cours des deux derniers siècles. Aujourd'hui les Juifs ne sont plus une composante importante et intégrale des nations européennes. Le redeviendront-ils ? Je ne le sais pas et je ne le crois pas...[31] »

Où veut-elle en venir au juste ? L'idée même qu'Israël en tant qu'État soit rayé de la carte est pour elle inenvisageable. Elle ne l'a jamais prôné et aurait préféré que les grandes puissances garantissent à la fois l'existence d'Israël tout en promettant aux Arabes qu'Israël n'envisage pas d'expansion territoriale. Que signifie pour elle la fin des Juifs ? S'agit-il de la fin du peuple juif ? Du judaïsme ? Hannah Arendt demeure fidèle à son idée, émise dès 1943 : un État qui n'est pas binational ne peut être viable. Elle continue donc à s'opposer à la politique militaire d'Israël et au soutien des Américains. Pour le moment, une renaissance du sionisme n'est guère possible, le mouvement sioniste est mort. Il a dépéri en raison de sa victoire — la fondation de l'État d'Israël —, mais aussi en raison des transformations profondes de la question juive après Hitler. Comme elle le dit à Blumenfeld : « Il n'y a plus de judéité européenne, il n'y en aura peut-être plus jamais[32]. »

À la même époque, elle déploie des efforts considérables, qu'elle évoque dans sa correspondance mais aussi dans son *Journal de pensée*, pour tenter de publier l'ouvrage — achevé avant son exil forcé d'Allemagne — consacré à Rahel Varnhagen. Elle veut faire connaître ce texte et se montre persuadée qu'il trouvera un public parce que c'est un livre de femme. Plusieurs éditeurs le refusent, dont Piper, qui pense que ce n'est pas une biographie, qu'il y a trop de redites, et qu'il ne touchera pas un lectorat assez large. Jaspers la dissuade de s'entêter : « Je ne connais pas votre *Rahel* telle que vous l'avez modifiée. Mais ce que je sais (et cela ne changera sans doute guère), c'est que ce livre ne conviendra à personne, ni aux Juifs, ni aux antisémites, pas même à moi (sauf que j'aime tout ce qui vient de vous, même quand je ne suis pas d'accord[33]). » Hannah s'obstine. *Rahel* sera finalement éditée à petit tirage, simultanément en Grande-Bretagne et aux États-Unis par l'Institut Leo Baeck, une fondation pour la recherche sur l'histoire judéo-allemande dont Hannah était membre. Pour l'occasion, elle rédigera une préface et ajoutera des lettres inédites de Rahel. Présenté comme un ouvrage d'histoire juive, jamais convenablement distribué, il occasionnera à son auteur plus de tracas que de reconnaissance et de débat intellectuel.

Tout en supervisant, à titre bénévole, l'édition américaine enfin entreprise par l'éditeur Kurt Wolff de la somme de mille pages de Karl Jaspers consacrée à l'histoire de la philosophie, intitulée *Les Grands Philosophes*, elle entreprend une réflexion sur la notion d'autorité au XXe siècle[34]. Son analyse, publiée dans *Der Monat* puis dans *Review of Politics*[35], provoque en Allemagne et outre-Atlantique un vaste débat. La crise de l'autorité, toujours plus large et plus profonde, accompagne le développement du monde moderne. Elle atteint de plein fouet la représentativité des partis, met donc en péril la démocratie et gangrène des sphères publiques comme celle, essentielle, de l'éducation. Cette disparition de l'autorité est le symptôme d'une déliquescence de la civilisation européenne. Car, depuis l'aube de l'humanité, l'autorité — plus que la tradition et la religion — fut l'élément le plus stabilisateur de la société. Telle est l'approche d'Hannah dans sa conférence au colloque sur l'autorité qui s'ouvre à Washington début septembre. La crise du monde contemporain est à ses yeux de nature politique. Seul le modèle de la révolution américaine, qui a su renouer les fils rompus de la tradition et garantir à tout homme dignité et grandeur, peut nous aider à réfléchir.

Elle commence une réflexion sur le racisme, la politique et l'éducation, qui deviendra un article intitulé « Réflexions sur Little Rock » et qui sera publié en 1959. Elle-même s'excuse de sa boulimie auprès de ses amis à qui elle envoie toutes ses publications. Elle a tendance à en minorer certaines, comme *La Crise de la culture* qu'elle présente à Jaspers comme un livre de commande, un texte de transition. Elle craint aussi que ses essais ne le mécontentent « parce qu'ils sont entièrement négatifs et destructeurs et qu'on n'en voit guère le côté positif[36] ». De plus, dans son essai sur l'autorité[37], elle cite abondamment Heidegger ce qui, intellectuellement, n'est pas pour lui plaire.

Peu à peu, dans ses travaux philosophiques[38], Hannah reprend toute l'histoire de la pensée occidentale et développe, de manière plus ample, les implications de sa recherche sur le totalitarisme : la domination totalitaire a cassé le fil de la continuité historique et, en faisant voler en éclats l'idée même d'humanité, nous contraint à imaginer de nouvelles catégories politiques. Cette catastrophe fut pressentie par des philosophes comme Marx, Nietzsche, Kierkegaard qui, comme des enfants sifflant dans le noir, de plus en plus fort parce qu'ils ont de plus en plus peur, ont commencé à briser l'architecture générale de notre monde commun, relié par les valeurs du travail, de la morale, de la religion. La philosophie dorénavant ne peut plus être une vision du monde. Elle ne détient plus le pouvoir de révélation. Les idées sont devenues au mieux de simples valeurs, elles-mêmes soumises à réexamen perpétuel. Même le concept de vérité devient douteux. Mais la philosophie n'est pas pour autant morte dans une société où le ciel des idées, autrefois clair et dégagé, s'obscurcit chaque jour.

Hannah Arendt part de ce diagnostic : le monde a changé d'essence et de sens depuis la série de catastrophes mondiales inaugurée au début de la Première Guerre mondiale. C'est comme si l'ossature de ce monde s'était effondrée sur elle-même, vidant de toute substance des catégories aussi essentielles que la tradition ou l'autorité. Celles-ci assuraient la permanence du monde et la possibilité même de son avenir et permettaient au nouveau venu de s'y insérer comme dans une sorte de matrice préexistante, de permanence intemporelle. Hannah Arendt porte un regard pessimiste sur le monde moderne où tout peut advenir. Vivons-nous chacun dans notre petit monde ou possédons-nous encore un monde commun ? Elle attaque les théoriciens politiques qui se permettent d'analyser le réel sans remonter aux sources, sans décrypter l'idéologie qui sous-tend un système politique. Ainsi certains sociologues — dont elle ne cite pas les noms, mais on peut deviner qu'il s'agit d'auteurs comme Eric Voegelin ou Waldemar Gurian — aveuglent-ils l'opinion en analysant le monde contemporain du seul point de vue fonctionnaliste en affirmant par exemple que le communisme est une nouvelle religion parce qu'il remplirait les mêmes fonctions psychologiques et sociales : « C'est comme si j'avais le droit de baptiser marteau le talon de ma chaussure parce que, comme la plupart des femmes, je m'en sers pour planter des clous dans le mur[39] », affirme-t-elle, moqueuse.

Hannah Arendt ne cherche pas à savoir comment ça marche, mais ce qui fait que ça ne marche pas. Reprenant les notions de tyrannie, d'autorité et de totalitarisme, elle tente d'élaborer une philosophie politique qui s'appuie à la fois sur le maintien de l'autorité et sur la réhabilitation de la tradition. Toutes deux permettront aux hommes de régler les problèmes élémentaires du vivre ensemble. Hannah reconnaît sa dette à deux reprises envers Heidegger : pour sa conception de Jésus comme événement historique incarnant la vie, la mort, la résurrection, ainsi que pour son interprétation du mythe de la caverne de Platon. Elle souligne que Heidegger fut le premier à démontrer comment Platon transforma le concept de vérité en celui de jugement adéquat. « C'est l'adéquation et non la vérité qui est requise si le savoir du philosophe est la capacité à mesurer[40] », écrit-elle. Apparemment philosophique, cette remarque traduit aussi une volonté de protéger Heidegger des critiques d'engagement nazi qui pleuvent encore sur lui.

Hannah trouve encore le temps d'aller faire des conférences à Chicago, de voir Martin Buber à plusieurs reprises, plus curieux et réceptif que jamais à quatre-vingts ans, et de recevoir plusieurs fois chez elle Gershom Scholem, de passage à New York, mais avec qui les relations demeurent tendues tant elle ne partage pas ses positions sur Israël. Elle le trouve « monarque absolu » : « Le cœur n'y est pas. Nous nous donnons du mal, lui et moi, mais il n'en sort rien[41]. » Elle soutient son amie Mary McCarthy au moment de la publication de son dernier ouvrage, *Dis-moi qui tu hantes*[42], découvre l'œuvre de Karen Blixen, qui restera jusqu'à la fin de sa vie son écrivain préféré, et lit aussi avec passion *La Ville* de Faulkner. Elle met en ordre ses réflexions sur la révolution hongroise. L'Europe n'est-elle qu'une cave froide et sombre ? Il reste pourtant des raisons d'espérer. En Hongrie, par exemple, la nette victoire de la liberté s'incarne avec l'émergence spontanée d'une nouvelle forme de gouvernement, le système des conseils. Hannah Arendt, encore une fois à partir de l'actualité, va penser l'événement en lui donnant des assises historiques et politiques et ouvre à cette occasion une problématique importante de sa réflexion autour du thème de la révolution. Profitant de la prochaine réédition des *Origines du totalitarisme*, à paraître en 1958, elle y ajoute ce qui constituera le chapitre XIV de la nouvelle version.

Célébrant la mémoire de tous ces morts sacrifiés sur l'autel de la liberté, ce texte, intitulé « Réflexions sur la révolution hongroise » est écrit alors « que cela fait plus d'un an que les flammes de la révolution hongroise ont éclairé durant douze longs jours le paysage immense du totalitarisme d'après-guerre[43] ». Il s'attache à disséquer la sclérose du système soviétique dans les pays de l'Est et célèbre avec ardeur ce à quoi personne ne croyait plus, l'inattendu, le surgissement, l'imprévisible. Hannah Arendt retrouve dans sa lecture de l'origine de la révolution hongroise ce concept de commencement qui la hante depuis longtemps, et nourrit son interprétation des faits en revenant à la théorie de révolution spontanée inventée par Rosa Luxemburg. Fait unique dans l'histoire : cette révolution hongroise n'avait pas de chefs, n'était pas organisée, n'était pas dirigée par un organe central. Le désir de liberté était-il à l'origine de chaque action ? C'est à un véritable réexamen critique de notre compréhension de la forme totalitaire de l'URSS que Hannah Arendt se livre dans ce texte incantatoire.

Cinq ans après la mort de Staline, Khrouchtchev, en donnant les pouvoirs autrefois exercés par la police secrète à la foule, est-il en train de transformer, en le pervertissant plus encore, le système totalitaire ? Les citoyens soviétiques sont-ils en train de devenir, à leur insu, leurs propres policiers ? Hannah ne croit ni au dégel ni à la modification de la nature du système totalitaire soviétique. Khrouchtchev, Staline, même combat, mêmes méthodes, même terreur. La réponse du peuple hongrois constitue donc la seule alternative : la révolution comme accomplissement de la liberté. Hannah remarque que, dans l'histoire des révolutions, celle-ci fait exception et ne dégénère pas en guerre civile. Pas de violences, pas de pillages. Pour Hannah Arendt, la constitution des conseils est la preuve que le peuple en son entier peut gérer l'espace politique sans que rien, ni programme de parti ni gouvernement, ne lui soit imposé d'en haut.

Elle retrace l'histoire des conseils nés pendant les révolutions qui balayèrent l'Europe, qui resurgirent pendant la Commune de Paris avant de renaître en force lors de la révolution d'Octobre en Russie et des révolutions de Novembre en Allemagne et en Autriche après la Première Guerre mondiale. Ces conseils ont toujours été vaincus et pas par la seule « contre-révolution ». Distinguant les conseils révolutionnaires — réponse à la tyrannie politique — des conseils ouvriers — réaction contre les syndicats —, Hannah voit dans cette émergence libre et collective une nouvelle forme de démocratie, beaucoup plus convaincante que le système des partis, générateurs mécaniques de bureaucratie.

L'irruption des troupes soviétiques en Hongrie met fin à ce rêve concrétisé. À la liquidation des conseils succède la persécution des intellectuels. La flamme de la révolution hongroise vacille et tremble mais subsiste comme un espoir. Le système du totalitarisme soviétique va-t-il perdurer ou allons-nous assister à une implosion soudaine du régime ? Hannah laisse la question ouverte, tout en ne se berçant pas d'illusions car « il serait par trop imprudent d'attendre du peuple russe qu'il montre, après quarante ans de tyrannie et trente ans de totalitarisme, le même esprit et la même inventivité politiques que le peuple hongrois dans ses heures de gloire[44] ».

Elle ne ménage ni son temps ni son énergie pour aider son amie Mary McCarthy à se sortir du bourbier d'une sale histoire sentimentale qui la fait énormément souffrir. Son expérience d'amoureuse déçue et trahie lui permet de trouver les mots justes pour réconforter Mary : « Quand un menteur avéré dit la vérité, il ne veut pas être cru. Mais il ne voulait certainement pas non plus que tu le sauves[45]. » De son passé avec Heidegger, elle a tiré cette leçon : rien ne sert de vouloir sauver des êtres qui, comme lui, ont un talent, voire un génie, si fort qu'il emporte tout et dévaste l'idée même d'une possible vie partagée. Aimer signifie désormais pour elle vouloir préserver ce genre d'amour contre lui-même. Certes, on peut toujours accepter de s'autodétruire, c'est une façon de passer le temps plutôt honorable, plus honorable et probablement moins ennuyeuse que de se sauver, « [...] mais tu ne peux pas attendre de quelqu'un qui t'aime qu'il te traite moins cruellement qu'il ne se traiterait lui-même. Il y a toujours quelque chose d'affreux dans ce côté égalitaire de l'amour. La compassion (pas la pitié) peut être une grande chose, mais l'amour ne la connaît pas[46]. »

Hannah commence à faire le deuil de son histoire d'amour avec Heidegger. Elle prend du champ, commence à le critiquer intellectuellement. À Kurt Blumenfeld, elle confie : « On peut vraiment bien comprendre que les quasi-génies, qui ne sont pourtant que des surdoués, déraillent un peu (le cas Scholem), mais les vrais génies pourquoi, pourquoi ? Je lisais hier le dernier texte de Heidegger sur “Identité et différence” — extrêmement intéressant — mais il se cite et s'interprète lui-même comme si c'était un texte tiré de la Bible. Voilà ce que je ne peux tout bonnement plus supporter. Or il est, lui, vraiment génial, et pas simplement surdoué. Alors, pourquoi éprouve-t-il ce besoin ? Des manières si incroyablement moches[47]... »

Et comment comprendre autrement le poème énigmatique qu'elle rédige à la même période :

Je te vois uniquement
tel que tu te tenais à ta table.
Une lumière tombait en plein sur ton visage.
Le lien des regards était si fermement tendu
Qu'il semblait devoir porter ton poids et le mien.

Le lien s'est rompu,
et survint entre nous
je ne sais quelle étrange destinée
que l'on ne peut voir, et qui dans le regard
ne parle ni ne se tait. Une écoute
trouva et cherche bien
la voix dans le poème[48].

Hannah continue à suivre l'actualité politique et sait qu'elle peut, à tout instant, publier des articles dans trois ou quatre revues. Consciente de la singularité de sa position et des controverses que ses opinions suscitent, elle s'engage cependant dans une longue bataille difficile en s'attaquant à la question de l'éducation. Au départ, *Commentary* lui commande, en octobre 1957, une réflexion sur la mise en vigueur de la loi sur les droits civils, qui rend juridiquement obligatoire la « déségrégation dans les écoles publiques ». Les conséquences concrètes sont désastreuses : à Little Rock, capitale de l'Arkansas, les gardes nationaux et les troupes de parachutistes de la 101e division aéroportée sont obligés d'occuper le lycée. Les enfants noirs, qui ont désormais le droit d'aller étudier dans des écoles réservées jusque-là aux Blancs, ne peuvent entrer à cause d'une foule qui, physiquement, s'y oppose. Hannah constate que le racisme a encore gagné un point et que les citoyens, y compris ceux qui se montrent les plus respectueux des lois, laissent la rue à la foule. Aucun citoyen, blanc ou noir, n'a cru de son devoir de veiller à ce que les enfants noirs puissent se rendre normalement à l'école.

Hannah Arendt, au lieu d'entonner le refrain des clichés politiquement corrects et d'exiger que les enfants noirs continuent à aller dans les écoles blanches, déplace le problème en prenant appui, non sur une vision idéaliste de la société, mais sur la réalité concrète de ce qui se passe sur le terrain après le vote de cette loi : des enfants noirs, humiliés, injuriés par leurs petits camarades blancs, vivent leurs journées dans des écoles où on ne les désire pas. Pour ne pas être lynchés, les parents des petits enfants noirs demandent à leurs amis blancs d'accompagner leurs enfants jusqu'à la porte de l'école. Hannah demande s'il faut, au nom des principes, forcer le réel et faire vivre un enfer à ces petits, et, au nom de la lutte contre la ségrégation, leur imposer de devenir des héros de la lutte antiraciste[49].

Derrière cette bataille, en apparence juridique, se joue aussi pour elle une défaite de l'autorité des adultes, qui abdiquent leur responsabilité en déléguant à l'État le soin de prendre en charge leurs propres enfants. « Sommes-nous maintenant arrivés au point où l'on demande aux enfants de changer le monde ou de l'améliorer ? Cherchons-nous à conduire nos batailles politiques dans les cours de récréation des écoles[50] ? »

Hannah Arendt va plus loin encore en mettant en cause la validité de la méthode, la priorité de ce combat, et l'absence de pertinence juridique de l'État. Pour elle, imposer au corps de la société une réalité qu'elle rejette encore est vain, inutile, voire dangereux, car susceptible d'engendrer des violences. Le combat pour l'égalité entre Noirs et Blancs passe d'abord par l'abolition de la loi qui interdit les mariages mixtes dans les États du Sud. Le gouvernement fédéral a donc fait fausse route en se saisissant du problème de l'éducation mais aurait dû demander aux États qui gèrent au quotidien les problèmes d'enseignement de maîtriser sur le terrain la situation.

Commentary ne souhaite pas publier son article, le jugeant choquant et trop polémique. Hannah a vent des réactions hostiles du comité de rédaction, semblables à celles qu'elle avait déjà essuyées au moment de la remise de son texte « Réexamen du sionisme ». Elle décide de retirer l'article et préfère, dans un premier temps, renoncer à le faire paraître. Mais la rédaction revient sur son refus et propose à Hannah d'accompagner son texte, dans la même livraison, d'une réponse signée d'un de ses ennemis les plus farouches, Sydney Hook, un universitaire qu'elle juge réactionnaire et qu'elle méprise. Elle refuse tout net : « On ne peut aborder les questions polémiques que dans une atmosphère où la bonne foi de tous les intéressés est assurée[51]. » Le débat s'envenime quand Hannah accuse *Commentary* de mauvaise foi et range le papier dans son tiroir. Devant la dégradation de la situation à Little Rock, Hannah accepte la proposition de publication de la revue *Dissent*[52]. Sydney Hook critiquera les positions de Hannah dans *Commentary* : « Hannah Arendt ou celle qui sermonne les Américains sur leurs habitudes de pensée[53]. » Plusieurs universitaires se joindront au concert, usant de critiques violentes, agressives, qui la visent personnellement. Il faut dire qu'elle s'attaque à des tabous. Elle veut briser la dangereuse routine dans laquelle la discussion de ces questions fondamentales pour le fonctionnement de la démocratie s'est enlisée. Elle critique l'opinion publique noire, qui préfère mettre en avant la lutte pour la discrimination dans le domaine social plutôt que la défense des droits de l'homme et des droits politiques fondamentaux, et ne mâche pas ses mots sur l'attitude des intellectuels qui, dans leur écrasante majorité, prônent un idéal éducatif rousseauiste. Encore une fois, elle se met à dos plusieurs groupes de pensée ancrés à gauche. Contre le politiquement correct, qui sert de catéchisme à une gauche bien pensante, elle préfère briser le consensus quitte à risquer le scandale.

Outsider sincèrement convaincue que son opinion peut nourrir le débat, elle avertit son lecteur : « Comme ce que j'écris pourra choquer des gens de bonne volonté et être mal exploité par ceux qui sont animés de mauvaises intentions, je voudrais dire clairement qu'en tant que Juive, je considère que la sympathie que j'éprouve pour la cause des Noirs comme pour toutes les populations opprimées ou défavorisées va de soi et que j'aimerais que le lecteur en fasse autant[54]. » Elle vit très mal la vague de critiques qu'elle essuie, jusqu'à en être physiquement affectée. L'obtention de la bourse de la Fondation Longview, décernée chaque année à l'article le plus remarquable publié dans une petite revue[55], arrivera comme une miraculeuse surprise et la confortera dans sa démarche. Les questions de fond qu'elle soulevait ne furent jamais abordées par ses adversaires qui préférèrent l'insulter au lieu de l'affronter.

La condition humaine

La *Condition de l'homme moderne* doit sortir en juin 1958 aux Presses universitaires de Chicago sous le titre *The Human Condition*, puis en Allemagne sous celui qu'elle avait primitivement choisi de *Vita activa*[56]. Les dernières épreuves, l'index, la vérification des sources lui donnent beaucoup de mal. Elle prend tant de retard qu'elle est obligée de remettre son voyage en Europe. Invitée comme *visiting professor* à Princeton, elle accepte un contrat qu'elle juge mirobolant. Jaspers la rassure : il est normal qu'elle soit si demandée et si bien rétribuée, elle est devenue aux yeux des institutions américaines un grand esprit !

Hannah n'aime pas les compliments. Elle se sent fragile, si fragile. Elle répond à Jaspers : « Je crains à vrai dire que vous me surestimiez. Nous ne pouvons tout de même pas nous disputer pour cela. Mais — voilà ce qu'il y a de plus “personnel” : lorsque j'étais jeune, vous êtes le seul être humain qui m'ait guidée. Lorsque, devenue adulte, je vous ai retrouvé après la guerre et que l'amitié s'est nouée entre nous, vous avez été la garantie de la continuité de ma vie[57]. »

La maison de Bâle est devenue sa véritable patrie et Jaspers son maître et son ami. Elle lui envoie un buisson de jacinthes bleues à l'occasion de son soixante-quinzième anniversaire avec une petite carte : « Comme toujours et pour toujours[58] », puis part faire une conférence à Toronto, écrit des fragments de son texte sur la politique et accepte l'invitation de la ville de Munich qui, pour les huit cents ans de la ville, organise un congrès international de la culture.

Hannah est épuisée. Elle est enchantée de partir pour l'Europe en bateau. À bord de l'*Isle de France*, elle se repose, allongée sur le pont, giflée par le vent et le soleil, avec l'impression de ne plus savoir qui elle est. Doux sentiment que cette perte d'identité qui la fascine[59]. Elle arrive à Paris le 4 mai. Elle y retrouve Alexandre Koyré, Jean Wahl et le traducteur en anglais de Jaspers et de Heidegger, Ralph Manheim. De nouveau, elle éprouve cette joie de vivre qui l'inonde à chaque fois qu'elle retrouve la capitale française. « Après l'Amérique, ça me fait du bien. Les journaux même sont si intelligents et ouverts sur le monde. On sent l'odeur de stupidité et de renfermé en Amérique, quand on arrive ici, doublement, triplement[60] », écrit-elle à Heinrich. Ravi de se retrouver tranquille et libre à New York, Heinrich se montre cependant agacé par la reconnaissance et la notoriété qu'elle rencontre en France et en Allemagne. « Comme c'est pénible d'être connu, embarrassant d'être célèbre, mais être couronné d'honneur, là, il faut vraiment des nerfs d'acier. Il faut se soumettre à tout ça comme un brave chien qui supporte l'averse[61]. »

Tout juste s'il ne la plaint pas. Hannah remporte en effet un vif succès à Zurich où elle prononce une conférence ainsi qu'à Munich, Hambourg et Brême. Elle hésite à prononcer le discours d'éloge à Jaspers qui doit recevoir le prix de la Paix des libraires allemands. À Heinrich, elle confie : « Je suis une femme et une Juive et une non-Allemande ou plus exactement une émigrante. Tout ça fera une fort mauvaise impression. Jaspers ne le nie pas mais ça lui fait plaisir[62]. » Une fois encore, Hannah se sent prise en otage entre Jaspers et Heidegger. Parler, pour Hannah, c'est *de facto* accepter l'accusation du premier vis-à-vis du silence coupable du second. C'est prendre parti contre Heidegger. Et de cela, elle ne peut s'ouvrir à cœur ouvert avec Jaspers. Elle confie donc son embarras à son mari : « Ça m'obligerait à prendre une position univoque, qui bien sûr ne me sied pas. Et on peut y voir un acte de solidarité politique, et c'en serait un d'ailleurs, qui ne correspond pas exactement à ce que je suis. Ce à quoi on pourrait me rétorquer que j'ai une bouche et que je n'ai qu'à m'en servir pour dire ce qu'il me plaît de dire[63]. » Hannah a quatre mois pour donner sa réponse. Entre deux conférences, elle va au théâtre, suit à Zurich les cours de Jaspers sur Pascal, lit son dernier ouvrage sur la bombe atomique[64], retrouve des amis qu'elle n'a pas revus depuis quarante ans, entretient une correspondance avec son ancien mari Günther, qui lui demande de venir la retrouver. Hannah est angoissée à l'idée de le revoir, et confie à Heinrich : « Il écrit des lettres adorables et touchantes, comme d'habitude, rien n'a changé, — ni lui, ni moi, ni mes réactions[65]. » Elle appréhende les retrouvailles et a le secret espoir qu'il va se décommander. Espoir réalisé. Günther lui écrit que, finalement, il ne peut venir à sa rencontre parce qu'il part pour Tokyo[66].

Hannah passe trois semaines à Zurich, entrecoupées de visite à Bâle, chez Jaspers, où elle assiste à ses cours magistraux sur Pascal, médusée par sa jeunesse et son intelligence. « Il est au top de sa forme[67] », écrit-elle à Heinrich. Elle obtient un vif succès lors de son intervention au congrès de Munich où, lors de la présentation, l'organisateur la compare à son tour à Rosa Luxemburg. « À ce moment-là, dans la salle, les jeunes se sont mis spontanément à applaudir[68]. » Les jeunes et les moins jeunes : Erich et Herta Cohn-Bendit sont dans la salle et applaudissent eux aussi à tout rompre, heureux de la reconnaissance de la star intellectuelle qu'est en train de devenir Hannah. Nostalgie du temps passé, bonheur des retrouvailles. Hannah revoit son amie Anne et attend Kurt Blumenfeld qui prend l'avion de Jérusalem pour passer quelques jours avec elle à Zurich. Moments inoubliables, sensation de protection, continuité de l'existence, chaleur de l'amitié. Elle remerciera Kurt : « C'était si beau, comme si nous ne nous étions jamais perdus de vue. Il y a une proximité qui d'elle-même se fait de plus en plus proche [...] Avec Anne aussi, c'était beau comme rarement[69]. » Quitter l'Europe est cette fois un déchirement.

Fatiguée par son voyage et le manque de sommeil, elle retrouve un New York écrasé de chaleur. Heinrich se montre désagréable, irritant et sarcastique. Ils partent tous deux se reposer dans la petite maison qu'ils louent à Palenville. Hannah reprend des forces. Là-bas, tout est paisible, calme, ordonné. « En fait, ici je me sens très à l'aise, je connais le moindre matou et toutes les petites histoires ou presque. Le paysage est superbe avec un torrent qui dégringole en petites cascades et forme des *swimming pools* naturels[70]. » Elle marche dans la forêt, nage, fait la cuisine et corrige les épreuves de la seconde édition du *Totalitarisme*. Le répit sera de courte durée. À peine rentrée, elle doit repartir pour quatre jours à Francfort prononcer l'éloge de Jaspers qu'elle a finalement décidé d'accepter. Vêtue d'une robe noire, sans bijou — tous volés à son hôtel dès son arrivée —, elle fait un discours qui impressionne l'auditoire par sa profondeur, sa puissance rhétorique et la sincérité de sa déclaration d'amour et d'admiration pour un homme qu'elle compare à Emmanuel Kant. Jaspers a su, dit-elle, par la puissance de son illumination, donner un sens à la philosophie politique et morale. Il a toujours parlé comme s'il avait à répondre de lui-même devant toute l'humanité. Sa passion pour la lucidité a conduit ceux qui le lisent au véritable rayonnement, celui de la caverne que, comme Platon, Jaspers saura un jour nous faire quitter pour accéder à la véritable lumière. Jaspers lui sait gré de sa simplicité, de sa solidarité, de cette intimité soudain, si profonde et ancienne, énoncée publiquement[71] et compare son éloge à celui de Périclès par Thucydide dans *La guerre du Péloponnèse*[72] !

Hannah a du mal, à son retour à New York, à retrouver le calme nécessaire pour reprendre son travail. Ses cours à Princeton interrompent *de facto* le fil de l'écriture. Le succès de *Condition de l'homme moderne* la rassure. Le livre se vend si bien qu'en quatre mois le premier tirage est épuisé. « Nul ne sait en réalité pourquoi, fait-elle modestement remarquer à Jaspers. Mais le résultat, ce sont les conférences, et comme elles sont bien payées, je ne peux dire non[73]. » Le livre ne comporte pas de dédicace. La raison en est simple : Hannah Arendt souhaitait dédier cet ouvrage à Martin Heidegger. Elle déclare à ce dernier que la conception de ce livre remonte au tout début de leur rencontre, et qu'à bien des égards il lui doit tout. Elle lui explique pourquoi elle n'a pas osé : « Tu verras que le livre ne comporte pas de dédicace. Si tout s'était passé toujours entre nous comme cela aurait dû — et en disant *entre* nous, je ne vise ni toi ni moi — je t'aurais demandé la permission de te le dédier. [...] Mais vu la situation, cela ne m'a pas semblé pouvoir se faire ; d'une façon ou d'une autre, je tenais au moins à te le dire[74]. » Heidegger ne lui répond pas. Mépris à l'égard de l'intellectuelle ? Négligence ? On peut tout imaginer. Il reste que le silence durera six ans, et qu'il est le fait de Heidegger. Il saisira l'occasion du soixantième anniversaire de Hannah pour lui envoyer un poème de Hölderlin[75]. Mais jamais, il faut le souligner, il n'évoquera l'œuvre de Hannah Arendt, ni en public ni en privé. Jamais il ne l'abordera avec elle dans sa correspondance. Tout au plus se contentera-t-il d'en accuser réception.

Un étudiant découvre qu'elle est la première femme qui va enseigner à Princeton avec le rang de professeur, et en informe les journaux. Les photographes assiègent son appartement et les demandes d'entretiens se multiplient. Hannah, tout d'un coup, se retrouve dans la lumière des projecteurs. Elle n'apprécie guère la situation. À Kurt Blumenfeld, elle confie : « Je ne peux pas vivre dans ce bazar et toute cette prétendue notoriété m'écœure définitivement[76]. » Elle tente de se protéger et même de se cacher mais, qu'elle le veuille ou non, elle est devenue une bête curieuse, un cas en quelque sorte, une autorité, même si on attaque ce qu'elle dit. Jaspers tente de l'apaiser. Ce genre de cirque correspond à la manière dont on se fait un nom en Amérique. Elle n'a pas à craindre les ravages que peut entraîner la célébrité : « Vous avez désormais atteint le sommet, vous ne choisissez que les sujets qui vous conviennent et vous ne laisserez sûrement pas faiblir l'énergie de votre pensée ou de vos formulations, vous ne serez pas victime du danger que fait courir le succès[77]. » Elle se console en se disant que, aujourd'hui, ce genre de renommée reste fugitif. Elle s'installe sur le campus de Princeton où elle enseigne l'histoire de la révolution devant un auditoire trop vaste à son goût : impossible d'y instaurer la relation enseigné/enseignant qu'elle aime tant. Elle fait un aller-retour à New York pour fêter dignement le soixantième anniversaire de son mari avec caviar et champagne et passe son été à transformer ses cours en un livre sur la révolution.

En tournée

Hannah arrive une nouvelle fois en Europe le 16 septembre 1959. Elle vient y chercher le prix Lessing que lui décerne la ville de Hambourg. Elle fait comme d'habitude un détour par Paris où elle s'installe au Lutetia. Elle retrouve Anne Weil, son Anouchka chérie, travaille avec Ralph Manheim sur la traduction de textes de Jaspers en anglais et prépare son discours. Invitée officielle de la ville de Hambourg, elle réside au Sénat où, pendant deux jours, elle relit son texte, tout en n'oubliant pas, le 26, d'envoyer un télégramme à Heidegger pour son soixante-dixième anniversaire. Elle ne se sent pas à la hauteur, mal à l'aise devant tant d'honneurs, et a emporté dans ses bagages toute une bibliothèque philosophique. Elle intitule son allocution « De l'humanité dans de "sombres temps[78]" » et la sous-titre « Réflexions sur Lessing[79] ». Elle la prononce le 28 septembre devant un parterre d'officiels. Elle y fait l'éloge de cet intellectuel révolutionnaire qui n'a jamais dérogé à sa volonté de penser le monde, en prenant plaisir à affronter les préjugés et à dire leur vérité aux puissants. Penser par soi-même, tel fut son credo. Lessing, contrairement à tant d'autres intellectuels, ne considérait pas que penser signifiait se cacher du monde mais, bien au contraire, mettre en lien pensée et action. Deux cents ans ont passé et les bases de vérité qui, de son temps, chancelaient sont, aujourd'hui, par terre. Il nous suffit, déclare-t-elle, de garder les yeux ouverts pour voir que nous nous trouvons dans un véritable champ de décombres.

Hannah n'a pas préparé un discours convenu, mais une réflexion profonde sur le sens de notre appartenance au monde. S'identifiant à cet homme qui n'a jamais fait la paix avec le monde, elle développe, à partir de son affirmation selon laquelle l'homme le meilleur est celui qui éprouve le plus de pitié, sa propre conception de l'humanité. Pour Lessing, l'accomplissement de l'humanité est la fraternité, et l'amitié le phénomène central où elle s'atteste. Pour Hannah Arendt, cette humanité sous forme de fraternité est le privilège des peuples parias, un privilège chèrement payé qui s'accompagne d'un sentiment radical de perte du monde. Les peuples parias trouvent l'accès au monde commun, se rapprochent entre eux pour tisser de nouveaux liens et créent une chaleur particulière dans les relations humaines.

Hannah Arendt, encore une fois, force l'admiration par la profondeur de son intelligence et sa capacité à conceptualiser son propre vécu. Cette notion de peuple paria, acculé à forger sa propre identité en transformant l'extension du monde commun par la création d'une communauté, demeure aujourd'hui une manière lumineuse de décrypter les grands mouvements de l'actualité mondiale. Sa description du paria, jeté dans la fureur du monde et qui survit plus qu'on ne lui permet de vivre, porté par son immense vitalité et sa grande bonté, touche chacun de nous. Ce sont, en effet, ces hommes-là qui indiquent le chemin vers ce qu'il y a de plus humain en nous, nous qui avons le privilège de faire partie du monde commun. Avec Hannah Arendt, les humiliés et les offensés deviennent les porteurs de nouvelles valeurs. La vie n'est à sa plénitude qu'en eux. Hannah parle aussi d'elle, de cette disharmonie du monde qu'elle a enduré depuis le début du nazisme, de sa résistance intellectuelle et psychique à toute forme de totalitarisme, de cette question de l'origine juive qui la tourmente depuis l'aube de son adolescence.

Alors, pour une fois, celle qui est si discrète sur sa vie privée, si rétive à parler à la première personne, si malheureuse et angoissée d'apparaître en public, profite de cette occasion et de ces circonstances solennelles pour dire qu'à la question « qui êtes-vous ? » la seule réponse adéquate est : « une Juive ». Par ce mot de Juif, elle ne veut pas évoquer une espèce particulière d'être humain, comme si le destin juif était représentatif ou exemplaire du destin de l'humanité. Non, elle veut révéler sincèrement l'arrière-fond personnel de ses réflexions. Hannah est et se dit une Juive parce qu'elle fut reconnue comme juive, classée comme juive, chassée du monde commun parce que juive. Non pas juive intérieurement, mais extérieurement désignée comme juive par les nazis. Destinée donc, il y a si peu de temps, à ne plus appartenir à l'humanité. Jusqu'à quel point demeure-t-on l'obligé du monde même quand on en a été chassé ?

À la tour d'ivoire, Hannah Arendt préfère l'agora. Sa croyance en la vitalité de l'action et l'ouverture vers l'autre lui permet d'espérer que son combat intellectuel, si solitaire et précaire soit-il, permettra, en affrontant le passé et en pensant le présent, d'imaginer les conditions de possibilité d'un futur en toute lucidité. Il y a un pessimisme générateur d'espoir chez Hannah Arendt, une douleur à empoigner le réel, une volonté de ne pas s'aveugler, un désir de ne pas se raconter et raconter d'histoires qui la rendent humaine, chaleureuse, généreuse. Sa soif de vérité la conduit à une introspection sans compromis : juive elle est née, juive elle le demeurera jusqu'à la fin de sa vie puisque l'histoire en a ainsi décidé. Allemande de nationalité, elle ne l'est plus puisque les nazis l'ont chassée de son propre pays. Mais allemande de cœur et d'esprit, elle demeure. Allemande par la grâce de Goethe, de Kant, de Rilke, qui l'ont construite au plus profond d'elle-même. Dans cette ville libre de Hambourg, où elle reçoit une des plus hautes distinctions de la culture germanique, elle lance un appel qu'elle destine aux Allemands qui construisent une nouvelle Allemagne, citoyenne et responsable. Elle les enjoint à ne pas s'enfoncer dans les marécages de la culpabilité collective, piège inventé selon elle par les nazis, qui ont, dès cette période, réussi à infiltrer l'intériorité de chaque Allemand, mais au contraire à assumer en toute transparence le passé sans vouloir inutilement le dompter. « Peut-être ne peut-on le faire avec aucun passé, en tout cas pas avec le passé de l'Allemagne hitlérienne. Mais ce qu'on peut faire de mieux, c'est de savoir qu'il en a été ainsi, et pas autrement, endurer ce savoir, et puis attendre, et voir ce qui en résulte[80]. »

On ne peut s'évader de cette cage qu'est le monde. Il faut s'y affronter en permanence pour continuer à vivre. Vivre, c'est être parmi les autres. Continuer à vivre, c'est trouver sa place parmi les autres. « Le pouvoir surgit là seulement et à condition que des hommes agissent ensemble[81] ». Nous avons, en chacun de nous, une force de résistance qui nous permet, dans ce monde devenu inhumain, de combattre pour que l'humanité ne soit pas réduite à un vain mot.

Don de l'amitié, ouverture au monde, véritable amour des hommes, telles sont les leçons que retient Hannah de Lessing et qu'elle fait siennes tant son combat, par-delà les siècles, demeure aussi le nôtre : « Humaniser l'inhumain par un parler incessant et toujours ranimé sur le monde et les choses du monde[81*bis*]. »

Le lendemain de la cérémonie, Hannah part pour Berlin. Son enthousiasme pour l'Allemagne nouvelle ne cesse de croître. Elle découvre une ville méconnaissable, plus belle qu'auparavant. Elle flâne dans les rues et éprouve l'impression de découvrir une nation en pleine guérison qui se débarrasse progressivement des cauchemars du passé. « J'aime être ici, je me sens comme chez moi, même dans les bureaux des services officiels[82] », écrit-elle à Jaspers. Elle entreprend en effet des démarches administratives au titre des réparations, prend un avocat, remplit des dossiers. Elle trouve tous les gens qu'elle rencontre charmants et loge dans un hôtel au cœur de la ville où vient la rejoindre, d'Israël, la famille de son cousin Ernst Fuerst. Elle jouit pleinement de cette réconciliation profonde avec cette ville, ce pays, dans lequel elle croit de nouveau. Elle ressent une sorte d'apaisement, de douceur, de tranquillité intérieure. Comme si le monde brisé commençait à se recomposer. Bonheur que tout aille de nouveau bien.

Elle part pour l'Italie et passe une délicieuse semaine de vacances à Florence en compagnie de son cousin, de sa femme et de ses deux filles, elle renâcle à s'enfermer dans sa chambre pour corriger son discours sur Lessing que son éditeur allemand Piper voudrait vite transformer en livre. Arezzo, Sienne, puis Bâle chez Karl et Gertrud Jaspers. Une semaine de conversations vives et contradictoires sur le devenir de l'Université allemande, la distinction entre religion et philosophie, la politique, l'architecture, l'art. Jaspers le dira à Heinrich : « Cette fois il nous est arrivé de nous insulter comme des étudiants. Nous y parvenons encore mais le “vieux gamin” que je suis n'a tout de même pas eu le dessus[83]. » Blücher est jaloux. Blücher s'impatiente. Il supporte de moins en moins la reconnaissance de sa femme, en Allemagne pas moins qu'aux États-Unis. Son petit oisillon célèbre lui manque. Il la supplie de revenir au nid pour qu'elle s'y couche et n'en bouge plus, et, en parfait macho lui écrit : « Chère petite, puisque tu es avec Jaspers maintenant, tu es sûrement heureuse. On te gâte, j'imagine. C'est là la malédiction que les messieurs d'un certain âge peuvent jeter aux plus jeunes. Attends voir d'être rentrée. Je suis noir de colère. C'est vraiment impossible de t'envoyer toutes ces lettres de louanges, d'invitations, etc., et je ne suis pas fait pour être ton secrétaire. (C'est déjà beaucoup que tu n'aies pas pu être la mienne[84].) »

Blücher attendra. Hannah fait une tournée triomphale. Celle qu'il appelle « sa chère et géniale petite fille[85] » est demandée par les universités, les radios, les télévisions. On se l'arrache. À Francfort, Cologne, elle donne des conférences devant des salles combles, mais à l'atmosphère malsaine. Hannah perçoit un abîme entre l'Allemagne qu'elle aime et qu'elle admire, celle des enseignants, des intellectuels, des journalistes, et celle de la population qui demeure « profondément insatisfaite malgré cette prospérité incroyable ; on ricane, espérant en secret que tout tournera mal, même si on doit en souffrir, plein de ressentiment contre tout le monde et surtout contre ce qu'on appelle l'Occident et la démocratie[86] ».

Pourquoi Heinrich n'est-il pas, ce jour de novembre 1959, allé chercher sa femme à l'aéroport ? Dans le hall de l'immeuble, Hannah, encombrée par ses valises, se fait arracher son sac à main par deux petits gamins noirs de treize ans. Rien de grave, il ne contenait ni ses papiers d'identité, ni son passeport, mais elle l'interprète comme un signe du ciel et décide de déménager. Le premier appartement visité sera le bon : deux cabinets de travail, vue sur le fleuve, deux salles de bains, grands placards, gardien jour et nuit, au 370 Riverside Drive. Heinrich et Hannah ont un coup de foudre. Comme une adolescente, elle dessine des rayonnages pour sa future bibliothèque et prépare avec fièvre son déménagement.

L'année 1960 commence sous les meilleurs auspices.

Heinrich est un enseignant reconnu à Bard College où il travaille dorénavant toute l'année ; Hannah mène une vie très calme, va au théâtre et au concert, ne voit que ses amis, refusant tout ce cirque que sont les colloques et les réceptions officielles. Elle travaille à la traduction en allemand de *The Human Condition*, se remet à son livre sur la politique, relit Goethe, Faulkner et découvre Nathalie Sarraute. Mais il faut bien gagner sa vie. « De temps à autre, je circule, le plus souvent en avion, dans le pays pour gagner quelques dollars pour faire une conférence. Mais je ne le fais plus que si c'est vraiment rentable[87]. » Elle a beau être célèbre en Allemagne où, lors de la session du 18 février 1960 au Bundestag, consacrée aux actes antisémites, la déclaration gouvernementale comportait une longue citation de son discours de Hambourg, et reconnue aux États-Unis, aucune université, contrairement à son mari, aucun journal, aucune revue, ne lui proposent un poste stable et rémunéré. Intermittente des universités, collaboratrice occasionnelle de revues, elle reste une marginale qui inspire la crainte tant son désir de vérité est exacerbé. Elle est aussi redoutée par les patrons de presse que par le mandarinat local, qui tous se méfient de cette intellectuelle anticonformiste, sans étiquette politique et idéologique, qui revendique son autonomie.

Au printemps, elle publie dans *Daedalus* un article qui fera date sur la crise de la culture[88]. Prophétisant une société, qu'on le veuille ou non, de masse, « *Society and Culture* » s'alarme du devenir de la culture dans un tel environnement où règne les lois économiques. À société de masse, culture de masse. Hannah Arendt fait l'historique de la notion même de culture. Par essence, la culture est ce qui perdure. Au fil du temps, cette idée même de permanence attachée à l'œuvre culturelle se désintègre et la culture, d'atteinte de la perfection, d'approche de la beauté, se transforme pour devenir une valeur marchande comme une autre. Ce processus connut son apogée en Allemagne dès les années 1920. Hannah, dans une démonstration lumineuse et aujourd'hui encore provocatrice, prophétise l'éviction de la culture dans cette nouvelle société qu'on nous annonce. Car la société de masse ne veut pas de la culture mais des loisirs. Dans un pressentiment de notre futur d'une finesse et d'une subtilité exceptionnelles, Hannah théorise ce qui ne fait que commencer : l'éradication pure et simple de la culture, réduite à un ghetto parce que jugée inutile dans le champ social de l'industrialisation des loisirs. Elle met l'accent sur la menace que le besoin de loisirs fait peser sur le monde culturel tout entier et dissèque admirablement le processus par lequel la culture se trouve détruite pour engendrer le loisir.

« Le résultat n'est pas une désintégration mais une pourriture », écrit-elle, et les promoteurs de cette pseudo-culture sont une sorte particulière d'intellectuels « dont la fonction exclusive est d'organiser, diffuser, et modifier les objets culturels en vue de persuader les masses [qu'] *Hamlet* peut être aussi divertissant que *My Fair Lady* et, pourquoi pas, tout aussi éducatif[89] ». Le mot même de culture indique que l'art et la politique sont liés. Les Romains l'avaient bien compris qui faisaient de la politique un art et une activité de l'esprit désintéressé. S'oublier soi-même dans l'abandon de la beauté. Tableaux, musique, telle est la culture. Être en accord avec soi-même, telle est la culture. La culture est une affaire à prendre au sérieux pour le bien commun et l'ordre du monde.

À l'université de Baltimore, Hannah reçoit un prix honorifique en même temps que l'anthropologue Margaret Mead. Elle écrit d'interminables lettres à Mary McCarthy pour tenter de l'aider à accomplir sereinement ses formalités de divorce, tout en essayant de lui faire comprendre que l'amour ne peut pas, ne doit pas, à son âge, bousculer une vie. Car Mary veut épouser son nouvel amant, et changer de vie. Hannah, prudente, lui répond : « Mais je t'en prie, ne te leurre pas toi-même : aucun homme n'a jamais été guéri de quoi que ce soit, trait de caractère ou habitude, par une simple femme, même si c'est précisément ce que les filles croient pouvoir faire. Ou bien tu es prête à le prendre "tel qu'il est" ou bien tu ferais mieux de le laisser seul[90]. » Mary ne suivra pas les conseils de Hannah. « Tu as beau me dire que personne ne change jamais simplement pour une femme, je crois que nous changerons chacun un peu. À quoi bon tomber amoureux si c'est pour rester chacun comme on était[91] ? » Finalement, Mary vivra avec cet homme une belle et durable histoire d'amour.

Hannah s'apprête à partir en vacances avec Heinrich, loin de la chaleur et de l'humidité new-yorkaises, dans les Castkill Mountains. Pour gagner sa vie, elle vient d'accepter d'enseigner au printemps prochain pour deux mois à la Northwestern University et à l'automne pour un semestre à la Wesleyan University[92]. Elle prépare son prochain voyage en Europe avec Heinrich, qui consent enfin, pour la première fois, à l'accompagner. Elle se sent calme, tranquille, et fière de l'être : « Je n'insulte plus Dieu, le monde et le destin », écrit-elle à Mary. Cela ne va pas durer.

Elle termine sa lettre à Mary datée du 20 juin 1960 par ces mots : « Je caresse l'idée de me faire envoyer en reportage sur le procès Eichmann par un magazine. Je suis très tentée. Il était un des plus intelligents du lot. Ça pourrait être intéressant. — L'horreur mise à part[93]. »

XIV

GRAND REPORTER

Le 23 mai 1960, le Premier ministre Ben Gourion annonce à la Knesset, le parlement israélien, qu'Adolf Eichmann a été enlevé par les services de sécurité israéliens en Argentine. Eichmann est d'ores et déjà en Israël et sera jugé prochainement, conformément aux dispositions de la loi sur le châtiment des nazis et de leurs collaborateurs. Son nom est alors inconnu du grand public. Il ne faisait pas partie des grands criminels de guerre jugés par le tribunal militaire international de Nuremberg. Son nom y a seulement été prononcé à l'occasion de la déposition du témoin Dieter Wisliceny qui fut le délégué d'Eichmann en Slovaquie, en Grèce et en Hongrie. Appelé à la barre le 3 janvier 1946, il déclara : « Eichmann avait reçu des pouvoirs spéciaux ; il était responsable de la solution du problème juif en Europe... » Mais nul ne savait où se trouvait Eichmann. Certains pensaient qu'il était mort, lui-même ayant annoncé son intention de se suicider après la capitulation.

On sait bien, aujourd'hui, quelle fut son odyssée : fait prisonnier de guerre par les Américains, il prend une fausse identité. Apprenant la déposition de Wisliceny, il s'évade. Il se cache d'abord pendant quatre ans dans la partie occidentale de l'Allemagne, sous un nom d'emprunt, puis fuit en 1950 vers l'Autriche et l'Italie. À Gênes, un moine franciscain lui procure un faux passeport pour l'Argentine où il fait venir deux ans plus tard sa famille. En 1957, les Allemands communiquent aux services secrets israéliens l'information. La même année, Eichmann accepte d'accorder un entretien à un journaliste, un ancien nazi hollandais du nom de Sassen. Deux ans plus tard, un agent israélien localise la maison, sans eau courante ni électricité, où habite Eichmann avec sa famille dans un faubourg pauvre de Buenos Aires.

Le 11 mai 1960, Eichmann est arrêté et enfermé dans une maison de Buenos Aires où il accepte de signer un texte qui lui a été préparé. « Je comprends qu'il est vain de tenter d'échapper à la justice. Je me déclare prêt à me rendre en Israël et à comparaître devant un tribunal compétent. » Le 20 mai, Eichmann, maquillé et drogué, embarque dans un avion israélien à destination de Tel-Aviv.

La polémique sur la légitimité de l'enlèvement enflamme les esprits. Erich Fromm, célèbre psychanalyste d'origine juive, dans une lettre publiée dans le *New York Times* du 11 juin 1960, affirme : « L'enlèvement d'Eichmann est un acte illégal exactement du même type que ceux dont les nazis eux-mêmes se rendaient coupables. Il est vrai qu'il n'y a pas de provocations pires que les crimes commis par Eichmann ; mais c'est justement dans le cas de provocations extrêmes que le respect de la loi et de l'intégrité des autres pays devrait être mis à l'épreuve[1]. »

Hannah suit avec passion les polémiques. Elle a décidé — elle ne sait pas bien pourquoi — de tout faire pour suivre le procès. Dans sa correspondance avec Jaspers, on comprend qu'elle se sent mal. Un grand désordre règne, chez elle et en elle. Ses projets semblent dans le même état. « Le désordre je ne le dois qu'à moi-même et je ne suis pas sûre de m'en sortir convenablement[2]. » Suivre le procès pour aller mieux ? Suivre le procès pour tenter d'élucider des problèmes philosophiques sur le thème du mal qu'elle affronte simultanément et sur lequel elle ne parvient pas à écrire, comme elle le note dans son *Journal de pensée* ? Suivre le procès pour comprendre l'incompréhensible ?

Toujours est-il qu'elle envoie une lettre à W. Shawn, patron du *New Yorker*, pour le lui proposer. « Juste trois lignes rien d'élaboré[3]. » Deux semaines plus tard, elle annonce à Mary McCarthy : « Il semble être d'accord pour que je sois leur envoyée spéciale, étant entendu qu'il n'aurait pas à publier tout ce que je produirais mais couvrirait mes frais, ou du moins la plus grande partie. Cela me convient[4]. »

Hannah écrit encore Eichmann avec un seul *n*. Personne ne connaît la date du procès ni sa durée. « Je ne sais pas encore comment je me débrouillerai, mais je ne resterai certainement pas en Israël tout le temps. » En réalité, le procès va déranger tous ses plans. Pour 1961, Hannah avait accepté une invitation en qualité de *visiting professor* à la Northwestern University. Elle avance ses conférences en janvier, donnera des cours sur la révolution et un séminaire sur la philosophie politique de Platon.

Elle écrit ce poème :

Je courrai alors comme je courais jadis
Par les prés, les bois et les champs :
Tu te tiendras alors comme jadis,
Le salut le plus intime du monde.
Puis on comptera les pas
Par le lointain et par le proche ;
Puis on racontera cette vie
Qui fut le rêve de tout instant[5].

Ses amis la découragent et ne comprennent pas son obstination à vouloir interrompre toutes ses activités pour suivre le procès Eichmann. Jaspers insiste et lui propose même de se dédire : « Le procès Eichmann ne vous fera pas plaisir. Je pense qu'il ne pourra pas se dérouler de façon satisfaisante. Je crains votre critique et pense que vous la garderez autant que possible pour vous-même[6]. » Elle n'en a cure. Elle avoue même : « Pour moi la situation se présente de telle façon que je dépends entièrement du procès[7]. » Elle en a honte — c'est le mot qu'elle emploie — de s'être objectivement laissé entraîner dans ce qu'elle nomme « cette confusion[8] ». Mais elle ira jusqu'au bout. Jusqu'au bout de quoi ? De l'élucidation d'un fragment de son histoire personnelle ? De son rapport avec l'Allemagne ? De la signification de ce que veut dire pour elle être juif ?

Dans cet état de trouble et d'absence de repères qui est

alors le sien, elle écrit à Jaspers : « Et pourtant, très cher ami, je ne me pardonnerai jamais de ne pas y aller pour voir ce désastre en direct et dans toute son étrange inanité — sans la médiation des mots imprimés. N'oubliez pas que j'ai quitté l'Allemagne très tôt et combien peu j'ai vécu tout cela directement[9]. »

Avant de partir pour Israël, Hannah travaille le dossier juridique et évoque, dans de longues conversations avec Heinrich, tous les cas de figure. Pour elle, contrairement à l'opinion de Karl Jaspers, Israël a le droit de juger Eichmann. Certes, l'Allemagne aurait pu le réclamer mais elle ne l'a pas fait. Certes, il a été kidnappé mais l'homme échappait à toute juridiction puisque l'Argentine refusait l'extradition des nazis réfugiés sur son sol. Certes, on aurait pu l'abattre en pleine rue et l'auteur de l'exécution aurait pu se livrer aussitôt à la police comme l'avait fait Samuel Schwarzbard. Ce dernier, explique Hannah, avait abattu à Paris en 1926 l'assassin de ses parents, un certain Simon Petlioura, qui avait organisé des pogroms en Ukraine durant la guerre civile, et il fut acquitté par la cour d'assises[10]. « Dans ce cas il y aurait également eu un procès, toute l'affaire aurait été remise sur le tapis, comme aujourd'hui — mais avec un autre héros dans le rôle principal[11]. » Certes, Israël ne peut prétendre juridiquement parler au nom de tous les Juifs du monde. Mais qui peut parler au nom de tous les Juifs du monde si ce n'est Israël ? Il faut donc se rendre à l'évidence : « C'est la seule instance politique que nous possédions. Elle ne me plaît pas particulièrement mais je n'y peux rien[12]. »

Pour Hannah, avant de partir, les choses sont claires. « Israël a le droit de parler au nom des victimes parce que la plupart d'entre elles — trois cent mille — vivent actuellement en Israël comme citoyens[13]. » Israël n'existait pas encore au moment des faits ? Hannah réfute l'argument et, au contraire, affirme : « On pourrait dire que c'est pour ces victimes que la Palestine est devenue Israël[14]. » Pour autant, Hannah n'en est pas moins mal à l'aise. Elle pense qu'on voudra prouver certaines choses à la jeunesse israélienne et à l'opinion publique. Elle estime que ce procès a aussi pour but de faire comprendre aux Juifs du monde entier qu'on ne peut vivre en sécurité qu'en Israël. Et Ben Gourion veut en outre s'en servir comme prétexte pour rappeler aux Allemands leur culpabilité afin qu'ils poursuivent le paiement des « réparations[15] ». Car Hannah, avant le début des audiences, redoute deux choses : d'une part que Ben Gourion instrumentalise l'événement et l'utilise à des fins de propagande sioniste, ce qu'elle considère comme un désastre, d'autre part qu'on y comprenne que les Juifs ont aidé les nazis pendant la guerre à organiser leur propre anéantissement. Elle craint qu'Eichmann ne démontre ce qu'elle nomme « cette vérité toute nue[16] », que ce procès soit mené de façon, comme elle le dit, si parfaite que cette vérité ne soit soudain dévoilée au monde entier. Car cette vérité, « si elle n'est pas vraiment expliquée, pourrait susciter plus d'antisémitisme que dix enlèvements[17] », explique-t-elle à Jaspers. À Blücher, elle dit redouter que le procès se déroule dans le seul but de montrer que « le massacre des Juifs est une activité normale pour les non-Juifs[18] », le procureur n'explique-t-il pas d'ailleurs déjà que « Hitler est le dernier d'une série qui part de Pharaon et Haman[19] ». Elle pense aussi que l'inculpé n'est pas le bon et affirme : « Il est malheureusement avéré que Monsieur Eichmann n'a personnellement pas touché un cheveu d'un Juif, voire que la sélection de ceux qui étaient envoyés à la mort n'a jamais été effectuée par lui et ses complices[20]. »

De son côté, Jaspers pense que ce procès est faussé à la base car on ne réglera pas de cette façon devant une telle instance un problème qui relève des fondements de l'humanité. Il suggère donc à Hannah de réfléchir à l'idée suivante « folle et un peu simplette[21] » mais à laquelle il croit dur comme fer : qu'Israël renonce à la procédure judiciaire en faveur d'une procédure d'enquête et de clarification, dans le but d'une meilleure objectivation possible des faits historiques. Il souhaiterait qu'Israël déclare ne pas pouvoir prononcer un jugement car ces « événements se situent au-delà de ce que peut atteindre la juridiction légale d'un État[22] ». Il propose donc à Hannah qu'elle suggère aux autorités israéliennes ses propres propositions. Hannah refuse tout net. Elle lui répond qu'elle se rend au procès uniquement comme reporter, modeste reporter — elle ne travaille pas pour un grand quotidien mais pour une revue —, qui plus est une revue non juive, ce qui est très important à ses yeux car cela lui donnera la possibilité et la liberté de critique — elle n'a donc aucune responsabilité sur ce qui va se passer là-bas. « Si je tentais quelque chose maintenant, comme vous me le suggérez, les Israéliens m'excluraient probablement en tant que reporter — et avec raison[23]. »

La date d'ouverture du procès est reportée, compliquant davantage encore l'emploi du temps de Hannah, contrariant ses projets de voyage en Europe mais lui donnant aussi le temps de problématiser l'événement avant qu'il se produise. Elle travaille sur les liens entre le politique et le juridique, réfléchit à la nature du mal, et se fait son opinion sur le gouvernement israélien.

Jaspers pense que l'État d'Israël possède, peut-être, ce qu'il appelle « un plus » et que ce « plus » pourrait agir au moment du procès et faire surgir du néant « une sérieuse notion d'humanité ». Pourquoi ? Parce que ce sont des Juifs : « [...] ce peuple né d'Adam, [les Juifs] ont été les premiers à lancer l'idée de la protection de l'étranger, de l'amour du prochain et de la solidarité de tous les hommes[24]. » Hannah, au contraire, a une bien piètre opinion d'Israël. Elle écrit depuis Evanston le 5 février 1961 que « cet État est pourri[25] ». Elle s'appuie sur l'affaire Lavon, qui a entraîné la chute d'un politicien israélien, pour l'affirmer et ajoute : « Et quel dangereux "idéaliste" est ce monsieur Ben Gourion, qui a naturellement manipulé toute l'affaire. Vous allez me dire : cela n'a rien à voir avec le procès Eichmann. Je n'en suis pas sûre ; car l'affaire Lavon est à la racine de l'atmosphère actuelle de ce pays. Et conduire ce procès dans une telle atmosphère[26]... »

Le procès s'ouvre le 11 avril 1961. Hannah prend un vol pour Paris le 8 puis, le lendemain matin, s'envole pour Jérusalem et s'installe à l'hôtel Moryia, King George Street. Elle retrouve le couple Klenbort, sa famille — les cousins Fuerst et leurs deux filles — et s'apprête à serrer dans ses bras son mentor et ami Kurt Blumenfeld.

Karl Jaspers est inquiet. Il a de sombres pressentiments.

Il a tout fait pour que Hannah n'aille pas en Israël mais il a échoué. Alors il la supplie : « Je pense en tout cas qu'il ne faut pas attaquer Israël et le tribunal israélien mais faire ressortir pour chaque cas les motifs humains qui sont, malheureusement, si naturels[27]. » Hannah ouvre cette lettre à Jérusalem. Jaspers y a joint la transcription d'un entretien radiophonique qu'a fait François Bondy avec lui sur les enjeux du procès.

Les choses commencent mal. Il fait froid. Heinrich la plaint : « Tu es vraiment en plein dans les temps obscurs[28]. » Hannah lui répond : « L'hôtel où j'étais logée était affreux, et comme tu peux le constater, je suis partie, loin de la ville, qui est bruyante et laide, remplie d'une foule orientale comme on peut en voir au Moyen-Orient, les éléments européens sont vraiment repoussés, la balkanisation a progressé à tous égards[29]. » Cela fait trois jours que le procès a commencé et Hannah en a déjà assez.

Procès-spectacle

Il est 8 h 55, le 12 avril 1961, quand Eichmann entre dans la Maison du peuple de Jérusalem dont la construction vient de s'achever et qui s'est transformée en citadelle que les Israéliens ont surnommée Eichmanngrad. Dans la salle, qui ressemble à une salle de meeting, a été installée pour l'accusé une demi-cage de verre qui restera un des symboles du procès. Le film de Rony Brauman et d'Eyal Sivan, *Un spécialiste*, restitue avec force l'atmosphère à la fois grave et excitée. Cinq cents journalistes sont venus du monde entier pour suivre l'événement. Grand, sec, le visage calme, ainsi apparaît Eichmann. Hannah, comme les autres dans cette salle bondée, a le regard braqué sur lui. Elle se lève pour mieux le voir. Sort son carnet. Long silence. Annonce de l'huissier : la cour. Eichmann se met au garde-à-vous…

Elle l'avait prédit : ce procès serait un désastre. Hannah n'attend rien de la justice israélienne et n'a pas l'intention de dépenser plus d'un mois de son temps à ce qu'elle considère d'ores et déjà comme « une plaisanterie[30] ». Hannah est en pleine contradiction : pourquoi s'être laissé entraîner à abandonner tous ses engagements, à interrompre son travail en cours sur son texte autour de la révolution, pour aller suivre ce procès dont elle pense que les dés sont, par avance, pipés ? Jaspers n'a pas eu tort d'insister, de la prévenir à plusieurs reprises qu'elle s'infligeait une épreuve : « Je crains que ce que vous entendrez ne vous déprime et ne vous révolte. Ce serait merveilleux si je me trompais[31]. »

Le juge Moshe Landau — un homme que Hannah trouve « extraordinaire — plein d'ironie, de sarcasme et de patience aimable[32] » — égrène les quinze chefs d'accusation. À quinze reprises, à la question « plaidez-vous coupable ? », l'accusé répond par la formule utilisée par certains inculpés de Nuremberg : « Au sens où l'entend l'accusation, non coupable. » Tous les regards sont braqués sur Eichmann. Elle n'est pas la seule à le trouver… insignifiant. L'envoyé spécial du *Monde*, Jean-Marc Théolleyre, écrit : « L'homme est là, silencieux, immobile, coquettement habillé, pratiquement sans un geste. On sait qui il est. On sait qui il fut. Mais un effort intense est nécessaire pour arriver à se convaincre que ce jour est celui de l'ouverture d'un procès motivé par six millions de morts[33]. »

Puis intervient le défenseur d'Eichmann, Robert Servatius, que Hannah qualifie de « personnage huileux habile, et sans doute tout à fait corrompu, mais bien plus intelligent que le procureur général[34] ». Car le procureur général, Gideon Hausner, n'a pas, et c'est un euphémisme, l'heur de lui plaire. Elle ne sera pas sensible comme ses confrères journalistes à ses réponses au défenseur d'Eichmann, qu'elle juge contradictoires et répétitives, pas plus qu'à son acte d'accusation : « Si je suis devant vous, juges d'Israël, dans ce tribunal, pour accuser Adolf Eichmann, je ne suis pas seul. En ce moment même, six millions de procureurs se trouvent à mes côtés. Mais, hélas, ils ne peuvent se lever pour pointer un doigt accusateur vers le box de verre et s'écrier "*J'accuse*" contre l'homme qui est assis là […]. Leur sang implore le Ciel, mais on n'entend plus leur voix. C'est donc à moi qu'il incombe d'être leur porte-parole et de livrer, en leur nom, l'horrible accusation[35]. » Pendant plus de dix heures, Hausner raconte la tragédie des Juifs dans toute l'Europe entre 1933 et 1945.

Hausner se révèle, pour la quasi-totalité des journalistes assistant à l'ouverture du procès, comme l'auteur d'une des plus bouleversantes lamentations de tous les temps, un moment de grâce pendant lequel le public, au bord des larmes, comme lui, retient son souffle. Il reconstitue le passé de toutes ces victimes dont il se fait le porte-parole et rappelle le massacre de plus d'un million d'enfants juifs dont le sang a inondé l'Europe. Dans la salle, les journalistes pleurent en silence. Ce fut un moment inoubliable pour toutes celles et ceux qui étaient présents. Haïm Gouri, reporter pour le journal israélien *Lamerhav* et enseignant, raconte que, à l'issue de ce discours de Hausner, il était si ému qu'il ne pouvait parler pour expliquer ce qu'il ressentait et qu'il choisira, quand il retournera dans son école, de lire des poèmes à ses élèves pour tenter de réduire la distance qui le séparait de lui-même, tant le choc affectif l'avait coupé en deux.

Mais Hannah qualifie Hausner de Juif de Galicie très antipathique, qui fait constamment des fautes de grammaire, « sans doute un de ces individus qui ne savent aucune langue[36] », ajoute-t-elle avec condescendance. Contrairement à tous ceux qui assistèrent au procès et furent bouleversés par les mots du procureur, elle juge le réquisitoire ennuyeux, « hyper légaliste[37] », artificiel, tissé d'erreurs grossières, difficile à écouter, tant il était interrompu par l'émotion de celui qui le prononçait. Dès le début, elle commence à s'impatienter et trouve le temps long : « L'affaire est organisée de telle sorte que, sauf s'il se passe quelque miracle, elle peut durer jusqu'au Jugement dernier. C'est de la folie pure. Chacun ici l'admet parfaitement — à l'exception des procureurs et de Ben Gourion je suppose[38]. »

Hausner revient sur la définition des crimes de guerre et des crimes contre l'humanité tels qu'ils ont été définis par la charte de Nuremberg, et explique pourquoi, pendant ce procès, il entend accorder une place particulière au crime contre le peuple juif : « C'est normal. Les autres peuples ont souffert de catastrophes. Mais non d'un holocauste... Il n'y a qu'un peuple en effet que le régime nazi avait décidé d'exterminer : c'était le peuple juif [39]. » Cette épuisante phase de procédure[40] occupe quatre sessions et s'étale sur trois jours. Hannah, déjà, n'en peut plus. Elle critique le procureur qui, « avec son goût pour la mise en scène », tente de faire de ce procès un procès-spectacle. Elle décrit un homme qui en fait trop, adresse de fréquents coups d'œil au public, capable « d'un cabotinage trahissant une vanité supérieure à la moyenne, dont l'apothéose aura lieu à la Maison-Blanche, avec les compliments du Président des États-Unis pour son "bon travail[41]" ».

Hannah s'impatiente de tout : de la lenteur des séances, de l'accent du procureur, et même de la langue utilisée pendant le procès : « Cette comédie avec l'hébreu alors que tout le monde sait l'allemand et pense en allemand[42]. » Elle réduit Israël à un foyer d'exilés juifs allemands, et récuse l'idée que cet État puisse puiser sa richesse et son existence dans sa diversité d'origines ethniques. Elle décrit ainsi ce qui se passe autour du tribunal : « Une foule de gamins juifs et de Juifs à papillotes se rassemble comme pour n'importe quelle occasion sensationnelle[43]. » Elle trouve la police israélienne peu rassurante : « Elle ne parle que l'hébreu, a le type arabe, parfois des types à l'air particulièrement brutal[44]. » Elle n'aime pas Jérusalem : « La populace orientale comme si on était à Istanbul ou dans d'autres pays semi-asiatiques. Et parmi tout ce monde les Juifs Peies[45] et en cafetan qui rendent la vie impossible à toutes les personnes de bon sens[46]. » Elle quitte d'ailleurs le centre de la ville pour s'installer à Bet Hakerem, dans la banlieue, avec François Bondy. Elle affirme que l'intérêt pour le procès Eichmann a été suscité artificiellement, s'irrite de la présence d'Allemands qui donnent en permanence, selon elle, dans l'excès de zèle et s'extasient de tout : « C'est plutôt à vomir sauf votre respect[47] », dit-elle à Jaspers, et elle met en doute, dès le deuxième jour, le principe même du procès. « Je ne sais pas ce qu'on veut vraiment et je doute d'ailleurs que quiconque ici le sache[48]. » Elle craint que les débats ne s'étirent pendant des mois sans que des aspects essentiels de ce qu'elle appelle une « diabolique affaire[49] » soient clairement mis au jour.

Dès les premiers jours, elle reproche au procureur de construire son accusation sur les souffrances des Juifs, et non sur les actes d'Adolf Eichmann. Ce dernier n'est pourtant « pas un aigle, plutôt un fantôme[50] », vaguement pathétique, en mauvaise forme, enrhumé, et il perd de minute en minute un peu plus de sa substance. Elle confirme cette impression à son mari : « On dirait la matérialisation d'une séance de spiritisme. Il n'est même pas inquiétant[51]. » Elle se persuade dès le début que « le pays ne s'intéresse guère à l'affaire en fait[52] » et que le procès est artificiellement monté en épingle par le gouvernement.

Les faits lui donneront tort. Même si, dans les premiers jours, le procès fut sérieusement éclipsé par le lancement dans l'espace du Soviétique Youri Gagarine, il captiva quotidiennement l'opinion publique israélienne qui suivit avec passion les différentes phases de la procédure, et particulièrement les dépositions des témoins qui suivirent le réquisitoire du procureur et qui furent retransmises en direct à la radio. Le pays entier était suspendu à ce qui se disait dans l'enceinte du tribunal. Dans la rue, les passants avaient un transistor à la main[53].

Hannah habite maintenant une chambre au milieu des collines, tout près de l'université où logent l'équipe de télévision américaine, les journalistes danois et François Bondy. Ce dernier, aujourd'hui disparu, se souvenait, quand il a eu la gentillesse de me recevoir, il y a quatre ans, des conversations interminables et passionnelles sur le procès qu'il avait, chaque soir et chaque matin au petit déjeuner, avec Hannah Arendt. François Bondy ne partageait pas la colère qu'elle éprouvait à l'égard des Allemands venus suivre le procès — elle les accusait de « philosémitisme qui vous donne envie de vomir[54] ». De même, Bondy n'éprouvait pas la même suspicion vis-à-vis de Ben Gourion et constatait, en s'en réjouissant, que ce procès prenait sans attendre une ampleur émotionnelle quasi métaphysique, de l'ordre de la révélation pour le peuple israélien, dimension que Hannah n'a pas pu, pas voulu, voir et comprendre.

« Ici tout se passe comme prévu, *up and downs*[55] », écrit-elle à son mari. Même Edna, sa petite nièce qui viendra la rejoindre de Tel-Aviv, témoigne elle aussi de l'état de tension et de passion dans lequel se trouvait Hannah. Les dépositions des témoins viennent de commencer. À titre de premier témoin, l'accusation cite à la barre Eichmann, ou plus exactement sa voix : de longs extraits de la déposition qu'il fit au capitaine Avner Less, quatre mois durant, après son arrivée en Israël[56]. Étrange impression que d'entendre la confession souvent chaotique d'un homme, sortant d'un magnétophone, en présence de ce même homme, qui écoute sa propre voix, tout en penchant la tête derrière ses parois de verre, au milieu de ce tribunal bondé, en présence de centaines de journalistes de tous les pays.

Cet homme a dit qu'il aimerait être pendu en public. Cet homme s'écoute dire cela devant la cour et l'assistance. Hannah en reste littéralement bouche bée. Elle le raconte à Heinrich et ajoute : « Et le tout est absolument normal, indescriptiblement minable et dégoûtant. Je n'y comprends encore rien, mais j'ai le sentiment que ça va percoler d'un instant à l'autre, chez moi bien entendu[57]. » Il faut s'arrêter sur ce « Je n'y comprends encore rien ». Hannah exprime ainsi, sans détour, son esprit de loyauté, son désir d'approcher la vérité, et perçoit aussi que cet état de suspension du jugement dans lequel elle se plonge aura pour elle des conséquences tant psychiques qu'intellectuelles. Elle éprouve une grande confusion. Elle n'aime pas que le procès se transforme peu à peu en une affaire entre les Juifs et les Allemands. Des souvenirs lui reviennent. Ce qu'elle entend la trouble au plus profond d'elle-même et l'emmène dans des régions de son imaginaire qu'elle ne maîtrise pas. Elle avoue ainsi à son mari : « Hier, j'ai pu voir la jeunesse juive autour d'un feu de camp chanter des chansons sentimentales, exactement comme du temps de notre jeunesse, et déjà à l'époque nous détestions ça. Les parallèles sont très embarrassants ; surtout dans les détails[58]. »

Vient alors le moment d'entendre les survivants. Si Hannah manifeste alors ce que certains considéreront comme de la froideur, de l'impatience voire de l'agacement à l'égard de certains témoins, il faut rappeler qu'elle n'est pas la seule et qu'en Israël même, à l'époque, la répugnance à l'idée de considérer les Juifs comme des victimes était forte. L'image du Juif courageux, en révolte, qui s'est battu pour son indépendance et la création de son État, avait supplanté celle de l'homme qui pleure et se lamente sans vouloir agir, acceptant, en l'intériorisant, son destin. Pour le procès, on avait choisi les témoins qui savaient le mieux s'exprimer et on leur demanda de mettre l'accent, lors de leur déposition, sur la résistance, la révolte, la vengeance. Le procureur, comme le Premier ministre, souhaitait sensibiliser cette jeunesse sans grands-parents qui ne comprenait pas l'extermination des Juifs ou ne voulait rien en savoir et avait même fabriqué une certaine répulsion vis-à-vis du passé. Il fallait effacer l'image récurrente des Juifs européens menés à l'abattoir. Reconstitution d'un désastre humain, le procès captera l'attention du peuple israélien, mais résonnera dans le monde entier comme une leçon de mémoire, de dignité et d'honneur reconquis.

L'audition des nombreux témoins, qui n'avait pas forcément de liens directs avec l'histoire d'Eichmann mais avait pour but de faire entendre au peuple israélien la douleur enfin exprimée des survivants, commence le 24 avril par une dissertation philosophique et historique sur l'antisémitisme prononcée, à la demande du procureur, par un ami de Hannah, l'historien Salo Baron. Désormais professeur à l'université de Columbia, titulaire de la chaire d'histoire juive, Baron vient témoigner de l'ampleur des destructions et des pertes irréparables subies par le judaïsme européen. Il parle calmement et brosse, comme s'il s'adressait à un public d'étudiants, un ample tableau de l'histoire des Juifs depuis le début de l'humanité jusqu'à la montée de l'hitlérisme. Il évoque avec ardeur la puissance de ce judaïsme européen foisonnant et divers, riche en pensées et en actes, appoint inestimable à la culture des peuples. Il conclut par ces mots : « Sans l'hitlérisme, douze millions de Juifs vivraient encore aujourd'hui en Europe. »

Le défenseur d'Eichmann, Servatius, lui demande : « *Herr Professor*, vous nous avez largement parlé de l'antisémitisme. Comment expliquez-vous la haine que tout le monde éprouvait pour les Juifs ? » Silence dans la salle. Quel est le sens d'une telle question ? y a-t-il une fatalité originelle qui pèserait sur les Juifs ? L'avocat voulait-il ainsi décharger son client[59] ? En anglais, Baron répond : « *Dislike the unlike.* » On n'aime pas ce qui est différent. Entre Servatius et Baron s'engage alors un étrange dialogue où il est question du déterminisme, des problèmes de l'esprit et du droit, du sens de l'histoire, de Hegel et de Spengler. Baron expose la signification du bien et du mal face à l'histoire, de la responsabilité de l'homme devant ses actes. Servatius lui répond que « l'histoire est un processus culturel qui se poursuit sans aucune influence de l'homme directement ». Baron sut quitter le ciel des pseudo-démonstrations philosophiques pour revenir aux terribles réalités judiciaires. Il rappela qu'« aucune théologie de la prédestination n'exemptait les hommes de leur responsabilité individuelle pour leurs actes[60] ».

Hannah attend avec impatience l'audience de l'après-midi, qui permettra d'échapper aux discours généralistes pour entendre les survivants. Soixante-deux séances sur un total de cent vingt et une furent consacrées à écouter les cent témoins à charge qui, pays par pays, racontèrent leurs récits d'horreur. Le premier à déposer est Zyndel Grynszpan, un Juif polonais dont l'expulsion d'Allemagne, à l'automne 1938, en même temps que celle de douze mille autres Juifs, incita le fils, Herschel, à tirer à Paris sur le diplomate allemand Ernst von Rath, fournissant ainsi le prétexte à la « Nuit de cristal ». Hannah est émue. Elle se souvient de sa joie, ce jour-là, en apprenant ce geste de résistance, et de la manifestation à laquelle elle participa qui suivit l'arrestation de son auteur. Enfin, elle est bouleversée. Finies les récriminations contre les procédures du procureur, suspendus les jugements féroces contre le gouvernement israélien soupçonné de récupérer le procès à des fins politiciennes, oubliées les récriminations contre l'épidémie de philosémitisme des Allemands venus assister aux débats et qui souffrent d'« israélitis » aiguë[61]. Hannah est atteinte en plein cœur. À son mari, elle raconte : « C'est très dur d'écrire d'ici, parce qu'il se passe trop de choses. Quand même, le procès est très intéressant. Il y avait par exemple aujourd'hui le père de Grynszpan qui racontait tout simplement comment les nazis ont expédié sans crier gare sur la frontière polonaise tous les Juifs polonais (mais naturalisés allemands) avec dix marks en poche. Un vieux monsieur, avec la kippa des gens pieux, très simple et très direct. Aucune grandiloquence. Très impressionnant. Je me suis dit, même si au bout du compte on en reste là, le fait qu'un simple quidam, qui sinon n'en aurait jamais eu l'occasion, puisse dire en dix phrases haut et fort, sans aucun pathos, ce qui s'est passé, ça vaut le coup[62]. »

Comme les six cents autres journalistes présents, Hannah a accès au texte des interrogatoires d'Eichmann par Avner Less, édités en six énormes volumes. Elle en prend connaissance immédiatement. Elle trouve les propos quelquefois « comiques », mais dans l'ensemble à la fois « épouvantables et grotesques[63] ». Les aveux d'Eichmann lui laissent l'impression d'une confusion chaotique, un discours narcissique où des souvenirs de jeunesse s'entremêlent à des considérations sur lui-même et sur son destin, assortis de commentaires personnels sur les structures et les usages du IIIe Reich. Pour Léon Poliakov, qui lit lui aussi sans attendre les interrogatoires, Eichmann apparaît comme un homme d'une intelligence très au-dessus de la moyenne, mais manquant singulièrement d'envergure et d'éclat. Poliakov ajoute : « Vouloir faire son portrait moral, c'est entreprendre la physiologie du IIIe Reich, de sa lâcheté et de ses vices, à travers l'un de ses valets insignes ; plein de sollicitude envers lui-même, Eichmann se décerne plus d'éloges que de blâmes et ne paraît pas douter, somme toute, de sa propre vertu. À certains moments l'homme paraît être bourrelé de remords, affirme qu'il est prêt à expier ses forfaits, ne demande pas de pitié et se dit prêt à se faire pendre en public pour que les antisémites du monde entier puissent le voir[64]. » Il s'empresse aussi de limiter l'étendue de ses responsabilités et proclame que sa conscience est en paix. Au policier qui l'interroge, il répond : « Ma culpabilité est grande, je le sais. Mais je n'ai rien à faire avec l'assassinat des Juifs. Je n'ai jamais tué un Juif et je n'ai jamais tué un non-Juif ; je n'ai jamais tué personne. Je n'ai jamais donné l'ordre d'assassiner un Juif, je n'ai jamais donné l'ordre d'un assassinat. Peut-être est-ce cela qui me donne une paix intérieure. Je suis coupable, je le sais parce que j'ai coopéré aux déportations. Je le sais et je suis prêt à l'expier[65]. » Ces phrases d'Eichmann obsèdent Hannah, qui tente de les comprendre en philosophe et non en moraliste, en dissociant la culpabilité de la responsabilité.

Pendant ce séjour en Israël, Hannah est très entourée. D'abord par son cousin, Ernst Fuerst, son épouse Kaethe et leurs deux filles. Sa nièce Edna se souvient ne pas l'avoir quittée depuis les premiers jours du procès et l'avoir accompagnée au tribunal. Hannah voit aussi tous les deux jours son vieil ami Blumenfeld — son très cher Kurt —, qui lui a préparé beaucoup de documentation sur les conditions du procès et la renseigne sur l'atmosphère de l'opinion publique israélienne. Kurt la met aussi en relation avec son ami Pinhas Rosen, alors ministre de la Justice. Avec le *New Yorker*, rappelons-le, il a été convenu de faire un essai, c'est-à-dire que le journal couvre les frais de son déplacement même s'il devait s'avérer que ce qu'elle écrit ne lui convient pas. Cette liberté est fondamentale pour comprendre dans quel état d'esprit Hannah se trouve à Jérusalem. Elle n'est pas obligée d'écrire « à chaud » et d'ailleurs ne le fait pas. Tout juste prend-elle quelques notes. Elle a décidé qu'elle ne pourrait vraiment écrire qu'après la sentence, c'est-à-dire trois mois après son départ d'Israël.

Hannah profite donc de son réseau d'amitiés pour sortir, voyager à l'intérieur du pays, à Safed, Saint-Jean-d'Acre. Elle visite des *kibboutzim*, revoit de vieilles connaissances et fait de nouvelles rencontres, notamment celle, mémorable, de Golda Meir, alors à la tête de la diplomatie israélienne. Les deux femmes ont beaucoup de choses en commun : l'acuité de leur intelligence, leur exigence vis-à-vis d'elles-mêmes, leur autorité naturelle et la croyance en la politique comme possibilité de vie commune. Elles discutent toute une soirée de la Constitution, du poids de la religion et de la souveraineté de l'État, de l'interdiction des mariages mixtes. Elles se disputent et n'arrivent pas à se mettre d'accord, mais à la fin de la nuit la conversation devient presque amicale, et c'est Hannah qui rend les armes : « À la fin comme j'étais très fatiguée, mon problème se résumait à la question suivante : comment réussir à faire aller se coucher un ministre des Affaires étrangères quand il ou plutôt elle n'en a pas la moindre intention[66] ? » Elle rencontre aussi un soir, chez Blumenfeld, le président du tribunal Moshe Landau, qu'elle trouve amical et remarquable, répète-t-elle à Jaspers. « Un homme extraordinaire ! Modeste, intelligent, très ouvert [...]. Du meilleur judaïsme allemand[67]. » Elle suit des séminaires d'histoire et de philosophie à l'université. Elle s'amuse bien. Fania, l'épouse de Gershom Scholem, donne une soirée en son honneur et y invite tous ses anciens camarades de Berlin qui ont choisi d'aller vivre en Israël.

Hannah se rend chaque jour au tribunal. Elle écoute les témoins suivants, d'anciens fonctionnaires de diverses organisations juives allemandes et autrichiennes qui ont eu des contacts personnels avec Eichmann, comme Benno Cohen, ancien président de la Fédération sioniste d'Allemagne. Suivent les chroniques des humiliations infligées par Eichmann aux témoins qui, tous, disent qu'il est devenu, dès 1938, violent et autoritaire, agressif, injurieux, arrogant. Ces témoignages sont entrecoupés de longues lectures de documents émanant soit d'Eichmann, soit de Hitler, de Goebbels, de Himmler ou de Reinhardt Heydrich, le supérieur d'Eichmann. Pour les initiés comme Hannah, ces documents administratifs n'apportent rien de nouveau : presque tous ont été rendus publics quinze ans auparavant, lors du procès de Nuremberg. Mais, comme le dit le procureur, il fallait « faire imbriquer les preuves les unes dans les autres ». De nouveau, Hannah s'ennuie, alors même que ce travail de démonstration un peu fastidieux réserve des surprises et apporte du nouveau dans un domaine où on croyait avoir déjà tout dit, notamment sur la conférence de Wannsee[68]. Elle a l'impression de perdre son temps et n'a jamais manifesté l'intention de suivre la totalité du procès.

Günther, Heinrich, Karl...

Hannah doit quitter Jérusalem le 6 mai. Elle abandonne donc le procès au début de sa seconde phase, au moment même où celui-ci atteint son point culminant d'intensité.

Comme le dira avec force Léon Poliakov : « Il allait être désormais question, non plus de cruautés et d'humiliations, mais de morts en série[69]. » « L'horreur s'est installée inévitablement[70]. » Mais avant de partir Hannah entend encore plusieurs témoignages.

Celui de Leon Weliczker-Wells, d'abord. Seul rescapé d'une famille de soixante-seize membres, qui a survécu parce qu'il a travaillé dans un *Sonderkommando*, brigade de la mort chargée de supprimer toutes les traces des massacres commis par les nazis. Dans cette brigade, il était le « compteur » qui vérifiait si tout le monde avait été brûlé. « Un jour j'ai participé à l'ouverture d'une fosse d'où on déterra cent quatre-vingt-un corps et on dut chercher le dernier corps, le cent quatre-vingt-deuxième, qui manquait au compte. Le corps qui manquait, ce devait être mon corps. »

Cette déposition, la plus longue de toutes celles qui furent faites au cours de ces terribles journées du 1er et du 2 mai, s'acheva par le récit de la tentative de rébellion du *Sonderkommando* 1005, qui permit au jeune adolescent qu'était alors le témoin de s'évader. À ce témoin, le procureur Hausner pose, comme aux autres, la même question, la question leitmotiv, la question que Hannah Arendt jugera dans son livre « bête et cruelle » mais dont on lui attribuera pourtant, scandaleusement, la paternité : « Pourquoi n'avez-vous pas résisté ? »

Hannah n'oubliera sûrement pas le témoignage de Rivka Yosselewska, qui fut abattue avec son enfant dans les bras et jetée dans une fosse commune remplie de cadavres, dans une bourgade près de Pinsk, et qui, la nuit venue, comprenant qu'elle était vivante, put s'arracher à la masse des morts. « Pourquoi ne vous êtes-vous pas révolté ? » demandera à nouveau le procureur à un autre témoin, le docteur Moshe Bejsky, lequel répondit qu'il ne pouvait pas décrire, dix-huit ans après, le sentiment de terreur qui l'habitait. Accablée, Hannah assiste à ces dépositions. Elle est impressionnée par ces témoignages mais trouve que « le procès est vraiment un procès-spectacle » et qu'« on y montre beaucoup de choses qui n'ont rien à voir avec Eichmann[71] », par exemple les événements de Pologne. Elle reste persuadée que le procès est orchestré par Ben Gourion et avoue à Heinrich, le 6 mai 1961 :

« Je suis bien contente de partir d'ici, même si je n'aurais pas voulu rater cette occasion [...] le show est vraiment très impressionnant[72]. » Elle assiste encore au début du nouveau cycle de témoignages voulus par le procureur : celui des résistants. À Jérusalem, chacun attend ce moment. La radio, qui avait interrompu la retransmission des débats, reprend ses directs.

Comme le dit lumineusement Haïm Gouri, « nous attendions que les résistants paraissent. Souhaitions-nous tant les voir parce que nous avions honte de faire partie des vaincus[73] ? »

Pendant ces semaines, Hausner ne cache pas qu'il souhaitait qu'on connaisse la vérité sur les faits de résistance, les innombrables actes d'héroïsme, les soulèvements, et que le procès puisse avoir un impact sur la jeunesse israélienne qui ne cessait de demander pourquoi il n'y avait pas eu davantage de mouvements de révolte. Hannah ne peut être que très émue par le témoignage d'une survivante du ghetto de Varsovie, Zivia Lubetkin Zuckerman[74], insurgé pendant quarante jours : « Nous savions que nous serions vaincus mais nous savions aussi que nous allions vendre chèrement nos vies... Tout cela représentait une certaine compensation pour nos souffrances, pour notre vie, et peut-être pour notre mort. »

Hannah dort la nuit du 6 au 7 mai dans un hôtel de l'aéroport de Tel-Aviv. Avant de s'envoler pour Zurich le lendemain matin, elle livre à Heinrich ses impressions : « [...] les Juifs veulent raconter leurs souffrances au monde entier, et ils en oublient qu'ils sont là pour représenter des actes. Il va de soi qu'ils ont plus souffert qu'Eichmann. C'est le centre du problème : vouloir faire d'un procès en même temps une sorte d'inventaire historique. Et en plus, quelque atroces que ces crimes aient pu être, ils ne sont pas *unprecedented* ; et je ne suis pas la seule, bien d'autres que moi aussi ont le sentiment désagréable que l'essentiel se trouve ramené sous un fatras d'atrocités et de cruautés[75]. »

De Zurich, elle rejoint Bâle le 8 mai où elle s'installe dans un charmant hôtel avec vue sur le Rhin et se remet de ses émotions. Elle retrouve Jaspers avec bonheur, qui la découvre très fatiguée et tendue. À Heinrich, elle écrit : « Je suis tellement heureuse de me retrouver dans des conditions normales, d'être sortie de cette hystérie généralisée, de ces trahisons à tout bout de champ, bref de ces pratiques orientales[76]... »

Elle dit prendre ses distances par rapport au procès. On peut en douter si l'on en juge par sa façon systématique de lire tout ce qui se publie dans la presse sur le sujet. Une fois partie de Jérusalem, elle passe en effet beaucoup de son temps à essayer de savoir ce qui s'y passe... « Bref, le procureur général n'accuse pas Eichmann mais le monde entier, la défense défend Dieu sait quels intérêts, mais en tout cas pas ceux d'Eichmann. De toute façon, tout le monde sait parfaitement quel sera le verdict. Et Eichmann est là au milieu de ses paquets de dossiers et il mène la danse[77]. »

De Bâle, elle part pour Munich où, pendant une semaine, elle travaille sur l'histoire de la révolution. Les livres de la bibliothèque lui sont portés, grâce à l'entremise de son éditeur, jusque dans sa chambre de la pension Biederstein. Puis elle part donner un séminaire dans les collines de l'Eifel à des étudiants de la fondation des boursiers allemands qu'elle trouve plaisants et intelligents.

De retour à Munich, elle revoit Günther Anders, son premier mari, avec qui elle va passer une journée entière à refaire le monde. Elle ne l'a pas vu depuis douze ans et ne lui a pas vraiment parlé depuis vingt-cinq. Hans Jonas qui, deux ans auparavant, au cours d'un voyage en Europe, l'avait trouvé méchant, insupportable, vaniteux, vulgaire, avait prévenu Hannah : « Sur le plan physique il va de nouveau bien, mis à part les doigts pitoyablement courbés par l'arthrite, quant au plan moral, il s'est réduit à un nain moche et méchant, son esprit est devenu bête, orgueilleux et sans jugement. Un souvenir de l'humanité qui ne voit plus l'homme — plus *aucun* homme — sans plus aucun amour évidemment ; le prophète de l'Apocalypse, celui qui lorgne sur le prix Nobel de la Paix[78]. » Pourquoi Hans Jonas se montre-t-il si violent vis-à-vis de son vieil ami d'adolescence qu'il a tant admiré ? Ce qui le choque, c'est justement ce qui va intéresser Hannah : sa tournure d'esprit, qu'on appellerait aujourd'hui politiquement incorrecte, son interprétation de l'histoire, sa définition de la responsabilité, son approche nouvelle et incandescente du mal. Hannah écoute les théories de Günther et accepte aussi de venir matériellement à son secours. Il lui avait déjà avoué par écrit son immense solitude, son désespoir, et lui demandait de l'aider à sauvegarder ses écrits non publiés. Il n'a plus d'argent pour vivre et espère pouvoir mener à bien des démarches auprès des autorités allemandes pour pouvoir percevoir des réparations. Il lui faut donc des témoins de son passé : « Mais aujourd'hui plus personne ne vit qui pourrait certifier toutes les fausses promesses que l'on me faisait à Francfort dans l'attente d'un temps moins pourri par le nazisme — Tillich, Manheim sont morts —, le seul témoin c'est toi[79]. »

Hannah accepte donc d'être citée comme témoin principal et lui donne son feu vert au cours de cette rencontre de Munich. Certes, elle trouve Günther fatigué, mais toujours aussi brillant et caustique ; elle renoue avec lui un échange intellectuel profond et fécond dont ils ressortiront tous deux heureux. À son amie Mary McCarthy, elle confie cependant : « Il est complètement désintégré, ne vit que pour sa "réputation" [...], refuse de voir la réalité ou d'accepter sa situation telle qu'elle est en réalité[80]. »

Hannah ne dit pas un mot des travaux de Günther contre la bombe nucléaire, n'évoque ni ses recherches sur l'histoire de l'art et la musique, ni ses écrits sur Rembrandt et Schubert. Elle ne dit ni à Karl Jaspers, ni à Heinrich Blücher, ni même à Mary McCarthy, qu'elle a lu les deux textes de Günther, « Les racines de notre aveuglement face à l'Apocalypse » et « Le décalage entre ce que nous sommes capables de produire et ce que nous sommes capables d'imaginer[81] ». Ces réflexions vont pourtant impressionner Hannah. Ce dernier texte l'a notamment nourrie et influencée. Il existe un décalage, dit Anders, entre notre capacité à fabriquer et à réaliser et notre incapacité à nous représenter et imaginer les conséquences de ce que nous avons fabriqué[82]. Il dépeint ce qu'il appelle la nouvelle condition humaine à partir de l'expérience du nazisme. Pour lui, désormais, l'immoralité réside dans notre manque d'imagination. Il est allé à Auschwitz voir ces bidons de Zyklon B avec lesquels on a supprimé des millions de gens et qui semblent inoffensifs. Le premier postulat pour penser ce monde de l'apocalypse est d'élargir les limites de notre imagination car notre perception n'est plus à la hauteur de ce que nous pouvons produire.

On ne peut qu'être troublé par la similitude de pensée entre Günther et Hannah, qui se rejoignent notamment sur des thèmes récurrents comme ceux de la duplicité de la vérité, et de la nécessaire mobilisation de l'imagination en lieu et en place de la perception. Qui a influencé qui ? À propos du cas Eichmann, qu'ils ont vraisemblablement abordé, il est troublant de constater que Günther pense ce qu'écrira bientôt Hannah. Pour lui, rien ne prouve en effet que les hommes de maintenant, qui commettent des méfaits monstrueux, organisent des génocides, soient plus « mauvais » que ceux des générations précédentes. Mais l'époque et les possibilités techniques qui nous sont offertes provoquent des dommages que nous ne saurions imaginer. C'est notre manque d'imagination qui est en cause, et non notre responsabilité morale.

Günther Anders, qui vient de commencer une correspondance avec Claude Eatherly — souvent présenté comme le pilote d'Hiroshima, en réalité celui qui transmit à l'équipage l'ordre du Président américain de larguer la bombe — forge alors le concept de coupable sans faute, et Hannah Arendt prendra pour sous-titre de son livre sur le procès d'Eichmann : *Rapport sur la banalité du mal*[83]. Tous deux prétendent que l'homme n'est pas devenu plus mauvais mais que ses actions sont devenues plus lourdes de conséquences. Le mal, monstrueusement banal, peut se développer sur le terrain de la vie ordinaire.

Hannah trouve l'Allemagne rebutante et dégoûtante dans bien des domaines et s'impatiente contre tout et chacun, mais se dit tout de même moins irritée qu'en Israël. Elle continue à suivre le procès par l'intermédiaire de la presse et confie qu'elle n'est pas impressionnée par les déclarations de certains témoins apportant des preuves de la brutalité d'Eichmann. Pour elle, les témoignages ne constituent pas des preuves et sont à interpréter avec précaution. Pourquoi « défendre » Eichmann *a priori* ?

Elle s'envole à nouveau le 17 juin 1961 pour Israël, où elle séjourne une semaine à l'hôtel Eden de Jérusalem. Elle part avec un appareil photo Minox. De ce second séjour, nous ne savons rien et je n'ai pas trouvé la moindre trace. Le 24 juin, elle est de nouveau en Europe et accueille Heinrich à Zurich qui, pour la première fois depuis la guerre, revient en Europe. Ils passent des journées entières à parler avec le grand ami de Heinrich, le poète et musicien Robert Gilbert, puis partent pour Bâle où ils sont attendus par Gertrud et Karl Jaspers. Un séjour particulièrement agréable pour tous les quatre. Heinrich découvre en Jaspers un homme doux, sensible, qui le considère et l'écoute. La peur de ne pas être à la hauteur du philosophe, cette angoisse qui étreint en permanence les autodidactes, s'évanouit bien vite pour céder la place à une amitié profonde. Les deux hommes se tombent littéralement dans les bras, se tutoient et nouent un dialogue si fécond, si nécessaire, que Gertrud et Hannah en restent médusées.

Encore une fois, l'éros de l'amitié a joué en leur faveur. Durant ces jours à Bâle, Hannah est restée silencieuse, à la fois heureuse de voir que la confiance entre Karl et Heinrich se transformait en intimité, et nostalgique de toutes ces possibilités perdues à jamais, d'un passé qui aurait pu être heureux et commun. Heinrich est enfin considéré comme un pair. Hannah est heureuse de voir Jaspers reconnaître les qualités intellectuelles de son mari qui, même s'il est devenu professeur à Bard College, demeure un marginal et un anticonformiste. Comme lui, elle possède ce trait de caractère qui explique bien des choses dans son comportement quelquefois contradictoire : si elle est toujours prête à admirer et à apprendre, elle refuse d'aimer ceux qui le demandent et de reconnaître ceux qui le réclament. Cela aussi, Jaspers, qui l'avait déjà accepté de Hannah, l'accepte maintenant de son mari. « Orgie d'amitié[84] », donc. Heinrich partira rasséréné et confiant, libéré de ses tourments et de ses angoisses, à la fin d'une semaine riche en discussions métaphysiques. « Toi le garçon riche et moi le garçon pauvre, toi le Frison profondément enraciné et moi le Berlinois qui s'est lui-même déraciné, n'avons jamais été étrangers l'un à l'autre pas plus que toi le philosophe universitaire et moi le philosophe anti-universitaire. Et ce pont c'est toi seul qui l'as jeté par-dessus cet écart[85]. »

De Bâle, Heinrich et Hannah partent pour Locarno, puis Paris où ils résident une semaine en compagnie d'Anne Weil. Ils rejoignent enfin Heidelberg où Hannah donne des séminaires à de jeunes enseignants. « Sympathique mais sans intérêt[86] », note-t-elle. Elle rencontre là-bas le procureur général Bauer, de Francfort, qui voulait faire extrader Eichmann en Allemagne. À Jaspers, elle écrit : « Quelqu'un avec qui on ne peut rien faire. D'abord il est juif, toute l'affaire ne compte donc pas, et ensuite il n'est rien de plus qu'un brave social-démocrate[87]. »

Départ pour Fribourg, où elle est invitée par le professeur Joseph Kaiser, spécialiste de droit international, à donner des cours de philosophie. Hannah écrit à Heidegger pour le prévenir de sa visite et lui dire qu'elle désire le revoir. Veut-elle organiser avec Heidegger et son mari une rencontre similaire à celle qui eut lieu entre son mari et Jaspers ? Quoi qu'il en soit, la rencontre n'aura pas lieu. Heidegger non seulement ne répond pas, mais il semble avoir interdit à l'un de ses anciens élèves, Eugen Fink, devenu professeur, de rencontrer Hannah[88]. Elle en est profondément affectée, et repart pour New York sans avoir pu obtenir le moindre mot d'explication.

Hannah pense qu'il n'a pas supporté qu'elle lui envoie son dernier livre, *Vita activa*. « Toute ma vie j'ai pour ainsi dire triché avec lui, j'ai toujours fait comme si tout cela n'existait pas et comme si je ne savais pas compter jusqu'à trois, à moins qu'il ne s'agît de l'interprétation de ses propres œuvres ; dans ce cas il était toujours très heureux que je sache compter jusqu'à trois et même parfois jusqu'à quatre. Et puis j'ai perdu le goût de tricher et j'ai aussitôt pris un coup sur le nez[89]. » Il faudra attendre quatre ans pour qu'il reprenne contact avec elle. Sans doute s'y sent-il obligé car sa lettre est un faire-part de remerciements qu'il lui adresse à l'occasion du texte que Hannah écrira en son honneur pour son soixante-quinzième anniversaire. Karl Jaspers se dit lui-même surpris par la jalousie de Heidegger à l'égard de Hannah[90]. L'élève a supplanté le maître. L'élève est plus reconnue en Allemagne que le maître. Le maître n'a jamais accusé réception des ouvrages qu'elle lui a envoyés. Inutile, avait déjà écrit Jaspers, de spéculer sur ses motivations, « on tomberait dans des banalités et cela n'atténuerait pas ma colère. Pour toi la situation me paraît odieuse et tout à fait incongrue[91] ».

Alertes

Heinrich et Hannah rentrent à New York début août, après un voyage en Italie, épuisés mais heureux de leur séjour en Europe. Hannah réussit à joindre son ancienne secrétaire Bertha Gruner, pour qu'elle classe la montagne de courrier trouvée à son arrivée et mette en ordre ses papiers, textes et articles dispersés sur la révolution, pour qu'elle puisse terminer son ouvrage destiné, cette fois, à être publié dans de très brefs délais. « Je ne souhaite qu'une chose : retrouver la maison et ne plus faire de valises[92]. »

Le 13 août commence la construction du mur de Berlin. Le 18, Hannah écrit à Jaspers : « J'écris aujourd'hui le cœur gros pour Berlin. [...] Ici même les journaux n'ont guère conscience du sérieux de la situation puisqu'il semble qu'il n'y ait pas de risque de guerre[93]. » Elle se replonge dans le travail tout en suivant attentivement le procès Eichmann. Heinrich part pour les Castkills se reposer. Hannah l'y rejoint bientôt et profite de ce moment de tranquillité pour rassembler ses notes sur la Révolution française, ses analyses sur l'histoire chez Hegel, ses études sur Rousseau et Jefferson.

Au début de l'automne, elle honore son engagement, différé pour cause de procès, et donne des cours à la Wesleyan University, université privée située à Middletown, dans le Connecticut. Elle y retrouve un vieil ami de Berlin, spécialiste comme elle du totalitarisme, Sigmund Neumann, et fait la connaissance d'une historienne, Rosalie Colie, l'une des femmes les plus érudites qu'elle ait jamais rencontrées, dont elle se fera une nouvelle amie, ainsi qu'un professeur de philosophie, Glenn Gray, qui deviendra l'un de ses proches et le restera jusqu'à la fin de sa vie. Elle aime l'atmosphère de l'université, travaille en harmonie avec ses étudiants et enseigne avec passion Machiavel. Elle rentre chaque week-end à New York où elle retrouve Heinrich, qui enseigne toute la semaine à Bard College.

Fin octobre, il se plaint à Hannah de violentes migraines. Un soir, son amie Charlotte Beradt le découvre chez lui dans un état d'égarement profond, couvert de cendres de cigarettes, proférant des propos incohérents. Son état s'aggrave. Les médecins pensent à une tumeur, puis diagnostiquent un anévrisme congénital qui s'est brusquement réveillé et l'hospitalisent. Hannah rentre précipitamment de Middletown. À l'hôpital presbytérien où elle le retrouve, le neurologue leur annonce qu'il a cinquante pour cent de chances de s'en sortir. Face à Hannah, décomposée par l'angoisse, Heinrich glisse avec son humour habituel : « Ne t'énerve donc pas ainsi, tu oublies les cinquante pour cent restants [94]. » Hannah le soigne pendant trois semaines, se faisant remplacer au pied levé à la Wesleyan par Mary McCarthy. Elle reprendra ses cours fin novembre, dès que Heinrich rentrera à la maison pour une longue convalescence.

Pendant ces jours terribles, Hannah n'a plus la tête ni à écrire ni à penser. Elle achève néanmoins l'édition en anglais du premier volume des *Grands Philosophes* de Karl Jaspers. Peu à peu, le risque d'une opération s'éloignant et le rétablissement de Heinrich s'avérant spectaculaire, elle reprend son texte sur la Révolution, qu'elle réussit cette fois à boucler pour la fin de l'année. Simplement intitulé *On Revolution* [95] et dédié à Gertrud et Karl Jaspers, l'ouvrage, neuf et audacieux, présente une thèse d'histoire et de philosophie politiques à partir de la guerre et de la Révolution, qui constituent bien aux yeux de Hannah les deux problèmes politiques centraux de notre civilisation. Ce livre compare la Révolution américaine, authentique fondation politique, et la Révolution française qui, selon elle, s'est dévoyée lorsqu'elle a placé la question de l'inégalité économique au centre de ses préoccupations. En y mettant la dernière main, avant de fêter le jour de l'An, elle écrit le 30 décembre 1961 à Jaspers : « Il me semble que ce livre sur la Révolution [...] n'est pas mal du tout, du moins certains passages. Peut-être ai-je même réussi à clarifier certains états de faits américains fondamentaux qu'on connaît très peu en Europe[96]. » Son texte est en effet un vibrant plaidoyer en faveur de la Révolution américaine, pacifique et légaliste, productrice de la Constitution, et une mise en cause de la Révolution française, violente et destructrice, dévoyée dans le robespierrisme et le mépris du peuple. Même si Hannah Arendt fait l'éloge de cette révolution qui a donné naissance aux États-Unis et célèbre l'esprit de la Constitution de cette République qui, par un acte délibéré, a assis les fondations de la Liberté, son livre demeure bien un ouvrage de philosophie politique.

Elle n'envoie son manuscrit à son éditeur qu'en février 1962, après avoir demandé à Mary d'apporter des compléments et d'enlever les fautes d'orthographe[97]. Elle y ajoutera au dernier moment des commentaires historiques et des réflexions philosophiques sur le mal. On détecte dans ces compléments des fragments de ses cours sur Machiavel et sur Rousseau, l'écho de discussions sur la guerre froide qu'elle eut avec Heinrich lors de la partition de Berlin, et l'intensité de ses tourments lors de sa préparation mentale avant de se plonger dans son travail d'écriture sur le procès.

« Mais que devient ton texte sur Eichmann pour le *New Yorker* ? » lui demande Mary[98]. Tous ses amis, en effet, lui posent la question. Hannah se remet à l'ouvrage. Sans résultat. Avec Heinrich, elle a suivi avec passion la fin du procès et s'est fait envoyer de la documentation de Jérusalem. Elle s'est montrée déçue par le verdict. Le tribunal a déclaré Eichmann coupable de crimes contre le peuple juif, de crimes contre l'humanité et de crimes de guerre, et l'a condamné à la peine de mort. Elle a trouvé que « les paroles de conclusion prononcées par Eichmann n'ont rien d'antipathique[99] ». Elle ajoute qu'il « ne fait aucun étalage de sa propre personne[100] ». Elle avoue ne s'être pas fait une opinion définitive et vouloir étudier l'affaire de plus près avant de passer à la rédaction. Le premier trimestre de l'année 1962 ne se déroule pas sous de bons augures. Elle attrape une mauvaise grippe, traîne pour aller voir un médecin, se sent fatiguée, fiévreuse. Soignée avec des antibiotiques qui lui provoquent une forte allergie, Hannah tourne dans son appartement comme un ours en cage. Déprimée, inquiète pour la santé de Heinrich Blücher, elle n'arrive pas à mettre en ordre les montagnes de documents sur Eichmann. La date de remise des articles au *New Yorker* approche. Elle n'y arrive pas.

Accident

Le matin du 19 mars elle prend, comme souvent, un taxi pour se rendre à la New School, de l'autre côté de New York. Un camion emboutit le taxi et une voiture de sport. Hannah perd connaissance. Elle n'a rien vu ni rien compris car, lorsque le choc a eu lieu, elle était en train de lire ! Elle lit tout le temps, partout, même quand il fait noir et que les taxis filent sous le tunnel de Central Park ! Les pompiers la trouvent en sang, inanimée. Quand elle revient à elle, avant d'être transportée d'urgence à l'hôpital, elle ne panique pas, bien au contraire. Elle jouit du sentiment d'être encore en vie et d'avoir la tête qui fonctionne. Philosophe avant tout, quelles que soient les circonstances, elle dira : « J'ai cru d'abord que j'allais y passer — j'étais très calme. Mourir me paraissant naturel, en aucun cas une tragédie, ou, en aucun cas, quelque chose qui mériterait qu'on s'énerve. Mais je me disais en même temps que si c'était raisonnablement possible, j'aimerais bien rester encore de ce monde[101]. » Dans les archives personnelles que j'ai consultées à la New School de New York, on peut retrouver tous les documents médicaux, les feuilles de soins, de température, les différents diagnostics. Hannah n'est pas passée loin, en effet. Commotion cérébrale, neuf côtes cassées, poignet brisé. Avant que les secours n'arrivent, au milieu des klaxons des automobilistes furieux de l'immense embouteillage qu'entraîne l'accident, elle essaye d'abord de faire bouger ses membres, constate qu'elle n'est pas paralysée, s'assure que sa mémoire marche en se récitant des poèmes, d'abord en grec puis en allemand, et vérifie qu'elle connaît toujours par cœur les numéros de téléphone de ses proches amis. Rassurée, elle ferme les yeux et attend tranquillement que les choses suivent leur cours[102].

Fatalisme devant la mort ? Héroïsme naturel ? Hannah est dans une période de dépression tenace, de mélancolie profonde. Physiquement, elle vit mal sa ménopause depuis deux ans, s'en rend compte et refuse de se faire aider. Psychiquement, elle est dans l'inquiétude perpétuelle que Heinrich ne fasse, d'une seconde à l'autre, une rupture d'anévrisme. Existentiellement, elle se projette davantage dans le futur de sa propre mort qu'elle ne jouit du moment présent. Comme si les dés étaient jetés. Elle a cinquante-cinq ans et a déjà intégré, en son for intérieur, l'acceptation de sa propre mort. Même si elle déteste la psychanalyse, elle a fait sur elle-même un travail considérable d'autocritique et d'introspection de son propre caractère. On la sent désormais en paix avec elle-même, moins blessée par les turpitudes du monde, moins en colère contre la terre entière. Un mois avant son accident, elle avouait à Gertrud et Karl Jaspers : « Il semble vraiment que notre propre mort, si aucune maladie n'intervient dans la jeunesse, est préparée par la mort des autres qui font partie de nous, comme si le monde mourait progressivement, mais seulement le fragment de monde que nous appelons le nôtre[103]. »

Paradoxalement, cet accident lui redonne le goût de vivre. Elle y revient plusieurs fois en confiant à ses amis qu'elle a été étonnée de constater l'obstination de la vie en elle, qui valide, à elle seule, le fait même d'exister. Elle l'a, à cette occasion, profondément ressenti. Trois semaines plus tard, elle confie à Mary McCarthy : « [...] pendant un bref moment, j'ai eu le sentiment que c'était à moi de décider si je voulais vivre ou mourir. Et bien que ne trouvant pas la mort terrifiante, j'ai trouvé aussitôt que la vie était très belle et que j'allais la choisir[104]. »

Elle reste deux semaines à l'hôpital Roosevelt. Outre les côtes et le poignet cassés, elle souffre d'une hémorragie des deux yeux, de son épaule droite dont les muscles sont froissés, d'hématomes et d'écorchures sur tout le corps, particulièrement à la tête. Elle ne porte pas une attention particulière à ce qui se révélera le plus grave : une faiblesse du cœur due au choc. Hannah n'a pas l'habitude de s'apitoyer sur son sort, et aucune intention d'obéir aux médecins. Elle se fait apporter en cachette, par Lotte Köhler, des paquets de cigarettes, reçoit ses amis et, pour ne pas les effrayer, demande à son mari de lui acheter un grand foulard pour cacher ses trente points de suture sur le visage et son crâne à moitié rasé. Elle gardera une cicatrice au-dessus d'un œil.

Elle rentre chez elle le 30 mars, contente de quitter cet hôpital qu'elle qualifie de porcherie en ce qui concerne l'administration et les infirmières[105]. Elle n'arrive pas encore à travailler. Elle se promène, va au cinéma, et ne peut s'empêcher de consulter son énorme masse de documentation sur Eichmann.

Son visage passant par toutes les couleurs de l'arc-en-ciel, elle trouve qu'elle ressemble à un Picasso raté. À Jaspers, elle raconte avec humour : « Quand je sors, je m'enveloppe d'un voile noir ce qui me donne l'air d'une Arabe ou d'une dame lourdement voilée — j'ai aussi perdu une dent ce qui n'embellit pas précisément[106]. »

Heinrich et elle viennent, à peu de distance, de frôler l'abîme. Leurs fonctions vitales sont intactes et leurs forces intellectuelles préservées. Certes, Heinrich est fatigué et Hannah abîmée. Elle s'inquiète de ne plus se reconnaître. Jaspers tente de la rassurer. Les cheveux vont repousser, la dent peut être remplacée : « Il va de soi que tu dois rester belle et tu le resteras. Ta beauté rayonnera d'ailleurs de toute façon. Elle tient surtout aux mouvements, au regard et à l'expression[107]. »

Hannah porta longtemps un bandeau sur l'œil le plus meurtri. Certains disaient qu'elle ressemblait à Moshe Dayan, d'autres, plus gentils, à un pirate. Mais la mésaventure lui donnera le sentiment qu'elle était indestructible. Comme le dira si bien Jaspers : « Le diable se permet simplement de t'égratigner un peu mais pas de pénétrer jusqu'à ton propre cœur[108]. »

XV

CONTROVERSÉE

Comme si le monde s'obscurcissait... Hannah ressent, en effet, depuis son accident, comme un voile devant les yeux. Elle écrit *Eichmann à Jérusalem* avec un seul œil valide, une sorte de vision double qui la handicape, une fatigue immense dans tout le corps et l'angoisse chevillée au cœur de ne pouvoir dominer son sujet.

Début avril 1962, elle s'enferme chez elle et se plonge dans sa documentation. Son bureau ressemble à un champ de bataille, jonché de journaux et de la transcription du procès. Le 20 mai, elle a rédigé la moitié de son texte mais sait déjà qu'il lui faudra le recommencer. Or elle n'a pas l'habitude de reprendre son travail et en déteste l'idée. Mais elle ne peut l'éviter en raison du trop grand nombre de documents. De plus, ne parvenant pas à faire aussi bref qu'elle le voudrait, elle se sent passablement désespérée. Le texte lui résiste. Elle n'y arrive pas. Elle aime pourtant la difficulté et apprécie ce corps-à-corps.

Elle vit jour et nuit immergée dans cette histoire qu'elle n'a que partiellement suivie. Elle n'a pas écouté la totalité des récits des rescapés ni des résistants. Elle n'a pas entendu la défense d'Eichmann, et n'était présente ni au moment de la sentence ni à l'annonce de l'exécution. En réalité, contrairement à Léon Poliakov et Haïm Gouri qui l'ont suivi de bout en bout et en sont sortis bouleversés, elle entretient avec le déroulement du procès lui-même un rapport essentiellement intellectuel. Elle travaille avec des textes, non avec son émotion et la mémoire de ce moment inoubliable. De ce procès, long fleuve d'histoires de survivants, qui témoignent de l'indicible pour la première fois depuis la fin de la guerre dans l'enceinte d'un tribunal, elle n'a pas tout vécu.

« Je nage dans une énorme masse de matériau, essayant toujours de trouver la citation la plus parlante [...]. Il va me falloir probablement tout l'été pour finir, mais *au fond* ça m'est égal. Au contraire, je me plais à manier les faits et les choses concrètes[1]. » Elle part fin juin dans le bungalow de Palenville, affamée d'arbres, de verdure, d'eau. Elle y travaille avec ardeur dans un état d'étrange euphorie. Comme si elle s'affrontait elle-même, en tête à tête avec son intelligence qui la déborde.

Hannah s'était réjouie de la sentence de Jérusalem. En Allemagne, dès l'annonce de la condamnation à mort, l'opinion publique réagit : 35 % des personnes interrogées approuvent la sentence, 31 % sont partisans des travaux forcés à perpétuité, 15 % sont pour la clémence. En Israël, 90 % des personnes interrogées approuvent le jugement. C'est parmi les intellectuels, en France comme en Israël, qu'on trouve le plus d'adversaires de l'exécution[2]. À la fois à cause d'une hostilité de principe contre la peine capitale mais aussi pour des raisons plus profondes, comme celles qu'exprimera en Israël Martin Buber qui, à la tête d'une délégation où figurait Gershom Scholem, demanda un rendez-vous avec Ben Gourion pour demander la grâce d'Adolf Eichmann.

Eichmann fut pendu dans la prison de Ramleh le 31 mai. La nouvelle fut accueillie sans joie en Israël. Le 7 juin, Hannah écrit à Mary : « Je suis contente qu'ils aient pendu Eichmann. Non pas que ça comptait. Mais ils se seraient rendus totalement ridicules, me semble-t-il, s'ils n'avaient pas poussé la chose jusqu'à sa seule conclusion logique. Je sais que c'est un sentiment peu répandu[3]. » En effet, en Israël, après l'exécution, Gershom Scholem explique de nouveau sa position : « Du point de vue juridique Eichmann méritait mille fois la peine de mort. » Il doute de la vertu dissuasive de cette exécution et en appelle à « une nouvelle éducation des hommes et des nations, une nouvelle prise de conscience de l'humanité[4] ». Hannah ne goûte guère ce genre de suppliques, qui demandent à Israël « d'atteindre des "hauteurs divines" » et estiment que l'exécution témoigne d'un « manque d'imagination[5] ».

« La condamnation est pour Eichmann, son exécution est pour nous, explique l'écrivain et journaliste néerlandais Harry Mulisch, qui suivit tout le procès. Elle nous donne le sentiment d'avoir fait quelque chose, que nous pouvons faire quelque chose. Que justice peut être rendue. Mais l'homme peut-il rendre la justice[6] ? »En Israël, certains regrettent même qu'on ne lui fasse subir qu'une seule mort, et non six millions...

Hannah Arendt se plaint bientôt du peu d'articles dans la presse allemande et américaine sur la fin du procès Eichmann. Pourtant les journaux, toutes opinions confondues, s'attachent à tirer du procès des leçons historiques. Aux États-Unis, quand le Président Kennedy reçoit le procureur Hausner et le félicite pour ce « très bon boulot », Hannah s'indigne : « Même si c'était vrai, et Dieu sait [que] ce ne l'est pas, ce serait une façon scandaleuse de le dire[7]. » L'expression « l'inhumanité de l'homme » est la plus utilisée pour décrire Eichmann et le mot même d'holocauste commence alors à se généraliser. C'est en effet à l'occasion du procès Eichmann que ce que nous appelons désormais Holocauste ou Shoah a été présenté à l'opinion comme une dimension particulière, à part, distincte, de la barbarie nazie. Aux États-Unis, à la suite du procès de Jérusalem, le mot est solidement attaché à l'extermination des Juifs d'Europe et constitue le point de départ de controverses qui durent encore[8]...

Aux débuts de son travail de rédaction, Hannah correspond régulièrement avec Jaspers, mais aussi avec Kurt Blumenfeld, qui lui dit qu'elle se trompe : elle a tort de critiquer le procureur et d'imaginer que ce procès a fait mauvaise impression dans le monde entier. Dans son avant-dernière lettre, rédigée à Tel-Aviv où il vient d'être hospitalisé, il insiste sur les mauvaises directions que prend Hannah[9]. Elle ne l'écoutera pas. Blumenfeld ne pourra jamais lire *Eichmann à Jéru-*

salem. Il s'éteindra à Jérusalem le 21 mai 1963, en pleine polémique contre le livre.

Hannah écrit pendant l'été la série d'articles que lui a commandée le *New Yorker* mais elle commence aussi à rédiger un livre. Dans les archives inédites du fonds de la New School figurent deux documents préparatoires éclairant son état d'esprit : pêle-mêle, Hannah note des réflexions générales sur la justice et ses limites, souligne que le criminel est d'un type nouveau : « nous verrons que nous sommes en face d'un criminel que personne n'avait prévu ».

À criminel nouveau, justice nouvelle. Il faut donc juger Eichmann avec des armes juridiques nouvelles.

Hannah se pose la question la plus obsédante et la plus essentielle à ses yeux : le crime contre l'humanité existe-t-il ? Le génocide constitue-t-il une singularité dans la longue histoire de la barbarie humaine ? Hannah se place sur un plan juridique : pour elle, le crime contre l'humanité a été mal défini à Nuremberg et confondu avec les crimes contre la paix. Hannah affirme que le génocide mené contre les Juifs doit être tenu pour un crime contre l'humanité. « C'est lorsque le régime nazi déclara que le peuple allemand non seulement ne voulait aucun Juif en Allemagne mais aussi qu'il désirait faire disparaître l'ensemble du peuple juif de la surface de la terre que le nouveau crime apparut, le crime contre l'humanité — au sens du crime "contre le statut d'être humain" ou contre l'essence même de l'humanité[10]. » C'est pourquoi elle ajoute à propos du procès : « Dans la mesure où les victimes étaient juives, il convenait, il était juste qu'un tribunal juif fût juge ; mais dans la mesure où le crime était un crime contre l'humanité, il fallait un tribunal international pour que justice fût rendue[11]. » Elle précise bien qu'il ne s'agit pas d'éviter l'accusation selon laquelle les Juifs soient les juges de leur propre cause, reproche absurde à ses yeux, mais plutôt d'établir la nature propre du crime contre l'humanité, qui, comme le disait Jaspers, devrait être jugé par un tribunal représentant l'humanité.

Hannah rentre à New York à la fin du mois d'août. Elle rend ses textes au *New Yorker* qui se montre très enthousiaste et veut publier le tout : d'abord la série de cinq articles, puis le livre. Elle-même est étonnée : à la surprise générale, dit-elle à Mary, le *New Yorker* a accepté son travail « dans sa quasi-intégralité[12] ». Voilà qui l'arrange bien, car elle a de gros soucis d'argent. Pour preuves ces innombrables lettres de relance auprès de son avocat pour se faire indemniser des conséquences de son accident, que l'on trouve dans ses documents personnels[13]. Elle confie ses inquiétudes à Jaspers : « Car mes projets consistant à vouloir gagner de l'argent avec ma tête vont sans doute tomber à l'eau. Les assurances ne paient de grosses sommes que pour les incapacités permanentes et je n'en ai pas[14]. »

Elle part pour l'université de Chicago début octobre. Elle lit à ses étudiants des extraits de son livre sur la révolution, puis se rend à la Wesleyan University, dans le Connecticut, où elle donne un séminaire sur l'*Éthique à Nicomaque*.

Les épreuves du livre sur Eichmann qui l'attendent à New York arrivent en même temps que le bon à tirer du livre *On Revolution*. Elle range son appartement, qui se trouve être dans un désordre terrible à cause de la documentation amassée sur Eichmann pendant les mois de rédaction, et s'engloutit dans ses corrections tout en préparant son voyage pour retrouver Jaspers à l'occasion de la célébration de son quatre-vingtième anniversaire.

Elle arrive à Bâle le 20 février et descend dans un hôtel chic et cher, si bien qu'elle y dépense une bonne partie de l'argent qu'elle vient à peine de toucher. De New York, Heinrich la prévient que la publication des premiers articles dans le *New Yorker* suscite déjà de vifs débats. Elle a déjà reçu à son adresse personnelle plusieurs lettres de protestation de professeurs allemands exilés aux États-Unis, qui l'insultent parce qu'elle jette des soupçons sur la résistance. Heinrich s'en amuse et commente : « Les Israélites semblent sérieusement vouloir se rassembler en phalange[15]. » Mais Hannah ne se rend compte de rien et ne cherche pas à interpréter ces premiers signes. Elle passe une semaine délicieuse avec Gertrud et Karl. Le 6 mars, elle donne une conférence à la radio de Cologne, puis part pour Locarno, s'installe à Zurich pour continuer à traduire en allemand son livre sur la révolution et rejoint le 5 avril, à Naples, Heinrich qui arrive de New York par bateau. Ils passent ensuite une semaine de rêve à Patras et longent en voiture le golfe de Corinthe. Ils visitent la Grèce et vont de merveille en merveille. « De temps en temps, je me pince pour m'assurer que tout cela est vrai… Bref, nous menons "la vie facile des dieux[16]" », confie-t-elle à Gertrud Jaspers. Puis c'est la Crète, la Sicile. Un vertige. Jamais Hannah ne fut plus ivre de beauté, de lumière, de paysage. Elle le dit elle-même : elle n'en croit pas ses yeux. Tant de beauté, tant d'émotion lui tournent la tête. Cette fois Hannah vit ce qu'elle a étudié : la beauté d'une Grèce sensuelle enfin révélée. De Rome, elle écrit : « Ici je me suis mise en grève, je ne veux voir que les collections antiques, acheter des vêtements, boire du Campari et du vin et manger très bien et beaucoup[17]. »

Un peu avant, au début de mai, elle rend une visite de trois jours à sa famille en Israël, en compagnie de Lotte Beradt, et retrouve sa nièce Edna Fuerst qui fait son service militaire mais a obtenu une permission. Heinrich ne souhaite pas l'accompagner : il refuse de fouler le sol israélien. À son retour, l'attendent à Athènes une bonne critique de *On Revolution* dans le *New York Times* du 1er avril 1963, signée par Harrison Salisbury, et un article dans le *Washington Post* du 17 mars de William Douglas, un des juges de la Cour suprême. Elle s'en montre touchée car, si elle s'est donnée beaucoup de mal pour tenter de comprendre le fonctionnement des institutions américaines, elle ne s'est jamais, avoue-t-elle à Gertrud Jaspers, sentie sûre d'elle et « mes interprétations ont souvent manqué d'orthodoxie[18]… » Ce livre doit beaucoup à « l'expérience de Heinrich » et les lecteurs se montrent « un peu stupéfaits » de tant d'audace intellectuelle, « mais satisfaits[19] ».

Trouble

Le 29 mai, à Rome, elle apprend, par une lettre de son éditeur, que son reportage, publié en février-mars 1963, sous la forme de cinq articles dans le *New Yorker*, provoque en Amérique un véritable tollé. Elle continue à se montrer complètement indifférente, poursuit son voyage en Suisse et en Allemagne, puis à Paris et dans le sud de la France. Le 30 juin, elle s'embarque enfin pour New York par le bateau le *Provence*. Elle découvre son appartement « littéralement inondé de courrier[20] ». La quasi-totalité concerne l'affaire Eichmann. Hannah trouve beaucoup de ces lettres intéressantes. Quelques-unes d'entre elles l'éclairent sur l'agitation, qu'elle juge totalement incompréhensible, qui règne dans les milieux juifs. Elle tombe des nues et, tout de suite, pense que l'explication est simple : « Sans le pressentir, j'ai touché à une partie du passé juif non surmonté : partout, surtout en Israël, on trouve encore d'anciens membres des conseils juifs aux postes les plus élevés[21]. » À Jaspers, elle confie que la campagne contre elle se déchaîne désormais au niveau le plus médiocre « et sur la base de pures calomnies qui affirment tout simplement le contraire de ce que j'ai écrit[22] ».

Qu'a donc écrit Hannah Arendt qui provoque autant de violence ? Rarement dans l'histoire des idées du XXe siècle, un livre a occasionné tant de polémiques et fait couler tant d'encre. Au vrai, quel autre ouvrage, écrit dans la passion et le tourment, en moins de six mois, a-t-il déclenché pareil séisme historique, moral, intellectuel, et ce pendant près de trois ans ?

Dans cet océan de papiers — livres, articles, numéros spéciaux — qui remplissent à eux seuls plusieurs rayonnages, tentons de faire le tri et de distinguer, sans pour autant souscrire à sa thèse de la campagne diffamatoire, entre l'interprétation et la réalité de ce qu'elle a écrit. On peut d'abord constater que Hannah, avec ce livre qui n'est, dit-elle, qu'un reportage sur un procès, provoque une polémique intellectuelle, une mise en question de la pensée, une mise en cause du rôle de l'intellectuel au XXe siècle.

Commençons par le livre lui-même. En réalité, il y en eut plusieurs. D'abord les articles, puis une version développée, publiée pour la première fois en 1963, puis un second ouvrage, publié en juin 1964, augmenté et corrigé.

Hannah Arendt, dans sa préface intitulée « Note au lecteur » de 1964, revendique la continuité entre ses deux textes. Elle assure que les corrections qu'elle introduit dans la seconde version sont soit d'ordre technique, soit des faits nouvellement portés à la connaissance du public depuis la première édition, et que la nature du livre dans son ensemble n'est en rien modifiée. Elle y ajoute un « Post-scriptum » où elle s'explique longuement sur les termes de la controverse. Elle revient par ailleurs sur l'attentat contre Hitler du 20 juillet 1944, dont elle reconnaît avoir sous-estimé l'importance, sur l'attitude courageuse des Pays-Bas vis-à-vis des Juifs, et sur le nombre de victimes. Bien que modifiant son texte initial sur des points aussi fondamentaux de l'histoire contemporaine que le nombre de Juifs exterminés pendant la guerre, Hannah assure ses lecteurs qu'elle ne revient pas pour autant sur ses thèses premières.

En réalité, pour se convaincre de la profondeur de son trouble face aux réactions suscitées à la première publication du livre, il suffit de voir, à la bibliothèque de Hanovre, les épreuves corrigées de la seconde version, véritable chantier hiéroglyphique sur des dizaines et des dizaines de pages, preuve, s'il en fallait, qu'elle a essayé d'intégrer les critiques et tenté d'y répondre. Il faut aussi consulter à New York, dans le fonds de la New School, les documents inédits, lettres, notes, carnets de cette période, pour se rendre compte qu'ils attestent tous de sa farouche volonté de se désembourber de ce qu'elle a peut-être écrit mais pas pensé et qui fut mal interprété — l'absence de responsabilité d'Eichmann, la banalité du mal.

Sa fierté l'empêchera de faire publiquement amende honorable sur des points contestables comme la responsabilité des conseils juifs. Sa superbe naturelle et le brio, encore une fois, de son intelligence l'isoleront dans une tour d'ivoire. Comme Platon, qui enseignait qu'il valait mieux être en accord avec soi-même plutôt qu'en feint accord avec les autres, Hannah préfère camper sur ses positions, rejoignant encore une fois l'attitude orgueilleuse de Martin Heidegger.

Aussi préfère-t-elle marteler, dans son introduction à la seconde version : « Le récit effectif de la période en question n'a pas été encore établi dans tous ses détails ; et il est probable que, sur certaines questions, on ne pourra jamais remplacer une conjecture informée par une information complètement fiable. Ainsi, le nombre total de Juifs victimes de la Solution finale — entre quatre millions et demi et six millions — reste une conjecture qui n'a jamais été vérifiée ; il en va de même pour le nombre de victimes dans chaque pays dont il est question[23]. » Les révisionnistes, trente ans plus tard, s'appuieront sur ce genre d'argumentation et, comme le rappelle Pierre Vidal-Naquet, ces assassins de la mémoire traînent toujours dans les coulisses de l'histoire[24]. N'en déduisons pas pour autant que Hannah Arendt a voulu minorer la Shoah. Ce serait faux et obscène de le dire. La réalité, encore une fois, est plus complexe qu'il n'y paraît car Hannah Arendt joue dans cet ouvrage toute sa vie d'intellectuelle, avec l'intensité qui caractérise son identité de Juive allemande qui tente de subsister après la Shoah. Car, finalement, comment penser le mal après Auschwitz ? Telle est la question fondamentale que pose Hannah Arendt dans *Eichmann à Jérusalem*.

Martine Leibovici a révisé en profondeur, en 2002, la traduction d'*Eichmann à Jérusalem*. Grâce à ses efforts de compréhension intérieure, et à sa perception si fine de l'emploi quelquefois peu « correct » qu'avait Hannah de la langue anglaise, ce n'est désormais plus tout à fait le même texte. Ainsi, ce mot de collaboration qui sera tant reproché à Arendt pour désigner l'attitude des conseils juifs avec les autorités nazies est remplacé par le mot de coopération. Martine Leibovici reste la plus fidèle possible à la musique de la langue arendtienne. De même a-t-elle pris soin de cerner au plus près ce qu'elle nomme le « rire amer qui saisit parfois Arendt[25] » quand elle évoque le caractère d'Eichmann, ôtant par là, définitivement, le soupçon de désinvolture dont elle sera beaucoup accusée. La controverse avait eu lieu en France sur un texte qui pouvait porter en lui des malentendus. Faut-il aujourd'hui rouvrir le débat sur de nouvelles bases ? Sûrement, tant ce texte nouvellement traduit gagne en clarté de raisonnements, dissipe des zones d'ombres et demeure encore si fécond en questionnements. Son incandescence est toujours intacte et son sujet principal : la banalité du mal, reste d'une actualité qui, hélas ! ne se dément pas.

L'ouvrage porte en exergue ces mots de Bertolt Brecht, écrits en 1933 :

Ô Allemagne,
On rit en entendant les discours qui résonnent dans ta maison
Mais dès qu'on t'aperçoit, on prend un couteau.

Le livre est divisé en quinze chapitres et suit l'ordre chronologique du procès. Il s'ouvre sur la première apparition d'Eichmann devant la cour et se clôt sur l'exécution. C'est un texte relativement bref. On sent l'effort de Hannah pour condenser les faits et synthétiser les problématiques, dégager ce que ce procès a pu apporter en termes de vérité historique, de justice, de morale. Tant par son style que par sa construction, il ne s'apparente ni à un traité de méditation sur l'attitude du peuple juif pendant la guerre, ni à un ouvrage polémique qui accréditerait l'idée de la collaboration du peuple juif à sa propre extermination. Continuer à le dire ou à le faire croire relève du mensonge, de la vaine propagande de la forfaiture morale. Que ce texte ait pu faire couler beaucoup d'encre, être violemment critiqué par certains, être interprété par d'autres comme scandaleux, violent et excessif, semble dans l'ordre des choses. Car il porte en lui beaucoup de tensions, des questions, des problématiques profondes et dangereuses. Il y a des questions qu'on n'ose pas poser. Certains préfèrent se taire, ou faire taire l'idée même de pouvoir les poser. C'est tout à l'honneur de Hannah Arendt d'avoir eu le courage de les porter à l'attention de l'opinion publique, au risque de devoir l'affronter.

Écoutons-la d'abord sur sa méthode : dans son « Post-scriptum », elle explique que son ouvrage est « le *compte rendu d'un procès*[26] », et qu'il prend pour source : la transcription des débats, celle de l'interrogatoire d'Eichmann, les documents fournis par l'accusation, les dépositions des témoins, ainsi qu'un manuscrit d'Eichmann rédigé en Argentine. Ensuite sur le sujet. Elle le dit elle-même : le livre lui-même traite « d'un sujet tristement limité[27] » et n'aborde que les questions soulevées par et durant le procès. Il faut dire qu'elles sont amples, essentielles et principielles… « Mais, précise Hannah, ce livre ne traite pas de l'histoire du plus grand désastre qui se soit jamais abattu sur le peuple juif, il n'est pas non plus une analyse du totalitarisme, ni une histoire du peuple allemand sous le IIIe Reich, ni enfin et encore moins un traité théorique sur la nature du mal[28]. »

Voilà ce qu'il n'est pas. Ce qu'il est, c'est essentiellement, et par le biais d'une volonté de relater les faits, la tentative de savoir si le tribunal de Jérusalem a réussi à satisfaire les exigences de la *justice*.

Hannah avouera à Mary avoir écrit *Eichmann à Jérusalem* dans un « curieux état d'euphorie[29] ». Elle-même se demandera au cours de la rédaction si elle ne franchit pas les limites, si elle a le droit de s'autoriser à formuler des problématiques sur la notion de mal : « À travailler pour la conscience, soit il faut une foi religieuse très solide — très rare ; soit orgueil, ou même arrogance. Si on commence à se dire dans de tels domaines : Qui suis-je pour juger ? — on est déjà perdu[30]. »

Hannah le reconnaîtra en effet ; « *Curia posterior*[31] », cure a posteriori comme l'explique si bien Pierre Bouretz dans son introduction : « Sans doute un travail sur soi et une histoire vécue de loin, une façon d'accorder le destin personnel et l'expérience collective, un effet pour comprendre au plus bas des comportements humains ce qui avait été abordé de haut par une théorie du totalitarisme. [32] »

Dans les premiers chapitres du livre, on retrouve ce que Hannah a ressenti pendant qu'elle était en Israël : le *show*, le procès-spectacle, l'inégalité de statut entre la défense et l'accusation, l'instrumentalisation du procès par Ben Gourion, l'attitude du procureur Hausner, qui fait du tribunal de Jérusalem la chambre d'écho mondiale d'une histoire officielle du judaïsme. Elle critique aussi sa manière de poser aux survivants, à chaque fois, cette même question « bête et cruelle[33] »: « Pourquoi ne vous êtes-vous pas révolté ? » Il est donc faux de dire, comme le feront les années suivantes de nombreux détracteurs, tant aux États-Unis qu'en Europe, que Hannah Arendt a focalisé le procès sur la collaboration des Juifs à leur propre extermination et leur prétendue passivité. C'est exactement le contraire. Elle reproche au procureur Hausner de l'avoir fait. Ce ne sont pas pour elle des questions à poser si l'on veut faire œuvre de véritable justice. Ce n'est pas pour autant que Hannah, prenant le pouls du procès et constatant que l'audition des témoins donne lieu à des confrontations et à des témoignages inédits sur cette « coopération » juifs-nazis, n'insiste pas sur cette prétendue responsabilité des Juifs à avoir accepté le sacrifice sans exprimer — sauf exceptions — leur volonté de se révolter. Car pour elle, les choses sont claires, bien plus claires qu'elles ne le sont en réalité. Hannah part d'un point de vue qui peut s'apparenter à un parti pris. Pour elle : « Le procès est celui des actes d'Eichmann et non des souffrances des Juifs, il n'est pas celui du peuple allemand ou de l'humanité, pas même celui de l'antisémitisme et du racisme[34]. »

Mais comment distinguer les choses de manière aussi volontariste ? Ce procès constitue, justement, un nœud d'éléments hétérogènes, subjectifs et objectifs : une chambre d'écho, pour la première fois, aux récits des victimes, une leçon d'histoire, un basculement dans la perception de ce que veut dire être juif, une reconnaissance enfin de la dignité d'avoir été juif donc à exterminer parce que juif selon les nazis. De tout cela, Hannah ne s'est pas rendu compte. Ou, plus exactement, elle n'a pas voulu le savoir, préférant adopter une perspective strictement judiciaire et procédurale d'où il résultait que nombre de ces témoins n'avaient aucun rapport avec l'affaire Eichmann. Elle n'a, littéralement, pas voulu entendre ce qui se disait, et la manière dont ce qui se disait dans cette enceinte du tribunal allait transformer la vision qu'on avait du peuple juif, qu'on soit juif ou non.

Sur le spectacle et l'instrumentalisation politicienne du procès par Ben Gourion, elle ne fut pas la seule à dénoncer avec véhémence ce que certains, comme Tom Segev, appelaient une volonté délibérée de bouleverser et non un véritable désir de juger. Dans ses Mémoires, le procureur Gideon Hausner ne se cache pas d'ailleurs d'avoir voulu être le grand impresario d'un spectacle historico-national et explique clairement ses intentions : « Plus que tout, je voulais que les gens témoignent de ce qu'ils avaient vu et ressenti dans leur chair[35]. »

Rien ne nous permet de penser que Ben Gourion a ourdi un complot pour s'assurer sa propre stabilité politique et que la capture d'Eichmann a été longuement préméditée. La popularité de Ben Gourion est si grande, à cette époque, qu'il n'a pas besoin d'un tel événement pour continuer à diriger le pays. Hannah est en revanche l'une des rares, voire la seule, à contester le côté historique du procès et à ne pas vouloir avouer qu'elle en a été affectée. Tous les témoins, les six cents journalistes et les intellectuels qui avaient suivi le procès, n'hésitèrent pas à transmettre et à transcrire leur profond émoi, de manière politique, littéraire, ou philosophique. Hannah Arendt aurait-elle un cœur de pierre ? Il semblerait plutôt qu'elle n'ait pas eu le temps d'être emportée par les paroles libératoires des victimes qui descellaient leur propre mémoire, créant ainsi, chez ceux qui écoutèrent, une identification, et chez ceux qui parlèrent, un effet de rédemption.

En ce qui concerne le problème de la « passivité des victimes », elle fait les distinctions suivantes : il y a la mort qu'elle nomme « relativement facile » : celle de la chambre à gaz ou du peloton d'exécution ; puis la mort « difficile » : celle de ceux qui ont tenté de s'échapper ; et enfin des « choses qui sont bien pires que la mort » : les gestes de révolte accomplis, pour la plupart, par les plus jeunes, qui se sont montrés capables de décider qu'ils ne voulaient pas aller à l'abattoir. Ce qu'écrit Hannah Arendt dans ce premier chapitre d'*Eichmann à Jérusalem* sera explicité et développé dans un entretien qui se trouve dans les archives de New York. Interrogée sur l'attitude des Juifs dans les camps pendant la guerre, Hannah répond : « Il y a plusieurs facteurs qui peuvent aider à cette apathie. *En premier lieu* le fait simple et souvent oublié qu'il y a une grande différence entre mourir d'une mort lente et agonisante et mourir d'une manière relativement facile et rapide [*sic*] devant un peloton d'exécution ou une chambre à gaz [...] Leur apathie était, dans une large mesure, la réponse presque physique et automatique au défi de *l'absolue insignifiance*[36]. »

Comme il y a plusieurs morts et des choses bien pires que la mort, il y a plusieurs vérités. Et sur ce sujet essentiel, le procès Eichmann est pour elle un échec car « sur ce point, de manière peut-être encore plus significative que sur les autres, la vérité, et même la vérité juive, fut déformée pendant ce procès où l'on tenta délibérément de ne raconter que le côté juif de l'histoire[37] ». Hannah manie le paradoxe : elle reproche à Ben Gourion de diriger l'État d'Israël comme si ce n'était pas un État comme les autres, et de faire de ses citoyens des Juifs pas comme les autres, et tente dans le même temps d'inclure le peuple juif à l'intérieur de l'humanité, tout en faisant référence à une vérité juive, à une mort juive…

Certes, elle reconnaît que le procès a permis l'arrestation d'anciens nazis en Allemagne, notamment dans le corps de la magistrature où on vient d'exclure cent quarante juges. Mais ce n'est pas assez : il en reste encore cinq mille. « Il est vrai que si l'administration Adenauer s'était montrée trop susceptible sur l'emploi de fonctionnaires au passé compromettant, il n'y aurait peut-être pas eu d'administration du tout[38] », note-t-elle ironiquement.

Hannah Arendt reproche à l'accusation de ne pas avoir assez écouté Eichmann et d'avoir refusé de comprendre ce qu'il disait. Ainsi, quand il déclare au tribunal : « Je n'ai jamais ordonné qu'on tue un Juif ou un non-Juif. Je ne l'ai simplement pas fait[39] », elle fait grief à la cour d'avoir perdu trop de temps à vouloir prouver qu'une fois, une fois au moins, Eichmann avait tué de ses propres mains. Cela ne veut pas dire pour Hannah qu'il n'aurait pas pu le faire : il aurait tué son propre père si on le lui avait demandé. Pour elle, le problème n'est pas là. Eichmann n'est pas un fou au sens psychiatrique du terme. Il se dit non coupable au sens de l'accusation[40]. Il ne nie pas qu'il a agi intentionnellement, mais refuse d'avouer avoir été guidé par des mobiles abjects et, au fond de lui-même, ne se juge pas comme un criminel habité par la haine.

Hannah ne conteste nullement la responsabilité d'Eichmann, mais elle explique son manque de conscience de culpabilité par le mécanisme du nazisme qui avait mis le commandement du *Führer* au centre absolu de l'ordre juridique. Eichmann était donc un citoyen obéissant à la loi pendant Hitler et ce qu'il a fait ne constitue à ses yeux un crime que rétrospectivement. Eichmann, rapporte-t-elle, « ne voulait pas être de ceux qui prétendaient maintenant "avoir toujours été contre", alors qu'en fait ils s'étaient empressés de faire ce qu'on leur disait de faire [...] Ce qu'il avait fait, il l'avait fait, il ne voulait pas le nier[41]... » Mais Eichmann « ne voulait pas dire par là qu'il regrettait quoi que ce fût : "Le remords, c'est bon pour les petits enfants" [*sic* !][42] ».

Hannah déplore que personne n'ait voulu croire Eichmann quand il dit qu'il n'avait rien contre les Juifs. Ni le procureur, ni les juges, ni même l'avocat de la défense n'y prêtèrent attention car, « contrairement à Eichmann, les problèmes de conscience ne les intéressaient pas[43] ». Car pour elle, l'enjeu véritable du procès aurait dû être celui-là : comment juge-t-on un individu normal, une personne moyenne, qui a accompli tous ces forfaits, sans avoir eu pour autant conscience de la nature criminelle de ses actes ? Tout le monde, dans ce procès, a fait l'impasse sur ce sujet, peut-être le seul qui importe vraiment. Car Eichmann était « normal » dans la mesure où il n'était qu'un parmi des milliers d'autres. Hannah ne cherche pas à banaliser le comportement d'Eichmann, mais elle refuse de voir en lui une exception. Les acteurs juridiques de Jérusalem, en niant cette dimension, sont passés à côté du grand défi juridique et moral qu'aurait dû relever le procès.

Là se situe le cœur battant du livre de Hannah. Eichmann dit peut-être la vérité. Il faut savoir écouter. Eichmann a beaucoup de défauts — la vantardise, la bêtise, la servilité —, mais il ne ment pas. Hannah prend au pied de la lettre sa déposition, contrairement aux juges, qui interprètent sans cesse ses propos. Sa lecture est peut-être audacieuse, mais d'une extrême pertinence juridique et d'un grand courage intellectuel : nous devons, nous dit-elle à l'oreille, loin des tourments de la souffrance, pouvoir et savoir écouter les bourreaux. Hannah se montre brillante quand elle analyse Eichmann dans son rapport à la langue : il ne sait pas parler, il n'a pas épousé sa langue, donc il ne fait pas corps avec lui-même. La langue administrative du nazisme lui sert d'habitacle de survie. Le nazisme l'a, en quelque sorte, sauvé. Il a édifié, entre la réalité et lui, une muraille de mots techniques qui lui ont permis de s'aveugler. Pour Hannah, Eichmann est une victime, de lui-même et du nazisme. « Plus on l'écoutait, plus on se rendait à l'évidence que son incapacité à parler était étroitement liée à son incapacité à penser, à penser notamment du point de vue de quelqu'un d'autre[44]. » Hannah est ce quelqu'un d'autre qui tente de forer le puits noir de cet homme broyé par le nazisme, devenu l'incarnation de l'inhumanité tout en ayant encore l'apparence d'un être humain.

Elle critique la stupéfiante complaisance avec laquelle Eichmann reconnaît ses crimes et la met en relation avec les paroles de bon nombre d'Allemands qui, nazis, hauts dignitaires ou plus petits, avaient voulu après la défaite faire la paix avec ceux qu'ils nommaient désormais « leurs anciens ennemis », tourner la page comme si rien ne s'était produit, ne pas affronter la réalité du nazisme, nier que le crime en faisait partie intégrante. Hannah méprise Eichmann. Il n'est pas à la hauteur, en quelque sorte : « Malgré tous les efforts de l'accusation, tout le monde pouvait voir que cet homme n'était pas un "monstre" ; mais il était vraiment difficile de ne pas présumer que ce n'était pas un clown. Et comme une telle présomption aurait été fatale à toute l'entreprise, comme il était aussi assez difficile de la soutenir vu les souffrances qu'Eichmann et ses semblables avaient infligées à des milliers de personnes, ses pires clowneries passèrent quasiment inaperçues et l'on n'en rendit jamais compte[45]. »

Elle rappelle fort opportunément que les bases juridiques du procès Eichmann avaient été posées en Israël dès 1950 grâce aux premières lois votées dans le pays. Celles-ci avaient classé toute une série d'actes commis pendant la Seconde Guerre mondiale en différentes catégories : crimes contre le peuple juif, crimes contre l'humanité, crimes de guerre. Personne ne pensait alors, évidemment, qu'un jour Eichmann serait jugé à Jérusalem. Le vote de ces lois avait donné lieu à des débats houleux à la Knesset sur la singularité du génocide et sur la possible confusion entre Auschwitz et Hiroshima. Golda Meir avait redit avec fermeté qu'elle rejetait le principe de la peine de mort, mais que, dans le cas de génocide, elle y était favorable. Elle fut suivie. La loi, suivant en cela les clauses de la Convention internationale des Nations unies sur le génocide, recommanda la peine de mort. Évoquant le problème de la responsabilité, un député de gauche proposa d'accorder les circonstances atténuantes à ceux qui auraient agi « par obéissance à un ordre ou à une loi et auraient fait tout ce qui était en leur pouvoir pour atténuer les conséquences de leur crime ». Golda Meir répondit : « Obéir à un ordre ne peut diminuer la responsabilité du crime : tout homme a le devoir de se révolter contre un tel ordre[46]. »

Hannah interprète à sa façon les dispositions de loi édictées par l'État d'Israël et s'infiltre effectivement dans une anomalie juridique, la loi laissant sous-entendre que les crimes contre le peuple juif étaient bien plus graves que les crimes contre l'humanité. Mais elle oublie de dire que Pinhas Rosen, le ministre de la Justice, déclara officiellement que ce projet de loi comportait une série de déformations de grands principes juridiques et de règles de procédure, déformations qui s'expliquaient par « l'amertume et les protestations du peuple juif contre les souffrances qu'il avait connues pendant la Seconde Guerre mondiale ». Hannah n'accepte pas ce genre de « petits arrangements ». Elle plaide l'esprit de la loi et l'inviolabilité de ses principes. Elle fonde son argumentation sur la conscience qu'a Eichmann de ce qu'il a fait, ou de ce qu'il fait semblant d'avoir oublié. Oui, il avait une conscience de ce qu'il faisait, mais même quand elle fonctionnait normalement, celle-ci, pour Hannah, « opérait à l'intérieur de limites assez bizarres[47] ». Ensuite, à partir du moment où il donna l'ordre d'envoyer cinquante mille Juifs du Reich dans les centres de Riga et de Minsk, sa conscience s'est mise, dit-elle, à fonctionner à l'envers[48]. Mais Eichmann n'est pas une exception. « La conscience comme telle s'était perdue en Allemagne, au point que les gens avaient pour ainsi dire oublié qu'elle existait[49]. » Ce n'est pas pour autant que Hannah l'exonère de ses responsabilités. Bien au contraire, elle retourne le couteau dans la plaie : il y a eu beaucoup d'Eichmann à travers l'Allemagne et, sans cet évanouissement de la conscience, le nazisme n'aurait peut-être pas autant et pendant si longtemps prospéré.

Hannah pose, en termes crus, la question de la résistance à l'hitlérisme. Selon elle, il n'y eut aucune résistance socialiste ou de gauche à Hitler[50] et le complot de juillet a été organisé par d'anciens nazis[51]. « L'immense majorité du peuple allemand croyait en Hitler même après l'attaque de la Russie et la guerre redoutée sur deux fronts[52]. » Le peuple a adhéré à un nouveau système de valeurs sans s'en apercevoir. Seuls des individus, issus de toutes les classes sociales, de toutes les générations, de toutes les confessions — elle ne sait combien ils furent —, s'opposèrent à Hitler sans vaciller. Pour Hannah, sont résistants ceux qui ont gardé la faculté de distinguer le bien du mal et ont conservé leur conscience. Ils ont pu s'opposer au régime ou ne rien faire comme ceux dits de la résistance intérieure, ni héros, ni saints, qui gardèrent un silence total[53].

Hannah Arendt consacre un chapitre de son livre à la conférence de Wannsee, où Heydrich avait invité ces messieurs pour une gentille réunion mondaine d'une heure et demie, et où ordre fut donné d'appliquer la Solution finale à toute l'Europe et de tuer onze millions de Juifs. Eichmann dira au procès avoir retenu de cette conférence qu'il a eu le droit de s'asseoir au coin du feu, de boire, de fumer le cigare. Il se souvenait très bien, l'atmosphère était très gaie, très détendue. À la barre du tribunal, il confesse : « C'est alors que j'ai eu l'impression d'être une espèce de Ponce Pilate, car je ne me sentais absolument pas coupable[54]. »

Comme le dit Hannah : « Bien qu'il ait toujours fait de son mieux pour aider à la Solution finale, il entretenait encore quelques doutes quant à "une solution aussi sanglante qui passait par la violence", et maintenant ses doutes s'étaient dissipés[55]. » Les Juifs durent se faire enregistrer pays après pays et porter l'étoile jaune pour être identifiés. Ils furent rassemblés pour être déportés, les convois dirigés vers les centres d'extermination de l'Est. Hannah raconte avec émotion comment la vaste machine de destruction se mit en place. « Eichmann et ses hommes indiquaient aux Conseils juifs des Anciens combien de Juifs il leur fallait pour remplir chaque train, et ils faisaient les listes de déportés. Les Juifs s'inscrivaient, remplissaient d'innombrables formulaires, répondaient à des pages et des pages de questionnaires concernant leurs biens [...] puis ils étaient réunis aux points de rassemblement et montaient dans les trains. Les quelques-uns qui tentaient de se cacher ou de fuir étaient repérés par une police spéciale juive. Autant qu'Eichmann put en juger, personne ne protestait, personne ne refusait de coopérer[56]... »

Pour Hannah, la seule soumission n'aurait pas suffi à aplanir les énormes difficultés d'une telle opération... ni à apaiser la conscience des exécutants. Eichmann le déclare à la barre : le facteur le plus décisif pour sa conscience fut qu'il ne rencontra personne, absolument personne, qui s'opposât à la Solution finale. Seule exception, le docteur Rudolf Kastner, dont il fit la connaissance en Hongrie, et avec qui il négocia l'offre de Himmler de relâcher un million de Juifs en échange de dix mille camions. Lui, Kastner, lui avait demandé d'arrêter « les moulins de la mort à Auschwitz[57] ». Et c'est à propos du même Kastner que Hannah écrit : « Eichmann avait répondu qu'il le ferait "avec le plus grand plaisir" mais que, hélas ! cela ne relevait ni de ses compétences, ni de celles de ses supérieurs — ce qui du reste était vrai. Il ne s'attendait évidemment pas que les Juifs partagent l'enthousiasme général pour leur destruction ; mais il attendait effectivement d'eux plus que de la soumission, il attendait — et reçut, à un degré absolument extraordinaire — leur coopération. Comme naguère à Vienne, cette coopération fut naturellement la pierre angulaire même de tout ce qu'il fit. Si les Juifs n'avaient pas aidé au travail de la police et de l'administration — j'ai déjà mentionné comment la rafle ultime des Juifs à Berlin fut l'œuvre exclusive de la police juive —, il y aurait eu un chaos complet, ou il aurait fallu mobiliser une main-d'œuvre dont l'Allemagne ne pouvait se passer ailleurs[58]. »

Elle cite les travaux de Robert Pendorf et surtout ceux de Raul Hilberg. Elle affirme : « Pour un Juif, le rôle que jouèrent les Juifs dans la destruction de leur propre peuple est, sans aucun doute, le plus sombre chapitre de cette histoire[59]. » Elle ajoute : « On le savait déjà mais maintenant et pour la première fois Raul Hilberg en a exposé tous les détails, pathétiques et sordides, dans *La Destruction des Juifs d'Europe*[60], ouvrage de référence dont j'ai déjà parlé[61]. »

Hilberg le titan

Hannah Arendt se prévaut donc du travail historique de titan que vient, enfin, de publier Raul Hilberg, après une enquête qui lui a pris sept années de travail ininterrompu. J'ai été voir Raul Hilberg à l'automne 2003 dans sa maison du Vermont, État où il enseigne les sciences politiques à l'Université. Il vit dans une petite maison de bois, à la lisière de la forêt. Sa cave, sa salle à manger, sa chambre, tout est envahi par des milliers de livres, d'articles, de photocopies. C'est un homme étonnamment jeune, en pleine activité intellectuelle, qui me reçoit entre deux voyages au Canada où il donne des conférences. Il m'offre un café et, d'emblée — il m'avait déjà prévenue par fax —, attaque sans détour : « Ce que je vais vous dire de Hannah n'est pas agréable. Voulez-vous vraiment le savoir ? »

Raul Hilberg n'a jamais rencontré Hannah Arendt. Il a lu ses textes sur l'antisémitisme dans *Les Origines du totalitarisme* qu'il n'a pas trouvés particulièrement originaux. Hilberg est un ancien étudiant en droit et en sciences politiques. Il a eu comme professeur Salo Baron, qu'il considère comme son maître, et a entrepris, à titre personnel, des travaux historiographiques sur le nazisme. C'est sa recherche du temps perdu à lui parce que, dit-il, « j'ai vécu adolescent, à Vienne, l'ascension du nazisme ». Il prend comme directeur de recherches Franz Neumann et décide de passer ses journées et ses soirées à consulter à la bibliothèque du Congrès l'énorme masse des documents militaires allemands. Il est aussi, au même moment, documentaliste au *War Documentation Project* et témoin au département de la Justice dans les procès contre les anciens nazis. Ces différentes expériences lui donnent un goût amer d'inachevé. « Quelque chose ne collait pas dans l'histoire du nazisme, comme s'il manquait des pièces à l'immense puzzle que constituait l'histoire de la disparition des Juifs. Quelque chose me taraudait et je ne savais pas quoi. Seule la lecture des textes pouvait m'apaiser temporairement. Je lisais, le soir, sans savoir ce que je voulais, où cela allait. » Dès 1948, il s'enferme en bibliothèque et fait de ses recherches une manière obsessionnelle de vivre. Il passe ses jours et ses nuits enfoui dans ces documents, à s'y ensevelir même pour tenter d'y comprendre quelque chose. Quoi ? Il ne le sait pas encore.

Raul Hilberg garde de ces années-là le souvenir d'une odyssée de la mémoire, d'où naît le désir ardent de redonner vie à ces morts anonymes mentionnés sous forme de colonnes, de listes, dans les paperasseries nazies qui emplissent des rayons entiers de bibliothèque. On le sent le cœur battant, la voix brisée, il a les mains qui virevoltent autour du visage pour décrire l'horreur qu'il a affrontée en tentant de décrypter le sens de ces documents innombrables, rédigés dans une langue administrative. « Il fallait s'en sortir, dit-il. Il fallait nous en sortir, les morts et moi, pour leur redonner une existence, une légitimité donc une mémoire. » Il raconte, en prenant café sur café, ses crises de désespoir, sa solitude extrême pendant toutes ces années, les cauchemars qui le réveillaient chaque nuit avec ces fantômes, ces morts qui reviennent dans les arrière-fonds de notre mémoire commune, leurs regards qui le supplient. Hilberg refuse d'utiliser le mot extermination et parle d'« opérations mobiles de tueries », non de camps de concentration mais de « camps de mise à mort ». Il travaille, encore aujourd'hui, à disséquer les mécanismes de destruction et pense que, par essence, ce type de recherche est inachevable. Il tente de savoir comment les Juifs d'Europe ont été détruits et s'attache à explorer les rouages du mécanisme de leur destruction. Plus il avancera dans ses recherches, plus il s'apercevra qu'il a affaire à un processus organisé par des bureaucrates à l'échelle d'un continent. Comprendre de quoi était composé cet appareil, et comment il fonctionnait, demeure encore la tâche principale qu'il assigne à sa vie.

La conversation dure des heures : Gwendallyn, sa femme, l'écoute dire sa reconnaissance à son professeur Franz Neumann, dont l'ouvrage majeur, *Béhémoth*[62], lui indique la méthode à suivre. Dès 1934, Neumann disséquait en effet l'avènement de l'Allemagne nazie. Il constatait que, sans autre théorie politique ni volonté missionnaire, le nazisme organisait le pays en quatre groupes autonomes : service public, armée, industrie et parti, qui se coordonnaient par des accords que

Neumann qualifiait de « contrats sociaux ». Pour Hilberg, ce texte fut une révélation : il découvrit une Allemagne fondamentalement anarchique qui se dotait progressivement de structures administratives chargées d'organiser le chaos en vue de la terreur. Hannah Arendt n'évoque jamais dans ses textes l'ouvrage de Neumann. Hilberg, lui, se voudra son continuateur. Il exploitera des documents restés encore secrets pour le grand public et auquel il aura accès dont, notamment, la correspondance interne de l'administration centrale du Reich et des responsables chargés de l'extermination des Juifs sur le terrain. Pour Hilberg, la destruction des Juifs d'Europe ne fut pas centralisée car les quatre groupes définis par Neumann y participèrent. Il nomme cet ensemble bureaucratique l'appareil de destruction.

Pour Hilberg comme pour Arendt, le témoignage de Rudolf Kastner est fondamental, mais ils n'en retiennent pas les mêmes leçons : pour elle, Kastner a coopéré avec les nazis ; pour lui, il a tenté de sauver des Juifs. Autre point fondamental de discorde : la caractérisation du régime. Pour Hannah, ce qui importe avant tout est le point d'origine : la naissance du totalitarisme, qu'elle situe au début de la guerre, le 1er septembre 1939, date à partir de laquelle le régime devient, pour elle, criminel. Pour Hilberg, c'est l'objectif ultime d'anéantissement formulé en 1942 à la conférence de Wannsee, la Solution finale, qui caractérise le début du totalitarisme nazi, même si la Solution finale fut précédée par des mesures antérieures, la volonté de destruction des Juifs européens ayant toujours été profonde, latente, incessante.

Raul Hilberg se souvient de l'émotion ressentie dès qu'il put avoir accès aux documents de Nuremberg, dans lesquels il se plongea jour et nuit. Puis il soumit ses deux cents premières pages à Neumann, le cœur battant. La seule objection de Neumann porta sur une partie de la conclusion. Hilberg y avançait que, sur le plan administratif, les Allemands avaient compté sur les Juifs pour leur sens de l'ordre, et que les Juifs avaient coopéré à leur propre destruction. Neumann ne lui dit pas que c'était faux, mais lui conseilla : « C'est trop gros à avaler, coupez. » Hilberg accepta, mais en échange, plus que jamais déterminé à le démontrer, il demanda à Neumann l'autorisation de se lancer, sous sa direction, dans une thèse intitulée *La Destruction des Juifs d'Europe*. Neumann accepta en le prévenant : « Vous aurez des ennuis, vous l'aurez voulu. »

Neumann avait déjà compris que son élève quittait les eaux de la recherche universitaire pour s'enfoncer dans un territoire interdit. Hilberg, en 2003, se souvient avec le sourire à quel point il était marginalisé et comment ses propos paraissaient inaudibles à un moment où les survivants n'avaient pas encore droit à la parole et où l'on tentait d'oublier ce passé qui ne passe pas. Léon Poliakov, rappelons-le, était le seul, à l'époque, à avoir publié son remarquable *Bréviaire de la haine*, ouvrage encore aujourd'hui indépassable, établi à partir des documents de Nuremberg, sur la phase finale du processus d'extermination[63]. En 1952, Hilberg rejoint une équipe de huit personnes qui dépouillent ces documents secrets allemands jamais consultés, classés confidentiels ou secrets. Il a les mains qui tremblent tant il est ému quand il évoque tout ce qu'il a lu concernant le processus de destruction, tous ces documents signés par les nazis. Un océan de papier où il perdait pied, qu'il fallait trier, classer. Hilberg s'interrompt. Il a les larmes aux yeux et peine à continuer.

C'est la fin de l'automne. Des écureuils jouent sur un tapis rougeoyant de feuilles mortes juste devant la maison. Hilberg sourit en les voyant se chamailler, et reprend son récit : son contrat s'achève aux archives fédérales. À court d'argent, il supplie ses parents de l'héberger dans leur minuscule appartement pour continuer ses recherches. Tous les matins, pendant trois ans, il déplie dans sa chambre une table de bridge où il travaille sans relâche, ne s'autorisant à écouter le soir, avant de s'endormir, qu'un peu de musique de chambre.

À l'automne 1954, Neumann meurt. Hilberg se sent orphelin. Il passe sa thèse avec le professeur Fox en janvier 1955. Il apprend cette année-là que l'université du Vermont a deux postes vacants. Il hésite à faire acte de candidature, tant il est persuadé que la discrimination contre les Juifs sévit toujours. Il passe l'entretien préalable brillamment et arrive avec deux valises et deux cartons de livres. Aujourd'hui, quarante ans après, il y enseigne toujours, par fidélité. Il vit encore comme un étudiant, a une allure d'adolescent, une démarche intellectuelle de remise en question perpétuelle, un désir insatiable de vérité.

Le 30 décembre 1955, Raul achève son monumental travail. Le directeur de la Columbia University Press, Henry Wiggins, lui écrit pour lui demander l'autorisation d'en publier un fragment. Un fragment seulement. Il faut dire que l'intégralité fait mille six cents pages dactylographiées ! Après bien des vicissitudes et des hypothèses de coédition, le texte sera refusé, notamment en Israël, par l'Institut de Yad Vashem, dirigé alors par le docteur Joseph Melkman qui émit des réserves sur les conclusions historiques et sur son évaluation de la résistance juive pendant la période nazie, et aux États-Unis par Princeton University Press. Hilberg confie alors l'intégralité de son travail aux presses universitaires d'Oklahoma qui le garderont pendant six mois sans lui répondre, avant de lui proposer de le publier à 2 500 exemplaires moyennant 17 500 dollars qu'avançait un mécène du nom de Petschek, et à condition qu'il apporte diverses modifications. C'est alors qu'Eichmann est capturé en Argentine.

Hilberg essaie de hâter le processus de publication et relance son éditeur. L'actualité sert son travail qu'il voudrait voir publier avant le procès. C'est finalement Quadrangle Books qui publie l'ouvrage, sans aucune annonce, dans l'indifférence générale, juste au moment où débute le procès. Raul Hilberg sait déjà à l'époque que son sujet venait trop tôt, que son livre était trop gros, que son éditeur n'avait pas les moyens de faire de la publicité, qu'il ne connaissait personne dans les milieux journalistiques ni dans les relais d'opinion, que sa thèse allait gêner politiquement, intellectuellement, moralement. Il s'apprête donc à rester un inconnu et à subir les attaques des rares lecteurs qui ne verront dans son travail que polémique et scandale.

Ce qu'il ignore encore, c'est la nature des réactions. Comme Hannah Arendt, et avant elle, il sera poursuivi pour avoir mis en cause la communauté juive allemande en prenant en compte un fait bien réel : ce qu'il nommait, avant Arendt, « la coopération des Juifs ». « J'avais dû examiner la tradition qui poussait les Juifs à faire confiance en Dieu, aux princes, aux lois et aux contrats. Il m'avait fallu enfin prendre la mesure du calcul des Juifs selon lequel le persécuteur ne détruisait pas ce qu'il pouvait exploiter sur le plan économique. C'est précisément cette stratégie des Juifs qui dictait les compromis et bridait la résistance[64]. »

Hilberg tient à distinguer nettement ce qui le sépare fondamentalement de Hannah Arendt sur deux points capitaux : la vision d'Eichmann et les conseils juifs. Il est heureux de parler, en 2003, avec la tranquillité que confèrent la distance et l'âge, et donne l'impression de vouloir se délivrer de ce qui l'a longtemps tourmenté : la confusion entre ses positions et celles de Hannah Arendt. Celle-ci, dit-il, l'a utilisé et instrumentalisé en pliant ses propres raisonnements pour les adapter à sa propre théorie. Plus grave, elle l'a trahi. Il a en effet découvert par hasard, il y a seulement douze ans, à l'occasion d'une recherche, que c'était elle qui, à la demande du Princeton University Press, avait refusé la publication de l'ouvrage. Un an avant la capture d'Eichmann en Argentine, elle avait expliqué à l'éditeur que tout avait été dit sur cette période de l'histoire et que l'édition de cet ouvrage était inutile.

Le soir tombe et Hilberg trouve enfin dans un carton la lettre de l'éditeur Gordon Hutel, datée du 5 avril 1959, adressée à Hannah Arendt pour la remercier de son avis négatif sur la thèse. Il joint, comme convenu, un chèque pour le travail effectué. Hannah Arendt n'a manifestement, d'après les archives inédites et la correspondance privée, jamais su qu'il savait... Mieux, elle semble même avoir oublié qu'elle avait rédigé cette note négative. Elle ne ménage d'ailleurs pas, l'année suivante, ses efforts pour une réédition de l'ouvrage de Hilberg et ne comprend pas pourquoi celui-ci, dont elle dit tant de bien dans son livre, ne vient pas à son secours lors de la polémique. Elle lui en voudra de son silence et confiera à Jaspers : « Je ne sais rien de la prise de position de Hilberg en ma faveur. Il est assez bête et fou. Il fabule à présent autour du “désir de mort” des Juifs. Son livre est vraiment remarquable, précisément parce qu'il se contente de rapporter des faits. Un chapitre plus général, une introduction historique, ne vaut pas un clou. (Pardon — j'ai oublié à qui j'écris. Mais puisque c'est fait, je le laisse[65].) » Hilberg en sourit encore. Certes, il fut blessé dans sa dignité mais plus encore irrité d'avoir été confondu avec elle à un point tel qu'on le prenait pour son double.

Quand je lui demande comment il explique la violence qu'elle eut à son égard, il cite pêle-mêle sa défense inconditionnelle de l'Allemagne, son amour pour Martin Heidegger, son arrogance naturelle et ce besoin, trait de caractère profondément enraciné en elle, d'avoir toujours le dernier mot. En prenant de l'âge, il a pris aussi ses distances. C'est un homme épanoui, heureux de vivre en solitaire et assumant gaiement sa marginalité, en accord avec lui-même, qui tire un bilan en termes ironiques et conclut : « Pour qui me prenais-je, après tout ? Elle, la philosophe, moi, le tâcheron, qui n'écrivis qu'un simple rapport, encore qu'elle l'ait jugé indispensable une fois qu'elle l'eût exploité : tel était l'ordre naturel de son univers. »

La loi du mal

Martine Leibovici a raison de souligner que la syntaxe du livre consacré à Eichmann, ces phrases si longues, avec des échappées, nous donne l'impression d'être face à une partition à deux voix. En ce qui concerne les conseils juifs, Hannah Arendt n'utilise qu'une seule de ces voix : celle de l'accusation. De manière ironique, elle insiste lourdement sur la responsabilité de ces conseils : « On pouvait faire confiance aux responsables juifs pour dresser les listes de personnes et des biens [...] », et elle les caractérise psychologiquement : « Le nouveau pouvoir leur plaisait[66]. » Elle qui déteste ordinairement faire appel à la psychanalyse fouaille les âmes de ces hommes et affirme : « Nous savons comment se sentaient les responsables juifs lorsqu'ils devinrent des instruments de meurtre[67]. » Elle leur reproche d'avoir gardé le secret et, ce faisant, d'avoir menti, comme Leo Baeck, ancien grand rabbin de Berlin, qui était parfaitement au courant qu'on gazait les Juifs et préféra le taire. Résultat : on se portait volontaire pour Auschwitz et ceux qui tentaient de dire la vérité étaient considérés comme des fous. Elle note cependant l'exception du président du conseil de Varsovie, Adam Czerniakow, qui préféra se suicider. Elle les accuse d'avoir rédigé les listes de transport de ceux qui partaient dans les camps, notamment à Theresienstadt. Elle écrit : « L'argumentation de l'accusation aurait été affaiblie s'il avait fallu reconnaître que la désignation des individus dont on courait la perte était, à quelques exceptions près, le travail de l'administration juive[68]. » Elle se prévaut d'un ouvrage de Hans Günther Adler, *Theresienstadt 1941*, où tous ces faits sont consignés, et s'emporte contre le tribunal de Jérusalem qui ne l'a pas cité.

Cette insistance à désigner est, je crois, centrale pour comprendre pourquoi Hannah s'acharne sur le rôle des conseils. Désigner un individu, c'est le distinguer. Le distinguer, c'est le choisir. Or les conseils juifs ont choisi d'épargner les plus riches, ceux qui avaient du pouvoir, des Juifs éminents. C'est au nom de l'égalité entre les individus que Hannah se place ; c'est au nom de la recherche de la vérité — une hypothétique vérité qui, par essence, serait encore cachée et de nature scandaleuse — qu'elle entend être, elle la philosophe, la spécialiste de l'antisémitisme, l'accusatrice du procureur. Elle en vient même à reprocher à l'avocat d'Eichmann de ne pas avoir utilisé l'arme de l'atténuation de sa responsabilité. Eichmann fut aidé, dans ses sinistres tâches, par le travail de l'administration juive : « Plus que tous les bavardages déplaisants et souvent carrément choquants sur les serments, la loyauté et les vertus de l'obéissance aveugle, de tels documents auraient contribué à décrire l'atmosphère dans laquelle Eichmann travaillait[69]. »

Hannah va jusqu'à affirmer que, avec la responsabilité des conseils juifs, c'est la distinction entre les bourreaux et les victimes qui n'est pas si claire ! Elle affirme que le procès veut occulter la coopération entre dirigeants nazis et autorités juives, ce qui est faux : trente-sept dépositions tournent autour de cette question. Partout où les Juifs vivaient, il y avait des dirigeants juifs, affirme-t-elle, ce qui est faux historiquement. Les dirigeants — presque tous sans exception — ajoute-t-elle, coopéreront pour une raison ou une autre avec les nazis — ce qui est également faux. Pourquoi raisonne-t-elle ainsi et pourquoi n'utilise-t-elle pas des éléments historiques piochés dans une documentation où elle ne choisit que ce qui sert sa thèse ? Elle croit faire preuve de courage intellectuel en tenant de tels propos, faisant mine d'oublier que, depuis les années 1950, le sujet de la collaboration juive et de la dénonciation des conseils juifs était l'objet d'une multitude de publications, journaux intimes, mémoires... « La condamnation implacable des conseils juifs fut un thème majeur du parti Herout de Menahem Begin. En fait, la loi même qui permit de juger Eichmann avait été adoptée en Israël pour châtier les collaborateurs juifs[70]. » Elle a toujours été une intellectuelle instinctive plus qu'une philosophe à la tête froide qui se barde de bibliographie et réfléchit cinquante fois avant d'écrire une phrase.

On le sait, le texte fut écrit dans la fièvre et l'emportement. Comme une nageuse qui avance à contre-courant au beau milieu de la houle déchaînée, elle attaque les certitudes et s'affronte au caché, à l'obscène, à l'indicible. Ainsi affirme-t-elle, et cette phrase sera retenue contre elle pendant de longues années : « Toute la vérité, c'est que si le peuple juif avait été vraiment non organisé et dépourvu de direction, le chaos aurait régné, il y aurait eu beaucoup de misère, mais le nombre total de victimes n'aurait pas atteint quatre et demi à six millions de victimes[71]. »

Sur les responsabilités des conseils juifs, les recherches menées depuis ne lui donnent pas raison. Comme le résume l'historien Saul Friedländer : « *Objectivement*, le *Judenrat* a probablement été un instrument de la destruction des Juifs d'Europe, mais, *subjectivement*, les acteurs n'ont pas eu conscience de cette fonction, et, même s'ils en avaient conscience, certains d'entre eux — voire la plupart — ont essayé de faire de leur mieux dans le cadre de leurs possibilités stratégiques fort limitées afin de retarder la destruction[72]. »

Le désir de Hannah, non d'exonérer, mais de comprendre Eichmann trouve son achèvement dans le chapitre VIII, intitulé « Les devoirs d'un citoyen respectueux de la loi ». Citoyen, Eichmann ? Un citoyen de la loi du *Führer* qui fit preuve, comme il le dit lui-même, d'une « obéissance de cadavre[73] », *Kadavergehorsam*. Arendt est troublée de voir Eichmann citer

Kant, son philosophe préféré. Certes, il le déforme, mais donne une définition approximativement correcte de l'impératif catégorique. Cela vaut-il quitus ?

Un bourreau qui cite Kant n'est pas un bourreau comme les autres. Eichmann est responsable. Hannah Arendt répète qu'il a toujours fait de son mieux pour rendre définitive la Solution finale[74]. Mais son cas n'est pas unique. Comme tant d'Allemands, il a obéi à cette loi qui les a tous transformés en criminels.

Dans les deux chapitres sur les déportations, Hannah Arendt reprend ses thèses développées dans *Les Origines du totalitarisme* : l'assimilation du Juif d'Europe a permis de croire que le problème juif n'existait plus et que l'Europe pouvait se passer des Juifs. « Pendant des centaines d'années, à tort ou à raison, les Juifs avaient été habitués à comprendre leur propre histoire comme une longue histoire de souffrances... Mais derrière une telle attitude, il y avait eu pendant longtemps la triomphante conviction de *"Am Ysrael Chai"*, le peuple d'Israël vivra. Des individus, des familles entières de Juifs pouvaient mourir dans des pogroms, des communautés disparaître et cependant le peuple survivrait. Ils n'avaient jamais eu à affronter de génocide[75]. » L'assimilation avait fait d'eux, pour le meilleur ou pour le pire, des citoyens appartenant à la communauté européenne des nations. Des citoyens d'abord, les Juifs ? Cela n'avait plus guère d'importance. Les Juifs européens pensaient qu'ils faisaient partie, de manière consubstantielle et vitale, de la civilisation européenne. Ce que Hannah Arendt nomme « la consolation séculaire » ne fonctionnait plus.

La fin du monde pour les Juifs fut imaginée en Europe, par l'Europe. La fin du monde sera mise en œuvre avec une remarquable monotonie. Hannah retrace la genèse de la Solution finale dans différents pays. Elle fait longuement l'éloge du Danemark, du comportement de son peuple et de son gouvernement, unique exception européenne à avoir résisté au nazisme. « On est tenté de conseiller la lecture obligatoire d'une telle histoire à tous les étudiants désireux d'apprendre quelque chose au sujet de l'immense potentiel de pouvoir contenu dans l'action non violente et dans la résistance à un adversaire disposant de moyens de violence nettement supérieurs[76]. » Mais sa manière d'interpréter politiquement et psychologiquement le comportement des autorités allemandes au Danemark — elles auraient, dit Hannah, changé d'avis devant cette résistance déclarée et les nazis eux-mêmes « ne considéraient plus l'extermination d'un peuple entier comme une évidence » — semble bien naïve. Elle ajoute : « Ils avaient rencontré une résistance de principe et leur dureté fondait comme beurre au soleil. » Elle précise que « certains furent même capables de montrer quelques timides débuts de courage authentique[77] ».

De même, étonnante semble sa défense des nazis qui comparurent au procès de Nuremberg. Pour elle, ce tribunal révéla que, « à l'exception de quelques brutes à moitié démentes », « l'idéal de dureté n'était qu'un mythe, une automystification dissimulant un désir brutal de conformisme à tout prix[78] ». Pourquoi vole-t-elle au secours d'Eichmann, en déclarant qu'en Roumanie, par l'émigration forcée, celui-ci aurait sauvé des centaines de milliers de Juifs des pogroms spontanés. Pourquoi écrit-elle : « Les SS sont souvent intervenus pour sauver les Juifs de ce qui était une pure et simple boucherie, afin que les assassinats puissent avoir lieu d'une manière civilisée à leurs propres yeux[79] » ?

Dans le même ordre d'idée critique-t-elle, au nom du formalisme juridique, l'audition des cinquante-six témoins de la souffrance du peuple juif au lieu des quinze ou vingt prévus au départ. Absence d'empathie pour des témoins qui seront quelquefois trop longs dans leur déposition, et qui, n'ayant souvent rien à voir avec les faits, se montraient peu soucieux de restituer la vérité mais désireux de parler, « impatients de ne pas rater cette occasion unique, chacun étant convaincu qu'il avait droit à sa journée au tribunal ».

D'Eichmann, elle pense qu'il « eût été très réconfortant de croire qu'il était un monstre ». C'est la normalité d'Eichmann qui est monstrueuse, nous dit Hannah. Et cette normalité pose d'autant plus question qu'elle fut partagée par de nombreux autres, tout aussi monstrueusement banals. « L'ennui avec Eichmann, c'est précisément qu'il y en avait beaucoup qui lui ressemblaient et qui n'étaient ni pervers ni sadiques, qui étaient et sont encore, terriblement et effroyablement normaux. [80] »

L'inégalité de statut entre la défense et l'accusé la choque moralement et juridiquement. Elle pense que le procès fut mal préparé et qu'a fait cruellement défaut une équipe spécialisée de conseillers historiques pour procéder au choix des documents. Elle regrette ainsi que la voix des Allemands résistants ne se soit pas fait entendre davantage, sous-entendant ainsi que celle des témoins survivants avait été trop présente.

Cela participe de son optimisme foncier teinté d'une ombre d'exaspération vis-à-vis du statut des victimes. Pour elle, en effet, le passé est inscrit en lettres de feu et de sang dans notre mémoire collective. « Les oubliettes n'existent pas. Rien d'humain n'est à ce point parfait et il y a simplement trop de gens dans le monde pour rendre l'oubli possible. Il restera toujours un survivant pour raconter l'histoire[81]. »

Pour Hannah, la leçon à tirer de cette histoire est simple et à la portée de tous : face à la terreur, la plupart des gens s'inclinent mais cela n'est pas avéré partout. Elle conclut donc : « Humainement parlant, il n'en faut pas plus, et l'on ne peut raisonnablement pas demander plus, pour que cette planète reste habitable pour l'humanité[82]. »

XVI

PIÉGÉE

« Le but d'un procès est de rendre justice et rien d'autre[1] », écrit Hannah dans son Épilogue. Or, ce procès, voulu par Ben Gourion, avait de nombreux autres buts — que par ailleurs elle estime nobles — qui dépassent le droit. Le jugement de Jérusalem permet de noter que, pour la première fois depuis la fin de la guerre, « la catastrophe juive se trouvait au cœur des débats du tribunal[2] ». C'est ce qui le distingue de tous les autres procès. Pour Hannah, « il ne s'agit là, au mieux, que d'une demi-vérité[3] ». Car, pour elle, et cela ne fait aucun doute, si Eichmann a été capturé, c'est parce qu'il doit être accusé de crimes contre le peuple juif : « [...] ce n'était certainement pas parce qu'il avait aussi commis des crimes contre l'humanité mais c'était uniquement à cause de son rôle dans la Solution finale du problème juif[4]. »

Nous atteignons là le cœur de ce qui hante Hannah Arendt depuis 1943, date à laquelle elle apprend l'existence des camps de concentration. Pour elle, Israël comme le peuple juif en général étaient mal préparés pour reconnaître, dans les crimes qu'a commis Eichmann, un fait sans précédent. Les Juifs pensent en effet leur histoire uniquement de leur propre point de vue, et la catastrophe qui s'est abattue sur eux depuis Hitler s'inscrit, « non comme [...] le crime sans précédent du génocide, mais, au contraire, comme le crime le plus ancien qu'ils aient connu et dont ils gardaient la mémoire[5] ». Là gît le véritable échec du procès de Jérusalem, qui n'a pas permis de comprendre la véritable horreur, la singularité, la nature même de l'existence d'Auschwitz.

Eichmann ne doit pas être le seul à porter le fardeau de la responsabilité du génocide. Il n'est pas un monstre, ni un pervers, ni un sadique, mais un individu terriblement et effroyablement normal. Des milliers et des milliers d'Eichmann marchent dans les rues des villes d'Allemagne, dorment sur leurs deux oreilles, exercent tranquillement leur travail dans la considération générale. Ce n'est pas Eichmann qui est, par nature, monstrueux, c'est le système qui l'a rendu ainsi en effaçant en lui la frontière de la perception entre le bien et le mal.

L'objectif principal du procès — poursuivre, défendre, juger et châtier Eichmann — a été atteint, reconnaît-elle. Mais là n'est pas l'important. L'important est que « la possibilité subsiste, plutôt déplaisante mais difficile à nier, que des crimes similaires puissent être commis à l'avenir ». Comment ne pas s'incliner devant la clairvoyance cruelle de Hannah Arendt qui, en 1963, prédit un nouveau génocide ? « L'effrayante coïncidence entre l'explosion démographique de notre époque et la découverte de procédés techniques qui, grâce à l'automatisation, rendront "superflue", ne serait-ce que sur le plan du travail, une grande partie de la population, rend possible de traiter cette double menace par l'utilisation d'armes nucléaires auprès desquelles les chambres à gaz de Hitler auraient l'air d'un jeu d'enfant méchant[6]. »

Hannah nous convie à un voyage au cœur des ténèbres. Elle nous fait trembler d'effroi et de honte puisque certains, des hommes comme nous, ont commis le crime contre l'autre, tous les autres : des hommes désarmés, sans défense, et non des ennemis de guerre. Ils ont déshonoré à tout jamais l'espèce humaine et continuent tout de même à habiter cette terre. Dès lors, une question se pose que Hannah Arendt est la première à oser formuler : le génocide peut-il recommencer ? Quarante ans après, l'histoire, hélas, lui donne raison.

Lettres d'insultes

En rentrant à New York, dans l'océan de lettres d'injures qu'elle commence à recevoir, Hannah ne trouve aucun courrier de son avocat, Me Moloshok, à qui elle demande depuis plusieurs mois de poursuivre la compagnie de taxis responsable de l'accident dont elle fut victime pour obtenir des dommages et intérêts. Elle le relance donc et lui suggère de réclamer quarante-cinq mille dollars. Puis elle prend rendez-vous pour Heinrich chez le dentiste. Il souffre beaucoup, ce qui ne l'empêche pas de tempêter toute la journée contre les auteurs de lettres d'insultes[7], pour la plupart des survivants ou des parents de survivants, qui s'attaquent à sa femme, c'est-à-dire, pour lui, les Juifs, la presse juive, les organisations juives, les associations juives, les rabbins.

De son côté, Hannah n'en revient pas non plus et reste stupéfaite devant tant de violence. Elle se sent encerclée, affaiblie, apeurée. Elle ne s'attendait pas à déclencher de telles réactions. Elle se montre, comme son mari, indignée par certains procédés, certaines accusations, qu'elle voit comme autant de procès d'intention. Pendant cette période difficile, elle n'est guère aidée par son amie Mary McCarthy qui, au lieu de lui expliquer les raisons de cette violence, et de la calmer, attise ses tendances paranoïaques en comparant ce qu'elle subit à l'affaire Dreyfus. Heinrich, lui non plus, ne fait pas dans la subtilité. Pour lui donner raison, il insulte méchamment ceux qui osent l'attaquer et surenchérit. Même Hannah s'en montre gênée et avoue à Jaspers : « [...] et ce qu'il pense du peuple juif n'est pas toujours ce qu'on souhaiterait (ceci pour rire seulement)[8]. » Est-ce pour rire seulement que, se plaignant amèrement auprès de lui de l'attitude de certains de ses contempteurs, qui passent des semaines à fouiller dans sa vie pour tenter de ruiner sa réputation, elle ajoute : « Si j'avais su, j'aurais sans doute pris soin de faire la même chose. Et *à la longue*[9] il sera peut-être tout de même utile de nettoyer un peu cette fange juive[10]. »

Sollicitée de toute part pour s'expliquer, Hannah se réfugie dans le silence et se replie sur elle-même, déclinant toutes les invitations à venir se justifier. Le 20 juillet 1963, de guerre lasse, elle change de tactique. Le 23 juillet, à l'invitation du rabbin de l'université de Columbia, elle parle devant des étudiants juifs. Elle pense intervenir, comme c'est le cas d'habitude, devant un cercle restreint d'une cinquantaine de personnes. Mais, malgré les vacances, Hannah fait recette. Le rabbin organise la rencontre dans un amphithéâtre de trois cents personnes. Cinq cents sont dans la salle. Debout, dans les travées, perchés dans les balcons, assis par terre. Cinq cents autres tentent de forcer les barrages. Le rabbin est obligé d'appeler la police. Petite émeute. Comme une célébrité, Hannah est accueillie par une *standing ovation*. Sans provocation, elle répond longuement aux questions des étudiants, et remporte un vif succès. Pour l'empêcher de partir, on envahit l'estrade[11]. Hannah en est très touchée, c'est un peu de baume sur ses blessures. Elle cherche à se rassurer et tente de trouver des explications à ce qui lui arrive. Elle pense que seule la génération la plus âgée — celle des survivants — lui en veut vraiment, et que la campagne qui commence contre elle, visant à la transformer en soutien d'Eichmann et en mauvaise Juive, est orchestrée par les chefs des organisations sionistes. Jaspers la défend et écrit que « la vérité est assassinée[12] » et il la réconforte : « Voilà que tu fais la conquête des Juifs et que tu es la meilleure des Juives[13]. » La polémique lui permet de reprendre contact avec une amie d'adolescence, réfugiée comme elle aux États-Unis, et qui lui écrit : « *Come back to us* [elle veut dire : dans la vie juive], *we need you*[14]. » Il n'y a pas qu'elle, cet été-là, qui fasse scandale. Son amie Mary McCarthy publie au mois d'août le texte sur lequel elle travaille depuis onze ans, *Le Groupe*[15], une autobiographie crue, l'histoire de huit filles de l'université Vassar, promotion 1933, obligées de s'adapter au monde violent que représentait l'Amérique du New Deal. Le livre, initialement tiré à soixante-dix mille exemplaires, dépasse les cinq millions de ventes et fait de Mary un écrivain reconnu. Toutes deux obtiennent donc au même moment gloire et reconnaissance, mais attirent aussi jalousies et critiques virulentes. Mary doit affronter le tir de barrage des intellectuels new-yorkais, l'écrivain Norman Mailer en tête. Hannah se porte à son secours et ne ménage pas sa peine pour l'aider dans ces moments difficiles. Elle aime infiniment ce roman, admirable récit de cette période de crise profonde que l'Amérique a souvent tendance à enjoliver, voire oublier complètement. Elle admire l'écriture de Mary et la drôlerie du récit, se réjouit de son succès et se félicite que son amie gagne enfin de l'argent grâce à son talent.

Heinrich, en piteux état, la rejoint à New York à la fin du mois d'août. L'âge, soixante-quatre ans, certes, mais aussi de graves problèmes d'artériosclérose l'ont transformé et il éprouve désormais beaucoup de difficultés à se déplacer. Elle s'occupe de lui sans faiblir et le soigne mais décide, pour des raisons mystérieuses, de taire la gravité de sa maladie à ses amis. Elle se battra donc seule dans la polémique qui reprend de plus belle à la rentrée, seule et terriblement angoissée par l'état de santé déclinant de son mari.

L'ovation à Columbia n'était qu'une victoire à la Pyrrhus, et la violence des attaques redouble sur plusieurs fronts. La presse se déchaîne. La revue *Aufbau*, à laquelle elle collabore pourtant depuis son arrivée à New York, refuse de publier un droit de réponse[16]. L'autre revue dans laquelle elle écrit également depuis ses premières années d'exil, la *Partisan Review*, s'oppose violemment à elle et se répand en calomnies en publiant un article intitulé « L'esthétique du mal : Hannah Arendt sur Eichmann et les Juifs[17] ». L'auteur, Lionel Abel, reproche à Hannah d'avoir, sur un plan esthétique, fait d'Eichmann un personnage plaisant et des Juifs des êtres répugnants. Dans la *New York Times Books Review*, le juge Michael Musmanno accuse Arendt, dans un article intitulé « Un homme à la conscience immaculée », de prendre la défense de la Gestapo et de calomnier les victimes juives[18].

À son domicile, les lettres continuent à affluer. On peut constater, en consultant ces documents, que Hannah les a lues et souvent annotées[19]. Sur certaines, elle rédige ses réactions instantanées. On perçoit là à la fois son émotion et sa volonté de répondre sincèrement, loyalement. Ces lettres, bien davantage provoquées par les articles des journaux que par le livre lui-même, sont le plus souvent des fragments d'autobiographies, des confessions parfois bouleversantes, mais aussi des questions qui témoignent à la fois d'un désir de comprendre pourquoi Hannah s'est permis de juger et d'une volonté de témoigner. Ainsi lui écrit une certaine Mme Desenberg : « Mon meilleur ami est mort à Mauthausen et il n'était pas réputé pour sa couardise. Je n'ai jamais eu d'explications sur sa mort mais je les préfère à vos attaques. » Ou de ce professeur, survivant, Erik Werner, qui écrit à son propos : « Elle n'était pas là. De quel droit dispose-t-elle pour écrire ainsi[20] ? »

De nombreux rabbins interviennent pour prendre la défense de Leo Baeck. Dans son livre, Hannah lui reproche d'avoir, en tant que responsable juif, coopéré avec les nazis. Il a, dit-elle, caché leur sort aux victimes pour des raisons qu'il prétendait humanitaires, arguant que survivre serait encore plus difficile en sachant qu'on serait prochainement gazé[21]. Touchante attention que cela, trouve Hannah qui stigmatise l'attitude de Leo Baeck et celle des autres responsables des conseils juifs qui agirent de manière similaire. Leo Baeck, rappelaient ses défenseurs, avait refusé de nombreuses offres d'émigration aux États-Unis pour rester avec son peuple. Il ne fut pas le seul. Toutefois, il échappa à la mort[22].

Innombrables sont les lettres qui pointent du doigt sa violence contre le peuple juif, et notamment sa manière de juger son incapacité à se révolter face à la barbarie nazie. « A-t-elle jamais été forcée de se soumettre à la lente dégradation morale et physique d'une minorité abandonnée à son sort dans des conditions si inconcevables ? Qu'elle réponde à ma question ! mais qu'elle ne me réponde pas les clichés que j'ai lus dans les écrits de ses amis : que c'est le droit et le devoir de l'historien de juger. Car Mme Arendt est bien trop partie prenante pour être "impartiale", si ce mot signifie encore quelque chose dans cette chronique de profanation[23]. » Certains de ses étudiants lui écrivent pour lui dire leur profonde tristesse et leur déception ; ils refusent désormais de l'accepter comme leur professeur tout en reconnaissant qu'en raison des souvenirs passés ils ne parviennent pas à effacer l'estime qu'ils ressentent pour la femme et l'écrivain.

Bientôt, c'est un véritable raz-de-marée. Tout le monde lui écrit — même son institutrice de Königsberg qui, grâce à la polémique, renoue avec elle au bout de cinquante ans[24] ! —, souvent pour raconter sa vie. L'insulter aussi. Hannah classe son courrier, choisit de ne répondre qu'à très peu de personnes. Elle encaisse mal les coups et, au fur et à mesure qu'enfle la polémique, se sent de plus en plus mal. Elle avoue à Mary : « Dans l'état d'inquiétude où je me trouve, je ne suis pas sûre de pouvoir garder la tête froide et de ne pas exploser[25]. » Si on la poursuit et si on la harcèle ainsi, c'est parce qu'elle a dit la vérité, la vérité nue, sans l'enjoliver de remarques érudites. Elle semble persuadée qu'une véritable campagne politique s'organise, qui concerne, non un livre qui n'a jamais été écrit, mais sa propre personne. Elle se dit piégée par ce qu'elle nomme une campagne de diffamation médiatique où ses adversaires essaient de créer une « image » qui vient recouvrir celle de son livre. Elle se sent désarmée par rapport à ces gens qui ont tout : pouvoir, argent, relations, temps[26]... Elle avoue donc son impuissance et continue à répéter qu'elle a écrit un reportage, juste un reportage, et non un livre politique. En dépit de ses dénégations, la campagne s'emballe.

Le Conseil des Juifs d'Allemagne, organisation des émigrés juifs allemands, se réunit et décide de s'opposer à la conception historique de Hannah Arendt en préparant une série de publications destinées à montrer « comment les Juifs allemands ont déployé le maximum de forces tant sur le plan moral que matériel pour s'entraider et pour maintenir dans les circonstances les plus difficiles l'estime et le respect qu'ils se devaient à eux-mêmes[27] ».

Une circulaire de l'*Anti-Defamation League*, organisation créée en 1913 pour lutter contre l'antisémitisme, mais aussi pour l'égalité des droits de tous les citoyens, enjoint les rabbins à prêcher contre Hannah « le jour du Premier de l'An[28] » et l'accuse d'être dénuée de compassion, de juger d'événements qu'elle n'a pas connus et de rendre responsables les conseils juifs, qui avaient recherché le moindre mal. Ernst Simon, professeur d'éducation à l'université hébraïque de Jérusalem, fait le tour des plus grandes universités américaines en donnant des conférences contre son livre pour démonter ses arguments et conclut un article par ces mots : « Espérons qu'elle ne savait pas ce qu'elle faisait[29]. » Des articles paraissent dans *Newsweek*, *New Republic*, puis, dans le journal de l'*Anti-Defamation League*, un mémorandum de Jacob Robinson intitulé « Rapport sur le mal de la banalité ». Cet ancien consultant auprès de Robert Jackson, procureur des États-

Unis au procès de Nuremberg, et ancien assistant de Hausner à Jérusalem, ne fait que commencer son travail de sape contre Hannah. Deux ans plus tard, il publiera un livre qui relancera la polémique.

À New York, ses amis l'aident à laisser passer ce tir de barrage. Rose Feitelson, par exemple, tente de la persuader que les Juifs ordinaires et intelligents qui n'ont pas de compte à régler la comprennent, mais que les candidats autoproclamés à la martyrologie juive la jalousent. Pour la consoler, elle tente de la faire rire : « Rentre à la maison, Hannah Arendt, toi l'ignorante, pleine de haine, rancunière, menteuse, mégère juive prussienne sans âme et qui se déteste, et toi Heinrich, *goy* prussien mais pas irrécupérable, car tu as mauvais goût dans tes femmes juives[30]. » « Tes femmes juives. » Remarque d'autant plus piquante qu'elle entretient toujours des relations amoureuses avec Heinrich, lequel continue à mener sa vie conjugale avec Hannah. Heinrich n'aimerait-il que les femmes juives ?

Elle persiste, dans sa correspondance avec ses amis, à dire qu'il n'y a dans son texte — qu'elle sous-titre *report*[31] et non *essay* — aucune idée, rien que des faits et quelques conclusions ainsi qu'une discussion juridique dans l'épilogue. Il est donc clair que toute cette fureur déclenchée contre elle porte sur des faits et non sur des théories. Le 25 septembre 1963, elle part, le cœur en peine, inquiète de quitter Heinrich dont la santé décline de jour en jour, pour l'université de Chicago. Elle se retranche encore dans son attitude d'autojustification, refusant d'analyser les réactions qu'engendre l'interprétation de son texte, comme si elle était persuadée qu'il ne donnait pas une lecture de la vérité mais était purement et simplement la transcription de la vérité.

Certaines critiques plus amicales commencent pourtant à se faire jour. Mary lui confie ce qu'a éprouvé son amant après avoir refermé son livre : « Il pense être d'accord avec ce que tu dis mais n'est pas sûr de t'avoir comprise. » Mary lui confirme que son texte « appelle des compléments d'information, des éclairages nouveaux, des définitions plus précises ». Elle voudrait que Hannah précise l'ampleur de la responsabilités des conseils juifs, et qu'elle développe sa notion de banalité d'Eichmann : « Qu'est-ce que cela signifie ? Si ce n'est la formule naïve "il y a un petit Eichmann en chacun de nous", alors quoi ?[32] » Hannah refuse. Elle récuse la possibilité même de s'expliquer. Son livre ne traite pas du pourquoi et du comment des choses mais décrit simplement ce qui s'est passé. Elle est convaincue qu'elle ne doit répondre à aucune critique individuelle, persuadée qu'il s'agit d'une campagne politique dirigée par « des groupes d'intérêt » et des « agences gouvernementales », et ne veut donc pas se laisser enfermer dans ce qu'elle nomme des « fausses questions » comme la résistance juive. Le véritable sujet, selon elle, est le fait que les membres des conseils juifs avaient la possibilité, à titre individuel, de ne pas participer. Quant à la banalité d'Eichmann, ce n'est pas pour elle une notion mais une description fidèle de ce qu'elle a vu. Elle se réserve le droit d'écrire sur la nature du mal, mais pas maintenant.

Hannah est-elle victime d'un complot ourdi par les organisations représentant les différentes familles du judaïsme américain ? Certains prétendent que la violence dont elle fit l'objet préfigure l'instrumentalisation par la communauté juive américaine de l'Holocauste[33]... Je préfère pour ma part me rallier à la thèse de Maurice Kriegel qui montre, à propos du livre de Peter Novick sur *L'Holocauste dans la vie américaine*, que les organisations juives américaines étaient à l'époque légitimement inquiètes des interprétations qu'on pouvait faire du livre de Hannah Arendt, et soucieuses de ne pas envenimer les confusions qu'il pouvait provoquer.

Hannah s'entête dans son refus de répondre ou de s'expliquer. Se protège-t-elle ainsi de tout sentiment de culpabilité ? Elle ne pense pas qu'elle a mal agi. Pour autant, elle ne veut pas se faire aider par des organismes qui applaudissent aux thèses de son livre, comme le Conseil du judaïsme américain, organisation antisioniste, qui propose de l'aider. Courageuse et sincère Hannah. « Vous savez que j'ai été sioniste et que les raisons qui m'ont conduite à rompre avec l'organisation sont très différentes des positions antisionistes du Conseil : je ne suis pas par principe hostile à Israël, je suis contre certains aspects importants de la politique d'Israël. Je sais, ou je crois savoir, que si une catastrophe devait atteindre cet État juif pour quelque raison que ce soit (et même s'il s'agissait de leur propre folie), ce serait sans doute la catastrophe finale pour le peuple juif tout entier, quelles que puissent être alors les opinions de chacun d'entre nous[34]. » Elle ne veut pas savoir qu'elle peut faire mal. Elle aime transgresser et il faut voir dans son attitude l'aveu implicite d'une blessure, mais aussi une sorte de posture. Plus on l'attaque, plus elle pense qu'elle a raison. Plus on lui fait du tort, plus elle se persuade qu'elle a dit la vérité — une vérité qu'on ne se serait pas auparavant autorisé à énoncer. Ce n'est pas pour autant qu'elle ne réfléchit pas, intellectuellement, aux conséquences qu'entraîne la publication de son texte.

Après quatre mois de querelles, au milieu du déchaînement de haine et d'insultes, Hannah rebondit une fois de plus. Dès le 3 octobre 1963, elle annonce son intention d'écrire pour le printemps prochain un essai sur les rapports entre la vérité et la politique[35]. Ce texte constituera une réponse théorique aux attaques dont elle fut l'objet. Elle mettra néanmoins presque quatre ans pour l'écrire. Il ne sera publié que le 25 février 1967, dans le *New Yorker*, puis repris dans son ouvrage intitulé *La Crise de la culture*[36].

Car la polémique sur Eichmann va continuer et, *de facto*, la dépasser et la submerger. Sa cuirasse de certitudes va bientôt se défaire. C'est dans sa correspondance avec Jaspers qu'on peut en percevoir les premiers signes : Jaspers lui reproche sa définition de la résistance. Il la juge peu claire et trop restrictive. Sont résistants à ses yeux non seulement ceux qui ont travaillé activement à la chute du régime hitlérien, mais tous ceux qui, silencieusement et passivement, « ont rejeté à cent pour cent le nazisme tout en souffrant quotidiennement[37] ». Jaspers pense qu'ils sont plus de cent mille en Allemagne. Hannah accepte sa critique en partie mais elle écrit que « l'activité non organisée de certains individus est une tout autre question, même s'ils faisaient partie de groupements. Ils ont souvent aidé s'ils le pouvaient, en risquant vraiment leur vie, mais c'est là une question d'humanité, pas de politique. Dès qu'ils agissaient sur le terrain politique, ils estimaient ne plus devoir argumenter pour des raisons "humaines" ou "morales"[38] ».

Isolée à Chicago, elle subit avec une angoisse croissante les ondes de choc de la campagne médiatique en cours. Elle en devient même légèrement paranoïaque et pense que toutes les revues, tous les journaux, toutes les organisations dirigés par des Juifs sont par définition contre elle. Elle parle de « meute[39] ». Elle évoque sans cesse dans sa correspondance ses ennemis, s'enferme dans des obsessions délirantes, estime qu'elle ne peut répondre car « ils » ont d'énormes moyens financiers et des organisations très puissantes, « ils » gagneront encore contre elle en instrumentalisant sa pensée. Ses nerfs craquent. Elle parle d'« assassinat moral[40] » : on affirme qu'elle dit des choses qu'elle n'a jamais dites afin d'empêcher qu'on apprenne ce qu'elle a réellement dit. Elle dit subir l'épidémie du mensonge. Elle est persuadée que ses propos ont touché une partie du passé juif non surmonté et que c'est cela qu'on lui fait payer. Elle est littéralement encerclée, asphyxiée par cette atmosphère de haine : « Les gens qui, si je puis dire, me couvrent de boue viennent en cachette, dans la nuit et le brouillard, pour ainsi dire chez moi, pour me dire d'entamer un procès, que c'est une campagne de haine[41]... » Le dégoût que provoque ce vacarme la submerge. Elle en vient à imaginer qu'elle est peut-être en danger : « Bon, ils ne vont pas m'assassiner car je n'ai rien à "déballer". Ils veulent faire un exemple pour montrer ce qui arrive à celui qui se permet de s'intéresser à de telles affaires[42]. »

La leçon de Scholem

Elle a l'impression de tomber dans un guet-apens. Tout se retourne contre elle. Elle se sent piégée. C'est bien ce qui se passe. Ainsi la polémique avec Scholem — au départ une correspondance privée entre deux vieux amis, soit cinq lettres écrites entre le 23 juin et le 19 octobre 1963 — devient une affaire publique internationale[43]. Scholem vient, en effet, de décider de publier leurs deux premières lettres par deux fois dans le bulletin des Juifs d'origine allemande vivant en Israël (le 26 août 1963), dans le *Neue Zürcher Zeitung* (le 20 octobre 1963), puis en hébreu dans le journal *Davar* (le 31 janvier 1964) et enfin dans l'*Encounter* (janvier 1964). Hannah Arendt parle à ce propos d'une sordide histoire. Certes, Scholem lui avait demandé, et elle en avait accepté le principe, l'autorisation de publier ses lettres en Israël. Cela « me paraissait sans gravité[44] ». Mais elle s'indigne que Scholem ait « eu recours à toutes ses relations pour claironner dans toutes les directions[45] ». Elle aimerait bien porter plainte contre lui mais craint de perdre le combat sur le plan juridique.

Elle a raison de se faire du souci de voir rendue publique la polémique qui l'oppose à Scholem. Venant d'un des intellectuels juifs allemands de nationalité israélienne qui s'est toujours battu pour la vérité et pour la défense de son peuple et qui, plus est, s'est opposé à la pendaison d'Eichmann, l'attaque porte cette fois autant sur le plan intellectuel que sur le plan symbolique. C'est même un coup de poignard. La première lettre que Scholem adresse à Hannah est datée du 23 juin 1963. Il a mis six semaines pour étudier son livre. D'entrée de jeu, il fait remarquer que le texte comporte des erreurs et des déformations. Mais là n'est pas le problème. Ce qui lui importe, ce sont les deux thèmes que développe Hannah Arendt : le comportement des Juifs pendant la catastrophe et la responsabilité d'Eichmann dans le génocide. Scholem travaille sur ces sujets depuis longtemps. Il a pleine conscience de la complexité et des enjeux de ces problématiques, de leur étendue, de leur profondeur, de leur ambiguïté aussi. Il affirme qu'une discussion sur l'Holocauste est légitime et inéluctable, même s'il pense que sa génération n'est pas en mesure de porter un jugement historique. Il est trop tôt pour juger et le manque de recul ne permet pas encore l'objectivité. Mais la jeunesse est là qui pose la question : pourquoi se sont-ils laissé massacrer ? Cette question n'est pas choquante. Bien au contraire, Scholem la trouve justifiée. Il n'y voit pas de réponse simple, au contraire de Hannah. Et c'est bien ce qu'il lui reproche : « À chaque moment décisif, votre livre ne parle que de la *faiblesse* de la position des Juifs dans le monde. Je suis prêt à reconnaître cette faiblesse ; mais vous en parlez avec tellement d'emphase qu'à mon sens votre exposé cesse d'être objectif et prend des résonances malveillantes. Le problème est bien réel, je l'admets. Mais pourquoi votre livre laisse-t-il un sentiment si profond d'amertume et de honte, non à cause de la compilation mais à cause du compilateur[46] ? »

Scholem a eu le sentiment que la vision de Hannah sur ce qui s'était passé venait sans cesse s'interposer entre lui et les événements. Tant du point de vue intellectuel que du point de vue psychologique, il touche là un point essentiel du raisonnement arendtien : « C'est comme si, nous lecteurs, lisions non l'histoire telle qu'elle peut être rapportée par de multiples points de vue mais l'histoire de l'unique point de vue de l'auteur qui voit aussi l'histoire mais la fait passer pour l'Histoire[47]. »

C'est autant le manque d'empathie que la froideur de la mise en accusation que stigmatise Scholem. « Ce que je reproche à votre livre, c'est son insensibilité, c'est le ton souvent presque sarcastique et malveillant qu'il apporte à traiter ces sujets qui touchent à notre vie en son point le plus sensible[48] », explique Scholem, qui dit parler au nom du profond respect qu'il lui porte en tant qu'intellectuelle. C'est même au nom de ce respect qu'il prétend qu'un débat de cette nature réclame des procédés plus traditionnels, plus circonspects, plus exigeants, en raison même des sentiments suscités. Il lui rappelle que, dans la tradition juive, existe un concept difficile à définir mais bien concret : *Ahavat Israel*, l'« amour du peuple juif[49] ». Scholem reproche à Hannah, comme à tant d'intellectuels issus de la société allemande, de n'en trouver chez elle que peu de traces et de faire preuve de désinvolture coupable vis-à-vis de son sujet. « Le sujet c'est la destruction du tiers de notre peuple, et je vous considère comme une fille de notre peuple, une fille à part entière et rien d'autre[50]. » Il trouve « inconvenant » le ton qu'elle a employé et regrette qu'il n'y ait pas eu de place pour le « *Herzenstakt* », le tact du cœur.

Scholem lui fait une leçon de morale et de psychologie

tout en lui adressant des critiques d'ordre intellectuel et historique. Jamais il ne remet en cause les angles d'attaque choisis par Arendt : la collaboration de Juifs, la responsabilité d'Eichmann, qu'il ne trouve pas taboue comme la plupart des critiques qui lui sont alors adressées. Ce qu'il critique, outre le ton, c'est la légèreté de la démonstration qui ne le convainc pas et qui vire à l'exagération, à la thèse plus qu'à l'explication. Ce qu'il ne peut pas supporter, plus profondément, c'est sa prétention à vouloir juger. Qui sommes-nous en effet pour pouvoir juger ? Où étions-nous à ce moment-là[51] ?

Scholem rappelle, fort opportunément, à Hannah que ni lui ni elle n'ont eu à subir les camps de concentration. « Qui d'entre nous pourrait dire aujourd'hui quelles décisions auraient dû prendre en ces circonstances les anciens de la communauté juive[52] ? » Lui en tout cas ne le sait pas. Il le sait même de moins en moins au fur et à mesure qu'il lit et réfléchit sur cette question. Mais Arendt dit savoir. Elle a bien de la chance car « votre analyse des événements ne m'assure pas que votre certitude ait de meilleurs fondements que mon incertitude[53] ». Qu'aurions-nous fait ? Scholem se met à la place des membres des conseils juifs. Il y avait parmi eux des gens ordinaires qui ont été contraints de décider des choses terribles dans des circonstances que nous ne pouvons même pas imaginer. Scholem ne sait s'ils ont eu raison ou tort. Et il n'a pas la prétention de pouvoir ni de vouloir les juger.

Il s'inscrit en faux contre la thèse d'Arendt sur l'effacement de la distinction entre bourreau et victime, qu'il juge tendancieuse et même perverse. « Il faudrait donc avouer que les Juifs aussi ont eu "leur part" à ces actes de génocide ? C'est là typiquement une *quaternia terminorum*[54] » — un raisonnement abusif. L'héroïsme pour Scholem n'est pas toujours guerrier, comme le pense Arendt qui, à ses yeux, encore une fois, se trompe de cible. Et il y eut des Juifs qui ont agi en pleine conscience de ce qui les attendait. Or ce geste aussi est héroïque. Héroïques furent les hommes, les femmes qui ont décidé de suivre leur rabbin à Treblinka alors qu'il les avait enjoints de s'enfuir. « L'héroïsme des Juifs n'a pas toujours été celui du guerrier ; et nous n'en avons pas toujours eu honte[55]. »

Scholem terminera cette lettre terrible par une critique de sa vision d'Eichmann. Il trouve son jugement « d'une prodigieuse inconséquence[56] » et toute la fin de son livre impossible à prendre au sérieux. Ultime coup de pied de l'âne, le dernier paragraphe de sa lettre évoque sa thèse de la banalité du mal et critique le manque de sérieux de son argumentation philosophique. Il fait remarquer qu'Arendt, sans doute pour briller, pour se distinguer et agacer, revient sur ce qu'elle avait inventé de manière si originale et si profonde douze ans auparavant dans *Les Origines du totalitarisme* et contredit les thèses qu'elle avait développées avec tant d'éloquence et d'érudition. N'avait-elle pas en effet démontré que, dans leur nature même, les régimes totalitaires cherchaient à s'assurer la complicité de leurs victimes, non pas dans un but utilitaire ou pratique mais purement idéologique ? Or, dans *Eichmann à Jérusalem*, Arendt affirme que, si les nazis ont recherché la coopération des Juifs, c'est parce qu'ils auraient sans cela sévèrement manqué de main-d'œuvre. Scholem met ainsi en lumière ses contradictions tout en la ménageant, car elle se contredit en réalité davantage encore que ce que Scholem veut bien dire. Dans la partie des *Origines du totalitarisme* consacrée à l'antisémitisme, Hannah avait en effet insisté sur la priorité absolue pour les nazis de « nettoyer » l'Europe des Juifs. Elle soulignait, mettant ainsi à nu un des mécanismes fondamentaux du totalitarisme nazi, comment entre 1944 et début 1945, alors que les troupes allemandes faisaient cruellement défaut au front, des effectifs avaient été réservés pour permettre aux fours d'Auschwitz de fonctionner à plein régime. Scholem lui pose brutalement la question : comment peut-elle affirmer, treize ans après, que le manque de moyens dont auraient souffert les Allemands sans la coopération des Juifs aurait contraint les nazis à relâcher ou à renoncer à leurs efforts ?

Pourquoi se contredit-elle ? Scholem l'explique par sa haine pour Ben Gourion et sa méfiance si profonde vis-à-vis de l'État d'Israël, qu'elle s'est elle-même, en voulant se singulariser à tout prix, emberlificotée dans ses propres argumentations. Déjà en 1945, Scholem avait estimé qu'elle stigmatisait l'évolution du sionisme qui prenait, selon elle, un tournant beaucoup trop nationaliste. Il lui avait alors reproché, en privé, de discuter sur une base « trotskyste antisioniste » et de mobiliser des « arguments progressistes[57] ». Il est intéressant de noter que les thèses de Hannah sur la collaboration des Juifs ne sont pas si éloignées de celles publiées dans la presse soviétique, qui évoquent à l'époque une collusion entre nazisme et sionisme et, par voie de conséquence, font d'Israël et de la République fédérale d'Allemagne deux pays proches idéologiquement et politiquement. Le procès d'Eichmann sera qualifié par l'agence Tass de « farce » et de travail de démolition en règle de l'idée même de justice. Ce fait a sûrement contribué à durcir l'opposition et la campagne menées à l'encontre du livre de Hannah.

Elle qui a tant disséqué les perversités de l'idéologie est-elle en train de devenir une idéologue, rangeant au magasin des accessoires quelques concepts philosophiques qui lui paraissaient hier nécessaires, comme le pense Scholem ? Ce serait mal juger de sa profondeur d'esprit, de sa loyauté vis-à-vis d'elle-même, de sa capacité à rebondir, que d'imaginer que la critique de Scholem sur la banalité du mal ne va pas occuper et tourmenter ses jours et ses nuits. Car Hannah est blessée par la lettre de Scholem au plus profond d'elle-même. Elle se sent d'autant plus mal qu'elle sait qu'il a raison, en grande partie du moins. Certes, le ton de Scholem est un peu professoral. D'un côté, la petite Hannah fragile et contradictoire, de l'autre le grand Gershom, paternaliste et emphatique. C'est sur son appartenance au peuple juif et la signification qu'elle entend lui donner qu'elle décide d'abord de lui répondre. Hannah n'a jamais prétendu être autre que juive. « La vérité est que je n'ai jamais prétendu être autre chose, ni être autre que je ne suis et je n'en ai même jamais éprouvé la tentation. C'est comme si l'on disait que j'étais un homme et non une femme, c'est-à-dire un propos insensé. Je sais évidemment qu'il y a un "problème juif", même à ce niveau, mais ce n'a jamais été mon problème, même pas dans mon enfance. J'ai toujours considéré ma judéité comme une des données réelles et indiscutables de ma vie et je n'ai jamais souhaité changer ou désavouer des faits de ce genre[58]. » On peut croire Hannah Arendt. Elle évoquera souvent auprès de ses amis, avec profondeur et simplicité, ce sentiment de gratitude fondamentale pour « tout ce qui est comme il est », qu'elle éprouve depuis qu'elle est au monde. Elle est juive. C'est comme cela. Elle n'en a jamais eu honte mais n'en tire pas une fierté particulière.

Elle le prend comme un bienfait. C'est une attitude existentielle, en quelque sorte pré-politique. De là à aimer les autres Juifs parce qu'elle est juive, de là à soutenir Israël coûte que coûte, de là à demeurer sioniste... il y a un abîme. Évoquant son absence d'amour du peuple juif, elle répond donc à Scholem ces phrases devenues célèbres : « Vous avez tout à fait raison : je ne suis animée d'aucun “amour” de ce genre et cela pour deux raisons : je n'ai jamais dans ma vie ni “aimé” aucun peuple, aucune collectivité — ni le peuple allemand, ni le peuple français, ni le peuple américain, ni la classe ouvrière, ni rien de tout cela. J'aime “uniquement” mes amis et la seule espèce d'amour que je connaisse et en laquelle je croie est l'amour des personnes. En second lieu, cet “amour des Juifs” me paraîtrait, comme je suis juive moi-même, plutôt suspect. Je ne peux pas m'aimer moi-même, aimer ce que je sais être une partie, un fragment de ma propre personne[59]. »

Brillante et perverse

Karl Jaspers prend connaissance de sa correspondance avec Scholem et félicite Hannah pour son courage et sa détermination. Il la prévient cependant : « Ta réponse à Scholem, si magnifique soit-elle [...] est un effort inutile. À ce niveau, Scholem ne te comprend pas plus que beaucoup d'autres.[60]» Il l'invite donc à s'expliquer, à se justifier. Mais Hannah ne suit pas ses conseils et continue à encaisser les coups en silence. Elle se sent trahie de toutes parts. Norman Podhoretz, un ami de longue date, désormais à la tête de la revue *Commentary* à laquelle elle a de nombreuses fois collaboré, publie en septembre 1963 un article critique mais sans violence sur *Eichmann à Jérusalem*. Le papier de Podhoretz, intitulé « Hannah

Arendt sur Eichmann, une étude à propos de la perversité du brio », a le mérite d'être subtil et équilibré. Non seulement il ne crie pas avec les loups, mais il prend soin tout d'abord de laver Hannah de toutes les fausses accusations qui empoisonnent l'atmosphère. La plupart, juge Podhoretz, sont injustes et peuvent être parfois qualifiées de diffamation pure et simple. Il sépare le débat sur le procès des soupçons, savamment et méchamment entretenus par une partie de la communauté juive américaine, qui distille l'idée selon laquelle Hannah serait une tête de pont de l'antisionisme. Car Hannah n'est pas antisioniste.

L'article de Podhoretz constitue l'analyse la plus fine, la plus loyale, la plus fouillée d'*Eichmann à Jérusalem*. Il dissèque les contradictions, démontre ses erreurs sur un plan historique, sur les *Judenräte* notamment, et sur ladite coopération des Juifs avec les nazis, et reconnaît l'originalité de son interprétation d'Eichmann. Pour Podhoretz, l'originalité n'est pourtant pas la plus grande des vertus intellectuelles, et Hannah cherche hélas à se montrer originale à tout prix. Selon lui, Hannah est brillante, mais perverse. Là est la clef de son interprétation car « la perversité peut provenir de la poursuite de l'éclat par un esprit qui s'émerveille de sa propre agilité et qui cherche à éblouir[61] ».

Pour lui, le raisonnement de Hannah est en effet pervers de bout en bout : quand elle soutient qu'Eichmann n'est pas antisémite, quand elle pense qu'Eichmann est un homme de conscience et affirme dans le même temps qu'il est ordinaire, même dans sa banalité. Car comment peut-on être banal et nazi ? « À la place du nazi monstrueux, elle nous donne le nazi "banal" ; à la place du Juif en martyr vertueux, elle nous donne le Juif comme complice du mal ; à la place de l'opposition entre la culpabilité et l'innocence, elle nous donne la collaboration du criminel et de sa victime[62]. » Podhoretz rejoint Scholem sur le point essentiel de l'attitude des Juifs pendant la guerre. Hannah a tort de les stigmatiser. Pour lui, face aux nazis, les Juifs ont réagi de façon ni pire ni meilleure qu'un autre peuple. La Solution finale ne révèle rien sur les victimes si ce n'est qu'elles étaient mortelles, vulnérables et impuissantes. Pourquoi donc fallait-il que les Juifs soient meilleurs que les autres peuples ?

J'ai tenté à plusieurs reprises, en vain, d'interroger Podhoretz. Il hésitait à me rencontrer. Cela risquait de remuer en lui des souvenirs douloureux. Des amis communs eurent la gentillesse d'appuyer ma demande que finalement il refusa, au prétexte qu'il est trop compliqué de parler de Hannah. Je ne pouvais que lui donner raison : il n'est pas aisé en effet de rendre compte de ses faits et gestes, moins encore de ses pensées. Au bout du compte, après s'être excusé, il me renvoya à la lecture de ses souvenirs[63], où il raconte qu'à sa grande surprise, Hannah lui téléphona après la publication de l'article pour l'inviter à parler de leurs « différences ». Avant de raccrocher, elle précisa en riant : « Je suis peut-être brillante, mais je ne suis pas perverse. » Podhoretz se rendit le cœur battant dans son appartement de Riverside Drive l'après-midi suivant. Ce n'est pas tous les jours qu'un journaliste politique, si renommé soit-il, a l'occasion de discuter avec l'un des plus grands esprits de ce monde. Il arriva à deux heures de l'après-midi et ne repartit que cinq heures plus tard. Hannah, à la nuit tombée, n'alluma pas les lampes. Tous deux continuèrent leur conversation dans l'obscurité. Hannah n'en démordit pas et se justifia de façon insistante, revenant surtout sur l'absence de folie des nazis. « "Mais mon cher Norman, d'un ton qui semblait indiquer qu'elle m'avait vraiment eu maintenant, je peux t'assurer que les nazis n'étaient pas du tout fous." » Podhoretz tenta de s'expliquer. Constatant qu'elle refusait délibérément de le comprendre, il jeta l'éponge et décida de s'en aller. Mais Hannah n'en avait pas fini avec lui. Elle l'invitera, au printemps 1965, à un débat où elle l'affrontera publiquement.

Petit à petit, Hannah commence cependant à reconnaître certaines faiblesses dans son texte, et notamment à propos de ce qu'elle a nommé la banalité du mal. Dès le 3 octobre 1963, on peut s'en apercevoir en lisant son *Journal de pensée*, elle réfléchit philosophiquement sur la nature du mal. Elle relit Kant et particulièrement les textes ayant trait au mal radical[64].

À Gershom Scholem, elle confesse qu'elle s'est trompée. Elle ne parlera plus désormais de mal radical : « À l'heure actuelle, mon avis est que le mal n'est jamais "radical", qu'il est seulement extrême, et qu'il ne possède ni profondeur ni dimension démoniaque. Il peut tout envahir et ravager le monde entier précisément parce qu'il se propage comme un champignon. Il "défie la pensée", comme je l'ai dit, parce que la pensée essaie d'atteindre à la profondeur, de toucher aux racines, et du moment qu'elle s'occupe du mal, elle est frustrée parce qu'elle ne trouve rien. C'est là sa "banalité". Seul le bien a de la profondeur et peut être radical[65]. »

Elle lui dit qu'elle aimerait en discuter avec lui de vive voix. Elle avoue éprouver de la nostalgie pour leurs conversations en Israël, lors du procès. Elle a besoin de parler, d'approfondir sérieusement ces questions qu'elle entend développer dans les prochaines années. On la sent perdue, confuse, en pleine interrogation métaphysique. Et si elle avait perdu trop de temps et d'énergie à se battre sur le terrain des faits, en s'éloignant des questions théoriques ? Elle rompt définitivement avec le journalisme. Désormais, elle n'aura en effet plus recours qu'à la discipline fondatrice de toutes les autres, la philosophie. Elle deviendra ainsi l'une des plus grandes théoriciennes de la philosophie contemporaine et la fondatrice d'une nouvelle morale, morale de la gratitude puisée dans la mentalité élargie que Kant désignait comme l'aptitude à se transporter en pensée vers d'autres points de vue[66].

XVII

LOYALE ENVERS LE RÉEL

L'assassinat, le 22 novembre 1963, à Dallas, du président John Fitzgerald Kennedy interrompt la campagne de presse contre *Eichmann à Jérusalem*. Dans son appartement du campus de l'université de Chicago, Hannah suit, heure après heure, les informations à la fois terrifiantes et opaques sur les circonstances du meurtre. Comme beaucoup d'Américains, elle se lamente et téléphone plusieurs fois par jour à Heinrich[1], qui craint de son côté que les États-Unis ne perdent leur statut de super-puissance. Hannah a voté Kennedy. Son assassinat et les conditions qui l'entourent la touchent en plein cœur : la balle par-derrière, la tête qui explose, et aucune preuve… Pas même une tentative de reconstitution ! Hannah est dégoûtée, révoltée. Mary McCarthy, qui vient la rejoindre pour quelques jours, lui annonce qu'elle va créer avec des amis une commission d'investigation sur les conditions de l'assassinat de J.F.K. Hannah l'encourage et ne ménagera pas ses efforts pour l'aider à la constituer.

Elle rédige un article sur Nathalie Sarraute[2], qu'elle admire depuis longtemps, pour la *New York Review of Books* et continue à parler d'Eichmann dans ses cours. Elle y obtient un tel succès que l'université est d'ailleurs obligée de les enregistrer pour les faire écouter à tous ceux qui, faute de place, ne peuvent y assister[3]. L'assassinat de Dallas la hante. C'est comme si on avait arraché un masque à ce pays. Désormais, Hannah entrevoit un avenir tissé d'appels à la violence et d'encouragements aux instincts les plus sanguinaires.

En rentrant à New York pour les fêtes de *Thanksgiving*, elle trouve son mari fatigué, vieilli, déprimé, désemparé par l'ampleur que prend l'affaire Eichmann. Elle raconte à Jaspers que Heinrich aimerait bien casser la gueule à ses adversaires : « Car il est un gentleman à l'ancienne mode quand il s'agit de moi. Il devrait pourtant savoir qu'il n'est pas tout à fait en mesure de se bagarrer avec des gens plus jeunes (Dieu merci[4]). » L'affaire Eichmann a repris son cours. Maintenant persuadée que le monde se divise en deux, celui des *goys* et celui des Juifs, elle explique à Jaspers que cette faute ne lui sera pas pardonnée. Lors d'une réception, le consul d'Israël à New York lui fait remarquer : « Tout ce que vous dites est vrai, naturellement ; nous le savons. Mais comment avez-vous pu, en tant que Juive, dire cela *in a hostile environment*[5] ? » Hannah est malheureuse. Jaspers la réconforte, lui demande de prendre de la distance. Il vient de terminer la lecture d'*Eichmann à Jérusalem* le crayon à la main et n'a fait que de pures remarques formelles sur le découpage des paragraphes, sans contester aucunement le contenu. À propos de ses propres annotations il déclare : « Quel maître d'école ! diras-tu. Alors qu'il ne sait pas faire lui-même ce qu'il veut qu'on fasse. C'est exact. [...] Mais sur le fond, je suis d'accord avec toi[6]. »

Désavouée

Hannah découvre les risques de la vie publique. Elle n'y est guère habituée et l'affaire prend des proportions internationales qui l'effraient. En Allemagne, l'écrivain et historien Golo Mann publie dans la revue *Neue Rundschau* un article très virulent[7]. « Un pas de plus et les Juifs se sont persécutés et exterminés eux-mêmes, en la présence accidentelle de quelques nazis[8]. »

Après l'avoir lu, Jaspers est en proie à de sombres pressentiments. Il craint les réactions de Hannah[9]. En Grande-Bretagne, l'historien Hugh Trevor-Roper lui reproche d'être froide, ironique, sans cœur. Il apprend, par un ami commun, médecin, que l'expression « banalité du mal » ne vient pas d'elle mais de Heinrich[10], lequel se le reprocherait depuis en constatant, impuissant, que Hannah paie lourdement ses propres négligences intellectuelles, ses exagérations, son besoin de provocation.

Hannah a effectivement endossé l'idée de Heinrich sur la banalité du mal sans la soumettre à un examen critique suffisant. La formule est certes brillante, et fait un beau titre de livre, bien accrocheur. Oui, ce mal-là est banal, mais pas le mal en soi, lui dit Jaspers, qui juge ses réponses à Scholem trop agressives et trop légères intellectuellement[11]. En ce début 1964, isolée, elle ne se sent plus à la hauteur du combat que mènent contre elle, depuis six mois déjà, les médias, les universitaires, mais aussi ses amis les plus proches. Car *Eichmann à Jérusalem* est maintenant lu et commenté dans le monde entier, on en parle à la télévision et pas seulement dans les cénacles universitaires.

Le moment le plus difficile arrive dix mois après la publication de l'ouvrage, sous la forme d'une longue lettre qui sonne comme un désaveu. Elle est signée par son ami de quarante ans, son ancien amoureux, son frère intellectuel et l'ami de son mari depuis vingt ans, Hans Jonas. Celui-ci, après avoir beaucoup hésité, s'est enfin décidé à lui écrire pour lui dire le mal qu'il pense de son travail. Il s'est longtemps tu pour préserver leur amitié mais, s'il continuait à se taire, c'est leur amitié qui s'en trouverait détruite. La publication de la correspondance avec Scholem lui a fait franchir le pas. Il a trouvé les réponses de Hannah si stupides et impertinentes qu'on pourrait la croire perdue. Il sait bien qu'il ne peut réussir là où Scholem a échoué mais la situation désespérée dans laquelle elle s'est piégée elle-même le pousse à tenter l'impossible.

Il entreprend donc, dans cette longue lettre bouleversante, de lui démontrer ce qui est faux et immoral dans son discours, à partir de quelques exemples relativement ordinaires qui concernent des personnes vivantes, et que l'on peut traiter de manière inoffensive (et non les péchés envers les morts, dont il ne pourrait pas parler sans briser leur amitié). Il lui reproche de ne donner au lecteur new-yorkais que des faits tronqués et partiels. Il reprend des citations où elle parle de l'étoile jaune (avec notamment le slogan : « Porte l'étoile jaune avec fierté »), et où elle affirme que les vues sionistes recommandaient son port six ans avant que les nazis ne le rendent obligatoire. Hannah pointe une concordance entre la logique sioniste et la politique des nazis, et l'accord des sionistes avec l'idée de révolution nationale. Or Hans Jonas lui explique que ce slogan provient de l'article de Robert Weltsch qui disait « Portez-la avec fierté, la tache jaune ». Ce slogan ne signifiait pas qu'il fallait porter l'étoile jaune pour aller dans le ghetto mais appelait au contraire à partir en Palestine. Un tel slogan est d'emblée polémique, à l'encontre des « assimilationnistes », tournés vers le passé, alors que les sionistes, tournés vers le présent, parlent en fait la même langue que celle de la révolution nationale. En réalité, Jonas accuse Hannah Arendt de donner au lecteur une image méchante et falsifiée des Juifs, et d'introduire de la tromperie dans chaque phrase du texte[12].

Hannah ne daignera pas répondre à Hans. Son élection inattendue au *National Institute of Arts and Letters*, distinction qui n'est généralement accordée qu'à des artistes et à des écrivains, lui réchauffe le cœur. Elle relance son avocat et voit enfin sa plainte contre la compagnie de taxis passer devant le tribunal. Le juge propose, en guise de dédommagements, que le camion paye à Hannah dix mille dollars et la compagnie de taxis la même somme. L'accord se fera finalement en juillet 1964 sur la somme de vingt-deux mille cinq cents dollars. Hannah empoche la somme de quatorze mille six cent douze dollars, le reste allant à son avocat.

La dépression de Heinrich s'estompe progressivement. Il demeure d'une terrible impatience avec tout un chacun mais se montre néanmoins moins irritable, et moins fatigué. Il reprend ses cours à Bard College devant un auditoire captivé, majoritairement féminin. Hannah constate que l'enseignement lui donne de l'énergie et de la combativité. Elle le laisse finalement seul à New York, et part faire ses cours à l'université de Chicago où elle rencontre cet écrivain qu'elle aime tant, Nathalie Sarraute[13]. Les deux femmes se lient aussitôt d'une vive amitié. Elle fait un séminaire sur Kant — tout particulièrement sur les *Fondements de la métaphysique des mœurs* — qui l'amuse beaucoup. Dans les archives de la New School, les traces de la préparation de ses cours montrent qu'elle redevient, avec jubilation, une étudiante en philosophie. Kant c'est son histoire, son affaire, son philosophe à elle. Le lire de nouveau, c'est s'apaiser et renaître. « Lire Kant me fait un bien extraordinaire[14] », confie-t-elle à Jaspers. Elle appelle cela « s'amener à la raison[15] ». C'est seulement lorsqu'on connaît cet auteur qu'on sait ce que recèle le terme de raison, explique Jaspers[16]. Lire Kant lui donne aussi la distance nécessaire. Elle décide, à l'automne suivant, de faire un cours sur la *Critique du jugement*. Sa plongée dans l'œuvre kantienne lui permet enfin de se confronter à elle-même, et de sortir de l'asphyxie créée depuis des mois par son besoin d'autojustification. Elle ne veut plus mentir et, au moment où elle accepte qu'*Eichmann à Jérusalem* soit publié en Allemagne, elle saisit l'occasion pour ajouter un nouveau texte qu'elle veut tout à la fois mise au point avec les faits, avec les critiques, mais surtout avec elle-même. Elle le remercie du fond du cœur d'avoir fait une lecture si minutieuse et d'avancer des propositions aussi précises. « J'ai écrit ce texte dans l'impatience. J'avais remarqué qu'il se perdait dans le sable, mais cela arrive souvent chez moi[17]. »

Pour Hannah Arendt, une œuvre reste toujours ouverte, un texte n'est jamais définitif. Et réécrire, c'est écrire. Hannah écrit vite, trop vite. Elle ne couche sur la page ses pensées que lorsqu'elle a la totalité du sujet dans la tête. Le processus d'écriture se déclenche alors sans pouvoir s'arrêter. Écrire, c'est en finir. Hannah ne relit guère. Elle préfère jeter ses textes en pâture à ses lecteurs, directeurs de revue, universitaires, amis, plutôt que de vérifier ses sources. Ce sont les idées qui l'intéressent, pas la rigueur de la démonstration. Ses textes demeurent émaillés de broussailles, de phrases indécises, de brouillons, chacun de ses livres possède son lot de chantier.

La lecture des *Mots* de Jean-Paul Sartre l'accompagne pendant sa réécriture d'*Eichmann à Jérusalem*. Ce Sartre qui « me dégoûte tant[18] », dit-elle à Mary. Elle n'y voit qu'un monceau de mensonges terriblement embrouillés. Pourquoi tant de sévérité ? Jamais Hannah n'a aimé Sartre, à qui elle a toujours opposé Camus et Aron, mais cette fois elle va plus loin en affirmant que Sartre, sous couvert d'un grand déballage de sincérité, fait semblant de dire des vérités plus ou moins scandaleuses afin de mieux cacher ce qui s'est réellement passé. Comment va-t-il raconter « sa vérité » concernant « ce fait désagréable », « à savoir qu'il n'a pas participé à la résistance, n'a en réalité jamais levé le petit doigt[19] » ?

Une nouvelle fois, elle part avec Heinrich à Palenville pour l'été 1964. Elle emporte avec elle le dernier ouvrage de Jaspers sur Nicolas de Cues et le dernier texte de Günther Anders, *Nous, fils d'Eichmann*. Günther s'y exprime au nom de son statut de survivant : « Moi je suis l'un de ces Juifs qui ont échappé à l'appareil de votre père et ne doivent d'être encore en vie qu'au hasard de ne pas être assassiné[20]. » Anders veut mettre en lumière ce qu'il appelle le monstrueux dans l'histoire d'Eichmann et qui n'est toujours pas pensé aujourd'hui : comment expliquer qu'il y ait eu destruction institutionnelle et industrielle d'êtres humains par millions et que des hommes aient exécuté ces actes, des Eichmann serviles, des Eichmann sans honneur, des Eichmann obstinés, des Eichmann avides, des Eichmann lâches, mais aussi des Eichmann passifs. Anders plonge dans les racines de ce monstrueux qui atteint de plein fouet, non les Allemands en particulier, mais la civilisation entière depuis qu'elle a fait de nous des créatures d'un monde de la technique. Nous ne pouvons plus percevoir, ni représenter le monde dans lequel nous sommes.

Sans allusion directe au livre de son ancienne épouse, ce texte, porté par une méditation d'inspiration heideggérienne sur la surpuissance de la technique, ne banalise pas la responsabilité d'Eichmann mais, semblable en cela au raisonnement de Hannah, exonère d'une culpabilité globale le peuple allemand. Le monde s'obscurcit, prophétise Günther. Il devient même si obscur que nous ne pouvons reconnaître son obscurcissement. Nous sommes entrés dans le *dark age*.

Hannah s'envole pour l'Europe le 2 septembre pour discuter avec son éditeur allemand, Piper, des conditions de publication d'*Eichmann à Jérusalem*. Elle passe une journée à

Zurich pour régler des problèmes financiers, puis s'installe une semaine à Bâle, à l'hôtel Kraft. Elle passe ses journées avec Gertrud et Karl à évoquer le procès, mais également à parler de philosophes qui ont abordé les rivages du mal. Jaspers lui conseille de relire Spinoza. Elle part pour Munich le 15, le 27 pour Francfort, enchaînant les interviews à la radio et à la télévision. Elle ne sent pas la fatigue tant elle est excitée par cette reconnaissance médiatique et par l'accueil chaleureux que lui font les jeunes étudiants. À Mary, elle explique les raisons de son euphorie : « Dans ma jeunesse, j'avais en général de la chance avec les goys allemands (jamais avec les Juifs allemands) et ça m'a amusée de constater que je possède toujours une partie de cette chance[21]. »

Son éditeur, Piper, lui a aménagé plusieurs rendez-vous. Elle accepte notamment un entretien pour la télévision avec un homme qu'elle estime, Günther Gaus. Elle le prépare longuement par écrit et soumet son texte à Jaspers, qui le juge convaincant et réussi : « Même tes ennemis, s'ils tentent en vain d'y trouver de nouveaux arguments contre toi, seront affectés. Qui d'autre que toi ose se montrer aussi naturel ? [...] Qui peut aujourd'hui s'en remettre complètement à soi-même comme tu l'as fait[22] ? »

« *Nullement philosophe* »

L'entretien sera diffusé sur la ZDF le 23 octobre 1964, dans le cadre d'une série intitulée « *Zur Person* ». Dans les premiers instants, Hannah y apparaît sur la défensive. Habillée d'un tailleur et peu maquillée, elle donne l'image d'une femme cultivée, distante, plutôt autoritaire, n'acceptant pas forcément le jeu de l'entretien. La réalisation de l'émission, austère et statique — gros plan fixe sur son visage, mauvais éclairage, absence de l'intervieweur à l'image —, n'arrange pas les choses. Hannah donne l'impression d'être rigide, trop sûre d'elle et peu encline à accepter la possibilité d'être critiquée. À une question à propos des polémiques suscitées par son livre sur Eichmann, Hannah répond agressivement que ses détracteurs pensent qu'on ne peut écrire sur ce sujet que « de façon pathétique[23] ». « Voyez-vous, il y a des gens qui prennent en mauvaise part le fait que maintenant encore je puisse en rire et, dans une certaine mesure, je les comprends[24]. » Elle avoue avoir ri aux éclats et de nombreuses fois à la lecture de l'interrogatoire d'Eichmann, qu'elle persiste à dépeindre sous les traits d'un clown. En regardant la retransmission, Jaspers est catastrophé : « Ce n'était pas beau [...] ta tête parfois plus grande que nature, désagréable, on voyait les muscles du cou qui tressaillaient parfois, et c'était comme si on assistait à une démonstration d'anatomie, encore une distraction — barbare[25]. » Hannah craint de son côté s'être montrée trop spontanée et pas assez réfléchie... En réalité, si l'on ne s'arrête pas au dispositif un peu suranné de l'émission, on se sent très vite conquis par la loyauté dont fait preuve Hannah vis-à-vis d'elle-même, et de son intransigeante volonté d'élucidation. L'expression de son visage est magnifique, les mots choisis pour dire son amour du savoir bouleversants, la modestie dont elle fait preuve, impressionnante. Tendue et nerveuse au début, Hannah s'anime au fur et à mesure de l'entretien, se dévoile, contradictoire, intense.

Publié ensuite dans *La Tradition cachée*, cet entretien avec Günther Gaus, intitulé « Seule demeure la langue maternelle », permet de découvrir une Hannah qui n'hésite pas à parler d'elle-même et de ses futurs projets de théoricienne du politique. Gaus lui pose la question de l'influence qu'elle exerce, elle lui rétorque que c'est une question purement masculine : « Les hommes ont toujours terriblement envie d'exercer une influence, mais je vois cela, d'une certaine manière, de l'extérieur[26]. » Hannah dit ne pas vouloir avoir d'autorité, ne pas vouloir faire école. Ce qu'elle veut, c'est comprendre et faire comprendre. « Je ne me sens nullement philosophe[27], affirme-t-elle à Gaus, et je ne crois pas non plus que j'aie été reçue dans le cercle des philosophes contrairement à ce que vous dites fort aimablement. » Gaus insiste : « Mais je vous tiens pour philosophe[28]. » C'est votre affaire[29], lui répond-elle sèchement. Quel sens donner à cette affirmation ?

Hannah semble sincère. Ce déni n'est pas provocation ni orgueil mal placé, plutôt l'aveu d'une modestie, le témoignage du doute qui la traverse. Ne pas se prétendre philosophe, c'est refuser de s'égaler aux plus grands, accepter de faire humblement de l'histoire de la philosophie, revenir à la théorie inventée par un génie, Emmanuel Kant, et tenter de le comprendre. Kant, c'est sa hutte à elle, sa cabane, son abri psychique pour rebondir et envisager l'avenir. Elle repart pour Chicago enseigner la *Critique de la raison pure* et ne ménage pas son temps, ni pour son séminaire ni pour ses étudiants[30]. Après ses séminaires, elle adore discuter des soirées entières avec ceux du département de philosophie, qu'elle trouve remarquables. Elle est heureuse et noue une amitié avec le professeur de sciences politiques Dolf Sternberger, qui habite à deux pas de chez elle[31]. L'automne est magnifique, soleil, fraîcheur, ciel limpide. Hannah n'a pas dit adieu à la philosophie.

Elle a gardé intacte sa capacité à questionner le monde, sa gourmandise de savoir, son esprit en alerte qui lui permet de prendre conscience de certaines de ses faiblesses méthodologiques. Elle avoue ainsi à Jaspers avoir clarifié certains problèmes après avoir médité Kant, « une possibilité de forger des concepts pour les sciences historico-politiques[32] ». Comment penser la politique autrement ? Elle continue à travailler sur des questions de philosophie morale, mais elle accepte aussi de donner des conférences sur Eichmann. Pourquoi ? Elle ne peut s'en prendre qu'à elle. Elle a besoin d'argent, mais cela ne l'amuse plus du tout. Ni l'agressivité qu'elle suscite ni l'admiration qu'on lui témoigne ne la contentent. Partout où elle vient parler, les salles sont bondées. Elle déteste cela. On l'attend comme une célébrité, mais cette reconnaissance lui paraît lourde à porter : « Je me sens comme un animal à qui tous les accès sont fermés — je ne peux plus me donner puisque personne ne me veut telle que je suis, tous en savent plus que moi[33]. »

De nouveau, elle est à bout. Elle s'inquiète pour la santé de Jaspers, victime d'une hémorragie intestinale en juin 1965. Quand il peut se mettre à sa table de travail, il rédige un texte qui défend Hannah. Elle s'en voulait déjà auparavant de lui prendre de l'énergie : « Tu écris un livre sur moi et moi je ne pense qu'au monde à l'envers[34]. »

Hannah travaille de nouveau sur le thème de la responsabilité pendant la guerre. Elle croit au renouveau de l'Allemagne. Certes, sous le chancelier Konrad Adenauer, un grand nombre d'anciens nazis continuent à occuper de hautes fonctions. Mais cette situation ne va pas durer, car les jeunes de vingt ans ont dorénavant affaire à des quadragénaires qui eux-mêmes ne sont pas compromis : « Ils ont le courage d'ouvrir leur gueule et entraînent les plus vieux — les quadragénaires, naturellement pas les honnêtes représentants de ma génération[35]. »

Elle accepte un nouveau débat sur son *Eichmann à Jérusalem* dans le cadre de l'université du Maryland[36]. Inutile de dire qu'elle suscite toujours autant de passions. En ce dimanche de printemps 1965, l'immense gymnase ne peut contenir la foule qui s'accroche aux gradins. La discussion avec Dwight Macdonald, le directeur de la revue *Politics*, et Norman Podhoretz porte sur des sujets philosophiques assez obscurs mais, malgré le sérieux du contenu, l'ambiance ressemble davantage à celle d'une rencontre sportive qu'à celle d'un débat universitaire. Chaque remarque provoque des applaudissements ou des sifflets. Ce qui se joue cet après-midi-là, c'est l'affirmation publique, par Hannah, que l'Allemagne demeure, encore aujourd'hui, en 1965, le seul pays de référence sur le plan de la pensée. Comme la plupart des intellectuels juifs allemands émigrés sur le nouveau continent, Hannah considère les États-Unis comme une terre inférieure sur le plan culturel à son pays natal. Que l'Allemagne ait donné naissance au nazisme ne peut amoindrir ce sentiment. Hannah s'explique devant un public enfiévré, fasciné par son argumentation brillante et ses thèses politiquement incorrectes. De cette joute contre deux hommes qui pensent qu'on peut être américain et philosophe, Hannah sort victorieuse : on ne peut être philosophe qu'à condition de demeurer dans l'architecture de pensée et dans la langue allemandes.

En ce printemps 1965, Hannah dirige deux séminaires à Chicago, l'un sur les dialogues de Platon, l'autre sur *Critique du jugement* de Kant. Elle fait des allers-retours à New York. Un jour, Heinrich lui tend la lettre d'un revenant qui n'a pas donné de nouvelles depuis cinq ans. Martin Heidegger répond, enfin, à la carte de vœux que Hannah lui a envoyée pour son soixante-quinzième anniversaire, mais se comporte encore et toujours en maître avec elle. Ayant sans doute pris connaissance du tollé que suscite le livre sur Eichmann qu'elle lui a envoyé, il n'a pas pris le temps de le regarder. À Hannah, il écrit : « Qu'est-ce qui appelle à penser ? Serait-ce : apporter le remerciement[37] ? » Il vient de tenir un séminaire à Bâle. Jaspers l'a trouvé très agressif. « Il y a en lui quelque chose — quelque chose de substantiel — mais on ne peut rien fonder sur lui. Et il est capable de vilenies[38] », confie-t-il à Hannah. Il songe écrire un livre sur lui mais préfère d'abord terminer son essai sur l'indépendance de la pensée dans l'œuvre de Hannah.

Hannah se sent loin de tout cela. Apaisée. En accord avec elle-même. Le ressourcement philosophique que lui a demandé d'opérer Heidegger, elle le vit psychiquement, pleinement, et l'éprouve physiquement comme un bienfait. De retour à Chicago, Hannah entreprend un séminaire sur Rousseau, un autre sur Spinoza[39]. Elle se montre tout de suite attentive et sympathisante de l'agitation estudiantine qui se répand sur le campus de Chicago et applaudit l'initiative des étudiants de Berkeley qui ont réagi aux bombardements sur le Vietnam en février 1965 en arrêtant un train de soldats qui se dirigeait vers la base d'Oakland. Le Vietnam la plonge dans le doute et le désarroi. Elle n'y comprend pas grand-chose mais pense, dès le début, qu'il s'agit d'une guerre civile qu'il faut stopper. Un an plus tard elle écrira : « Je suis contre l'intervention des États-Unis dans la guerre civile au Vietnam. La manière de résoudre un conflit armé est toujours la même : cessez-le-feu, armistice, négociations de paix, et, on peut l'espérer, traité de paix[40]. » Elle participe aux meetings des étudiants, qu'elle trouve raisonnables et courageux. « Un vrai débat et de l'information aussi. Très agréable[41]. »

En avril, Heinrich échappe, par miracle, à la mort. Il rentrait avec des collègues de Bard College dans un taxi, sur l'autoroute, quand le chauffeur à ses côtés s'est effondré sur lui, mort : crise cardiaque. Heinrich a eu la présence d'esprit d'appuyer sur le frein. Hannah en tremble encore[42]. Elle se réfugie avec lui en juin dans sa maison d'été pour nager et marcher dans la forêt. « Rester loyal envers le réel à travers vents et marées, c'est bien ce que réclame l'amour de la vérité ainsi que la gratitude d'avoir été mis au monde[43] », écrit-elle à Jaspers. Elle travaille magnifiquement et transforme deux conférences en essais. La vérité et la politique, depuis l'aube de l'humanité, n'ont jamais fait bon ménage. Est-il de l'essence même de la vérité d'être impuissante et de l'essence même du pouvoir d'être trompeur ? Et une vérité impuissante n'est-elle pas aussi méprisable qu'un pouvoir insoucieux de la vérité ?

Hannah Arendt formule avec acuité des questions fort embarrassantes que nous nous posons tous à un moment ou à un autre de notre existence. Celui qui dit la vérité risque sa vie, comme l'explique Platon dans l'allégorie de la caverne. Celui qui veut délivrer ses concitoyens de la fausseté du monde s'expose à disparaître. Hannah distingue la vérité de fait de la vérité de raison, et remarque que la vérité de fait a bien du mal à s'imposer contre les assauts du pouvoir. Car une nouvelle arme est apparue dans les temps modernes : le mensonge organisé, arme fatale, la seule véritablement appropriée dans un combat contre la vérité. Hannah entrelace le raisonnement philosophique sur la puissance de la raison chez Kant et Spinoza avec des réflexions historiques sur l'interprétation de la Seconde Guerre mondiale. Elle demande si l'on peut affirmer qu'aucun fait, aucun événement, n'est indépendant de l'opinion et de l'interprétation et répond avec force que « la marque de la vérité de fait est que son contraire n'est ni l'erreur, ni l'illusion, ni l'opinion, dont aucune ne rejaillit sur la bonne foi personnelle, mais la fausseté délibérée ou le mensonge[44] ». Elle critique l'idée d'une relativité de la vérité de fait dans l'histoire et établit la différence entre vérité de fait et opinion : « Les faits sont la matière des opinions, et les opinions, inspirées par différents intérêts et différentes passions, peuvent différer largement et demeurer légitimes aussi longtemps qu'elles respectent la vérité de fait[45]. » L'historien ne doit pas manipuler les faits : « Même si nous admettons que chaque génération ait le droit d'écrire sa propre histoire, nous refusons d'admettre qu'elle ait le droit de remanier les faits en harmonie avec sa perspective propre, nous n'admettons pas le droit de porter atteinte à la matière factuelle elle-même[46]. »

C'est bien parce qu'elle prend en charge le caractère hasardeux de la réalité qu'elle élabore une nouvelle philosophie moderne : celle des affaires humaines dans leur complexité, dans l'assomption du débordement perpétuel que constitue le réel, loin de la volonté de vouloir purifier ce réel en recourant à l'arbitraire, ou de construire l'illusion existentielle d'un monde immobile replié sur soi-même. En mettant au jour de nouvelles propositions philosophiques, elle se dégage enfin de l'emprise heideggérienne et propose des pistes de réflexion pour une nouvelle manière de penser le monde dans sa fragilité et sa diversité.

Humaine, trop humaine philosophie arendtienne. Notre capacité à mentir, mais pas forcément notre capacité à dire la vérité, fait partie des données élémentaires qui constituent notre liberté. Le menteur est un homme d'action. Le diseur de vérité, non. Cependant, c'est lui qui commence à agir. Car dire la vérité, c'est faire le premier pas vers le changement du monde. Elle en appelle à la loyauté, à un tête-à-tête paisible avec soi-même, et nous persuade que la vérité est la seule chose que nous ne pouvons modifier : « Métaphoriquement, elle est le sol sur lequel nous nous tournons et le ciel qui s'étend au-dessus de nous[47]. »

XVIII

PHILOSOPHE

Le récit et la réalité

Hannah s'envole pour l'Europe le 1er août 1965. Elle vient de passer le mois de juillet à Palenville, où elle a transformé deux conférences en deux essais : « L'une porte sur la vérité et la politique[1] et est en fait le produit de l'agitation autour d'Eichmann : doit-on, peut-on simplement dire la vérité en politique[2] ? » L'autre porte sur Bertolt Brecht.

Depuis le début de la polémique, Hannah réfléchit sur ce thème de vérité et politique qui devient l'intitulé de son cahier de travail, comme en témoigne son *Journal de pensée.* Hannah y affirme : « Le mensonge est aussi liberté, la *vérité contraint*[3]. » Comment pouvons-nous déterminer — déterminer, pas savoir — ce qu'est la vérité ? Quels sont les critères ? Personne ne peut affirmer détenir *la* vérité. Quelles sont les différences entre la vérité et l'idéologie ? Pourquoi celui qui se prévaut de posséder la vérité l'utilise à des fins de domination ? Vérité philosophique et exactitude scientifique, pouvoir de l'illusion, vérité *versus* idéologie... Hannah rassemble des matériaux pour essayer de comprendre, en philosophe, ce qui lui est arrivé. « Pour le dire de façon juridique : alors que je devrais me plaindre de la calomnie, je me retrouve dans la position d'avoir à me défendre [...] Si on est complètement innocent, on ne peut plus argumenter. C'est pourquoi l'accusation doit toujours produire la preuve de la culpabilité. Il est impossible de prouver l'innocence[4]. » Hannah se sent en effet complètement innocente, et c'est une femme apaisée, heureuse, en pleine forme, qui s'apprête à jouir de ses vacances bien méritées avec ses amis de cœur.

Elle rejoint pour quelques jours Mary McCarthy en Italie, à Bocca di Magra, puis part pour l'Allemagne. Invitée par son éditeur Klaus Piper à débattre à Cologne avec Carlo Schmid, spécialiste de droit international et politicien, sur le thème de la révolution, elle en profite pour aller voir Gertrud et Karl Jaspers deux jours à Bâle. Elle le trouve fatigué, épuisé même. Elle corrige les épreuves de *L'Avenir de l'Allemagne*, qu'elle préface, et tente de l'aider du mieux qu'elle peut. Jamais elle n'a autant senti l'approche de la mort. Durant son séjour, elle ne peut pas s'empêcher de se dire à tout moment qu'elle le voit pour la dernière fois.

Sa famille vient d'Israël la retrouver, puis Anne Weil. Heinrich la rejoint. Ils partent visiter les Pays-Bas pour la seconde fois. Ils y rencontrent de nombreux intellectuels et s'enivrent de peintures. Hannah aime la solidité des habitants, la prospérité du pays, le climat de sérénité. « Un pays sans hystériques ![5] » dit-elle à Mary. C'est tout dire. Puis ils embarquent à Rotterdam sur le *SS Rotterdam*. À peine arrivée à New York, Hannah reprend ses cours à la Cornell University où elle enseigne deux jours et demi par semaine. Elle aimerait bien avoir plus de temps libre, mais il lui faut toujours gagner sa vie. Elle a du mal à se remettre à sa tâche. « Seule mon ombre est assise devant ma machine[6] », confie-t-elle à Jaspers. Elle tente de réécrire, pour une édition anglaise, sa thèse sur saint Augustin. Une expérience traumatisante, dit-elle à Mary McCarthy. « Je réécris tout ce foutu texte, essayant de ne rien faire de nouveau, mais simplement d'expliquer en anglais (et pas en latin) quelle était ma pensée quand j'avais vingt ans. Ça n'en vaut probablement pas la peine [...] mais à présent cette rencontre exerce sur moi une étrange fascination[7]. »

Le 10 novembre sort, aux éditions Macmillan, le livre de Jacob Robinson, *And The Crooked Schall Be Made Straight*[8]. Le sous-titre en est explicite : *Le récit de Hannah Arendt et la réalité des faits*. Jacob Robinson, assistant du procureur Bach à Nuremberg, l'un des conseillers du procureur Gideon Hausner au procès de Jérusalem, a consacré quatre cent cinquante pages à réfuter les thèses de Hannah Arendt. Une bombe, « [...] un bloc de rocher qui veut écraser et anéantir ton livre[9] », avertit Jaspers, qui tente pourtant de la rassurer en lui précisant que l'ouvrage est ennuyeux à mourir, et beaucoup trop épais. Peut-être. Mais il va falloir répondre à une nouvelle salve d'attaques : Hannah le prend d'abord à la légère, se procure le livre mais attend pour le lire, persuadée qu'il n'aura aucun impact et que l'auteur n'a pas fait un travail sérieux.

Elle se trompe. L'ouvrage connaît un grand succès aux États-Unis, ainsi qu'en Israël et en Grande-Bretagne. Robinson ne se contente pas de réfuter les thèses de Hannah, il se livre à une longue et minutieuse enquête sur les conseils juifs, recense toutes les erreurs, qu'il juge volontaires, de Hannah Arendt, et dresse le catalogue de ses approximations et de ses inexactitudes. C'est donc un document accablant, dont le but initial est de montrer qu'*Eichmann à Jérusalem* offre une histoire dénaturée, mais c'est aussi un livre d'historien, qui apporte de nouvelles informations sur la responsabilité d'Eichmann, sur la nature et l'ampleur des persécutions auxquelles ont été exposés les Juifs européens et leur manière d'affronter le désastre. Jacob Robinson s'est livré à un travail considérable sur les archives, d'où il ressort qu'aucun membre des conseils juifs ne proposa ses services aux nazis. Il fait remarquer qu'il y eut de vastes zones en Europe où les Juifs furent anéantis sans la participation de conseils, voire sans conseils, comme l'URSS, la France, l'Italie, la Bulgarie, la Yougoslavie, la Roumanie. Le véritable problème que pose Robinson est en réalité de comprendre comment une infime partie du peuple juif européen a pu survivre sous la terreur nazie.

On peut déplorer son acharnement à réfuter Arendt, page après page, avec un ton qui ressemble plus à celui d'un procureur qu'à celui d'un historien. On peut aussi critiquer certaines envolées moralisatrices de l'auteur qui affirme, par exemple, qu'il est nécessaire de sympathiser avec les victimes pour traiter de cette tragédie, reprenant ainsi le débat critique introduit par Scholem. Mais, parmi les nombreux articles qui s'en prennent alors à Hannah Arendt, le texte se distingue par sa rigueur et sa profondeur de champ historique. Il n'est pas exempt pour autant d'une tonalité de reproche. Dans les dernières pages, une phrase résume le principal grief, d'ordre moral, adressé à Hannah : « Aborder la tragédie d'un peuple acculé aux dernières extrémités sous l'angle des rapports normaux de la société civilisée — voilà une distorsion inadmissible de la perspective[10]. »

En octobre 1965, Hannah Arendt apprend successivement le suicide de son ami poète Randall Jarrell[11] et la mort du théologien Paul Tillich[12]. Le grand pianissimo de l'âge atteint de plein fouet sa génération. Elle décide de répondre violemment au livre de Robinson et envoie à la *New York Review of Books* un texte intitulé « *The Formidable Mister Robinson. A Reply to the Jewish Establishment*[13] », qui rallume aussitôt la controverse. L'historien Walter Laqueur rend compte du livre de Robinson dans la même revue, et salue la longue liste des titres et distinctions de ce dernier. Robinson devient la bête noire de Hannah. Elle se dit encore une fois victime d'un complot, s'en ouvre à Jaspers, prétend que quatre chercheurs « empotés » ont travaillé à plein temps contre elle, financés par des fonds allemands adressés à Israël pour des projets culturels[14]. Walter Laqueur publie un second point de vue plus équitable sur son travail, qui sonne comme une absolution temporaire : « Miss Arendt a moins été attaquée pour ce qu'elle a dit que pour la manière dont elle l'a dit [...] tandis que ses adversaires étaient trop souvent enclins à jeter le bébé avec l'eau du bain[15]. » Hannah n'en a cure. Elle juge l'article de Laqueur trop bref et mal argumenté...

À la même période, Heidegger fait lui aussi, et pour d'autres raisons, la une de l'actualité. Comme Hannah, il réagit violemment à toute critique. Le 7 février 1966, *Der Spiegel* publie une lettre de lecteur rendant compte d'un livre d'Alexander Schwan[16] qui vient de paraître sur la philosophie politique dans la pensée de Heidegger, en évoquant son attitude pendant le IIIe Reich, et qui pose la question fondamentale : y a-t-il, dans la philosophie de Heidegger, un fondement à ses jugements et à ses options politiques ? Hannah écrit immédiatement à Gertrud et Karl Jaspers : « On devrait le laisser tranquille. En outre, je n'ai pas aimé du tout. J'ai l'impression que tout cela est mis en scène et organisé par le clan d'Adorno[17]. » Jaspers ne partage pas son point de vue, car la question posée est une vraie question, et estime qu'il n'est pas souhaitable de laisser Heidegger en paix, car il représente un modèle, surtout aujourd'hui, pour quiconque veut excuser son passé nazi. La signification de son comportement n'est, à ses yeux, nullement anodine. Le temps a passé et Jaspers, avec le grand âge, met en perspective ses relations si tumultueuses avec Heidegger de manière plus sereine et plus détachée. S'il le juge aujourd'hui coupable de son silence sur le plan politique, il le considère, à titre personnel, comme un homme lâche, qui ne lui a jamais fait un signe pendant la guerre, ni lorsque Gertrud, parce que juive, fut contrainte de se cacher, ni lorsque lui-même, en 1937, fut relevé de ses fonctions. « Son comportement envers les Juifs, lui-même n'ayant jamais été antisémite, a été parfois remarquable quand il voulait protéger quelqu'un comme Brock[18] (comme l'ont d'ailleurs fait presque tous les vieux nazis) et parfois odieux comme dans sa lettre officielle à Göttingen à propos du juif Fränkel[19], où il s'est exprimé exactement comme les nazis. » Tout cela entre pour Jaspers dans la catégorie « perte du sens de ce qui est juste ou non ». « Il semble qu'il ne l'ait jamais eu, ou uniquement par hasard[20]. »

Heidegger répond au *Spiegel* une lettre outrée et d'une grande mauvaise foi. Il s'insurge contre le colportage et la publication de prétendues informations se rapportant à son attitude pendant le IIIe Reich, sous-entendant qu'il est disposé à répondre aux accusations portées contre lui. Jaspers trouve la réponse irritante. Hannah n'a pas envie de juger Heidegger : « Tu dis toi-même, écrit-elle à Jaspers, que l'antisémitisme n'a joué aucun rôle. Mais les attaques contre lui ne viennent que de ce bord et de nul autre[21]. »

Hannah est persuadée que le « clan Adorno » tire les ficelles de la controverse qui se rallume en Allemagne autour de Heidegger. Elle n'éprouve en effet que mépris pour Adorno. Celui-ci, en réponse au journal des étudiants de Francfort[22] qui lui avait reproché d'avoir tenu dans le mensuel *Die Musik* des propos plus que respectueux à l'égard du régime nazi en juin 1934, s'était justifié en avançant que c'était « une erreur d'appréciation de la situation », qu'il croyait à l'époque que « le IIIe Reich ne pouvait durer longtemps », « qu'il fallait sauver ce qui pouvait l'être ». Il avait surtout affirmé, ce qui avait eu le don d'exaspérer Hannah, qui ne lui portait guère d'estime depuis longtemps : « Celui qui observe la continuité de mon œuvre ne devrait pas me comparer à Heidegger dont la philosophie est fasciste jusqu'au plus profond d'elle-même[23]. »

Hannah a soixante ans, déjà. Jaspers a beau lui écrire : « "Vieillir", ça n'existe pas pour toi. Ta vitalité ne faiblira jamais, sauf si tu atteins quatre-vingts ans[24] », elle ne se sent pas devenir une vieille dame, mais ne veut pas jouer à celle qui refuse les années. « Puisqu'il faut vieillir, que ce soit avec dignité et pas question de "fraîcheur de la jeunesse" [...] Je vais faire des efforts et ce ne sera pas facile, car mes chevaux ont toujours tendance à s'emballer[25]. »

C'est à l'occasion de son soixantième anniversaire que Martin renoue avec Hannah. Martin Heidegger, toujours aussi poétique et énigmatique, lui envoie cette lettre : « Je t'adresse de tout cœur toutes mes félicitations pour ton soixantième anniversaire, comme je te souhaite, en cet automne de ton être qui s'annonce, tout l'entrain nécessaire pour les tâches que tu as faites tiennes comme pour celles, encore inconnues, qui t'attendent. Les joies que réserve la pensée trouveront toujours d'elles-mêmes leur regain, à méditer aussi ce que peut encore la pensée d'aujourd'hui, en un monde aussi troublé. Mais c'est déjà beaucoup que lui soit accordée une sorte de transmission souterraine[26]. » Il lui joint un poème de Hölderlin, « L'Automne » :

L'éclat de la nature est plus haute apparence
Là où le jour avec beaucoup de joies finit,
Et c'est l'année qui en splendeur s'accomplit
Là où les fruits s'unissent à leur chatoyance.

L'orbe terrestre est si orné ; pas souvent bruit
Un vacarme à travers le pays ouvert ; le soleil réchauffe
Le jour d'automne doucement : les champs font face
Comme en échappée, au large ; les souffles passent

À travers rameaux et branche, heureux murmure.
Même si déjà contre du vide les champs s'échangent,
De ce clair tableau vit le sens entier alors
Comme un tableau que borde la splendeur des ors[27].

Hannah répond à Martin que cette lettre lui apporte « la plus grande joie, et même la plus grande joie imaginable qui m'ait été réservée ». Avant de terminer sa propre lettre par un « comme toujours » qui sonne comme l'annonce de futures fiançailles, elle écrit : « À qui le printemps a apporté et brisé le cœur, l'automne est salutaire[28]. »

Elle pense alors que Martin écrit le second tome d'*Être et Temps*, sous le titre *Temps et Être*. En réalité, Heidegger a délaissé — pour un temps seulement — la philosophie. Il vient de réagir au colportage de ce qu'il nomme de prétendues informations se rapportant à son attitude sous le IIIe Reich. Il demande donc au *Spiegel* de pouvoir s'expliquer. Le *Spiegel* dépêche, en septembre 1966, Rudolph Augstein, Heinrich Wiegand Petzet et Georges Wolff[29] chez Heidegger pour un long entretien sur ses activités politiques[30]. Le philosophe, fidèle à ses habitudes, élude les questions gênantes, contourne les obstacles, se justifie maladroitement. Il est pénible de lire dans cette interview qui, à sa demande, ne sera rendue publique qu'après sa mort, les défausses successives qui sont les siennes. C'est tout juste s'il n'explique pas qu'il a été forcé par ses collègues de se présenter au rectorat, tout en précisant qu'il n'avait pas travaillé en collaboration avec les nazis. Aux déclarations qu'il a faites comme « le *Führer* lui-même et lui seul *est* la réalité allemande d'aujourd'hui et du futur, ainsi que sa loi », il rétorque que ces phrases ne se trouvent pas dans le discours de rectorat mais seulement dans le journal local des étudiants de Fribourg[31] !

Pas l'ombre d'un remords, pas l'amorce d'un regret. Tout juste ces deux phrases : « Lorsque j'acceptai le rectorat, je savais clairement que je ne m'en tirerais pas sans compromis. Je n'écrirais plus aujourd'hui les phrases citées. Je n'ai plus rien dit de ce genre dès 1934[32]. » Avec un cynisme stupéfiant, Heidegger insiste sur son courage pour avoir interdit un autodafé de livres d'auteurs juifs, les avoir maintenus dans la bibliothèque de l'université, et pour avoir protégé certains étudiants juifs. Il va chercher dans sa bibliothèque les dédicaces d'une de ses anciennes étudiantes, Hélène Weiss, dont il précise qu'il l'a fréquentée jusqu'à sa mort, se justifie d'avoir enlevé la dédicace à Edmund Husserl en introduisant dans une note en bas de page des remerciements adressés à son maître...

Heidegger n'en démord pas : il ne s'est pas égaré durant son mandat, il ne regrette rien, tout au plus une défaillance lors de la maladie et de la mort de Husserl, pour laquelle il s'est excusé par une lettre à Mme Husserl. Il préfère évoquer sa démission, sur laquelle la presse, qui avait tant commenté sa promotion au rectorat, fit et continue à faire silence. À partir de 1934, il fait comprendre qu'il prend ses distances avec le régime. Il affirme avoir été surveillé par des services de sécurité nazis, interdit de publication, évincé des congrès internationaux et réquisitionné à l'été 1944 pour des travaux de fortification sur le Rhin, alors que les nazis avaient exempté de toute forme de service militaire les cinq cents savants et artistes les plus considérables d'Allemagne.

Au-delà de son plaidoyer *pro domo*, Heidegger fait preuve d'un anticommunisme viscéral, d'un antiaméricanisme tout aussi radical, d'une absence totale de confiance en la démocratie, et s'insurge contre la menace que constitue, depuis les trente dernières années, ce qu'il nomme le « mouvement planétaire de la technique des temps modernes[33] ». La véritable question est pour lui celle de l'importance que revêt la technique dans cette nouvelle phase que vit l'Occident. « Seulement un dieu peut nous sauver. [...] C'est justement dans l'expérience que fait l'être humain d'être ainsi commis et requis (*gestellt*) par quelque chose qu'il n'est pas et qu'il ne domine pas lui-même, qu'il découvre la possibilité de comprendre que l'être use de l'homme et qu'il en a besoin[34]. » Il nous reste, comme seule possibilité, d'éveiller en chacun de nous une

« disponibilité pour l'apparition du dieu en l'absence du dieu dans notre déclin[35] ». Heidegger nous enjoint à penser l'être, ce mot venu de très loin, porteur de beaucoup de sens, et à nous mettre face à nous-mêmes. « Nous amener à voir cela : la pensée ne prétend pas faire plus. La philosophie est à bout[36]. »

Martin Heidegger a soixante-dix-sept ans et toujours autant d'énergie, d'opiniâtreté et de volonté quand il s'agit de défendre son point de vue. Toujours autant de force aussi pour se rendre compte que la pensée « n'arrive même pas à penser jusqu'au bout la détresse où elle est[37] ».

Hannah, elle aussi, a besoin de force pour continuer à travailler, à penser. Chez elle, vieillesse signifie aussi force de l'âge. Ni l'un ni l'autre n'a peur de la mort. L'idée même de la mort trouble peu Hannah. « J'ai toujours aimé la vie, écrit-elle à Jaspers, mais pas au point de souhaiter que cela dure toujours. Pour moi, la mort a toujours été une compagne agréable — sans mélancolie. La maladie me déplairait beaucoup, me pèserait, ou pis encore. Ce que j'aimerais posséder, c'est un moyen sûr, convenable, pour un éventuel suicide ; j'aimerais l'avoir à portée de main[38]. » En attendant, elle vit toujours de façon trépidante.

Hannah continue à parcourir l'Amérique des universités et organise des séminaires sur Machiavel et Marx. Un vrai prof ambulant, également conférencière, commentatrice réputée des expériences politiques du XXe siècle. Elle obtient toujours autant de succès et de reconnaissance. À Chicago, elle donne un séminaire sur l'histoire des positions morales de Socrate à Nietzsche, thèmes qu'elle a abordés de nombreuses fois dans ses livres.

Hannah s'envole pour Bâle le 16 septembre. Elle vient d'achever son texte sur Rosa Luxemburg[39], véritable hymne au courage politique et à la clairvoyance intellectuelle de cette figure, la plus controversée et la moins comprise de la gauche allemande. Rosa la rouge, Rosa la querelleuse, Rosa l'idéaliste romantique a su, dès les débuts de la révolution, faire de la politique un art suprême. Celle qui aimait d'abord et avant tout l'amour exquis de la vie et qui, jusqu'à sa mort, se montra prête à marchander sa part quotidienne de bonheur avec l'entêtement d'une mule, fit de son engagement dans la révolution une affaire de morale. Hannah voit en Rosa un double d'elle-même : Rosa entretint avec son compagnon Leo Jogiches des liens affectifs et intellectuels semblables à ceux que Hannah a noués avec Heinrich. Sur le plan politique, elle partage sa défense de la république, sa défiance envers toute révolution, son goût pour le réel, qui lui fait préférer le réformisme à la rupture de la tradition, et le recours à une liberté individuelle et publique comme principe absolu du vivre ensemble. Comme Rosa, Hannah a l'impression d'être courageuse, loyale vis-à-vis d'elle-même, mais aussi d'être isolée, mise au ban de la société et de crier dans le désert.

Rosa et Hannah, seules, incomprises. La reconnaissance fut refusée à Rosa de son vivant mais aussi après sa mort. Elle eut raison avant tout le monde, mais ne vécut pas assez pour le savoir. Ses notes sur la révolution, publiées trois ans après son assassinat, lui valurent la reconnaissance de Lénine, qui brava tous les interdits et, contre l'avis de l'ensemble du parti, déclara en citant un vieux proverbe russe : « Un aigle peut parfois voler plus bas qu'un poulet, mais un poulet ne peut jamais s'élever à la hauteur d'un aigle. Rosa Luxemburg [...] malgré [ses] erreurs [...] était, et est un aigle[40]. »

Hannah s'installe à Bâle le 16 septembre 1966 dans le confortable hôtel Euler pour trois semaines de dialogue ininterrompu avec Gertrud et Karl Jaspers. Tous trois évoquent la situation en Allemagne et parlent avec une grande liberté de l'âge qui s'avance. Mary McCarthy vient la rejoindre pour trois jours et tente de lui remonter le moral. Hannah est déprimée : elle vient de terminer de rédiger l'introduction de la version américaine d'un livre sur Auschwitz[41] qui l'a vivement bouleversée[42] et semble affectée par l'absence de reconnaissance de son *Essai sur la révolution*. Elle souffre de l'éloignement de Heinrich qui, encore une fois, malgré ses supplications, n'a pas voulu l'accompagner en Europe. Elle trouve Jaspers très vieilli et leurs conversations empreintes de mélancolie, obsessionnellement dirigées vers l'horreur qu'inspire le mal, mais sans l'exubérance d'autrefois.

Elle passe par Bruxelles pour voir Anne Weil, qui vient de s'y installer avec sa sœur et son mari, mais Éric Weil se révèle, encore une fois, lamentable tandis que la sœur d'Anne est devenue « difforme tellement elle a grossi[43] ». Hannah est heureuse à l'idée de retrouver Heinrich. À l'aéroport de New York, il l'attend avec un bouquet et des chocolats[44]... Elle lui tombe dans les bras. La fête pour son soixantième anniversaire ne fait que commencer : fleurs, télégrammes, émissions de radio, message de l'ambassadeur de Washington[45]... Hannah n'en demande pas tant ! Tant d'honneurs lui donnent un coup de vieux. Au lieu de continuer à jouer l'adolescente rebelle, toujours sur la brèche, elle doit assumer son âge, calmer ses tourments et ses contradictions, ne plus se sentir en guerre avec la terre entière, mais s'occuper d'elle-même et tenter de trouver enfin la sérénité.

Elle semble apaisée, persuadée que la polémique sur Eichmann est définitivement éteinte. Une traduction du livre doit bientôt sortir en Israël. Elle interprète cette publication comme le signe d'une trêve définitive. À Jaspers, elle écrit : « Je pense que la guerre entre les Juifs et moi est terminée[46]. » Elle a tort. Elle va s'embraser.

Réactions françaises

Elle repart donner des conférences à Chicago. À partir de mille dollars, une conférence ne se refuse pas, explique-t-elle à Jaspers[47]. Manière de dire mais pas manière de faire si l'on en juge par la qualité et l'enthousiasme qu'elle met à donner des cours sur les questions de philosophie morale qu'on peut aujourd'hui découvrir grâce à une publication de Jerome Kohn[48]. Dans son cycle de conférences intitulé « Questions de philosophie morale », elle aborde, en termes de rupture de civilisation, l'apparition du régime nazi. Ce n'est pas seulement le fait brut et atroce des usines de la mort qui doit être tenu pour la barbarie de notre temps. Plus importante et plus grave à ses yeux est la collaboration banalisée de toutes les couches de la population allemande au pouvoir nazi, y compris celles et ceux qui ne se sont jamais identifiés au nouveau pouvoir.

Depuis la polémique sur Eichmann, Hannah ne cesse de revenir sur les problèmes de responsabilité, de degré de gravité dans le mal. Pour elle, le régime nazi constitue le degré extrême du mal : « Du point de vue des faits, je pense justifié de soutenir que, moralement parlant, même si ce n'est pas vrai au plan social, le régime nazi était bien plus extrême que celui de Staline à ses pires moments. Il annonçait bel et bien un nouvel ensemble de valeurs et il a créé un système juridique en accord avec elles[49]. » Pour Hannah, ce qui constitue le vrai problème moral et qu'on oublie toujours, « ce n'est pas le comportement des nazis, mais la conduite de ceux qui se sont seulement "coordonnés" sans agir par conviction ». C'est cet effondrement de la conscience de soi, cette perte assumée de la morale commune qui la tourmente et l'obsède.

Elle a l'impression de faire partie de la dernière génération qui a vécu, depuis les débuts du christianisme, sous un même régime commun de règles qui ont toutes désormais explosé, rendant immaîtrisable la possibilité de l'avenir. Hannah explique à ses étudiants que cette question morale est restée « dormante », c'est le terme qu'elle emploie, depuis la fin de la guerre, et qu'elle entend la poser avec l'aide de la philosophie. On ne peut faire l'impasse sur ce drame qui a transformé, dans son essence même, l'humanité et ce qui nous relie. Car pour Hannah, « la conduite morale ne va donc pas de soi, mais la connaissance morale, la connaissance du juste et de l'injuste si[50] ». Comment peut-on accomplir le mal sans penser qu'on le fait ? La pensée est en effet une activité. La banalité du mal nous concerne donc tous. Hannah croit pouvoir prolonger ses réflexions sur le procès par un approfondissement philosophique et être sortie de la spirale médiatico-politique.

C'est par une lettre de Mary McCarthy, qui vit alors à Paris, qu'elle apprend que son livre sur Eichmann, qui vient d'être traduit en France chez Gallimard, est fort mal reçu[51]. Le livre était arrivé chez Gallimard grâce à l'agent de Hannah, qui l'avait proposé à Michel Mohrt qui s'occupait alors des droits étrangers. Pierre Nora, dont c'est un des premiers livres en tant qu'éditeur chez Gallimard, connaît évidemment l'ampleur de la polémique que ce texte a suscitée outre-Atlantique et demande une note de lecture à Léon Poliakov[52]. Celui-ci émet un avis réservé. Il ne nie pas que, à la première lecture, le livre puisse apparaître comme alerte et spirituel, mais il peut ensuite donner l'impression que, dans l'histoire des responsables du génocide, une place de choix revient aux Juifs et particulièrement aux conseils juifs. Certes, ajoute Poliakov, Hannah Arendt possède un talent dialectique considérable, mais elle donne un coup de pouce aux faits historiques. Il lui fallut une seconde lecture pour s'apercevoir « qu'il s'agit d'un ouvrage ignoble, pour autant que l'expression ait un sens ». C'est donc à ses yeux un livre de troisième ordre. Poliakov encourage Nora à le faire précéder d'une « introduction ». Pierre Nora demande successivement à Léon Poliakov et Saül Friedländer de s'en charger, ce que l'un et l'autre refusent.

Pierre Nora décide de publier *Eichmann à Jérusalem* en le faisant finalement précéder d'une note de l'éditeur, rédigée par ses soins, rappelant le contexte historique. Le texte évoque d'abord les reproches qu'a suscités la publication du livre en Israël et dans les pays anglo-saxons. Plus que sur des questions de faits, d'éminents critiques ont insisté sur « son manque de compréhension pour ces réalités historiques de ces terribles années et sur le ton apparemment détaché, par endroits même imperceptiblement ironique, qu'elle emploie en parlant des victimes ». L'éditeur met aussi en avant la thèse controversée de la responsabilité collective des Allemands et le portrait contestable d'Adolf Eichmann. Il se clôt sur l'éloge du livre que vient de publier Gideon Hausner, *Justice in Jerusalem*[53].

Gallimard organise le lancement du livre, et *Le Nouvel Observateur* accepte tout de suite d'en publier en avant-première les « bonnes feuillles ». Mieux, la rédaction décide d'en faire sa couverture. Pierre Nora a donc raison. « Ce livre-là, c'est de la dynamite », dit-il alors à ses interlocuteurs pour en souligner les enjeux.

« Sais-tu, écrit aussitôt Mary à Hannah, que des extraits d'*Eichmann* paraissent dans *Le Nouvel Observateur* ? Avec un texte de présentation extrêmement mielleux et poltron dû, pense une de mes amies, à Jean Daniel[54]. » Ce dernier se souvient très bien de la fureur de Mary et de ses propres réactions face au texte. « Dans la perspicacité dont Hannah Arendt fait preuve pour comprendre la médiocrité d'Eichmann, elle ne se rend pas compte, semble-t-il, qu'elle diminue sa responsabilité. Plus il est médiocre, moins il est responsable. » Jean Daniel se souvient de ses impressions de lecteur, de sa fascination pour le transfert de la diabolisation à la banalité, de son exaspération devant le ton, la distance, la froideur d'Arendt, sa manière de faire preuve de davantage de perspicacité pour la compréhension d'Eichmann que de compassion pour la détresse juive, même si se pose la question, difficile et douloureuse, des conseils juifs. En lisant le numéro, Mary a un coup de sang. Elle demande à Hannah si elle souhaite un droit de réponse, demande le conseil de Raymond Aron. La polémique est lancée.

Six pages d'extraits paraissent tout d'abord dans *Le Nouvel Observateur* du 5 octobre 1966, dans un dossier intitulé . « Un document troublant : Eichmann et les Juifs », précédé d'un éditorial non signé où l'œuvre de Hannah Arendt est traitée de grinçante, irritante, provoquant un malaise étrange. Les extraits paraissent sous forme de documents destinés à évoquer « les thèmes choisis par Hannah Arendt, une fois le malaise des lecteurs surmonté ».

« Hannah Arendt a un devoir et un pouvoir de faire preuve du détachement le plus scientifique pour traiter un sujet qui apparaît encore — et heureusement —, malgré le recul, comme une des tares indélébiles de l'humanité : le crime de génocide perpétré à l'égard du peuple juif par l'Allemagne hitlérienne. » *Le Nouvel Observateur* prévient donc ses lecteurs : « S'il tient à présenter le premier la pièce maîtresse de ce livre à l'ironique froideur et au parti pris presque complaisant d'objectivité, qui a été défendu par Aron et Mary McCarthy mais violemment attaqué par des organisations juives mais aussi par des non-Juifs comme le célèbre historien britannique Hugh Trevor-Roper, *Le Nouvel Observateur*, qui insiste sur les questions choquantes et brûlantes qui sont infligées aux lecteurs de Hannah Arendt, fait confiance à ses lecteurs en livrant les premiers extraits du document. »

Le 12 octobre, la une n'est plus sur Hannah Arendt mais sur Jean-Luc Godard, lui-même passionné par la philosophe. Sous le chapeau « Document », *Le Nouvel Observateur* continue la publication d'extraits plus particulièrement orientés sur les conseils juifs. « Où se situe la responsabilité d'Adolf Eichmann ? C'est la question, titre l'hebdomadaire, que pose, avec une grinçante brutalité, cette Juive au cœur scientifique. » Le texte n'est pas signé.

Le livre est perçu comme un objet de scandale. Mary rassure Hannah. Cela n'aura qu'un temps, car comme le lui a expliqué l'une de ses amies : « Le livre suscitera dans le judaïsme français une réaction très différente de celle qu'il a suscitée aux États-Unis. Les Juifs français [...] ne sont pas aussi *juifs*[55]. » Mary et son amie se trompent. *Le Nouvel Observateur*, pour la troisième fois, le 26 octobre, revient sur le cas Arendt. « Hannah Arendt est-elle nazie ? » Sous ce titre, le journal propose trois pages de courriers. À la suite de la publication des extraits, plusieurs lecteurs ont, en effet, fait part de leur indignation. Hannah Arendt viserait-elle à minimiser le caractère criminel des activités d'Eichmann et à accuser les conseils juifs d'avoir été responsables dans la mise en application de la Solution finale ? Trois lettres, une de M. Ackerman, intitulée « Les autres coupables », l'autre d'Éliane Amado Lévy Valensi, titrée « Élever le débat », et la troisième, collective, signée de prestigieux universitaires, publiée sur une pleine page, attirent l'attention des lecteurs. Elles font toutes part de leur indignation morale et critiquent l'absence de rigueur intellectuelle...

À leurs yeux, Arendt fait preuve de masochisme. Les criminels agissaient par devoir, les dirigeants juifs obéissaient par plaisir... Absence de cohérence, de logique, d'objectivité, généralisations illégitimes, contrevérités, contradictions internes, confusion plus simplement, don de pénétration psychologique attribué au seul Eichmann et pas aux victimes. Les critiques de la lettre collective sont nombreuses et argumentées. Le principal reproche touche, je crois, la manière même dont Hannah Arendt a décidé de traiter la question : ne pas opérer de distinction claire entre les bourreaux et les victimes. Ces universitaires qui s'inquiètent de la montée en puissance, dans certaines publications de gauche, de Juifs, qui au nom de leur judéité reportent sur eux-mêmes la responsabilité des désastres subis, trouvent scandaleux d'enfermer dans la même réprobation morale ceux qui, par tradition ou par principe, ne veulent pas se défendre, et ceux qui ont fait du meurtre un principe.

Aujourd'hui, Jean Daniel ne regrette pas d'avoir consacré trois dossiers à ce livre essentiel. Revenant sur l'intitulé « Hannah Arendt est-elle nazie ? », il explique que le point d'interrogation souligne la démarche de la rédaction, qui n'exclut pas l'éventualité d'une réponse négative. C'est un procédé rhétorique et journalistique qui attise le questionnement et engage le journal. Oui, la question se pose, dit le journal, mais vous, lecteurs, vous avez le droit de ne pas partager notre opinion[56].

Quoi qu'il en soit, l'édition française d'*Eichmann à Jérusalem* est lancée. Les débats, plus encore qu'aux États-Unis et en Allemagne, sont vifs et la polémique dure tout l'automne. Rares sont ceux qui prennent la défense de l'ouvrage. Dominique Jamet, dans *Le Figaro* du 1er décembre 1966, est l'un des seuls à faire l'éloge « d'un livre dont l'esprit libre, critique et désintéressé fait honneur à la race de Hannah Arendt » (*sic* !). Pauvre Hannah Arendt ! C'est parce qu'elle est juive qu'on lui conteste le droit d'avoir écrit *Eichmann à Jérusalem*. C'est aussi parce qu'elle est juive qu'elle montrerait un courage certain à heurter, comme l'écrit Jamet, « des habitudes de larmoiement, de grande éloquence et de fausse émotion ».

Le Monde du 13 janvier 1967 se montrera plus nuancé en proposant deux points de vue différents. Manès Sperber, qui avait déjà publié un article négatif dans la revue *Preuves* au moment de la publication du livre aux États-Unis, se montre toujours aussi critique. À ses yeux, Hannah Arendt a bien compris Eichmann et non ses victimes. Celle qu'il qualifie d'excellente philosophe et essayiste méconnaît les données essentielles du problème juif. Son travail n'apporte rien de neuf sur les faits et les événements. Si Sperber l'exonère d'avoir pris la défense d'Eichmann, il met en cause l'esprit même dont participe l'ouvrage : sa déception personnelle à constater que son propre peuple ne se soit pas opposé à l'extermination. C'est à ses yeux un non-sens infamant. Il fait de *Eichmann à Jérusalem* un livre symptôme, à la fois profondément allemand et outrancièrement antigermanique, témoin presque inconscient de l'éloignement d'avec sa terre natale, tissé d'un mépris et d'une violence qu'il trouve consternants. Sperber met en avant la résistance juive qui a joué un rôle essentiel et, non pas, comme le dit Arendt, minoritaire, et souligne l'abandon des nations européennes vis-à-vis de leurs Juifs. Il souligne la fragilité d'un peuple sans terre, abandonné de tous. Étrangement plus arendtien qu'Arendt elle-même, Sperber insiste sur les ravages de l'assimilation qui a autorisé pour la première fois de son histoire le peuple juif à « périr pour rien, au nom de rien[57] ».

De son côté, toujours dans *Le Monde*, Pierre Vidal-Naquet évoque, avec sa clairvoyance habituelle, un livre brillant, parfois exaspérant, souvent injuste, mais toujours intelligent. « Cette sociologue à la fois ironique et passionnée au ton souvent cruel ne tient pas assez compte des nuances et du cas d'espèce[58]. » L'historien s'insurge contre la violence des polémiques, en appelle au calme et explique ce que le livre n'est pas et ce qu'il veut être. C'est bien là le problème. C'est seulement aujourd'hui, avec le recul, que nous pouvons enfin nous rendre compte de ce qu'est ce livre, c'est-à-dire une interrogation métaphysique majeure à l'une des plus anciennes préoccupations humaines : comment les hommes normaux peuvent-ils devenir en toute lucidité et sans mauvaise conscience des bourreaux ?

Dans les *Nouveaux Cahiers*, Léon Poliakov écrit noir sur blanc ce qu'il a confié à Pierre Nora : « On n'écrit pas l'histoire avec des si. »

Quarante ans plus tard, le livre continue à diviser. Il a, comme l'explique Pierre Bouretz dans son introduction à *Eichmann*, déconstruit les mythes d'Israël et l'image de ses fondateurs, il est devenu, à travers le monde, un modèle de thèse critique vis-à-vis de l'État d'Israël, il sonne la fin d'une histoire lacrymale du peuple juif et désacralise, pour la première fois, la Shoah.

Mary, à Paris, continue à s'étrangler de rage et tente de défendre Hannah en essayant de prendre son parti. Elle juge les façons du *Nouvel Observateur* pires que celles de *France-Dimanche*, et stigmatise ce coup publicitaire camouflé sous des dehors de piété antifasciste lamentable. Mais la guerre du Vietnam absorbe bien vite son énergie et la polémique sur Eichmann est remplacée à la une des journaux intellectuels par les travaux de la commission Bertrand Russell sur les crimes de guerre, dirigée par Simone de Beauvoir et Jean-Paul Sartre.

À la fin de l'année 1966, à New York, Hannah enchaîne séminaire sur séminaire, de trois heures de l'après-midi à onze heures du soir. Travail et culte de l'amitié : elle héberge Mary chez elle pendant une semaine, organise des fêtes[59]. On récite Homère en buvant du bon vin tout en refaisant le monde. Même Heinrich, d'ordinaire si bougon, aime vivre dans ce tourbillon. En janvier 1967, Hannah est choisie pour être jurée dans une cour d'assises. Elle passera au tribunal deux semaines entières. Elle est contente de pouvoir participer à ce devoir qu'implique la citoyenneté. Elle se dit impressionnée par la qualité du fonctionnement de la justice américaine et par le sérieux des délibérations.

Le *National Book Award*, le jury du prix littéraire le plus prestigieux d'Amérique, lui propose de devenir l'un de ses membres, pour la philosophie, la science et la théologie : un de ces honneurs qu'on ne refuse pas. Hannah accepte cette nouvelle charge avec bonheur[60]. Mais tous ces signes de reconnaissance ne l'empêchent pas de sombrer dans une sorte de spleen. Elle se sent ralentie, lourde. « Chez moi tout va si lentement pour la moindre des choses, il me faut prendre longuement et lentement mon élan[61]. » Elle rédige l'introduction au recueil d'essais de Walter Benjamin, *Illuminations* : « Comme il est totalement inconnu ici et que sa pensée est vraiment très compliquée, il faut être précis et détaillé[62] », explique-t-elle à Jaspers. Elle a peur de ne pas savoir présenter ses théories. Elle a tort de s'inquiéter. L'amitié et l'admiration qu'elle voue à Benjamin lui donnent grâce, légèreté et profondeur. Hannah n'écrit pas en critique littéraire mais en lectrice passionnée et recherche, derrière les textes en apparence les plus obscurs, les éclats de vérité qui illuminent littéralement l'ensemble épars des textes. Hannah rend hommage à son ami que les mauvaises fées ont accompagné depuis sa naissance. La vie de Benjamin ne fut, en effet, qu'adversité, lutte incessante contre la mort, tentative désespérée de trouver une place dans le monde. Chez lui, faiblesse et génie composaient la trame d'une existence entièrement vouée à percer les secrets de l'origine. Avec une assurance de somnambule, il était toujours attiré vers des lieux où l'attendait la malchance. Comme Proust, il avait toute raison de bénir la malédiction dont il tirait la matière de ses écrits. S'il ne fut jamais épargné par le sort, ce ne fut pas de sa faute. Hannah n'a jamais rencontré quelqu'un qui prenait autant de précautions. S'il n'a jamais su allumer un feu, ouvrir une fenêtre, il n'en avait pas moins élaboré un étrange système qui ne le protégeait de personne ni de rien. Jamais il n'a su se mouvoir dans le monde tant les obstacles de la vie extérieure, qui parfois arrivent de partout, l'assaillaient comme des loups. Benjamin, marxiste à sa manière, se situait derrière la réalité des choses, ne s'intéressait qu'aux aspects les plus inapparents de l'existence, ceux que les autres auraient perçu comme des déchets. Comme Goethe, il croyait à l'existence effective d'un *Urphänomen* où le mot et la chose, l'idée et l'expérience coïncideraient[63]. Comme Kafka, il était ému par les choses en apparence les plus simples, les plus petites, tels ces deux grains de blé du musée de Cluny, où un anonyme avait réussi à graver en entier la prière *Shema Israël*[64]. La plus minuscule essence apparaît sur la chose la plus minuscule... Benjamin, le flâneur nonchalant, amoureux de Baudelaire, a élaboré une théorie de l'histoire où la succession de l'ordre du temps est perturbée et où le présent et le passé s'interpénètrent. L'ange de l'histoire, figure énigmatique qu'il a créée à partir du tableau de Paul Klee, *Angelus Novus*, a le visage tourné vers le passé, immense grenier de décombres, mais le corps tendu irrésistiblement vers un avenir où le pousse, par-derrière, le souffle de la tempête du progrès. On ne peut comprendre, selon Hannah, l'œuvre de Benjamin que si on la lit avec la certitude que la question juive constitue le cœur incandescent de sa réflexion et de sa création. Comme pour Kafka, ce fut pour lui l'unique question. Comment affronter ce que l'auteur du *Procès* nomme « la terrible condition intérieure de ces générations[65] ». Ce déchirement personnel marque la totalité de ses écrits et explique sa démarche. Comme Kafka, son père n'a pas cru en lui et a souhaité effacer son origine. Hannah insiste sur cette mentalité des pères qui, par leur attitude, a interdit *de facto* aux fils de pouvoir sortir du judaïsme, car « par les pattes de derrière, ils étaient encore collés au judaïsme du père et avec les pattes de devant, ils ne trouvaient pas de nouveau sol[66] ». Benjamin, collectionneur, professeur ès passions, était hanté par l'échec, échec qui le broyait mais échec qu'il recherchait.

Ce portrait, à la fois subjectif et rigoureux, est habité par un désir si sincère de transmettre sa propre admiration qu'il en est bouleversant. Ce texte, l'un des plus littéraires de Hannah Arendt, qui a, d'habitude, une langue lourde, des phrases longues, est un véritable traité de style. Elle envoie son travail à Mary qui y introduit des corrections grammaticales, fait des suggestions et la prévient que ses propos concernant les Juifs allemands, même étayés par l'autorité sacrée de Kafka, vont probablement déclencher une nouvelle tempête. Mais son texte sur Benjamin, comme son récent livre sur la révolution, est publié dans l'indifférence générale. Après le succès trop bruyant, le silence effrayant...

Heinrich passe ses derniers mois au Bard College avant de prendre sa retraite de responsable administratif tout en conservant son enseignement. Hannah accepte un très bon poste, *Graduate Faculty*, à la New School for Social Research à New York, dans cette université exceptionnelle créée au début de la Seconde Guerre mondiale pour accueillir les intellectuels juifs du monde entier obligés de s'exiler, et qui devint en peu d'années le creuset et la chambre d'écho des plus grands philosophes, sociologues et autres sémiologues[67]. Dès l'annonce de la guerre des Six-Jours[68], Heinrich et Hannah passent leur temps, jour et nuit, à écouter la radio. Hannah se montre, pour la première fois de sa vie, pro-israélienne[69]. Elle juge les militaires remarquables et ne tarit pas d'éloges sur le général Moshe Dayan[70], admirant ses performances de stratège. En août de la même année, elle rend visite à sa famille et, pour la première fois, trouve tout « très beau, très intéressant, très amical[71] » en Israël. Elle va dans les territoires nouvellement conquis et ne décèle aucun geste de conquérants chez les Israéliens, mais sent en revanche la population arabe plus hostile qu'elle ne s'y attendait. Elle est indignée par les conditions dans lesquelles les Égyptiens laissent vivre les réfugiés sur la bande de Gaza : ils habitent des cabanes en torchis sans fenêtres, comme au temps des troglodytes. Elle parcourt, avec sa famille Fuerst, le pays en tout sens et s'y sent bien, heureuse de voir que les Israéliens n'ont plus peur et que le caractère national s'améliore. « Un peu d'humanité, et ça marche », écrit-elle à Jaspers, en ajoutant : « Je me suis sentie vraiment bien. Et pour ce qui concerne le pays lui-même, on voit nettement à quel point ils ont été soudain délivrés d'une très grande peur. Voilà qui contribue de façon décisive à l'amélioration du caractère national[72]. »

Elle passe par l'Europe et revoit, manifestement sans le dire à Jaspers, Martin Heidegger dès le 27 juillet 1967. Elle est en effet invitée par l'université de Fribourg à donner une conférence. La date en est fixée au 9 août. Elle passe des journées entières à parler avec Martin de Mallarmé et Benjamin, et du rapport entre le mode de pensée philosophique et le mode de pensée poétique. Le jour dit, Hannah s'installe sur l'estrade du professeur dans l'amphithéâtre qu'elle avait connu étudiante. Comme Alice au pays des merveilles, elle se trouve de l'autre côté du miroir. La salle est comble. Au premier rang, Martin Heidegger. Hannah s'adresse directement à lui, créant l'étonnement et quelques ricanements dans la salle. Elle poursuit imperturbablement sans prêter attention au chahut. Heidegger, qui lui écrit le lendemain, le lui fera remarquer, non sans ironie : « Lorsque tu as commencé ta conférence en t'adressant directement à moi, j'ai craint aussitôt une réaction peu amène. [...] Il y a des années que je mets en garde les jeunes gens, au cas où ils voudraient avancer dans leur carrière, en leur disant d'éviter de citer Heidegger en abondant dans son sens[73]. » C'est la première fois que les rôles sont inversés et que, quarante ans plus tard, l'élève se retrouve à la place du maître. C'est la première fois aussi que Heidegger consent à lui faire des compliments : « Mais ta conférence a fait son effet, ne serait-ce que par son niveau et sa composition, auprès de ceux qui savent voir. L'occasion se fait de plus en plus rare d'entendre quelque chose de tel en nos universités, tout autant que le courage de dire les choses telles qu'elles sont[74]. »

Après la conférence, Martin et Hannah passent l'après-midi et la soirée ensemble. Le lendemain matin, il essaie de la joindre à son hôtel, mais elle est déjà repartie. Il lui écrit à Bâle pour lui demander un nouveau rendez-vous. Hannah prend le train pour Fribourg le 17 août. Nul ne sait ce qui s'est passé ce jour-là. Le lendemain, Martin écrit à Hannah : « Comme c'était bien, que tu aies été là. Ce matin, je suis tombé sur les feuillets joints. Comme toujours[75] »...

Elle revient à New York fatiguée et déprimée. Autour d'elle, la maladie ne cesse d'étendre son ombre : Heinrich est atteint d'une phlébite en octobre 1967, Karl Jaspers souffre d'une pneumonie compliquée d'une pleurésie en avril 1968, plusieurs de ses amis sont opérés et elle tente de jouer vaillamment la garde-malade, mais le moral s'en ressent. Elle a été obligée d'annuler ses cours pour soigner Heinrich et, au début, s'émerveille de pouvoir rester à la maison à s'occuper du ménage et à faire la cuisine.

Heinrich se rétablissant petit à petit, Hannah se résout à repartir pour Chicago. Elle est inquiète. Elle ne l'écrit pas et n'en parle pas, mais ses amies témoignent aujourd'hui de l'état d'angoisse dans lequel elle se trouve alors. Heinrich prétend qu'il va mieux, mais en réalité décline. Il fait mine d'aller chez le médecin pour rassurer Hannah, mais n'est pas du genre à gérer ses problèmes de santé comme un petit retraité. Au désespoir de sa femme, il perd manifestement ses moyens physiques et psychiques. Dès qu'elle le quitte, même quelques minutes pour aller faire les courses au coin de la rue, elle a peur.

Elle suspend tous ses projets de voyages à l'étranger. Comme pour s'excuser de ne pas être aux côtés de Jaspers le jour de son quatre-vingt-cinquième anniversaire, elle enregistre, de New York, pour la radio bavaroise, un hommage au philosophe. En exergue, elle a choisi cette phrase de Heinrich : « La fidélité est le signe de la vérité[76]. » C'est bien l'une des rares fois que Hannah manque un rendez-vous avec Jaspers. Elle-même se sent très fatiguée. C'est aussi la première fois qu'elle le reconnaît.

Mary s'installe à Paris au moment où éclatent les événements de mai 1968. De retour du Vietnam, où, envoyée spéciale de la *New York Review of Books*, elle a rédigé des articles prenant ouvertement position pour le Viêt-cong[77], elle vit les débuts de ce mois de mai de manière dubitative et se promène dans le Quartier latin en observant les manifestations. Révolution ou pas ? Elle ne sait pas s'il faut mettre ou non des guillemets. Elle approuve l'action des étudiants et se félicite de l'occupation de la Sorbonne et de l'Odéon, mais juge grotesque et dégoûtant le comportement de la gent littéraire : elle se moque de Marguerite Duras, siégeant dans des comités révolutionnaires, délivrant des oracles et se prenant pour une pythie. Elle ironise aussi sur le groupe *Tel quel* qui publie des manifestes décrétant que « toute littérature désormais doit être marxiste-léniniste ». Hannah, elle, suit avec plus de sympathie l'évolution des événements et tente d'entrer en contact, par l'intermédiaire de Mary, avec le fils de ses amis Cohn-Bendit : Dany. Elle veut simplement qu'il sache, ce gosse merveilleusement gentil, que des vieux amis de Paris comme elle pensent à lui et sont très désireux de l'aider s'il a besoin d'argent. Le 27 juin, elle lui écrit : « Je suis convaincue que tes parents, surtout ton père, seraient très fiers de toi s'ils étaient encore en vie[78]. »

Heinrich subit mi-mai un examen médical généralisé. Les médecins le trouvent fatigué et lui enjoignent de se reposer. Le 13 juin 1968, à leur domicile, il est frappé d'une crise cardiaque[79]. Admis en clinique, il en sort quelques jours plus tard avec un régime étonnamment souple : le schnaps ne lui est pas interdit, il peut fumer pipe et cigare avec modération... Les médecins se montrent stupéfaits de son rétablissement et lui permettent de reprendre ses cours à Bard College où il reçoit la distinction de docteur *honoris causa*. Immédiatement après, Hannah prend un billet d'avion pour Zurich pour une visite éclair à Karl Jaspers. Elle le trouve immensément diminué, mais constate qu'il a conservé le goût de vivre. « La vie était belle », lui dit-il. « Tu penses quand même encore que la vie est belle ? » rétorque-t-elle. Et s'entend répondre : « Je suis un vieux machin. Comme tu dois t'ennuyer avec moi[80]. » Hannah pressent, quand elle quitte son ami, qu'elle ne le reverra pas.

De retour à New York, elle durcit ses positions et critique ouvertement la nouvelle gauche qui soutient le *Black Power*. Elle s'oppose à l'enthousiasme général que déclenche le combat pour les droits civils qui conduit à intégrer dans la société américaine, en grandes quantités, des Noirs sans qualification[81]. Pour Hannah, cette lutte heurte les principes républicains et ne résout rien. Elle reproche à cette nouvelle gauche son éternel déni des faits, son langage abstrait et son aveuglement. Tout en reprenant ses cours à Chicago puis à la New School de New York, elle travaille à un nouveau texte qu'elle intitule « Sur la violence[82] ». Elle s'efforce de comprendre et de mettre en ordre ce qu'elle a vécu ces dernières années dans un état de grande confusion et de quête d'elle-même, et tente notamment de repenser l'ordre du monde en y intégrant la course aux armements nucléaires. Tous les cadres théoriques, politiques s'en trouvent, en effet, pour elle, bouleversés : il en résulte un complet renversement entre pouvoir et violence et entre petites et grandes puissances. Que devient, dans ce nouvel environnement, la violence ? Quelle est sa nature, ses conséquences ? La nouvelle gauche a grandi à l'ombre de la bombe atomique et a appris dans les lycées l'existence des camps de concentration. Elle a donc adhéré naturellement à une politique de non-violence[83]. Hannah fait l'éloge d'une partie de ces étudiants qu'elle a contribué à former et qui se révèle, face à la guerre du Vietnam, d'un vrai courage, d'une étonnante volonté d'agir et d'une confiance non moins surprenante dans la possibilité de changer le monde. Mais elle s'élève contre la frange du mouvement qui fait l'apologie de la violence en déformant les théories de Marx et en s'appuyant sur Frantz Fanon et Jean-Paul Sartre. Pour elle, la violence ne peut cicatriser les blessures qu'elle a infligées, et ne peut constituer le remède miracle à tous nos maux. Le progrès de la science ne coïncide plus avec le progrès de l'humanité, mais pourrait bien au contraire sonner son glas. Hannah, en philosophe et théoricienne de la science politique, opère la distinction entre pouvoir, puissance, force, autorité et violence. Le pouvoir est par essence un principe d'organisation des hommes entre eux qui ne doit être ni instrumentalisé ni dévoyé. La violence, elle, peut détruire le pouvoir, mais elle se montre incapable de le créer. Hannah, quant elle, souhaite voir naître une société où le pouvoir saurait éteindre toute violence en permettant la continuité et l'existence même du vivre ensemble.

Dans sa vie quotidienne de professeur, elle s'engage de plus en plus résolument contre les actions violentes prônées par une frange d'étudiants. Elisabeth Young-Bruehl se souvient[84] d'une fin d'après-midi où, comme elle le faisait habituellement, Hannah dînait après son séminaire de la New School avec quelques étudiants dans un restaurant de *Downtown*, quand un bruit effroyable retentit au coin de la rue. Une bombe, placée par le mouvement d'extrême gauche les Stormy Weathers, fit s'écrouler un immeuble et une panique générale s'empara de tout le quartier. Ce soir-là, Hannah, entourée de jeunes gens qui pour certains approuvaient ce mode de violence révolutionnaire, tint bon sur ses positions de démocrate soucieuse du respect de l'autorité, et s'insurgea contre ces méthodes qu'elle qualifia de terroristes, d'antidémocratiques et d'irresponsables.

Karl Jaspers meurt le 26 février 1969[85]. Le 4 mars, lors de la cérémonie officielle qu'organise l'université de Bâle, Hannah prononce une allocution à sa mémoire[86]. Ce qui importe pour elle, en effet, c'est que le nombre de ceux qui entendent le langage et le comprennent ne diminue pas. Derrière les livres de

Jaspers, signes de sa manière d'avoir habité le monde, il y a une personne qui, dans sa vie, fut l'exemple même du lien indestructible qu'il sut tisser, tant dans sa vie intellectuelle que personnelle, entre liberté, raison et communication.

Personne ne sait ce qui se passe lorsqu'un être meurt. Nous savons seulement qu'il nous quitte. Les morts ont besoin de nous. Les morts ne vivent que si nous nous souvenons d'eux. Il faut apprendre à les fréquenter[87]. De nombreux mois après son décès, Hannah se montrera très affectée par cette disparition. Elle encouragera plusieurs de ses étudiants à faire des thèses sur son œuvre qui selon elle tient une place majeure dans la philosophie du XXe siècle.

C'est avec cette pensée de la mort et le souci de s'éloigner de la réalité complexe et bruyante des événements du monde que Hannah Arendt opère, fin 1969, son dernier tournant, qui constitue un véritable revirement : elle qui est l'une des théoriciennes politiques les plus en vue des États-Unis, elle qui réfléchit à haute voix sur les événements américains et dont la *New York Review of Books* ainsi que les plus prestigieuses universités réclament les analyses, décide de s'éloigner dans tous les sens du terme.

Elle quitte les rives de ce monde et revient à la philosophie. À Mary, elle confie : « Le problème, c'est que pour écrire il faut arrêter de penser ; et que c'est si confortable de penser, et si pénible d'écrire[88]. » Platon disait que le terrain favorable à la philosophie était soit l'exil, soit la fragilité. Hannah, après avoir beaucoup bataillé, vingt-cinq ans durant, pour devenir une citoyenne comme une autre, décide enfin d'être ce qu'elle est : une exilée dont le trait de caractère le plus profond est la fragilité. Assumant ces deux différences, elle s'abrite sous sa hutte de théories, construite au fil de son adolescence. Le problème, avec elle, c'est qu'elle pense tout le temps. Nuit et jour. Sa pensée fait du bruit, la gêne, la « surhabite ». Elle aimerait bien pactiser avec elle pour trouver enfin un peu de tranquillité. Penser tout simplement. Se laisser aller à son penchant naturel et non « penser sur ».

Elle s'enferme en elle-même et affronte enfin tout ce qui

l'obsède et la harcèle depuis longtemps : la question de la vie intérieure, son tumulte, ce qui se passe dans le processus mental. Elle revient à ses premières amours, la phénoménologie, et se pose, à l'aube de la vieillesse, les questions que nous nous posons enfants : qui suis-je ? Suis-je unique ou comme les autres ? Qu'appelle-t-on vivre ? Que se passe-t-il entre la vie et la mort ?

Elle va choisir de s'atteler au sujet, par essence, le plus philosophique de la philosophie : ce que veut dire penser. Que se passe-t-il dans ce dialogue silencieux entre moi et moi-même ? Penser, c'est s'oublier. Penser, c'est se déshabiter. Où est le vrai moi ?

Hannah relit les tragédies grecques, annote Hegel, plonge de nouveau dans l'œuvre de Nathalie Sarraute, à la recherche de la compréhension de ce qu'elle nomme « la vie intérieure ». Comment décrire ce qui se passe quand on pense ? C'est la tâche qu'elle s'assigne désormais : « Bien que la pensée soit un parler avec soi-même, il est impossible de *dire* en quoi elle consiste, il n'y a pas de langue pour cela, du fait qu'elle est elle-même *muette* alors que toute langue se fait entendre du fait qu'elle est inapparente *par essence*, alors que ce qui est dit apparaît[89]. »

XIX

SEULE

Hannah et Heinrich passent un été merveilleux en Suisse, à Tegna, dans le canton du Tessin. Beaucoup d'invités, des amis, mais aussi sa nièce Edna, qui vient d'Israël passer une semaine. « Une très belle et adorable jeune femme, ouverte, honnête, très intelligente[1]. » Hannah continue à réfléchir à la question de la vie intérieure, à ce dialogue silencieux entre moi et moi-même, à la notion d'alter ego, à ce deux en un. « Dans la pensée, il n'y a pas de moi — on est sans âge, sans attributs psychologiques, pas du tout ce qu'on *est* "en réalité[2]". »

Elle rentre à New York au début de l'automne, à temps pour vivre pleinement les manifestations dites du Moratorium qui commencent le 15 octobre par une campagne massive des étudiants faisant du porte-à-porte pour mobiliser l'opinion publique en faveur du retrait du Vietnam. Hannah s'associe à cette mobilisation. Elle est folle de joie devant l'ampleur de son succès. Elle se réjouit de voir l'affaire dépasser les partis et concerner seulement le peuple. « Clairement : *potestas in populo*[3]. J'ignore quels seront les résultats ; j'espère de tout cœur que les manifestations de novembre réussiront. Et puis aussi : toute l'affaire organisée par la nouvelle génération qui maintenant va peut-être trouver son autonomie, laisser les "extrémistes" avec leurs discours creux, et peut-être redécouvrir la république, la chose publique[4]. »

Hannah n'a jamais souhaité édicter d'opinion politique définitive, ni voulu jouer au prophète. « Aux questions particulières il faut des réponses particulières », répondait-elle quand on venait vers elle pour trouver des solutions[5]. « Il n'y a pas de solutions, rien que des faits qu'il faut tenter d'accueillir » et nous tous sommes responsables de ces faits.

Hannah soutient ouvertement l'attitude des étudiants contre la guerre du Vietnam et se montre pragmatique quand on lui demande s'il faut coopérer avec les syndicats pour lutter contre la guerre : « Oui, parce qu'ainsi vous pourrez utiliser leurs machines à polycopier[6]. » Quand les étudiants de la New School occupent les salles de cours et que le corps enseignant se réunit pour savoir s'il faut faire venir la police pour rétablir l'ordre, et qu'elle sent que la balance penche vers cette solution, elle s'écrie : « Mais bon Dieu, ce sont des étudiants et non des criminels ! » Sa phrase stoppe net la discussion. L'affaire est close[7].

Le lecteur peut s'en rendre compte dans ses notes du *Journal de pensée* : Hannah est de nouveau plongée dans l'œuvre de Heidegger. Elle réfléchit au retrait, au voilement, à la notion d'événement comme dévoilement de la finitude[8]. Elle note : « L'affaire de la pensée consiste à rendre présent ce qui est absent » ; et elle ajoute : « Heidegger : la tempête dans laquelle il s'est trouvé n'était pas la tempête du siècle. Il n'a été pris dans cette tempête qu'une seule fois, probablement parce que le calme dominait en lui[9]. »

Pour son quatre-vingtième anniversaire Martin Heidegger a droit, de nouveau, à tous les honneurs universitaires. Celui qu'on désignait du doigt il n'y a pas si longtemps est aujourd'hui célébré comme le plus grand philosophe de son pays. La mort de Jaspers a fait de lui l'unique survivant de cette génération issue de la Première Guerre mondiale. Certes Hans-Georg Gadamer continue à publier mais, s'il est reconnu comme professeur, il n'est pas considéré, à l'instar de Heidegger, comme un maître-penseur.

Hannah l'avait promis à Heidegger à l'issue de leur dernière rencontre. Elle accepte donc de collaborer à la célébration de son anniversaire en rédigeant un texte pour le magazine allemand *Merkur*[10]. Intitulé « Martin Heidegger a quatre-vingts ans », il entend célébrer non seulement l'anniversaire mais aussi le cinquantenaire de son activité publique de professeur et s'ouvre sur une citation de Platon : « Car le commencement est aussi un dieu qui, tant qu'il demeure parmi les hommes, sauve tout[11]. »

Heidegger n'est pas un chef de secte ou de coterie, mais un rebelle, un roi secret — « il n'y avait là guère plus qu'un nom, mais le nom voyageait par toute l'Allemagne comme la nouvelle du roi secret[12] » —, un homme qui rejetait la discipline académique pour s'attaquer à ce que Heidegger nomme lui-même aujourd'hui « la chose du penser[13] ». Grâce à lui, la pensée est redevenue vivante. Grâce à lui, on a pu apprendre à penser. Pour elle, l'influence souterraine de Heidegger dépasse le cercle de ses élèves et même ce qu'on entend généralement par philosophie. Heidegger a contribué à déterminer de manière décisive la physionomie spirituelle du siècle. Il est un maître. Hannah le décrit comme celui qui lui apprit à penser. Et penser redevient à cette période son unique souci. Non penser sur quelque chose mais penser quelque chose. Penser comme opérer un acte chirurgical. Penser comme s'enfoncer dans la profondeur, découvrir un sol ultime, séjourner dans cette profondeur, tracer des signes.

Dans cet hommage appuyé à Heidegger, Hannah a souhaité aussi introduire la dimension de l'absolution de la faute politique. Comparant Heidegger à Platon, qui eut le tort de s'occuper de politique, elle reconnaît : « Cela a tourné pour Heidegger un peu plus mal encore que pour Platon, parce que le tyran et ses victimes ne se trouvaient pas outre-mer mais dans son propre pays[14]. » Elle traite l'époque du rectorat d'« escapade[15] », récuse le mot d'erreur politique, parle de son adhésion au nazisme comme de « dix courts mois de fièvre », et sait « tirer leçon, dans son penser, de ce dont il avait fait l'expérience[16] ». Elle affirme que Heidegger, dès qu'il s'est rendu compte de son « erreur » — erreur qu'elle juge sans importance « comparée à l'événement beaucoup plus décisif qui consiste à esquiver la réalité des caves de la Gestapo et des enfers des tortures des camps de concentration [...] en se réfugiant dans des régions prétendument plus significatives[17] » —, a pris alors beaucoup plus de risques qu'il ne fut alors courant dans l'Université allemande.

Si le texte de Hannah est pour l'essentiel un texte philosophique d'une grande ampleur et d'une limpidité empreinte de grâce et d'ardeur, sa fin sonne comme un constat historique : nous pouvons peut-être trouver étrange et peut-être scandaleux que Platon comme Heidegger aient eu recours aux tyrans et aux dictateurs. Ce que Hannah nomme « le penchant au tyrannique[18] » est propre aux grands esprits. Au petit nombre des grands esprits. « Pour ce petit nombre, peu importe finalement où peuvent les jeter les tempêtes de leur siècle. Car la tempête que fait lever Heidegger — comme celle qui souffle encore contre nous après des millénaires de l'œuvre de Platon — n'a pas son origine dans le siècle. Elle vient de l'immémorial et ce qu'elle laisse derrière elle est un accomplissement qui, comme tout accomplissement, fait retour à l'immémorial[19]. »

À New York, elle attend avec impatience les réactions que ne peut manquer de susciter son texte. Elle doit bientôt avouer à Mary sa déception. Heidegger ne la remercie pas mais lui reproche de ne pas être venue en personne prononcer son discours, auquel il ne fait aucune allusion, alors qu'il parle abondamment des textes qu'il est en train d'écrire. À son amie, Hannah confie : « Peut-être est-il trop éreinté par le ramdam fait autour de son anniversaire, peut-être est-il fâché. Dieu sait [...] pas de conclusion à en tirer[20]. »

Aux États-Unis, la mobilisation contre la guerre s'amplifie. C'est la *res publica* qui, encore une fois, lui importe et la passionne. Déchiffrant le réel qui l'entoure, elle décide de s'atteler à comprendre ce qui se passe et se consacre de nouveau à une problématique socio-politique qui occupe les esprits et provoque beaucoup de débats et de manifestations : la désobéissance civile. Prenant de la hauteur par rapport à l'actualité estudiantine dans les campus, elle choisit comme angle de réflexion le point de vue juridique.

Ceux qui, de plus en plus nombreux, proches du mouvement de désobéissance civile, refusent d'aller faire la guerre au Vietnam, enfreignent-ils la loi ? Les protestataires sont-ils des délinquants de droit commun ? Ceux qui font acte de désobéissance civile le font collectivement, contrairement aux objecteurs de conscience qui agissent à titre individuel. Faut-il tout rapporter aux problèmes de la conscience ? L'homme, seul face à lui-même, est-il son seul juge ? Hannah puise dans Platon, Aristote, Machiavel, Camus, Shakespeare ses réflexions. Elle pose, indirectement, l'unique question qui la taraude depuis longtemps : comment penser la pensée ?

Son *Journal de pensée* atteste de l'intensité de ses lectures et de la profondeur de ses interrogations sur ce thème. On a toujours pensé, mais comment aujourd'hui transformer cette capacité en activité critique : « La philosophie commence-t-elle par la pensée qui prend son essor dans l'étonnement ou bien par la pensée sur la pensée[21] ? » La pensée comme « toile de Pénélope ». La pensée comme confirmation de ce qui est. Tout ce qui peut lui prendre du temps — ses conférences à Chicago, son récent voyage en Suisse, ses séminaires au Colorado, son séjour éclair à Bonn et même ses vacances en Italie avec Mary McCarthy et Heinrich — la perturbe et la met en colère, car comme elle le déclare : « Je veux seulement m'atteler au truc sur la pensée[22]. » C'est pourtant en Italie, à Tegna, dans cet hôtel simple et tranquille, la *Casa Barbatè*, qu'elle affectionne et où elle a ses habitudes au point d'en parler comme de « la maison[23] », qu'elle pourra terminer son texte intitulé « La désobéissance civile », qui paraît le 12 septembre 1970 dans le *New Yorker*[24].

Cicéron, Locke, Gandhi sont cités dans ce texte où Hannah stigmatise violemment l'attitude du gouvernement américain qui se permet de poursuivre, au nom de la loi, des individus responsables qui font acte de citoyenneté en s'opposant à la guerre du Vietnam, alors que lui-même, après sept années de combat, n'a jamais officiellement déclaré la guerre et passe son temps à menacer les libertés fondamentales de la Constitution américaine. La non-violence fait partie de la désobéissance civile, qui est elle-même un acte non délictueux mais respectueux du droit, et d'une légalité valable pour l'humanité entière. Hannah soutient donc sans ambiguïté la pratique de la désobéissance civile, forme nouvelle pour elle d'engagement politique, mais appelle les étudiants à faire preuve de vigilance : elle les enjoint à sauvegarder l'indépendance intellectuelle de ce mouvement et à refuser la contagion croissante des influences idéologiques castristes, staliniennes, féministes, qui peuvent les conduire à la division. Elle plaide pour que place soit faite à la désobéissance civile dans le fonctionnement de nos institutions publiques. Mary passera huit jours de rêve avec son amie à discuter philosophie.

Insensiblement, celle-ci devient la protectrice de Hannah et prend de plus en plus de place à ses côtés depuis la disparition de Jaspers. Au nom de leur amitié, elle lui dit tout ce qu'elle pense sans s'embarrasser d'éventuelles susceptibilités. Elle n'hésite pas à la mettre en difficulté, à la contredire, à corriger ses fautes de syntaxe et de vocabulaire en anglais, à vérifier ses sources bibliographiques et certaines citations, à compléter ses argumentations trop hâtives, à proposer des raisonnements plus rigoureux. Mary met de l'ordre dans les écrits de Hannah, au propre comme au figuré. Mary était la plus proche de ses éditrices, celle à qui elle vouait une confiance totale et de qui elle acceptait tout. Il arrivait cependant que plusieurs personnes, qui ne se connaissaient pas, travaillent sur ses manuscrits avec son consentement, mais pas forcément sa collaboration. Elle appelait cela, avec un sourire en coin, « se faire angliciser ».

Mary joue ce rôle essentiel et précieux auprès de Hannah de son vivant, mais elle le jouera aussi après sa mort. Car Hannah, si elle ne tient pas toujours compte de ses objections, lui saura gré de sa sollicitude active et de son compagnonnage intellectuel. Elle sait leur amitié indéfectible, qui peut traverser sans encombre toutes les turbulences intellectuelles, philosophiques, affectives. Elle accepte d'elle toutes les critiques parce qu'elle sait au fond de son cœur qu'elles sont loyales et légitimement fondées.

Hannah choisira deux de ses amies comme exécutrices littéraires. Lotte Köhler, qui, encore aujourd'hui, ne ménage pas sa peine pour transmettre son enthousiasme à faire comprendre à ses interlocuteurs du monde entier que Hannah Arendt est la penseuse du XXe siècle, et Mary McCarthy, qui aura la lourde tâche, après la disparition de Hannah, de mettre de l'ordre dans ses manuscrits et d'archiver ce qu'elle avait entrepris depuis des années, ce fameux « truc de la pensée », son dernier ouvrage, sa « critique de la raison de penser » : *La Vie de l'esprit*[25].

Le 30 juin, Hannah confie à Mary qu'elle commencera le lendemain à travailler sur l'apparence, terrain naturel d'où se retire la pensée. « Ça me plaît assez, souhaiterais pouvoir travailler plusieurs mois encore dans ces conditions paradisiaques avec uniquement mes livres — pas d'enseignement, pas de sollicitations, pas de maison à tenir. Et, s'il vous plaît, un peu d'ennui — l'ennui est si sain à petites doses[26]. » Le 9 août, Heinrich et Hannah s'envolent pour New York.

Le télégramme est daté du 1er novembre 1970 et adressé à Mary. C'est le premier geste de Hannah. Après la stupeur, elle dicte au téléphone, pour Paris, la phrase suivante : « Heinrich est mort samedi d'une crise cardiaque. » Mary prend immédiatement l'avion pour New York, s'installe dans l'appartement et aide Hannah à organiser la cérémonie qui aura lieu tout près de leur domicile, à la Riverside Chapel. « Comment vais-je faire pour vivre désormais ? » Telle est la question qu'elle pose au petit cercle de ses amis qu'elle réunit chez elle la nuit qui suit la mort de Heinrich. Il y a là Hans et Lore Jonas, Lotte Köhler, Jerome Kohn, Glenn Gray, Salo et Jeannette Baron.

Mary avait trouvé Heinrich très fatigué lorsqu'elle leur avait rendu visite dans la petite auberge de la *Casa Barbatè*, à Tegna. Il entendait mal, s'essoufflait très vite, s'inquiétait pour sa santé et refusait, contrairement aux années précédentes, de faire de longues marches dans la vallée ou de prendre le petit train pour aller visiter son vieux copain Robert Gilbert à Locarno.

Dès leur retour à New York, les contraintes et les obligations lui tombent dessus : conférences, séminaires, colloques en tout genre. Heinrich assume. Hannah aussi, en râlant. Elle donne un séminaire sur Kant et approfondit les concepts de désintéressement et d'impartialité. Le vendredi 30 octobre, elle fait une conférence à la New School intitulée « La Pensée et les considérations morales[27] ».

Elle rentre chez elle, comme d'habitude en taxi (l'université se trouve en effet de l'autre côté de New York), et prépare le dîner. Elle a invité ce soir-là Glenn Gray, ce philosophe qu'elle avait rencontré à la Wesleyan University, devenu son ami ainsi que celui de Heinrich, et qui revient tout juste d'Allemagne où il a travaillé avec Heidegger. À son arrivée, Heinrich se plaint d'une vague douleur à la poitrine mais Hannah est bien vite rassurée. Heinrich et Glenn font en effet tous deux honneur au repas et, après le dîner, se servent plusieurs verres de *schnaps* en discutant.

Le lendemain matin, Heinrich et Hannah travaillent, comme d'habitude, chacun dans son bureau. C'est pendant le déjeuner que Heinrich est pris d'un malaise soudain. Hannah tente de le transporter jusqu'au lit où il est terrassé par une crise cardiaque. Horrifiée, elle trouve le calme nécessaire pour appeler une ambulance. Blücher, très calme, tient fermement la main de sa femme et lui répète d'un ton qui se veut rassurant : « Voilà, c'est cela. » Transporté en début d'après-midi à l'hôpital Mont-Sinaï, Heinrich mourra la nuit suivante, sans souffrir, aux côtés de Hannah. Il avait soixante et onze ans. Elle détache sa main de la sienne et lui ferme les yeux. Elle appelle ensuite Peter Huber, un vieil ami de Heinrich, pour qu'il vienne faire des photographies d'elle auprès du lit de mort de son mari[28]. Pourquoi ? Il n'est plus là, mais il est encore là, et elle entend emporter le témoignage ultime de cet *être-ensemble* qu'ils ont réussi à constituer depuis plus de trente-six ans. Hannah téléphone ensuite à Lotte pour qu'elle vienne la chercher. Toutes deux dormiront ensemble dans l'appartement de Riverside Drive. Mary arrive le lendemain.

La cérémonie a lieu le 4 novembre à la Riverside Chapel, simple et émouvante. Certains amis de Heinrich ont souhaité parler. Parmi eux, Dwight Macdonald, leur ami commun, directeur de la revue *Politics*, qui fait de lui ce portrait : « D'abord et avant tout c'était un vrai anarchiste, sans espoir, d'esprit et de caractère — toujours prêt à répondre à toute invitation (ou à un argument, bon ou mauvais) avec témérité et de tout cœur, sans que pourtant cette témérité ou cet emportement [...] lui fassent perdre son fil directeur, l'essentiel [...]. Les grommellements de sa voix de basse et ses exclamations ponctuées de coups d'œil étincelants [...] étaient une réponse humaniste [...] à bien des arguments dans [les] discussions[29] [...].»

Après la cérémonie, qui commence à 14 h 15, Hannah convie quelques amis proches : Lotte Köhler, Charlotte Beradt, Irma Brandeis, collègue de Heinrich à Bard College, le poète Ted Weiss, Rose Feitelson, Hans Morgenthau, politologue germano-américain, ami de Heinrich et de Hannah avec qui il a enseigné à l'université de Chicago, les Klenbort, Margareth et Dwight Macdonald et, bien sûr, Mary, qu'elle réunit dans son appartement. Elle semble calme, avoue cependant à ses amis qu'elle aurait souhaité pour son mari des funérailles juives, avec le Kaddish. Elle songe à son enfance, évoque la mort de son père et le souvenir de sa mère et de sa grand-mère, qui toutes deux ont vécu avec des maris malades, morts prématurément[30].

Le lendemain elle reçoit le bulletin du campus de Bard College consacré à Heinrich. Il y est qualifié de créateur de cet esprit de groupe qui anime encore le collège. On y rappelle qu'il était à la fois philosophe, écrivain, historien, spécialiste d'histoire et de stratégie militaires, psychologue, historien d'art. Est annoncé qu'un *memorial service* aura très prochainement lieu à l'université.

Lotte me dira que Hannah, les jours suivants, se retrouve debout, de longues heures durant, immobile au milieu de son bureau à fixer l'horizon, perdue dans ses pensées. Immobile, immobilisée, désespérée. Comment continuer à vivre sans celui qui, depuis plus de trente ans, ferraille avec vous dès le petit déjeuner sur l'interprétation à donner à une phrase d'Aristote relue la nuit précédente, ou qui refait le monde, lecture faite de cinq journaux de la presse allemande, après avoir bu son café ? Comment passer le temps ? Parler de lui, évoquer son souvenir ? Des étudiants de Heinrich viennent la voir pour lui porter des cours qu'ils ont ronéotés et lui proposent d'entreprendre la publication de l'ensemble de ses séminaires. Hannah les encourage et se plonge dans des textes de Heinrich, tel celui-ci où il définit la philosophie : « Il y a trois intérêts sans lesquels toute activité philosophique est impossible : l'érotique, l'amitié et la politique. S'ils ne sont pas mis en rapport, il nous faut alors chercher à les rattacher à une sorte de responsabilité éthique et humaine. Nous avons par trop négligé notre devoir premier, nous soucier des relations humaines c'est-à-dire politiques qui ne peuvent émerger que lorsque les hommes sont libres[31]. »

Dès le 7 novembre, Hannah écrit une lettre au directeur de Bard College, situé à Annandale on Hudson, lui expliquant qu'elle désire faire déposer les cendres de Heinrich dans le cimetière du campus du Collège et qu'elle souhaite organiser, en présence d'amis et d'étudiants, une cérémonie en sa mémoire. Elle joint un chèque de douze mille dollars pour couvrir les futures dépenses. Mary désapprouve cette initiative et craint que cette commémoration ne rouvre une blessure. Mais Hannah y trouve au contraire une consolation. La cérémonie est émouvante et Hannah est bouleversée par l'éloge funèbre d'une étudiante qui parle de Heinrich Blücher comme d'un ami : « On l'appelait professeur de philosophie, pourtant il n'enseignait pas des cours sur des philosophes ou des écoles de pensée philosophiques. Il enseignait la philosophie en étant philosophe. »

Le professeur Schafer, ami de Heinrich, professeur de philosophie et d'histoire des religions à Bard[32], choisit de lire les paroles de Socrate sur la mort dans l'*Apologie* : « Nous devons partir à présent, moi pour mourir, vous pour vivre, mais la meilleure des deux voies, Dieu seul la connaît[33]. » Heinrich est parti. Hannah doit vivre. Comment ? En assurant la continuité de la vie quotidienne. Donc en travaillant. Dès le lendemain, elle reprend ses cours à la New School. Elle a très peur de ne pas tenir le coup. À sa grande surprise, elle arrive à bien diriger son séminaire. En tout cas, elle éprouve cette sensation. Elle n'est pas sûre qu'elle ne devrait pas avoir honte d'elle-même. Elle fonctionne en pilotage automatique. À Mary, elle confie : « La vérité est que je suis totalement épuisée, mais ne va pas là voir un superlatif de fatigue. Je ne suis pas fatiguée, ou guère, juste épuisée [...] Je ne crois pas t'avoir dit que pendant dix longues années, je n'ai cessé de redouter une telle mort soudaine. Cette peur frisait fréquemment une véritable panique. À la place de la peur et de la panique il y a à présent le vide pur[34]. »

Dans son *Journal de pensée*, elle note, à la date du 25 novembre[35] : « Le 31 octobre Heinrich est mort très soudainement, très vite, en 7 heures et demie. Les funérailles ont eu lieu le 4 novembre, le 15 on a enterré l'urne à Bard », et elle note, tout de suite après, ces vers de la « Ballade de Mazeppa » de Bertolt Brecht qui ne cessent de la hanter depuis la disparition de Heinrich :

Et l'un prit le départ avec tout ce qu'il a
Avec tenue et cheval, patience et silence
Et puis vinrent le ciel et les vautours en plus[36].

Elle demande à son amie Anne Weil si elle peut venir pour l'aider à supporter les fêtes de Noël. Anne la rejoint et s'installe chez elle. Elle assure le quotidien et parle allemand à Hannah avec les expressions de la Prusse-Orientale, comme du temps de leur enfance. Devant son hébétude, sa douleur, Anne lui répète : « Hannah, essaie seulement de mettre un pied devant l'autre. » Hannah sait que le plus léger contretemps dans son emploi du temps romprait son équilibre factice. Elle a l'impression de flotter, de ne plus pouvoir marcher. Emprisonnée par la présence-absence de Heinrich dans leur appartement, elle s'assoit à son bureau et utilise sa machine à écrire. Elle essaye ainsi de trouver quelque chose à quoi se raccrocher. À aucun moment, elle ne perd la maîtrise d'elle-même, et s'en étonne : « Peut-être est-ce là un processus de pétrification, peut-être pas. Ne sais pas[37]. »

Anne continue de la rassurer par sa présence constante. Elle se souvient qu'un soir alors qu'elle rentre au domicile de Hannah, celle-ci est en train de discuter avec un étudiant. Entendant le bruit de la porte, elle dit alors : « Heinrich, laisse tes grosses chaussures à la porte. » Quand elle voit Anne entrer, elle tombe à la renverse dans sa chaise[38].

Un soir de désespoir, on sonne à la porte. C'est son ami le poète Auden qu'elle aime et admire tant. Il ressemble tellement à un clochard que le portier n'a pas voulu le croire quand il a dit qu'il était un ami de Hannah : il l'a accompagné jusqu'à l'appartement pour vérifier... Auden, ce soir-là, fait une déclaration d'amour à Hannah et lui demande de l'épouser. Elle ne le prend pas au sérieux et s'efforce de le calmer. Elle a toutes les peines du monde à se débarrasser de lui. Elle l'admire et voit bien qu'il est malheureux et a honte de le rejeter[39]. À Mary, elle avoue : « Je [...] dois le repousser. Quelque chose me dit que ça lui est arrivé une fois de trop, de se faire repousser, et je suis presque hors de moi quand je pense à toute l'histoire. Mais je n'y peux rien ; ce serait tout bonnement un suicide — pire qu'un suicide en réalité[40]. » Auden repart dans la nuit, complètement ivre. Hannah ne lui propose pas de dormir chez elle et ne le raccompagne pas. « Je déteste ça, redoute la pitié, je l'ai toujours redoutée, et je crois n'avoir jamais connu quelqu'un qui me fasse autant pitié. » Toutefois cet épisode pénible ne met pas fin à leur amitié, ni surtout à la sollicitude de Hannah envers Auden, qui n'arriva jamais à prendre sa vie en main de manière autonome.

La *National Review*[41] publie un article où Heinrich est présenté comme un philosophe des temps modernes qui a rejoint la grande tradition des philosophes amateurs qu'on aurait pu croiser dans les salons du XVIIIe siècle, discutant avec Diderot, à qui il ressemblait tant par certains côtés. Hannah est submergée de lettres de condoléances. Des lettres bouleversantes de celles et ceux qui tentent de se rappeler Heinrich, de fixer dans leur mémoire une attitude, un geste... Que reste-t-il de Heinrich ? « Un faible pour les cigares, un goût pour le bon vin et les jolies filles : le sentiment d'un homme sans enfants, que tous les jeunes étaient ses enfants et qu'il était lui-même un enfant », écrit un de ses amis.

Heinrich laisse beaucoup d'orphelins. Hannah regarde cette montagne de lettres et avoue à Mary : « De tout mon passé, couche après couche, aucune conventionnelle, signes de sympathie ou d'une vieille amitié toujours vivante. Étrange[42]. » La lettre qui l'émeut le plus est celle de Martin Heidegger :

> Chère Hannah,
>
> Et à présent cet adieu qu'il faut faire, qui ne t'aura pas été épargné. Proche Heinrich te demeure, en une proximité altérée. Ce à quoi tu te trouves confrontée, ce pour quoi nous ne disposons d'aucun nom, tu le porteras dans le consentement à ce qui advient, en confiant la

douleur elle-même à la quiétude en laquelle elle est appelée à se métamorphoser[43].

La lettre est accompagnée d'un poème sur le temps qui sera pour Hannah, pendant ces longues semaines de détresse, un viatique à ses pensées.

Pour se retrouver, elle lit et relit Heidegger. Ce qu'elle redoutait depuis dix ans — la mort brutale de Heinrich — s'est donc accompli. Mary lui suggère que la perte de cette peur va sans doute opérer en elle une sorte de purge et provoquer « jusqu'à un certain point un soulagement — un soulagement empoisonné. Je ne sais pas comment tu vas gérer cela. Je ne peux pas le deviner. Tu dois avoir l'impression de vivre avec quelqu'un que tu connaissais à peine — toi-même sans l'anxiété[44] ».

Hannah continue à assurer ses cours à la New School sur les lectures que font Kant et Marx de la Révolution française. Elisabeth Young-Bruehl se souvient de son courage, de son contrôle d'elle-même, mais aussi de sa fatigue, de ses traits tirés. Elle s'enfonce dans une mélancolie qu'elle sait dangereuse et, malgré les visites incessantes d'Hélène Wolff, de Dwight Macdonald, d'Alfred Kazin, de Lotte Köhler, elle n'arrive pas à trouver la force de vivre seule. Elle met plusieurs semaines à répondre à Heidegger et, pour la première fois, lui avoue son amour pour Heinrich : « Il arrive que dans le rapport entre deux êtres, si rare que cela soit, s'institue tout un monde. Ce monde devient dès lors un chez-soi, ce fut en tout cas la seule et unique patrie que nous étions disposés à reconnaître. Ce microcosme, ce monde en miniature qui constitue toujours un refuge face au monde, c'est ce qui se désagrège quand l'un des deux s'en va. Je vais mon chemin, je suis toute calme, et je me dis : *en allé*[45] *!* » Elle accepte l'invitation de l'un de ses anciens étudiants de Chicago à passer deux semaines à l'abbaye St John's du Minnesota en février 1971. Elle termine enfin la version de « La Pensée et les considérations morales » pour la revue *Social Research*, et la dédicace à Auden l'assurant ainsi de son amitié demeurée intacte.

Hannah commence à intégrer l'idée qu'elle vient de perdre à la fois sa peur et Heinrich. Elle vit ce relâchement de tension perpétuelle comme une douleur mais aussi comme une reconquête d'elle-même. Au début de l'année 1971, elle note dans son *Journal* : « Sans Heinrich. Libre comme la feuille dans le vent[46]. »

Elle a besoin de la présence d'Anne mais ne la supporte guère. Elle a l'impression d'étouffer dans son appartement entre Lotte, qui vient lui rendre visite chaque jour « pleine de drames », et Anne, qui « a perdu tout contact avec le monde, est en général très heureuse mais à moitié endormie[47] ». Elle est prise entre la sollicitude de ses deux amies et essaie, en vain, de se concentrer sur quelque chose. Elle commence à faire des plans, à organiser un peu son temps. Elle crée la fondation Heinrich Blücher, une fondation à but non lucratif et à objet caritatif, universitaire, littéraire.

Hans Jonas, avec qui elle s'est réconciliée, se préoccupe de sa retraite et intervient en tant que professeur de philosophie auprès de la New School où ils enseignent tous deux pour qu'elle puisse bénéficier d'un poste de professeur associé. Proposition acceptée. Hannah peut désormais souffler. Elle sait qu'elle peut travailler jusqu'à la date de sa retraite — date qu'elle choisira elle-même. Elle est enfin à l'abri de tout souci matériel. En février, elle part de nouveau à Chicago pour huit jours et reprend, certes avec difficultés, ses cours à partir de la *Critique du jugement* de Kant. De retour à New York, elle travaille d'arrache-pied sur la transcription des vieilles bandes magnétiques des cours de Heinrich à la New School.

C'est Heidegger, encore une fois, qui lui donne l'impulsion et l'énergie de continuer à vivre. Hannah lui fait part de son intention de s'atteler à un ouvrage sur cette étrange faculté de penser. Elle demande s'ils peuvent se voir. Sa lettre se termine par une dernière question : « Il n'est pas totalement exclu que je vienne à bout d'un livre encore à venir — un deuxième tome, en quelque sorte, de la *Vita activa*. Il porte sur les activités humaines qui échappent à la sphère de l'activité : penser, vouloir, juger. Quant à savoir s'il se fera, et surtout quand j'en aurai terminé, je n'en ai aucune idée. Jamais peut-être. Mais si jamais ce projet devait aboutir — puis-je te le dédier[48] ? »

Elle passe une journée délicieuse avec Nathalie Sarraute, de passage à New York. « On peut rire avec elle, et on rit des mêmes choses — un vrai bonheur[49]. »

Elle a l'impression de sortir des ténèbres, la perception infime que le pouls de la vie reprend. À Mary, elle confie : « Je suis presque "bien", à moitié chemin, ne suis plus abominablement fatiguée[50]. »

XX

PROFONDE

Le 4 avril 1971, elle part pour Paris où elle retrouve Anne et Mary. Elle descend à l'hôtel Montalembert et rencontre Nathalie Sarraute. Elle revoit également sa vieille amie d'exil, Nina Gourfinkel, avec qui elle passe une soirée. Hannah renoue des liens avec son passé, essaie de mettre en ordre la continuité de son histoire, reconstruit patiemment le fil de son existence. Elle tente ainsi de trouver sa place dans le monde, avec le souvenir de son Heinrich qui avait si longtemps joué pour elle le rôle de mentor, corrigeant ses épreuves, influençant ses opinions et ses orientations politiques et intellectuelles.

Elle part ensuite pour la Sicile avec Mary et son mari James West. Palerme, Cefalù, Syracuse jusqu'au 18 avril, date à laquelle elle part pour Zurich. Voyage de rêve, splendeur des théâtres grecs, odeur des fleurs sauvages. Hannah revit avec émotion son dernier voyage avec Heinrich. Elle pose ses pas dans les siens. De nouvelles impressions viennent recouvrir les premières. Elle part ensuite retrouver Martin Heidegger à Fribourg le 22 avril[1]. Elle lui apporte un volume de la correspondance de Brecht avec Benjamin. Le lendemain, elle lui envoie un bouquet de fleurs pour son départ[2]. Puis elle va à Cologne du 9 au 16 mai où elle participe le 11 mai à une table ronde sur le thème « La seconde phase de la révolution démocratique ? Les symptômes de la crise occidentale. Un exemple d'issue possible : les États-Unis ».

Elle s'envole pour Londres le 16 mai, où vit sa demi-sœur Eva Beerwald, puis Cambridge où s'est installée sa cousine Else Braüde, enfin New York. Elle assiste le 24 mai à une cérémonie à Bard College à la mémoire de Heinrich.

Elle se sent de nouveau seule, se trouve sans intérêt, commune, neutre, indistincte. À Mary, elle déclare : « Il ne m'arrive jamais rien. » Elle se demande si on peut vivre sans événements. La vie devient pour elle un flux neutre où elle ne parvient qu'avec difficulté à différencier un jour d'un autre. Elle se sent comme une feuille emportée par le vent. Mais pas libre pour autant, empêtrée par « le *poids* du passé (*gravitas*) ». Elle relit Hölderlin pour calmer ses tourments et le cite dans sa lettre à Mary McCarthy : « Tout ce poids/comme un fardeau de bûches/sur nos épaules/qu'il faut porter et supporter[3]. »

Elle se voit décerner au printemps le titre de docteur *honoris causa* de l'université Yale et se rend à New Haven pour y recevoir son prix. Comment supporter le premier été sans Heinrich ? Elle accepte la proposition de Mary de venir dans sa résidence, à Castine, dans le Maine. L'endroit est splendide, de belles demeures anciennes, un ravissant port de pêche, une forêt qui va jusqu'à la mer. Mary lui a aménagé un petit appartement indépendant au-dessus du garage, loin du trafic des invités. Elle y trouve la sérénité nécessaire pour écrire « Du mensonge en politique : réflexions sur les documents du Pentagone[4] », où elle critique aussi bien la droite que la gauche, toutes deux piégées par « l'inaptitude ou le refus délibéré de tirer la leçon de l'expérience ou celle des faits[5] ». Elle en fera une conférence, donnée à Washington, puis une série d'articles publiés dans la *New York Review of Books*. Elle est alors plus que jamais assaillie par les demandes de conférences qui lui parviennent des quatre coins des États-Unis. Les jeunes étudiants, qui considèrent ce texte comme une oasis de pureté et de vérité, se l'arrachent. Elle ouvre enfin son grand chantier sur l'histoire de la volonté.

Hannah entretient aussi une correspondance suivie avec Heidegger qui lui demande d'être son agent littéraire en Amérique et de céder ses droits à l'éditeur qui pourra lui faire les meilleures propositions financières. Il a en effet besoin d'argent pour construire sa nouvelle maison et Hannah va, à sa demande, faire monter les enchères pour tenter de vendre au mieux des manuscrits à des universités et protéger ses droits de traduction. L'ami de Hannah, Glenn Gray, l'aidera dans ces aventures éditoriales compliquées. Pour la remercier, Heidegger lui envoie des poèmes[6].

Elle reprend aussi ses méditations sur la philosophie et commence à rédiger le manuscrit sur le vouloir. Sans se mettre à l'écart du monde, elle pense que la philosophie n'est pas là pour compenser les frustrations de la politique ou même, plus généralement, de la vie. De nouveau, elle est à la recherche de cette bouffée d'air libre que lui procure la philosophie. Elle commence un long travail de bibliographie sur ceux qui ont écrit sur la pensée et la volonté. Tâche écrasante, qu'elle abandonne bien vite dès qu'elle tombe sur l'œuvre de Duns Scot qui la terrifie et l'immobilise.

Qu'est-ce que penser ? À travers ce questionnement incessant, qui accompagnera toutes les dernières années de sa vie, Hannah cherche aussi à se réconcilier avec elle-même. Au fond, Hannah Arendt reprend l'éternelle, la tourmentante question posée par Kant et reprise par Heidegger : comment établir une distinction entre la pensée et le savoir ? Ce faisant, elle ouvre de nouveau, indirectement, le dossier du procès d'Eichmann. L'absence de pensée peut-elle conduire à méconnaître les frontières entre le bien et le mal ? Être sans pensée justifie-t-il l'absence de responsabilité ?

Hannah différencie l'incapacité de penser de ce qu'elle nomme la stupidité. À force de ruse et de dialectique, elle prend des chemins de traverse et élude les vraies questions. Mary McCarthy, au cours de cet été, le lui dit. Pour elle, il est clair que la stupidité ne résulte pas d'une faiblesse cérébrale, mais d'une perversité du cœur. Cette apparence d'oubli mental est un choix. Pour Mary, un idiot de village peut être beaucoup moins stupide qu'Eichmann. Hannah l'écoutera. Grâce à Mary, elle introduira l'équation entre simplicité et bonté d'âme ou de cœur. Tout homme est un roseau pensant et possède, par essence, la capacité de penser. Donc Eichmann est un monstre. Sa perversité de cœur, témoignage de sa liberté, nous permet de le condamner. « Qu'est-ce qui nous fait penser ? » et

« Où est-on quand on pense[7] ? » seront les titres que donnera Hannah, deux ans plus tard, au fruit de ses réflexions dans le premier tome de *La Vie de l'esprit* consacré à la pensée.

Hannah rechute à la fin de l'automne. Elle se sent mal fichue. Trop de travail à la New School, trop de problèmes à régler, trop de gens à voir. Elle a besoin de calme, mais dès qu'elle se réfugie chez elle, elle se sent à vif, a des réactions exagérées, se dégoûte vite. À Mary, elle précise : « Sans compter mes vieilles difficultés avec les gens, aussi vieilles que moi, une forme d'hypocondrie ou quelque chose du même genre. » La décision du gouvernement allemand d'accorder à Hannah, au titre des réparations, une pension confortable, avec des indemnités correspondant au salaire qu'elle aurait touché si elle avait exercé à temps plein dans une université, ne la tire pas de sa morosité. Elle n'arrive pas à se débarrasser d'une angine de poitrine qui l'exténue. Les médecins l'alertent et lui demandent de changer de mode de vie. Ils lui intiment d'abord l'ordre d'arrêter de fumer. Elle n'en fait rien. Hannah n'a jamais vécu et ne vivra jamais pour sa santé.

Un ami proche de Mary, Nicola Chiaramonte, meurt dans un ascenseur d'une crise cardiaque. Hannah tente de consoler Mary : « Je crois savoir la profondeur de ta tristesse et ce que cette perte signifie[8]. » Hannah affronte des vagues de mélancolie qui la submergent. Dans son appartement, elle a toujours et encore du mal à supporter l'absence de Heinrich, qu'elle croit voir à chaque instant. Alors elle sort. Elle marche dans New York pour « aller voir toutes les maisons que la Mort a vidées ces dernières années[9] ». Le soir, elle relit les prières juives pour les morts. Elle est envahie par les souvenirs d'enfance. Les paroles du *Kaddish* lui reviennent. Dans ce chant à la gloire de Dieu, le nom du mort n'est même pas mentionné. Elle essaie d'en tirer les leçons. « Ne vous plaignez pas si l'on vous enlève quelque chose qui vous avait été donné, mais qui ne vous *appartenait pas* nécessairement. Et n'oubliez pas : pour être repris, il fallait d'abord qu'il soit donné. Si vous croyiez le posséder, si vous avez oublié qu'on vous l'avait donné, tant pis pour vous[10]. »

Hannah reprend ses cours à Chicago sur Duns Scot, se réjouit que la mobilisation des étudiants contre la guerre du Vietnam ne faiblisse pas et enchaîne des séminaires en juin 1972, à Princeton et Darmouth. Elle décide de passer l'été en Europe. La *Rockefeller Foundation* l'invite à se reposer sur le bord du lac de Côme à la villa Serbelloni où elle restera du 1er au 23 août. Elle a l'intention de partir ensuite travailler à Tegna, mais éprouve auparavant le désir de revoir Heidegger, qui continue à lui envoyer des poèmes qui la troublent, tel celui-ci intitulé, « À la merci » :

Appartenir sans se crisper à la seyance et son appel
à cheminer jusque devant le lieu
du penser en sa fugue
contre soi-même —
où se tient ce qui contient tout en réserve.
En toute pauvreté sauvegarde presque rien
ce qui ne fut légué en aucune parole :
Dire l'Αληθεια
Nommer l'allégie :
Déclore la retenue
d'une ancienne mise en demeure
à partir de ce qui dure dans
ce qui a pris au commencement[11].

Hannah a besoin de lui parler, de s'expliquer. Elle ne comprend pas bien pourquoi, comme elle n'est pas sûre de bien comprendre ce qu'il lui veut. Avec lui, elle sent encore des affinités secrètes. Éros de la pensée. En même temps que lui, elle se pose des questions tout à fait semblables. Elle veut donc lui faire part de l'interrogation qui a été pour elle, ces derniers temps, un véritable casse-tête : où sommes-nous, en fait, lorsque nous pensons ? Hannah a rendez-vous avec Martin le 20 juillet 1972 à trois heures.

Jamais le dialogue entre ces deux êtres n'a été si fécond. Elle lit le texte sur Schelling que Heidegger vient d'achever, et a relu son séminaire sur Nietzsche[12]. Le philosophe pense sur un mode philosophique mais aussi sur un mode poétique dans un seul et même mouvement, et s'abandonne, avec elle, à ses propres intuitions. Il parle de son travail en termes de fugue, de recherche d'un unique commencement, de refus de tout modèle, et cherche à penser contre lui-même. Il tente d'expliquer ainsi sa démarche à Hannah : « Tout cela en guise de tentative balbutiante d'une pensée, peut-être, qui ne peut arriver qu'à "pas de colombe" et demeure nécessairement inaudible dans le vacarme présent du monde[13]. » Elle se dira enchantée de son après-midi avec Heidegger. Elle part une semaine en Israël, à Jérusalem, du 24 au 30 juillet, retrouver sa famille, où elle fait un séjour très agréable, puis s'installe à la villa Serbelloni, une immense propriété au bord du lac de Côme, où elle rédige le premier chapitre de ce qui sera son dernier ouvrage, *La Vie de l'esprit*.

La Vie de l'esprit avait été conçue, comme la *Condition de l'homme moderne*, en trois parties : *Pensée*, *Volonté* et *Jugement*, les trois activités fondamentales, à ses yeux, de la vie mentale. L'introduction est précédée d'une citation de Heidegger : « La pensée n'apporte pas le savoir comme le font les sciences. La pensée n'apporte pas de sagesse pratique. La pensée ne résout pas les énigmes de l'univers. La pensée ne nous donne pas directement le pouvoir d'agir[14]. » *La Vie de l'esprit* deviendra plus tard un ouvrage en deux tomes. *La Pensée,* la partie la plus longue, devait en constituer le premier, tandis que le second devait inclure *Volonté* et *Jugement.* Elle prévoyait que celle sur le Jugement serait plus courte et s'attendait à « s'en tirer plus facilement[15] ».

Vivre, c'est penser

Avant de rejoindre New York, Hannah se rend de nouveau à Fribourg le 24 septembre, en début d'après-midi. Martin Heidegger est sous le choc : le mari de sa nièce vient d'être écrasé par une benne de cailloux lors d'une promenade en Forêt-Noire, en présence de sa femme et de ses deux enfants. « Il est mort sur le coup. Nous ne souhaitons plus évoquer tout cela lors de ta visite[16]. »

Ils réussissent cependant à travailler. Hannah prend des notes sur un cahier qu'elle oubliera dans son bureau et qu'il trouvera, trois mois plus tard, mélangé parmi ses textes. Quand il s'en apercevra, il n'aura même pas l'idée de le lui renvoyer. Juste de l'informer qu'il l'a « rangé par mégarde parmi [ses] textes, comme si c'était le [sien][17] ». Elle intervient à un colloque à Toronto sur la théorie politique et assiste à un colloque qui lui est entièrement consacré à l'université de New York. Plusieurs intervenants lui demandent pourquoi elle rejette l'idée d'agir ou d'influencer les autres en politique. Elle dérange en répondant : « Je ne crois pas que, nous, [théoriciens de la politique], avons ou pouvons avoir une influence au sens où vous l'entendez, je pense que l'engagement peut aisément vous mener à un point où vous ne pouvez plus penser. Il existe certaines positions où vous devez agir. Mais ces situations sont extrêmes.[...] Et je pense [...] que le théoricien qui dit à ses étudiants ce qu'ils doivent penser et comment ils doivent agir... mon Dieu ils sont adultes ! Nous ne sommes pas dans une crèche[18]. »

Hannah a accepté, en juin 1972, l'invitation de l'université d'Aberdeen en Écosse pour occuper, durant le printemps 1973, la chaire des *Gifford Lectures*, prestigieux cycle de conférences, créé en 1885, et confié successivement à Henri Bergson, Karl Barth, Étienne Gilson, Gabriel Marcel, entre autres. Elle se sent très fière de faire partie de ce cercle très restreint, et projette de profiter de ce moment passé loin du vacarme new-yorkais pour tenter de mettre par écrit l'ensemble de ses travaux sur la faculté de penser. Superstitieuse, elle voit dans cette invitation un porte-bonheur. N'est-ce pas grâce aux *Gifford Lectures* que Gabriel Marcel a terminé *Le Mystère de l'être* et Étienne Gilson *L'Esprit de la philosophie médiévale*[19] ? À New York, elle s'enferme, dans tous les sens du terme. Ce besoin de travail la confine de plus en plus dans une solitude malheureuse. Elle regrette maintenant son engagement : « Rien n'est plus détestable qu'un délai imposé et cette panique qui s'empare soudain de moi quand j'essaie seulement de vivre un peu. » Elle passe la soirée de son anniversaire avec Lore et Hans Jonas à se remémorer un demi-siècle d'amitié. Auden vient lui dire adieu avant son départ pour la Grande-Bretagne. Pour la première fois, elle le trouve non seulement malheureux et négligé, comme d'habitude, mais vraiment malade. Il lui donne l'impression que quelque chose de grave lui est arrivé. Elle regrette de le laisser partir sans lui dire un mot. Elle sait, intuitivement, qu'elle ne le reverra jamais. Le premier chapitre de *La Vie de l'esprit*, consacré à l'apparence, commence par ces mots : « Dieu nous juge-t-il sur les apparences ? J'ai bien l'impression que oui. » Une citation d'Auden.

Hannah arrive à Aberdeen le 21 avril 1973 après avoir passé deux jours à Londres. Sa première conférence a lieu le 23 avril. La dernière, le 14 mai. Mary assiste à la première et à la dernière. Emploi du temps serré. Conférences denses et difficiles. Hannah expose ce qu'elle nomme « la pensée sans garde-fou[20] ». L'activité de penser nous prépare toujours à rencontrer tout ce que nous devons rencontrer dans notre vie quotidienne. Cette activité de penser est « une fonction maïeutique, un travail de sage-femme. C'est-à-dire que vous arrivez avec tous vos préjugés et vos opinions ; et vous savez que jamais, dans quelque dialogue [de Platon] que ce soit, Socrate n'a découvert un enfant [de l'esprit] qui ne soit pas un œuf creux. De telle sorte que la pensée vous laisse, en un sens, vide [...]. Et une fois vide, alors, de façon difficile à dire, vous êtes prêt à juger[21] ». Arendt cherche la manière dont la pensée nous prépare à juger ; elle ne se sent pas sûre d'elle et craint de décevoir ses auditeurs. Elle-même trouve prétentieux ce titre donné à cette série de conférences, *La Vie de l'esprit*. Parler de la pensée lui paraît tellement présomptueux qu'elle éprouve le besoin de commencer à se justifier. « Ce qui me gêne, c'est de m'y risquer moi-même, car je n'ai ni la prétention, ni l'ambition d'être "philosophe", ni de compter au nombre de ceux que Kant appelait, non sans ironie, *Denker von Gewerbe* ("penseurs de profession")[22]. » Elle abandonne la sécurité des sciences politiques pour aborder des problèmes aussi terrifiants que le mal. Hannah avoue que le point de départ de ses réflexions se situe lors du procès Eichmann. Elle a alors senti que cette fameuse expression de « banalité du mal », qui ne recouvre pour elle ni thèse, ni doctrine, prend « à rebours toute la pensée traditionnelle — littéraire, théologique, philosophique. Le mal, on l'apprend aux enfants, relève du démon[23] ». Ce qu'elle avait sous les yeux, c'était un manque de profondeur évident. Les actes étaient monstrueux, mais le responsable tout à fait ordinaire, comme vous et moi. Pour Hannah Arendt ce n'est pas de la stupidité mais du manque de pensée.

C'est cette absence de pensée qu'elle veut tenter de cartographier pour comprendre le problème du bien et du mal. La faculté de distinguer ce qui est bien de ce qui est mal est-elle en rapport avec notre faculté de penser ? Que fait-on quand on ne fait que penser ? Où est-on quand, alors qu'on est entouré d'autres êtres humains, la pensée vous tombe dessus ? Hannah va à l'essentiel tout en revenant aux questions qu'elle se posait adolescente. Sa loyauté vis-à-vis de son sujet et de ses interlocuteurs force l'admiration. Elle termine, épuisée, son cycle de conférences.

Elle quitte l'Écosse pour se reposer à Tegna. L'affaire du Watergate qui éclate en avril 1973 l'inquiète. Elle est indignée par la dissimulation, la paranoïa de l'administration Nixon. De son côté, Mary est dépêchée à Washington comme correspondante de l'hebdomadaire anglais *The Observer* et peut assister aux auditions de membres de l'équipe Nixon qui témoignent au Sénat. Elle écrit aussi pour la *New York Review of Books*. Les deux femmes sont saisies par le spectacle d'une administration surprise en flagrant délit d'espionnage et de mensonge, et découvrent un État policier avec des réseaux de surveillance rivaux espionnant les citoyens et s'espionnant entre eux. Hannah s'inquiète de l'intrusion massive de la criminalité dans les procédés politiques. Puisque Nixon s'est conduit comme un tyran, il doit partir. Mais les conséquences de son départ sont imprévisibles. Hannah met dans le même sac tous les partis politiques et constate que les démocrates attendent que les républicains perdent pour prendre le pouvoir au lieu de faire des propositions aux citoyens. À Mary, elle confie : « Tu vois, Watergate a mangé beaucoup de mon temps et de mon attention. La mise au jour de ce nombre incroyable de scandales a un effet autodestructeur. Ils ont tous, c'est ce qui doit *apparaître*, agi peu ou prou comme Nixon, et quand tout le monde est coupable, personne ne l'est[24]. »

Hannah reprend cependant son travail sur *La Vie de l'esprit*, lisant, prenant des notes, révisant. Elle écrit sur le vouloir, et cela lui pose encore beaucoup plus de problèmes que sur la pensée. Elle demande à voir Heidegger[25] qui lui refuse un rendez-vous[26]. Comme lors du début de leur amour, il trouve son temps trop précieux pour pouvoir le partager. Il a mieux à faire : il est en plein dialogue avec les poètes et trop heureux d'être chaque jour à son affaire ; désormais, il trouve toute la littérature philosophique bien superficielle ; il prépare un séminaire en France à l'invitation du poète René Char[27]. Elle s'en montre affectée.

Après Tegna, elle passe quinze jours de vacances sur l'île de Rhodes, avec son vieil ami le professeur Hans Morgenthau. Quelle n'est pas sa stupéfaction de l'entendre, un soir, lui proposer de l'épouser[28] ! Celui dont elle faisait son chevalier servant et qui l'accompagnait souvent dans les soirées se révèle donc, malgré leurs âges respectifs, un amoureux transi. Elle décline gentiment mais fermement sa proposition. Elle repart pour Tegna se perdre dans saint Augustin et saint Paul. Elle ne passera plus d'été avec Hans Morgenthau, mais continuera à le voir et à s'occuper de lui quand il tombera malade.

Hannah rentre à New York le 5 septembre 1973, la mort dans l'âme. Ce pays lui inspire, désormais, une peur réelle. Elle pense que, depuis le scandale du Watergate, la démocratie a été atteinte au cœur même de ses institutions. Les citoyens sont désormais menacés dans leurs droits fondamentaux. C'est une tyrannie sans effusion de sang, mais elle n'en est pas moins terrible. Elle trouve à la New School une atmosphère d'anarchie et doit affronter de sérieux problèmes administratifs. Certains membres du conseil d'administration veulent l'éliminer des décisions du département de philosophie. De plus, elle n'a pas eu le temps de préparer ses séminaires et se sent tendue, inquiète et tourmentée. Lui revient la vieille plaisanterie de saint Augustin. À la question : « Que faisait Dieu avant de créer le ciel et la terre ? », la réponse est : « Il préparait l'Enfer pour les sondeurs de mystères[29]. »

Wystan H. Auden meurt le 28 septembre. À la New School, ses étudiants sont frappés par l'émotivité de Hannah, si différente de la réserve qu'elle montra après la mort de son mari. Elle pense tout le temps à son ami poète, à la détresse de sa vie, à l'élégance qu'il manifestait face à l'adversité ; elle s'en veut de lui avoir refusé de l'aide quand il est venu lui demander un abri. Elle se rend, avec un de ses étudiants, à ses funérailles à St John Divine de New York, et inscrit sur le faire-part deux vers de lui : « Chante les insuccès de l'homme, dans une extase de détresse[30]. » Elle pleure tout au long de la cérémonie. Lui reviennent leurs souvenirs communs depuis le début des années 1960, leur amitié, certes, mais aussi la manière dont les écrits d'Auden l'aiguillonnaient intellectuellement[31]. Elle éprouve du remords. Elle a pourtant été présente quand Auden n'allait pas bien. Avec Heinrich, depuis l'automne 1958, elle lui ouvrait, jusque tard dans la nuit, son appartement, l'encourageait quand il était épuisé à aller se reposer chez les bénédictins. À Hannah, Auden confiait ses états d'âme, ses angoisses, son désir d'alcool, de drogue, comme en témoigne une correspondance inédite et des poèmes qu'il lui a adressés[32]. Jusqu'à ce fameux jour où il lui déclara sa flamme et où elle le mit à la porte. Ce souvenir la hante et elle en éprouve de la honte.

La semaine qui suit la mort du poète anglais, Hannah va faire ses cours à la New School hagarde et peu sûre d'elle[33]. Elle accepte de donner à l'exécuteur testamentaire de son ami ses poèmes et de publier une contribution au volume d'hommages. Elle s'excuse, par avance, auprès de l'éditeur, de ne pas être vraiment à la hauteur, et s'en explique à cœur ouvert : « Vous savez que j'ai rencontré Wystan Auden tard dans ma vie, et ceci signifie qu'il n'y avait pas de vraie intimité dans notre amitié. Dans la mesure où une certaine proximité a en effet existé, elle est restée non dite. J'ai peur de ne rien pouvoir écrire sans faire référence à ce non-dit. Et ce que j'aurais alors à dire risque d'être indiscret[34]. » Hannah est convaincue que Wystan Auden était, dans ses dernières années, malheureux à un point insupportable. Elle a relu tous ses poèmes et a la certitude que cette tristesse a envahi sa vie. Le prix qu'il payait pour sa poésie a toujours été très élevé et, en vieillissant, est devenu trop élevé pour qu'il puisse s'en acquitter. Il ne l'a jamais avoué. Finalement, dans un texte bouleversant, intitulé « En Souvenir de Wystan H. Auden, mort dans la nuit du 28 septembre 1973[35] », Hannah le compare à Goethe et à Pouchkine, rappelle que cet homme qu'elle avait connu séduisant *gentleman* s'était transformé en clochard misérable qui ne vivait que par et pour les autres, et avait fait du *cogito* de Descartes l'adage suivant : « Je suis aimé donc je suis. » Ce meurtri en poésie s'est offert aux infidélités du cœur, aux injustices du monde. Auden s'est abandonné, tout au long de sa vie, aux « insuccès de l'homme ». On ne l'a pas reconnu de son vivant. Hannah l'a-t-elle assez aimé ? « Maintenant, avec l'atroce sagesse du souvenir, je le vois sous les traits d'un expert dans les infinies variétés de l'amour sans retour[36]. »

La guerre du Kippour éclate le 6 octobre. Hannah craint qu'Israël, cette fois, ne soit détruit. Depuis la guerre des Six-Jours de 1967, elle avait changé vis-à-vis de l'État hébreu. Faisant la distinction entre guerre offensive et guerre défensive, elle pensait que l'engagement militaire de 1967 était aussi justifié que celui de 1956 avait été aventureux. Elle s'était montrée fière de la victoire militaire israélienne et s'était comportée alors, aux dires de ses amis, comme une « marraine de guerre ».

Cette angoisse de voir Israël rayé de la carte du monde la reprend le 6 octobre, date à laquelle, après bien des tergiversations et des remises en cause, elle a finalement accepté un entretien pour la télévision française avec Roger Errera, directeur de collection chez Calmann-Lévy et introducteur de sa pensée en France. Roger Errera se souvient aujourd'hui avec précision de l'atmosphère qui régnait dans l'appartement de Hannah lors du tournage new-yorkais. Elle se montra très gentille avec l'équipe technique mais angoissée à l'idée d'être filmée. Aux États-Unis, elle avait toujours refusé toute interview. Elle répond d'ailleurs dans un premier temps à Errera qu'elle veut bien passer quelques heures avec lui à boire du bon vin et à discuter, mais pas être enregistrée. Elle lui sait gré de tout ce qu'il fait en France pour la traduction de ses livres, pour ses articles dans *Le Monde*, mais le supplie encore de renoncer à un entretien : « Je vous serai très reconnaissante si vous pouvez l'empêcher. Je déteste les choses comme ça[37]. » Elle s'avoue vaincue à l'été 1973, et c'est à contrecœur qu'elle affronte ce tête-à-tête. Le document en témoigne : les yeux pétillants de malice derrière des lunettes noires, habillée élégamment en jaune, maquillée de manière discrète mais seyante, filmée dans son appartement lumineux tapissé de livres et encombré de plantes vertes, Hannah s'impose par sa profondeur, sa loyauté, son humanité, son humour aussi. Tournée dans le cadre de la série télévisuelle française « Un certain regard », l'émission, filmée avec grâce et poésie par Jean-Claude Lubchansky, montre une Hannah défendant la Constitution américaine avec ardeur et enthousiasme. Elle stigmatise les théories politiques pseudo-scientifiques, comme la théorie des dominos, et se moque de tous ceux qui prévoient l'avenir. « Nous ne connaissons pas l'avenir. Tout le monde agit en vue de l'avenir et personne ne sait ce qu'il fait[38]. » Hannah réaffirme que la contingence est le facteur principal de l'Histoire. Personne ne sait ce qui va arriver. Beaucoup de choses arrivent par hasard. En revanche, l'histoire est logique. Comment cela a-t-il été possible ? Pourquoi les choses ne se sont-elles pas passées autrement ? Telles sont, pour Hannah, les questions les plus importantes de la philosophie. Nous avons tous peur de la liberté mais nous ne le disons pas. Nous avons peur d'avoir peur. Mais nous avons, avant tout, peur d'être libres. Hannah, déjà, décrit un monde politique entièrement régi par le désir d'apparence, la volonté de donner une image du réel et non de le régir. Américaine, elle l'est devenue par nécessité : « J'ai peut-être tort. Je n'ai pas peur de vivre dans ce pays. Je me sens parfaitement libre dans ce pays. »

Hannah réaffirme qu'elle n'est pas une libérale et qu'elle ne professe aucune philosophie politique qui pourrait se terminer en *isme*. « Diriez-vous que Montesquieu est un libéral ? Moi je me sers où je peux et je prends ce que je pense et je peux. » René Char l'a dit autrement : « Notre héritage n'est précédé par aucun testament[39]. »

Chaque être humain peut réfléchir à son propre destin. Comment faire naître ce désir de réfléchir ? En pensant toujours de manière critique. Hannah Arendt réaffirme qu'il n'existe de pensée que dangereuse, pour la simple raison que le seul fait de penser est en lui-même une entreprise dangereuse. Mais ne pas penser est plus dangereux encore. À une question sur l'héritage du XXe siècle que lui pose Errera, Hannah répond : « Vous êtes jeune, je suis âgée. Mais nous sommes encore là tous les deux pour laisser quelque chose. » Elle pense qu'il restera l'art moderne et la poésie, l'architecture. Il demeurera comme un grand siècle de l'Histoire, conclut-elle, mais pas en matière politique.

Pendant cette semaine de tournage, Hannah ne ménage ni son temps ni son énergie pour aider l'État d'Israël. Elle se rend à une réunion publique à Columbia University en faveur d'Israël, apporte son soutien financier à l'*United Jewish Appeal* qui collecte des fonds comme elle l'avait fait en 1967, envoie de l'argent à sa famille[40], assiste à la première réunion du Conseil de l'ONU[41] et s'indigne de la haine qui se déverse contre Israël. Le script de son entretien avec Errera témoigne de ses préoccupations : « Aujourd'hui le peuple juif est un peuple d'Israël. Ils sentent qu'ils ont un État, une représentation politique. Ils ont non seulement une patrie mais ils ont un État-nation… » Israël n'est plus à ses yeux un refuge pour Juifs en détresse. « Aujourd'hui Israël est le représentant juif dans le monde entier ; que cela plaise ou non, cela est une autre question. » L'État d'Israël est ce qui nous représente aux yeux du monde, affirme Hannah qui, depuis la mort de son mari, a beaucoup évolué sur la question du sionisme et de l'assimilation. Les Juifs sont inassimilables. Un peuple ne se suicide pas. Il n'y a pas d'assimilation à une culture. Être juif, c'est une culture, un mode de vie, pas une citoyenneté. Hannah se félicite que de jeunes Juifs américains apprennent l'hébreu, mais l'essentiel est à ses yeux la continuité de l'existence de l'État d'Israël. La question n'est plus d'être pour ou contre. Hannah est désormais pour Israël, où religion et nation coïncident. Du reste, d'après la loi juive, un Juif demeure toujours juif. Et Hannah, d'origine allemande, citoyenne américaine, reste juive avant tout.

Elle se dit épuisée par cet entretien et le considère comme un désastre total. Elle a du mal à se remettre à *La Vie de l'esprit* (« J'ai du mal à me remettre au travail, surtout bien entendu à cause de cette irruption inattendue de l'Histoire […][42] », explique-t-elle à Mary), relit Hegel, annote Kant, lit Maître Eckart pour rester en empathie avec Heidegger par-delà l'océan. Elle participe à la fête de *Pessah* avec quelques amis et écoute avec passion le récit de la *Haggada* en entonnant — de mémoire —, avec les autres, les chants traditionnels de cette fête. Curieux et émouvant retour à cette religiosité douce et sensuelle de la grotte de l'enfance. Les fêtes de fin d'année s'annoncent sinistres. Hannah a la grippe et se sent fatiguée. Elle se sent loin de ses deux amies, Mary et Anne. Elle n'a personne avec qui partager ses tourments.

Le 23 décembre 1973, Philip Rahv, un ancien compagnon de Mary et ami de Hannah depuis l'aube des années 1950, intellectuel brillant et marxiste invétéré, est trouvé mort dans son appartement à Cambridge, dans le Massachusetts. Une enquête policière s'ensuit. Hannah et Mary soupçonnent un suicide aux barbituriques. La police ne réussit pas à conclure son enquête. Mary vit cette disparition comme une catastrophe. Sa mort lui fait mal : « Peut-être l'amour, même si ancien, touche-t-il les centres vitaux plus que l'amitié et l'admiration. Je découvre que j'ai *dû* l'aimer quand nous vivions ensemble, et que j'ai continué, en toute ignorance[43]. » Hannah vient au secours de Mary. Elle aussi se sent touchée. La mort s'approche d'elle de plus en plus. La grande faucheuse fait son implacable démonstration. À Mary, Hannah confie : « Comme si vieillir ne signifiait pas, selon le mot de Goethe, “se détourner peu à peu des apparences” — ce qui ne me gêne pas — mais que peu à peu (ou plutôt tout à coup) un monde de visages familiers (d'amis ou d'ennemis, peu importe) tourne en une sorte de désert peuplé de visages étrangers. Ce n'est pas moi qui me détourne mais le monde qui se dissout, et c'est tout à fait différent[44]. »

Elle avait promis à son éditeur que le manuscrit du *Vouloir* serait achevé pour la seconde série des conférences de Gifford. Entre janvier et mi-mars 1974, Hannah s'enferme pour travailler. Elle s'envole pour l'Angleterre le 28 mars, reste deux jours à Londres où elle voit sa demi-sœur Eva, et gagne Aberdeen le 1er mai. Le 5, elle fait une crise cardiaque au beau milieu de son séminaire. Le lendemain, tôt le matin, elle fait appeler son ami et éditeur américain, William Jovanovich qui dort dans le même hôtel. Il la trouve dans sa chambre debout mais hébétée. Il lui donne les médicaments qu'il utilise lui-même pour ses insuffisances cardiaques avant d'appeler une ambulance. Hannah est transportée d'urgence à l'hôpital et placée dans une unité de soins intensifs[45].

Lotte Köhler se souvient très bien aujourd'hui de la panique qui l'envahit quand Mary la prévint. Elle prit tout de suite un avion et se rendit au chevet de son amie. Elle la trouva, deux jours après l'accident qui faillit l'emporter, dans une forme incroyable, discutant de philosophie et de politique et intimant l'ordre aux infirmières de les laisser en tête à tête : à Lotte abasourdie, Hannah fait promettre de lui apporter dans l'heure qui suit un paquet de cigarettes. Lotte s'exécute et Hannah fume en cachette, dans les toilettes, dès que la tente à oxygène est retirée de sa chambre[46]. Lotte revoit encore Mary au chevet de Hannah, laquelle s'impatiente, trouve le temps long, et supplie les médecins de la libérer. Le 27 mai, Mary revient à Aberdeen pour escorter Hannah jusqu'à Londres et c'est Elke, la femme de Robert Gilbert, un ami de jeunesse de Heinrich, qui l'accompagne jusqu'à Tegna.

Hannah n'observe guère les conseils du docteur Finlayson qui voulait qu'elle ne fasse rien pendant trois mois. Elle joue les entêtées et s'obstine à s'épuiser plutôt qu'à se reposer. Elle continue à fumer ses deux paquets de cigarettes par jour, à travailler jour et nuit et ses amies la trouvent dans un état d'agitation extrême. Mary la supplie : « Je t'en prie, ma très chère, obéis au médecin et applique ton *vouloir* à te remettre plutôt qu'à résister[47]. » En vain.

De toute façon, elle n'a guère envie de continuer à vivre et n'a jamais considéré sa propre vie comme un bien précieux dont il faut prendre soin pour mieux la prolonger. Heidegger, qui avait senti dans ses dernières lettres sa lassitude profonde, n'est guère étonné de ce qui lui arrive. Il lui conseille de ralentir un peu son rythme de travail et d'accepter son âge : « La vieillesse et le vieillissement se chargent de nous imposer leurs propres exigences. Le monde se montre sous un autre visage, et il faut faire preuve d'une certaine équanimité[48]. »

Elle arrête tous ses médicaments au prétexte qu'ils lui donnent la nausée, et se plonge dans la lecture d'Iris Murdoch, Alexandre Soljenitsyne et Simone de Beauvoir.

Elle part pour Fribourg le mercredi 10 juillet 1974 et passe l'après-midi avec Heidegger. Il la trouve fatiguée, le lui dit et lui demande de nouveau de se reposer. Elle aussi le perçoit comme un nageur épuisé qui ne parvient pas à regagner la rive. Hannah repart le cœur lourd. À Glenn Gray, elle raconte : « J'ai vu Heidegger sans incident ou accident désagréable. Pourtant, c'était plutôt une affaire triste. Heidegger était fatigué mais ce n'est pas le bon mot. Il était distant, difficile d'accès comme jamais auparavant, éteint. Elfride m'a laissée seule avec Martin sans me guetter constamment. Je crois qu'elle est sincèrement inquiète. Il travaille encore sur son introduction. Ces pages sont censées donner la quintessence de sa philosophie mais je doute qu'il ne fasse autre chose que répéter ce qu'il a dit auparavant et mieux dans le passé[49]. »

Glenn Gray rend visite au maître quelques jours plus tard. Hannah, avide, l'interroge : « Va-t-il mieux ? A-t-il parlé de moi ? » Glenn la rassure : Heidegger est en pleine forme, joyeux, bien portant et travaille sans discontinuer. Il le suspecte de ne pas lui dire que ces jours de travail sont de temps en temps interrompus par une fatigue excessive et des difficultés à respirer. Le 26 juillet, Martin Heidegger envoie à Hannah deux transcriptions inédites de ses cours sur Kant et Aristote pour lui permettre d'avancer dans son travail sur *La Vie de l'esprit*. Hannah les lit séance tenante et l'en remercie par écrit[50]. Ses craintes s'apaisent. Le dialogue reprend.

Elle rentre à New York le 15 août 1974. Trois semaines auparavant, le 24 juillet, la Cour suprême ordonnait à Nixon de mettre à la disposition de la justice les écoutes illégales réalisées par la Maison-Blanche dans le bâtiment du Watergate. Le 27 juillet, la commission judiciaire de la Chambre retenait trois motifs de destitution... Hannah attend, avec impatience, la chute du Président Richard Nixon et s'enflamme, de nouveau, pour la scène politique. Heidegger ne comprend guère son ardeur à se sentir autant engagée : « À la différence de toi, je n'accorde à la politique qu'un intérêt subsidiaire. Pour l'essentiel, la situation du monde d'aujourd'hui n'est que trop claire. À vrai dire, c'est à peine si est éprouvée la puissance de ce qui se déploie comme technique. Tout se déroule au premier plan. Nul n'est plus en mesure de faire quoi que ce soit contre la tyrannie des "mass media" et des institutions — rien, en tout cas, lorsqu'il y va de la provenance de la pensée à partir du geste inaugural de la pensée grecque[51]. »

Hannah continue à surveiller activement les traductions de Heidegger en Amérique et réussit à convaincre Joan Stambaugh, professeur de philosophie ancienne qui a la confiance de Martin et a déjà traduit certains de ses textes, d'entreprendre la traduction intégrale d'*Être et Temps*. Elle en vérifie certains termes et relit Heidegger tout en reprenant son manuscrit sur *La Vie de l'esprit*. Elle a laissé, avant l'été, le chapitre « Qu'est-ce qui nous fait penser ? » en chantier et le reprend en le nourrissant des thèses que Heidegger expose dans *Qu'est-ce que penser ?* De nouveau, le maître joue avec elle au professeur. Comme si le temps était suspendu. Comme si elle était encore son élève dans la fleur de l'adolescence. Il lui envoie ses cours de 1930 intitulés *De l'essence de la liberté humaine*[52] — pour lui rafraîchir la mémoire et lui rappeler sa conception de la liberté. Heidegger est, encore et toujours, amoureux. Et, comme au début de leur amour, il lui écrit des poèmes comme celui-ci :

Plus institutante que le poème
plus fondatrice que le noème
demeure la gratitude.
Ceux qui y accèdent,
elle les ramène devant
le face-à-face de l'inaccessible ;
c'est de lui faire face que nous sommes —
nous autres, tous les mortels —
depuis le commencement
mis à même[53]

Le 1er septembre, elle part pour le Maine rejoindre Mary et son mari pour une semaine de repos. Que s'est-il passé ?

Une discussion orageuse ? Trop d'attention de la part de Mary, qui aurait traité son amie comme si elle était une grande malade, ce qui aurait agacé Hannah qui déteste généralement qu'on s'occupe d'elle ? Hannah avance, sous un prétexte quelconque, son retour. Mary l'accompagne à l'aéroport. Elle la voit franchir la porte d'embarquement sans se retourner. Angoissée, Mary câble à Hannah : « Quelque chose est en train d'arriver ou est déjà arrivé à notre amitié et je ne crois pas, en remarquant cela, faire preuve d'un excès de sentimentalisme ou d'imagination. Le moins que je puisse supposer est que je t'ai tapé sur les nerfs[54]. »

Hannah est abasourdie, muette de surprise. L'idée même que sa meilleure amie puisse l'indisposer ne peut lui traverser l'esprit. Elle ne sait pourquoi elle ne s'est pas retournée à l'aéroport. « J'étais très triste, et tu as beau parler de ma splendide solitude, je me sens aussi seule que n'importe qui le serait dans ma situation[55]. » Hannah reconnaît qu'elle n'est pas sensible et même plutôt rétive à tout secours psychologique, voire psychanalytique. Mary la connaît depuis assez longtemps. De sa solitude, elle entend tirer force et courage, et non construire une forteresse. Elle a besoin de ses amis. Pour réaffirmer son amitié, Hannah invite Mary à un grand dîner qu'elle donne en son honneur. Mary vient de Paris pour l'embrasser et lui tombe dans les bras. Elles passeront de nouveau des nuits entières à discuter de politique. Le 23 décembre, Hannah s'envole pour Paris où elle fête Noël en compagnie de Mary.

Le Président Ford vient d'amnistier son prédécesseur Richard Nixon. « Il semble qu'on ne réussisse pas à mettre un couvercle sur le couvercle[56] », commente Hannah. Hannah a confiance en la presse, en la justice de son pays et craint que Nixon dispose encore d'un pouvoir de chantage. De retour à New York, elle participe à la fête du Nouvel An chez Rose Feitelson qui a invité toute la tribu d'Hannah. Elle apprend, en début d'année, que l'université de Copenhague vient de lui décerner le prix Sonning pour « travaux méritoires en faveur de la civilisation européenne ». Doté de trente-cinq mille dollars, il récompense son travail d'historienne et de théoricienne du totalitarisme. Elle est le premier citoyen américain et la première femme à en bénéficier à la suite de, notamment, Winston Churchill et Laurence Olivier.

Avant de partir pour le Danemark, au beau milieu d'une grève difficile des personnels administratifs de la New School, elle trouve le temps de s'acheter une robe pour la remise du prix, prépare son discours, où, comme d'habitude, elle s'excuse d'être récompensée : « Les masques ou les rôles que le monde nous assigne, qu'il nous faut accepter et dont nous devons même faire l'apprentissage si nous voulons un tant soit peu participer au jeu du monde, sont interchangeables. Ils ne sont pas inaliénables [...] ils ne sont pas associés pour toujours à notre for intérieur, au sens où la voix de la conscience, comme le veut une croyance répandue, accompagne sans cesse l'âme humaine[57]. » Hannah ne veut pas être confondue avec son image publique. Elle ne veut pas de cette reconnaissance qui officialise sa pensée, ni être alourdie par la notoriété. Elle veut, comme elle le dit, vivre le monde dans la nudité de son ipséité, sans succomber à la grande tentation de cette reconnaissance qui nous transforme inexorablement en des individus que, fondamentalement, nous ne sommes pas.

Elle passe trois jours de bonheur à Copenhague en compagnie de Mary et de son éditeur Jovanovich, revient à New York, s'envole pour Boston où elle a accepté — on peut se demander pourquoi — de faire un discours lors de la cérémonie inaugurale des fêtes du bicentenaire de la ville. On comprend mieux ses raisons en lisant son texte : elle va, en effet, utiliser cette occasion comme tribune politique. Elle titre son allocution « Retour à l'envoyeur[58] ». Elle saisit l'occasion pour interpeller violemment le gouvernement américain sur la guerre au Vietnam, le Watergate, l'amnistie de Nixon par Ford. Pour elle, ces faisceaux d'éléments conduisent à penser qu'on assiste au déclin du pouvoir de la République.

Ses déclarations, qui seront enregistrées, déclenchent une nouvelle polémique lors de leur diffusion, cinq jours plus tard, sur la National Public Radio, avant d'être publiées dans la *New York Review of Books*. À son retour de Boston, comme après *Eichmann à Jérusalem*, elle est inondée de lettres de détracteurs et d'admirateurs. Elle accepte une invitation pour donner une conférence à Cologne et décide de saisir l'occasion de ce voyage en Europe pour confier certaines de ses archives — les correspondances avec Kurt Blumenfeld, Karl Jaspers et un vieil ami berlinois, l'écrivain Erwin Loewenson — au prestigieux centre des archives littéraires allemandes, le *Deutsches Literaturarchiv* de Marbach.

Son voyage en Europe sera exténuant et mélancolique. Elle loue un petit appartement à Marbach et passe ses journées à classer sa correspondance. Elle tombe dans le puits du passé et a du mal à supporter ces remontées de mémoire. Elle vacille. Seule face à elle-même, elle se voit entraînée dans de longues méditations métaphysiques. Des photographies attestent de cette atmosphère de sombre lucidité où elle a souhaité s'enfermer. Le film d'Eglal Errera, réalisé par Alain Ferrari, intitulé *La Jeune Fille étrangère*[59], la montre marchant dans le parc de Marbach à pas lents, le visage tourné vers le sol ; tout son corps semble fatigué. Quoi de plus triste et de plus dérangeant que de se replonger dans le passé, relire les lettres d'amis aujourd'hui disparus ? Elle classe ses correspondances et met de côté des textes inédits qu'elle emportera à New York en vue de publications futures. Le soir, elle se console en relisant l'œuvre d'Adalbert Stifter que chérit aussi Heidegger. Le 15 mai, Mary la rejoint et l'aide à trier les papiers.

Fin de partie

Fin juillet, elle se rend à Tegna, à la *Casa Barbatè*, où elle a ses habitudes, et où elle se fait dorloter par les personnes de l'établissement, respectueuses de l'emploi du temps et de la solitude de cette femme qui ne sort de sa chambre que l'après-midi et travaille toute la journée. Elle se sent très bien physiquement, mais intellectuellement fragile. Elle se remet à la lecture de Kant et particulièrement à la *Critique de la faculté de juger*. Elle découvre aussi les *Fragments posthumes* et avoue toute son admiration pour ces aphorismes dont certains, très beaux, comme celui-ci qui la touche en plein cœur : « Qui se livre à des spéculations sur la vie après la mort est semblable à la chenille qui sait que son véritable destin est de devenir un papillon. »

Une photographie la montre sur la petite terrasse de sa chambre, un matin d'été, les bras nus, légèrement maquillée, souriante, heureuse, détendue, assise dans une chaise longue, couvant du regard des rouges-gorges qui picorent les miettes de son petit déjeuner. Une de ses amies, Elke Gilbert, vient la rejoindre. Le jour, elle écrit sur Kant et relit Marx et Nietzsche.

Elle se bat avec la pensée de Hegel. Pour avancer son ouvrage, elle met par écrit ce que fut, selon elle, son erreur cardinale : penser et agir sont pour lui la même chose. Pour Hegel, quand nous pensons, nous agissons. Elle estime que Marx commet la même erreur avec sa conscience de classe. Pour elle, toutes ces ratiocinations hégéliennes et marxistes participent de ce qu'elle appelle « les folasseries métaphysiques ». Hannah dégage le terrain, défriche, enlève les mauvaises herbes pour en finir avec ses influences. Elle éprouve cependant, encore une fois, l'envie d'aller rendre visite à Heidegger pour lui poser des questions, lui parler de ses tourments. Heidegger la devance et rédige son invitation ainsi : « Nous aurons beaucoup de choses à nous dire, et plus encore à méditer[60]. » Elle arrive à Fribourg le mardi 12 août 1975 à 15 heures[61].

Elle en revient très déprimée. « Heidegger est devenu soudain très vieux, très changé par rapport à l'année dernière, très sourd et lointain, inapprochable comme jamais auparavant[62] », écrit-elle à Mary. Ce sera leur dernière rencontre. Hannah éprouve de plus en plus l'impression d'être un fantôme parmi des fantômes qui s'éloignent d'elle inexorablement. Elle manifeste cette angoisse de ne plus être en prise directe avec le monde, comme si un voile l'obscurcissait. Son premier mari Günther refait surface et lui envoie des lettres désespérées, où il évoque son délabrement psychique et physique, ainsi que sa solitude mortifère. Sa femme, américaine et sioniste, vient de le quitter. Il vit à Vienne. Elle ne répond pas à son S.O.S. Morgenthau, qui devait la rejoindre, vient d'avoir une attaque et annule son voyage : « Je suis entourée de personnes âgées devenues soudain très vieilles[63]. » Anne vient la retrouver, mais elle aussi est épuisée et déprimée.

Elle apprend qu'elle vient de recevoir, à New York, le prix de l'Association américaine des sciences politiques, le *Benjamin E. Lippincot Award*, pour la *Condition de l'homme moderne*, jugée « meilleure œuvre de théorie politique ». Elle va au cirque, au cinéma, lit Jean-Paul Sartre, fait des excursions en train avec Elke Gilbert jusqu'à Locarno. Elle repousse son cycle de conférences en Écosse et travaille à la deuxième partie de *La Vie de l'esprit*. Elle quitte enfin son paradis de la *Casa Barbatè*, fait escale à Paris. Elle a en effet accepté l'invitation d'un symposium à Jouy-en-Josas consacré aux terreurs de l'an 2000. Puis elle s'envole pour les États-Unis.

À New York, fatiguée, déprimée, elle s'enferme chez elle, redoute de plus en plus de sortir. Elle veut écrire, mais n'y arrive guère, oppressée qu'elle est par cette solitude si peu féconde, elle passe des coups de téléphone, à la nuit tombée, pour que des amis viennent dîner chez elle le soir même. Le courant chaud de l'amitié l'enveloppe depuis longtemps et lui permet de continuer à vivre sans tomber dans la dépression. Ses amis lui font ainsi une fête surprise pour son soixante-neuvième anniversaire. Elle entre de nouveau lentement dans son travail sur le jugement. Heidegger l'a prévenue des difficultés qu'elle rencontrerait. Elle termine également ses conférences pour l'Écosse sur la volonté, dont elle veut faire un diptyque : le premier, le plus long, serait consacré à la pensée, le second à la volonté et au jugement. Elle refuse tout séminaire, tout article, pour se consacrer entièrement à la volonté, thème sur lequel elle fait aussi porter les cours qu'elle continue à donner à la New School.

Nous sommes enfermés entre le passé et l'avenir. Comment atteindre au calme du Maintenant dans une existence humaine ballottée par le temps ? Pour Hannah, penser c'est trouver sa place dans ce creux entre passé et avenir en assumant ainsi son rôle d'arbitre, de juge des affaires multiples. Elle se réfère à Paul Valéry et à Franz Kafka. L'homme pensant n'est pas un *il* et pas un *quelqu'un*. Les réflexions sur la pensée la hantent depuis longtemps. Fin 1969, elle notait dans son *Journal de pensée* : « À propos des plaisirs de l'esprit : penser est la seule *activité* (et non passivité) que la réflexion sur ce que je suis en train de faire n'interrompt pas. Le bonheur de l'action n'est qu'une pensée après coup[64]. » L'homme pense, par exemple, quand il crée des œuvres atemporelles qui transcendent la finitude du temps. Elle se pose la question de la place et de l'importance de la volonté face au désir et à la raison. Elle analyse la volonté en se fondant sur son histoire, indissociable à ses yeux de la découverte de l'intériorité. Elle retrouve ainsi saint Augustin qui, très tôt dans l'histoire de la philosophie, a eu l'intuition que ce qui est en guerre en nous, ce n'est pas la chair mais l'esprit, en tant que volonté, ce moi le plus profond de l'homme à l'intérieur de lui-même, dressé en permanence contre lui-même.

Hannah est à la croisée des chemins. Elle entend achever le démantèlement de la métaphysique opéré par Heidegger mais veut aussi créer une œuvre philosophique qui dépasse la phénoménologie, mouvement de pensée à ses yeux trop centré sur le soi et l'existence pour penser le monde en termes d'action et de liberté. Pour elle, chaque personne, dès qu'elle arrive dans ce monde, possède la possibilité de conquérir sa liberté et d'agir. Hannah s'oppose ainsi aux thèses de Marx. Pour elle, l'homme dispose d'une autonomie en tant qu'être pensant et son indépendance, à l'égard des choses telles qu'elles sont ou telles qu'elles sont advenues, constitue l'essence même de sa liberté.

Hannah écrit des journées entières, davantage pour ses futurs auditeurs écossais que pour de futurs lecteurs. L'état de son manuscrit[65] témoigne de la fièvre de travail, de la stratification des lectures, de l'accumulation successive de nouvelles idées. C'est un chantier permanent avec une pensée arborescente qui s'étend dans tous les domaines : littéraire, philosophique, économique, politique. Mais qui trop embrasse mal étreint. Hannah est perdue. Alors elle puise dans sa bibliothèque des sources d'apaisement, relisant Shakespeare, Bergson, Kant, encore et toujours. Hannah, autrefois si arrogante, si désireuse de faire accepter sa pensée, est littéralement happée par sa recherche. On la sent modeste. Elle assume cette perdition et se met à l'écoute de ce bouillonnement intérieur qui agite son cerveau jour et nuit. C'est comme si ça pensait tout seul. Justement sans volonté de penser. Ça coule en elle, ça dévale, ça ruisselle. Ce n'est pas par hasard qu'elle emploie un vocabulaire de chercheur d'or, de pirate des mers du Sud, d'aventurier dans les terres les plus reculées, pour tenter de définir ce qui lui arrive. Elle s'abandonne, elle se laisse aller. Elle reprend un poème d'Auden dans *La Vie de l'esprit*.

Oh enfonce tes mains dans l'onde
Enfonce-les jusqu'au poignet,
Et regarde au fond de la vasque,
Pour voir ce que tu as manqué.

Le glacier cogne dans l'armoire,
Le désert gémit dans le lit
Et la fêlure de la tasse
Ouvre accès au pays des morts[66].

Qui est-on ? Où est-on ? Que peut-on ? À quoi sert de vivre ? De ce pays des morts, elle refuse de s'approcher pour justement continuer à utiliser sa force de penser. Seule la pensée peut vaincre l'idée même de la mort parce que, justement, l'être au monde sait, par essence, qu'il est mortel. Dans ses réflexions, des éclats de Heidegger, de saint Augustin, véritable compagnon de route : « Jamais je ne suis plus actif que lorsque je ne fais rien, jamais moins seul dans la solitude[67]. »

Hannah continue néanmoins à passer beaucoup de temps avec ses étudiants, et suit activement la traduction et la composition d'une anthologie de textes de Heidegger, confiée par l'éditeur Harper and Row à l'universitaire David Farel Krell, et qui sera publiée sous le titre *Basic Writings*. Elle se bat pour exiger que les extraits de l'œuvre de Heidegger les plus significatifs, et notamment le post-scriptum de la conférence sur la métaphysique, y figurent bien. Et gagne son combat[68].

Hannah s'enfonce de plus en plus dans ce qu'elle nomme ses rêveries métaphysiques[69]. Elle voit quelques amis et son cercle d'étudiants qu'elle invite souvent à dîner dans un petit café en bas de Manhattan. Elle se désole de constater que le monde, son monde, a changé et que, désormais, nous vivons et nous vivrons dans une société de consommation. Elle dresse un cruel diagnostic : « La réalité est que la plupart des gens qui travaillent, à l'exception des dirigeants qui meurent tôt, passent plus de temps à dépenser leur argent qu'à le gagner[70]. »

Elle prophétise le règne de la bureaucratie comme type futur de tout gouvernement. Hannah ne s'est jamais posé la question de savoir si la vie de l'esprit était — ou non — supérieure à la vie dite active. Mais elle s'est physiquement, psychiquement, mentalement dévouée à ce travail de la pensée, qu'elle traitait comme une tâche qui lui était imposée depuis, finalement, le début de son existence. Hannah est née pour penser. Elle ne rompra jamais. Jusqu'à son dernier souffle de vie, elle honorera la promesse qu'elle s'est faite : essayer de penser.

Son livre sur Rahel Varnhagen paraît enfin aux États-Unis. Elle le donne avec une certaine fierté à ses amis tout en leur demandant de l'indulgence pour un travail qu'elle a écrit il y a plus de quarante ans. Son dernier texte sur la volonté lui donne beaucoup de mal. Elle reconnaît, en guise d'introduction, qu'il n'y a pas d'autre capacité de l'esprit dont l'existence même ait été mise en doute avec autant de persistance, et par de nombreux philosophes. Elle ne se veut pas une penseuse de profession, ni une historienne des idées, mais bien l'inventrice d'une nouvelle philosophie, qui place l'homme au centre de ses théories et la volonté comme ressort de l'action. Imprégnée par l'idée que la vie est un éternel recommencement, habitée par la certitude que le temps constitue un éternel écoulement où l'homme, au moment où il naît, inscrit sa trace et s'inscrit dans l'histoire, Hannah prône une philosophie morale humaniste où l'idée du libre arbitre et de l'exercice de la liberté sont encore et toujours possibles.

Cette femme qui n'a jamais eu d'enfant érige la naissance en concept fondamental. Cette intellectuelle qui eut à subir les tragédies de l'histoire s'oppose à la notion de destin et d'inéluctabilité, mais prône l'idée que tout est toujours possible puisque l'homme, par essence, est libre et donc capable, toujours, de résister. Cette penseuse de l'événement, grande journaliste politique, opère un retour à la philosophie comme seule discipline nécessaire et vitale, car seule la pensée peut et doit précéder la réalité et pas seulement la comprendre et l'interpréter. Cette étudiante éprise jusqu'à la fin de sa vie de son professeur ose enfin l'affronter et, se plaçant face à lui, et non sous sa dépendance, conteste l'idée de retrait du monde prôné par Heidegger, et critique cet éloge du non-agir, à ses yeux, fuite vers un pays de la pensée où les notions de liberté et de vérité seraient inconnues. Elle stigmatise en termes crus la vision heideggérienne d'une culpabilité inhérente à la condition humaine, qui sous-entend l'absence de responsabilité. Quand tout le monde est coupable, personne ne peut être responsable.

Hannah se dégage ici définitivement de l'emprise théorique de Heidegger et interprète même la création de certains de ses concepts comme des réponses intellectuelles à sa forfaiture morale : sa manière d'ôter à la pensée sa nature subjective même, d'empêcher l'homme d'exister comme être pensant, puisque ce que pense l'homme ne dépend pas de lui mais n'est qu'une réaction docile au commandement de l'être, est une manière d'éviter intentionnellement de traiter de l'action et de dénoncer, de manière véhémente, toute possibilité même de conscience morale.

Bricoleuse de génie, elle revendique son absence de parti pris, son refus de l'esprit de système, ses argumentations qui ne sont pas menées à leur terme, ses répétitions, ses contradictions. Elle place au même niveau la poésie de Rilke et d'Ossip Mandelstam, les *Confessions* de saint Augustin et *Ainsi parlait Zarathoustra* de Nietzsche, les considérant comme autant de sources nourricières pour son cheminement.

Hannah accepte, au grand étonnement de ses amis, d'aller passer un semestre l'année suivante au Smith College, à Northampton dans le Massachusetts. Lotte et Lore l'avertissent : l'hiver est rigoureux, et elle y sera isolée. Mais Hannah signe le contrat. Elle est prête à tout pour quitter son appartement qu'elle ne supporte plus.

La New School lui propose de quitter son enseignement et lui offre une pension de mille dollars par mois. A-t-elle supporté l'idée d'être mise à la retraite ? En décembre, quittant un taxi, elle tombe devant chez elle. Une foule s'agglutine. La police arrive. Reprenant ses esprits, et constatant qu'elle n'a rien de cassé, Hannah, sans mot dire, se relève toute seule, tourne le dos aux policiers qui veulent l'accompagner jusque chez elle, referme la porte.

Elle relit les *Géorgiques*, les quatre poèmes de Virgile à la gloire du travail des champs, se gorge de ce sentiment de plénitude que procure ce texte dédié à la terre tranquille et à la sérénité du temps qui survit aux enfants des enfants. Toujours l'idée du commencement. Elle s'enchante de toutes ces merveilles de la terre faites pour les délices éternels de l'homme. Hannah n'a jamais cru aux contes de fées, même quand elle était toute petite. Elle préférait les histoires cruelles de nains méchants maîtres des enfers. Elle aimait se faire peur, avoir peur, vivre dans la terreur. Pas de pitié. Ne jamais se plaindre. Assumer.

L'âge d'or est une idée mélancolique. La notion de progrès est définitivement ruinée. Le vieux rêve du royaume de la liberté sans classes et sans guerre est à tout jamais enterré. À quoi croire ? Non pas à soi, mais à nous. À la possibilité de vivre ensemble dans un esprit de communauté. À la citoyenneté morale. À l'idée de raison. À cette liberté à laquelle nous sommes condamnés, que nous le voulions ou non. À l'idée même de commencement. Hannah, en bonne heideggérienne, savait que vivre, c'est savoir mourir. Elle a, depuis l'âge de seize ans, intégré dans son corps et son cœur l'idée même qu'elle allait mourir. Elle ne pensait pas vivre si longtemps.

Hannah Arendt meurt comme elle a vécu : droite, altière, en plein élan, en pleine écriture aussi. Elle avait, ce soir-là, convié un couple d'amis, Salo et Jeannette Baron, à dîner après avoir passé sa journée à travailler dans son appartement new-yorkais, clair et lumineux, au cinquième étage d'un immeuble bourgeois, face à la Hudson River. C'était un jeudi de décembre où la lumière de l'hiver brille sur le fleuve en dessinant des plaques irisées. Le samedi précédent, elle a terminé le livre qu'elle avait en chantier et l'a intitulé tout simplement : *La Volonté*. Volonté : terme philosophique certes, mais qui s'applique aussi à sa force de caractère. Hannah n'est pas descendue marcher le matin dans le parc en bas de chez elle. Elle avait fait encore une chute quelques jours auparavant, n'avait pas voulu consulter de médecin. Fidèle à sa devise « *Kein Mitleid* » — « pas de pitié ». Pas de pitié vis-à-vis des autres, mais surtout pas de pitié pour soi-même[71].

Elle avait certes mentionné cette chute à Lotte au hasard d'une conversation, et son amie l'avait suppliée d'aller consulter. Mais elle ne s'occupait guère de sa santé, ne s'était jamais plainte même après son terrible accident de voiture, ou sa sérieuse alerte cardiaque de l'année passée, en Écosse. Elle vivait en paix avec elle-même, avec les petits malheurs habituels d'une dame qui devenait vieille, mais qui conservait une énergie intellectuelle et une force conceptuelle considérables. Elle prit, sans doute pour rassurer Lotte, un rendez-vous chez le médecin le lendemain mais un violent orage la dissuada de sortir. Le mardi, Lotte inquiète vint la voir, la trouva en pleine forme, diserte, alerte, classant les papiers du livre achevé, désireuse de se mettre à sa machine à écrire pour taper un texte sur lequel elle avait accumulé des notes depuis cinq ans. Elle lui avoua que *La Volonté* lui avait donné du fil à retordre. Elle espérait que le prochain livre serait plus court, moins difficile à rédiger.

Depuis quelque temps, elle n'aimait plus sortir le soir, mais ne supportait pas la solitude. Connue pour ses talents culinaires, sa gentillesse, son sens de l'hospitalité et sa profusion à offrir et à vouloir contenter son monde, les amis ne rechignaient jamais à venir la retrouver dans ce quartier un peu excentré, en lisière du Riverside Park, où les maisons de la fin du siècle dernier donnent un sentiment de calme feutré mais où, dès la nuit tombée, l'insécurité s'installe. Elle n'avait pas peur des voyous, elle s'était récemment fait attaquer près de chez elle, mais elle avait su parler à son agresseur si vertement qu'il avait pris la poudre d'escampette. Hannah répétait souvent à cette époque que le temps lui était précieux. Il ne faut pas y voir le pressentiment de sa propre fin, mais juste la nécessité de fixer ce texte, de l'ordonner, de le coucher sur le papier. Ce sont toujours les débuts de livre qui sont les plus difficiles, elle le savait depuis longtemps, elle qui avait toujours eu tant de mal à mettre par écrit ses propres pensées, elle qui, depuis l'enfance, avait des rapports si tendus avec les mots, elle qui, malgré le poids des années, la reconnaissance universitaire et la notoriété entachée de scandale, se sentait toujours menacée par sa propre fragilité.

Elle prépare donc le dîner puis met sur la petite table les apéritifs, des quantités de zakouski, de quoi faire un repas, m'ont dit celles et ceux qui ont eu la chance de compter parmi les habitués de ses dîners. Chez elle, le bureau et le salon ne font qu'une seule et même pièce et les visiteurs ont l'habitude de discuter dans son bureau. Hannah attend l'arrivée des Baron d'une minute à l'autre.

Elle tape sur sa machine le titre de son livre. S'interrompt. Jeannette et Salo Baron viennent de sonner. Ils dîneront côté salon. Ils se souviendront[72] d'une Hannah animée, rieuse, se préoccupant du devenir de la reconstruction culturelle juive en Allemagne et se réjouissant de la publication posthume d'un livre d'histoire d'un de leurs amis. À la fin du dîner, elle propose un café. Devant ses amis stupéfaits, après une brève quinte de toux, Hannah Arendt se renverse en arrière sur son fauteuil et perd connaissance. Le nom d'un médecin figure sur un flacon de médicament sur le bureau. Il arrivera trop tard.

Sur la machine, le titre du livre achevé : *La Vie de l'esprit*. À côté, une feuille de papier avec deux citations au crayon, et le titre du livre suivant : *Le Jugement*.

Cette mort si brusque, sans douleur, sans alerte — comment ne pas penser à un oiseau atteint en plein vol par la mitraille d'un chasseur —, résonne étrangement. Hannah Arendt, qui a passé sa vie à tenter de comprendre la plénitude de l'homme, à savoir en son for intérieur que la mort fait partie de la vie, qu'elle en constitue même son essence, sa raison d'être, est morte sans s'en apercevoir. Comme si on lui ôtait sa vie mais que sa pensée, elle, continuait. La plus belle preuve en sera la publication posthume, donc, de *La Vie de l'esprit*, éditée par son amie Mary, qui terminera en quelque sorte le travail préparatoire de Hannah, tout en étant contrainte de « l'achever » pour lui donner une forme définitive. Pied de nez à la mort que ce livre, où la vie triomphe de la mort grâce à l'amitié. De ce texte, elle disait à ses amis, en se moquant d'elle-même, qu'il était son seul livre de philosophie.

Hannah est une personne d'une grande modestie. Tout au long de sa vie, elle répétera, on l'a dit, qu'elle n'est pas philosophe, préférant s'interroger sur la définition de la philosophie.

Goethe encore : « L'éternel se fait sentir en tout/Car tout doit tomber dans le néant/S'il veut persister dans l'être. »

Hannah meurt le 4 décembre 1975 devant la page blanche. Ses dernières phrases écrites évoquent la capacité même de commencement, le fait que des êtres humains, de nouveaux hommes, viennent au monde, sans cesse, en naissant.

Mort subite. Mort paisible aussi, ajoutera Martin Heidegger. Hannah, « centre d'un grand cercle », dont « les rayons tournent à présent dans le vide[73] ». L'enfant de fièvre rejoint la mère adorée dans le ciel étoilé. L'amoureuse éperdue de philosophie savait que la pensée était une préparation à la mort. Prête, elle l'était depuis longtemps. Cinq ans avant de disparaître, elle écrivait : « La mort est le prix que nous payons pour la vie, pour le fait d'avoir vécu[74]. »

REMERCIEMENTS

Tout au long de ces sept années de recherche, j'ai pu travailler grâce à l'aide précieuse d'amis de Hannah. Je souhaite les remercier d'avoir donné de leur temps et de leur énergie. Elisabeth Young-Bruehl, la biographe, qui par son livre et les entretiens qu'elle m'a accordés à New York m'a encouragée ; Jerome Kohn sans qui, tout simplement, ce livre n'aurait pu voir le jour. Sa gentillesse, sa douceur et sa sérénité sont peut-être le legs de Hannah... Lotte Köhler, l'amie de toujours, dont l'appartement est une ode à Hannah tant elle y est présente. Edna Brocke, sa nièce chérie, qui m'a reçue à Essen, chez elle, et m'a confié ses lettres, ses photographies, ses souvenirs. Lore Jonas, qui a tant aimé Hannah. Il y a aussi ceux qui ont connu Martin Heidegger et accepté de me recevoir : tout d'abord Hermann, son fils, qui, avec son épouse, m'a confié ses souvenirs sur son père et sur Hannah, et livré son analyse en toute franchise et avec beaucoup de gaieté ; Frédéric de Towarnicki, qui a puisé dans ses archives et sa mémoire, et m'a beaucoup aidée ; Raymond Klibansky, au Canada, qui m'a renseignée avec beaucoup de précision ; Maurice de Gandillac, jeune centenaire, qui a ressuscité pour moi avec brio et classe le personnage de Heidegger ; Alain Resnais ; François Vezin ; Dominique Fourcade.

Il y a celles et ceux avec qui j'éprouvais le besoin de parler et qui ont toujours accepté de donner de leur temps et de livrer leur analyse face à des problèmes que je me posais. Georges-Arthur Goldschmidt, Paul Ricœur, Jacques Derrida, Julia Kristeva, Alain Finkielkraut, Roger Errera, Olivier Mongin, Françoise Collin, Sylvie Courtine-Denamy, Alexandre Adler, Dominique Janicaud, Annette Wieviorka, Jacques Julliard, Maurice Kriegel, Philippe Lacoue-Labarthe, Catherine Nicault, Myriam Revault d'Allonnes, Edgar Morin, Victor Malka, Daniel Cohn-Bendit.

Il y a ceux qui m'ont permis d'éclairer certains aspects de la personnalité et de la biographie de Hannah : Franck Tétard pour la période de Königsberg, le professeur Detlef Horster, Katrin Tenenbaum pour la période de l'exil au Portugal, Raul Hilberg pour les chapitres sur *Les Origines du totalitarisme*, Giorgio Agamben pour la philosophie morale, David de Rothschild et Béatrice Rosenberg pour la période de l'exil en France, Roger Errera qui n'a cessé de vouloir mieux la faire connaître en France, Pierre Nora qui a publié *Eichmann à Jérusalem*, Jean Daniel qui, dans le cadre de son journal *Le Nouvel Observateur*, a coordonné les dossiers sur ce livre au moment de sa parution et m'a livré ses réflexions sur ce que représente Hannah Arendt aujourd'hui, Kostas Axelos qui a su restituer les enjeux philosophiques fondamentaux de Martin Heidegger dans le siècle et la fascination qu'il provoquait, Lucien Jerphagnon pour saint Augustin et Eglal Errera qui m'a montré des archives inédites, ainsi que Georges-Arthur Goldschmidt sur la compréhension de la langue allemande.

Mes remerciements vont également aux auteurs des livres fondamentaux sur Hannah Arendt qui m'ont permis de tenter de la comprendre : la biographie d'Elisabeth Young-Bruehl, bien sûr, mais aussi les ouvrages de Martine Leibovici (*Hannah Arendt, une juive*, *Expérience, politique et histoire*), de Julia Kristeva (*Le Génie féminin*), de Sylvie Courtine-Denamy (*Hannah Arendt*), de Françoise Collin (*L'homme est-il devenu superflu ?*), de Jacques Taminiaux (*La Fille de Thrace et le penseur professionnel, Arendt et Heidegger*), de Philippe Lacoue-Labarthe et Jean-Luc Nancy (*Le Mythe nazi*), d'Alain Finkielkraut (*L'Humanité perdue*).

Merci au Hannah Arendt Literary Trust de m'avoir autorisée à reproduire des extraits des archives de Hannah Arendt.

Merci aussi à l'accueil que m'ont réservé les nombreuses bibliothèques où j'ai travaillé. Et particulièrement à Jeffrey Katz, à la bibliothèque du Bard College à New York ; à Jean-Claude Kuperminc, conservateur de la bibliothèque de l'Alliance israélite universelle à Paris ; à la bibliothèque du Goethe Institut ; à Susan Gilfert, de la bibliothèque de New School de New York ; à Simone Schliachter au Central Zionist Archives, à Jérusalem ; à Corinna Franz, de l'Institut historique allemand à Paris.

Ce texte n'aurait pu voir le jour sans Teresa Cremisi qui fut dès l'origine et toujours fidèle, Antoine Gallimard qui m'a soutenue, Françoise Cibiel, Jean-Christophe Brochier qui fut un lecteur exceptionnel et qui m'a aidée à accoucher de ce texte et Thomas Simonnet que je remercie du fond du cœur d'avoir été avec Gérald Larché si présents et de m'avoir éclairée de leurs remarques critiques. Ce texte n'aurait pu exister sans le soutien de Frédérique Fimbel et d'Anne-Julie Bémont, sans l'aide des traductions en allemand.

Alain Veinstein, enfin, fut le premier lecteur. Son art d'écouter et son sens du dialogue critique ont été déterminants. De cette présence constante durant ce cycle de vie, je souhaitais le remercier.

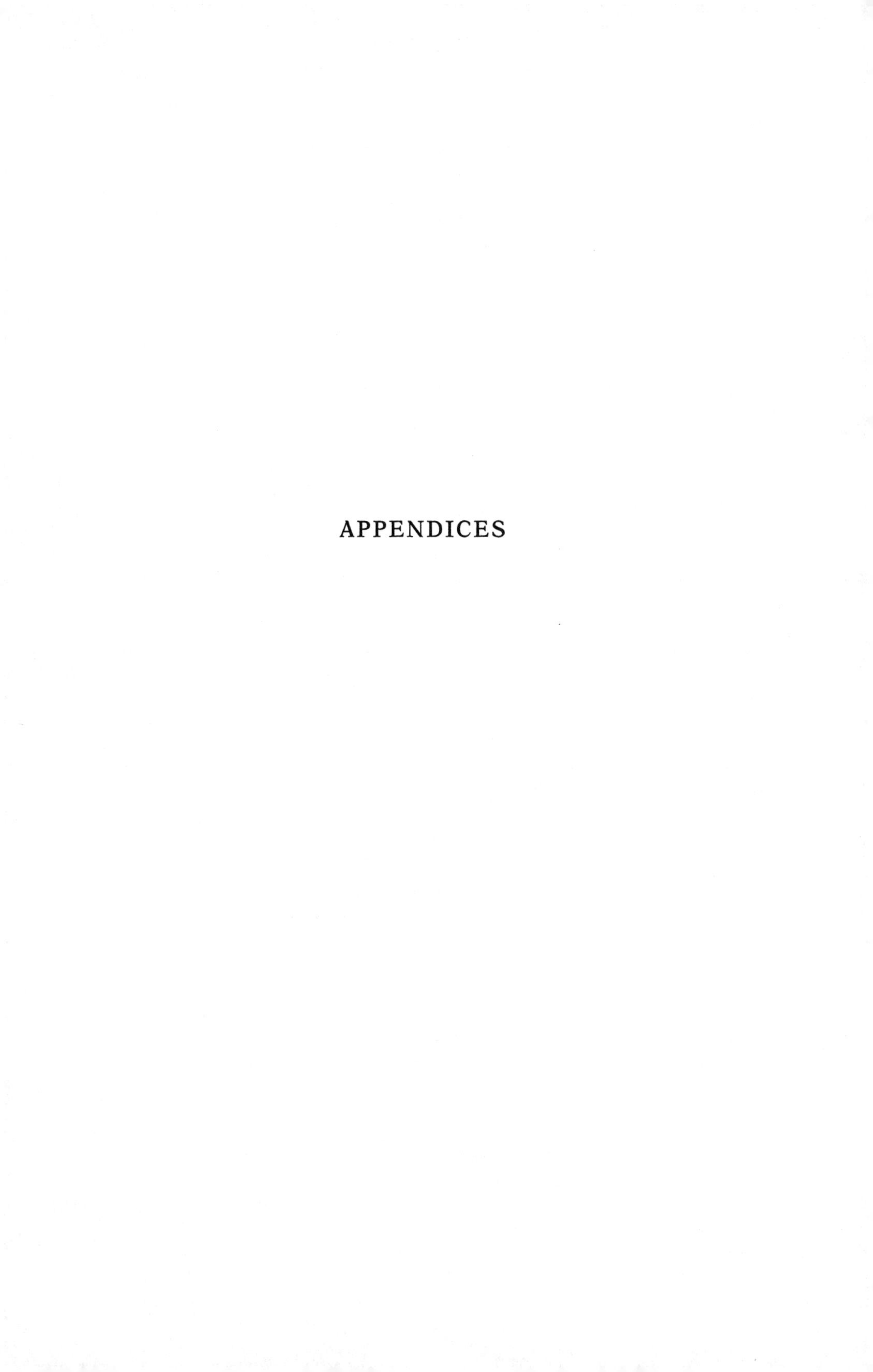

APPENDICES

NOTES

I. ENFANT DE FIÈVRE

1. Pour évoquer le grand bombardement d'octobre 1943, Jörg Friedrich a ces mots : « Les deux villes qui se sont appelées Hanovre, avant et après la guerre, n'ont en commun que leur nom et leur emplacement. » Jörg Friedrich, *L'Incendie, L'Allemagne sous les bombes,* traduit par Isabelle Hausser, De Fallois, 2004, pp. 200-209.

2. Hannah Arendt, *Qu'est-ce que la politique ?*, texte établi et commenté par Ursula Ludz, traduit par Sylvie Courtine-Denamy, Seuil, 1995, pp. 39, 42.

3. Pour les faits qui suivent, je m'appuie sur le précieux ouvrage d'Elisabeth Young-Bruehl, *Hannah Arendt,* traduit par Joël Roman et Étienne Tassin, Calmann-Lévy, 1999.

4. *Unser Kind,* 19 février 1911.

5. *Ibid.*

6. « Seule demeure la langue maternelle ». Cet entretien télévisé avec Günther Gaus, réalisé dans le cadre de la série « *Zur Person* », fut d'abord publié en 1964 à Munich sous le titre « Portraits », puis sous le titre « Seule demeure la langue maternelle » dans le numéro 6 de la revue *Esprit* de 1980, enfin dans le livre *La Tradition cachée, Le Juif comme paria*, traduit par Sylvie Courtine-Denamy, Christian Bourgois, 1987.

7. *Unser Kind,* 19 février 1911.

8. « Seule demeure la langue maternelle », *op. cit.*, pp. 230, 248.

9. *Ibid.*, p. 230.

10. Hannah Arendt et Kurt Blumenfeld, *Correspondance 1933-1963*, traduit par Jean-Luc Évard, Desclée de Brouwer, 1998. Voir la note de Martine Leibovici dans la préface, p. 8. Kurt Blumenfeld rapporte ce propos de Gabriel Riesser dans son livre *Erlebte Judenfrage, ein Vierteljahrundert deutscher Zionismus,* Stuttgart, Deutsche Verlaganstalt, 1963, p. 45.

11. Virgile, *Quatrième bucolique*, vers 60-64 : « *Incipe, parve puer, risu cognoscere matrem / (Matri longa decem tulerunt fastidia menses) ; / Incipe, parve puer : qui non risere parenti, / Nec deus hunc mensa, dea nec dignata cubili est.* » À savoir : « Sache par ton sourire accueillir cette mère / (Qui durant de longs mois, t'a porté dans son sein) ; / Pour sa mère celui qui n'eut pas ce sourire / N'aura les mets des dieux, ni le lit des déesses », in *Bucoliques. Géorgiques*, traduit par Florence Dupont, Gallimard, coll. Folio Classique, 1997.

12. « Seule demeure la langue maternelle », *op. cit.*, p. 230.
13. *Ibid.*
14. Elisabeth Young-Bruehl, *op. cit.*, p. 13.
15. « Seule demeure la langue maternelle », *op. cit.*, p. 232.
16. Hannah Arendt, *Journal de pensée*, janvier 1954, § 32, Seuil, 2005. Comme le font remarquer Ursula Ludz et Ingeborg Nordmann, on retrouve souvent dans l'œuvre de Hannah cette association du cœur et de la pierre. Voir également le texte « La pierre qui tombe du cœur » que les éditrices datent du début des années quarante, p. 647.
17. Entretien avec Lotte Köhler, New York, 2001.
18. *Unser Kind,* passage rédigé en janvier 1914.
19. *Ibid.*
20. *Ibid.*
21. Hannah Arendt, *Journal de pensée*, *op. cit.*, mai 1965, § 54, p. 836.
22. *Ibid.*
23. Elisabeth Young-Bruehl, *op. cit.*
24. Alexandre Soljenitsyne, *La Roue rouge. Août 14 : premier nœud,* traduit par Jean-Paul Sémon *et alii*, Fayard, 1983.
25. *Unser Kind,* cité par Elisabeth Young-Bruehl, *op. cit.*, p. 28.
26. *Ibid.*, p. 29.
27. *Unser Kind,* février 1916.
28. *Ibid.*, début 1916.
29. *Ibid.*
30. *Ibid.*, 1917.
31. Voir Elisabeth Young-Bruehl, *op. cit.*, pp. 34-35, et entretiens avec Jerome Kohn.
32. Si l'on ne connaît encore que trop mal aujourd'hui ce mouvement spartakiste, on ignore encore plus la place des femmes durant ces années de guerre, même si subsistent les écrits et prises de position des théoriciennes comme Clara Zetkin et Rosa Luxemburg. Mais dans les grandes villes d'Allemagne des femmes organisent des rassemblements pour faire entendre leurs voix de citoyennes engagées contre la guerre et de mères en révolte contre la pénurie alimentaire. Le 18 novembre 1915, deux cents femmes défilent devant le Reichstag. Le 28 mai 1916, elles organisent une manifestation pour la paix devant le parlement. Le 28 octobre, deux à trois cents femmes obtiennent que leur protestation soit lue par le comité directeur du parti social-démocrate. Des femmes ne cesseront, jusqu'à la fin de la guerre, de multiplier les actions. La maison de Martha résonnera pendant ces quatre années des querelles et des contradictions qui déchirent le parti social-démocrate.

Sur le personnage de Rosa Luxemburg, on peut lire l'excellente biographie de John Nettl, *Rosa Luxemburg, 1871-1919*, *La vie et l'œuvre de Rosa Luxemburg*, 2 volumes, Oxford University Press, traduit par Irène Petit et Marianne Rochline, Maspero, 1972. Rosa Luxemburg, *Vive la lutte, Correspondances 1891-1914*, Maspero, 1976. De Gilbert Badia, *Rosa Luxemburg. Journaliste, polémiste, révolutionnaire*, Éditions Sociales, 1975, ainsi que *Le Spartakisme, Les dernières années de Karl Liebknecht et de Rosa Luxemburg*, Éditions de l'Arche, 1967, et *Les Spartakistes : 1918. L'Allemagne en révolution*, « Archives », Gallimard-Julliard, 1966. Alfred Döblin a consacré quatre volumes à la révolution de Novembre (1918). Le quatrième volume, intitulé *Karl et Rosa,* fait de celle-ci un personnage à la fois de fiction, en proie à des hallucinations, et un personnage historique, actrice de la révolution de Berlin, s'opposant à la dictature de Lénine, défenseuse de la démocratie.

33. En 1966, dans un article publié dans *The New York Review of Books*, elle fera un portrait d'elle chaleureux et admiratif, et dira à quel point son parcours et ses engagements marquèrent son enfance. Article publié sous le titre « Rosa Luxemburg, 1871-1919 », in *Vies politiques*, traduit par Barbara Cassin, Gallimard, 1974.

34. *Ibid.*, p. 47.
35. *Ibid.*, p. 48.
36. *Les Cahiers du comte Kessler (1918-1937)*, traduit par Boris Simon, Grasset, 1972.
37. Elisabeth Young-Bruehl, *op. cit.*, p. 35.
38. Friedrich Nietzsche, *Crépuscule des idoles ou Comment philosopher à coups de marteau*, traduit par Jean-Claude Hémery, Gallimard, 1977.
39. Ernst Bloch, *L'Esprit de l'utopie*, confession lucide et désespérée d'un enfant du siècle qui diagnostique que, après la fin de la guerre et l'écrasement de la révolution, l'atmosphère de destruction s'amplifiera en Allemagne et que l'ordre ancien reviendra. Dans cette atmosphère sinistre et vide où la jeunesse doit mourir sur les champs de bataille et où les survivants pataugent dans le marécage de la décadence inéluctable, Ernst Bloch en appelle à la rencontre de soi-même, au monde de l'âme, à l'esprit de Kant, pour tenter de bâtir un futur porteur d'espoir, tissé d'utopie ; traduit par A.M. Long et L. Piron-Audard, Gallimard, 1977.
40. Poème « Salutation de l'ange » écrit par Gershom Scholem pour Walter Benjamin. Voir Walter Benjamin, *Correspondance 1910-1928*, édition établie et annotée par Gershom Scholem et Theodor W. Adorno, traduit par Guy Petitdemange, Aubier-Montaigne, 1978-1979, p. 247.
41. Sur Franz Rosenzweig, *La Pensée de Franz Rosenzweig*, Actes du colloque présentés par A. Munster, PUF, 1994, ainsi que Pierre Bouretz, *Témoins du futur, Philosophie et messianisme*, Gallimard, 2003, qui lui consacre un chapitre intitulé « De la nuit du monde aux éclats de la Rédemption : l'étoile de Franz Rosenzweig ».
42. Franz Rosenzweig (1886-1929), *L'Étoile de la Rédemption*, traduit par Alexandre Derczanski et Jean-Louis Schlegel, préface de Stéphane Mosès, Seuil, 2003. Sur Rosenzweig, lire aussi le magnifique ouvrage de Stéphane Mosès, *L'Ange de l'histoire* (Seuil, 1992), consacré à l'Allemagne des années 1920 à travers les œuvres de Benjamin, Scholem et Rosenzweig.
43. Bertolt Brecht, « Épitaphe 1919 », in *Poèmes III*, 1930-1933, L'Arche éditeur, 1966, p. 17.

II. JEUNE FILLE ÉTRANGÈRE

1. Ce texte se trouve dans Hannah Arendt et Martin Heidegger, *Lettres et autres documents, 1925-1975*, traduit par Pascal David, Gallimard, 2001, pp. 26-30.
2. Voir la lettre de Hannah Arendt du 27 juillet 1948, in Hannah Arendt et Heinrich Blücher, *Correspondance, 1936-1968*, traduit par Anne-Sophie Astrup, Calmann-Lévy, 1999, pp. 143-144. Voir également Elisabeth Young-Bruehl, *op. cit.*, pp. 305-307.
3. Hannah Arendt et Martin Heidegger, *Lettres et autres documents, op. cit.*, p. 363.
4. Voir Elisabeth Young-Bruehl, *op. cit.*, p. 43.
5. *Ibid.*, p. 45.
6. Martin Buber (1878-1965) est connu pour ses écrits sur le judaïsme et particulièrement sur le hassidisme ainsi que sur le dialogue. Il inspira Gabriel Marcel ainsi que Paul Tillich. Il a dû fuir l'Allemagne en 1938, et s'installa à Jérusalem, où il enseigna jusqu'en 1951.
7. Gershom Scholem, *De Berlin à Jérusalem, Souvenirs de jeunesse*, traduit par Sabine Bollack, « Présences du judaïsme », Albin Michel, 1984, p. 108.
8. Il bâtit une réflexion théologique avec les outils de la phénoménologie d'Edmund Husserl et de Max Scheller en l'ancrant dans une approche existentielle. Il publia d'importants travaux sur saint Augustin, Pascal, Dostoïevski. In-

terdit d'enseignement par les nazis en 1943, il put réintégrer l'Université après la guerre, et après un court séjour à l'université de Tübingen, il devint professeur à Munich où il mourut en 1968.

9. « Seule demeure la langue maternelle », in *La Tradition cachée, op. cit.*, p. 243.

10. Friedrich Hölderlin, *Hypérion ou l'Ermite de Grèce*, traduit par Philippe Jaccottet, Mercure de France, 1965.

11. « Seule demeure la langue maternelle », *op. cit.*, p. 234.

12. Sören Kierkegaard, *Post-scriptum aux miettes philosophiques*, traduit par Paul Petit, Gallimard, 1949, rééd. coll. Tel, p. 138.

13. Stéphane Mosès, *Système et révélation, La philosophie de Franz Rosenzweig*, préface d'Emmanuel Levinas, Bayard, 2003. Franz Rosenzweig, *L'Étoile de la Rédemption, op. cit.* Voir aussi Pierre Bouretz, *Témoins du futur, Philosophie et messianisme, op. cit.*

14. Ce poème est dans le volume Hannah Arendt et Martin Heidegger, *Lettres et autres documents, op. cit.*, p. 363.

15. Oswald Spengler (1880-1936), *Le Déclin de l'Occident, Esquisse d'une morphologie de l'histoire universelle*, 2 vol., 1918, 1922, traduit par M. Tazerout, Gallimard, 1948, rééd. 1976, 2 vol. Spengler estimait que l'histoire consistait dans la succession de cultures radicalement hétérogènes dans leurs créations et leur attitude face au monde. Pour Spengler, l'Occident depuis l'époque moderne était marqué par une ambition faustienne et démesurée de conquête et de maîtrise du monde naturel et du monde humain. Spengler voyait dans l'avènement d'une technique toute-puissante issue de la science, dans la substitution du socialisme à la religion, dans la puissance de l'argent, le passage au déclin et à la décadence de l'Occident moderne où les aspirations des masses devaient engendrer sur le plan politique une forme de césarisme. Conservateur, Oswald Spengler critiqua néanmoins durement les nazis. Le succès de l'œuvre de Spengler est attesté par exemple par le fait que Heidegger fit une conférence sur cet ouvrage en avril 1920, comme il le signale à Jaspers dans sa correspondance.

16. Hannah Arendt et Martin Heidegger, *Lettres et autres documents*, *op. cit.*, p. 364.

17. Poème sans titre, *ibid.*, p. 365.

18. Poème sans titre, *ibid.*, p. 366.

19. Voir Elisabeth Young-Bruehl, *op. cit.*, p. 46.

20. Paul Natorp (1854-1924), avec Hermann Cohen (1842-1918) ainsi qu'Ernst Cassirer (1874-1945) étaient les principaux penseurs de « l'école de Marbourg » dont le mot d'ordre était le retour à Kant. Heidegger s'opposa à l'interprétation de Kant par Cassirer lors des fameux entretiens de Davos en mars 1929.

21. Rudolf Bultmann (1884-1976), *L'Histoire de la tradition synoptique*, traduit par André Malet, Seuil, 1973. Bultmann ne cessa de compléter et de remanier cette œuvre en 1931 et jusqu'en 1971.

22. Hannah Arendt, *Journal de pensée, op. cit.*

23. Hans Jonas, *Souvenirs d'après des entretiens avec Rachel Salamander*, traduit par Sabine Cornille et Philippe Ivernel, Payot-Rivages, 2005, p. 83.

24. Paul Celan, *Choix de poèmes*, Poésie / Gallimard, 1998, p. 149.

25. Hannah Arendt et Martin Heidegger, *Lettres et autres documents, op. cit.*, avril 1925, pp. 26-30.

26. Karl Jaspers, *Psychologie der Weltanschauungen*, Berlin, Springer-Verlag, 4e éd., 1954. L'ouvrage n'est pas traduit en français.

27. Martin Heidegger, *Correspondance avec Karl Jaspers (1920-1963)*, traduit par Pascal David, Gallimard, 1996, lettre n° 1 de Martin Heidegger du 21 avril 1920, p. 11.

28. Karl Jaspers, *Autobiographie philosophique* (1984), traduit par Pierre Boudot, Aubier, 1963.
29. Martin Heidegger, *Correspondance avec Karl Jaspers, op. cit.*, lettres n° 7 du 1er avril 1921 de Karl Jaspers et n° 8 de Martin Heidegger du 5 août 1921, pp. 18-20.
30. *Ibid.*, lettre n° 3 de Martin Heidegger du 21 janvier 1921, p. 15.
31. Martin Heidegger, *Correspondance avec Karl Jaspers, op. cit.*, lettre n° 8 du 5 août 1921, pp. 19-20.
32. *Ibid.*, lettre n° 9 du 27 juin 1922, p. 24.
33. *Ibid.*, lettre n° 16 du 14 juillet 1923, p. 36.
34. Dont Paul Jacobi, Hans Jonas, Ernst Grumach.
35. Voir Karl Löwith, *Ma vie avant et après 1933*, traduit par Monique Lebedel, Hachette, 1988.
36. Martin Heidegger, *Correspondance avec Karl Jaspers, op. cit.*, lettre n° 22 du 18 juin 1924, pp. 41-42.
37. *Ibid.*
38. Rappelons qu'à ce rendez-vous participaient des défenseurs d'une démocratie radicale, mais aussi des porte-parole du mythe du nationalisme allemand qu'infiltrèrent, dès 1923, les partisans de Hitler.
39. Martin Heidegger, *Correspondance avec Karl Jaspers, op. cit.*, lettre n° 23 du 19 mai 1925, pp. 43-44.
40. Platon, *Théétète*, 197 c-e.
41. Adalbert Stifter (1805-1868), *Les Grands Bois*, traduit par Henri Thomas, Gallimard, 1943, rééd. coll. Du monde entier, 1979.
42. Voir Hans Jonas, *Souvenirs d'après des entretiens avec Rachel Salamander, op. cit.*, p. 79.
43. Voir Karl Löwith, *Ma vie en Allemagne avant et après 1933, op. cit.*

III. OMBRE

1. Hans Jonas, *Souvenirs..., op. cit.*, p. 83.
2. Hannah Arendt et Martin Heidegger, *Lettres et autres documents, op. cit.*, lettre n° 1 du 10 février 1925, p. 15.
3. *Ibid.*
4. *Ibid.*, p. 16.
5. *Ibid.*, lettre n° 12 du 24 avril 1925, p. 31.
6. *Ibid.*, lettre du 27 février 1925, p. 18.
7. *Ibid.*, p. 19.
8. *Ibid.*, lettre n° 10 du 17 avril 1925, p. 25.
9. *Ibid.*, « Ombres », avril 1925, pp. 26-30.
10. *Ibid.*, p. 27.
11. *Ibid.*
12. C'est également le titre original, *Men in dark times*, qu'elle a donné à son recueil publié en français sous le titre *Vies politiques, op. cit.*
13. Hannah Arendt et Martin Heidegger, *Lettres et autres documents, op. cit.*, « Ombres », p. 30.
14. *Ibid.*
15. Hannah Arendt et Martin Heidegger, *Lettres et autres documents, op. cit.*, voir la note 12, p. 273. Ce manuscrit comporte une dédicace manuscrite de Martin Heidegger : « En souvenir du 20 et du 21 avril 1925. »
16. Heidegger se réfère à ces paroles dans sa lettre n° 12 du 24 avril 1925, Hannah Arendt et Martin Heidegger, *Lettres et autres documents, op. cit.*, p. 31.

17. *Ibid.*
18. *Ibid.*, p. 32.
19. *Ibid.*
20. *Ibid.*, lettre n° 24 du 17 juillet 1925, p. 45.
21. *Ibid.*, lettre n° 14 du 8 mai 1925, p. 34.
22. *Ibid.*
23. *Ibid.*, lettre n° 15 du 13 mai 1925, p. 35.
24. *Ibid.*, p. 36.
25. *Ibid.*, « Chant d'été », été 1925, p. 367.
26. Martin Heidegger, *Être et Temps* (1927), traduit par François Vezin, Gallimard, 1986.
27. Je renvoie aux ouvrages précieux et lumineux suivants : Dominique Janicaud (dir.), *Heidegger en France,* 2 vol., Albin Michel, 2001 ; Jacques Derrida, *Heidegger et la question,* Champs Flammarion, 1993 ; Philippe Lacoue-Labarthe, *Heidegger, La politique du poème,* Galilée, 2002. On pourra aussi consulter : Christian Dubois, *Heidegger, Introduction à une lecture,* Points Seuil, 2003 ; Jean-Michel Salanskis, *Heidegger,* les Belles Lettres, 2003 ; *Heidegger,* Cahier de l'Herne, 1983, rééd. Biblio-essais, Livre de Poche, Hachette, 1986.
28. Martin Heidegger, *Être et Temps, op. cit.*, § 40, p. 236.
29. *Ibid.*, p. 237.
30. *Ibid.*, § 50, p. 305.
31. *Ibid.*, § 30, pp. 184-187.
32. *Ibid.*, § 26, p. 164.
33. *Ibid.*, § 34, p. 211.
34. Hannah Arendt et Martin Heidegger, *Lettres et autres documents, op. cit.*, lettre de Heidegger n° 15 du 13 mai 1926, p. 36.
35. *Ibid.*, lettre du 14 juin 1925, p. 39.
36. *Ibid.*, lettre de Heidegger n° 23 du 9 juillet 1925, p. 43.
37. *Ibid.*, lettre n° 25 du 24 juillet 1925, p. 46.
38. *Ibid.*, lettre n° 26 du 31 juillet 1925, p. 47.
39. *Ibid.*, lettre n° 29 du 14 septembre 1925, p. 51.
40. *Ibid.*, lettre n° 31 du 18 octobre 1925, p. 53.
41. *Ibid.*, poème « Aux amis » de Hannah Arendt, hiver 1925-1926, documents complémentaires, p. 369.
42. *Ibid.*, lettre n° 35 du 10 janvier 1926, p. 57.
43. *Ibid.*
44. *Ibid.*, lettre n° 31 du 18 octobre 1925, p. 54.
45. *Ibid.*, poème « Nocturne », hiver 1925-1926, documents complémentaires, p. 370.
46. Emmanuel Levinas, *En découvrant l'existence avec Husserl et Heidegger*, Vrin, 1982.
47. Karl Löwith, *Ma vie avant et après 1933, op. cit.*, p. 43.
48. Emmanuel Levinas, *En découvrant l'existence avec Husserl et Heidegger, op. cit.*
49. Edmund Husserl, *La Crise des sciences européennes et la phénoménologie transcendantale*, (1936), traduit par Gérard Granel, Gallimard, 1976, rééd. coll. Tel, 1989.
50. Voir le magnifique travail de Marc Richir, en particulier *L'Intentionnalité en question*, Vrin, 1995.
51. Edmund Husserl, *La Crise des sciences européennes et la phénoménologie transcendantale, op.cit.*, pp. 14, 21.
52. Voir Georges-Arthur Goldschmidt, *La Traversée des fleuves, Autobiographie*, Seuil, 1999.

53. Hans Jonas, « Éloge funèbre de Hannah Arendt », in *Entre le néant et l'éternité*, textes rassemblés et traduits par Sylvie Courtine-Denamy, Belin, 1996, pp. 79-80.
54. *Ibid.*
55. Hans Jonas, *Souvenirs...*, *op. cit.*, pp. 80-81.
56. Martin Heidegger, *Correspondance avec Karl Jaspers, op. cit.*, lettre n° 16 du 14 juillet 1923, p. 36.
57. Elisabeth Young-Bruehl, *op. cit.*, p. 81.
58. Il existe un doute sur l'identité de la personne, car Heidegger se contente de la lettre J. Mais le contexte montre qu'il ne peut s'agir de Jaspers. Une autre possibilité serait qu'il s'agisse de Paul Jacobi. Voir la lettre n° 36 du 29 juillet 1926, *op. cit.*, p. 60.
59. Hannah Arendt et Karl Jaspers, *Correspondance, 1926-1969*, traduit par Éliane Kaufholz-Messmer, Payot, 1985. Lettre n° 1 du 15 juillet 1926, pp. 33-34.
60. Hannah Arendt et Martin Heidegger, *Lettres et autres documents, op. cit.*, lettre n° 37 du 7 décembre 1927, p. 62.
61. Martin Heidegger, *Correspondance avec Karl Jaspers, op. cit.*, lettre n° 32 du 24 avril 1926, pp. 54-55.
62. Martin Heidegger, *Correspondance avec Karl Jaspers*, *op. cit*, lettre n° 39 du 26 décembre 1926, p. 62.
63. Hannah Arendt et Martin Heidegger, *Lettres et autres documents, op. cit.*, lettre n° 37 du 7 décembre 1927, pp. 61-63.
64. *Ibid.*
65. *Ibid.*, lettre n° 38 du 8 février 1928, p. 64.
66. *Ibid.*, lettre n° 39 du 19 février 1928, pp. 64-66.
67. *Ibid.*, lettre n° 41 du 18 avril 1928, p. 67.
68. *Ibid.* Voir la note p. 287 : il s'agit du 43e des *Sonnets from the Portuguese* d'Elizabeth Barrett Browning, transposés par Rainer Maria Rilke, *Sonnette aus dem Portugiesischen*, Leipzig, Insel Verlag, 1991, p. 90.

IV. ÉTUDIANTE ANTINAZIE

1. Hans Jonas, *Souvenirs...*, *op. cit.*, p. 83.
2. Ainsi Marianne Weber (1870-1952), après la mort de Max Weber, son mari, organise des soirées régulières où des philosophes et des poètes viennent refaire le monde en compagnie de femmes comme Gertrud Simmel, Else von Richthofen, Gertrud Jaspers. Voir à ce propos, Elisabeth Young-Bruehl, *op. cit.*, pp. 82-83.
3. Edith Stein (1891-1942), *Vie d'une famille juive*, traduction et annexes de Cécile et Jacqueline Rastoin, Le Cerf, 2001.
4. Jeanne Hersch (1910-2000), *L'Étonnement philosophique*, Gallimard, coll. Folio Essais, 1993.
5. William Stern (1871-1938), *Person und Sache, System der philosophischen Weltanschauungen*, Leipzig, J. A. Barth, 1906.
6. Hans Jonas, *Souvenirs...*, *op. cit.*, p. 60.
7. Günther (Stern) Anders (1902-1992), *Et si je suis désespéré, que voulez-vous que j'y fasse ?*, entretiens avec Mathias Greffrath, traduit par Christophe David, Allia, 2001, pp. 18-20.
8. *Augustin und das paulinische Freiheitsproblem. Ein Beitrag zur Entstehung des christlich-abendländischen Freiheitidee* (« Augustin et le problème paulinien

de la liberté. Une contribution à la genèse du concept de liberté chrétien-occidental »*)*, 2e éd., Göttingen, Vandenhoek & Ruprecht, 1930.

9. Hannah Arendt, *Le Concept d'amour chez saint Augustin, Essai d'interprétation philosophique*, traduit par Anne-Sophie Astrup, préface et notes de Gilles Petitdemange, Payot-Rivages, 1999.

10. Elisabeth Young-Bruehl, *op. cit.*, p. 97.

11. Pierre Birnbaum, *Géographie de l'espoir, L'exil, les Lumières, la désassimilation,* Gallimard, 2004.

12. Günther (Stern) Anders, *Et si je suis désespéré, que voulez-vous que j'y fasse ?, op. cit.*

13. *Ibid.*

14. Gershom Scholem (1897-1982), *De Berlin à Jérusalem,* 1977, traduit par Sabine Pollack, Albin Michel, 1984, p. 59.

15. *Ibid.*, p. 73.

16. *Ibid.*, p. 61.

17. Hans Jonas, *Souvenirs..., op. cit.*, p. 61.

18. *Ibid.*, p. 60.

19. *Ibid.*

20. *Ibid.*, p. 80.

21. *Ibid.*, p. 90.

22. Elisabeth Young-Bruehl, *op. cit.*, pp. 88-90.

23. Hans Jonas, *Souvenirs..., op. cit.*, p. 217.

24. Hannah Arendt et Martin Heidegger, *Lettres et autres documents*, *op. cit.*, lettre n° 43, 1969, p. 69.

25. Hans Jonas, *Souvenirs..., op. cit.*, p. 79.

26. Hannah Arendt et Karl Jaspers, *Correspondance, op. cit.*, lettre n° 5 du 13 juin 1929, pp. 36-37.

27. Martin Heidegger, *Correspondance avec Karl Jaspers, op. cit.*, lettre n° 83, p. 109.

28. *Ibid.*, lettre n° 84, p. 110.

29. « Seule demeure la langue maternelle », in *La Tradition cachée, op. cit.*, p. 232.

30. Hannah Arendt *in* Gershom Scholem, « Le procès Eichmann : débat avec H. Arendt », lettre du 24 juillet 1963, in *Fidélité et Utopie, Essais sur le judaïsme contemporain*, traduit par Marguerite Delmotte et Bernard Dupuy, Calmann-Lévy, 1978, rééd. Presses-Pocket, 1992, p. 222.

31. « Seule demeure la langue maternelle », in *La Tradition cachée, op. cit.*, p. 238.

32. Hannah Arendt, *Rahel Varnhagen, La vie d'une Juive allemande à l'époque du romantisme*, traduit par Henri Plard, Tierce, 1986 ; rééd. Presses-Pocket, 1994.

33. *Les Cahiers du comte Kessler, op. cit.*

34. Nicolaus Sombart, *Chronique d'une jeunesse berlinoise, 1933-1943*, traduit par Olivier Mannoni, Quai Voltaire, 1992.

35. Victor Klemperer, *LTI, la langue du IIIe Reich, Carnets d'un philologue*, traduit par Élisabeth Guillot, Albin Michel, 1996, rééd. Presses-Pocket, 2003.

36. Hans Jonas, *Souvenirs..., op. cit.*, p. 94.

37. Hannah Arendt et Karl Jaspers, *Correspondance*, *op. cit.*, lettre n° 3 du 28 janvier 1929, p. 35.

38. Certaines de ces lettres sont reproduites dans le livre de Hannah Arendt *Rahel Varnhagen, op. cit.* On peut en lire d'autres dans la correspondance du baron Adolphe de Custine.

39. Hannah Arendt, *Rahel Varnhagen*, *op. cit.*, cité p. 13 par Hannah Arendt. Note du *Journal* du 11 mars 1810, p. 299.
40. Hannah Arendt, *Rahel Varnhagen*, *op. cit.*, p. 12.
41. Hannah Arendt et Karl Jaspers, *Correspondance, op. cit.*, lettre n° 14 du 20 mars 1930, p. 43.
42. Ibid.
43. Hannah Arendt et Karl Jaspers, *Correspondance, op. cit.*
44. Karl Jaspers, *La Situation spirituelle de notre époque*, traduit par Jean Ladrière et Walter Biemel, Desclée de Brouwer, 1951.
45. Karl Jaspers, *Autobiographie philosophique*, *op. cit.*
46. Hannah Arendt, *Rahel Varnhagen*, *op. cit.*, p. 19.
47. Hannah Arendt et Heinrich Blücher, *Correspondance, op. cit.*, lettre de Hannah Arendt du 12 août 1936, p. 44.
48. Comme l'explique si bien Pierre Birnbaum, *Géographie de l'espoir*, *op. cit.*
49. Voir Karl Löwith, *Ma vie avant et après 1933, op. cit.*, p. 77.
50. Martin Heidegger, *Kant et le problème de la métaphysique,* traduit par Alphonse de Waelhens et Walter Biemel, Gallimard, 1953, rééd. coll. Tel, 1981.
51. Victor Farias, *Heidegger et le nazisme*, traduit par Myriam Benarroch et Jean-Baptiste Grasset, Verdier, 1987.
52. Hugo Ott, *Martin Heidegger, Éléments pour une biographie*, traduit par Jean-Michel Belœil, Payot, 1990.
53. *Ibid.*
54. Voir Karl Jaspers, *Autobiographie philosophique*, *op. cit.* Voir également, Martin Heidegger, *Correspondance avec Karl Jaspers*, *op. cit.*, lettre n° 101 du 17 mai 1930, pp. 119-120.
55. « Völkisch » est un adjectif construit à partir de *Volk,* le peuple, avec une lourde connotation raciale, renvoyant à l'idéologie du sang et du sol, *Blut und Boden,* caractéristique de l'extrême droite allemande, en particulier du nazisme.
56. Voir Emmanuel Faye, *Heidegger, l'introduction du nazisme dans la philosophie. Autour des séminaires inédits de 1933-1935,* Albin Michel, 2005, pp. 147-152.
57. Victor Klemperer, *LTI, la langue du IIIe Reich, op. cit.*
58. *In* revue *Conférence,* n° 12, printemps 2001, traduit par Michèle Colombet.
59. Günther (Stern) Anders, *Sur la pseudo-concrétude de la philosophie de Heidegger*, traduit et présenté par Luc Mercier, Sens & Tonka, 2003.
60. Hannah Arendt, *On Human Condition*, Chicago University Press, 1958 ; traduit par Georges Pradier et publié en 1961, sous le titre *La Condition de l'homme moderne,* chez Calmann-Lévy, rééd. Presses-Pocket, 1983.
61. Sens & Tonka, Allia, les revues *Lignes* et *Conférence*.
62. Hannah Arendt et Karl Jaspers, *Correspondance*, *op. cit.*, lettre n° 15 du 24 mars 1930, p. 44.
63. Elisabeth Young-Bruehl, *op. cit.,* p. 104.
64. Theodor Adorno et Walter Benjamin, *Correspondance, 1928-1940*, traduit par Philippe Ivernel, présentation d'Enzo Traverso, La Fabrique, 2002.
65. Walter Benjamin, *Sens unique,* traduit par Jean Lacoste, Les Lettres nouvelles, 1978, rééd. 1988 ; rééd. 10/18, 2000.
66. Walter Benjamin, *Origine du drame baroque allemand,* traduit par Sybille Muller et André Hirt, Flammarion, coll. Champs, 2000.
67. Voir Stefan Müller-Doohm, *Adorno, Une biographie,* traduit par Bernard Lortholary, Gallimard, 2004.
68. Theodor Adorno et Walter Benjamin, *Correspondance*, *op. cit.*
69. Voir Elisabeth Young-Bruehl, *op. cit.*, p. 101.
70. Hannah Arendt et Martin Heidegger, *Lettres et autres documents, op. cit.*, lettre n° 44 de septembre 1930, p. 70.
71. *Ibid.* C'est Hannah qui souligne.

72. Victor Klemperer avait par exemple été approché par des amis pour s'engager dans le sionisme, mais n'avait pas mordu à l'hameçon. Il préférait s'accrocher à sa qualité d'Allemand, d'Européen, d'homme, comme il l'affirme. Sa germanité, il la revendiquait. Sa judéité ne concernait que lui. Voir *LTI, la langue du IIIe Reich, op. cit.*

73. Günther Anders, *Et si je suis désespéré..., op. cit.*

74. Hannah Arendt et Karl Jaspers, *Correspondance, op. cit.*, lettre de Hannah Arendt du 7 septembre 1952, p. 284.

75. Voir à ce propos Hannah Arendt et Kurt Blumenfeld, *Correspondance, op. cit.*, la préface de Martine Leibovici.

76. Voir Günther Anders, *Sur la pseudo-concrétude de la philosophie de Heidegger, op. cit.*

77. *Ibid.*

78. Elisabeth Young-Bruehl, *op. cit.*, p. 123.

79. *Ibid.*, p. 125.

80. « Seule demeure la langue maternelle », *op. cit.*, p. 226.

81. *Ibid.*, p. 226.

82. Emmanuel Faye, *Heidegger, l'introduction du nazisme dans la philosophie, op. cit.*

83. Karl Jaspers, *Philosophie ; I Orientation dans le monde, II Éclairement de l'existence, III Métaphysique*, traduit par Jeanne Hersch, Berlin, Springer Verlag, 1989.

84. Martin Heidegger, *Correspondance avec Karl Jaspers, op. cit.*, lettre n° 109 du 20 décembre 1931, pp. 130-132.

85. *Ibid.*, lettre n° 102 du 24 mai 1930, p. 122.

86. *Ibid.*, lettre n° 109 du 20 décembre 1931, p. 131.

87. *Ibid.*

88. *Ibid.*, lettre n° 11 du 8 décembre 1932, p. 135.

89. Emmanuel Faye, *Heidegger, l'introduction du nazisme dans la philosophie, op. cit.*, p. 60 : « [*die*] *Verjudung im weiteren und engeren Sinne.* »

90. Lettre au docteur Einhauser du 25 juin 1933, cité par Emmanuel Faye, *Heidegger, l'introduction du nazisme dans la philosophie, op. cit.*, pp. 65-66 : « *aus Boden und Blut* ».

91. Hannah Arendt et Martin Heidegger, *Lettres et autres documents, op. cit.*, lettre n° 45, hiver 1932-1933, pp. 70-72.

92. « Seule demeure la langue maternelle », *op. cit.*, p. 238.

93. Voir les témoignages de Hans Fallada, *Seul dans Berlin*, traduit par A. Virelle et A. Vandevoorde (revu et corrigé par André Vandevoorde), Denoël, 2002 ; et Claude Vernier, *Tendre exil, Souvenirs d'un réfugié antinazi en France*, La Découverte-Maspero, 1983.

94. « Seule demeure la langue maternelle », *op. cit.*, p. 227.

95. *Ibid.*

96. *Ibid.*

97. Karl Jaspers, *Autobiographie philosophique, op. cit.*

98. Emmanuel Faye, *Heidegger, l'introduction du nazisme dans la philosophie, op. cit.*, pp. 71-75.

99. Voir Philippe Burrin, *Hitler et les Juifs, Genèse d'un génocide*, Seuil, 1995.

100. Voir les textes inédits cités par Emmanuel Faye, *Heidegger, l'introduction du nazisme dans la philosophie, op. cit.*, ainsi que le « Discours de rectorat » dans les *Écrits politiques, 1933-1966,* de Martin Heidegger, traduit, présenté et annoté par François Fédier, Gallimard, 1995.

101. Karl Löwith, « Les implications politiques de la philosophie de l'existence », *Les Temps modernes*, 1946.

102. Martin Heidegger, « Discours de rectorat », *Écrits politiques, op cit.*, pp. 97-110.

103. Martin Heidegger, *Correspondance avec Karl Jaspers, op. cit.*, lettre n° 119 du 23 août 1933, pp. 140-142. Voir aussi Hugo Ott, *Martin Heidegger, Éléments pour une biographie, op. cit.*

104. Martin Heidegger, « Discours de rectorat », *op. cit.*, p. 101.

105. *Ibid.*

106. *Ibid.*, p. 105.

107. *Ibid.*, p. 104.

108. Karl Löwith, *Ma vie en Allemagne avant et après 1933, op. cit.*, p. 51.

109. Martin Heidegger, « Discours de rectorat », *op. cit.*, p. 106.

110. *Ibid.*, pp. 108-109.

111. La formule est ambiguë et pourrait être aussi traduite par « Tout ce qui est grand est fragile ». Heidegger ne pouvait l'ignorer. Sur ce problème, voir Hugo Ott, *Martin Heidegger, Éléments pour une biographie, op. cit.*, p. 172.

112. Martin Heidegger, « Discours de rectorat », *op. cit.*, p. 108.

113. Victor Farias, *Heidegger et le nazisme, op. cit.*

114. Martin Heidegger, *Écrits politiques, op. cit.*, p. 113.

115. Voir Martin Heidegger, *Correspondance avec Karl Jaspers, op. cit.*, suivie de la correspondance avec Elisabeth Blochmann, lettre n° 61 du 19 septembre 1933, pp. 297-298.

116. Pour une présentation d'Erik Wolf et de sa place dans la constitution de l'idéologie nazie, voir Emmanuel Faye, *Heidegger, l'introduction du nazisme dans la philosophie, op. cit.*, pp. 283-331.

117. Martin Heidegger, *Écrits politiques, op. cit.*, pp. 117-118.

118. *Ibid.*, p. 119.

119. *Ibid.*, p. 127.

120. « L'étudiant allemand comme travailleur », allocution prononcée lors de la cérémonie d'immatriculation des étudiants, le samedi 25 novembre 1933, Heidegger, *Écrits politiques, op. cit.*, p. 126.

121. Hans-Georg Gadamer, *Années d'apprentissage philosophique*, Critérion, 1992.

122. Christian Delacampagne, *Histoire de la philosophie au xxe siècle*, Seuil, 1995.

123. Stefan Müller-Doohm, *Adorno, Une biographie*, traduit par Bernard Lortholary, Gallimard, 2004.

124. Ces démarches échouèrent et il partit se réfugier en Grande-Bretagne. Il regrettera son attitude et ses propos. Theodor Adorno et Walter Benjamin, *Correspondance, op. cit.*

125. Voir Jean-Michel Palmier, *Weimar en exil : le destin de l'émigration intellectuelle allemande antinazie en Europe et aux États-Unis,* 2 vol., Payot, 1987. t. I, p. 95.

126. Emmanuel Faye, *Heidegger, l'introduction du nazisme dans la philosophie, op. cit.*, pp. 93-94.

127. *Ibid.*

128. Hannah Arendt et Karl Jaspers, *Correspondance, op. cit.*, lettre n° 22 de Hannah Arendt du 1er janvier 1933, p. 51.

129. *Ibid.*, lettre n° 23 de Karl Jaspers du 3 janvier 1933, p. 52.

130. *Ibid.*

131. *Ibid.*

132. « Seule demeure la langue maternelle », *op. cit.*, p. 229.

133. *Ibid.*

134. Philippe Burrin, *Hitler et les Juifs, op. cit.*

V. EXILÉE

1. Elisabeth Young-Bruehl, *op. cit.*, p. 136.

2. Voir Hannah Arendt et Heinrich Blücher, *Correspondance, op. cit.*

3. Elisabeth Young-Bruehl, *op. cit.*, p. 148.
4. Enzo Traverso, « Notes pour un portrait intellectuel de Günther Anders », revue *Lignes*, octobre 1995.
5. Theodor Adorno et Walter Benjamin, *Correspondance, op. cit.* Voir aussi *Lignes*, n° 11, avec l'article d'Enzo Traverso, « Adorno-Benjamin, une correspondance à minuit dans le siècle ».
6. Jean-Michel Palmier, *Weimar en exil, op. cit.*
7. Manès Sperber, *Au-delà de l'oubli*, traduit par Edmond Beaujon et l'auteur, Calmann-Lévy, 1979.
8. Rainer Maria Rilke, *Élégies de Duino*, « Première élégie », traduit par Jean-Pierre Lefebvre et Maurice Regnaut, Poésie Gallimard, 1994, p. 29.
9. Revue *Poésie*, n° 38.
10. Rainer Maria Rilke, *Élégies de Duino, op. cit.*, p. 33.
11. Elisabeth Young-Bruehl, *op. cit.*, p. 149.
12. Manès Sperber, *Au-delà de l'oubli, op. cit.*
13. Arthur Koestler, *Hiéroglyphes*, traduit par Denise Van Moppès, « Pluriel », LGF, 1978.
14. Revue *Recherches philosophiques*, n° 4.
15. Revue *Esprit*, n° 26, novembre 1934, rééd. Cahier de l'Herne, *Emmanuel Levinas*, 1991, rééd. Biblio-Essais, 1993.
16. Martin Heidegger, *Écrits politiques, op. cit.*, pp. 136-141.
17. *Ibid.*
18. Hugo Ott, *Martin Heidegger, Éléments pour une biographie, op. cit.*, pp. 250-258.
19. Emmanuel Faye, *Heidegger, l'introduction du nazisme dans la philosophie, op. cit.*, p. 74. Voir aussi le rapport rédigé par Karl Jaspers sur Martin Heidegger, daté du 22 décembre 1945, *in* Martin Heidegger, *Correspondance avec Karl Jaspers, op. cit.*, p. 420.
20. *Ibid.*
21. Voir Hugo Ott, *Martin Heidegger, Éléments pour une biographie, op. cit.*, p. 191.
22. *Ibid.*, p. 257.
23. Günther Anders, *Et si je suis désespéré..., op. cit.*
24. Arthur Koestler, *Hiéroglyphes, op. cit.*
25. Günther Anders, *Et si je suis désespéré..., op. cit.*
26. Hannah Arendt et Karl Jaspers, *Correspondance, op. cit.*, lettre n° 29 du 8 août 1936, p. 57.
27. Elisabeth Young-Bruehl, *op. cit.*, pp. 150-151.
28. Hannah Arendt et Kurt Blumenfeld, *Correspondance, op. cit.*, lettre n° 1 du 28 novembre 1933, p. 28.
29. Hannah Arendt et Heinrich Blücher, *Correspondance, op. cit.* Lettres de Hannah Arendt du 28 novembre 1949, pp. 155-156 ; du 30 janvier 1950, p. 183 ; du 4 février 1950, p. 184.
30. Rappelons qu'à cette période le Quai d'Orsay — ainsi que Louis Barthou, président d'honneur de France-Palestine — soutient encore le sionisme, avant de prendre des dispositions pour tenter de tarir le flot des réfugiés illégaux qui passent par le Liban avec des passeports de touristes pour rejoindre la Palestine.
31. Catherine Nicault, *La France et le sionisme, 1897-1948. Une rencontre manquée ?*, Calmann-Lévy, 1992.
32. *Journal juif des jeunes*, à consulter à la bibliothèque du Centre de documentation juive contemporaine (CDJC). Consulter aussi le journal *La Terre retrouvée* et Catherine Nicault, *La France et le sionisme, op. cit.*
33. « Seule demeure la langue maternelle », *op. cit.*, pp. 235-236.

34. *Journal juif des jeunes, op. cit.*
35. *Ibid.*, p. 239.
36. Voir le fonds de correspondances inédites avec Anne Weil, où elle évoque souvent le souvenir de Germaine, New School, New York.
37. Entretien avec David de Rothschild, juin 2003.
38. Elisabeth Young-Bruehl, *op. cit.*, p. 154.
39. Merci à Avigdar Arika, Béatrice Rosenberg, Mme Mielgens et *op. cit.* David de Rothschild, qui tous m'ont donné de leur temps pour m'expliquer la personnalité, la chaleur humaine et la générosité de Germaine.
40. Nina Gourfinkel, *L'Autre Patrie*, Seuil, 1953.
41. Amos Oz, *Une histoire d'amour et de ténèbres*, traduit par Sylvie Cohen, Gallimard, 2004.
42. Gershom Scholem, *De Berlin à Jérusalem, op. cit.*, p. 236.
43. Revue *La Terre retrouvée*, n° 19, 1er juillet 1938, bibliothèque du Centre de documentation juive contemporaine.
44. Sigmund Freud et Arnold Zweig, *Correspondance, 1927-1939*, traduit par Luc Weibel avec la collaboration de Jean-Claude Gehrig, préface de Marthe Robert, Gallimard, 1973.
45. Cité par Elisabeth Young-Bruehl, *op. cit.*, pp. 179-180.
46. Hannah Arendt et Heinrich Blücher, *Correspondance, op. cit.*, lettre du 24 août 1936, p. 56.
47. Voir aussi Elisabeth Young-Bruehl, *op. cit.*, pp. 161-169.
48. Hannah Arendt et Heinrich Blücher, *Correspondance, op. cit.*, lettre du 5 août 1936, p. 33. Le vers est tiré de *Claudine von Villa Bella* et la strophe est la suivante : « Tu as déplacé, bousculé, tous mes pinceaux / Je cherche et je suis devenu comme aveugle et comme fou / Ton tapage maladroit va faire fuir la petite âme / Elle va partir de la chaumière. »
49. *Ibid.*, lettre de Hannah Arendt du 6 août 1936, p. 34.
50. *Ibid.*, p. 35.
51. *Ibid.*
52. *Ibid.*, lettre de Heinrich Blücher d'août 1936, pp. 35-37.
53. *Ibid.*, lettre de Hannah Arendt du 8 août 1936, pp. 38-39.
54. *Ibid.*, lettre de Heinrich Blücher, août 1936, pp. 40-42.
55. *Ibid.*, p. 41.
56. Charlotte Beradt, *Rêver sous le IIIe Reich*, préface de Martine Leibovici, traduit par Pierre Saint-Germain, Payot, 2002. Charlotte quitta l'Allemagne en 1939 pour l'Angleterre. Elle arriva à New York sur le *Scynthia*, l'un des derniers bateaux à avoir quitté Londres. Elle y retrouva Heinrich et se lia d'amitié avec Hannah à qui elle fit lire son travail, qu'elle trouva remarquable. *Rêver sous le IIIe Reich*, qui ne fut publié qu'en 1966, demeure un témoignage de premier plan et une analyse capitale du totalitarisme vécu de l'intérieur.
57. Hannah Arendt et Heinrich Blücher, *Correspondance, op. cit.*, lettre du 19 août 1936, pp. 45-46.
58. *Ibid.*, lettre du 12 août 1936, pp. 44-45.
59. *Ibid.*, p. 44.
60. *Ibid.*
61. *Ibid.*, lettre de Hannah Arendt du 24 août 1936, p. 55.
62. *Ibid.*, p. 45.
63. *Ibid.*, lettre de Heinrich Blücher du 21 août 1936 rapportant un propos de Hannah, p. 48.
64. *Ibid.*, p. 51.
65. *Ibid.*
66. *Ibid.*

67. *Ibid.*, lettre de Hannah Arendt du 24 août 1936, p. 54.
68. *Ibid.*, p. 55.
69. « L'armée juive, le début d'une politique juive ? », revue *Aufbau* du 14 novembre 1941.
70. Hannah Arendt et Heinrich Blücher, *Correspondance, op. cit.*, lettre de Hannah Arendt du 23 novembre 1936, p. 57.
71. *Ibid.*, lettre de Heinrich Blücher du 15 février 1937, p. 59.
72. *Ibid.*, lettre de Heinrich Blücher du 25 novembre 1936, p. 59.
73. *Ibid.*, lettre de Hannah Arendt du 15 février 1937, p. 60.
74. *Ibid.*, lettre de Hannah Arendt du 17 février 1937, p. 61.
75. *Ibid.*, lettre de Hannah Arendt du 15 février 1937, p. 60.
76. *Ibid.*, lettre de Heinrich Blücher du 17 février 1937, p. 62.
77. *Ibid.*, lettre de Heinrich Blücher du 21 février 1937, p. 67.
78. *Ibid.*
79. *Ibid.*, lettre de Hannah Arendt du 23 février 1937, p. 69.
80. *Ibid.*, lettre de Heinrich Blücher du 22 février 1937, pp. 67-68.
81. *Ibid.*, lettre de Hannah Arendt du 9 septembre 1937, p. 71.
82. *Ibid.*, lettre du 16 septembre 1937, p. 78.
83. Walter Benjamin, *Correspondance, op. cit.*, lettre du 5 août 1937, p. 226.
84. Hannah Arendt et Heinrich Blücher, *Correspondance, op. cit.*, lettre de Hannah Arendt du 18 septembre 1937, p. 79.
85. *Ibid.*, lettre de Heinrich Blücher du 19 septembre 1937, p. 80.
86. Walter Benjamin, *Charles Baudelaire : Un poète lyrique à l'apogée du capitalisme*, traduit et préfacé par Jean Lacoste, d'après l'édition originale établie par Rolf Tiedemann, Payot, 1982.
87. Denis Hollier, *Le Collège de sociologie, 1937-1939*, Gallimard, coll. Folio Essais, 1995. Georges Bataille lui permet de publier « L'œuvre d'art à l'époque de sa reproduction mécanisée », qui sera traduit par Pierre Klossowski, lequel participait depuis 1934, comme Hannah et Günther, à la rédaction des *Recherches philosophiques*. C'était à la revue *Contre-Attaque* que Klossowski avait rencontré Benjamin, dont il traduira aussi des extraits de son étude sur *Les Affinités électives* de Goethe.
88. Walter Benjamin et Gershom Scholem, *Correspondance, op. cit.*
89. *Ibid.*, lettre n° 309 du 20 février 1939, p. 286.
90. *Ibid.*, lettre n° 311 du 8 avril 1939, p. 292.
91. *Ibid.*, lettre de juin 1939 (date incertaine), p. 300.

VI. PARIA

1. Bertolt Brecht, « Sur le sens du mot émigrant », *Poèmes IV*, 1934-1941, L'Arche éditeur, 1966, p. 131.
2. Claude Vernier, *Tendre exil : Souvenirs d'un réfugié antinazi en France*, La Découverte-Maspero, 1983.
3. Hannah Arendt et Heinrich Blücher, *Correspondance, op. cit.*, début septembre 1939, p. 87.
4. Walter Benjamin, *Correspondance, op. cit.*, t. 2, lettre du 21 septembre 1939, p. 306.
5. Hannah Arendt et Heinrich Blücher, *Correspondance, op. cit.*, lettre du 29 septembre 1939, p. 89.
6. *Ibid.*, lettre de Heinrich Blücher du 17 octobre 1939, pp. 91-92.
7. Voir *Exilés en France : Souvenirs d'antifascistes allemands émigrés (1933-1945)*, interviews de Klaus Berger, Lotte H. Eisner, Peter Gingold..., introduc-

tion de Gilbert Badia, Maspero, 1982 ; Denis Peschanski, *La France des camps : L'internement, 1938-1946*, Gallimard, 2002. Voir aussi Florimond Bonte, *Les Antifascistes allemands dans la Résistance française*, Éditions Sociales, 1969.

8. Voir Jean-Michel Palmier, *Weimar en exil, op. cit.*

9. Walter Benjamin, *Correspondance, op. cit.*

10. Hannah Arendt et Heinrich Blücher, *Correspondance, op. cit.*, lettre de Heinrich Blücher du 24 novembre 1939, p. 95.

11. Sous la direction de Gilbert Badia, *Les Barbelés de l'exil : Études sur l'émigration allemande et autrichienne, 1938-1940*, Presses Universitaires de Grenoble, 1979. Voir le chapitre sur les camps d'internement en France.

12. Jean-Michel Palmier, *Weimar en exil, op. cit.*, t. 2, p. 115.

13. Gilbert Badia, *Les Barbelés de l'exil, op. cit.*

14. On peut consulter ces lettres dans le fonds de la New School, à New York. Voir également sa correspondance avec Kurt Blumenfeld, *op. cit.*

15. Voir le recueil *Exilés en France, op. cit.*, ainsi que Hanna Schramm et Barbara Vormeier, *Vivre à Gurs, Un camp de concentration français, 1940-1941*, traduit par Irène Petit, Maspero, 1979.

16. Elisabeth Young-Bruehl, *op. cit.*, p. 200.

17. *Ibid.*

18. Elisabeth Young-Bruehl, *op. cit.*, pp. 200-202.

19. Walter Benjamin, *Correspondance, op. cit.*, lettre n° 332 du 2 août 1940.

20. Voir Elisabeth Young-Bruehl, *op. cit.*, p. 204.

21. Henri Jacoby, cité par Jean-Michel Palmier, *Weimar en exil, op. cit.*

22. Anna Seghers, *Transit*, traduit par Jeanne Stern, Alinéa, 1990.

23. Conversation entre Stefan Hessel et Walter Benjamin, entretien avec Stefan Hessel, 3 juin 2002.

24. Voir Gershom Scholem, *Histoire d'une amitié, op. cit.*, p. 244.

25. Lisa Fittko, *Le Chemin des Pyrénées, Souvenirs 1940-1941*, traduit par Léa Marcou, Maren Sell, 1987.

26. Gershom Scholem, *De Berlin à Jérusalem, op. cit.*, pp. 248-249. Du même auteur, voir aussi *Histoire d'une amitié, op. cit.* Voir enfin Bruno Tackels, *Walter Benjamin, Une introduction*, Presses Universitaires de Strasbourg, 1992.

27. Hannah Arendt, *Vies politiques, op. cit.*, pp. 267-268.

28. Walter Benjamin, *Correspondance, op. cit.*, lettre n° 331 du 8 juillet 1940, p. 335.

29. Poème cité par Elisabeth Young-Bruehl, *op. cit.*, p. 211.

30. Walter Benjamin, *Écrits français*, traduction de l'auteur, Gallimard, 1991, rééd. Folio Essais, 2003, p. 432.

31. Correspondance inédite, Central Zionist Archives, Jérusalem. Merci à Simone Schliachter à Jérusalem et à Katia Tenenbaum à Rome.

32. *Ibid.*

33. Walter Benjamin, « Angelus Novus », *Essais*, traduit et préfacé par Maurice de Gandillac, 2 tomes, Denoël, 1966. Lire aussi Gershom Scholem, *Walter Benjamin et son ange*, traduit et présenté par Philippe Ivernel, Rivages, 1995.

34. Correspondance inédite, Central Zionist Archives, Jérusalem.

35. Walter Benjamin, « Angelus Novus », *art. cit.*

36. Arthur Koestler, *Hiéroglyphes, op. cit.*

37. Correspondance inédite, Central Zionist Archives, Jérusalem.

38. *Ibid.*

VII. JOURNALISTE

1. Alma Mahler-Werfel, *Ma vie,* Hachette littérature, 1985.
2. Franz Kafka, *Amerika ou le Disparu*, traduit et présenté par Bernard Lortholary, Garnier-Flammarion, 1988, p. 18.
3. Cité par Jean-Michel Palmier, *Weimar en exil, op. cit.*, p. 143.
4. Hannah Arendt et Heinrich Blücher, *Correspondance, op. cit.*, p. 100.
5. Jean-Michel Palmier, *Weimar en exil, op. cit.*, t. 2, p. 202.
6. *Ibid.*, p. 179.
7. Elisabeth Young-Bruehl, *op. cit.*, pp. 213-215.
8. Hannah Arendt et Heinrich Blücher, *Correspondance, op. cit.*, lettre du 21 juillet 1941, pp. 101-104.
9. *Ibid.*, p. 102.
10. *Ibid.*, p. 103.
11. *Ibid.*
12. *Ibid.*, lettre du 24 juillet 1941, p. 106.
13. *Ibid.*, lettre du 25 juillet 1941, p. 107. Miraculeusement, elle retrouvera un autre exemplaire de son texte en août 1945, grâce à Kaethe Fuerst, à qui elle l'avait donné en 1936, lorsqu'elle émigra avec son mari Ernst, cousin de Hannah, en Palestine.
14. *Ibid.*, lettre du 26 juillet 1941, p. 108.
15. *Ibid.*, lettre du 26 juillet 1941, p. 109.
16. *Ibid.*, lettre du 1er août 1941, p. 113.
17. *Ibid.*, lettre du 2 août 1941, p. 116.
18. *Ibid.*
19. *Ibid.*, lettre du 2 août 1941, p. 115.
20. Mais dès sa naissance, la revue ne trouva qu'un public restreint et son rythme de publication s'essouffla. Elle fit rapidement faillite, exacerbant l'amertume et le désespoir de Klaus Mann. Voir Klaus Mann, *Le Tournant, Histoire d'une vie*, traduit par Nicole Roche avec la collaboration de Henri Roche, Solin, 1984.
21. Hannah Arendt, et Heinrich Blücher, *Correspondance, op. cit.*, lettre du 1er août 1941, p. 114.
22. Hannah Arendt, *Journal de pensée, op. cit.*, octobre 1950, § 10, p. 54.
23. Hannah Arendt et Heinrich Blücher, *Correspondance, op. cit.*, lettre du 2 août 1941, p. 117.
24. *Ibid.*
25. *Ibid.*
26. Voir Enzo Traverso, *La Pensée dispersée, Figures de l'exil judéo-allemand*, Leo Scheer, 2004.
27. Hannah Arendt et Heinrich Blücher, *Correspondance, op. cit.*, lettre du 4 août 1941, p. 118.
28. Correspondance inédite, datée du 6 février 1942, qu'on peut consulter au fonds Arendt de la bibliothèque de la New School, à New York.
29. Voir Stefan Müller-Doohm, *Adorno, Une biographie*, *op. cit.*, Voir aussi Walter Benjamin, *Correspondance*, *op. cit*.
30. In *Auschwitz et Jérusalem,* traduit par Sylvie Courtine-Denamy, Deux-temps Tierce, 1991, rééd. Presses Pocket, 1993, pp. 23-26.
31. *Ibid.*, p. 25.
32. *Ibid.*

33. *Ibid.*, p. 23.
34. Thomas Mann, *Appels aux Allemands, Messages radiodiffusés adressés aux Allemands (d'octobre 1940 à juin 1945)*, traduit par Pierre Jundt, introduction critique d'Edmond Vermeil, M. Flinker, 1948 ; Balland, 1985.
35. Elisabeth Young-Bruehl, *op. cit.*, p. 222.
36. Entretien avec André Schiffrin, mars 2002. André Schiffrin, autrefois éditeur chez Pantheon Books, a fondé, à la suite du rachat de Pantheon par un grand groupe, une maison d'édition à but non lucratif, The New Press. Il est l'auteur de *L'Édition sans éditeurs*, traduit par Michel Luxembourg, La Fabrique, 1999, et *Le Contrôle de la parole*, traduit par Eric Hazan, La Fabrique, 2005.
37. Voir Peter Novick, *L'Holocauste dans la vie américaine*, traduit par Pierre-Emmanuel Dauzat, Gallimard, 2001.
38. Lettre du 18 août 1942 citée par Elisabeth Young-Bruehl, *op. cit.*, p. 224.
39. *Ibid.*
40. Hannah Arendt, « Papier et réalité », article d'*Aufbau* du 10 avril 1942, in *Auschwitz et Jérusalem, op. cit.*, p. 32.
41. Hannah Arendt, « L'éloquence du diable », article d'*Aufbau* du 8 mai 1942, in *Auschwitz et Jérusalem, op. cit.*, p. 34.
42. Le *Struma* est le nom d'un bateau de réfugiés disparu dans la mer Noire avec 769 Juifs à bord, le 24 février 1942, qui voulaient émigrer en Palestine. Le navire fut refoulé par le gouvernement turc.
43. C'est moi qui souligne.
44. Hannah Arendt, « La prétendue armée juive », article d'*Aufbau* du 22 mai 1942, in *Auschwitz et Jérusalem, op. cit.*, p. 38.
45. Hannah Arendt, « On ne prononcera pas le Kaddish », article d'*Aufbau* du 19 juin 1942, in *Auschwitz et Jérusalem, op. cit.*, p. 39.
46. *Ibid.*
47. *Ibid.*, p. 40.
48. Elisabeth Young-Bruehl, *op. cit.*, p. 225.
49. *Ibid.*, p. 231.
50. *Ibid.*, p. 232.
51. *Ibid.*
52. *Ibid.*, p. 233.
53. Hannah Arendt, « Le dos au mur », publié le 3 juillet 1942 dans *Aufbau*, in *Auschwitz et Jérusalem, op. cit.*, p. 44.
54. Cité par Jean-Michel Palmier, in *Weimar en exil, op. cit.*
55. Élie Wiesel, *Un Juif aujourd'hui*, Seuil, 1977.
56. Amos Gitai a su transcrire dans son film *Kedma*, présenté en 2002, le désarroi de ces Juifs européens épuisés, sortis miraculeusement des camps de la mort, et qui échouent sur les rivages de la Palestine, traqués par des soldats britanniques qui veulent les faire réembarquer. Tom Segev, et avec lui une école de jeunes historiographes israéliens, a témoigné de l'intransigeance et de l'absence de volonté politique de Ben Gourion à l'égard du sort des Juifs européens. Son souci premier, à l'époque, était de peupler la Palestine de jeunes Juifs vaillants et vigoureux, prêts à travailler la terre, plutôt que d'accepter des cohortes de Juifs de tous âges, épuisés par l'expérience des pogroms. Voir Tom Segev, *Le Septième Million : Les Israéliens et le génocide*, traduit par Eglal Errera, nouvelle éd., Liana Levi, 2002.
57. Cité par Tom Segev, *Le Septième Million, op. cit.* Lire aussi Georges Bensoussan, *Une histoire intellectuelle et politique du sionisme, 1860-1940*, Fayard, 2002.
58. Hannah Arendt, « La crise du sionisme », article publié dans *Aufbau* du 20 novembre 1942, in *Auschwitz et Jérusalem, op. cit.*, p. 54.

59. *Ibid.*
60. Cette correspondance appartient au fonds de la New School, à New York.
61. Cet avertissement concernait l'article de Hannah Arendt « La question judéo-arabe peut-elle être résolue ? » publié les 17 et 31 décembre 1943 dans *Aufbau*, in *Auschwitz et Jérusalem, op. cit.*, pp. 59-63.
62. « Seule demeure la langue maternelle », in *La Tradition cachée, op. cit.*, p. 241.
63. *Ibid.*
64. *Ibid.*
65. *Ibid.*, pp. 241-242.
66. *Ibid.*
67. Hans Jonas, *Souvenirs..., op. cit.*
68. Poème cité par Elisabeth Young-Bruehl, *op. cit.*, p. 242.
69. *Ibid.*, p. 241.
70. Hannah Arendt, « Pour l'honneur et la gloire du peuple juif », article du 21 avril 1944 publié dans *Aufbau*, in *Auschwitz et Jérusalem, op. cit.*, pp. 65-67.
71. Hannah Arendt, « Une leçon en six coups de fusil », article du 11 août 1944, publié dans *Aufbau*, in *Auschwitz et Jérusalem, op. cit.*, pp. 85-87.
72. Hannah Arendt, « Les partisans juifs dans l'insurrection européenne », article du 8 septembre 1944 publié dans *Aufbau*, in *Auschwitz et Jérusalem, op. cit.*, p. 95.
73. Walter Laqueur, « *The Arendt Cult : Hannah Arendt as political commentator* », *in* Steven E. Aschheim (éd.), *Hannah Arendt in Jerusalem*, University of California Press, 2001.
74. Hannah Arendt, « Pour l'honneur et la gloire du peuple juif », *art. cit.*, p. 66.
75. *Ibid.*, pp. 65-66.
76. *Ibid.*, p. 67.
77. Voir Peter Novick, *L'Holocauste dans la vie américaine*, traduit par Pierre-Emmanuel Dauzat, Gallimard, 2001, qui ajoute : « C'était une étiquette que l'on fuyait par tous les moyens. Rares étaient ceux qui voulaient se considérer comme des victimes, et plus rares encore ceux qui avaient envie d'être perçus comme tels. »
78. Cité par Tom Segev, *Le Septième Million, op. cit.*
79. Cité par Tom Segev, *ibid.*
80. Voir Ilan Greilsammer, *La Nouvelle Histoire d'Israël, Essai sur une identité nationale*, Gallimard, 1998.
81. Correspondance inédite entre Hannah Arendt et Gershom Scholem, fonds de la New School, New York.
82. Hannah Arendt et Kurt Blumenfeld, *Correspondance, op. cit.*, lettre du 26 juin 1945, p. 29.
83. Correspondance inédite entre Hannah Arendt et Gershom Scholem, fonds de la New School, New York, 6 mars 1945.
84. Hannah Arendt, « Franz Kafka », in *La Tradition cachée, op. cit.*, p. 107.

VIII. ANTISIONISTE

1. Hannah Arendt note dans ses articles l'affaiblissement des forces sionistes sur le plan international : aucune des organisations juives n'obtient en effet de siéger comme partenaire de plein droit lors des pourparlers préliminaires à la fondation des Nations unies.
2. Hannah Arendt et Kurt Blumenfeld, *Correspondance, op. cit.*, lettre n° 4 du 19 septembre 1945, p. 45.

3. *Ibid.*
4. Hannah Arendt, « Sans droits et avilis », article publié dans *Aufbau* le 15 décembre 1944, in *Auschwitz et Jérusalem, op. cit.*, pp. 135-138.
5. « Non que vous les ayez sciemment mises, mais un lecteur malveillant pourrait fort bien les en déduire », lui écrira alors Clement Greenberg, un des responsables de la revue.
6. Hannah Arendt, « Réexamen du sionisme » publié dans *Menorah Journal* d'octobre 1944, in *Auschwitz et Jérusalem, op. cit.*, pp. 97-133.
7. *Ibid.*, p. 97.
8. *Ibid.*
9. *Ibid.*, p. 99.
10. *Ibid.*, p. 105.
11. Voir Ilan Greilsammer, *La Nouvelle Histoire d'Israël, op. cit.* Hans Jonas raconte dans ses *Souvenirs..., op. cit.*, pp. 95-96, qu'il fut l'un des premiers à demander un certificat d'immigration, qu'on appelait un certificat de capitaliste ou encore un certificat de mille livres, l'équivalent de douze mille marks de l'époque, et qu'il reçut sans encombre du gouvernement national-socialiste une autorisation de transfert. Ainsi la Palestine jouissait même de la préférence des autorités nazies comme terre d'émigration pour les Juifs, car il était beaucoup plus difficile d'obtenir la même autorisation, et d'un montant analogue, pour partir aux États-Unis.
12. Cité par Ilan Greilsammer, *La Nouvelle Histoire d'Israël, op. cit.*
13. Hannah Arendt, « Réexamen du sionisme », publié dans *Menorah Journal* d'octobre 1944, in *Auschwitz et Jérusalem, op. cit.*, p. 107.
14. *Ibid.*, p. 133.
15. Le texte n'est disponible en anglais que depuis 1970, date à laquelle il a paru chez MacMillan sous son titre d'origine.
16. Correspondance inédite entre Hannah Arendt et Gershom Scholem, fonds de la New School, New York.
17. Hannah Arendt et Kurt Blumenfeld, *Correspondance, op. cit.*, lettre n° 7 du 14 janvier 1946, p. 57.
18. *Ibid.*, lettre n° 8 du 17 juillet 1946, p. 60.
19. Elisabeth Young-Bruehl, *op. cit.*, p. 278.
20. Hannah Arendt et Karl Jaspers, *Correspondance, op. cit.*, lettre n° 30 du 28 octobre 1945, p. 58.
21. Entretien avec Lotte Köhler, New York, novembre 2001.
22. Elisabeth Young-Bruehl, *op. cit.*, p. 279.
23. Hannah Arendt et Karl Jaspers, *Correspondance, op. cit.*, lettre n° 30 du 28 octobre 1945, p. 58.
24. *Ibid.*, lettre du 18 novembre 1945.
25. *Ibid.*, lettre n° 31 du 18 novembre 1945, p. 61.
26. *Ibid.*, lettre du 18 novembre 1945.
27. Hannah Arendt, « *Priviledged Jews* », *The Jewish Social Studies*, janvier 1946. Traduction française sous le titre « Les Juifs d'exception », in *La Tradition cachée, op. cit.*, p.127.
28. Aharon Appelfeld, « L'héritage nu », *in* revue *Penser, rêver, Retours sur la question juive*, L'Olivier, 2005.
29. Voir son article de la *Review of Politics*, n° 7, 4 octobre 1945, traduit en français sous le titre « Les germes d'une internationale fasciste », in *Auschwitz et Jérusalem, op. cit.*
30. Peter Novick, *L'Holocauste dans la vie américaine, op. cit.*
31. Theodor W. Adorno et Max Horkheimer, *La Dialectique de la raison, Fragments philosophiques*, traduit par Éliane Kaufholz, Gallimard, 1974. D'abord

publié en 1947 chez Querido, à Amsterdam, puis réédité avec une nouvelle préface d'Adorno et Horkheimer, en 1969, avant d'être traduit par Éliane Kaufholz, Réédité en coll. Tel en 1983.

32. Hannah Arendt et Karl Jaspers, *Correspondance, op. cit.*, lettre n° 32 du 2 décembre 1945, p. 62.

33. *Ibid.*, lettre n° 34 du 29 janvier 1946, p. 66.

34. *Ibid.*, p. 71.

35. Thomas Mann, *Appels aux Allemands, op. cit.* L'article fut publié dans le numéro d'octobre 1945 de la *Neue Rundschau*, à Stockholm.

36. Karl Jaspers, *La Situation spirituelle de notre époque*, traduit par Jean Ladrière et Walter Biemel, Desclée de Brouwer, 1951. Et *La Culpabilité allemande*, traduit par Jeanne Hersch et préfacé par Pierre Vidal-Naquet, Minuit, 1990.

37. Hannah Arendt et Karl Jaspers, *Correspondance, op. cit.*, lettre n° 38 du 8 mai 1946, p. 80.

38. *Ibid.*, lettre n° 38 du 30 mai 1946, p. 83.

39. *Ibid.*

40. *Ibid.*

41. Voir la correspondance inédite de Hannah Arendt et Hilde Fränkel dans le fonds de la New School, à New York.

42. Hannah Arendt et Heinrich Blücher, *Correspondance, op. cit.*, lettre datée du début juillet 1946, p. 127.

43. *Ibid.*, lettre du 8 juillet 1946, p. 128.

44. *Ibid.*

45. *Ibid.*, lettre de Heinrich Blücher du 9 ou 10 juillet 1946, p. 129.

46. *Ibid.*, lettre de Heinrich Blücher du 15 juillet 1946, p. 135.

47. *Ibid.*, lettre de Hannah Arendt du 8 juillet 1946, p. 129.

48. Correspondance inédite entre Hannah Arendt et Hermann Broch, fonds de la New School, New York. Hannah Arendt ne cachera pas à Gertrud Jaspers le bouleversement qu'opéra en elle la lecture de *La Mort de Virgile*, qu'elle compare à l'émotion qu'elle ressentit en découvrant Kafka : « Broch est juif comme Kafka, comme Proust. On ne pourra plus nous exclure de la grande évolution productive de la modernité occidentale. » Voir Hannah Arendt et Karl Jaspers, *Correspondance, op. cit.*

49. Correspondance inédite, fonds de la New School, New York.

50. Hannah Arendt et Karl Jaspers, *Correspondance, op. cit.*, lettre n° 34 du 29 janvier 1946, p. 68.

51. Hannah Arendt et Kurt Blumenfeld, *Correspondance, op. cit.*, lettre n° 32 du 19 juillet 1947, p. 64.

52. *Ibid.*

53. Hannah Arendt et Karl Jaspers, *Correspondance, op. cit.*, lettre n° 43 du 17 août 1946, p. 102.

54. Hannah Arendt et Heinrich Blücher, *Correspondance, op. cit.*, lettre à Heinrich Blücher du 21 juillet 1947, p. 138.

55. Hannah Arendt, « L'image de l'enfer », article publié dans *Commentary* 2/3 de septembre 1946, in *Auschwitz et Jérusalem, op. cit.*, pp. 156-157.

56. *Ibid.*, pp. 151-160.

57. *Ibid.*, p. 153.

58. *Ibid.*, p. 152.

59. *Ibid.*

60. *Ibid.*, p. 154.

61. *Ibid.*, pp. 154-155.

62. David Rousset, *L'Univers concentrationnaire*, nouvelle édition, Minuit, 1965.

63. Robert Antelme, *L'Espèce humaine*, Gallimard, coll. Tel, 1978.

64. Primo Levi, *Les Naufragés et les Rescapés, Quarante ans après Auschwitz*, traduit par André Maugé, Gallimard, 1989.

65. Annette Wieviorka, *L'Ère du témoin*, Plon, 1998.

66. Cité par Peter Novick, *L'Holocauste dans la vie américaine, op. cit.*

67. Entretien avec Frédéric de Towarnicki, juin 2003. Voir aussi, Frédéric de Towarnicki, *Martin Heidegger, Souvenirs et chroniques*, Payot-Rivages, 1999.

68. Hugo Ott, *Martin Heidegger, Éléments pour une biographie, op. cit.*

69. Martin Heidegger, *Correspondance avec Karl Jaspers, op. cit.*, p. 419. Le texte est cité dans une note qui reproduit la lettre de Friedrich Oehlkers à Karl Jaspers ainsi que le rapport que Jaspers établit sur Heidegger.

70. « Nazi à sa façon », comme l'explique lumineusement George Steiner dans son *Martin Heidegger*, traduit par Denys de Caprona, Albin Michel, 1981. Voir aussi Philippe Lacoue-Labarthe et Jean-Luc Nancy, *Le Mythe nazi*, L'Aube, 1991, et l'éclairant ouvrage de Pierre Bourdieu, *L'Ontologie politique de Martin Heidegger*, Minuit, 1988. Voir enfin Hannah Arendt et Karl Jaspers, *Correspondance, op. cit.*, lettre du 9 juillet 1946.

71. Martin Heidegger, *Correspondance avec Karl Jaspers, op. cit.*, pp. 420-421.

72. *Ibid.*, p. 421.

73. « [...] bien que je ne me sois intéressée ni objectivement ni personnellement au vieux Husserl, je compte rester solidaire sur ce point ; et comme je sais que cette lettre et cette signature l'ont quasiment assassiné [*la lettre de renvoi de l'Université signée par le recteur Heidegger*], je ne puis m'empêcher de tenir Heidegger pour un meurtrier potentiel », Hannah Arendt et Karl Jaspers, *Correspondance, op. cit.*, lettre n° 42 du 9 juillet 1946, p. 92.

74. *Ibid.*, lettre n° 42 du 9 juillet 1946, pp. 91-92.

75. Martin Heidegger, *Correspondance avec Karl Jaspers, op. cit.*, p. 421.

76. Voir Hugo Ott, *Martin Heidegger, Éléments pour une biographie, op. cit.*, p. 349.

77. Merci à Maurice de Gandillac, qui m'a reçue à plusieurs reprises et n'a pas ménagé son temps pour m'éclairer.

78. Hannah Arendt et Karl Jaspers, *Correspondance, op. cit.*, lettre du 9 juillet 1946, p. 92.

IX. MILITANTE POLITIQUE

1. Hannah Arendt, *Les Origines du totalitarisme*, troisième partie, « Le totalitarisme », chapitre XIII, « Idéologie et terreur : une nouvelle forme de terreur », édition sous la direction de Pierre Bouretz, Gallimard, coll. Quarto, 2002, pp. 824-825.

2. Revue *Commentary*, février 1946.

3. *Ibid.*, p. 818.

4. *Ibid.*

5. Lettre à Mary Underwood du 14 septembre 1946, citée dans la lumineuse introduction de Pierre Bouretz aux *Origines du totalitarisme, op. cit.*, p. 143.

6. Hannah Arendt et Karl Jaspers, *Correspondance*, lettre n° 43 de Hannah Arendt du 17 août 1946, pp. 98-99.

7. Pierre Birnbaum, *Géographie de l'espoir, l'exil, les Lumières, la désassimilation op. cit.*

8. Hannah Arendt et Karl Jaspers, *Correspondance*, lettre n° 43 de Hannah Arendt du 17 août 1946, p. 100.

9. *Ibid.*

10. Morris Waldman à John Slawson, lettre non datée, mais reçue le 26 août 1946, AJComittee Papers, AJC, cité par Peter Novick, *L'Holocauste dans la vie américaine*, *op. cit.*, p. 93.

11. Samuel Lubell, « *The Second Exodus of the Jews* », *Saturday Evening Post*, 219, 5 octobre 1946, cité par Peter Novick, *L'Holocauste dans la vie américaine*, *op. cit.*, p. 93.

12. Cité par Tom Segev, *Le Septième Million*, *op. cit.*

13. *Ibid.* Voir aussi Peter Novick, *op. cit.*, et Ilan Greilsammer, *La Nouvelle Histoire d'Israël. Essai sur une identité nationale*, Gallimard, 1998.

14. Cité par Tom Segev, *op. cit.*

15. Hannah Arendt, « Les germes d'une internationale fasciste », *Auschwitz et Jérusalem*, *op. cit.*, pp. 139-150.

16. *Ibid.*, p. 140.

17. Hannah Arendt et Karl Jaspers, *Correspondance*, *op. cit.*, lettre n° 41 du 27 juin 1946, p. 88.

18. *Ibid.*

19. *Ibid.*, lettre n° 43 du 17 août 1946, p. 101.

20. *Ibid.*, lettre n° 41 du 27 juin 1946, p. 89.

21. *Ibid.*, lettre n° 43 du 17 août 1946, p. 102.

22. Hannah Arendt et Heinrich Blücher, *Correspondance*, *op. cit.*, lettre du 25 juillet 1947, p. 139.

23. Salman Schocken (1877-1959).

24. Shmuel Yosef Agnon (1888-1970).

25. Hannah Arendt et Karl Jaspers, *Correspondance*, *op. cit.*, lettre n° 61 du 4 septembre 1947, p. 158.

26. *Ibid.*, lettre n° 47 du 11 novembre 1946, p. 115.

27. Correspondance, fonds de la New School, New York.

28. Hannah Arendt et Kurt Blumenfeld, *Correspondance*, *op. cit.*, lettre n° 10 du 19 juillet 1947, p. 63.

29. Hannah Arendt, « *To Save the Jewish Homeland : There is Still Time* », *Commentary*, 5 mai 1948, traduit par Pierre Pachet dans *Penser l'événement*, sous la direction de Claude Habib, Belin, 1989, pp. 135-153.

30. Hannah Arendt et Karl Jaspers, *Correspondance*, *op. cit.*, lettre n° 69 du 28 mai 1948, p. 173.

31. Le comte Bernadotte, médiateur de l'ONU, proposait que le territoire destiné à l'État palestinien soit annexé à la Transjordanie, que l'émigration vers Israël continue sans restriction pendant deux ans, que Jérusalem soit annexée à la partie arabe, et surtout que tous les réfugiés palestiniens puissent revenir sur leurs terres. Seule la Grande-Bretagne soutint le plan Bernadotte. L'URSS s'y opposa violemment, les États-Unis restèrent hésitants, Israël le refusa.

32. Correspondance inédite, fonds de la New School, New York.

33. *Ibid.*

34. Elisabeth Young-Bruehl, *op. cit.*, p. 299.

35. *Ibid.*, p. 301.

36. Correspondance inédite, fonds de la New School, New York, lettre de Gershom Scholem à Hannah Arendt du 6 mars 1945.

37. *Ibid.*, Hannah Arendt à Judah Magnes, le 3 août 1948.

38. *Ibid.*, lettre de Hannah Arendt à Judah Magnes du 24 août 1948.

39. « *This Mission of Bernadotte* », *New Leader*, 31 octobre 1948.

40. Cité par Elisabeth Young-Bruehl, *op. cit.*, p. 305, lettre du 3 octobre 1948.

41. Elisabeth Young-Bruehl, *op. cit.*, p. 304.
42. Hannah Arendt et Karl Jaspers, *Correspondance*, *op. cit.*, lettre n° 73 du 31 octobre 1948, p. 181.
43. Hannah Arendt « La visite de Begin et ses objectifs politiques », lettre ouverte publiée le 4 décembre 1948 dans le *New York Times*, signée également par Albert Einstein et d'autres, in *Auschwitz et Jérusalem*, *op. cit.*, p. 165.
44. *Ibid.*
45. *Ibid.*, p. 167.
46. Correspondance inédite, fonds de la New School, New York.
47. Hannah Arendt et Karl Jaspers, *Correspondance*, *op. cit.*, lettre n° 73 du 31 octobre 1948, p. 181.
48. *Ibid.*, lettre n° 55 du 23 mars 1947, p. 133.
49. Hannah Arendt et Heinrich Blücher, *Correspondance*, *op. cit.*, lettre du 22 juillet 1948, pp. 141-142.
50. Correspondance inédite, fonds de la New School, New York.
51. Elisabeth Young-Bruehl, *op. cit.*, p. 306.
52. Hannah Arendt et Heinrich Blücher, *Correspondance*, *op. cit.*, lettre du 27 juillet 1948, p. 143.
53. *Ibid.*
54. *Ibid.*
55. *Ibid.*
56. *Ibid.*
57. *Ibid.*, lettre du 29 juillet 1948, p. 144.
58. *Ibid.*, pp. 144-145.
59. Hannah Arendt et Karl Jaspers, *Correspondance*, *op. cit.*, lettre n° 74 du 6 novembre 1948, p. 183.
60. Hannah Arendt et Heinrich Blücher, *Correspondance*, *op. cit.*, lettre du 29 juillet 1948, pp. 145-146.
61. Elle s'appelle Rose Feitelson. Elle est lectrice et écrivain. Le coup de foudre est réciproque.
62. *Ibid.*, p. 147.
63. Elisabeth Young-Bruehl, *op. cit.*, p. 255.
64. Cité par Elisabeth Young-Bruehl, *op. cit.*, p. 314.
65. *Ibid.*, p. 317. Lettre à Hella Jaensch du 12 juin 1965.
66. *Journal de pensée*, *op. cit.*, § 26, p. 63.

X. PREMIER RETOUR EN EUROPE

1. Hannah Arendt et Karl Jaspers, *Correspondance*, *op. cit.*, lettre n° 73 du 31 octobre 1948, p. 182.
2. *Ibid.*, lettre n° 81 du 13 janvier 1949, p. 192.
3. Martin Heidegger, *Correspondance avec Karl Jaspers*, *op. cit.*, lettre n° 124 du 12 octobre 1942, pp. 149-150.
4. *Ibid.*, lettre à Friedrich Oehlkers du 22 décembre 1945, pp. 418-422.
5. *Ibid.*, lettre n° 125 du 1er mars 1948, p. 151.
6. *Ibid.*, pp. 151-152.
7. *Ibid.*, p. 152.
8. *Ibid.*
9. *Ibid.*, lettre du 6 février 1949, p. 153.
10. *Ibid.*, p. 154.
11. *Ibid.*

12. *Ibid.*, p. 155.
13. Hannah Arendt et Karl Jaspers, *Correspondance*, *op. cit.*, lettre n° 86 du 15 février 1949, p. 200.
14. *Ibid.*, lettre n° 50 du 17 décembre 1946, p. 121.
15. *Ibid.*, lettre n° 92 du 1er septembre 1949, p. 210.
16. *Ibid.*, p. 211.
17. Comme il le fit aussi pour plusieurs de ses étudiantes, comme par exemple Hélène Weiss, qui travailla sur Aristote, quitta l'Allemagne nazie et publia sa thèse en 1942 dans laquelle elle remercie Heidegger pour l'aide qu'il lui a apportée.
18. *Ibid.*, lettre n° 93 du 29 septembre 1949, p. 213.
19. Martin Heidegger, *Correspondance avec Karl Jaspers*, *op. cit.*, lettre n° 127 du 22 juin 1949, pp. 155-156.
20. *Ibid.*, lettre n° 129 du 5 juillet 1949, p. 157.
21. *Ibid.*
22. *Ibid.*, p. 158.
23. *Ibid.*
24. Martin Heidegger, « Le Chemin de campagne », *Questions III*, traduit par André Préau, Roger Munier et Julien Hervier, Gallimard, 1968, rééd. coll. Tel, 1990.
25. Martin Heidegger, *Correspondance avec Karl Jaspers*, *op. cit.*, lettre n° 130 du 10 juillet 1949, p. 159.
26. Martin Heidegger, *Chemins qui ne mènent nulle part*, traduit par Wolfgang Brokmeier et édité par François Fédier, Gallimard, 1962, rééd. coll. Tel, 1986.
27. Hannah Arendt lui a avoué en 1947 ne pas avoir compris pourquoi il n'avait pas exprimé à Berlin, en 1933, son opposition au national-socialisme au sein de l'Université (*cf.* lettre à Martin Heidegger n° 59 du 30 juin 1947, *op. cit.*, p. 146). Si elle dit avoir toujours respecté son silence, elle le met au compte de la peur.
28. Pierre Bourdieu, *L'Ontologie politique de Martin Heidegger*, Minuit, 1988.
29. Martin Heidegger, *Lettre sur l'humanisme*, in *Questions III-IV*, Gallimard, coll. Tel, 1990.
30. Hannah Arendt et Karl Jaspers, *Correspondance*, *op. cit.*, lettre n° 93 du 29 septembre 1949, p. 213.
31. Martin Heidegger, *Correspondance avec Karl Jaspers*, *op. cit.*, lettre n° 131 du 6 août 1949, p. 161.
32. Hannah Arendt et Karl Jaspers, *Correspondance*, *op. cit.*, lettre n° 93 du 29 septembre 1949, p. 213.
33. *Ibid.*
34. Fonds Arendt, New School, New York, lettre du 26 novembre 1949.
35. Hannah Arendt et Heinrich Blücher, *Correspondance*, *op. cit.*, lettre du 28 novembre 1949, p. 155.
36. *Ibid.*
37. *Ibid.*, lettre du 8 décembre 1949, p. 158.
38. *Ibid.*, lettre du 14 décembre 1949, p. 159.
39. *Ibid.*
40. *Ibid.*
41. Correspondance inédite, fonds de la New School, New York, 20 décembre 1949.
42. Hannah Arendt et Heinrich Blücher, *Correspondance*, *op. cit.*, lettre du 15 décembre 1949, p. 162.
43. *Ibid.*, lettre du 18 décembre 1949, p. 164.
44. *Ibid.*
45. *Ibid.*, lettre du 26 décembre 1949, p. 170.
46. Hannah Arendt et Karl Jaspers, *Correspondance*, *op. cit.*, lettre n° 95 du 28 décembre 1949 de Karl Jaspers à Heinrich Blücher, pp. 214-215.

47. Hannah Arendt et Heinrich Blücher, *Correspondance*, *op. cit.*, lettre du 26 décembre 1949, p. 169.
48. *Ibid.*, lettre du 3 janvier 1950, pp. 172-173.
49. *Ibid.*, lettre du 30 janvier 1950, p. 182.
50. *Ibid.*, p. 183.
51. *Ibid.*, lettre du 4 février 1950, p. 184.
52. *Ibid.*, p. 185.
53. *Ibid.*, lettre du 5 février, p. 187, et du 8 février 1950, p. 189.
54. *Ibid.*, lettre du 5 février 1950, p. 187.
55. *Ibid.*
56. Hannah Arendt et Martin Heidegger, *Lettres et autres documents*, *op. cit.*, lettre n° 46 du 7 février 1950, p. 75.
57. *Ibid.*
58. Stups était le surnom affectueux que Hannah donnait à Heinrich.
59. Hannah Arendt et Heinrich Blücher, *Correspondance*, *op. cit.*, lettre du 8 février 1950, p. 189.
60. Hannah Arendt et Martin Heidegger, *Lettres et autres documents*, *op. cit.*, lettre n° 48 du 9 février 1950, p. 78.
61. Correspondance inédite, fonds de la New School, New York, lettre du 10 février 1950. Elisabeth Young-Bruehl cite également quelques extraits, *op. cit.*, pp. 322-323.
62. *Ibid.*
63. *Ibid.*
64. Martin Heidegger, « De l'essence de la vérité, Approche de l'"allégorie de la caverne" et du *Théétète* de Platon », texte établi par Hermann Mörchen et traduit par Alain Boutot, in *Œuvres de Martin Heidegger*, section II, cours 1923-1944, Gallimard, 2001.
65. Hannah Arendt et Heinrich Blücher, *Correspondance*, *op. cit.*, lettre du 19 février 1950, p. 198.
66. Hannah Arendt et Martin Heidegger, *Lettres et autres documents*, *op. cit.*, lettre du 9 février 1950, p. 78.
67. Hannah Arendt et Heinrich Blücher, *Correspondance*, *op. cit.*, lettre du 8 février 1950, p. 189.
68. Cette lettre n° 49 datée du 10 février 1950 est reproduite dans la correspondance de Hannah et de Martin Heidegger, *op. cit.*, pp. 79-81.
69. *Ibid.*, lettre n° 48 du 9 février 1950, pp. 78-79.
70. *Ibid.*, lettre n° 47 du 8 février 1950, pp. 76-77.
71. *Ibid.*, p. 77.
72. Correspondance, fonds de la New School, New York.
73. Hannah Arendt et Martin Heidegger, *Lettres et autres documents*, *op. cit.*, lettre n° 51 du 15 février 1950, p. 84.
74. Hannah Arendt et Heinrich Blücher, *Correspondance*, *op. cit.*, lettre du 2 mars 1950, p. 203.
75. *Ibid.*, lettre du 8 mars 1950, p. 207.

XI. PENSER LE TOTALITARISME

1. Hannah Arendt et Martin Heidegger, *Lettres et autres documents*, *op. cit.*, lettre sans date, n° 50, vraisemblablement entre les 10 et 15 février 1950, p. 81.
2. Hannah Arendt et Heinrich Blücher, *Correspondance*, *op. cit.*, lettre du 22 février 1950, p. 199.

3. Correspondance inédite, fonds de la New School, New York.

4. Il s'agit d'une citation du *Phédon* de Platon, 115 b. Voir aussi Hannah Arendt et Karl Jaspers, *Correspondance, op. cit.*, lettre du 20 avril 1950, p. 222.

5. Hannah Arendt et Karl Jaspers, *Correspondance, op. cit.*, lettre n° 101 du 25 juin 1950, p. 223.

6. *Ibid.*, lettre n° 100 du 20 avril 1950, p. 221.

7. « J'ai encore lu beaucoup de Max Weber — à la suite de votre rêve à vrai dire », lettre n° 101 du 25 juin 1950, p. 223.

8. Sur la genèse même du texte, lire la très riche introduction de Pierre Bouretz aux *Origines du totalitarisme, op. cit.*

9. Voir Sylvie Courtine-Denamy, *Trois femmes dans de sombres temps : Edith Stein, Hannah Arendt, Simone Weil, ou « Amor fati, amor mundi »*, Albin Michel, 1996.

10. Raymond Aron, *Machiavel et les tyrannies modernes*, rééd. De Fallois, 1993.

11. Raymond Aron, *L'Homme contre les tyrans*, Gallimard, 1946.

12. Carl Schmitt (1888-1985), *Der Leviathan in der Staatslehre des Thomas Hobbes : Sinn und Festschlag eines politischen Symbols*, Hambourg, Hanseatischen Verlag, 1938, *Le Léviathan dans la doctrine de l'État de Thomas Hobbes : sens et échec d'un symbole politique*, traduit par Denis Trierweiler, Seuil, 2002.

13. Franz Leopold Neumann (1900-1954), *Behemoth. The structures and Practice of National-Socialism*, Londres, V. Gollancz ltd, 1942. *Behemoth. Structures et pratique du national-socialisme*, Payot, 1987.

14. Ernst Fraenkel (1898-1975), *The Dual State*, New York, Londres, Oxford University Press, 1941.

15. Waldemar Gurian (1902-1954), *Bolshevism : Theory and practice*, New York, The Mac Millan Company, 1932, *Le bolchevisme. Introduction historique et doctrinale*, Beauchesne et fils, 1933.

16. Franz Borkenau (1900-1957), *The totalitarian Enemy*, Faber and Faber Limited, 1940.

17. Boris Souvarine (1895-1984), *Stalin. A Critical Survey of Bolshevism*, New York, Alliance Book Corporation, Green & Co., 1939. *Staline. Aperçu historique du bolchevisme.*

18. Rudolf Hilferding (1877-1941), *Das Finanzkapital, eine Studie über die jüngste Entwicklung des Kapitalismus*, Vienne, 1910. *Le Capital financier. Étude sur le développement récent du capitalisme*, Minuit, coll. Arguments, 1970.

19. Voir l'analyse de Walter Laqueur, « The Arendt culture », *in* S. Ascheim (éd.), *Hannah Arendt in Jerusalem*, University of California Press.

20. Moins méthodique et rigoureuse que l'historien Hans Kohn qui, dès 1935, établit le parallèle entre nazisme et communisme, elle reprend cependant ses thèses sans le citer en y introduisant la force de l'émotion ainsi que des intuitions puissantes et pas toujours argumentées. Elle évoque cependant plusieurs fois Carlton J. H. Hayes, auteur du texte fondamental *La Nouveauté du totalitarisme dans l'histoire de la civilisation européenne*, et à trois reprises Carl Schmitt, comme théoricien du monopole de l'État, sans faire référence à son engagement nazi. Elle cite également Nicolas Berdaiev, auteur des *Sources et le sens du communisme russe*, Gallimard, 1938, et, deux fois seulement, David Rousset, qui influence pourtant profondément sa pensée.

21. Voir *Recherches*, n° 32-33, septembre 1978, repris dans Ernst Jünger, *L'État universel*, suivi de *La Mobilisation totale*, traduit par Henri Plard et Marc B. de Launay, Gallimard, 1990.

22. François Furet, *Le Passé d'une illusion, Essai sur l'idée communiste au XXe siècle*, Robert Laffont-Calmann-Lévy, 1995, rééd. Hachette, le Livre de Poche, 1996. Voir en particulier le chapitre 6, « Communisme et fascisme », pp. 261-347.

23. Et c'est aussi pour cela qu'elle fut si tardivement lue et que ses réflexions ne rencontrèrent, notamment en France, que relativement peu d'écho. La gauche française considérait que la lutte contre le totalitarisme était une diversion dont le but était de faire oublier la réalité de l'impérialisme occidental. Voir Enzo Traverso, *Le Totalitarisme : le XX*[e] *siècle en débat*, Seuil, 2001.
24. Simone Weil, in *Écrits historiques et politiques*, Ire partie « Histoire », coll. « Espoir », Gallimard, 1960.
25. Hannah Arendt et Karl Jaspers, *Correspondance*, *op. cit.*, lettre n° 73 du 31 octobre 1948, p. 182.
26. Günther Anders, *Nous, fils d'Eichmann, Lettre ouverte à Klaus Eichmann*, traduit et présenté par Sabine Cornille et Philippe Ivernel, Payot-Rivages, 1999.
27. Hannah Arendt, Préface à la troisième partie, « Le totalitarisme » in *Les Origines du totalitarisme*, *op. cit.*, p. 196.
28. *Ibid.*
29. Hannah Arendt et Karl Jaspers, *Correspondance*, *op. cit.*, lettre n° 76 du 19 novembre 1948, p. 187.
30. *Les Origines du totalitarisme*, *op. cit.*, p. 181.
31. *Ibid.*, p. 195.
32. *Ibid.*, p. 391.
33. *Ibid.*, « L'impérialisme », chapitre IX, p. 564.
34. *Ibid.*, p. 590.
35. Isaac Deutscher (1907-1967), *Stalin, a Political Biography*, Londres, New York, Oxford University Press, 1949 ; *Staline*, Gallimard, 1953.
36. Karl Jaspers, *La Culpabilité allemande*, traduit par Jeanne Hersch, préface de Pierre Vidal-Naquet, Minuit, rééd. 1990. Initialement publié en Allemagne en 1946.
37. *Journal de pensée*, *op. cit.*, juin 1950.
38. *Ibid.*, § 1, septembre 1950, p. 19. On peut noter que Hannah n'emploie pas le terme de mal radical mais celui de mal absolu dans la première édition des *Origines du totalitarisme*. C'est en révisant le texte de sa traduction allemande qu'elle lui substituera le terme de mal radical.
39. *Les Origines du totalitarisme*, *op. cit.*, IIIe partie.
40. *Ibid.*, p. 788.
41. *Ibid.*, p. 787.
42. Publié initialement dans les *Jewish Social Studies*, 1950 ; dans *Auschwitz et Jérusalem*, *op. cit.*, pp. 203-215 et dans l'édition Quarto, pp. 845-859.
43. *Ibid.*, respectivement p. 214 et p. 858.
44. *Ibid.*, p. 215 et p. 859.
45. *Journal de pensée*, *op. cit.*, octobre 1950.
46. Mary McCarthy, *L'Oasis et autres récits*, traduit par Michèle Hechter, Fayard, 1988 ; *Dis-moi qui tu hantes*, UGE, 1986.
47. Hannah Arendt et Mary McCarthy, *Correspondance, 1949-1975*, réunie et présentée par Carol Brightman, Stock, 1996, lettre du 26 avril 1951, p. 29.
48. Hannah et Mary se rencontrent pour la première fois à Manhattan par l'intermédiaire d'amis écrivains. Mary fut tout de suite fascinée par l'humour et l'insouciance désinvolte de Hannah et celle-ci fut elle aussi captivée par l'intelligence et la sensibilité de Mary. Cette amitié naissante butta contre un incident violent qui eut lieu entre les deux femmes au cours d'une soirée de 1945. Évoquant l'hostilité des Français envers les occupants allemands, Mary déclara que Hitler poussait l'absurdité jusqu'à vouloir l'amour de ses victimes. Hannah, très choquée, lui rétorqua : « Comment pouvez-vous dire une chose pareille en ma présence — moi une victime de Hitler, moi qui suis allée en camp de concentration ? » Mary ne s'excusa pas. Trois ans plus tard, elles se croisèrent sur un quai de métro à l'issue d'une réunion sur l'avenir de la revue *Politics*. Hannah alla vers Mary : « Finissons-en avec cette

absurdité. Nous sommes si proches de pensée. » Mary s'excusa. Hannah avoua qu'elle n'était jamais allée dans un camp de concentration. Mary s'occupa de Hannah jusqu'à son dernier souffle.

XII. RADICALE

1. Voir l'illustration dans l'édition Quarto des *Origines du totalitarisme*, p. 129.
2. Eric Voegelin (1901-1985). Sa grande œuvre *Order and History* n'est pas traduite en français.
3. Eric Voegelin, « The Origins of Totalitarianism », *Review of Politics*, janvier 1953, repris dans l'édition Quarto, « Les origines du totalitarisme », traduit par Étienne Tassin, p. 959.
4. Lettre de Hannah Arendt à Eric Voegelin du 22 avril 1951, fonds de la New School.
5. Hannah Arendt et Karl Jaspers, *Correspondance*, *op. cit.*, lettre n° 109 du 15 février 1951, p. 242.
6. Et qu'elle a ensuite fait supprimer des éditions ultérieures. On le trouve dans l'édition Quarto, traduit par Martine Leibovici, pp. 860-874.
7. Hannah Arendt, *Les Origines du totalitarisme*, *op. cit.*, p. 861.
8. *Ibid.*, p. 873.
9. Karl Jaspers, *Origine et sens de l'histoire*, Zurich, 1949, et traduit par Hélène Naef, Plon, 1954.
10. Martin Heidegger, *Correspondance avec Karl Jaspers*, *op. cit.*, note de la lettre n° 138 du 2 décembre 1949, p. 431.
11. *Ibid.*, lettre n° 139 du 10 décembre 1949, p. 175.
12. *Ibid.*
13. Hannah Arendt et Karl Jaspers, *Correspondance*, *op. cit.*, lettre n° 107 du 7 janvier 1951, p. 238.
14. Martin Heidegger, *Chemins qui ne mènent nulle part*, *op. cit.*, et « De l'essence de la vérité, Approche de l'"allégorie de la caverne" et du *Théétète* de Platon », texte établi par Hermann Mörchen et traduit par Alain Boutot, in *Œuvres de Martin Heidegger*, section II, cours 1923-1944, Gallimard, 2001.
15. Martin Heidegger, *Correspondance avec Karl Jaspers*, *op. cit.*, lettre n° 179 du 7 mars 1950, p. 179.
16. *Ibid.*
17. *Ibid.*, lettre n° 142 du 19 mars 1950, p. 180.
18. *Ibid.*, lettre n° 144 du 8 avril 1950, p. 183.
19. *Ibid.*
20. *Ibid.*
21. *Ibid.*, p. 184.
22. *Ibid.*
23. *Ibid.*
24. Martin Heidegger, « Der Weg : der Gang durch *Sein und Zeit* », archives de Marbach, à paraître chez Gallimard dans le tome VIII des *Œuvres*.
25. Hannah Arendt, *Journal de pensée*, *op. cit.*, § 9, octobre 1950, p. 53.
26. *Ibid.*, § 26, décembre 1950, p. 63.
27. *Ibid.*, p. 65.
28. *Ibid.*
29. Hannah Arendt et Karl Jaspers, *Correspondance*, *op. cit.*, lettre n° 109 du 4 mars 1951, p. 245.
30. Hannah Arendt, *Journal de pensée*, *op. cit.*, § 12, septembre 1950, p. 25.

30*bis*. *Ibid.*, § 23, août 1950, p. 23.

31. Hannah Arendt et Martin Heidegger, *Correspondance*, *op. cit.*, lettre n° 64 du 16 mai 1950, p. 109.
32. *Ibid.*, lettre n° 77 du 14 décembre 1951, p. 130.
33. *Ibid.*, lettre n° 74 du 14 juillet 1951, p. 127.
34. *Ibid.*, lettre n° 78 du 17 février 1952, p. 132.
35. Hannah Arendt et Kurt Blumenfeld, *Correspondance*, *op. cit.*, lettre n° 14 du 2 juillet 1951, p. 77.
36. *Ibid.*, p. 81.
37. *Ibid.*, p. 79.
38. Hannah Arendt et Karl Jaspers, *Correspondance*, *op. cit.*, lettre n° 113 du 28 septembre 1951, p. 252.
39. Hannah Arendt et Heinrich Blücher, *Correspondance*, lettre du 30 mars 1952, p. 218.
40. *Ibid.*
41. *Ibid.*, lettre du 11 avril 1952, pp. 221-222.
42. Hannah Arendt, *Qu'est-ce que la politique ?*, texte établi et commenté par Ursula Ludz, traduit et préfacé par Sylvie Courtine-Denamy, Seuil, 1995.
43. Initialement publié en janvier 1954 dans la revue *Critique*, repris en février 1985 dans la revue *Commentaire*, et enfin publié dans *Machiavel et les tyrannies modernes*, De Fallois, 1993, rééd. Biblio-essais, Le Livre de Poche, 1995, pp. 203-221.
44. Hannah Arendt et Karl Jaspers, *Correspondance*, *op. cit.*, lettre n° 115 du 25 janvier 1952, p. 256.
45. Raymond Aron, *Machiavel et les tyrannies modernes*, *op. cit.*, p. 215.
46. Raymond Aron, *Démocratie et Totalitarisme*, Gallimard, 1965, rééd. Folio Essais, 1987.
47. Léon Poliakov, *Le Bréviaire de la haine*, Calmann-Lévy, 1951.
48. Hannah Arendt, lettre à Eric Voegelin du 22 avril 1951, fonds de la New School, New York.
49. Hannah Arendt et Heinrich Blücher, *Correspondance*, lettre du 24 avril 1952, p. 231, lettre du 17 avril 1952, p. 227.
50. Voir François Furet, *Le Passé d'une illusion*, *op. cit.*
51. Hannah Arendt et Heinrich Blücher, *Correspondance*, lettre du 17 avril 1952, p. 227.
52. *Ibid.*, lettre du 10 mai 1952, p. 240.
53. *Ibid.*, lettre du 2 août 1952, p. 291.
54. *Ibid.*, lettre du 1er mai 1952, p. 233.
55. *Ibid.*, lettre du 18 avril 1952, p. 230.
56. *Ibid.*, lettre du 8 mai 1952, p. 237.
57. *Ibid.*, p. 238.
58. *Ibid.*, lettre du 23 mai 1952, p. 247.
59. *Ibid.*, lettre du 18 mai 1952, p. 246.
60. *Ibid.*, lettre du 24 mai 1952, p. 249.
61. *Ibid.*
62. *Ibid.*
63. *Ibid.*, p. 250.
64. Hannah Arendt et Martin Heidegger, *Lettres et autres documents*, *op. cit.*, lettre du 15 décembre 1952. C'est Heidegger qui souligne.
65. *Ibid.*, lettre du 23 mai 1952, pp. 246-247.
66. *Ibid.*, lettre du 24 mai 1952, p. 250.
67. *Ibid.*, lettre du 5 juin 1952, p. 134. C'est Heidegger qui souligne.
68. Correspondance, fonds de la New School, New York.
69. Hannah Arendt et Heinrich Blücher, *Correspondance*, *op. cit.*, lettre du 13 juin 1952, p. 260.

70. Hannah Arendt, *Penser l'événement*, recueil d'articles politiques, traduit sous la direction de Claude Habib, Belin, 1989.
71. Hannah Arendt et Kurt Blumenfeld, *Correspondance*, lettre n° 17 à Kurt Blumenfeld du 6 août 1952, p. 88.
72. *Ibid.*, lettre n° 17 du 6 août 1952, p. 88.
73. Hannah Arendt et Heinrich Blücher, *Correspondance*, *op. cit.*, lettre du 1er août 1952, p. 290.
74. *Ibid.*, lettre du 2 août 1952, p. 292.
75. *Ibid.*, lettre du 7 août 1952, p. 293.
76. *Ibid.*
77. Hannah Arendt et Kurt Blumenfeld, *Correspondance, op. cit.*, lettre n° 19 du 14 octobre 1952, p. 96.
78. Hannah Arendt et Martin Heidegger, *Lettres et autres documents*, *op. cit.*, lettre du 15 décembre 1952, pp. 134-135.
79. *Ibid.*, p. 136.
80. Martin Heidegger, *Lettre sur l'humanisme*, in *Questions III-IV*, Gallimard, 1990.
81. Martin Heidegger, *Correspondance avec Karl Jaspers*, *op. cit.*, lettre n° 149 du 24 juillet 1952, p. 192.
82. Hannah Arendt et Karl Jaspers, *Correspondance*, *op. cit.*, lettre n° 137 à Gertrud Jaspers du 1er novembre 1952, p. 291.
83. Hannah Arendt et Mary McCarthy, *Correspondance*, *1949-1975*, réunie, présentée et annotée par Carol Brightman, traduit par Françoise Adelstain, Stock, 1996, lettre du 7 octobre 1952.
84. Lettre de David Riesman du 26 août 1949, cité par Elisabeth Young-Bruehl, *op. cit.*, p. 334.
85. Publié dans l'édition « Quarto », des *Origines du totalitarisme*, *op. cit.*, pp. 875-879.
86. Hannah Arendt et Karl Jaspers, *Correspondance*, *op. cit.*, lettre n° 107 du 7 janvier 1951, p. 239.
87. Martin Heidegger, *Lettre sur l'humanisme*, in *Questions III-IV*, *op. cit.*
88. Hannah Arendt et Karl Jaspers, *Correspondance*, *op. cit.*, lettre n° 138 du 29 décembre 1952, p. 294.
89. *Ibid.*, lettre n° 142 du 13 mai 1953, p. 307.
90. « *Ideology and Terror : A Novel Form of Government* », *Review of Politics*, 15 juillet 1953. Intégré aux *Origines du totalitarisme*, *op. cit.*, dont il devient le chapitre XIII, Quarto, pp. 860-874.
91. Hannah Arendt, *Les Origines du totalitarisme*, *op. cit.*, pp. 822-823.
91*bis*. *Ibid.*, pp. 834-835.
92. *Ibid.*, p. 838.
93. *Ibid.*
94. Hannah Arendt et Karl Jaspers, *Correspondance*, *op. cit.*, lettre n° 141 du 3 avril 1953, p. 298.
95. Publié par *Commonwealth*, puis repris le 31 juillet 1953 par le *Washington Post*. Traduit *in* Hannah Arendt, *Penser l'événement*, dans le chapitre intitulé « L'Amérique du maccarthysme et l'épuration de la terreur », *op. cit.*
96. Hannah Arendt et Kurt Blumenfeld, *Correspondance*, lettre n° 31 du 16 novembre 1953, p. 127.
97. *Ibid.*
98. *Ibid.*, p. 128.
99. « *Understanding and Politics* », *Partisan Review*, septembre-octobre 1953. Traduit in *Penser l'événement*, *op. cit.* Sur la pensée politique de Hannah, il faut lire l'admirable ouvrage d'André Enegren, *La Pensée politique de Hannah Arendt*, PUF, 1984.

100. Hannah Arendt, *Journal de pensée*, *op. cit.*, § 24, novembre 1953, p. 501.
101. « Compréhension et politique », *art. cit.*
102. Hannah Arendt, *Condition de l'homme moderne*, traduit par G. Fradier et préfacé par Paul Ricœur, Calmann-Lévy, 1983.
103. Hannah Arendt et Karl Jaspers, *Correspondance*, *op. cit.*, lettre n° 152 du 21 décembre 1953, p. 332.
104. *Ibid.*, lettre n° 153 du 7 février 1954, pp. 334-335.
105. *Ibid.*, lettre n° 154 du 19 février 1954, p. 336.
106. Prix « Arts et lettres » pour *Les Origines du totalitarisme*, décerné par le *National Institute of Arts and Letters*, fondé en 1898 et comptant deux cent cinquante membres. En 1964, elle en rejoindra le jury comme membre permanent.
107. Hannah Arendt et Karl Jaspers, *Correspondance*, *op. cit.*, lettre n° 155 du 9 mai 1954, p. 338.
108. *Commonwealth*, 24 septembre 1954, repris dans *Penser l'événement*, *op. cit.*
109. Hannah Arendt et Kurt Blumenfeld, *Correspondance*, *op. cit.*, lettre du 29 mars 1953, p. 113.
110. *Ibid.*, p. 114.
111. *Ibid.*, lettre n° 28 du 18 mai 1953, p. 120.
112. *Ibid.*, lettre n° 30 du 26 octobre 1953, p. 124.
113. *Ibid.*, p. 125.
114. *Ibid.*, lettre n° 31 du 16 novembre 1953, pp. 128-129.
115. Hannah Arendt, *Journal de pensée*, *op. cit.*, août 1954, § 30, p. 685.
116. Hannah Arendt et Kurt Blumenfeld, *Correspondance*, *op. cit.*, lettre n° 33 du 24 mai 1954, p. 133.
117. Hannah Arendt et Heinrich Blücher, *Correspondance*, *op. cit.*, lettre du 30 mars 1955, p. 327.
118. *Ibid.*, lettre du 8 mars 1955, p. 320.
119. Hannah Arendt et Karl Jaspers, *Correspondance*, *op. cit.*, lettre n° 165 du 26 mars 1955, p. 362.
120. *Ibid.*, p. 363.
121. Hannah Arendt et Kurt Blumenfeld, *Correspondance*, *op. cit.*, lettre n° 41 du 9 mai 1955, p. 162.
122. Hannah Arendt et Karl Jaspers, *Correspondance*, *op. cit.*, lettre n° 169 du 6 août 1955, p. 370.
123. Publiée en octobre 1956 dans *Review of Politics*.
124. Hannah Arendt et Heinrich Blücher, *Correspondance*, *op. cit.*, lettre du 13 septembre 1955, p. 362.
125. *Ibid.*, lettre datée de mi-septembre 1955, p. 366.
126. *Ibid.*, lettre du 17 septembre 1955, p. 363.
127. Hannah Arendt et Kurt Blumenfeld, *Correspondance*, *op. cit.*, lettre n° 44 du 11 juillet 1955, p. 167.
128. Hannah Arendt et Heinrich Blücher, *Correspondance*, *op. cit.*, lettre du 18 octobre 1955, p. 376.
129. *Ibid.*
130. *Ibid.*, lettre de mi-octobre 1955, p. 377.
131. *Ibid.*, lettre du 22 octobre 1955, p. 378.
132. *Ibid.*
133. *Ibid.*
134. *Ibid.*, p. 379.
135. *Ibid.*, lettre du 28 octobre 1955, p. 380.
136. *Ibid.*, lettre du 6 novembre 1955, p. 385. Elle prévoit la rédaction de ce manuscrit, en allemand, pour l'été 1956, juste après la série de conférences qu'elle a acceptées pour le printemps de la même année.

137. *Ibid.*, lettre du 14 novembre 1955, p. 389.
138. *Ibid.*, lettre du 28 novembre 1955, p. 394.
139. *Ibid.*, lettre du 13 décembre 1955, p. 400.

XIII. MANGEUSE DE LIVRES

1. Hannah Arendt et Karl Jaspers, *Correspondance*, *op. cit.*, lettre n° 179 du 29 décembre 1955, p. 380.
2. *Ibid.*, lettre n° 182 du 17 février 1956, p. 391.
3. *Ibid.*, lettre n° 184 du 12 avril 1956, pp. 395-396.
4. *Ibid.*, lettre n° 187 du 1er juillet 1956, p. 402.
5. Hannah Arendt et Kurt Blumenfeld, *Correspondance*, *op. cit.*, lettre n° 54 du 31 juillet 1956, pp. 198-199.
6. *Ibid.*, lettre n° 56 du 2 août 1956, p. 209.
7. Hannah Arendt et Heinrich Blücher, *Correspondance*, *op. cit.*, lettre du 9 octobre 1956, p. 405.
8. Hannah Arendt et Karl Jaspers, *Correspondance*, *op. cit.*, lettre du 13 octobre 1956.
9. *Ibid.*, lettre n° 199 du 16 octobre 1956, pp. 417-418.
10. Hannah Arendt et Heinrich Blücher, *Correspondance*, *op. cit.*, lettre de la deuxième quinzaine d'octobre 1956, p. 408.
11. *Ibid.*, lettre du 24 octobre 1956, p. 410.
12. Martin Heidegger, *Correspondance avec Karl Jaspers*, *op. cit.*, lettre n° 151 du 3 avril 1953, p. 194.
13. Hannah Arendt et Heinrich Blücher, *Correspondance*, *op. cit.*, lettre du 31 octobre 1956, p. 412.
14. *Ibid.*, lettre du 24 octobre 1956, p. 410.
15. *Ibid.*, lettre du 31 octobre 1956, p. 412.
16. *Ibid.*, lettre du 5 novembre 1956, p. 415.
17. En français *Condition de l'homme moderne*, traduit par Georges Fradier, Calmann-Lévy, 1961, réédité en 1988 avec une préface de Paul Ricœur, Presses Pocket. Je me référerai à cette édition. *The Human Condition* est également le titre du premier chapitre consacré à la *Vita activa*.
18. *Ibid.*, p. 38.
19. *Ibid.*
20. *Ibid.*, Préface de Paul Ricœur, p. 14.
21. *Ibid.*, p. 43.
22. *Ibid.*, Préface de Paul Ricœur, p. 17.
23. *Ibid.*, p. 18.
24. *Ibid.*, p. 242.
25. Hannah Arendt et Heinrich Blücher, *Correspondance*, lettre du 18 mai 1952, p. 246.
26. *Journal de pensée*, *op. cit.*, § 12, mai 1952, p. 231.
27. *Condition de l'homme moderne*, *op. cit.*, p. 314.
28. *Ibid.*
29. Hannah Arendt, *La Crise de la culture : huit exercices de pensée politique*, traduit sous la direction de Patrick Lévy, Gallimard, 1972. L'édition de 1957 ne comportait encore que quatre essais.
30. Hannah Arendt et Karl Jaspers, *Correspondance*, lettre n° 205 du 24 février 1957, p. 430.

31. *Ibid.*, lettre n° 206 du 14 avril 1957, p. 432. Hannah précise que le nombre de Juifs allemands ne cesse de croître, passant de soixante-dix à quatre-vingt mille personnes. « Et sans judaïsme allemand, il ne peut y avoir de judaïsme européen, du moins si nous nous en tenons à ce que nous apprend l'histoire. » Le judaïsme est donc pour elle, d'abord et par essence, européen.

32. Hannah Arendt et Kurt Blumenfeld, *Correspondance, op. cit.*, lettre n° 65 du 9 janvier 1957, p. 229.

33. Hannah Arendt et Karl Jaspers, *Correspondance, op. cit.*, lettre n° 205 du 24 février 1957, p. 429.

34. *Ibid.*, lettre n° 211 du 16 septembre 1957, pp. 442-444 et lettres suivantes. Par la suite, Hannah réussira à faire publier de nombreuses œuvres de Jaspers et une partie de leur correspondance portera sur les problèmes de contrats avec les éditeurs et de choix des traducteurs.

35. « *Authority in the Twentieth Century* », *Review of Politics*, n° 48, 14 octobre 1956.

36. Hannah Arendt et Karl Jaspers, *Correspondance, op. cit.*, lettre n° 214 du 4 novembre 1957, pp. 449-450.

37. « Qu'est-ce que l'autorité ? », in *La Crise de la culture, op. cit.*, pp. 121-185.

38. Et notamment dans « *The Modern Concept of History* », *Review of Politics*, n° 20, 4 octobre 1958, et figurant dans *La Crise de la culture, op. cit.*, sous le titre « Le Concept d'histoire », pp. 58-120.

39. Hannah Arendt, « Qu'est-ce que l'autorité ? », in *La Crise de la culture, op. cit.*, p. 135.

40. *Ibid.*, note 16, p. 368.

41. Hannah Arendt et Kurt Blumenfeld, *Correspondance, op. cit.*, lettre n° 74 du 19 mai 1957, p. 249.

42. Mary McCarthy, *Dis-moi qui tu hantes*, traduit par Angélique Lévi, Stock, 1963.

43. *Les Origines du totalitarisme, op. cit.*, p. 896.

44. *Ibid.*, p. 938.

45. Hannah Arendt et Mary McCarthy, *Correspondance, op. cit.* Voir lettre du 7 juin 1957, p. 93.

46. *Ibid.*, p. 93.

47. Hannah Arendt et Kurt Blumenfeld, *Correspondance, op. cit.*, lettre n° 78 du 16 décembre 1957, p. 256.

48. *Journal de pensée, op. cit.*, fin 1957, § 37, pp. 778-779.

49. « *Reflections on Little Rock* », *Dissent*, n° 611, hiver 1959, repris dans *Journal of Politics*, mai-juin 1973 et traduit en français sous le titre « Réflexions sur Little Rock », dans *Penser l'événement, op. cit.*, pp. 230-240.

50. *Ibid.*, p. 240.

51. Hannah Arendt, lettre du 1er février 1958 aux rédacteurs de *Commentary*, citée par Elisabeth Young-Bruehl, *op. cit.*, p. 409.

52. Le texte ne sera publié qu'à l'hiver 1959. Sur la polémique qu'entraîne le texte de Hannah dans *Commentary*, lire l'autobiographie de Norman Podhoretz (rédacteur en chef de la revue), intitulée *Making it*.

53. Elisabeth Young-Bruehl, *op. cit.*, p. 411.

54. *Penser l'événement, op. cit.*, introduction.

55. Bourse obtenue en 1959. Voir Elisabeth Young-Bruehl, *op. cit.*, p. 411.

56. Hannah Arendt et Karl Jaspers, *Correspondance, op. cit.* lettre n° 183 du 7 avril 1956, p. 394.

57. *Ibid.*, lettre n° 216 du 18 novembre 1957, p. 455.

58. *Ibid.*, lettre n° 223 du 5 mars 1958, p. 469.

59. Hannah Arendt et Kurt Blumenfeld, *Correspondance*, *op. cit.*, lettre n° 87 du 29 avril 1958, p. 277.
60. Hannah Arendt et Heinrich Blücher, *Correspondance*, *op. cit.*, lettre du 4 mai 1958, p. 419.
61. *Ibid.*, lettre du 11 mai 1958, p. 423.
62. *Ibid.*, lettre du 25 mai 1958, p. 428.
63. *Ibid.*, p. 429.
64. Karl Jaspers, *La Bombe atomique et l'avenir de l'homme*, traduit par Edmond Saget, Buchet-Chastel, 1963.
65. Hannah Arendt et Heinrich Blücher, *Correspondance*, *op. cit.*, lettre du 8 juin 1958, p. 434.
66. *Ibid.*, lettre du 15 juin 1958, p. 436.
67. *Ibid.*, lettre du 17 juin 1958, p. 438.
68. *Ibid.*, lettre datée de début juillet 1958, pp. 442-443.
69. Hannah Arendt et Kurt Blumenfeld, *Correspondance*, *op. cit.*, lettre n° 90 du 16 juillet 1958, p. 280.
70. *Ibid.*, lettre n° 91 du 15 août 1958, p. 284.
71. Cet éloge sera publié en français dans *Vies politiques*, Gallimard, 1974, coll. Tel, pp. 83-93.
72. Hannah Arendt et Karl Jaspers, *Correspondance*, *op. cit.*, lettre n° 232 du 12 octobre 1958, p. 485.
73. *Ibid.*, lettre n° 233 du 16 novembre 1958, p. 487.
74. Hannah Arendt et Martin Heidegger, *Correspondance*, *op. cit.*, lettre n° 89 du 28 octobre 1960, p. 147.
75. *Ibid.*, lettre n° 91 du 6 octobre 1966, p. 152.
76. Hannah Arendt et Kurt Blumenfeld, *Correspondance*, *op. cit.*, lettre n° 98 du 1er février 1959, p. 292.
77. Hannah Arendt et Karl Jaspers, *Correspondance*, *op. cit.*, lettre n° 234 du 31 décembre 1958, p. 491.
78. Référence aux premiers vers du poème de Bertolt Brecht « À ceux qui naîtront après nous », dans le cycle des *Poèmes de Svendborg*, éditions de l'Arche, 1966.
79. Publié en Allemagne (Munich) par Piper Verlag en 1960 et traduit par Barbara Cassin et Patrick Lévy in *Vies politiques*, *op. cit.*, pp. 11-41.
80. *Ibid.*, p. 29.
81. *Ibid.*, p. 80. Voir aussi *Journal de pensée*, *op. cit.*, janvier 1952, pp. 181-182, ainsi que le chapitre « L'action » dans *Condition de l'homme moderne*, *op. cit.*
81*bis*. *Ibid.*, p. 40.
82. Hannah Arendt et Karl Jaspers, *Correspondance*, *op. cit.*, lettre n° 249 du 3 octobre 1959, p. 516.
83. *Ibid.*, lettre de Karl Jaspers à Heinrich Blücher n° 253 datée du 28 octobre 1959, p. 520.
84. Hannah Arendt et Heinrich Blücher, *Correspondance*, *op. cit.*, lettre du 18 octobre 1959, p. 460.
85. *Ibid.*, lettre de mi-octobre 1959, p. 458.
86. Hannah Arendt et Karl Jaspers, *Correspondance*, *op. cit.*, lettre n° 254 du 3 janvier 1960, p. 522.
87. *Ibid.*, lettre n° 255 du 29 février 1960, p. 525.
88. « *Society and Culture* », *Daedalus*, printemps 1960. Cet article donnera son titre à l'ouvrage *La Crise de la culture*, *op. cit.*, dont il constitue le chapitre VI, « La crise de la culture. Sa portée sociale et politique », traduit par Barbara Cassin sous la direction de Patrick Lévy, pp. 253-288.
89. *Ibid.*, p. 266.
90. Hannah Arendt et Mary McCarthy, *Correspondance*, *op. cit.*, lettre du 18 mai 1960, p. 129.

91. *Ibid.*, lettre du 25 mai 1960, p. 134.

92. La Northwestern University est une université privée située à Evanston, dans l'Illinois, et la Wesleyan, une autre université privée qui se trouve à Middletown, dans le Connecticut.

93. Hannah Arendt et Mary McCarthy, *Correspondance*, *op. cit.*, lettre du 20 juin 1960, p. 137.

XIV. GRAND REPORTER

1. Merci à Annette Wieviorka qui m'a donné son temps et son énergie pour me faire comprendre les enjeux du procès Eichmann. Voir son livre synthétique et lumineux, *Le Procès Eichmann*, Complexe, 1989. Les autres ouvrages fondamentaux pour comprendre le procès sont ceux de Léon Poliakov, *Le Procès de Jérusalem*, Calmann-Lévy, 1963 ; de Gideon Hausner, *Justice à Jérusalem, Eichmann devant ses juges*, Flammarion, 1975 ; de Haïm Gouri, *La Cage de verre*, Albin Michel, 1964, et de Raul Hilberg, *La Politique de la mémoire*, Gallimard, 1994. Merci aussi à Rony Brauman, qui m'a aidée à approfondir les problématiques du procès. Voir son film *Un spécialiste* et son livre écrits avec Eyal Sivan, *Éloge de la désobéissance : à propos d'« un spécialiste », Adolf Eichmann*, Le Pommier, 1999.

2. Hannah Arendt et Karl Jaspers, *Correspondance*, *op. cit.*, lettre n° 265 du 4 octobre 1960, p. 544.

3. Hannah Arendt et Mary McCarthy, *Correspondance*, *op. cit.*, lettre du 8 octobre 1960, p. 160.

4. *Ibid.*

5. In *Journal de pensée*, *op. cit.*, janvier 1961, § 16, p. 808.

6. Hannah Arendt et Karl Jaspers, *Correspondance*, *op. cit.*, lettre n° 267 du 14 octobre 1960, pp. 546-547.

7. *Ibid.*, lettre n° 271 du 2 décembre 1960, p. 553.

8. *Ibid.*, p. 554.

9. *Ibid.*

10. *Ibid.*, lettre n° 274 du 23 décembre 1960, pp. 560-561.

11. *Ibid.*

12. *Ibid.*, p. 561.

13. *Ibid.*

14. *Ibid.*

15. Voir l'introduction de Pierre Bouretz à *Eichmann à Jérusalem*, publié dans le même volume que *Les Origines du totalitarisme*, *op. cit.*, p. 984, et Elisabeth Young-Bruehl, *op. cit.*, p. 447.

16. Hannah Arendt et Karl Jaspers, *Correspondance*, *op. cit.*, lettre n° 274 du 23 décembre 1960, p. 563.

17. *Ibid.*

18. Hannah Arendt et Heinrich Blücher, *Correspondance*, *op. cit.*, lettre du 20 avril 1961, p. 477.

19. *Ibid.*

20. Hannah Arendt et Karl Jaspers, *Correspondance*, *op. cit.*, lettre n° 274 du 23 décembre 1960, p. 563.

21. *Ibid.*, lettre n° 273 du 16 décembre 1960, p. 558.

22. *Ibid.*

23. *Ibid.*, lettre n° 274 du 23 décembre 1960, p. 564.

24. *Ibid.*, lettre n° 275 du 31 décembre 1960, p. 566.

25. *Ibid.*, lettre n° 277 du 5 février 1961, p. 571.

26. *Ibid.*

27. *Ibid.*, lettre n° 284 du 3 avril 1961, p. 584.
28. Hannah Arendt et Heinrich Blücher, *Correspondance*, *op. cit.*, lettre datée de mi-avril 1961, p. 472.
29. *Ibid.*, lettre du 15 avril 1961, p. 473.
30. Hannah Arendt et Karl Jaspers, *Correspondance*, *op. cit.*, lettre n° 271 du 2 décembre 1960, p. 553.
31. *Ibid.*, lettre n° 272 du 14 décembre 1960, p. 555.
32. Hannah Arendt et Heinrich Blücher, *Correspondance*, *op. cit.*, lettre du 15 avril 1961, p. 474.
33. Jean-Marc Théolleyre, *Le Monde*, 13 avril 1961.
34. Hannah Arendt et Heinrich Blücher, *Correspondance*, *op. cit.*, lettre du 15 avril 1961, p. 474.
35. Hannah Arendt, *Eichmann à Jérusalem*, *op. cit.*, p. 1270.
36. Hannah Arendt et Karl Jaspers, *Correspondance*, *op. cit.*, lettre n° 285 du 13 avril 1961, p. 585.
37. *Ibid.*
38. *Ibid.*
39. Gideon Hausner, *Justice à Jérusalem*, *op. cit.*
40. Voir Haïm Gouri, *La Cage de verre*, *op. cit.*
41. Hannah Arendt, *Eichmann à Jérusalem*, *op. cit.*, p. 1023.
42. Hannah Arendt et Karl Jaspers, *Correspondance*, *op. cit.*, lettre n° 285 du 13 avril 1961, p. 585.
43. Hannah Arendt et Heinrich Blücher, *Correspondance*, *op. cit.*, lettre du 15 avril 1961, p. 474.
44. Hannah Arendt et Karl Jaspers, *Correspondance*, *op. cit.*, lettre n° 285 du 13 avril 1961, p. 587.
45. Peies, c'est-à-dire orthodoxes.
46. *Ibid.*
47. *Ibid.*, p. 586.
48. *Ibid.*
49. *Ibid.*
50. *Ibid.*, p. 585.
51. Hannah Arendt et Heinrich Blücher, *Correspondance*, *op. cit.*, lettre du 15 avril 1961, p. 474.
52. *Ibid.*
53. Voir Jean-Marc Théolleyre, *Le Monde*, 13 avril 1961 et Haïm Gouri, *La Cage de verre*, *op. cit.*
54. Hannah Arendt et Heinrich Blücher, *Correspondance*, *op. cit.*, lettre du 20 avril 1961, p. 474.
55. *Ibid.*, p. 476.
56. Voir la préface d'Avner Less à l'ouvrage de Jochen von Lang, écrit avec la collaboration de Claus Sibyll, *Eichmann : l'interrogatoire*, traduit par Jean-Marie Argelès, Belfond, 1984.
57. Hannah Arendt et Heinrich Blücher, *Correspondance*, *op. cit.*, lettre du 20 avril 1961, p. 476.
58. *Ibid.*, pp. 476-477.
59. C'est ce que suggère Léon Poliakov dans *Le Procès de Jérusalem*, *op. cit.*
60. Cité par Léon Poliakov, *Le Procès de Jérusalem*, *op. cit.*
61. Hannah Arendt et Heinrich Blücher, *Correspondance*, *op. cit.*, lettre du 20 avril 1961, p. 476.
62. *Ibid.*, lettre du 25 avril 1961, pp. 479-480.
63. *Ibid.*, p. 480.
64. Léon Poliakov, *Le Procès de Jérusalem*, *op. cit.*

65. In *Eichmann par Eichmann*, texte établi par Pierre Joffroy et Karin Königseder, préface d'Avner Less, postface de Pierre Joffroy, Grasset, 1971.

66. Hannah Arendt et Heinrich Blücher, *Correspondance*, *op. cit.*, lettre du 26 avril 1961, p. 482.

67. Hannah Arendt et Karl Jaspers, *Correspondance*, *op. cit.*, lettre n° 287 du 25 avril 1961, p. 589.

68. Léon Poliakov, *Le Procès de Jérusalem*, *op. cit.*

69. *Ibid.*

70. *Le Monde* du 3 mai 1961.

71. Hannah Arendt et Heinrich Blücher, *Correspondance*, *op. cit.*, lettre du 6 mai 1961, p. 484.

72. *Ibid.*

73. Haïm Gouri, *La Cage de verre*, *op. cit.*

74. Hannah Arendt, *Eichmann à Jérusalem*, *op. cit.*, p. 1136.

75. Hannah Arendt et Heinrich Blücher, *Correspondance*, *op. cit.*, lettre du 6 mai 1961, p. 485.

76. *Ibid.*, lettre du 8 mai 1961, p. 487.

77. *Ibid.*, p. 488.

78. Correspondance inédite, fonds de la New School, New York.

79. *Ibid.*

80. Hannah Arendt et Mary McCarthy, *Correspondance*, *op. cit.*, lettre du 31 mai 1961, p. 187.

81. Sur Günther Anders voir Claude Eatherly, *Avoir détruit Hiroshima*, correspondance de Claude Eatherly avec Günther Anders, traduit par Pierre Kamnitzer, Robert Laffont, 1962. Revues *Austriaca*, n° 35, 1992, deux entretiens avec Günther Anders, et *Conférence*, n° 14, 2002, Günther Anders, « L'Humanité dépassée ».

82. Jean-Pierre Dupuy, *Petite Métaphysique des tsunamis*, Seuil, 2005, et son interview dans *Le Nouvel Observateur*, 23 juin 2005, pp. 38-39.

83. En anglais, « *A report on the Banality of Evil* ». Pour ces textes, Hannah Arendt a voulu travailler comme journaliste faisant le compte rendu d'un procès. C'est pourquoi il conviendrait plutôt de parler de reportage ou de compte rendu judiciaire sur la banalité du mal.

84. Hannah Arendt et Karl Jaspers, *Correspondance*, *op. cit.*, lettre n° 293 du 6 août 1961, p. 600.

85. *Ibid.*, lettre n° 295 de Heinrich Blücher à Karl Jaspers du 5 septembre 1961, 605.

86. *Ibid.*, lettre n° 293 du 6 août 1961, p. 600.

87. *Ibid.*, p. 601.

88. *Ibid.*, p. 600.

89. *Ibid.*, lettre n° 297 du 1er novembre 1961, p. 612.

90. *Ibid.*, lettre n° 298 du 6 novembre 1961, p. 617.

91. *Ibid.*, lettre n° 296 du 13 septembre 1961, p. 609.

92. *Ibid.*, lettre n° 293 du 6 août 1961, p. 603.

93. *Ibid.*, lettre n° 294 du 18 août 1961, p. 605.

94. *Ibid.*, lettre n° 297 du 1er novembre 1961, p. 613.

95. Hannah Arendt, *Essai sur la Révolution*, traduit par Michel Chrestien, Gallimard, 1985.

96. Hannah Arendt et Karl Jaspers, *Correspondance*, *op. cit.*, lettre n° 301 du 30 décembre 1961, p. 627.

97. Hannah Arendt et Mary McCarthy, *Correspondance*, *op. cit.*, lettre du 11 janvier 1962, p. 189.

98. *Ibid.*, p. 192.

99. Hannah Arendt et Karl Jaspers, *Correspondance*, *op. cit.*, lettre n° 301 du 30 décembre 1961, p. 627.
100. *Ibid.*, p. 192.
101. Fonds inédit de la New School, New York.
102. Elisabeth Young-Bruehl, *op. cit.*, pp. 438-439.
103. Hannah Arendt et Karl Jaspers, *Correspondance*, *op. cit.*, lettre n° 303 du 19 février 1962, p. 631.
104. Hannah Arendt et Mary McCarthy, *Correspondance*, *op. cit.*, lettre du 4 avril 1962, p. 196.
105. Hannah Arendt et Karl Jaspers, *Correspondance*, *op. cit.*, lettre n° 306 du 31 mars 1962, p. 635.
106. *Ibid.*, p. 636.
107. *Ibid.*, lettre n° 309 du 5 avril 1962, p. 639.
108. *Ibid.*

XV. CONTROVERSÉE

1. Hannah Arendt et Mary McCarthy, *Correspondance*, *op. cit.*, lettre du 20 mai 1962, p. 202.
2. Mentionnons en France Jean Pierre-Bloch, Henry Torrès, Daniel Mayer, Edmond Fleg, entre autres ; voir Annette Wieviorka, *op. cit.*, p. 112.
3. Hannah Arendt et Mary McCarthy, *Correspondance*, *op. cit.*, lettre du 7 juin 1962, p. 209.
4. Cité par Annette Wieviorka, *op. cit.*, p. 113.
5. Hannah Arendt et Mary McCarthy, *Correspondance*, *op. cit.*, lettre du 7 juin 1962, p. 209.
6. Cité *in* Léon Poliakov, *Le Procès de Jérusalem*, *op. cit.*
7. Hannah Arendt et Mary McCarthy, *Correspondance*, *op. cit.*, lettre du 7 juin 1962, p. 209.
8. Peter Novick, *L'Holocauste dans la vie américaine*, *op. cit.*
9. Hannah Arendt et Kurt Blumenfeld, *op. cit.*, lettre n° 124 du 11 septembre 1962, pp. 336-337.
10. Hannah Arendt, *Eichmann à Jérusalem*, *op. cit.*, p. 1277.
11. *Ibid.*, pp. 1277-1278.
12. Hannah Arendt et Mary McCarthy, *Correspondance*, *op. cit.*, lettre du 30 octobre 1962, p. 216.
13. Fonds de la New School, New York.
14. Hannah Arendt et Karl Jaspers, *Correspondance*, *op. cit.*, lettre n° 312 du 17 septembre 1962, p. 643.
15. Hannah Arendt et Heinrich Blücher, *Correspondance*, *op. cit.*, lettre de mi-mars 1963, p. 513.
16. Hannah Arendt et Karl Jaspers, *Correspondance*, *op. cit.*, lettre n° 324 du 14 avril 1963, p. 669.
17. *Ibid.*, lettre n° 329 du 29 mai 1963, p. 677.
18. *Ibid.*, lettre n° 324 du 14 avril 1963, p. 669.
19. *Ibid.*, lettre n° 329 du 29 mai 1963, p. 677.
20. *Ibid.*, lettre n° 331 du 20 juillet 1963, p. 680.
21. *Ibid.*, p. 681.
22. *Ibid.*

23. Hannah Arendt, *Eichmann à Jérusalem*, *op. cit.*, « Note au lecteur » de juin 1964, traduite par Martine Leibovici, p. 1017. Voir aussi la « Note sur la révision de la traduction » par Martine Leibovici, p. 1014.

24. Pierre Vidal-Naquet, *Les Assassins de la mémoire, « Un Eichmann de papier » et autres essais sur le révisionnisme*, La Découverte, 1987, rééd. 1995.

25. Martine Leibovici, « Note sur la révision de la traduction » in *Eichmann à Jérusalem*, *op. cit.*, p. 1014.

26. Hannah Arendt, *Eichmann à Jérusalem*, *op. cit.*, p. 1293.

27. *Ibid.*

28. *Ibid.*, p. 1294.

29. Hannah Arendt et Mary McCarthy, *Correspondance*, *op. cit.*, lettre du 23 juin 1964, p. 253.

30. Cité par Elisabeth Young-Bruehl, *op. cit.*, p. 444. Il s'agit de notes rédigées pour une conférence prononcée à l'université de Wesleyan le 11 janvier 1962.

31. *Ibid.*, p. 491. Hannah Arendt utilise cette expression dans une lettre adressée le 18 juillet 1963 à Meyer-Cronemeier.

32. Pierre Bouretz, Introduction à *Eichmann à Jérusalem*, *op. cit.*, p. 1007.

33. Hannah Arendt, *Eichmann à Jérusalem*, *op. cit.*, p. 1029.

34. *Ibid.*, p. 1023.

35. Gideon Hausner, *Justice à Jérusalem*, préface de René Cassin, introduction par Barbara Tuchman, traduit par Pierre Javet, Flammarion, 1966.

36. Fonds de la New School, New York, texte non daté.

37. Hannah Arendt, *Eichmann à Jérusalem*, *op. cit.*, p. 1030.

38. *Ibid.*, p. 1035.

39. *Ibid.*, p. 1040.

40. *Ibid.*, p. 1039.

41. *Ibid.*, p. 1042.

42. *Ibid.*

43. *Ibid.*, p. 1044.

44. *Ibid.*, p. 1065.

45. *Ibid.*, p. 1070.

46. Cité *in* Annette Wieviorka, *op. cit.* Voir aussi Léon Poliakov, *op. cit.*

47. *Ibid.*, p. 1110.

48. *Ibid.*

49. *Ibid.*, p. 1118.

50. *Ibid.*, p. 1112.

51. *Ibid.*, p. 1114.

52. *Ibid.*, p. 1113.

53. *Ibid.*, p. 1118.

54. *Ibid.*, p. 1110.

55. *Ibid.*, p. 1129.

56. *Ibid.*, p. 1130.

57. *Ibid.*, p. 1131.

58. *Ibid.*

59. *Ibid.*, p. 1132.

60. Raul Hilberg, *La Destruction des Juifs d'Europe*, traduit par Marie-France de Paloméra et André Charpentier, Fayard, 1988, rééd. Gallimard, Folio Histoire, 1991.

61. *Ibid.*

62. Franz Neumann, *Béhémoth : structure et pratique du national-socialisme, 1933-1944*, traduit par Gilles Dauvé, avec la collaboration de Jean-Louis Boireau, Payot, 1987.

63. Léon Poliakov, *Le Bréviaire de la haine, le IIIe Reich et les Juifs*, *op. cit.*

64. Plus largement, voir Raul Hilberg, *La Politique de la mémoire*, traduit par Marie-France de Paloméra, Gallimard, 1996.
65. Hannah Arendt et Karl Jaspers, *Correspondance*, *op. cit.*, lettre n° 351 du 20 avril 1964, p. 731.
66. Hannah Arendt, *Eichmann à Jérusalem*, *op. cit.*, p. 1132.
67. *Ibid.*, p. 1133.
68. *Ibid.*, p. 1134.
69. *Ibid.*, p. 1135.
70. Voir Peter Novick, *L'Holocauste dans la vie américaine*, *op. cit.*, p. 199.
71. Hannah Arendt, *Eichmann à Jérusalem*, *op. cit.*, p. 1139.
72. Cité par Peter Novick, *L'Holocauste dans la vie américaine*, *op. cit.*, p. 202.
73. Hannah Arendt, *Eichmann à Jérusalem*, *op. cit.*, p. 1149.
74. *Ibid.*, pp. 1149-1150.
75. *Ibid.*, p. 1167.
76. *Ibid.*, p. 1183.
77. *Ibid.*, p. 1187.
78. *Ibid.*
79. *Ibid.*, p. 1201.
80. *Ibid.*, p. 1284.
81. *Ibid.*, pp. 1242-1243.
82. *Ibid.*, p. 1243.

XVI. PIÉGÉE

1. Hannah Arendt, *Eichmann à Jérusalem*, *op. cit.*, p. 1263.
2. *Ibid.*, p. 1267.
3. *Ibid.*
4. *Ibid.*, p. 1271.
5. *Ibid.*, p. 1276.
6. *Ibid.*, p. 1281.
7. Dont on peut prendre connaissance dans le fonds Arendt de la New School, New York.
8. Hannah Arendt et Karl Jaspers, *Correspondance*, *op. cit.*, lettre n° 331 du 20 juillet 1963, p. 682.
9. En français dans le texte.
10. *Ibid.*
11. *Ibid.*, lettre n° 333 du 9 août 1963, p. 688.
12. *Ibid.*, lettre n° 332 du 25 juillet 1963, p. 683.
13. *Ibid.*, lettre n° 334 du 12 août 1963, p. 691.
14. *Ibid.*, lettre n° 333 du 9 août 1963, p. 688.
15. Mary McCarthy, *Le Groupe*, traduit par Antoine Gentien et Jean-René Fenwick, Gallimard, 1983.
16. Hannah Arendt et Karl Jaspers, *Correspondance*, *op. cit.*, lettre n° 343 du 24 novembre 1963, p. 714, et lettre n° 364 du 29 septembre 1964, p. 749. L'article que Hannah Arendt contestait avait été publié dans la revue *Aufbau* du 26 juillet 1963, et elle adressa une lettre pour exercer un droit de réponse à Kurt May le 29 juillet 1963.
17. Lionel Abel, « *The Aesthetics of Evil* », *Partisan Review*, été 1963, p. 219.
18. Michael Musmanno, « *Man with an Unspotted Conscience* », *New York Times Books Review*, 19 mai 1963, pp. 40-41. Voir Elisabeth Young-Bruehl, pp. 459 et 470.
19. Voir le fonds de la New School, à New York.

20. Correspondance inédite, fonds de la New School, New York.
21. Hannah Arendt, *Eichmann à Jérusalem*, *op. cit.*, p. 1133.
22. Hannah Arendt traita Leo Baeck de « *Führer* juif » dans la première édition d'*Eichmann à Jérusalem* et supprima la formule des éditions ultérieures. Voir aussi Martine Leibovici, in *Eichmann à Jérusalem*, *op. cit.*, p. 1014. Leo Baeck (1873-1956), président de la Représentation nationale des Juifs d'Allemagne de 1934 à 1938 puis de la Fédération nationale des Juifs d'Allemagne de 1938 à 1939, fut déporté à Theresienstadt en janvier 1943. Hannah avait accusé les membres des conseils juifs (*Judenräte*) d'avoir coopéré à la Solution finale. Pour elle, la présence ou l'absence des conseils juifs a un rapport direct avec l'examen qu'elle fait, pays par pays, du processus d'extermination. D'où cette phrase, qui lui valut le plus de commentaires insultants : « À Amsterdam comme à Varsovie, à Berlin comme à Budapest, on pouvait faire confiance aux responsables juifs pour dresser les listes des personnes et de leurs biens, pour obtenir, des déportés eux-mêmes, les fonds correspondant aux frais de déportation et d'extermination, pour recenser les appartements laissés vides, pour fournir des forces de police qui aidaient à l'arrestation des Juifs et les mettaient dans les trains, jusqu'à ce que, geste ultime, ils remettent dûment les fonds de la communauté juive aux nazis pour confiscation finale. » In *Eichmann à Jérusalem*, *op. cit.*, p. 1132. Hannah Arendt eut l'occasion en 1946, à New York, de rencontrer et de parler avec Leo Baeck qui avait survécu à la Shoah. Elle l'évoque dans une lettre du 14 janvier 1946 adressée à Kurt Blumenfeld, *Correspondance*, *op. cit.*, lettre n° 7, pp. 55-56 : « J'ai vu et j'ai parlé avec Baeck, qui est vraiment impressionnant parce que réellement impavide et que rien ne l'a entamé. S'exprime exactement comme en 1932 : Hitler a persécuté les Juifs — Pourquoi ? À cause du talent ! celui des Juifs, évidemment. Et la grossièreté ailleurs banale, vous ne la trouverez jamais chez un Juif. Bref, l'habituel boniment chauvin des assimilés de toujours. »
23. Correspondance inédite, fonds de la New School, New York.
24. *Ibid.*
25. Hannah Arendt et Mary McCarthy, *Correspondance*, *op. cit.*, lettre du 16 septembre 1963, p. 224.
26. Hannah Arendt et Karl Jaspers, *Correspondance*, *op. cit.*, lettre n° 336 du 20 octobre 1963, p. 698.
27. *In* « La controverse autour d'*Eichmann à Jérusalem* », *Eichmann à Jérusalem*, *op. cit.*, p. 1403.
28. Hannah Arendt et Mary McCarthy, *Correspondance*, *op. cit.*, lettre du 16 septembre 1963, p. 223.
29. *Ibid.*, p. 1405.
30. Correspondance inédite, fonds de la New School, New York.
31. Voir *supra*, note 83 du chapitre XIV.
32. Hannah Arendt et Mary McCarthy, *Correspondance*, *op. cit.*, lettre du 24 septembre 1963, p. 228.
33. Voir l'introduction de Pierre Bouretz à *Eichmann à Jérusalem*, *op. cit.*, p. 993.
34. Cité par Elisabeth Young-Bruehl, *op. cit.*, p. 474. Lettre de Hannah Arendt du 11 juin 1963.
35. Hannah Arendt et Mary McCarthy, *Correspondance*, *op. cit.*, lettre du 3 octobre 1963, p. 231.
36. « Vérité et politique », in *La Crise de la culture*, *op. cit.*
37. Hannah Arendt et Karl Jaspers, *Correspondance*, lettre n° 332 du 25 juillet 1963, pp. 683-684.
38. *Ibid.*, lettre n° 333 du 9 août 1963, pp. 689-690.
39. *Ibid.*, lettre n° 336 du 20 octobre 1963, p. 696.
40. *Ibid.*, p. 697.

41. *Ibid.*, lettre n° 333 du 9 août 1963, p. 688.
42. *Ibid.*, lettre n° 336 du 20 octobre 1963, pp. 683-684. Précisons que Hannah Arendt parle ici d'« assassinat » parce qu'elle a évoqué juste auparavant celui de Rudolf Kastner, ancien président du Conseil juif hongrois, qui fut assassiné, vraisemblablement par les services secrets israéliens, pour avoir coopéré avec les nazis.
43. Voir Hannah Arendt, *Eichmann à Jérusalem, op. cit.*, et Gershom Scholem, *Fidélité et Utopie : essais sur le judaïsme contemporain*, traduit par Marguerite Delmotte et Bernard Dupuy, Calmann-Lévy, 1978.
44. Hannah Arendt et Karl Jaspers, *Correspondance*, lettre n° 336 du 20 octobre 1963, pp. 697-698.
45. *Ibid.*, p. 698.
46. In *Eichmann à Jérusalem, op. cit.*, pp. 1343-1344.
47. Correspondance inédite, fonds New School, New York.
48. Hannah Arendt, *Eichmann à Jérusalem, op. cit.*, p. 1344.
49. *Ibid.*
50. *Ibid.*
51. *Ibid.*, p. 1345.
52. *Ibid.*
53. *Ibid.*
54. *Ibid.*, p. 1346.
55. *Ibid.*, p. 1347.
56. *Ibid.*, « un prodigieux *non sequitur* ».
57. Cf. Pierre Bouretz, introduction à *Eichmann à Jérusalem, op. cit.*, p. 998.
58. *Eichmann à Jérusalem*, correspondances et dossier critique, *op. cit.*, lettre de Hannah Arendt du 24 juillet 1963, p. 1353.
59. *Ibid.*, p. 1354.
60. *Ibid.*, n° 339 du 29 octobre 1963, p. 704.
61. Norman Podhoretz, *Ex-friends : falling out with Allen Ginsberg, Lionel & Diana Trilling, Lillian Hellman, Hannah Arendt and Norman Mailer*, The Free Press, 1999.
62. Cité dans l'introduction de Pierre Bouretz à *Eichmann à Jérusalem, op. cit.*, p. 1003.
63. Norman Podhoretz, *Ex-friends…, op. cit.*
64. Emmanuel Kant, *La Religion dans les limites de la simple raison*, traduction de J. Gibelin revue par M. Naar, Vrin, 1982. Voir notamment la première partie. Rappelons que chez Kant l'expression de mal radical ne désigne pas une volonté diabolique qui aurait le projet de faire le mal *en vue du mal lui-même*. L'expression correspond plutôt à l'idée d'une corruption de la volonté dans sa racine même qui ne place pas le respect de la loi morale comme mobile de ses actions. L'inversion de la hiérarchie des mobiles constitue le mal radical qu'il faut imputer à un libre choix originaire et c'est cette inversion qui rend possible les actions mauvaises.
65. Cité in *Eichmann à Jérusalem, op. cit.*, p. 1358.
66. Emmanuel Kant, *Critique de la faculté de juger*, § 40. Le livre d'Alain Finkielkraut, *L'Humanité perdue : essai sur le XXe siècle*, Seuil, 1996, est tout entier traversé par cet espoir arendtien de croire encore en un monde commun face à un monde global, empire du ressentiment.

XVII. LOYALE ENVERS LE RÉEL

1. Hannah Arendt et Karl Jaspers, *Correspondance, op. cit.*, lettre n° 343 du 24 novembre 1963, p. 711.

2. Sa critique des *Fruits d'or* paraît le 5 mars 1964 dans *The New York Review of Books*. Voir également : Hannah Arendt et Mary McCarthy, *Correspondance, op. cit.*, note 1 de la lettre du 13 janvier 1964, p. 242.

3. *Ibid.*, p. 712.

4. *Ibid.*, lettre n° 344 du 1er décembre 1963, p. 717.

5. *Ibid.*, lettre n° 343 du 24 novembre 1963, p. 713.

6. *Ibid.*, lettre n° 352 du 24 avril 1964, p. 733.

7. Golo Mann, « *Hannah Arendt und der Eichmann-Prozess* », *Neue Rundschau*, n° 4, 1963.

8. Cité dans l'introduction à *Eichmann à Jérusalem*, *op. cit.*, p. 998.

9. Hannah Arendt et Karl Jaspers, *Correspondance*, *op. cit.*, lettre n° 345 du 13 décembre 1963, p. 719.

10. *Ibid.*, p. 721.

11. *Ibid.*

12. Lettre de Hans Jonas à Hannah Arendt, envoyée environ dix mois après la publication d'*Eichmann à Jérusalem*. Fonds Arendt de la New School de New York.

13. Hannah Arendt et Karl Jaspers, *Correspondance*, *op. cit.*, lettre n° 353 du 14 mai 1964, p. 740.

14. *Ibid.*, p. 738.

15. *Ibid.*, lettre n° 360 du 4 octobre 1964, p. 750. C'est Karl Jaspers qui se réfère à ce propos que Hannah Arendt a tenu sur elle-même.

16. *Ibid.*

17. *Ibid.*, lettre n° 353 du 14 mai 1964, p. 739.

18. Hannah Arendt et Mary McCarthy, *Correspondance*, *op. cit.*, lettre du 2 avril 1965, p. 264.

19. *Ibid.*, lettre datée de : Noël 1964, p. 258.

20. Günther Anders, *Nous, fils d'Eichmann*, *op. cit.*

21. Hannah Arendt et Mary McCarthy, *Correspondance*, *op. cit.*, lettre datée : Noël 1964, p. 259.

22. Hannah Arendt et Karl Jaspers, *Correspondance*, *op. cit.*, lettre n° 360 du 4 octobre 1964, p. 750.

23. Hannah Arendt, « Seule demeure la langue maternelle », in *La Tradition cachée*, *op. cit.*, p. 245.

24. *Ibid.*

25. Hannah Arendt et Karl Jaspers, *Correspondance*, *op. cit.*, lettre n° 363 du 29 octobre 1964, p. 759.

26. Hannah Arendt, « Seule demeure la langue maternelle », in *La Tradition cachée*, *op. cit.*, p. 225.

27. *Ibid.*, p. 222.

28. *Ibid.*

29. *Ibid.*

30. Hannah Arendt et Karl Jaspers, *Correspondance*, *op. cit.*, lettre n° 362 du 25 octobre 1964, p. 755.

31. *Ibid.*, pp. 755-756.

32. *Ibid.*, lettre n° 365 du 29 novembre 1964, p. 764.

33. *Ibid.*, lettre n° 369 du 19 février 1965, p. 773.

34. *Ibid.*, lettre n° 365 du 29 novembre 1964, p. 764.

35. *Ibid.*, lettre n° 371 du 14 mars 1965, p. 779.

36. Norman Podhoretz, *Ex-friends...*, *op. cit.*

37. Hannah Arendt et Martin Heidegger, *Lettres et autres documents*, *op. cit.*, lettre n° 90 du 13 avril 1965, p. 148.

38. Hannah Arendt et Karl Jaspers, *Correspondance*, *op. cit.*, lettre n° 378 du 16 juin 1965, pp. 798-799.

39. *Ibid.*, lettre non datée arrivée le 13 avril 1965, p. 786.
40. Lettre de Hannah Arendt à Woolf et Bagguley du 14 septembre 1966, cité par Elisabeth Young-Bruehl, *op. cit.*, p. 502.
41. Hannah Arendt et Karl Jaspers, *Correspondance, op. cit.*, lettre n° 373 du 13 avril 1964, p. 786.
42. *Ibid.*, p. 784.
43. *Ibid.*, lettre du 11 juin 1965.
44. Hannah Arendt, « Vérité et politique », in *La Crise de la culture, op. cit.*, p. 317.
45. *Ibid.*, p. 303.
46. *Ibid.*, p. 304.
47. *Ibid.*, p. 336.

XVIII. PHILOSOPHE

1. « Vérité et politique » sera publiée par le *New Yorker* le 25 juillet 1967, puis intégrée à *La Crise de la culture, op. cit.*, pp. 298-336.
2. Hannah Arendt et Karl Jaspers, *Correspondance, op. cit.*, lettre du 25 juillet 1965, p. 803.
3. *Journal de pensée, op. cit.*, cahier « Vérité et politique », 1963-1964, § 2, p. 811.
4. *Ibid.*, § 10, p. 814.
5. Hannah Arendt et Mary McCarthy, *Correspondance, op. cit.*, lettre du 20 octobre 1965, p. 282.
6. Hannah Arendt et Karl Jaspers, *Correspondance, op. cit.*, lettre n° 382 du 20 septembre 1965, p. 804.
7. Hannah Arendt et Mary McCarthy, *Correspondance, op. cit.*, lettre du 20 octobre 1965, p. 282.
8. Jacob Robinson, *And The Crooked Schall Be Made Straight*, New York, Macmillan, 1965, *La Tragédie juive sous la croix gammée à la lumière du procès de Jérusalem, Le récit de Hannah Arendt et la réalité des faits*, traduit par Lucien Steinberg, Centre de documentation juive contemporaine, 1969.
9. Hannah Arendt et Karl Jaspers, *Correspondance, op. cit.*, lettre n° 384 du 7 octobre 1965, p. 809.
10. Jacob Robinson, *La Tragédie juive sous la croix gammée..., op. cit.*
11. Randall Jarrell (1914-1965) reste peu traduit en France. Son œuvre complète est disponible en anglais : *The complete poems*, Londres, Faber and Faber Ltd.,1971.
12. Paul Tillich (1889-1965). Signalons la publication de sa *Théologie systématique*, Le Cerf, Labor et Fides, Presses de l'Université Laval, 2000.
13. Hannah Arendt, « *The formidable Mr Robinson : a Reply to the Jewish Establishment* », *New York Review of Books*, n° 5112, 20 janvier 1966. Elle répondra aux lettres suscitées par son article dans le numéro du 17 mars 1966. Voir *Eichmann à Jérusalem, op. cit.*
14. Hannah Arendt et Karl Jaspers, *Correspondance, op. cit.*, lettre n° 389 du 16 janvier 1966, p. 821. Elle précise que « cette plaisanterie aurait coûté de 160 000 à 200 000 dollars d'après quelqu'un qui travaille dans la même boutique que monsieur Robinson ».
15. *New York Review of Books* du 11 novembre 1965. Voir *Eichmann à Jérusalem, op. cit.*, p. 137.
16. Alexander Schwan, *Politische Philosophie im Denken Heideggers*, Cologne-Opladen, 1965.
17. Hannah Arendt et Karl Jaspers, *Correspondance, op. cit.*, lettre n° 391 du 19 février 1966, p. 829.

18. Werner G. Brock (1901-1974), maître de conférence à Fribourg entre 1931 et 1933, put gagner la Grande-Bretagne grâce à Martin Heidegger. Il redevint enseignant à l'université de Fribourg après la guerre.

19. Karl Jaspers fait référence à un rapport de Martin Heidegger au corps professoral de Göttingen daté du 16 décembre 1933, déjà évoqué, où il parlait « du Juif Fränkel ».

20. Hannah Arendt et Karl Jaspers, *Correspondance, op. cit.*, lettre n° 393 du 9 mars 1966, pp. 831-832.

21. *Ibid.*, lettre n° 397 du 18 avril 1966, p. 837.

22. *Diskus*, 13e année, n° 1, janvier 1963.

23. Hannah Arendt et Karl Jaspers, *Correspondance, op. cit.*, note de la lettre n° 399, p. 1022.

24. *Ibid.*, lettre n° 398 du 27 juin 1966, p. 847.

25. *Ibid.*, lettre n° 401 du 10 août 1966, p. 856.

26. Hannah Arendt et Martin Heidegger, *Lettres et autres documents, op. cit.*, lettre n° 91 du 6 octobre 1966, p. 151.

27. *Ibid.*, poème de Friedrich Hölderlin (1770-1843), écrit un an avant sa mort, le 12 juillet 1842. Le texte allemand est le suivant : « *Der Herbst* ».

Das Glänzen der Natur ist höheres Erscheinen,
Wo sich der Tag mit vielen Freuden endet,
Es ist das Jahr, das sich mit Pracht vollendet,
Wo Früchte sich mit frohem Glanz vereinen.

Das Erdenrund ist so geschmückt, und selten lärmet
Der Schall durchs offne Feld, die Sonne wärmet
Den Tag des Herbstes mild, die Felder stehen
Als eine Aussicht weit, die Lüfte wehen

Die Zweig' und Äste durch mit frohem Rauschen
Wenn schon mit Leere sich die Felder dann vertauschen,
Der ganze Sinn des hellen Bildes lebt
Als wie ein Bild, das goldne Pracht umschwebet.

28. Hannah Arendt et Martin Heidegger, *Lettres et autres documents, op. cit.*, lettre du 19 octobre 1966, p. 153.

29. C'est-à-dire l'éditeur et deux membres de la rédaction du magazine.

30. Martin Heidegger, « Martin Heidegger interrogé par *Der Spiegel* », *Écrits politiques, op. cit.*, pp. 239-272. Conformément à la volonté de Heidegger, l'article ne fut publié qu'après la mort de celui-ci, soit dix ans après l'entretien dans le numéro du 31 mai 1976 du *Spiegel*.

31. *Ibid.*, p. 246.

32. *Ibid.*

33. *Ibid.*, pp. 256-257.

34. *Ibid.*, pp. 260-261.

35. *Ibid.*, p. 260.

36. *Ibid.*, p. 261.

37. *Ibid.*, p. 271.

38. Hannah Arendt et Karl Jaspers, *Correspondance, op. cit.*, lettre n° 401 du 10 août 1966, p. 857.

39. Hannah Arendt, « Rosa Luxemburg, 1871-1919 », *Vies politiques, op. cit.*, pp. 42-68.

40. *Ibid.*, p. 67.
41. Bernard Nauman, *Auschwitz : A Report on the Proceedings Against Robert Karl Ludwig Mulka and Others Before the Court at Frankfurt*, traduit par Jean Steinberg avec une introduction de Hannah Arendt, New York, 1966.
42. Hannah Arendt et Karl Jaspers, *Correspondance*, *op. cit.*, lettre n° 399 du 4 juillet 1966, p. 851.
43. *Ibid.*, lettre n° 407 du 13 octobre 1966, pp. 864-865.
44. *Ibid.*, p. 865.
45. *Ibid.*, lettre n° 408 du 3 novembre 1966, p. 866.
46. *Ibid.*, lettre n° 394 du 26 mars 1966, p. 835.
47. *Ibid.*, lettre n° 401 du 10 août 1966, p. 855.
48. Hannah Arendt, *Responsabilité et jugement*, édition établie par Jerome Kohn, traduit par Jean-Luc Fidel, Payot, 2005.
49. *Ibid.*
50. *Ibid.*
51. Hannah Arendt et Mary McCarthy, *Correspondance*, *op. cit.*, lettre du 11 octobre 1966, p. 290.
52. Merci à Pierre Nora de m'avoir donné de son temps et ouvert ses archives dans lesquelles j'ai pu prendre connaissance de cette note de lecture de Léon Poliakov.
53. Gideon Hausner, *Justice à Jérusalem. Eichmann devant ses juges*, *op. cit.*
54. Hannah Arendt et Mary McCarthy, *Correspondance*, *op. cit.*, lettre du 11 octobre 1966, p. 290.
55. *Ibid.*, lettre du 11 octobre 1966, p. 290.
56. Merci à Jean Daniel pour les deux entretiens qu'il m'a accordés et les discussions, longues et passionnées, que nous avons eues au sujet de la pertinence des questions que pose Hannah Arendt.
57. Cité par Pierre Bouretz, Introduction à *Eichmann à Jérusalem*, *op. cit.*, p. 997.
58. *Ibid.*
59. Hannah Arendt et Karl Jaspers, *Correspondance*, *op. cit.*, lettre n° 414 du 16 janvier 1967, p. 876.
60. *Ibid.*, p. 878.
61. *Ibid.*
62. *Ibid.*
63. Hannah Arendt, « Walter Benjamin, 1892-1940 », *Vies politiques*, *op. cit.*, p. 259.
64. *Ibid.*, pp. 258-259.
65. *Ibid.*, p. 281.
66. *Ibid.*, note 1, citation de Franz Kafka, p. 277.
67. La New School conserve aujourd'hui une partie des archives de Hannah Arendt.
68. Du 5 au 10 juin 1967, Israël fit simultanément la guerre à l'Égypte, à la Jordanie et à la Syrie.
69. Hannah Arendt et Karl Jaspers, *Correspondance*, *op. cit.*, lettre n° 419 du 10 juin 1967, pp. 884-885.
70. Dayan était, depuis fin mai, ministre israélien de la Défense.
71. Hannah Arendt et Karl Jaspers, *Correspondance*, *op. cit.*, lettre n° 421 du 1er octobre 1967, p. 888.
72. *Ibid.*
73. Hannah Arendt et Martin Heidegger, *Lettres et autres documents*, *op. cit.*, lettre n° 93 du 10 août 1967, p. 154.
74. *Ibid.*

75. *Ibid.*, lettre du 18 août 1967, p. 156. Il termine par « Salutations d'Elfride. Salue bien Heinrich ».
76. Hannah Arendt et Karl Jaspers, *Correspondance, op. cit.*, lettre n° 423 du 20 février 1968, p. 891.
77. Hannah, dans une lettre à Mary McCarthy, lui dit son admiration pour son travail de reportage (cf. Hannah Arendt et Mary McCarthy, *Correspondance, op. cit.*, lettre du 13 juin 1968, pp. 321-322). Elle n'en a lu alors que le début et se montrera beaucoup plus critique par la suite.
78. Hannah Arendt, lettre à Daniel Cohn-Bendit du 27 juin 1968, citée par Elisabeth Young-Bruehl, *op. cit.*, p. 541. Merci à Daniel Cohn-Bendit qui m'a donné de son temps pour évoquer l'importance de la personne de Hannah pour ses parents et m'expliquer l'influence de son œuvre philosophique, qu'il fréquente depuis longtemps.
79. Hannah Arendt et Karl Jaspers, *Correspondance, op. cit.*, lettre n° 426 du 13 juin 1968, p. 893.
80. Hannah Arendt et Heinrich Blücher, *Correspondance, op. cit.*, lettre du 4 septembre 1968, p. 516.
81. Elisabeth Young-Bruehl, *op. cit.*, pp. 548-549.
82. « Sur la violence », *Du mensonge à la violence. Essais de politique contemporaine*, traduit par Guy Durand, Calmann-Lévy, 1972, rééd. Presses-Pocket, 1989.
83. *Ibid.*, p. 117.
84. Entretien avec Elisabeth Young-Bruehl, New York, novembre 2002.
85. Hannah Arendt et Karl Jaspers, *Correspondance, op. cit.*, lettre n° 433, télégramme de Gertrud Jaspers du 26 février 1969 : « Karl décédé 13.43 pm ».
86. *Ibid.*, pp. 900-902.
87. *Ibid.*
88. Hannah Arendt et Mary McCarthy, *Correspondance, op. cit.*, lettre du 17 octobre 1969, p. 358.
89. *Journal de pensée, op. cit.*, août 1969, § 27, p. 915.

XIX. SEULE

1. Hannah Arendt et Mary McCarthy, *Correspondance, op. cit.*, lettre du 8 août 1969, p. 354.
2. *Ibid.*, p. 351.
3. « Le pouvoir réside dans le peuple », Cicéron, *Des lois*, 3, 2, 38.
4. Hannah Arendt et Mary McCarthy, *Correspondance, op. cit.*, lettre du 17 octobre 1969, pp. 358-359.
5. Voir la préface de Jerome Kohn à *Responsabilité et jugement, op. cit.*
6. *Ibid.*
7. Voir aussi dans Hannah Arendt et Karl Jaspers, *Correspondance, op. cit.*, lettre n° 422 du 25 novembre 1967, p. 890. Hannah Arendt explique que le fait de recourir à la police reviendrait à traiter les étudiants comme des criminels, et provoquerait des violences.
8. *Journal de pensée, op. cit.*, août 1969, § 27, p. 917.
9. *Ibid.*, p. 918.
10. « Martin Heidegger a quatre-vingts ans », traduit en anglais dans la *New York Review of Books* du 21 octobre 1971 et en français par Barbara Cassin et Patrick Lévy, *Vies politiques, op. cit.*, pp. 307-320.
11. *Ibid.*, p. 307. Citation de Platon, *Les Lois*, 775 e.
12. *Ibid.*, p. 308.

13. *Ibid.*, p. 309. Traduction de l'expression *zur Sache des Denkens*, correspondant à un texte publié par Heidegger en 1969.
14. *Ibid.*, p. 318.
15. *Ibid.*
16. *Ibid.*, p. 319.
17. *Ibid.*
18. *Ibid.*, p. 320.
19. *Ibid.*
20. Hannah Arendt et Mary McCarthy, *Correspondance*, *op. cit.*, lettre du 17 octobre 1969, pp. 359-360.
21. *Journal de pensée*, *op. cit.*, novembre 1969, § 12, p. 950.
22. Cité par Elisabeth Young-Bruehl, *op. cit.*
23. Hannah Arendt et Mary McCarthy, *Correspondance*, *op. cit.*, lettre du 4 juin 1970, p. 370.
24. Hannah Arendt, « La désobéissance civile », *Du mensonge à la violence. Essais de politique contemporaine*, *op. cit.*, pp. 53-104.
25. Hannah Arendt, *La Vie de l'esprit*, traduit par Lucienne Lotringer, tome I, *La Pensée*, PUF, 1981 ; tome II, *Le Vouloir*, PUF, 1983. Ces deux tomes ont été réunis en un volume dans la collection « Quadrige » en 2005.
26. Hannah Arendt et Mary McCarthy, *Correspondance*, *op. cit.*, lettre du 30 juin 1970, p. 375.
27. Voir Elisabeth Young-Bruehl, *op. cit.*, p. 516.
28. *Ibid.*, p. 567.
29. *Ibid.*, pp. 567-568.
30. *Ibid.*
31. Cours ronéotés de Heinrich Blücher, fonds du Bard College. Merci aux personnes de cet établissement qui m'ont reçue et parlé de Heinrich Blücher, permis de visiter la bibliothèque de Hannah et de Heinrich, et de me rendre dans le parc où ils reposent tous deux, sous les arbres, dans le calme de la nature et au milieu du pépiement des oiseaux.
32. Fonds de la New School, New York.
33. Platon, *Apologie de Socrate*, 42 a.
34. Hannah Arendt et Mary McCarthy, *Correspondance*, *op. cit.*, lettre du 22 novembre 1970, p. 389.
35. *Journal de pensée*, *op. cit.*, novembre 1970, § 86, p. 989.
36. Bertolt Brecht, « Ballade de Mazeppa » (1918), dixième strophe in *Poèmes*, tome I, traduit par Eugène Guillevic, L'Arche, 1965, p. 97.
37. Hannah Arendt et Mary McCarthy, *Correspondance*, *op. cit.*, lettre du 22 novembre 1970, p. 389.
38. Elisabeth Young-Bruehl, *op. cit.*, p. 572.
39. *Ibid.*, p. 574.
40. Hannah Arendt et Mary McCarthy, *Correspondance*, *op. cit.*, lettre du 22 novembre 1970, p. 390.
41. En date du 12 novembre 1970.
42. Hannah Arendt et Mary McCarthy, *Correspondance*, *op. cit.*, lettre du 22 novembre 1970, p. 391.
43. Hannah Arendt et Martin Heidegger, *Lettres et autres documents*, *op. cit.*, lettre n° 126 du 9 novembre 1970, p. 199.
44. Hannah Arendt et Mary McCarthy, *Correspondance*, *op. cit.*, lettre du 1er décembre 1970, p. 393.
45. Hannah Arendt et Martin Heidegger, *Lettres et autres documents*, *op. cit.*, lettre n° 127 du 27 novembre 1970, p. 201.
46. *Journal de pensée*, *op. cit.*, 1971, § 1, p. 993.

47. Hannah Arendt et Mary McCarthy, *Correspondance, op. cit.*, lettre du 5 février 1971, p. 399.
48. Hannah Arendt et Martin Heidegger, *Lettres et autres documents, op. cit.*, lettre n° 128 du 20 mars 1971, p. 203.
49. Hannah Arendt et Mary McCarthy, *Correspondance, op. cit.*, lettre du 13 février 1971, p. 406.
50. *Ibid.*

XX. PROFONDE

1. *Journal de pensée, op. cit.*, 1971, § 7, référence explicite à la visite à Heidegger le 22 avril 1971, p. 995.
2. Hannah Arendt et Martin Heidegger, *Lettres et autres documents, op. cit.*, lettre n° 130 du 17 mai 1971, p. 204.
3. Hannah Arendt et Mary McCarthy, *Correspondance, op. cit.*, lettre du 31 mai 1971, pp. 422-423.
4. Hannah Arendt, « Du mensonge en politique : réflexions sur les documents du Pentagone », *Du mensonge à la violence, op. cit.*, pp. 7-51.
5. *Ibid.*, p. 46.
6. Hannah Arendt et Martin Heidegger, *Lettres et autres documents*, lettres n° 131 à 135, entre le 13 juillet et le 19 août 1971, pp. 205-214.
7. Hannah Arendt, *La Vie de l'esprit, op. cit.*. Les chapitres cités correspondent aux chapitres III et IV du premier volume *La Pensée*.
8. Hannah Arendt et Mary McCarthy, *Correspondance, op. cit.*, lettre datée du 22 et du 25 janvier 1972, p. 438.
9. *Ibid.*
10. *Ibid.*
11. Hannah Arendt et Martin Heidegger, *Lettres et autres documents, op. cit.*, poème joint à la lettre n° 141 du 15 février 1972, p. 221.
12. *Ibid.*, lettre n° 144 du 27 mars 1972, p. 226.
13. *Ibid.*, lettre n° 145 du 19 avril 1972, p. 228.
14. Martin Heidegger, *Qu'appelle-t-on penser ?*, traduit par Aloys Becker et Gérard Granel, « Épiméthée », PUF, 1959.
15. Voir la préface de Mary McCarthy à *La Vie de l'esprit, op. cit.*, pp. 7-16. Voir aussi l'analyse magistrale de Julia Kristeva, *Le Génie féminin*, tome I, Fayard, 1999.
16. Hannah Arendt et Martin Heidegger, *Lettres et autres documents, op. cit.*, lettre n° 150 du 17 septembre 1972, p. 232.
17. *Ibid.*, lettre n° 151 du 8 décembre 1972, p. 233.
18. Cité par Elisabeth Young-Bruehl, *op. cit.*, p. 592.
19. Gabriel Marcel, *Le Mystère de l'être*, Aubier, 1951 ; Étienne Gilson, *L'Esprit de la philosophie médiévale*, J. Vrin, 1932.
20. Elisabeth Young-Bruehl, *op. cit.*, p. 593.
21. Cité par Elisabeth Young-Bruehl, *op. cit.*, p. 594.
22. Hannah Arendt, *La Vie de l'esprit, op. cit.*, I, *La Pensée* pp. 17-18.
23. *Ibid.*, p. 18.
24. Hannah Arendt et Mary McCarthy, *Correspondance, op. cit.*, lettre du 17 août 1973, p. 484.
25. Hannah Arendt et Martin Heidegger, *Lettres et autres documents, op. cit.*, lettre n° 155 du 18 juillet 1973, p. 236.
26. *Ibid.*, lettre n° 156 du 29 juillet 1973, p. 237.

27. Connu sous le nom de « séminaire du Thor », du nom du lieu où il se tenait, deux heures et demie par jour sur trois jours, devant un cercle d'amis. Merci à Dominique Fourcade qui m'a décrit ces séminaires auxquels il a eu la chance d'assister.

28. Elisabeth Young-Bruehl, *op. cit.*, p. 596.

29. Saint Augustin, *Confessions*, XI, 12.

30. Wystan Hugh Auden (1907-1973), *Poésies choisies*, traduit par Jean Lambert, Gallimard, 1968, rééd. coll. Poésie, 2005.

31. La publication du livre d'Auden sur *Falstaff* l'avait ainsi entraînée à méditer en philosophe sur le pardon et la charité.

32. Voir le fonds Hannah Arendt, à la New School, New York.

33. Souvenirs d'Elisabeth Young-Bruehl, entretien du 12 février 2001.

34. Fonds de la New School.

35. Publié dans le *New Yorker* du 20 janvier 1975 et en français dans Wystan H. Auden, *Essais critiques*, traduit par Claude Habib, Claude Mouchard, Pierre Pachet, suivis de « En souvenir de Wystan H. Auden, mort dans la nuit du 28 septembre 1973 » par Hannah Arendt, Belin, 2000.

36. Cité par Elisabeth Young-Bruehl, *op. cit.*, p. 598.

37. Lettre inédite à Roger Errera du 31 octobre 1972, fonds Hannah Arendt, New School, New York.

38. Archives de l'Institut national de l'audiovisuel.

39. Cette citation de Char (cf. *Œuvres complètes*, *Feuillets d'Hypnos*, Bibliothèque de la Pléiade, Gallimard, Paris, 1998, p. 190) ouvre la préface de Hannah Arendt à *La Crise de la culture* (cf. *La Crise de la culture*, traduit sous la direction de Patrick Lévy, Gallimard, Folio Essais, 1989, p. 11).

40. Elisabeth Young-Bruehl, *op. cit.*, p. 599.

41. Hannah Arendt et Mary McCarthy, *Correspondance*, *op. cit.*, lettre du 16 octobre 1973, p. 495.

42. *Ibid.*, lettre du 16 octobre 1973, p. 494.

43. *Ibid.*, lettre du 1er mars 1974, p. 502.

44. Lettre du 23 décembre 1973, citée par Elisabeth Young-Bruehl, *op. cit.*, p. 578.

45. Elisabeth Young-Bruehl, *op. cit.*, p. 603. Voir aussi Hannah Arendt et Mary McCarthy, *Correspondance*, *op. cit.*, note de l'éditeur, p. 505.

46. Entretien avec Lotte Köhler, février 2003.

47. Hannah Arendt et Mary McCarthy, *Correspondance*, *op. cit.*, lettre du 11 mai 1974, p. 506.

48. Hannah Arendt et Martin Heidegger, *Lettres et autres documents*, *op. cit.*, lettre n° 159 du 20 juin 1974, p. 240.

49. Fonds de la New School, New York. Martin Heidegger travaille en effet à écrire une introduction à l'édition intégrale de ses œuvres, où il esquisse les lignes directrices de son travail. Il confie à Hannah : « Cela demande beaucoup de réflexion et d'inventaire [...]. Il semble seulement que la pensée porte trop court avec ces esquisses. » *In* Hannah Arendt et Martin Heidegger, *Lettres et autres documents*, *op. cit.*, lettre du 17 septembre 1974, p. 243.

50. *Ibid.*, lettre n° 161 du 26 juillet 1974, p. 242.

51. *Ibid.*, lettre n° 158 du 14 mars 1974, p. 239.

52. Martin Heidegger, *De l'essence de la liberté humaine : introduction à la philosophie*, texte établi par Hartmut Tietjen et traduit par Emmanuel Martineau, in *Œuvres de Martin Heidegger*, section II, cours 1923-1944, Gallimard, 1987.

53. Hannah Arendt et Martin Heidegger, *Lettres et autres documents*, *op. cit.*, lettre n° 163 datée « Après le 26 septembre 1974 », p. 244.

54. Hannah Arendt et Mary McCarthy, *Correspondance, op. cit.*, lettre du 9 septembre 1974, pp. 513-514.
55. *Ibid.*, lettre du 12 septembre 1974, p. 514.
56. *Ibid.*, lettre du 12 septembre 1974, p. 515.
57. Cité *in* Elisabeth Young-Bruehl, *op. cit.*, p. 606.
58. In *New York Review of Books* du 26 juin 1975 et tout récemment traduit en français dans *Responsabilité et Jugement, op. cit.*
59. Produit par Fabienne Servan-Schreiber.
60. Hannah Arendt et Martin Heidegger, *Lettres et autres documents, op. cit.*, lettre du 6 juin 1975, p. 244.
61. *Ibid.*, lettre n° 166 du 30 juillet 1975, p. 246.
62. Hannah Arendt et Mary McCarthy, *Correspondance, op. cit.*, lettre du 22 août 1975, p. 541.
63. *Ibid.*
64. *Journal de pensée, op. cit.*, décembre 1969, § 22, p. 954.
65. Conservé dans le fonds Arendt de la New School.
66. W.H. Auden, *Poésies choisies, op. cit.*, p. 35, cité par Hannah Arendt, *La Vie de l'esprit, op. cit., I, La Pensée*, p. 238.
67. Citation orale d'Augustin qui revenait souvent dans la bouche d'Hannah Arendt lors de conversations avec ses amies. Entretiens avec Lotte Köhler et Lore Jonas.
68. Les *Basic Writings* contiendront, comme elle le souhaitait, l'introduction d'*Être et Temps* et les essais *Qu'est-ce que la métaphysique ?, Sur l'essence de la vérité, L'Origine de l'œuvre d'art, Lettre sur l'humanisme.*
69. Correspondance inédite avec le professeur Peter Furs, fonds de l'université du Missouri, archives New School, New York.
70. Lettre de Hannah Arendt à Peter Fuss du 19 février 1975, fonds Arendt de la New School, New York.
71. Elisabeth Young-Bruehl, *op. cit.*, p. 614.
72. *Ibid.*, pp. 614-615.
73. Hannah Arendt et Martin Heidegger, *Lettres et autres documents, op. cit.*, lettre de Martin Heidegger à Hans Jonas du 27 décembre 1975, p. 249.
74. Hannah Arendt, *Journal de pensée, op. cit.*, juin 1970, § 66, p. 977.

BIBLIOGRAPHIE DES ŒUVRES DE HANNAH ARENDT TRADUITES EN FRANÇAIS

Auschwitz et Jérusalem, traduit par Sylvie-Courtine Denamy, Deuxtemps Tierce, 1991, rééd. Presses-Pocket, 1993.

Le Concept d'amour chez Augustin, avant-propos de Guy Petitdemange, traduit par Anne-Sophie Astrup, Deuxtemps Tierce, 1991, rééd. Payot, coll. Rivages, 1996.

Condition de l'homme moderne, traduit par Georges Fradier, Calmann-Lévy, 1961, nouvelle édition avec une préface de Paul Ricœur, 1983, rééd. Presses-Pocket, 1985.

Considérations morales, précédé d'un essai de Mary McCarthy, traduit par Marc Ducassou et Didier Maes, Rivages, 1996.

La Crise de la culture, traduit sous la direction de Patrick Lévy, Gallimard, 1972, rééd. Folio Essais, 1989.

Du mensonge à la violence, traduit par Guy Durand, Calmann-Lévy, 1972, rééd. Presses-Pocket, 1989.

Eichmann à Jérusalem, traduit par Anne Guérin (1966), traduction revue par Michelle-Irène Brudny-de Launay (1991) et révisée par Martine Leibovici dans *Les Origines du totalitarisme. Eichmann à Jérusalem*, édition établie sous la direction de Pierre Bouretz, Gallimard, coll. Quarto, 2002.

Essai sur la révolution, traduit par Michel Chrestien, Gallimard, 1967, rééd. coll. Tel, 1985.

Journal de pensée, édité par Ursula Ludz et Ingeborg Nordmann en collaboration avec le Hannah Arendt Institut de Dresde, traduit par Sylvie Courtine-Denamy, vol. 1, juin 1950-février 1954, vol. 2, mars 1954-1973, Seuil, 2005.

Juger. Sur la philosophie politique de Kant, traduit par Myriam Revault d'Allonnes, suivi de « Deux essais interprétatifs » par Ronald Beiner et Myriam Revault d'Allonnes, Seuil, 1991, rééd. coll. Points, 2003.

La Nature du totalitarisme, traduit par Michelle-Irène Brudny de Launay, Payot, 1990.

Les Origines du totalitarisme, traduit par Micheline Pouteau (« L'antisémitisme »), Martine Leiris (« L'impérialisme »), Jean-Loup Bourget, Robert Davreu et Patrick Lévy (« Le totalitarisme »), révision des traductions par Hélène Frappat dans *Les Origines du totalitarisme. Eichmann à Jérusalem*, édition établie sous la direction de Pierre Bouretz, Gallimard, coll. Quarto, 2002.

Penser l'événement, traduit sous la direction de Claude Habib, Belin, 1989.

La Philosophie de l'existence et autres essais, Payot, 2000.

Qu'est-ce que la politique ?, traduit par Sylvie Courtine-Denamy, Seuil, 1995, rééd. coll. Points, 2001.

Qu'est-ce que la philosophie de l'existence ?, Payot & Rivages, coll. Rivages poche, 2002.

Rahel Varnhagen. La Vie d'une Juive allemande à l'époque du Romantisme. Lettres de Rahel (1793-1814), traduit par Henri Plard, Tierce, 1986, rééd. Presses-Pocket, 1994.

Responsabilité et jugement, Payot, 2005.

La Tradition cachée : le Juif comme paria, traduit par Sylvie Courtine-Denamy, Christian Bourgois, 1987.

La Vie de l'esprit, vol. 1 ; *La pensée*, vol. 2 ; *Le vouloir*, traduit par Lucienne Lotringer, PUF, 1981 et 1983, rééd. coll. Quadrige en un seul volume, 2005.

Vies politiques, traduit par Éric Adda, Jacques Bontemps, Barbara Cassin, Didier Don, Albert Kohn, Patrick Lévy, Agnès Oppenheimer-Faure, Gallimard, 1974, rééd. coll. Tel, 1986.

Correspondance :

Hannah Arendt et Kurt Blücher, *Correspondance (1936-1968)*, introduite par Lotte Köhler, traduit par Anne-Sophie Astrup, Calmann-Lévy, 1999.

Hannah Arendt et Kurt Blumenfeld, *Correspondance (1933-1963)*, préface de Martine Leibovici, traduit par Jean-Luc Évard, Desclée de Brouwer, 1998.

Hannah Arendt et Martin Heidegger, *Lettres et autres documents* (*1925-1975*), traduit par Pascal David, Gallimard, 2001.

Hannah Arendt et Karl Jaspers, *Correspondance (1926-1969)*, avant-propos de Lotte Köhler et Hans Saner, traduit par Éliane Kaufholz-Messmer, Payot, 1995.

Hannah Arendt et Mary McCarthy, *Correspondance (1949-1975)*, réunie, présentée et annotée par Carol Brightman, traduit par Françoise Adelstain, Stock, 1996.

INDEX DES PERSONNES CITÉES

Composition Nord Compo.
Achevé d'imprimer par
CPI Firmin-Didot
à Mesnil-sur-l'Estrée, le 27 février 2012.
Dépôt légal : février 2012.
1er dépôt légal : septembre 2005
Numéro d'imprimeur : 110057.
ISBN 978-2-07-076263-7/Imprimé en France.

243393